AF513262

आर. गुप्ता® कृत

पॉपुलर मास्टर गाइड

BHU-CHS

काशी हिन्दू विश्वविद्यालय-केन्द्रीय हिन्दू स्कूल

स्कूल प्रवेश परीक्षा (SET)

कक्षा 9

- नवीनतम परीक्षा पद्धति के अनुसार सभी विषय सम्मिलित
- अध्यायवार थ्योरी नोट्स और नवीनतम हल किए गए प्रश्न-पत्र

RPH संपादक मंडल

द्वारा संपादित

2027
EDITION

रमेश पब्लिशिंग हाउस, नई दिल्ली

प्रकाशक
ओ॰पी॰ गुप्ता, **रमेश पब्लिशिंग हाउस**
प्रशासनिक कार्यालय
12-H, न्यू दरियागंज रोड, ऑफिसर्स मेस के सामने,
नई दिल्ली-110002 ✆ 23275224, 23245124

E-mail: info@rameshpublishinghouse.com
For Online Shopping: www.rameshpublishinghouse.com
विक्रय केन्द्र
• बालाजी मार्किट, नई सड़क, दिल्ली-110006 ✆ 23282525 📱 9354373464
• 4457, नई सड़क, दिल्ली-110006

Book Code: R-2908

ISBN: 978-93-5477-708-0

मूल्यः ₹ 495

मुद्रक: Guruji Printers, New Delhi-110096

अनुक्रमणिका

Method of Selection & Entrance Test Syllabus For Class IXth

- The Question Paper will be up to class VIII standard comprising 100 MCQs of subjects—English, Hindi, Mathematics, Social Science and Science.
- On the basis of the marks obtained in the Entrance Test a Merit List will be drawn for admission in each class and a candidate will be given a seat in the concerned class strictly on the basis of the merit. In case of a tie the Banaras Hindu University Guidelines will be followed.
- A Question Booklet containing the questions and a separate Answer Sheet shall be provided to the candidate at the beginning of the Test.
- Each question shall be followed by four alternative answers. The candidate is required to identify the one which he/she feels to be the correct answer and record the answer by darkening the **appropriate oval** in the answer sheet with **Blue/Black Ball Point pen only**.
- The answer will be treated incorrect if more than one oval is darkened or an oval is darkened improperly. Any other method of marking such as tick mark, cross mark, use of dot, line mark and half-filled oval or marks outside the oval shall not be evaluated.
- If any question is not attempted and the candidate leaves all the ovals against that question as blank, such an answer will be awarded **zero** mark.

❑❑❑

पिछले प्रश्न-पत्र (हल सहित)

BHU–केन्द्रीय हिन्दू स्कूल (CHS)

स्कूल प्रवेश परीक्षा (SET), (कक्षा 9), 2025

(Exam held on 11-05-2025)

1. किसी कक्षा में लड़कों और लड़कियों की संख्या का अनुपात 7 : 5 है। यदि कक्षा में लड़कों की संख्या लड़कियों की संख्या से 8 अधिक है, तो कक्षा में कुल छात्रों की कितनी संख्या है?

1. 50 2. 38
3. 52 4. 48

2. किसी व्यक्ति को रेडियो ₹ 950 में बेचने पर 5% की हानि होती है, यदि वह इसी रेडियो को ₹ 1040 में बेचता है, तो कितने प्रतिशत का लाभ होगा?

1. 5% 2. 4%
3. 6% 4. 8%

3. A के किसी कार्य को करने की गति B के कार्य करने की गति की दोगुनी है। यदि A और B दोनों मिलकर किसी कार्य को 12 दिनों में पूर्ण करते हैं, तो उसी कार्य को B अकेला कितने दिनों में करेगा?

1. 36 दिन 2. 24 दिन
3. 18 दिन 4. 20 दिन

4. किसी बेलन के आधार की त्रिज्या तथा उसके ऊँचाई का अनुपात 2 : 3 है। यदि उस बेलन का आयतन 1617 cm^3 है, तो उस बेलन का सम्पूर्ण पृष्ठीय क्षेत्रफल क्या है?

1. 770 cm^2 2. 780 cm^2
3. 800 cm^2 4. 880 cm^2

5. यदि किसी समबाहु त्रिभुज का क्षेत्रफल $4\sqrt{3}\ cm^2$ है, तो इस समबाहु त्रिभुज की प्रत्येक भुजा का मान है:

1. $\frac{4}{\sqrt{3}}$ cm 2. 4 cm
3. $\frac{2}{\sqrt{3}}$ cm 4. 2 cm

6. यदि बीजीय व्यंजक $7\sqrt{2}x^2 - 10x - 4\sqrt{2}$ के दो गुणनखण्ड हैं, तो गुणनखण्डों का मान है:

1. $\left(4-7\sqrt{2}x\right)^2$ 2. $\left(7\sqrt{2}x-\sqrt{3}\right)\left(x-\sqrt{2}\right)$
3. $\left(x+\sqrt{2}\right)\left(7\sqrt{2}-4\right)$ 4. $\left(x-\sqrt{2}\right)\left(7\sqrt{2}x+4\right)$

7. यदि $x+\frac{1}{x}=4$, तो $x^4+\frac{1}{x^4}$ का मान है:

1. 196 2. 194
3. 198 4. 192

8. $\left(\frac{1}{27}\right)^{-\frac{2}{3}}$ का सरलतम मान है:

1. $\frac{1}{9}$ 2. $-\frac{1}{9}$
3. 9 4. 27

9. ₹ 4000 का 10% वार्षिक ब्याज की दर से 2 वर्षों का चक्रवृद्धि ब्याज है:

1. ₹ 480 2. ₹ 800
3. ₹ 900 4. ₹ 840

10. 12 भुजाओं वाले पॉलीगन में विकर्णों की संख्या कितनी है?

1. 60 2. 54
3. 30 4. 27

11. निम्नलिखित में से कौन-सा पेट्रोलियम का अवयव **नहीं** है?

1. पैराफिन मोम 2. पेट्रोल
3. स्नेहक तेल 4. कोक

12. समाप्त होने वाले प्राकृतिक संसाधन हैं:

1. मात्रा में असीमित
2. प्रकृति पर निर्भर नहीं
3. मात्रा में सीमित
4. मानव द्वारा नहीं खत्म किया हुआ

13. जैव खाद के संदर्भ में निम्नलिखित में से कौन-सा कथन सही **नहीं** है?

1. यह मृदा की जलधारिता क्षमता को बढ़ा देता है।
2. इसमें सभी पादप पोषक तत्व संतुलित मात्रा में होते हैं।
3. यह मृदा को ह्यूमस प्रदान करती है।
4. यह मिट्टी की बनावट में सुधार करता है।

1. 4	**2.** 2	**3.** 1	**4.** 1	**5.** 2	**6.** 4	**7.** 2
8. 3	**9.** 4	**10.** 2	**11.** 4	**12.** 3	**13.** 2	

14. वह रोग जो एक प्रोटोजोआ प्राणी द्वारा उत्पन्न होता है और कीट द्वारा फैलता है:

1. डेंगू 2. मलेरिया
3. पोलियो 4. खसरा

15. लाइकेनों के भीतर सहजीवी संबंध बनाने वाले दो सूक्ष्मजीव कौन-से होते हैं?

1. फफूँद और प्रोटोजोआ 2. जीवाणु और प्रोटोजोआ
3. शैवाल और जीवाणु 4. शैवाल और फफूँद

16. निम्नलिखित में से ज्वलनशील पदार्थों के बारे में सही कथन का चुनाव कीजिए:

1. इनका ज्वलन ताप निम्न होता है और आसानी से आग नहीं पकड़ता है।
2. इनका ज्वलन ताप उच्च होता है और आसानी से आग पकड़ लेता है।
3. इनका ज्वलन ताप निम्न होता है और आसानी से आग पकड़ लेता है।
4. इनका ज्वलन ताप उच्च होता है और आसानी से आग नहीं पकड़ता है।

17. निम्नलिखित में से किसे सबसे स्वच्छ ईंधन माना जाता है?

1. लकड़ी 2. पेट्रोल
3. किरोसिन 4. हाइड्रोजन गैस

18. मैग्नीशियम का रिबन (फीता) वायु में जलने पर उत्पन्न करता है:

1. मैग्नीशियम ऑक्साइड, जल और प्रकाश
2. मैग्नीशियम ऑक्साइड और ऊष्मा
3. मैग्नीशियम, ऑक्साइड, ऊष्मा और प्रकाश
4. मैग्नीशियम ऑक्साइड, जल और ऊष्मा

19. अपने प्राकृतिक वास में जैवविविधता के संरक्षण के लिए निम्नलिखित में से कौन-सा स्थान है?

(*i*) प्राणी उद्यान (*ii*) पादप उद्यान
(*iii*) वन्यजीव अभ्यारण्य (*iv*) राष्ट्रीय पार्क

1. (*i*) और (*ii*) 2. (*ii*) और (*iii*)
3. (*iii*) और (*iv*) 4. (*i*) और (*iv*)

20. मुकुलन द्वारा जनन होता है:

1. हाइड्रा में 2. अमीबा में
3. पैरामीशियम में 4. साँपों में

21. नीचे दी गई जंतुओं की सूची में मुर्गी बेमेल है। इसका कारण चुनिए:

मानव, गाय, कुत्ता, मुर्गी

1. इसमें आंतरिक निषेचन होता है।
2. यह अंडाणुप्रजक है।
3. यह सजीवप्रजक है।
4. इसमें बाह्य निषेचन होता है।

22. AIDS किसी संक्रमित व्यक्ति से दूसरे व्यक्ति में किसके जरिए फैल सकता है?

1. साझे भोजन के द्वारा 2. रुधिराधान से
3. साझे कंघे के प्रयोग से 4. मच्छर के काटने से

23. यह मानना कि माँ ही बच्चे के लिंग के लिए पूरी तरह से जिम्मेदार होती है, गलत है क्योंकि:

1. बच्चा केवल माँ से ही गुणसूत्र प्राप्त करता है
2. माँ के शरीर के भीतर बढ़ता-पनपता है
3. बच्चा एक गुणसूत्र माँ से प्राप्त करता है और दूसरा पिता से
4. बच्चा केवल पिता से गुणसूत्र प्राप्त करता है

24. एक ही भूमि पर अलग-अलग फसलों को बारी-बारी से उगाने को तकनीकी रूप से क्या कहा जाता है?

1. फसल परिवर्तन 2. फसल चक्र
3. फसल क्रांति 4. फसल बदलाव

25. दो वस्तुएँ एक-दूसरे को प्रतिकर्षित करती हैं। यह प्रतिकर्षण हो सकता है:

1. केवल घर्षण बल द्वारा
2. केवल स्थिर वैद्युत बल द्वारा
3. केवल चुंबकीय बल द्वारा
4. चुंबकीय बल या स्थिर वैद्युत बल द्वारा

26. चित्र में जल से भरा एक बर्तन दर्शाया गया है। जल के दाब के संदर्भ में निम्नलिखित में से कौन-सा कथन **सही** है?

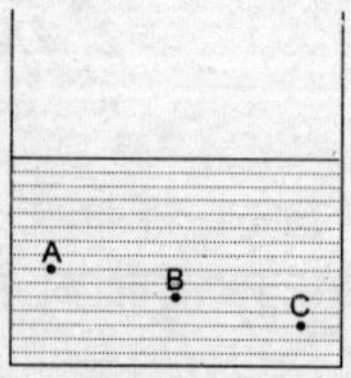

1. A पर दाब $>$ B पर दाब $>$ C पर दाब
2. A पर दाब $=$ B पर दाब $=$ C पर दाब
3. A पर दाब $<$ B पर दाब $>$ C पर दाब
4. A पर दाब $<$ B पर दाब $<$ C पर दाब

27. एक ही प्रारंभिक चाल से चलती हुई कोई खिलौना कार सबसे अधिक दूरी चलेगी:

1. मिट्टी की कच्ची सतह पर
2. पॉलिश की हुई संगमरमर की सतह पर
3. सीमेंट की पक्की सतह पर
4. ईंटों की सतह पर

14. 2	**15.** 4	**16.** 3	**17.** 4	**18.** 3	**19.** 3	**20.** 1
21. 2	**22.** 2	**23.** 3	**24.** 1, 2	**25.** 4	**26.** 4	**27.** 2

28. ध्वनि की प्रबलता निर्भर करती है:

1. इसके आयाम पर 2. इसकी आवृत्ति पर
3. इसके आवर्तकाल पर 4. इसकी चाल पर

29. निम्नलिखित में से कौन-सा कथन सही **नहीं** है?

1. ध्वनि कंपन द्वारा उत्पन्न होती है
2. ध्वनि-संचरण के लिए माध्यम की आवश्यकता होती है
3. ध्वनि तथा प्रकाश दोनों को संचरण के लिए माध्यम की आवश्यकता होती है
4. गति की चाल प्रकाश की चाल से कम होती है

30. बूझो के चाचाजी ने उसके गाँव के निकट विद्युत-लेपन का एक कारखाना लगाया। इस कारखाने के अपशिष्ट का निपटारा उन्हें करना चाहिए:

1. समीप की नदी में
2. समीप के तालाब में
3. समीप के मक्का के खेत में
4. स्थानीय प्रशासन द्वारा दिए गए दिशा-निर्देशों के अनुसार

31. जेम्स मिल कौन थे?

1. स्कॉटलैंड के अर्थशास्त्री और राजनीतिक दार्शनिक
2. एक भाषाविद् जो सुप्रीम कोर्ट में जूनियर जज के पद पर तैनात थे
3. कम्पनी के नियंत्रक मंडल का अध्यक्ष
4. स्कॉटलैंड के ईसाई प्रचारक

32. वह कौन-सी व्यवस्था थी जिसके तहत किसानों को अपनी जमीन पर नील उगाने के लिए मजबूर किया जाता था?

1. स्थायी बंदोबस्त 2. महालवारी व्यवस्था
3. रैय्यतवारी व्यवस्था 4. निज और रैयती व्यवस्था

33. निम्नलिखित में से कौन-सा सही सुमेलित है?

1. 1855 – संस्थाल विद्रोह 2. 1940 – बस्तर विद्रोह
3. 1920 – कोल विद्रोह 4. 1948 – वर्ली विद्रोह

34. किसने फैसला किया कि बहादुर शाह जफर आखिरी मुगल बादशाह होंगे?

1. लॉर्ड डलहौजी 2. थॉमस मुनरो
3. लॉर्ड रिपन 4. लॉर्ड कैनिंग

35. अंग्रेजी शिक्षा अधिनियम किस वर्ष पेश किया गया?

1. 1835 2. 1854
3. 1864 4. 1913

36. 'ओरू जाति, ओरू मतम्, ओरू देवम मनुष्यानु' यह महत्वपूर्ण कथन किसने दिया?

1. श्री नारायण गुरु 2. घासीदास
3. हरिदास ठाकुर 4. ज्योतिराव फुले

37. 'भारत सरकार अधिनियम 1935' की मुख्य विशेषता क्या थी?

1. पूर्ण स्वतंत्रता
2. ब्रिटिश शासन का उन्मूलन
3. भारतीय गणराज्य की स्थापना
4. प्रांतीय स्वायत्तता

38. 'खुदाई खिदमतगार' के संस्थापक कौन थे?

1. महात्मा गाँधी
2. मुहम्मद अली जिन्ना
3. खान अब्दुल गफ्फार खान
4. सैयद अहमद खान

39. इनमें से कौन-सा अनवीकरणीय संसाधन है?

1. प्राकृतिक गैस 2. सौर ऊर्जा
3. पवन ऊर्जा 4. ज्वारीय ऊर्जा

40. सतत् विकास क्या है?

1. संसाधनों का अधिक उपयोग
2. संरक्षण के बिना विकास
3. भविष्य की पीढ़ियों को नुकसान पहुँचाए बिना वर्तमान आवश्यकताओं की पूर्ति
4. पर्यावरणीय चिंताओं की अनदेखी

41. कपास उगाने के लिए कौन-सी मृदा सबसे उपयुक्त है?

1. मरुस्थलीय मृदा 2. लाल मृदा
3. रेतीली मृदा 4. काली मृदा

42. विटिकल्चर (द्राक्षा कृषि) का संबंध ______ की खेती से है।

1. रेशम के कीट 2. सब्जी, फूल
3. अंगूर 4. मत्स्यपालन

43. निम्नलिखित में से कौन-सा लघु उद्योग है?

1. सीमेंट उद्योग 2. हस्तशिल्प उद्योग
3. पेट्रोलियम रिफाइनरी 4. ऑटोमोबाइल उद्योग

44. कौन-सा उद्योग "सनराइज इंडस्ट्री" कहलाता है?

1. सूचना प्रौद्योगिकी 2. वस्त्र उद्योग
3. कोयला उद्योग 4. सीमेंट उद्योग

45. निम्नलिखित में वह कौन-सा देश है जिसमें उत्प्रवास के कारण जनसंख्या कमी देखी गयी है?

1. यूनाइटेड स्टेट्स ऑफ अमेरिका
2. ऑस्ट्रेलिया
3. भारत
4. सूडान

28. 1	**29.** 3	**30.** 4	**31.** 1	**32.** 4	**33.** 1	**34.** 4	**35.** 1	**36.** 1
37. 4	**38.** 3	**39.** 1	**40.** 3	**41.** 4	**42.** 3	**43.** 2	**44.** 1	**45.** 4

46. 44वें संशोधन द्वारा कौन-सा मौलिक अधिकार हटाया गया था?

1. संपत्ति का अधिकार
2. शिक्षा का अधिकार
3. समानता का अधिकार
4. स्वतंत्रता का अधिकार

47. संविधान का कौन-सा भाग मौलिक अधिकारों से संबंधित है?

1. भाग I
2. भाग II
3. भाग III
4. भाग IV

48. किस यूरोपीय देश ने सार्वजनिक स्कूलों में विद्यार्थियों द्वारा धार्मिक प्रतीकों को धारण करने पर प्रतिबंध लगाया?

1. जर्मनी
2. फ्रांस
3. यू.के.
4. स्पेन

49. राज्य सभा की अध्यक्षता कौन करता है?

1. राष्ट्रपति
2. प्रधानमंत्री
3. उपराष्ट्रपति
4. मुख्यमंत्री

50. 'शिक्षा का अधिकार' अधिनियम निम्नलिखित में से किस आयु वर्ग के बच्चों के लिए मुफ्त शिक्षा प्रदान करता है?

1. 0-6 वर्ष
2. 6-14 वर्ष
3. 14-18 वर्ष
4. 18-25 वर्ष

Directions (Qs. No. 51 to 53): *Each question has a sentence with three part labelled (1), (2) and (3). Read each sentence to find out whether there is any error in any labelled part and indicate your response. If you find no error, your response should be indicated as (4):*

51. (1) He said to him,/ (2) "Athletics are/ (3) my favourite sport'./ (4) No error

52. (1) My boss/ (2) prefers tea/ (3) than coffee./ (4) No error

53. (1) He does not/ (2) have any idea/ (3) about the meeting./ (4) No error

Directions (Qs. No. 54 to 56): *Select the word which is nearest in the meaning to the underlined word:*

54. His <u>ardent</u> support for the cause made him a well-known figure in the community.

1. Mild
2. Passionate
3. Indifferent
4. Weak

55. The <u>serene</u> lake was the perfect spot for spending a peaceful afternoon.

1. Noisy
2. Chaotic
3. Calm
4. Polluted

56. She had an <u>incessant</u> need to check her phone, even during meetings.

1. Rare
2. Constant
3. Temporary
4. Unimportant

Directions (Qs. No. 57 & 58): *Select the word which is opposite in the meaning to the underlined word:*

57. His attitude was <u>arrogant</u>, which made it difficult to work with him.

1. Humble
2. Proud
3. Confident
4. Rude

58. The professor's explanation was <u>obscure</u>, and left the students confused.

1. Clear
2. Confusing
3. Complicated
4. Vague

Directions (Qs. No. 59 to 61): *Fill in the blanks with appropriate articles (a, an, the):*

59. I have _____ cat and _____ dog.

1. a, the
2. an, a
3. the, a
4. a, a

60. _____ Earth revolves around _____ Sun.

1. An, the
2. The, a
3. The, the
4. A, the

61. She has _____ unique way of solving problems that makes her stand out.

1. a
2. an
3. the
4. no article

Directions (Qs. No. 62 to 64): *Fill in the blanks with appropriate forms of the words given in brackets:*

62. The team performed _____ (exception) in the finals, winning the championship.

1. exception
2. exceptionally
3. exceptional
4. except

63. The professor _____ (impress) the students with the detailed and engaging lecture that he delivered.

1. impresses
2. impressing
3. impressed
4. impressively

64. Her argument was so _____ (convince) that even her opponents agreed with her point of view.

1. convincing
2. convinced
3. convincingly
4. convince

Directions (Qs. No. 65 & 66): *In these questions, a particular relationship is given. A similar relationship has to be identified from among the given alternatives:*

65. Miser : Wealth :: Glutton : ?

1. Food
2. Pleasure
3. Energy
4. Greed

46. 1	**47.** 3	**48.** 2	**49.** 3	**50.** 2	**51.** 2	**52.** 3	**53.** 4	**54.** 2	**55.** 3
56. 2	**57.** 1	**58.** 1	**59.** 4	**60.** 3	**61.** 1	**62.** 2	**63.** 3	**64.** 1	**65.** 1

66. Benevolent : Kind :: Malevolent : ?

1. Angry 2. Good
3. Evil 4. Generous

Directions (Qs. No. 67 to 70): *Choose the appropriate option after reading the following conversation:*

Teacher : Good morning, Sarah, Did you complete your homework?

Student : Yes, I did, Ma'am. Here it is.

Teacher : Great! Let me check it. What part did you find difficult?

Student : I struggled with the last question about fractions.

Teacher : No worries, we'll go gover that in class.

The teacher greeted Sarah and asked her if she __(67)__ her homework. Sarah replied that she __ (68)__ it and handed it over. The teacher aksed Sarah which part she __(69)__ difficult. Sarah explained that she __(70)__ with the last question about fractions.

67. 1. had completed 2. complete
3. is completing 4. completes

68. 1. did 2. had done
3. has done 4. does

69. 1. had found 2. finds
3. find 4. finding

70. 1. struggle 2. has struggled
3. is struggling 4. struggles

71. शुद्ध वर्तनी वाला शब्द है:

1. उज्ज्वल 2. उज्जवल
3. ऊज्ज्वल 4. ऊज्जवल

72. 'सूरसागर' के रचनाकार हैं:

1. तुलसीदास 2. सूरदास
3. कबीर 4. जायसी

73. 'गंगाजल' में समास है:

1. कर्म तत्पुरुष 2. करण तत्पुरुष
3. संबंध तत्पुरुष 4. अधिकरण तत्पुरुष

74. 'पानी की कहानी' के लेखक हैं:

1. रामचन्द्र शुक्ल 2. निर्मल वर्मा
3. डॉ. नगेन्द्र 4. रामचन्द्र तिवारी

75. 'अवधी' किस क्षेत्र के आस-पास बोली जाती है?

1. प्रयागराज 2. मेरठ
3. दिल्ली 4. मथुरा

76. 'बैठक' में प्रत्यय है:

1. बै 2. ठक
3. क 4. बैठ

77. 'करुण रस' का स्थायी भाव है:

1. शोक 2. उत्साह
3. भय 4. निर्वेद

78. यह लड़का हमारे विद्यालय का है– वाक्य में 'यह' क्या है?

1. संबंधवाचक सर्वनाम 2. निजवाचक सर्वनाम
3. परिमाणवाचक विशेषण 4. सार्वनामिक विशेषण

79. शुद्ध वर्तनी वाला शब्द है:

1. संन्यासी 2. सन्यासी
3. सन्नयासी 4. सनयासी

80. 'विनय पत्रिका' के रचनाकार हैं:

1. तुलसीदास 2. सूरदास
3. कबीर 4. जायसी

81. 'वनवास' में समास है:

1. कर्म तत्पुरुष 2. करण तत्पुरुष
3. संबंध तत्पुरुष 4. अधिकरण तत्पुरुष

82. 'टोपी उछालना' मुहावरे का अर्थ है:

1. बेइज्जती करना 2. सत्ता पलटना
3. सम्मान करना 4. मुसीबत मोल लेना

83. 'पुनर्मुद्रण' में उपसर्ग है:

1. पुन 2. मुद्रण
3. पुनः 4. द्रण

84. 'ब्रज' किस क्षेत्र के आस-पास बोली जाती है?

1. प्रयागराज 2. मेरठ
3. गाजीपुर 4. मथुरा

85. बादल का पर्यायवाची **नहीं** है:

1. मेघ 2. जलधर
3. नीरद 4. जलधि

86. 'शान्त रस' का स्थायी भाव है:

1. शोक 2. उत्साह
3. भय 4. निर्वेद

87. 'करण कारक' का उदाहरण है:

1. स्नेहा कलम से लिखती है
2. रेलगाड़ी प्लेटफार्म से जा चुकी है
3. सवार घोड़े से गिरा
4. वृक्ष से पत्ता गिरा

66. 3	**67.** 1	**68.** 2	**69.** 1	**70.** 2	**71.** 1	**72.** 2	**73.** 3	**74.** 4	**75.** 1	**76.** 3
77. 1	**78.** 4	**79.** 1	**80.** 1	**81.** 4	**82.** 1	**83.** 3	**84.** 4	**85.** 4	**86.** 4	**87.** 1

88. 'मनोहर' का सही संधि-विच्छेद है:

1. मानो + हर 2. मन + हर
3. मनः + हर 4. म + नोहर

89. 'क्षणिक' का विलोम शब्द है:

1. सूक्ष्म 2. कालातीत
3. शाश्वत 4. अंत

90. कारण के भेद होते हैं:

1. तीन 2. आठ
3. पाँच 4. दो

91. $\dfrac{3^{-5} \times 10^{-5} \times 125}{5^{-7} \times 6^{-5}}$ का मान है :

1. 5^{-5} 2. 5^{3}
3. 3^{-5} 4. 5^{5}

92. दिये गये समीकरण $\dfrac{3x-2}{4} - \dfrac{2x+3}{3} = \dfrac{2}{3} - x$, के लिये '$x$' का मान है:

1. $x = 2$ 2. $x = -2$
3. $x = 3$ 4. $x = 4$

93. समान्तर चतुर्भुज के दो आसन्न कोण 3 : 2 के अनुपात में हैं, तो सबसे बड़े कोण का मान है:

1. 75° 2. 120°
3. 108° 4. 60°

94. 20% छूट देने के बाद अरुण ने एक कमीज को ₹ 1600 में खरीदी, तो कमीज का अंकित मूल्य क्या है?

1. ₹ 2000 2. ₹ 1800
3. ₹ 2200 4. ₹ 2400

95. प्रथम 21 विषम संख्याओं का योग है:

1. 440 2. 441
3. 430 4. 442

96. यदि किसी घन का सम्पूर्ण पृष्ठीय क्षेत्रफल 600 cm^2 है, तो इसकी एक भुजा की लम्बाई है:

1. 10 cm 2. 20 cm
3. 100 cm 4. $10\sqrt{6}$ cm

97. यदि $(2^{3x-1} + 10) \div 7 = 6$, तो '$x$' का मान है:

1. $x = 3$ 2. $x = 2$
3. $x = -3$ 4. $x = -1$

98. किसी संख्या का $\dfrac{3}{5}$, उसी संख्या के $\dfrac{2}{7}$ से 44 अधिक है, तो वह संख्या है:

1. 70 2. 280
3. 140 4. 160

99. 15370 में कौन-सी छोटी संख्या जोड़ी जाय कि वह संख्या पूर्ण वर्ग हो जाए?

1. 6 2. 4
3. 5 4. 9

100. वर्तमान में A और B के आयु का अनुपात 5 : 7 है। चार वर्ष बाद दोनों की आयु का अनुपात 3 : 4 हो जायेगा, तो B की वर्तमान आयु क्या है?

1. 28 वर्ष 2. 30 वर्ष
3. 40 वर्ष 4. 32 वर्ष

व्याख्यात्मक उत्तर

1. लड़का : लड़की = 7 : 5

मान लीजिए, लड़के = $7x$, लड़कियाँ = $5x$

अंतर = $7x - 5x = 2x$

$2x = 8$

$x = 4$

कुल संख्या = $7x + 5x = 12x$

$= 12 \times 4 = 48.$

2. हानि = 5%

विक्रय मूल्य (SP_1) = 950

क्रय मूल्य (CP) = 950 ÷ (95/100)

= 950 × (100/95) = 1000

नया विक्रय मूल्य (SP_2) = 1040

लाभ = 1040 − 1000 = 40

लाभ % = $\left(\dfrac{40}{1000}\right) \times 100 = 4\%.$

3. मान लीजिए, B का 1 दिन का काम = x

तो A का 1 दिन का काम = $2x$

(A + B) का 1 दिन का काम = $3x$

दिया गया है, समय = 12 दिन

इसलिए $3x = \dfrac{1}{12}$

$x = \dfrac{1}{36}$

88. 3	**89.** 3	**90.** 2	**91.** 4	**92.** 1	**93.** 3	**94.** 1
95. 2	**96.** 1	**97.** 2	**98.** 3	**99.** 1	**100.** 1	

अकेले B द्वारा लिया गया समय

$$= 1 \div \left(\frac{1}{36}\right) = 36 \text{ दिन।}$$

4. त्रिज्या : ऊँचाई = 2 : 3

मान लीजिए, त्रिज्या = $2k$, ऊँचाई = $3k$

$$\text{आयतन} = \pi r^2 h$$
$$= \pi(2k)^2(3k) = 12\pi k^3$$
$$12\pi k^3 = 1617$$

$\pi = \frac{22}{7}$ का मान रखने पर

$$k^3 = 1617 \div \left(\frac{264}{7}\right)$$
$$k^3 = \frac{343}{8}$$
$$k = \frac{7}{2}$$

त्रिज्या $r = 2k = 7$ cm

ऊँचाई $h = 3k = \frac{21}{2}$ cm

$$\text{कुल पृष्ठीय क्षेत्रफल} = 2\pi r(r + h)$$
$$= 2\pi \times 7 \times \left(7 + \frac{21}{2}\right)$$
$$= 14\pi \times \frac{35}{2} = 245\pi$$
$$= 245 \times \frac{22}{7} = 770 \text{ cm}^2.$$

5. $$A = \frac{\sqrt{3}}{4}a^2, \ A = 4\sqrt{3}$$

$$\frac{\sqrt{3}}{4}a^2 = 4\sqrt{3}$$
$$\frac{a^2}{4} = 4$$
$$a^2 = 16$$
$$a = 4 \text{ cm.}$$

6. गुणा करके जांचें:

$$\left(x-\sqrt{2}\right)\left(7\sqrt{2}x+4\right) = x\left(7\sqrt{2}x+4\right) - \sqrt{2}\left(7\sqrt{2}x+4\right)$$
$$= 7\sqrt{2}x^2 + 4x - 7\left(\sqrt{2}\cdot\sqrt{2}\right)x - 4\sqrt{2}$$
$$= 7\sqrt{2}x^2 + 4x - 14x - 4\sqrt{2}$$
$$= 7\sqrt{2}x^2 - 10x - 4\sqrt{2}$$

यह दिए गए व्यंजक से बिल्कुल मेल खाता है।

7. दिया गया है,

$$x + \frac{1}{x} = 4$$

वर्ग लेने पर:

$$\left(x + \frac{1}{x}\right)^2 = x^2 + \frac{1}{x^2} + 2 = 16$$
$$x^2 + \frac{1}{x^2} = 14$$

फिर से वर्ग लेने पर:

$$\left(x^2 + \frac{1}{x^2}\right)^2 = x^4 + \frac{1}{x^4} + 2$$
$$14^2 = x^4 + \frac{1}{x^4} + 2$$
$$196 = x^4 + \frac{1}{x^4} + 2$$
$$x^4 + \frac{1}{x^4} = 194.$$

8. $$\left(\frac{1}{27}\right)^{-\frac{2}{3}} = \left[\left(\frac{1}{27}\right)^{\frac{1}{3}}\right]^{-2} = \left(\frac{1}{3}\right)^{-2} = \frac{1}{\left(\frac{1}{3}\right)^2} = 3^2 = 9.$$

9. मूलधन = 4000, दर = 10% प्रति वर्ष

समय = 2 वर्ष

$$A = P\left(1 + \frac{R}{100}\right)^T$$
$$A = 4000\left(1 + \frac{10}{100}\right)^2$$
$$A = 4000(1.1)^2$$
$$A = 4000 \times 1.21 = 4840$$

चक्रवृद्धि ब्याज = A – P = 4840 – 4000 = 840.

10. भुजाओं की संख्या $n = 12$

$$\text{विकर्णों की संख्या} = \frac{n(n-3)}{2}$$
$$= \frac{12(12-3)}{2} = \frac{12 \times 9}{2} = 54.$$

11. पेट्रोलियम से पेट्रोल, लुब्रिकेटिंग ऑयल, पैराफिन वैक्स, डीजल वगैरह जैसे प्रोडक्ट मिलते हैं। कोक कोयले से मिलता है, पेट्रोलियम से नहीं, इसलिए यह पेट्रोलियम का हिस्सा नहीं है।

12. खत्म होने वाले प्राकृतिक संसाधन वे संसाधन हैं जो प्रकृति में सीमित मात्रा में मौजूद होते हैं और अगर उन्हें ठीक से संरक्षित न किया जाए तो मानवीय गतिविधियों द्वारा पूरी तरह से इस्तेमाल किए जा सकते हैं।

13. जैविक खाद मिट्टी की संरचना में सुधार करती है, पानी सोखने की क्षमता बढ़ाती है, ह्यूमस मिलाती है, और मिट्टी की बनावट में सुधार करती है। हालाँकि, इसमें पौधों के सभी जरूरी पोषक तत्वों का संतुलित अनुपात नहीं होता है; पोषक तत्व स्रोत के आधार पर कम और अलग-अलग मात्रा में मौजूद होते हैं। इसलिए, यह कथन जैविक खाद के लिए सही नहीं है।

14. मलेरिया एक प्रोटोजोअन परजीवी (प्लाज्मोडियम) के कारण होता है और यह एक संक्रमित मादा एनाफिलीज मच्छर के काटने से फैलता है, जो एक कीट वाहक है। सूचीबद्ध अन्य बीमारियाँ वायरस के कारण होती हैं, प्रोटोजोआ के कारण नहीं।

15. लाइकेन एक शैवाल और एक कवक के बीच सहजीवी संबंध से बनते हैं। शैवाल प्रकाश संश्लेषण द्वारा भोजन तैयार करता है, जबकि कवक आश्रय, सुरक्षा प्रदान करता है, और पानी और खनिज अवशोषित करता है।

16. ज्वलनशील पदार्थ वे पदार्थ होते हैं जो बहुत आसानी से आग पकड़ लेते हैं। यह गुण उनके कम ज्वलन तापमान के कारण होता है, जिसका अर्थ है कि उन्हें जलना शुरू करने के लिए बहुत कम गर्मी की आवश्यकता होती है। इस कम ज्वलन तापमान के कारण, वे आसानी से आग पकड़ लेते हैं। इसलिए, जो कथन ज्वलनशील पदार्थों का सही वर्णन करता है, वह विकल्प 3 है।

17. हाइड्रोजन गैस को सबसे स्वच्छ ईंधन माना जाता है क्योंकि जलने पर यह उत्पाद के रूप में केवल जल वाष्प उत्पन्न करती है। यह धुआँ, कार्बन डाइऑक्साइड, राख, या हानिकारक गैसें नहीं छोड़ती हैं जो वायु प्रदूषण का कारण बनती हैं। लकड़ी, पेट्रोल और मिट्टी का तेल सभी दहन के दौरान प्रदूषक छोड़ते हैं। इसलिए, दिए गए विकल्पों में हाइड्रोजन गैस सबसे स्वच्छ ईंधन है।

18. जब मैग्नीशियम रिबन हवा में जलता है, तो यह ऑक्सीजन के साथ प्रतिक्रिया करके मैग्नीशियम ऑक्साइड बनाता है। यह प्रतिक्रिया अत्यधिक ऊष्माक्षेपी होती है और ऊष्मा के साथ-साथ एक तेज सफेद रोशनी उत्पन्न करती है। इस प्रतिक्रिया में कोई पानी नहीं बनता है। इस प्रकार, सही उत्पाद मैग्नीशियम ऑक्साइड, ऊष्मा और प्रकाश हैं।

19. अपने प्राकृतिक आवास में जैव विविधता का संरक्षण इन-सीटू संरक्षण के रूप में जाना जाता है। वन्यजीव अभयारण्य और राष्ट्रीय उद्यान पौधों और जानवरों को उन वातावरणों में संरक्षित करते हैं जहाँ वे स्वाभाविक रूप से रहते हैं। चिड़ियाघर और वनस्पति उद्यान एक्स-सीटू संरक्षण के तरीके हैं। इसलिए, सही उत्तर वन्यजीव अभयारण्य और राष्ट्रीय उद्यान है।

20. मुकुलन अलैंगिक प्रजनन का एक रूप है जिसमें एक नया जीव मूल शरीर से एक बाहरी वृद्धि (कली) के रूप में विकसित होता है। हाइड्रा मुकुलन द्वारा प्रजनन करता है। अमीबा बाइनरी फिशन से, पैरामीशियम ट्रांसवर्स बाइनरी फिशन से, और सांप सेक्सुअली रिप्रोडक्शन करते हैं। इसलिए, हाइड्रा में बडिंग द्वारा रिप्रोडक्शन होता है।

21. इंसान, गाय और कुत्ता सजीवप्रजक जानवर हैं, जिसका मतलब है कि वे सीधे बच्चों को जन्म देते हैं। दूसरी ओर, मुर्गी अंडाणुप्रजक है, जिसका मतलब है कि वह अंडे देती है। हालांकि सभी चार जानवरों में आंतरिक निषेचन होता है, लेकिन मुर्गी में प्रजनन के तरीके बाकी तीन से अलग है। इसलिए, मुर्गी सबसे अलग है क्योंकि वह अंडाणु प्रजक है, जिससे विकल्प 2 सही कारण है।

22. AIDS HIV वायरस के कारण होता है, जो इन्फेक्टेड बॉडी फ्लूइड जैसे खून, सीमेन, वजाइनल फ्लूइड और ब्रेस्ट मिल्क के सीधे संपर्क से फैलता है। इन्फेक्टेड खून चढ़ाने से वायरस सीधे फैल सकता है। खाना शेयर करने, कंघी या मच्छर के काटने से HIV नहीं फैलता है।

23. इंसानों में, मां हमेशा एक X क्रोमोसोम देती है, जबकि पिता या तो X या Y क्रोमोसोम देता है। यह कॉम्बिनेशन बच्चे का लिंग तय करता है। इसलिए, यह मानना कि सिर्फ मां जिम्मेदार है, गलत है क्योंकि दोनों माता-पिता लिंग निर्धारण में बराबर योगदान देते हैं।

24. फसल चक्र एक कृषि पद्धति है जिसमें एक ही खेत में लगातार मौसमों में अलग-अलग फसलें बारी-बारी से उगाई जाती हैं। यह तरीका मिट्टी की उर्वरता बनाए रखने, कीटों के जमाव को कम करने और फसल की पैदावार में सुधार करने में मदद करता है। अन्य शब्द वैज्ञानिक रूप से स्वीकृत कृषि पद्धतियां नहीं हैं।

25. दो वस्तुओं के बीच रिपल्शन तब हो सकता है जब दोनों वस्तुओं पर एक जैसे इलेक्ट्रिक चार्ज हों; जिससे इलेक्ट्रोस्टैटिक रिपल्शन होता है, या एक जैसे मैग्नेटिक पोल हों, जिससे मैग्नेटिक रिपल्शन होता है। घर्षण से रिपल्शन नहीं होता है। इसलिए, रिपल्शन मैग्नेटिक या इलेक्ट्रोस्टैटिक बल के कारण हो सकता है।

26. रुके हुए लिक्विड में, दबाव गहराई के साथ बढ़ता है क्योंकि $P = kP_0 + \rho gh$। यदि A सबसे कम गहराई पर है, B उससे गहरा, और C सबसे गहरा है (जैसा कि ऐसे स्टैंडर्ड कंटेनर डायग्राम में दिखाया गया है), तो $h_A < h_B < h_C \Rightarrow P_A < P_B < P_C$।

27. समान शुरुआती गति के लिए, कार सबसे दूर वहां जाती है जहां घर्षण न्यूनतम होता है। पॉलिश किया हुआ मार्बल दी गई सतहों में सबसे कम घर्षण प्रदान करता है, इसलिए मंदक बल सबसे छोटा होता है और तय की गई दूरी अधिकतम होती है।

28. ध्वनि की तीव्रता ध्वनि तरंग के कंपन के आयाम पर निर्भर करती है। अधिक आयाम का मतलब है कि तरंग द्वारा अधिक ऊर्जा ले जाई जाती है और इसलिए ध्वनि तेज होती है; आवृत्ति मुख्य रूप से ध्वनि के तारत्व को प्रभावित करती है।

29. ध्वनि को गमन करने के लिए एक ठोस या तरल माध्यम की जरूरत होती है, लेकिन प्रकाश निर्वात से गुजर सकती है। इसलिए यह कथन कि दोनों को माध्यम की जरूरत होती है, गलत है, जबकि बाकी सही हैं।

30. इलेक्ट्रोप्लेटिंग कचरे में हानिकारक केमिकल और भारी धातु के नमक होते हैं। इसे सिर्फ अधिकृत लोकल प्रदूषण-नियंत्रण/निपटान नियमों के अनुसार ही ट्रीट और डिस्पोज किया जाना चाहिए, नदियों, तालाबों या खेतों में नहीं।

31. जेम्स मिल एक स्कॉटिश इतिहासकार, अर्थशास्त्री और राजनीतिक दार्शनिक थे। वह 'ए हिस्ट्री ऑफ ब्रिटिश इंडिया' लिखने के लिए जाने जाते हैं, जिसमें उन्होंने भारतीय समाज और संस्कृति को एक औपनिवेशिक नजरिए से बताया है। इसलिए, विकल्प 1 सही है।

32. नील की खेती के सिस्टम के तहत, किसानों को या तो जमींदार की अपनी जमीन (निज खेती) पर या किसानों की जमीन (रैयती सिस्टम) पर नील उगाने के लिए मजबूर किया जाता था। इस जबरदस्ती वाले सिस्टम से किसानों का बहुत ज्यादा शोषण होता था। इसलिए, विकल्प 4 सही है।

33. संथाल विद्रोह 1855-56 में ब्रिटिश अथॉरिटी और आज के झारखंड और पश्चिम बंगाल में साहूकारों के खिलाफ हुआ था। बाकी जोड़े ऐतिहासिक रूप से गलत हैं, जिससे विकल्प 1 सही मेल खाता है।

34. 1857 के विद्रोह के दौरान गवर्नर-जनरल लॉर्ड कैनिंग ने तय किया कि बहादुर शाह जफर आखिरी मुगल बादशाह होंगे। विद्रोह के बाद, मुगल वंश खत्म कर दिया गया और बहादुर शाह जफर को देश निकाला दे दिया गया। इसलिए, विकल्प 4 सही है।

35. भारत में अंग्रेजी शिक्षा और पश्चिमी ज्ञान को बढ़ावा देने के लिए, मैकाले के अभिभाषण के आधार पर, 1835 में अंग्रेजी शिक्षा अधिनियम लाया गया था। इसलिए, विकल्प 1 सही जवाब है।

36. मशहूर कथन ''ओरु जाति, ओरु मतम, ओरु दैवम मनुष्याणु'' जिसका मतलब है ''इंसानियत के लिए एक जाति, एक धर्म, एक भगवान'' श्री नारायण गुरु ने दी थी। वह केरल के एक महान समाज सुधारक थे जिन्होंने जाति भेदभाव के खिलाफ काम किया और सामाजिक बराबरी और इंसानी एकता को बढ़ावा दिया।

37. भारत सरकार अधिनियम, 1935 की मुख्य बात प्रांतीय स्वायत्तता की शुरुआत थी। इस अधिनियम के तहत, प्रांतों को खुद को चलाने के लिए स्वायत्तता दी गई, और चुने हुए भारतीय मंत्रियों को प्रांतीय विधायिका के प्रति जिम्मेदार बनाया गया, हालांकि ब्रिटिश लोगों का पूरा कंट्रोल अभी भी बना रहा।

38. खुदाई खिदमतगार की स्थापना खान अब्दुल गफ्फार खान ने की थी, जिन्हें फ्रंटियर गांधी के नाम से भी जाना जाता है। यह नॉर्थ-वेस्ट फ्रंटियर प्रोविंस में एक अहिंसक आंदोलन था जिसने सामाजिक सुधार के लिए काम किया और शांतिपूर्ण तरीकों से भारत के स्वतंत्रता संग्राम का समर्थन किया।

39. नेचुरल गैस एक अनवीकरणीय संसाधन है क्योंकि यह लाखों सालों में बनता है और एक बार खत्म होने के बाद इसे इंसान के जीवनकाल में फिर से नहीं भरा जा सकता। सौर, पवन और ज्वारीय ऊर्जा नवीकरणीय संसाधन हैं क्योंकि वे प्रकृति में लगातार उपलब्ध रहते हैं।

40. सतत् विकास का मतलब है संसाधनों का इस तरह से इस्तेमाल करना कि आने वाली पीढ़ियों की अपनी जरूरतों को पूरा करने की क्षमता से समझौता किए बिना मौजूदा जरूरतें पूरी हों। यह पर्यावरण संरक्षण और जिम्मेदारी से संसाधनों के इस्तेमाल के साथ संतुलित विकास पर जोर देता है।

41. कपास को ऐसी मिट्टी की जरूरत होती है जो नमी बनाए रख सके और जिसमें चूना और पोटाश भरपूर हो। काली मिट्टी, जिसे रेगुर मिट्टी भी कहा जाता है, में नमी बनाए रखने की क्षमता ज्यादा होती है और इसलिए यह कपास की खेती के लिए सबसे अच्छी है।

42. विटीकल्चर खेती की वह शाखा है जो खास तौर पर अंगूर की खेती से जुड़ी है। इसमें अंगूर का उत्पादन, कटाई और प्रोसेसिंग शामिल है, खासकर टेबल अंगूर और वाइन बनाने के लिए।

43. छोटे लेवल के उद्योग कम कैपिटल इन्वेस्टमेंट में चलते हैं और आसान औजारों और कुशल हाथ से काम करने वाले लोगों का इस्तेमाल करते हैं। हैंडीक्राफ्ट इंडस्ट्री इस बात में फिट बैठती है, सीमेंट, पेट्रोलियम या ऑटोमोबाइल इंडस्ट्री के उलट जो बड़े लेवल पर होती हैं।

44. इन्फॉर्मेशन टेक्नोलॉजी को ''सनराइज इंडस्ट्री'' कहा जाता है क्योंकि यह हाल के दशकों में तेजी से बढ़ी है, बड़े लेवल पर रोजगार पैदा किया है, और पारंपरिक इंडस्ट्री की तुलना में इसमें भविष्य में ग्रोथ की ज्यादा संभावना है।

45. सूडान एक ऐसे देश का उदाहरण है जिसकी आबादी में बढ़ोतरी में कमी आई है, क्योंकि इमिग्रेशन की वजह से बहुत से लोग आर्थिक मुश्किलों और अंदरूनी झगड़ों की वजह से विदेश चले गए हैं।

46. 44वें संविधान संशोधन अधिनियम, 1978 ने संपत्ति के अधिकार को मौलिक अधिकार की श्रेणी से हटा दिया। इसे कानूनी अधिकार के तौर पर अनुच्छेद 300A में शिफ्ट कर दिया गया, जिसका मतलब है कि यह अब मौलिक अधिकार नहीं है, लेकिन कानून से अभी भी सुरक्षित है।

47. मौलिक अधिकार भारतीय संविधान के भाग III में शामिल है, जिसमें अनुच्छेद 12 से 35 तक शामिल हैं। ये अधिकार बराबरी, आजादी, शोषण से सुरक्षा, धार्मिक आजादी, सांस्कृतिक अधिकार और संवैधानिक उपाय पक्का करते हैं।

48. फ्रांस ने धर्मनिरपेक्षता (लाइसिटे) के सिद्धांत को बनाए रखने के लिए सार्वजनिक स्कूलों में छात्रों के हिजाब, क्रॉस और पगड़ी जैसे खास धार्मिक निशान पहनने पर प्रतिबंध लगा दिया। इसलिए, फ्रांस सही जवाब है।

49. भारत के उप राष्ट्रपति राज्यसभा के एक्स-ऑफिशियो चेयरमैन होते हैं और इसकी कार्यवाही की अध्यक्षता करते हैं। राष्ट्रपति राज्यसभा के सेशन की अध्यक्षता नहीं करते हैं।

50. शिक्षा का अधिकार अधिनियम, 2009, 6 से 14 साल की उम्र के सभी बच्चों के लिए मुफ्त और जरूरी शिक्षा की गारंटी देता है, जिससे शिक्षा संविधान के अनुच्छेद 21A के तहत एक मौलिक अधिकार बन जाती है।

51. The noun *athletics* refers to a field of sport and is treated as a singular noun in standard usage. Therefore, it should be "Athletics is my favourite sport." The error lies in part (2).

52. The verb *prefer* is followed by to, not *than*. The correct construction is "prefers tea to coffee." Hence, the error is in part (3).

53. The sentence "He does not have any idea about the meeting" is grammatically correct. There is no error in any of the labelled parts.

54. The word *ardent* means showing strong enthusiasm or intense feeling. *Passionate* is the closest in meaning, while the other options convey the opposite or unrelated meanings.

55. *Serene* means peaceful, quiet, and untroubled. Among the options, *calm* best matches this meaning. The other options suggest disturbance or pollution.

56. *Incessant* means continuing without interruption. *Constant* accurately conveys this idea, whereas the other options imply infrequency, short duration, or lack of importance.

57. The word *arrogant* means having an exaggerated sense of one's own importance or abilities. Its opposite is *humble*, which means modest and not proud. The other options either support arrogance or are unrelated, so option 1 is correct.

58. *Obscure* means unclear or difficult to understand. The opposite meaning is *clear*, which signifies something that is easy to understand and well explained. Hence, option 1 is correct.

59. The sentence refers to two non-specific animals mentioned for the first time. Therefore, the correct articles are indefinite articles before both nouns: "I have a cat and a dog."

60. *Earth* and *Sun* are unique celestial bodies. When referring to such unique objects, the definite article the is used. Hence, the correct sentence is "The Earth revolves around the Sun."

61. The word *unique* begins with a consonant sound (/ju:/), not a vowel sound. Therefore, the correct article is *a*, not an. The sentence correctly reads "She has a unique way of solving problems that makes her stand out."

62. The verb "performed" needs an adverb to describe how the team performed. "Exceptionally" is the adverb form of *exception* and correctly fits: "performed exceptionally in the finals."

63. The sentence is in past tense because it refers to a completed action ("delivered" is past). So the correct verb form is "impressed": "The professor impressed the students…"

64. The blank describes the noun "argument", so an adjective is required. "Convincing" means persuasive and fits correctly: "Her argument was so convincing…"

65. A miser is strongly associated with wealth (he hoards wealth). Similarly, a glutton is strongly associated with food (he overeats). Hence, Glutton : Food.

66. Benevolent means kind or well-meaning. Malevolent means wishing harm or being ill-intentioned, i.e., evil. Therefore, the similar relationship is Malevolent : Evil.

67. The reporting verb is in the past tense ("asked"), so the reported action that happened before that must be in the past perfect tense. Therefore, "asked her if she had completed her homework" is grammatically correct.

68. Sarah's reply is reported after the teacher's question, and the action of completing homework was already finished before she handed it over. Hence, the past perfect tense "had done" is required.

69. The teacher's question refers to Sarah's experience before the conversation was reported. To maintain correct sequence of tenses in indirect speech, "which part she had found difficult" is the correct form.

70. The sentence explains Sarah's difficulty, which has relevance up to the present context of the conversation. Therefore, the present perfect tense "has struggled" correctly conveys an action whose effect is still felt.

71. यह शब्द सही वर्तनी में उज्ज्वल लिखा जाता है। इसमें 'ज्ज्' का संयुक्त व्यंजन तथा 'वल' का प्रयोग शुद्ध है। अन्य विकल्पों में या तो अनावश्यक मात्रा का प्रयोग है या संयुक्त व्यंजन की त्रुटि है।

72. 'सूरसागर' के रचनाकार भक्तिकाल के प्रसिद्ध कवि सूरदास हैं। यह कृष्ण-भक्ति पर आधारित एक महत्वपूर्ण काव्य ग्रंथ है।

73. गंगाजल = गंगा का जल। यहाँ 'का' संबंध सूचक कारक है, इसलिए इसमें संबंध तत्पुरुष समास होता है।

74. 'पानी की कहानी' के लेखक रामचंद्र तिवारी हैं। इस पाठ में लेखक ने ओस की एक बूँद को माध्यम बनाकर जल के चक्र का अत्यंत रोचक, वैज्ञानिक और भावपूर्ण वर्णन किया है। बूँद अपनी आत्मकथा के रूप में यह बताती है कि उसका निर्माण हाइड्रोजन और ऑक्सीजन की रासायनिक क्रिया से हुआ, वह वाष्पीकरण, संघनन और वर्षा जैसी विभिन्न अवस्थाओं से होकर कैसे यात्रा करती है, और किस प्रकार जल जीवन के लिए अनिवार्य है। यह रचना विज्ञान और साहित्य का सुंदर समन्वय प्रस्तुत करती है।

75. अवधी भाषा मुख्यतः अवध क्षेत्र में बोली जाती है, जिसमें प्रयागराज और उसके आस-पास का क्षेत्र शामिल है। मेरठ, दिल्ली और मथुरा ब्रज व खड़ी बोली क्षेत्र में आते हैं।

76. शब्द बैठक का निर्माण "बैठ + क" से हुआ है। यहाँ मूल शब्द 'बैठ' है और इसमें 'क' प्रत्यय जुड़ा है, जिससे संज्ञा बनती है। अतः सही उत्तर विकल्प 3 है।

77. करुण रस का स्थायी भाव शोक होता है। करुण रस में दुख, पीड़ा और करुणा की अनुभूति होती है, जिसका मूल भाव शोक ही है। इसलिए विकल्प 1 सही है।

78. वाक्य "यह लड़का हमारे विद्यालय का है" में *यह* शब्द *लड़का* संज्ञा की विशेषता बता रहा है और स्वयं संज्ञा के साथ प्रयुक्त है। इसलिए यह सार्वनामिक विशेषण है, न कि सर्वनाम। अतः सही उत्तर विकल्प 4 है।

79. संन्यासी शब्द की यही शुद्ध वर्तनी है। इसमें सम् + न्यास से बना शब्द है, इसलिए 'संन्यासी' का प्रयोग सही है। अन्य विकल्पों में वर्ण-विन्यास की त्रुटि है।

80. 'विनय पत्रिका' के रचनाकार गोस्वामी तुलसीदास हैं। यह भक्तिकाल की एक प्रमुख कृति है, जिसमें ईश्वर के प्रति विनय और भक्ति की भावनाएँ व्यक्त की गई हैं।

81. वनवास = वन में वास। यहाँ 'में' स्थान (अधिकरण) का बोध कराता है, इसलिए इसमें अधिकरण तत्पुरुष समास होता है।

82. 'टोपी उछालना' मुहावरे का सही अर्थ किसी की बेइज्जती करना या सार्वजनिक रूप से अपमान करना होता है। हिंदी भाषा और संस्कृति में *टोपी* को मान-सम्मान और प्रतिष्ठा का प्रतीक माना गया है। इसलिए किसी की टोपी उछालना उसकी इज़्ज़त को ठेस पहुँचाने, उसे नीचा दिखाने या लज्जित करने का भाव प्रकट करता है। उदाहरण के रूप में– "भरी सभा में किसी की टोपी उछालना शिष्टाचार के विरुद्ध है।"

83. पुनर्मुद्रण = पुनः + मुद्रण। यहाँ 'पुनः' का अर्थ है 'फिर से', जो मूल शब्द *मुद्रण* से पहले जुड़कर नया शब्द बनाता है, अतः यही उपसर्ग है।

84. ब्रज भाषा मुख्य रूप से मथुरा और उसके आस-पास के क्षेत्र में बोली जाती है। यह कृष्ण-लीला और ब्रज साहित्य से विशेष रूप से जुड़ी हुई है।

85. बादल के पर्यायवाची मेघ, जलधर, नीरद हैं, जबकि जलधि का अर्थ समुद्र होता है। इसलिए जलधि बादल का पर्यायवाची नहीं है।

86. शान्त रस का स्थायी भाव निर्वेद (वैराग्य, उदासीनता, सांसारिक आसक्ति से विरक्ति) होता है। शान्त रस में मन की पूर्ण शांति और तटस्थ भाव की अनुभूति होती है, जिसका आधार निर्वेद ही है।

87. करण कारक उस साधन को दर्शाता है जिसके द्वारा कोई कार्य किया जाता है। इस वाक्य में *कलम* लिखने का साधन है और 'से' विभक्ति चिह्न लगा है, इसलिए यह करण कारक का सही उदाहरण है।

88. मनोहर शब्द का सही संधि-विच्छेद मनः + हर है। यहाँ विसर्ग संधि के कारण मनः का ':' बदलकर 'ो' हो गया है और शब्द मनोहर बना है।

89. क्षणिक का अर्थ है अल्पकालिक या थोड़े समय के लिए रहने वाला। इसका विलोम शाश्वत है, जिसका अर्थ है सदा रहने वाला या स्थायी।

90. हिंदी व्याकरण में कारक के आठ भेद माने जाते हैं–कर्ता, कर्म, करण, संप्रदान, अपादान, अधिकरण, संबंध और संबोधन। इसलिए सही उत्तर विकल्प 2 है।

91. $\dfrac{3^{-5} \times 10^{-5} \times 125}{5^{-7} \times 6^{-5}}$

$$10^{-5} = (2 \times 5)^{-5} = 2^{-5}5^{-5},$$
$$125 = 5^3,\ 6^{-5} = (2 \times 3)^{-5} = 2^{-5}3^{-5}$$
$$= \frac{3^{-5} \times 2^{-5} \times 5^{-5} \times 5^3}{5^{-7} \times 2^{-5} \times 3^{-5}}$$

अंश और हर से 2^{-5} और 3^{-5} को हटाने पर:

$$= \frac{5^{-2}}{5^{-7}} = 5^{-2+7} = 5^5.$$

92. $\dfrac{3x-2}{4} - \dfrac{2x+3}{3} = \dfrac{2}{3} - x$

4 और 3 का LCM = 12

$$\frac{3(3x-2)-4(2x+3)}{12} = \frac{2}{3} - x$$
$$\frac{9x-6-8x-12}{12} = \frac{2}{3} - x$$
$$\frac{x-18}{12} = \frac{2}{3} - x$$

दोनों तरफ 12 से गुणा करने पर:

$$x - 18 = 8 - 12x$$
$$13x = 26$$
$$x = 2.$$

93. एक समानांतर चतुर्भुज में, आसन्न कोण संपूरक होते हैं।
मान लीजिए दो आसन्न कोण $3x$ और $2x$ हैं।

$$3x + 2x = 180°$$
$$5x = 180°$$
$$x = 36°$$

इस प्रकार, कोण हैं:

$$3x = 3 \times 36° = 108°$$
$$2x = 2 \times 36° = 72°$$

इसलिए सबसे बड़ा कोण 108° है।

94. छूट = 20%

इसलिए चुकाई गई कीमत अंकित मूल्य का 80% है।

80% MP का = 1600

$$MP = \frac{1600 \times 100}{80}$$
$$MP = 2000$$

इसलिए, अंकित मूल्य ₹ 2000 है।

95. पहले n विषम संख्याओं का योग इस प्रकार दिया गया है: n^2

यहाँ, n 21.

योग $= 21^2 = 441$

तो पहली 21 विषम संख्याओं का योग = 441.

96. घन का पृष्ठीय क्षेत्रफल $= 6a^2$

दिया गया है: $6a^2 = 600$

$$a^2 = \frac{600}{6} = 100$$
$$a = 10 \text{ cm}.$$

97.

$$\frac{2^{3x-1} + 10}{7} = 6$$
$$2^{(3x-1)} + 10 = 42$$
$$2^{(3x-1)} = 32 = 2^5$$
$$3x - 1 = 5$$
$$3x = 6$$
$$x = 2.$$

98. मान लीजिए की संख्या x है।

$$\frac{3}{5}x - \frac{2}{7}x = 44$$

5 और 7 का LCM = 35

$$\frac{21x - 10x}{35} = 44$$
$$\frac{11x}{35} = 44$$
$$11x = 1540$$
$$x = 140$$

इस प्रकार, अभीष्ट संख्या 140 है।

99. हम 15370 के आस-पास के सबसे नजदीकी पूर्ण वर्ग की जाँच करते हैं।

$$124^2 = 15376$$
$$15376 - 15370 = 6$$

अतः 15370 को पूर्ण वर्ग बनाने के लिए इसमें जोड़ी जाने वाली सबसे छोटी संख्या 6 है।

100. मान लीजिए A और B की वर्तमान आयु क्रमशः $5x$ और $7x$ है।

अब से चार साल बाद:

$$\frac{5x + 4}{7x + 4} = \frac{3}{4}$$

क्रॉस-मल्टीप्लाई करने पर:

$$\Rightarrow \quad 4(5x + 4) = 3(7x + 4)$$
$$\Rightarrow \quad 20x + 16 = 21x + 12$$
$$\Rightarrow \quad 21x - 20x = 16 - 12$$
$$\therefore \quad x = 4$$

B की वर्तमान आयु:

$7x = 7 \times 4 = 28$ वर्ष

इसलिए B की वर्तमान आयु 28 वर्ष है।

पिछले प्रश्न-पत्र (हल सहित)

BHU–केन्द्रीय हिन्दू स्कूल (CHS)

स्कूल प्रवेश परीक्षा (SET), (कक्षा 9), 2024

(Exam held on 29-04-2024)

1. निम्न में से किसे ''काला सोना'' कहा जाता है?

1. कोक 2. कोलतार
3. पेट्रोलियम 4. कोयला गैस

2. बीजों का बड़े पैमाने पर भण्डारण कहाँ किया जाता है?

1. भण्डार गृहों में 2. साइलो में
3. (1) और (2) दोनों में 4. टाट बोरियों में

3. उस वैज्ञानिक का नाम बताइए जिन्होंने चीनी को एल्कोहल में परिवर्तित होने की प्रक्रिया को खोजाः

1. अलेक्जेंडर फ्लेमिंग 2. रुडोल्फ विरचो
3. लुई पाश्चर 4. एडवर्ड जेनर

4. पौधों एवं जंतुओं की वह प्रजातियाँ जो किसी विशेष क्षेत्र में विशिष्ट रूप में पाई जाती हैं, उसे कहते हैं:

1. विदेशी प्रजातियाँ 2. विशेषक्षेत्री प्रजातियाँ
3. लुप्तप्राय प्रजातियाँ 4. आक्रामक प्रजातियाँ

5. पुरुष हार्मोन टेस्टोस्टेरॉन एवं स्त्री हार्मोन एस्ट्रोजन का उत्पादन नियंत्रित करने वाली अन्तःस्रावी ग्रंथि है:

1. वृषण, अंडाशय 2. एड्रिनल ग्रंथि
3. पियुष ग्रंथि 4. थायरॉइड ग्रंथि

6. किसी बर्तन की तली पर पानी द्वारा लगाया जाने वाला दाब निर्भर करता है:

1. बर्तन में पानी के आयतन पर
2. पानी के स्तम्भ की ऊँचाई पर
3. बर्तन के सतह क्षेत्रफल पर
4. उपर्युक्त (1) और (2) दोनों पर

7. तरलों द्वारा लगाए गए घर्षण बल को कहते हैं:

1. लोटनिक घर्षण 2. संपर्क बल
3. सर्पी घर्षण 4. कर्षण

8. पराश्रव्य ध्वनि जो चिकित्सा के अनेक समयाओं के अनुसंधान एवं निदान के लिए प्रयोग होते हैं, निम्न आवृत्ति पर कार्य करते हैं:

1. 20 से 20,000 Hz 2. 2000 Hz
3. 20,000 Hz से अधिक 4. 20 Hz से कम

9. नेत्र का कौन-सा भाग रंगों (वर्णों) की सूचनाएँ देता है?

1. कॉर्निया 2. आइरिस
3. शंकु 4. दृष्टि पटल

10. प्रयोग में, यदि इलेक्ट्रोड जल में डूबे हों तथा उनके द्वारा विलयन से विद्युत धारा प्रवाहित की जाए, तो ऑक्सीजन तथा हाइड्रोजन के बुलबुले उत्पन्न होते हैं। ऑक्सीजन के बुलबुले उत्पन्न होते हैं:

1. धन टर्मिनल पर 2. ऋण टर्मिनल पर
3. जल में 4. बर्तन के सतह पर

11. एन्थ्रेक्स रोग का कारक है:

1. *बैसिलस थुरिंजिएन्सिस* 2. *बैसिलस एन्थ्रेसिस*
3. *बैसिलस सबटिलिस* 4. *बैसिलस मेगाटेरियम*

12. खाद्य पदार्थों के भंडारण के लिए उपयोग किए जाने वाले टिन के डिब्बों के ऊपर विद्युतलेपन होता है:

1. टिन के ऊपर लोहा 2. कॉपर के ऊपर टिन
3. लोहे के ऊपर टिन 4. टिन के ऊपर एल्युमिनियम

13. पेट्रोल इंजन निम्न में से कौन-सी गैस छोड़ते हैं?

1. सल्फर डाइऑक्साइड 2. कार्बन डाइऑक्साइड
3. नाइट्रोजन के ऑक्साइड 4. कार्बन मोनोऑक्साइड

14. ईंधन के ऊष्मीय मान का मात्रक है:

1. किलोजूल प्रति किलोग्राम 2. जूल प्रति ग्राम
3. जूल प्रति किलोग्राम 4. किलोजूल प्रति ग्राम

15. माचिल के सिरे पर मिश्रण है:

1. ऐन्टिमनी ट्राइसल्फाइड और पोटैशियम मैंग्नेट
2. ऐन्टिमनी ट्राइसल्फाइड और पोटैशियम क्लोरेट
3. ऐन्टिमनी ट्राइसल्फाइड और पोटैशियम फ्लोरेट
4. लाल फॉस्फोरस और ऐन्टिमनी ट्राइसल्फाइड

1. 3	**2.** 3	**3.** 3	**4.** 2	**5.** 3	**6.** 2	**7.** 4	**8.** 3
9. 3	**10.** 1	**11.** 2	**12.** 3	**13.** 4	**14.** 1	**15.** 2	

16. किसी तरल पर लगने वाला घर्षण बल निर्भर **नहीं** करता:

1. तरल के सापेक्ष गति पर
2. वस्तु की आकृति पर
3. वस्तु के द्रव्यमान पर
4. तरल की प्रकृति पर

17. मोमबत्ती की लौ के विभिन्न क्षेत्रों में, पूर्ण दहन के बाहरी क्षेत्र, आंशिक दहन के मध्य क्षेत्र और बिना जले मोम के सबसे भीतरी क्षेत्र का रंग इस प्रकार है:

1. पीला, नीला, काला
2. काला, पीला, नीला
3. नीला, पीला, काला
4. नीला, काला, पीला

18. निम्नलिखित सूक्ष्म जीवों का उनके पौधों के रोगों से मिलान कीजिए:

पौधों के रोग	**सूक्ष्म-जीव**
A. साइट्रस कैंकर	(*i*) विषाणु
B. गेहूँ का रस्ट	(*ii*) जीवाणु
C. भिंडी का पीला शिरा मोजेक	(*iii*) कवक

1. A-(*iii*), B-(*ii*), C-(*i*)
2. A-(*i*), B-(*ii*), C-(*iii*)
3. A-(*ii*), B-(*iii*), C-(*i*)
4. A-(*iii*), B-(*i*), C-(*ii*)

19. शुष्क मौसम में, कंघी करते समय कभी-कभी हमें बालों के एक-दूसरे से दूर उड़ने का अनुभव होता है। इसके लिए उत्तरदायी बल है:

1. गुरुत्व बल
2. स्थिर वैद्युत बल
3. घर्षण बल
4. चुंबकीय बल

20. यदि कोई वस्तु एक सेकंड में 5 दोलन पूरे करती है, तो इसकी आवृत्ति क्या होगी?

1. 0.05 Hz
2. 0.5 Hz
3. 15 Hz
4. 20 Hz

21. 'रंग लाना' मुहावरे का अर्थ है:

1. असर जमाना
2. प्रभाव उत्पन्न करना
3. परिवर्तन लाना
4. किसी चीज को रंगना

22. शुद्ध वर्तनी वाला शब्द है:

1. गरुण
2. गरूड़
3. गरुड़
4. गरूण

23. श्रीरामचरितमानस के रचनाकार हैं:

1. वाल्मीकि
2. तुलसीदास
3. वेदव्यास
4. चक्रवर्ती राजगोपालाचारी

24. 'देशभक्ति' में समास है:

1. अपादान तत्पुरुष
2. करण तत्पुरुष
3. कर्म तत्पुरुष
4. सम्प्रदान तत्पुरुष

25. 'मगही' किस क्षेत्र के आस-पास बोली जाती है?

1. लखनऊ
2. पटना
3. कुरुक्षेत्र
4. दिल्ली

26. 'आशातीत' का क्या अर्थ है?

1. आशा से अधिक
2. आशा से कम
3. आशा का न होना
4. निराशा

27. 'उत्साह' किस रस का स्थायी भाव है?

1. वीर रस
2. शान्त रस
3. शृंगार रस
4. भयानक रस

28. वह मेरा घर है।– इस वाक्य में 'मेरा' है:

1. संज्ञा
2. सर्वनाम
3. सार्वनामिक विशेष्य
4. सार्वनामिक विशेषण

29. वह बहुत सुन्दर स्थान है।– वाक्य में 'बहुत' है:

1. विशेषण
2. प्रविशेषण
3. गुणवाचक विशेषण
4. निपात

30. जब तुम आओगे, तब मैं जाऊँगा।– अर्थ के आधार पर वाक्य भेद है:

1. विधिवाचक वाक्य
2. संकेतवाचक वाक्य
3. आज्ञावाचक वाक्य
4. संदेहवाचक वाक्य

31. 'जो बहुत बोलता है' के लिए एक शब्द होगा:

1. वाचाल
2. अतिवादी
3. वक्ता
4. प्रतिवादी

32. किस समूह में सभी पर्यायवाची शब्द **नहीं** हैं?

1. अरविन्द, सरोज, पद्म, अंबुज
2. दिनकर, सूर्य, भास्कर, रवि
3. नदी, सरिता, तटिनी, विटप
4. नेत्र, चक्षु, नयन, आँख

33. उ, ऊ और प-वर्ग के वर्णों का उच्चारण-स्थान है:

1. कंठ
2. ओठ
3. तालु
4. मूर्द्धा

34. 'भीषण' किस विशेष्य के लिए सबसे उचित विशेषण होगा?

1. मधुर
2. तिक्त
3. प्रेम
4. युद्ध

35. सही क्रम में इन चिह्नों (!), (।), (,), (;) के नाम हैं:

1. अर्द्धविराम, पूर्णविराम, अल्पविराम, विस्मयादिबोधक
2. पूर्णविराम, अल्पविराम, अर्द्धविराम, विस्मयादिबोधक
3. अल्पविराम, पूर्णविराम, विस्मयादिबोधक, अर्द्धविराम
4. विस्मयादिबोधक, पूर्णविराम, अल्पविराम, अर्द्धविराम

16. 3	**17.** 3	**18.** 3	**19.** 2	**20.** 3	**21.** 2	**22.** 3	**23.** 2	**24.** 4	**25.** 2
26. 1	**27.** 1	**28.** 2	**29.** 2	**30.** 2	**31.** 1	**32.** 3	**33.** 2	**34.** 4	**35.** 4

36. 'सप्तर्षि' में कौन-सा समास है?

1. बहुव्रीहि समास
2. द्वंद्व समास
3. द्विगु समास
4. तत्पुरुष समास

37. 'आंधी आयी और समूचा वातावरण धूलि-धूसरित हो गया।' वाक्य में समुच्चयबोधक अव्यय है:

1. आयी
2. समूचा
3. और
4. धूलि-धूसरित

38. अति + अधिक की सही संधि होगी:

1. अत्याधिक
2. अतिअधिक
3. अत्यंत्याधिक
4. अत्यधिक

39. इनमें से हिन्दी के कहानी लेखक के रूप में कौन प्रसिद्ध हैं?

1. सुमित्रानंदन पंत
2. रामधारी सिंह 'दिनकर'
3. मैथिलीशरण गुप्त
4. प्रेमचंद

40. सच्चाई से बड़ी कोई शक्ति नहीं है। वाक्य में 'सच्चाई' है:

1. गुणवाचक संज्ञा
2. भाववाचक संज्ञा
3. व्यक्तिवाचक संज्ञा
4. द्रव्यवाचक संज्ञा

41. Find the correctly spelt:

1. Assessory
2. Accessry
3. Acessory
4. Accessory

Directions (Qs. No. 42 to 45): *Each question has a sentence with three parts labelled (1), (2) and (3). Read each sentence to find out whether there is any error in any labelled part and indicate your response. If you find no error, your response should be indicated as (4):*

42. (1) Every boy and every girl/ (2) were given a packet/ (3) of sweets./ (4) No error

43. (1) Neither of the/ (2) two men was/ (3) very strong./ (4) No error

44. (1) Our happiness or our sorrow/ (2) is largely due/ (3) to our own actions./ (4) No error

45. (1) He found an one rupee/ (2) coin yesterday in the backyard/ (3) of his house./ (4) No error

Directions (Qs. No. 46 to 48): *Select the word or phrase which is nearest in the meaning to the underlined word or phrase:*

46. This is what makes the city so <u>alluring</u>.

1. Attractive
2. Scary
3. Polluted
4. Daunting

47. It's a very <u>profound</u> statement for a lad of 21, but he's right.

1. Beautiful
2. Careless
3. Meaningless
4. Sincere

48. The expressed their <u>disquiet</u> about the terms of the contract.

1. Interest
2. Greed
3. Anxiety
4. Happiness

Directions (Qs. No. 49 & 50): *Select the word or phrase which is opposite in the meaning to the underlined word or phrase:*

49. I was surprised by the <u>meek</u> submission of the rebels.

1. Humble
2. Devotee
3. Kind
4. Overbearing

50. Sometimes, forgiveness helps turn your <u>antagonists</u> into allies.

1. Enemy
2. Relative
3. Supporter
4. Foster

Directions (Qs. No. 51 to 55): *Fill in the blanks with appropriate words given below:*

51. Both _____ boys are intelligent.

1. A
2. The
3. An
4. No article

52. _____ Mankind should love Nature.

1. A
2. The
3. An
4. No article

53. We met _____ European girl in Rishikesh.

1. The
2. An
3. A
4. No article

54. They began about a quarter past _____ one o'clock in the morning.

1. A
2. The
3. An
4. No article

55. She is good _____ playing the piano.

1. At
2. In
3. With
4. By

Directions (Qs. No. 56 to 60): *Choose the appropriate option after reading the following conversation:*

Sunny : Where are you going?

Rekha : I am going to collect my report card of class VII.

Sunny : Did you not collect it?

Rekha : I could not collect it because I was sick.

36. 3	**37.** 3	**38.** 4	**39.** 4	**40.** 2	**41.** 4	**42.** 2	**43.** 4	**44.** 4	**45.** 1
46. 1	**47.** 4	**48.** 3	**49.** 4	**50.** 3	**51.** 2	**52.** 4	**53.** 3	**54.** 4	**55.** 1

Sunny asked Rekha where __(56)__ going. Rekha replied that __(57)__ going to collect her report card of class VII. Sunny again asked if __(58)__ not collected it. Rekha replied in affirmative that __(59)__ not collect it because __(60)__ sick.

56. 1. He was 2. She was 3. He is 4. She is

57. 1. She was 2. He was 3. Was he 4. Was she

58. 1. He had 2. Had she 3. She had 4. She did

59. 1. She can 2. She could 3. Could she 4. He could

60. 1. He was 2. She was 3. Was she 4. Was he

61. $\frac{-11}{4}$ को प्राप्त करने के लिए $\frac{-33}{16}$ को किस संख्या से विभाजित किया जाना चाहिए?

1. $\frac{2}{3}$ 2. $\frac{3}{2}$ 3. $\frac{3}{4}$ 4. $\frac{4}{11}$

62. यदि $\frac{8}{729}\times\left(\frac{4}{18}\right)^{-6}=\left(\frac{2}{9}\right)^{2m-1}$, तो m ज्ञात कीजिए।

1. 0 2. –1 3. 1 4. 2

63. दो संख्याओं का गुणनफल 1296 है। यदि एक संख्या दूसरी संख्या से 16 गुना है, तो संख्याएँ हैं:

1. (9, 144) 2. (12, 108) 3. (24, 54) 4. (18, 72)

64. यदि $\left(x+\frac{1}{x}\right)=12$, तो $x-\frac{1}{x}$ का मान है:

1. $\pm\sqrt{121}$ 2. $\pm\sqrt{144}$ 3. $\pm\sqrt{140}$ 4. $\pm\sqrt{169}$

65. यदि $4x^2+y^2=40$ और $xy=6$, तो $2x+y$ का मान है:

1. 0 2. ±8 3. ±6 4. $\pm\sqrt{42}$

66. दो संख्याएँ ऐसी हैं जिनके बीच का अनुपात 3 : 5 है। यदि प्रत्येक को 10 से बढ़ा दिया जाए, तो इस प्रकार बनी नई संख्याओं के बीच का अनुपात 5 : 7 हो जाता है, तब मूल संख्याएँ हैं:

1. 9, 15 2. 12, 20 3. 15, 25 4. 18, 30

67. यदि 52 आदमी किसी काम को 35 दिन में कर सकते हैं, तो 28 आदमी उसे कितने दिन में करेंगे?

1. 25 दिन में 2. 16 दिन में 3. 45 दिन में 4. 65 दिन में

68. 15 लड़के 6 दिन में ₹ 900 कमाते हैं, 20 लड़के 7 दिन में कितना कमायेंगे?

1. ₹ 1,400 2. ₹ 1,500 3. ₹ 1,600 4. ₹ 1,450

69. एक पानी की टंकी को नल द्वारा 4 घंटे में भरा जा सकता है और आउटलेट पाइप द्वारा 5 घंटे में खाली किया जा सकता है। यदि नल और पाइप दोनों को एक साथ खोल दिया जाए, तो टंकी को भरने में कितना समय लगेगा?

1. 10 घंटे 2. 12 घंटे 3. 20 घंटे 4. 25 घंटे

70. 20 कैरेट सोने में शुद्ध सोने का प्रतिशत कितना होगा, यदि 24 कैरेट सोना सौ प्रतिशत सोना है?

1. $80\frac{2}{3}\%$ 2. $81\frac{1}{3}\%$ 3. 82% 4. $83\frac{1}{3}\%$

71. यदि m, n का 5% है और n, p का 24% है। यदि $m = 480$ है, तो p का मान है:

1. 40,000 2. 44,000 3. 36,000 4. 32,000

72. दी गई आकृति में ABCD एक समान्तर चतुर्भुज है और ∠A और ∠B का कोण समद्विभाजक O पर मिलते हैं, तो कोण ∠AOB का मान होगा:

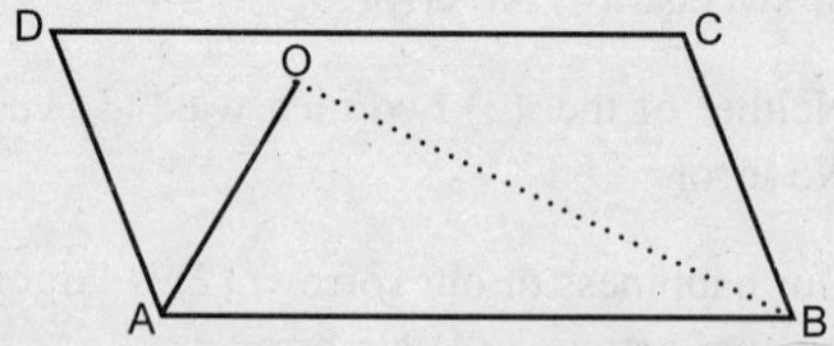

1. 90° से कम 2. 90° से अधिक 3. 90° के बराबर 4. इनमें से कोई नहीं

73. एक समचतुर्भुज का एक विकर्ण उसकी एक भुजा के बराबर है, तो समचतुर्भुज का कोण है:

1. 100°, 80°, 100°, 80°
2. 90°, 90°, 90°, 90°
3. 110°, 70°, 110°, 70°
4. 120°, 60°, 120°, 60°

56. 2	**57.** 1	**58.** 3	**59.** 2	**60.** 2	**61.** 3	**62.** 2	**63.** 1	**64.** 3
65. 2	**66.** 3	**67.** 4	**68.** 1	**69.** 3	**70.** 4	**71.** 1	**72.** 3	**73.** 4

74. 3 cm, 4 cm और 5 cm भुजाओं वाले तीन घनों को पिघलाया जाता है और एक नया घन बनाया जाता है। नए घन की भुजा होगी:

1. 9 cm 2. 8 cm
3. 17 cm 4. 6 cm

75. एक ठोस बेलन के ऊँचाई तथा आधार की त्रिज्या की माप 37 m है। यदि ठोस बेलन का कुल पृष्ठीय क्षेत्रफल 1628 m^2, तो इसके आधार की परिधि है:

1. 34 m 2. 44 m
3. 47 m 4. 54 m

76. यदि $(x^2 + y^2) = 74$ और $xy = 35$, तो $x^3 + y^3$ का मान है:

1. 560 2. 496
3. 486 4. 468

77. एक नियमित बहुभुज की कितनी भुजाएँ होती है यदि एक बाह्य कोण का मान 24° है?

1. 15 2. 14
3. 13 4. 12

78. $\dfrac{4^{-1/2} \times 2^{1/2} \times 3^{-4}}{8 \times 8^{-1/2} \times 6^{-3}}$ का मान है:

1. $\dfrac{1}{2}$ 2. $\dfrac{1}{3}$
3. $\dfrac{2}{3}$ 4. $\dfrac{2\sqrt{2}}{3}$

79. 56 cm व्यास वाले एक साइकिल का पहिया गंतव्य तक पहुँचने के लिए 100 चक्कर लगाता है। साइकिल द्वारा तय की गई कुल दूरी है:

1. 175 m 2. 176 m
3. 177 m 4. 277 m

80. एक घड़ी को ₹ 2,800 में बेचने पर 12% का लाभ होता है। घड़ी का लागत मूल्य क्या होगा?

1. ₹ 2,000 2. ₹ 2,200
3. ₹ 2,500 4. ₹ 2,700

81. भारत सरकार के अधीन किस मंत्रालय ने 'G20 India' ऐप लाँन्च किया?

1. संस्कृति मंत्रालय 2. पर्यटन मंत्रालय
3. शिक्षा मंत्रालय 4. विदेश मंत्रालय

82. नवाब सिराजुद्दौला और रॉबर्ट क्लाइव के बीच युद्ध कब और कहाँ हुआ था?

1. बक्सर – 1764 2. प्लासी – 1757
3. बक्सर – 1756 4. प्लासी – 1857

83. निम्नलिखित में से कौन-सा **गलत** सुमेलित है?

1. मैसूर – हैदर अली
2. झाँसी – रानी लक्ष्मीबाई
3. जोधपुर – शिवाजी
4. पंजाब – महाराजा रणजीत सिंह

84. जॉन फॉसे ने 2023 में निम्नलिखित में से किस क्षेत्र में नोबेल पुरस्कार जीता?

1. रसायनशास्त्र 2. साहित्य
3. शांति 4. भौतिकी

85. गौतम बुद्ध ने ज्ञान प्राप्ति के बाद अपना पहला उपदेश कहाँ दिया था?

1. बोधगया 2. लुंबिनी
3. सारनाथ 4. संखिसा

86. ब्रिटिश अधिकारियों द्वारा विलय के सिद्धान्त के तहत झाँसी राज्य पर कब कब्जा किया गया था?

1. 1856-57 2. 1853-54
3. 1859-60 4. 1850-51

87. नमी बनाए रखने के लिए पौधों के बीच की खाली जमीन को पुआल जैसे कार्बनिक पदार्थ की परत से ढकने की प्रक्रिया कहलाती है:

1. मल्चिंग 2. चट्टानी बांध
3. समोच्च बाधाएँ 4. अंतरफसल

88. निम्नलिखित में से कौन-सा 1947 से पहले देश का प्रथम लोहा और इस्पात संयंत्र था?

1. टाटा आयरन एवं स्टील कंपनी लिमिटेड
2. झरिया कोयला क्षेत्र
3. राउरकेला स्टील प्लांट
4. सेलम स्टील प्लांट

89. निम्नलिखित में से किसे 'गोल्डन फाइबर' के नाम से जाना जाता है?

1. कपास 2. मक्का
3. जूट 4. बाजरा

90. निम्नलिखित में से किसे हाल ही में ओडिशा का राज्यपाल नियुक्त किया गया?

1. रघुबर दास 2. नवीन पटनायक
3. दिनेश त्रिपाठी 4. मनीषा शर्मा

91. भारत में सभी लुप्तप्राय जानवरों और पौधों का रिकॉर्ड रखने वाली पुस्तक को कहा जाता है:

1. ब्लैक बुक 2. विलुप्ति लॉग
3. रेड डेटा बुक 4. ग्रीन डेटा बुक

74. 4	**75.** 2	**76.** 4	**77.** 1	**78.** 3	**79.** 2	**80.** 3	**81.** 4	**82.** 2
83. 3	**84.** 2	**85.** 3	**86.** 2	**87.** 1	**88.** 1	**89.** 3	**90.** 1	**91.** 3

92. क्लोन किए जाने वाले पहले स्तनपायी का नाम और प्रजाति क्या थी?

1. एलेक्स, बकरी 2. डॉली, भेड़
3. सोफिया, ह्यूमनॉइड 4. हारून, कछुआ

93. रबी फसलों की खेती की अवधि क्या है?

1. जून से अगस्त 2. जून से सितंबर
3. जनवरी से जून 4. अक्टूबर से मार्च

94. निम्नलिखित में से किसे आधुनिक सिंचाई पद्धति के रूप में वर्गीकृत किया गया है?

1. खाई 2. चेन पंप
3. ड्रिप प्रणाली 4. जोहड़ व्यवस्था

95. निम्नलिखित में से कौन-सा **सही** सुमेलित है?

1. स्वामी दयानंद सरस्वती – ब्रह्म समाज
2. राममोहन राय – आर्य समाज
3. स्वामी विवेकानन्द – रामकृष्ण मिशन
4. ऐनी बेसेंट – डेक्कन एजुकेशन सोसायटी

96. अभिनव बिंद्रा किस खेल से सम्बन्धित हैं?

1. निशानेबाजी 2. कुश्ती
3. लॉन टेनिस 4. फुटबॉल

97. ब्रिटिश संसद ने ईस्ट इंडिया कंपनी की शक्तियाँ ब्रिटिश क्राउन को कब हस्तांतरित की?

1. 1857 2. 1860
3. 1862 4. 1858

98. भूकंप की शक्ति के परिमाण को मापने के लिए प्रयुक्त पैमाने को कहा जाता है:

1. फ्लेमिंग स्केल 2. बैरोमीटर
3. रिक्टर स्केल 4. इलेक्ट्रोस्कोप

99. निम्नलिखित में से कौन पेट्रोलियम का घटक **नहीं** है?

1. सीएनजी
2. एलपीजी
3. मिट्टी का तेल
4. पैराफिन वैक्स

100. स्वतंत्रता-पूर्व भारत में निम्नलिखित में से किस कानून ने ब्रिटिश सरकार को लोगों को गिरफ्तार करने और बिना मुकदमा चलाए जेलों में रखने की क्षमता दी थी?

1. सहायक संधि – 1765
2. वर्नाक्युलर प्रेस ऐक्ट – 1878
3. विलय का सिद्धान्त – 1859
4. रोलेट ऐक्ट – 1919

व्याख्यात्मक उत्तर

1. पेट्रोलियम को आमतौर पर ''काला सोना'' (Black Gold) कहा जाता है क्योंकि यह गहरे रंग का होता है और ऊर्जा के एक प्रमुख स्रोत तथा कई उपयोगी उत्पादों (पेट्रोल, डीजल, मिट्टी का तेल, प्लास्टिक, स्नेहक आदि) के रूप में अत्यंत मूल्यवान है।

2. अनाज का बड़े पैमाने पर भंडारण भंडार गृहों (granaries) और साइलो (silos) में किया जाता है क्योंकि ये दोनों ही लंबी अवधि तक थोक भंडारण के लिए बनाई गई प्रणालियाँ हैं। भंडार गृह बड़ी इमारतें या गोदाम होते हैं जहाँ अनाज को अक्सर जूट के बोरों में रखा जाता है। साइलो कंक्रीट या धातु से बनी ऊँची बेलनाकार संरचनाएँ होती हैं, जो अनाज को कीड़ों, कृंतकों (rodents) और नमी से बचाने के लिए विशेष रूप से डिजाइन की जाती हैं।

3. लुई पाश्चर ने खोजा कि यीस्ट (yeast) किण्वन (fermentation) की प्रक्रिया करता है, जो चीनी को अल्कोहल (और कार्बन डाइऑक्साइड) में बदल देता है। उन्होंने ही इस जैविक प्रक्रिया की वैज्ञानिक समझ स्थापित की।

4. ऐसी प्रजातियाँ (पौधे या जानवर) जो केवल एक विशेष क्षेत्र में पाई जाती हैं और प्राकृतिक रूप से कहीं और नहीं मिलतीं, विशेष क्षेत्रीय प्रजातियाँ (endemic species) कहलाती हैं।

5. पीयूष ग्रंथि (Pituitary gland) गोनाडोट्रोपिक हार्मोन (FSH और LH) छोड़ती है, जो वृषण (testes) और अंडाशय (ovaries) के कामकाज को नियंत्रित करते हैं। इस प्रकार, यह ग्रंथि अप्रत्यक्ष रूप से टेस्टोस्टेरोन और एस्ट्रोजन के उत्पादन को नियंत्रित करती है।

6. किसी तरल के तल पर दबाव तरल स्तंभ की ऊंचाई (गहराई) और तरल के घनत्व पर निर्भर करता है। गणितीय रूप से, $P = \rho gh$। अतः, जैसे-जैसे ऊंचाई (h) बढ़ती है, तल का दबाव बढ़ता जाता है।

7. तरल पदार्थों (तरल या गैस) द्वारा उनमें गति करने वाली वस्तु पर लगाए गए घर्षण बल को कर्षण (drag) कहा जाता है। यह वस्तु की गति का विरोध करता है और वस्तु की गति, आकार तथा तरल की प्रकृति पर निर्भर करता है।

92. 2	**93.** 4	**94.** 3	**95.** 3	**96.** 1	**97.** 4	**98.** 3	**99.** 1	**100.** 4

8. अल्ट्रासाउंड उपकरण 20,000 Hz से ऊपर की आवृत्तियों पर काम करते हैं, जो मानव के सुनने की श्रव्य सीमा से परे है। इन उच्च-आवृत्ति वाली ध्वनि तरंगों का उपयोग चिकित्सा इमेजिंग में किया जाता है क्योंकि वे शरीर के ऊतकों में प्रवेश कर सकती हैं और चित्र बनाने के लिए वापस परावर्तित होती हैं।

9. शंकु रेटिना में स्थित विशिष्ट प्रकाशग्राही (photoreceptor) कोशिकाएं हैं जो रंग दृष्टि (colour vision) और सूक्ष्म विवरणों को स्पष्ट रूप से देखने (sharp detailed vision) के लिए जिम्मेदार होती हैं, विशेष रूप से तेज रोशनी में। ये अलग-अलग तरंग दैर्ध्य (wavelengths) के प्रति प्रतिक्रिया करते हैं जो विभिन्न रंगों के अनुरूप होते हैं।

10. जल के विद्युत अपघटन (electrolysis) में, ऑक्सीजन गैस धनात्मक टर्मिनल (एनोड) पर उत्पन्न होती है, जबकि हाइड्रोजन गैस ऋणात्मक टर्मिनल (कैथोड) पर उत्पन्न होती है। ऐसा इसलिए होता है क्योंकि एनोड पर ऑक्सीकरण (इलेक्ट्रॉनों की हानि) होता है।

11. एंथ्रेक्स एक संक्रामक रोग है जो बैसिलस एंथ्रेसिस (*Bacillus anthracis*) नामक जीवाणु के कारण होता है। यह मुख्य रूप से मवेशियों को प्रभावित करता है, लेकिन संक्रमित जानवरों के संपर्क में आने से मनुष्यों में भी फैल सकता है।

12. भोजन के भंडारण के लिए उपयोग किए जाने वाले टिन के डिब्बे लोहे पर टिन का विद्युत लेपन (electroplating) करके बनाए जाते हैं। टिन कम प्रतिक्रियाशील और गैर-विषाक्त होता है, इसलिए यह लोहे को जंग से बचाता है और भोजन को दूषित होने से रोकता है।

13. पेट्रोल इंजन पेट्रोल के अपूर्ण दहन के कारण कार्बन मोनोऑक्साइड छोड़ता है। यह गैस रंगहीन, गंधहीन और अत्यंत विषैली होती है, जो इसे सबसे खतरनाक वाहनों के प्रदूषकों में से एक बनाती है।

14. किसी ईंधन का कैलोरी मान (Calorific value) किलोजूल प्रति किलोग्राम (kJ/kg) में व्यक्त किया जाता है। यह उस ऊष्मा ऊर्जा की मात्रा को दर्शाता है जो एक किलोग्राम ईंधन के पूर्ण रूप से जलने पर उत्पन्न होती है।

15. माचिस की तीली के सिरे पर एंटीमनी ट्राइसल्फाइड और पोटेशियम क्लोरेट का मिश्रण होता है, जो माचिस की डिब्बी की खुरदरी सतह से टकराने पर दहन शुरू करने में मदद करता है।

16. किसी तरल में गति करने वाली वस्तु द्वारा अनुभव किया जाने वाला घर्षण बल (ड्रैग) उसकी गति, वस्तु के आकार और तरल की प्रकृति पर निर्भर करता है। यह सीधे तौर पर वस्तु के द्रव्यमान (mass) पर निर्भर नहीं करता है।

17. मोमबत्ती की लौ में:

- **बाहरी क्षेत्रः** पूर्ण दहन होता है और यह नीला दिखता है।
- **मध्य क्षेत्रः** आंशिक दहन के कारण पीला दिखता है।
- **सबसे आंतरिक क्षेत्रः** बिना जले मोम के वाष्प होते हैं और यह काला दिखता है।

18. साइट्रस कैंकर बैक्टीरिया के कारण होता है, गेहूं का रस्ट कवक (fungus) के कारण होता है, और भिंडी की पीली शिरा मोजेक वायरस के कारण होती है। अतः, सही मिलान हैः A-(*ii*), B-(*iii*), C-(*i*)।

19. शुष्क मौसम में, बालों में कंघी करने से विद्युत आवेश (electric charges) स्थानांतरित होते हैं। बालों की लड़ें एक ही प्रकार का आवेश प्राप्त कर लेती हैं और स्थिरवैद्युत बल (electrostatic force) के कारण एक-दूसरे को प्रतिकर्षित करती हैं, जिससे वे बिखर जाते हैं।

20. आवृत्ति (Frequency) को एक सेकंड में पूरे किए गए दोलनों की संख्या के रूप में परिभाषित किया गया है। यदि कोई वस्तु 1 सेकंड में 5 दोलन करती है, तो,

$$\text{आवृत्ति} = \frac{\text{दोलनों की संख्या}}{\text{समय (सेकंड)}}$$

$$= \frac{5}{1} = 5 \text{ Hz}$$

अतः, सही आवृत्ति 5 Hz है।

21. 'रंग लाना' मुहावरे का अर्थ किसी प्रयास, कार्य या योजना का सफल होना अथवा उसका अपेक्षित प्रभाव उत्पन्न करना होता है, जैसे—कड़ी मेहनत अंततः रंग लाई।

22. 'गरुड़' भगवान विष्णु का वाहन माने जाने वाले पक्षी का सही और शुद्ध वर्तनी वाला शब्द है। अन्य विकल्पों में मात्रा अथवा वर्ण-विन्यास की त्रुटि है।

23. 'श्रीरामचरितमानस' की रचना गोस्वामी तुलसीदास ने अवधी भाषा में की थी। यह ग्रंथ रामकथा का भक्तिपूर्ण और लोकभाषा में रचित काव्यात्मक रूप है।

24. 'देशभक्ति' शब्द का समास-विग्रह 'देश के लिए भक्ति' होता है। तत्पुरुष समास में उत्तर पद (भक्ति) प्रधान होता है और विग्रह में प्रयुक्त कारक-चिह्न लुप्त हो जाता है। यहाँ 'के लिए' का संबंध सम्प्रदान कारक से है, इसलिए 'देशभक्ति' में सम्प्रदान तत्पुरुष समास होता है।

25. 'मगही' भाषा मुख्य रूप से बिहार के पटना और उसके आस-पास के क्षेत्रों में बोली जाती है। यह पूर्वी भारत की प्रमुख लोकभाषाओं में से एक है।

26. 'आशातीत' शब्द का अर्थ है आशा से बढ़कर या अपेक्षा से अधिक। इसका प्रयोग तब होता है जब परिणाम या घटना अनुमान से कहीं अधिक हो।

27. 'उत्साह' वीर रस का स्थायी भाव है। वीर रस में साहस, पराक्रम और दृढ़ संकल्प की भावना प्रकट होती है, जिसका मूल भाव उत्साह होता है8

28. वाक्य ''वह मेरा घर है'' में 'मेरा' शब्द उत्तम पुरुषवाचक सर्वनाम का संबंधवाचक (निजवाचक) रूप है। यह मूलतः 'मैं' सर्वनाम

का विकारी रूप है और स्वामित्व का बोध कराता है। यहाँ 'मेरा' को स्वतंत्र रूप से भी प्रयोग किया जा सकता है, जैसे–''वह घर मेरा है'', जहाँ यह स्पष्ट रूप से सर्वनाम ही रहता है। अतः इस वाक्य में 'मेरा' को सर्वनाम के रूप में ही वर्गीकृत करना व्याकरण की दृष्टि से सही है।

29. वाक्य ''वह बहुत सुन्दर स्थान है'' में 'बहुत' शब्द सुन्दर विशेषण की मात्रा बताता है। विशेषण की विशेषता बताने वाले शब्द को प्रविशेषण कहते हैं।

30. वाक्य ''जब तुम आओगे, तब मैं जाऊँगा'' में एक कार्य का होना दूसरे कार्य पर निर्भर है। इस प्रकार के वाक्य संकेतवाचक वाक्य कहलाते हैं, क्योंकि इनमें शर्त या संकेत का भाव होता है।

31. 'जो बहुत बोलता है' व्यक्ति के लिए वाचाल शब्द प्रयोग किया जाता है। इसका अर्थ अधिक बोलने वाला या बातूनी व्यक्ति होता है।

32. इस समूह में सभी शब्द पर्यायवाची नहीं हैं क्योंकि नदी, सरिता, तटिनी नदी के पर्याय हैं, जबकि विटप का अर्थ वृक्ष होता है। इसलिए यह समूह सही नहीं है।

33. उ, ऊ स्वर तथा प-वर्ग (प, फ, ब, भ, म) के वर्णों का उच्चारण ओठ (ओष्ठ्य) से होता है। अतः इनका उच्चारण-स्थान ओठ है।

34. 'भीषण' शब्द अत्यधिक उग्र, भयानक या तीव्र अर्थ देता है। इसका सबसे उपयुक्त प्रयोग युद्ध के लिए होता है, जैसे–भीषण युद्ध।

35. दिए गए चिह्नों (!), (।), (,), (;) के नाम क्रमशः विस्मयादिबोधक, पूर्णविराम, अल्पविराम और अर्द्धविराम होते हैं।

36. 'सप्तर्षि' शब्द का विग्रह सात ऋषि होता है। जहाँ संख्या (सप्त = सात) पूर्वपद होती है और समस्त पद किसी समूह का बोध कराता है, वहाँ द्विगु समास होता है।

37. वाक्य ''आंधी आयी और समूचा वातावरण धूलि-धूसरित हो गया।'' में 'और' शब्द दो वाक्यांशों को जोड़ रहा है, इसलिए यह समुच्चयबोधक अव्यय है।

38. 'अति' + 'अधिक' की संधि में इ + अ = य हो जाता है, जिससे सही संधि रूप अत्यधिक बनता है। अन्य विकल्प संधि-नियमों के अनुसार सही नहीं हैं।

39. प्रेमचंद हिन्दी साहित्य के सबसे प्रसिद्ध कहानीकार माने जाते हैं। उन्होंने सामाजिक यथार्थ पर आधारित अनेक प्रसिद्ध कहानियाँ और उपन्यास लिखे, जैसे–'कफन', 'पूस की रात', 'गोदान' आदि।

40. वाक्य ''सच्चाई से बड़ी कोई शक्ति नहीं है।'' में 'सच्चाई' किसी गुण या भाव का बोध कराती है जिसे न देखा जा सकता है और न छुआ जा सकता है, इसलिए यह भाववाचक संज्ञा है।

41. Accessory is the correctly spelt word. The other options contain spelling errors such as missing or misplaced letters.

42. In the sentence "Every boy and every girl were given a packet of sweets," the subject 'Every boy and every girl' is grammatically singular in sense. Therefore, the verb should be 'was given', not 'were given'. Hence, the error lies in part (2).

43. In the sentence "Neither of the two men was very strong," the subject 'Neither' is singular and correctly takes the singular verb 'was'. The sentence is grammatically correct.

44. In "Our happiness or our sorrow is largely due to our own actions," the verb agrees with the nearer subject 'our sorrow', which is singular. Hence, the use of 'is' is correct.

45. The phrase 'an one rupee' is incorrect. Since 'one' begins with a consonant sound (/w/), the correct article is 'a', not 'an'. Therefore, the error is in part (1).

46. The word 'alluring' means highly attractive or tempting. Hence, Attractive is the nearest meaning.

47. The word 'profound' means deep, serious, and showing thoughtful insight. In the given sentence, "It's a very profound statement for a lad of 21, but he's right," the emphasis is on the depth, seriousness, and genuineness of thought expressed in the statement. Among the given options, 'sincere' best conveys this sense of earnestness and depth of feeling or thought in context. Hence, option 4 correctly matches the meaning intended in the sentence.

48. Disquiet' means uneasiness, worry, or anxiety. Thus, Anxiety is the closest meaning.

49. The opposite of 'meek' (submissive, gentle) is overbearing (domineering, arrogant). Hence, option 4 is correct.

50. The word 'antagonists' means opponents or enemies. The question asks for the opposite meaning. A supporter is someone who stands with, helps, or backs another person, which is the direct opposite of an antagonist. Hence, Supporter is the correct antonym in this context.

51. The definite article 'the' is used with 'both' when referring to two specific persons or things already known or identified. Hence, "Both the boys are intelligent" is grammatically correct.

52. 'Mankind' is used in a general sense to denote the whole human race. When used in this universal sense, no article is required. Therefore, "Mankind should love Nature" is correct.

53. Although 'European' begins with a vowel letter, it starts with a consonant sound /ju:/ ("yoo"). Therefore, the correct article is 'a', making the sentence "We met a European girl in Rishikesh."

54. When time expressions like 'one o'clock' are used with phrases such as "past," "to," or "quarter," no article is used before the number. Hence, "about a quarter past one o'clock" is correct.

55. The adjective 'good' is followed by the preposition 'at' to indicate skill or proficiency in an activity. Therefore, "She is good at playing the piano" is grammatically correct.

56. In indirect speech, the present continuous tense "Where are you going?" changes to past continuous. Since the subject is Rekha, the correct form is "she was going."

57. The sentence "I am going to collect my report card..." changes into reported speech as "she was going to collect her report card", with tense shifted to past.

58. The original direct question is "Did you not collect it?", which is in the simple past tense. When such a question is changed into indirect (reported) speech, the simple past tense correctly changes into the past perfect tense. In reported yes/no questions, the structure used is if/whether + subject + verb (not inversion). Therefore, the correct construction is "Sunny again asked if she had not collected it." Hence, option 3. She had is grammatically and structurally correct.

59. The sentence "I could not collect it..." remains 'could' in indirect speech because it already expresses past ability. Therefore, "she could not collect it" is correct.

60. The reason clause "because I was sick" changes to "because she was sick", with the subject changed to third person and tense remaining past.

61. दिया गया है:

$$\frac{-33}{16} \div x = \frac{-11}{4}$$

किसी संख्या से विभाजित करने का अर्थ है उस संख्या के व्युत्क्रम से गुणा करना:

$$\frac{-33}{16} = \frac{-11}{4} \times x$$

$$x = \frac{-33}{16} \div \frac{-11}{4} = \frac{-33}{16} \times \frac{4}{-11}$$

$$x = \frac{33 \times 4}{16 \times 11} = \frac{132}{176} = \frac{3}{4}.$$

62. दिया गया है:

$$\frac{8}{729} \times \left(\frac{4}{18}\right)^{-6} = \left(\frac{2}{9}\right)^{2m-1}$$

सर्वप्रथम सभी पदों को समान आधार के मानक पदों में बदलें

$$8 = 2^3,\ 729 = 9^3,\ \frac{4}{18} = \frac{2}{9}$$

अत:
$$\frac{8}{729} = \left(\frac{2}{9}\right)^3$$

प्रतिस्थापित करने पर;

$$\left(\frac{2}{3}\right)^3 \times \left(\frac{2}{9}\right)^{-6} = \left(\frac{2}{9}\right)^{2m-1}$$

घातांक के नियम का प्रयोग करने पर (समान आधार $\Rightarrow$ घात का योग)

$$\left(\frac{2}{9}\right)^{3+(-6)} = \left(\frac{2}{9}\right)^{2m-1}$$

$$\left(\frac{2}{9}\right)^{-3} = \left(\frac{2}{9}\right)^{2m-1}$$

घातांक को समान करने पर:

$$-3 = 2m - 1$$
$$-2 = 2m$$
$$m = -1$$

अत: m का मान -1 होगा।

63. माना की छोटी संख्या x है, तब बड़ी संख्या $= 16x$.

$$x \times 16x = 1296$$
$$16x^2 = 1296 \Rightarrow x^2 = 81$$
$$\Rightarrow x = 9.$$

अत: संख्या $x = 9$ एवं $16x \times 9 = 144$.

64. दिया गया है: $x + \frac{1}{x} = 12$

दोनों तरफ वर्ग लेने पर

$$\left(x + \frac{1}{x}\right)^2 = 12^2$$

$$x^2 + \frac{1}{x^2} + 2 = 144$$

अत:
$$x^2 + \frac{1}{x^2} = 144 - 2 = 142$$

अब,
$$\left(x - \frac{1}{x}\right)^2 = x^2 + \frac{1}{x^2} - 2$$
$$= 142 - 2 = 140$$

इस प्रकार
$$x - \frac{1}{x} = \pm\sqrt{140}$$

अत: सही विकल्प 3 है अर्थात्, $\pm\sqrt{140}$.

65. दिया गया है: $4x^2 + y^2 = 40,\ xy = 6$

अब,

$$(2x + y)^2 = 4x^2 + y^2 + 4xy$$

$= 40 + 4(6)$
$= 40 + 24 = 64$
$2x + y = \pm\sqrt{64} = \pm 8.$

66. माना कि मूल संख्याएँ क्रमशः $3x$ एवं $5x$ हैं। प्रत्येक संख्या में 10 की वृद्धि करने पर, यह अनुपात 5 : 7 होगा।

$$\frac{3x+10}{5x+10} = \frac{5}{7}$$
$$7(3x + 10) = 5(5x + 10)$$
$$21x + 70 = 25x + 50$$
$$70 - 50 = 25x - 21x$$
$$20 = 4x \Rightarrow x = 5$$

अतः मूल संख्याए हैं: $3x = 15$ एवं $5x = 25$.

67.
$$\text{कार्य} = \text{आदमी} \times \text{दिन}$$
$$52 \times 35 = 28 \times D$$
$$D = \frac{52 \times 35}{28}$$
$$D = \frac{13 \times 35}{7}$$
$$D = 13 \times 5 = 65.$$

अतः कार्य 65 दिनों में समाप्त होगा।

68. कमाई प्रत्यक्षतः लड़कों की संख्या एवं दिनों की संख्या पर निर्भर करती है।

सर्वप्रथम, प्रति लड़का प्रति दिन की कमाई ज्ञात करें:

$$\text{प्रति लड़का प्रति दिन कमाई} = \frac{900}{15 \times 6} = \frac{900}{90} = 10$$

अब, 20 लड़के 7 दिनों तक काम करते हैं

$$\text{कुल कमाई} = 20 \times 7 \times 10 = 1400.$$

अतः सही उत्तर ₹ 1,400 है।

69. नल द्वारा टंकी भरने की दर $= \frac{1}{4}$ टंकी प्रति घंटा

आउटलेट पाइप द्वारा खाली करने की दर $= \frac{1}{5}$ टंकी प्रति घंटा

दोनों नलों को एक साथ खोल देने पर:

$$\frac{1}{4} - \frac{1}{5} = \frac{5-4}{20} = \frac{1}{20}$$

टंकी को भरने में लगा अभीष्ट समय

$$\frac{1}{\frac{1}{20}} = 20 \text{ घंटे}$$

अतः सही उत्तर = 20 घंटे।

70. 24 कैरेट सोना 100% शुद्ध होता है।

20 कैरेट सोने की शुद्धता:

$$\frac{20}{24} \times 100 = \frac{5}{6} \times 100 = 83\frac{1}{3}\%$$

अतः सही उत्तर विकल्प 4 है।

71. दिया गया है:

$m = n$ का 5%, $n = p$ का 24%, $m = 480$

प्रथम संबंध से:

$$0.05n = 480 \Rightarrow n = \frac{480}{0.05} = 9600$$

द्वितीय संबंध से:

$$0.24p = 9600 \Rightarrow p = \frac{9600}{0.24} = 40000$$

अतः सही विकल्प 1 है: 40,000.

72. समानांतर चतुर्भुज ABCD में,

$$\angle A + \angle B = 180°$$

$\angle A$ का समद्विभाजक $\frac{\angle A}{2}$ तथा $\angle B$ का समद्विभाजक $\frac{\angle B}{2}$ कोण बनाता है।

दो समद्विभाजकों के बीच का कोण:

$$\frac{\angle A}{2} + \frac{\angle B}{2} = \frac{180°}{2} = 90°$$

अतः $\angle AOB = 90°$

अतः सही उत्तर विकल्प 3 है।

73. माना कि समचतुर्भुज की एक भुजा s तथा एक आंतरिक कोण θ है।

$$d = 2s\cos\left(\frac{\theta}{2}\right) \text{(एक विकर्ण)}$$
$$d' = 2s\sin\left(\frac{\theta}{2}\right) \text{(दूसरा विकर्ण)}$$

दिया गया है: एक विकर्ण एक भुजा के बराबर है, अतः या तो

$$2s\cos\left(\frac{\theta}{2}\right) = s \text{ या } 2s\sin\left(\frac{\theta}{2}\right) = s$$

$$2\cos\left(\frac{\theta}{2}\right) = 1 \Rightarrow \cos\left(\frac{\theta}{2}\right) = \frac{1}{2}$$

$$\Rightarrow \quad \frac{\theta}{2} = 60° \Rightarrow \theta = 120°$$

या
$$2\sin\left(\frac{\theta}{2}\right) = 1 \Rightarrow \sin\left(\frac{\theta}{2}\right) = \frac{1}{2}$$

$$\frac{\theta}{2} = 30° \Rightarrow \theta = 60°$$

इस प्रकार समचतुर्भुज के कोण हैं 60° एवं 120°। इस प्रकार सही विकल्प 4 है।

74. पिघलाने के बाद भी आयतन समान रहता है।

$$V_{new} = 3^3 + 4^3 + 5^3$$
$$= 27 + 64 + 125$$
$$= 216 \text{ सेमी}^3$$

यदि नये घन की एक भुजा a है, तब

$$a^3 = 216$$
$$\Rightarrow \quad a = \sqrt[3]{216} = 6 \text{ सेमी.}$$

75. दिया गया है: $r + h = 37$.

ठोस बेलन का कुल पृष्ठीय क्षेत्रफल

$$TSA = 2\pi r(r + h)$$

इसलिए, $2\pi r(37) = 1628$

$\pi = \frac{22}{7}$ का उपयोग करने पर

$$2 \times \frac{22}{7} \times r \times 37 = 1628$$

$$\frac{44 \times 37}{7} r = 1628$$

$$\frac{1628}{7} r = 1628 \Rightarrow r = 7$$

आधार की परिधि

$$2\pi r = 2 \times \frac{22}{7} \times 7 = 44 \text{ मी.}$$ ।

76. $x^2 + y^2 = 74, xy = 35$

$$(x + y)^2 = x^2 + y^2 + 2xy$$
$$= 74 + 2(35)$$
$$= 74 + 70 = 144$$
$$x + y = \sqrt{144} = 12$$

(–12 भी संभव है)

$(x + y)^3 = x^3 + y^3 + 3xy(x + y)$ का प्रयोग करने पर

$$12^3 = x^3 + y^3 + 3(35)(12)$$
$$1728 = x^3 + y^3 + 1260$$
$$x^3 + y^3 = 1728 - 1260 = 468$$

अतः $x^3 + y^3 = 468$ जो विकल्प 4 के समान है।

77. एक नियमित बहुभुज के लिए,

$$\text{बाह्य कोण} = \frac{360°}{n}$$

दिया गया है, बाह्य कोण = 24°:

$$24 = \frac{360}{n} \Rightarrow n = \frac{360}{24} = 15$$

अतः भुजाओं की संख्या, $n = 15$.

78. दिया गया है: $\frac{4^{-\frac{1}{2}} \times 2^{2^{\frac{1}{2}}} \times 3^{-4}}{8 \times 8^{-\frac{1}{2}} \times 6^{-3}}$

सभी पदों को मुख्य आधार के साथ लिखने पर

$$4^{-\frac{1}{2}} = (2^2)^{-\frac{1}{2}} = 2^{-1}, 8 = 2^3,$$

$$8^{-\frac{1}{2}} = (2^3)^{-\frac{1}{2}} = 2^{-\frac{3}{2}}$$

$$6^{-3} = (2 \times 3)^{-3} = 2^{-3} \times 3^{-3}$$

प्रतिस्थापित करने पर:

$$\frac{2^{-1} \times 2^{\frac{1}{2}} \times 3^{-4}}{2^3 \times 2^{-\frac{3}{2}} \times 2^{-3} \times 3^{-3}}$$

अंश को सरल करने पर,

$$2^{-1+\frac{1}{2}} \times 3^{-4} = 2^{-\frac{1}{2}} \times 3^{-4}$$

हर को सरल करने पर,

$$2^{3-\frac{3}{2}-3} \times 3^{-3} = 2^{-\frac{3}{2}} \times 3^{-3}$$

भाग देने पर:

$$\frac{2^{-\frac{1}{2}} \times 3^{-4}}{2^{-\frac{3}{2}} \times 3^{-3}} = 2^{-\frac{1}{2}-\left(-\frac{3}{2}\right)} \times 3^{-4-(-3)}$$

$$= 2^1 \times 3^{-1} = \frac{2}{3}$$

अतः सही उत्तर विकल्प 3 है।

79. परिधि = $\pi d = \pi \times 56$ सेमी = 56π सेमी

100 चक्कर में तय की गई दूरी

$$= 100 \times 56\pi = 5600\pi \text{ सेमी}$$

$$5600\pi \text{ सेमी} = 56\pi \text{ मी}$$

$$56\pi = 56 \times \frac{22}{7}$$

$$= 8 \times 22 = 176 \text{ मी.}$$ ।

80. लाभ = 12% ⇒ विक्रय मूल्य = क्रय मूल्य का 112%

$$\text{क्रय मूल्य} = \text{विक्रय मूल्य} \times \frac{100}{112}$$

$$= 2800 \times \frac{100}{112}$$

$$= 2800 \times \frac{25}{28}$$

∴ क्रय मूल्य = 100 × 25 = ₹ 2500.

81. 'G20 India' ऐप भारत की G20 अध्यक्षता के ढांचे के तहत विदेश मंत्रालय (Ministry of External Affairs) द्वारा लॉन्च किया गया था, जिसने कई आधिकारिक G20 संचार और आउटरीच पहलों का नेतृत्व किया।

82. नवाब सिराज-उद-दौला और रॉबर्ट क्लाइव के बीच प्रसिद्ध युद्ध 1757 में प्लासी (Plassey) में लड़ा गया था।

83. यह जोड़ा गलत सुमेलित है क्योंकि शिवाजी पश्चिमी भारत में मराठा शक्ति से जुड़े थे, न कि जोधपुर (एक राजपूत राज्य) से।

84. जॉन फॉसे (Jon Fosse) को उनके नवीन नाटकों और गद्य के लिए साहित्य में नोबेल पुरस्कार (2023) से सम्मानित किया गया था, जो अनकही बातों को आवाज देते हैं और गहन साहित्यिक अभिव्यक्ति के साथ मानवीय अस्तित्व का अन्वेषण करते हैं।

85. बोधगया में ज्ञान प्राप्त करने के बाद, गौतम बुद्ध ने अपना पहला उपदेश सारनाथ में दिया था, जिसे धर्मचक्र प्रवर्तन सुत्त (धर्म के पहिये का घूमना) के रूप में जाना जाता है।

86. राजा गंगाधर राव की मृत्यु के बाद, लॉर्ड डलहौजी की 'व्यपगत का सिद्धांत' (Doctrine of Lapse) के तहत 1853-54 में ब्रिटिशों द्वारा झांसी के राज्य को हड़प लिया गया था।

87. नमी को संरक्षित करने और मिट्टी की उर्वरता में सुधार करने के लिए नग्न मिट्टी को पुआल, पत्तियों या घास जैसे कार्बनिक पदार्थों से ढकने की प्रक्रिया को मल्चिंग (Mulching) कहा जाता है।

88. टिस्को (TISCO) (जमशेदपुर में 1907 में स्थापित) स्वतंत्रता से पहले भारत में पहला लोहा और इस्पात संयंत्र था।

89. जूट को इसके प्राकृतिक सुनहरे रंग और उच्च आर्थिक मूल्य के कारण 'सुनहरा रेशा' (Golden Fibre) के रूप में जाना जाता है, विशेष रूप से पूर्वी भारत में।

90. रघुवर दास को हाल ही में ओडिशा के राज्यपाल के रूप में नियुक्त किया गया था।

91. रेड डेटा बुक (Red Data Book) पौधों और जानवरों की लुप्तप्राय प्रजातियों (endangered species) का रिकॉर्ड रखती है, जो उन प्रजातियों का दस्तावेजीकरण करती है जिनके विलुप्त होने का खतरा है।

92. डॉली (Dolly) एक वयस्क दैहिक कोशिका (somatic cell) से सफलतापूर्वक क्लोन किया गया पहला स्तनपायी था, और वह एक भेड़ थी।

93. रबी की फसलें सर्दियों (अक्टूबर-नवंबर) में बोई जाती हैं और वसंत (मार्च-अप्रैल) में काटी जाती हैं, इसलिए उनकी खेती की अवधि अक्टूबर से मार्च तक होती है।

94. ड्रिप सिंचाई प्रणाली एक आधुनिक विधि है जो सीधे पौधों की जड़ों तक पानी पहुँचाती है, जिससे पानी की बचत होती है और दक्षता में सुधार होता है।

95. स्वामी विवेकानंद ने श्री रामकृष्ण की शिक्षाओं के आधार पर आध्यात्मिक और सामाजिक सेवा को बढ़ावा देने के लिए रामकृष्ण मिशन की स्थापना की।

96. अभिनव बिंद्रा एक भारतीय निशानेबाज हैं और व्यक्तिगत ओलंपिक स्वर्ण पदक (बीजिंग 2008) जीतने वाले पहले भारतीय हैं।

97. 1858 में, भारत सरकार अधिनियम के माध्यम से, ब्रिटिश संसद ने ईस्ट इंडिया कंपनी से ब्रिटिश क्राउन (राजमुकुट) को सत्ता हस्तांतरित कर दी।

98. रिक्टर स्केल (Richter scale) का उपयोग भूकंप की तीव्रता (शक्ति) मापने के लिए किया जाता है।

99. सीएनजी (CNG - संपीड़ित प्राकृतिक गैस) पेट्रोलियम का घटक नहीं है; यह मुख्य रूप से प्राकृतिक गैस से प्राप्त होती है, जबकि एलपीजी, मिट्टी का तेल और पैराफिन मोम पेट्रोलियम उत्पाद हैं।

100. रौलट एक्ट (Rowlatt Act) ने ब्रिटिश सरकार को बिना किसी मुकदमे के लोगों को गिरफ्तार करने और हिरासत में रखने का अधिकार दिया, जिससे स्वतंत्रता-पूर्व भारत में नागरिक स्वतंत्रताएं गंभीर रूप से कम हो गईं।

ENGLISH

1

Verb Patterns

The *Pattern* of a verb shows the various forms it assumes, either by inflection or by combination with parts of other verbs, in order to mark voice, tense, number, person and mood.

The following are the principal parts of a verb in the English language:

(*a*) The Present Tense

(*b*) The Past Tense

(*c*) The Past Participle

The verbs are of two kinds. They are:

(*a*) Strong Verbs

(*b*) Weak Verbs

Verbs that form their past tense and past participle by a change of the inside vowel in the present are called *strong verbs. e.g.,*

Present Tense	***Past Tense***	***Past Participle***
Come	Came	Come
Do	Did	Done
Fall	Fell	Fallen
Write	Wrote	Written
Speak	Spoke	Spoken

Verbs that form their past tense and past participle by adding *-ed, -d* or *-t* to the present, with or without change of the inside vowel are called *weak verbs. e.g.,*

Present Tense	***Past Tense***	***Past Participle***
Believe	Believed	Believed
Burn	Burnt	Burnt
Talk	Talked	Talked
Sleep	Slept	Slept
Walk	Walked	Walked

The following is a list of *strong verbs* and *weak verbs*:

Present Tense	***Past Tense***	***Past Participle***
Abet	Abetted	Abetted
Abide	Abode	Abode
Am/Be	Was	Been
Are	Were	Been
Aver	Averred	Averred
Abhor	Abhorred	Abhorred
Arise	Arose	Arisen
Awake	Awoke	Awoken
Beat	Beat	Beaten
Befall	Befell	Befallen
Bandy	Bandied	Bandied
Bed	Bedded	Bedded
Behold	Beheld	Beheld
Believe	Believed	Believed
Beseech	Besought	Besought
Behave	Behaved	Behaved
Bethink	Bethought	Bethought
Bind	Bound	Bound
Bleed	Bled	Bled
Bless	Blessed	Blessed
Win	Won	Won
Withstand	Withstood	Withstood
Work	Worked	Worked
Welcome	Welcomed	Welcomed
Will	Would	—
Write	Wrote	Written
Wake	Woke	Woken
Wear	Wore	Worn
Withdraw	Withdrew	Withdrawn
Withhold	Withheld	Withheld
Wed	Wedded	Wedded
Whip	Whipped	Whipped
Worry	Worried	Worried
Wrong	Wronged	Wronged
Yell	Yelled	Yelled
Yield	Yielded	Yielded
Zigzag	Zigzagged	Zigzagged

Each of the following verbs has exactly the same form in present tense, past tense and past participle:

Present Tense	*Past Tense*	*Past Participle*	*Present Tense*	*Past Tense*	*Past Participle*
Beset	Beset	Beset	Outbid	Outbid	Outbid
Bet	Bet	Bet	Put	Put	Put
Bid	Bid	Bid	Quit	Quit	Quit
Burst	Burst	Burst	Read	Read	Read
Broadcast	Broadcast	Broadcast	Recast	Recast	Recast
Cast	Cast	Cast	Reset	Reset	Reset
Cost	Cost	Cost	Rid	Rid	Rid
Cut	Cut	Cut	Set	Set	Set
Forecast	Forecast	Forecast	Shed	Shed	Shed
Hit	Hit	Hit	Slit	Slit	Slit
Hurt	Hurt	Hurt	Split	Split	Split
Knit	Knit	Knit	Spread	Spread	Spread
Let	Let	Let	Thrust	Thrust	Thrust
Miscast	Miscast	Miscast	Underbid	Underbid	Underbid
			Upset	Upset	Upset

Note 1: The past tense and the past participle of *bid*, when used in the sense of *order* or *tell*, are *bade* and *bidden* respectively.

2: The past tense as well as the participle of *Knit*, when used in the sense of *make (a garment, etc) by forming wool, silk etc, yarn into connecting loops; make a plain stitch, is knitted.*

AGREEMENT OF SUBJECTS AND VERBS

It is very important that the verb in a sentence should obey the subject, otherwise the sentence will be considered wrong. The rules are:

1. When the Subject is a Singular Noun it takes a singular verb, *e.g.*,

(*i*) Mohit **makes** a noise in the class.

(*ii*) The child is **crying** for a cake.

2. When two singular nouns are joined with 'and' and they refer to two different persons, the plural verb should be used, *e.g.*,

(*i*) The novelist and the poet **were** honoured by the government.

(*ii*) The black and the white dogs **bark** at the strangers.

☛ Article 'the' is used with both the subjects.

If article is used only once, singular verb should be used.

(*i*) The painter and singer **is** going abroad.

(*ii*) The white and black dog **has** a bushy tail.

3. When the subjects together give a single idea, singular verb is used.

(*i*) Slow and steady **wins** the race.

(*ii*) Rice and curry **is** my favourite dish.

4. A collective noun takes a singular verb when it acts as a whole, but it takes a plural verb when the individual, of which it is composed are considered separately.

(*i*) The committee **was** unanimous on imposing the new law.

(*ii*) The committee **have** given their separate opinions in the matter.

5. When the subjects are joined by neither . . . nor, either . . . or, and 'or', the verb should obey the last subject.

(*i*) Rakesh or his friends **have** been selected for the match.

(*ii*) His friends or Rakesh **has** been selected for the match.

(*iii*) Neither Rohit nor his brothers **are** going abroad.

(*iv*) Neither his brothers nor Rohit **is** going abroad.

(*v*) Either Sohan or his sisters **were** dancing at the function.

(*vi*) Either his sisters or Sohan **was** dancing at the function.

6. Either, neither, either of, neither of, take singular verb.

(*i*) Either boy **was** honest.

(*ii*) Neither girl **was** allowed to leave the premises.

(*iii*) Either of the boys **was** ready to help the old man.

(*iv*) Neither of the girls **was** asked to join the extra classes.

7. Some nouns are always used as plurals so, they take plural verbs.

(*i*) Where **are** your glasses?

(*ii*) His pants are attractive.

(*iii*) Cattle **are** grazing in the field.

(*iv*) Whose scissors **are** these?

8. Some nouns are always used as singulars, so, they take singular verbs.

(*i*) What **is** the latest news?

(*ii*) The furniture in the house **is** of a poor quality.

(*iii*) Mumps **is** not a fatal disease.

(*iv*) Physics **is** a tough subject.

9. Nouns formed by alongwith, as well as, together with, accompanied by, etc., take verb according to the first subject.

(*i*) I, as well as you, **am** to blame.

(*ii*) You, as well as I, **are** going to see a movie.

(*iii*) John, accompanied by his parents, **is** going to visit the Taj.

(*iv*) His parents, accompanied by John, **are** going to visit the Taj.

(*v*) His brothers, together with Vivek, **are** ready to whitewash the fence.

10. To indicate something hypothetical or not factually true, plural verb 'were' with *as if* is used.

(*i*) He talks as if he **were** a king.

(*ii*) She dresses herself as if she **were** a princess.

MULTIPLE CHOICE QUESTIONS

Directions: *In the following questions choose the correct options to fill in the blanks.*

1. The bus with all its passengers .... lost.
A. were B. was
C. are D. would

2. You as well as I .... responsible for this work.
A. am B. are
C. was D. is

3. Raghava like all his companions .... a spoiled child.
A. are B. were
C. is D. will be

4. Pen and ink .... required for me.
A. are B. were
C. is D. has required

5. Every girl and every boy .... attended the seminar.
A. have B. has
C. is D. are

6. Not only she but all her sisters ...... been married.
A. has B. have
C. is D. are

7. There .... nothing but miseries in life.
A. is B. are
C. were D. will be

8. Neither prose nor poem .... given.
A. were B. was
C. has D. have

9. Either he or I .... wrong.
A. is B. are
C. am D. were

10. Either Sulekha or Rekha .... coming here.
A. are B. is
C. were D. have

11. .... the child or his parents to blame?
A. Is B. Are
C. Were D. Has

12. You and I .... neighbours.
A. am B. are
C. was D. has

13. The house with all its belongings ..... sold away.
A. were B. are
C. was D. must

14. Either water or juice .... required.
A. is B. are
C. were D. has

15. There were not as many tables as .... required.
A. was B. were
C. is D. are

16. They each .... a book.
A. have B. are
C. has D. is

17. He and I .... close friends.
A. is B. am
C. was D. are

18. She as well as I .... guilty.
A. is B. are
C. am D. must be

19. Rohan .... not read more on this chapter.
A. needs B. has been need
C. need D. had been need

20. He came .... to his aunt.
A. run B. running
C. to run D. in run

21. She dislikes .... meat.
A. eat to B. to eat
C. eating D. to eating

22. He likes ....
A. sing to B. singing
C. to sing D. to singing

23. We are ready .... the match.
A. play to B. to playing
C. playing D. to play

24. .... is injurious to health.
A. Smoking B. To smoke
C. To smoking D. Smoke to

25. He loves .... raw vegetables.
A. eaten B. eating
C. to eating D. eat to

26. He seemed .... finished his homework.
A. have to B. to have
C. having D. to having

27. Either Arpan or his friends .... asked to pay a visit to the university.
A. has been B. have been
C. has D. have

28. Where .... your spectacles?
A. is B. are
C. were D. have

29. Measles .... not a fatal disease.
A. is B. are
C. has D. have

30. He walks as if he .... a prince.
A. was B. were
C. have been D. has been

31. The captain alongwith his team mates .... reached the ground.
A. have B. has
C. is D. are

32. The jury ..... given its opinion.
A. has B. have
C. is D. are

33. Slow and steady .... the race.
A. win B. wins
C. has wins D. have win

34. The poet and the novelist .... invited by the PM.
A. is B. are
C. has D. have

35. Mathematics .... a tough subject.
A. is B. are
C. has D. have

36. Either girl .... in a sad mood.
A. was B. were
C. has D. have

37. They will .... performed on the stage.
A. had B. has
C. have D. be

38. Ravi is .... to railway station.
A. went B. going
C. goes D. to

39. We will .... playing this match at Green Park Stadium.
A. be B. being
C. have D. has

40. He will .... a glass of water.
A. drank B. drink
C. drunk D. drinks

ANSWERS

1	2	3	4	5	6	7	8	9	10
B	B	C	C	B	B	A	B	C	B
11	**12**	**13**	**14**	**15**	**16**	**17**	**18**	**19**	**20**
A	B	C	A	B	A	D	A	C	B
21	**22**	**23**	**24**	**25**	**26**	**27**	**28**	**29**	**30**
C	B	D	A	B	B	B	B	A	B
31	**32**	**33**	**34**	**35**	**36**	**37**	**38**	**39**	**40**
B	A	B	B	A	A	C	B	A	B

★★★

2

Sequence of Tenses

1. Tense indicates a point in time or period of time in the past, present, or future tense.
2. Tense is related to the form of verb. The verb may consist of a single word, or a main verb and one or more auxiliary words. There are normally three forms of the verb, say, V_1, V_2, V_3 and for convenience a fourth form V_4 as 'verb + ing' may be assumed.

Forms of Verb

V_1	V_2	V_3	V_4
Write	Wrote	Written	Writing
Read	Read	Read	Reading
Go	Went	Gone	Going
...	...	...	...

A Comparative Chart Regarding Tenses and Verbs

Simple Present	Simple Past	Simple Future
V_1	V_2	shall/will + V_1
Present Continuous	**Past Continuous**	**Future Continuous**
is/am/are + V_4	was/were + V_4	shall/will + be + V_4
Present Perfect	**Past Perfect**	**Future Perfect**
has/have + V_3	had + V_3	shall/will + have + V_3
Present Perfect Cont.	**Past Perfect Cont.**	**Future Perfect Cont.**
has/have + been + V_4	had + been + V_4	shall/will + have been + V_4

Tenses, their application and examples:

SIMPLE PRESENT

A. A present state of affairs.	A. My sister lives in Kashmir.
B. A general fact.	B. The sun rises in the east.
C. Habitual actions.	C. I listen to the radio in the mornings.
D. Future time-tables.	D. My flight leaves at 10:00.

PRESENT CONTINUOUS

A. A specific action that is occurring.	A. Arvind is watching TV (right now).
B. A general activity that takes place.	B. These days, I'm taking it easy.
C. Future arrangements.	C. I'm inviting Hari to the party on Friday.

SIMPLE PAST

A. An action that began and ended at a particular time in the past.	A. The mail came early this morning.
B. An action that occurred over a period of time but was completed in the past.	B. Dad worked in advertising in the past.
C. An activity that took place regularly in the past.	C. We jogged every morning before class.

PAST CONTINUOUS

A. Interrupted Actions.	A. I was sewing when the telephone rang.
B. A continuous state over a period of time but was completed in the past.	B. She was looking very ill, I was meeting lots of people at that time.
C. Events planned in the past.	C. Neetu was leaving for Jammu but had to make a last minute change
D. Expressing a future intent.	D. Jyoti is going to bring her sister tonight.
E. Predicting an event.	E. You are going to pass the test, don't worry.

SIMPLE FUTURE

A. Making a future decision.	A. I will call you after lunch.
B. Predicting a future event.	B. You will pass the test, don't worry.
C. Indicating willingness to do something.	C. If I don't feel better soon, I will go to the doctor.

FUTURE CONTINUOUS

A. An action that will be going at a particular time in the future.	A. At noon tomorrow, I will be taking the children to their piano lessons.
B. Future actions which have already been decided.	B. I will be wearing my black dress to the dinner.

PRESENT PERFECT

A. An action that happened at an unspecified time.	A. She has never climbed a mountain. I'm sorry, I have forgotten your Name.
B. An action that has recently occurred.	B. He has just gone to sleep.
C. An action that began in the past and continues up to the present (often used with "for" or "since").	C. Jack has lived in Shri Nagar all his life. I have been here since Monday. He has known her for two weeks.
D. An action that happened repeatedly before now.	D. We have flown across the Pacific four times. I've failed my driver's test twice.

PRESENT PERFECT CONTINUOUS

A. An action that began in the past and has just recently ended.	A. Have you been ringing the Bell?
B. An action that began in the past and continues in the present.	B. Lokesh has been studying for two hours.
C. An action repeated over a period of time in the past and continuing in present.	C. Suresh has been playing since he was fifteen.

PAST PERFECT

A. An action that occurred before another past action.	A. Tarun had left hours beforewe got there.
B. An action that was expected to occur in the past.	B. I had hoped to know about the job before now.

PAST PERFECT CONTINUOUS

A. An action that occurred before another past action.	A. His eyes hurt because he had been reading for eight hours.
B. An action that was expected to occur in the past.	B. I had been expecting a change in his attitude.

FUTURE PERFECT

A. An action that will be completed before a particular time in the future.	A. By next July, my parents will have been married for fifty years.

FUTURE PERFECT CONTINUOUS

A. Emphasizing the length of time that has occurred before a specific time in the future.	A. By May, my father will have been working at the same job for thirty years.

MULTIPLE CHOICE QUESTIONS

Directions: *Find the correct word(s) that completes the sentence according to tenses.*

1. The manner in which bombs ...... in five trains within a short span of time suggests that it is a part of a conspiracy.
A. explode B. exploding
C. exploded D. has been exploding

2. What ..... the postage for an airletter?
A. are B. am
C. is D. be

3. I don't really know how to ..... the problem.
A. tackle B. tackling
C. do tackle D. did tackle

4. ...... a two-inch margin on each page for the teacher's remarks.
A. Leave B. Has left
C. Leaves D. Left

5. We ..... such a wonderful time at the party last night.
A. has B. have
C. had D. are having

6. Due to a failure of some traffic lights, traffic ...... very slowly.
A. move B. is moving
C. has moved D. had moved

7. ...... the earlier train will give us the chance to do some shopping.
A. Catch B. To catch
C. Having caught D. Catching

8. 'Please' and 'Thank you' are the little courtesies by which we ...... the machine of life oiled and running smoothly.
A. keep B. keeps
C. keeping D. were keeping

9. The French ..... reputed to have a very good sense of humour.
A. is B. was
C. are D. will be

10. Life ...... to death as pleasure is to pain.
A. is B. was
C. are D. will be

11. Do you know ..... ?
A. where she comes from
B. where does she come from
C. where from she comes
D. from where does she come

12. Few works of reference ..... so valuable as the Encyclopaedia Britannica.
A. is B. was
C. are D. will be

13. The paths of glory ..... but to the grave.
A. leads B. lead
C. leading D. have lead

14. ..... at three o'clock, I heard the rumble of thunder.
A. Walk B. Walks
C. Walking D. Walked

15. The thief ..... all the money.
A. made up B. made off with
C. made do with D. made good

16. Pakistan lost a crucial wicket just when they ..... to be doing so well, and that led to their eventual defeat.
A. seem B. seems
C. have seemed D. seemed

17. In high school many of us never realised the importance that grammar would ..... in later life.
A. plays B. played
C. play D. have played

18. I was ...... at his colossal lack of knowledge about the Continent of Africa.
A. astounded B. astounding
C. have astounded D. had astounded

19. The veracity of the Minister's statement cannot be ...... by people who have no access to official records.
A. verify B. verifies
C. verified D. have verified

20. You haven't had your lunch yet, ... you?
A. are B. aren't
C. have D. haven't

21. A woman came in with a baby who, she said, ... a safety pin.
A. was just swallowing B. swallowed
C. had just swallowed D. just swallowed

22. The telephone ..... several times before I answered it.
A. was ringing B. has rung
C. had rung D. would ring

23. An employment advertisement should ..... the number of vacancies.
A. specifies B. specify
C. be specifying D. have specified

24. A crescendo of metallic thuds arose from the market, where the iron-smiths were ..... the pieces of metals.
A. hammers B. to hammer
C. hammering D. having hammered

25. Ambition is one of those passions which are never ..... .
A. satisfy B. satisfies
C. satisfying D. satisfied

26. Like any other country India ...... its fair share of superstitions.
A. has B. have
C. had D. having

27. The miser ..... avidly at the pile of gold coins in front of him.
A. gaze B. gazes
C. gazed D. has gazed

28. The pilot ..... about the storm before he took off.
A. has been warned B. have been warned
C. had been warned D. was warned

29. On account of the dearth of grass on the arid plains the cattle became ..... .
A. amaciated B. amaciating
C. amaciate D. amaciates

30. I ..... a herd of cows in the field.
A. sees B. saw
C. seeing D. has seen

31. Besides other provisions, that shopkeeper ..... in cosmetics too.
A. deals B. deal
C. dealing D. has deal

32. That rule ..... applicable to everyone.
A. be B. were
C. is D. are

33. I ...... revenge on you.
A. take B. taking
C. shall take D. takes

34. The ruling party ..... its own house in order.
A. put B. shall have to put
C. will have to put D. have to put

35. To all intents and purposes, the manager ..... the master of the firm.
A. be B. is
C. are D. were

36. He ...... to prison for his crime.
A. sent B. send
C. has sent D. was sent

37. Restoration of old paintings .... a job for the experts.
A. is B. are
C. has D. have

38. Once he ..... the agreement, he won't be able to back out.
A. sign B. signing
C. has signed D. had signed

39. She ..... a brief appearance at the end of the party.
A. put on B. put in
C. put across D. put up

40. The battalion operating from the mountain was able to ..... three enemy divisions.
A. tie up B. tie down
C. tie on D. tie with

ANSWERS

1	2	3	4	5	6	7	8	9	10
C	C	A	A	C	B	D	A	C	A
11	**12**	**13**	**14**	**15**	**16**	**17**	**18**	**19**	**20**
A	C	B	C	B	D	C	A	C	C
21	**22**	**23**	**24**	**25**	**26**	**27**	**28**	**29**	**30**
C	C	B	C	D	A	C	C	A	B
31	**32**	**33**	**34**	**35**	**36**	**37**	**38**	**39**	**40**
A	C	C	C	B	D	A	C	B	B

★ ★ ★

3

Articles and Determiners

ARTICLES

The family of the articles has only three members. They are : A, An and The. However, they fall under two groups :

(*a*) Definite Article

(*b*) Indefinite Article

'The' is known as definite article whereas 'a' and 'an' are known as indefinite articles.

Use of the Definite Article 'The'

'The' is used before:

1. The superlative degree, *e.g.,*
   He is the ablest man of the town.
   (ablest is a superlative degree)
2. The name of states, countries etc. having a descriptive name, *e.g.,*
   (*i*) The J & K is a small state. (J & K is a descriptive name)
   (*ii*) He lives in the U.S.A. (U.S.A. is a descriptive name)
   (But 'the Delhi' and 'the America' are wrong because neither Delhi nor America is a descriptive name)
3. The names of the scriptures, *e.g.,*
   The Gita is a holy book. (Gita is a scripture)
4. Name of newspapers, *e.g.,*
   The Tribune is published from Chandigarh.
5. Name of rivers, canals, seas, oceans, bays, gulfs, groups of islands etc., *e.g.,*
   (*i*) The Ganga is a holy river.
   (*ii*) The Indian Ocean is the deepest ocean.
   (*iii*) The Persian Gulf is a narrow gulf.
6. The name of famous buildings, *e.g.,*
   The Taj is one of the best buildings in India.
7. The names of nationals, sects and communities, *e.g.,*
   (*i*) The English defeated the Germans in the World War.
   (*ii*) The rich should help the poor.
   (*iii*) The Hindus believe in the caste system.
8. Proper nouns used as common nouns, *e.g.,*
   (*i*) Kalidas is the Shakespeare of India.
   (*ii*) Delhi is the London of India.
9. Famous historical events, *e.g.,*
   The Industrial Revolution changed the face of England.
10. The directions and the celestial bodies, *e.g.,*
    The sun rises in the east.
11. Titles, *e.g.,*
    Akbar, the Great was loved by his subjects.

Do not use 'the':

1. Before languages :
   The English is an international language. (Incorrect)
   English is an international language. (Correct)
2. Before the names of games, *e.g.,*
   The hockey is a popular game. (Incorrect)
   Hockey is a popular game. (Correct)

Use of the Indefinite Articles 'A' and 'An'

'A' is used before:

1. All singular common nouns beginning with a consonant, *e.g.,*
   (*i*) A boy sings a song.
   (*ii*) A black and a white cow were grazing in the field.
2. If a word begins with a vowel but gives the sound of a consonant, 'a' should be used before it, *e.g.,*
   (*i*) He was helped in his work by a European.
   (*ii*) He is a one-eyed man.
   (*iii*) It is a useful work.

'An' is used as follows:

1. All singular common nouns beginning with a vowel (*i.e.*, a, e, i, o, u), *e.g.*,
   (*i*) He is an artist.
   (*ii*) He is an old man.
   (*iii*) I intend to buy an umbrella.
2. If a word starts with a consonant but gives the sound of a vowel, 'an' should be used before it, *e.g.*,
   (*i*) Brutus is an honourable man.
   (*ii*) He is an honour to his profession.
   (*iii*) He is an L.L.B.
   (*iv*) He is an M.A.
   (*v*) You will reach there in an hour.

DETERMINERS

Determiners are actually Adjectives. They are always followed by nouns.

Determiners are of the following kinds:

1. Demonstrative Determiners
e.g., this, that, these, those

2. Possessive Determiners
e.g., my, our, your, his, her, its, their

3. Quantitative Determiners
e.g., some, any, much, enough, sufficient, whole, a little, the little, little, all, both

4. Numerical Determiners
e.g., a few, some, few, the few, any, several, many, no, etc.
One, two, three ... (Cardinals)
First, second, third ... (Ordinals)

5. Distributive Determiners
e.g., either, neither

MULTIPLE CHOICE QUESTIONS

Directions (Q. No. 1-20): *Fill in the blanks with suitable articles. If no article is required, choose option 'D'.*

1. Please give me .... orange.
A. a B. an
C. the D. No article

2. ...... boyhood of Rahul was full of happy events.
A. A B. An
C. The D. No article

3. I daily read .... Indian Express.
A. a B. an
C. the D. No article

4. My brother bought .... new car yesterday.
A. a B. an
C. the D. No article

5. Many valuable herbs are found on ..... Himalayas.
A. a B. an
C. the D. No article

6. .... Ganga is a sacred river.
A. A B. An
C. The D. No article

7. .... Mahabharata is the longest epic.
A. A B. An
C. The D. No article

8. ...... rich should help the poor.
A. A B. An
C. The D. No article

9. .... more you sing, the happier we feel.
A. A B. An
C. The D. No article

10. The countries which lie near ...... equator keep high temperature.
A. a B. an
C. the D. No article

11. My friend plays .... violin perfectly well.
A. a B. an
C. the D. No article

12. My uncle is ..... MA.
A. a B. an
C. the D. No article

13. I shall board ...... Flying Mail.
A. a B. an
C. the D. No article

14. John is ...... Newton of our class.
A. a B. an
C. the D. No article

15. Rohit daily eats ...... egg.
A. a B. an
C. the D. No article

16. I have ...... white and a black cow.
A. a B. an
C. the D. No article

17. What ...... beautiful bird it is!
A. a B. an
C. the D. No article

18. She is ...... best player of tennis in our school.
A. a B. an
C. the D. No article

19. ......Yamuna passes through Delhi.
A. A B. An
C. The D. No article

20. ...... Nile is the longest river.
A. A B. An
C. The D. No article

Directions (Q. No. 21-40): *In the following questions choose the correct options to fill in the blanks.*

21. .... dogs were barking at the strangers.
A. Some B. Any
C. Much D. Less

22. The girl bought her father .... juice.
A. few B. some
C. any D. many

23. You should take .... honey everyday.
A. any B. many
C. a little D. a few

24. .... boy was punished by the teacher.
A. Either B. All
C. Any D. Many

25. .... girl was asked to join the army.
A. None B. Neither
C. All D. Any

26. .... water in the jug has been drunk by Mohan.
A. The little B. The few
C. A few D. Few

27. I shall play .... piano at the party.
A. some B. any
C. the D. few

28. .... labourers were found dead in the mine.
A. Any B. Fewer
C. Many D. Less

29. Could I borrow .... umbrella?
A. our B. your
C. yours D. my

30. My brother is standing in the .... row.
A. any B. many
C. some D. first

31. Give me .... rice.
A. some B. few
C. a few D. any

32. .... sheep grazing on the slope of the hill had gone away.
A. Any B. The few
C. This D. Much

33. Have you got .... magazines to read?
A. all B. much
C. some D. little

34. I have .... money that I want to invest in shares.
A. any B. much
C. less D. some

35. There is .... owl on the branch of the tree.
A. a B. the
C. an D. some

36. My brother is .... MBA.
A. a B. an
C. the D. any

37. Have you got .... cheese?
A. some B. many
C. a few D. few

38. No, I have not got .... cheese.
A. many B. few
C. any D. some

39. There is only .... milk left in the bottle.
A. enough B. few
C. much D. a little

40. There is .... hope of his recovery.
A. any B. little
C. many D. few

ANSWERS

1	2	3	4	5	6	7	8	9	10
B	C	C	A	C	C	C	C	C	C
11	**12**	**13**	**14**	**15**	**16**	**17**	**18**	**19**	**20**
C	B	C	C	B	A	A	C	C	C
21	**22**	**23**	**24**	**25**	**26**	**27**	**28**	**29**	**30**
A	B	C	A	B	A	C	C	B	D
31	**32**	**33**	**34**	**35**	**36**	**37**	**38**	**39**	**40**
A	B	C	D	C	B	A	C	D	B

★★★

4

Prepositions

A *Preposition* is a word which is placed before a noun or a pronoun to show its relation to some other word in the sentence.

(*i*) I saw a goat *in* the field.
(*ii*) I am fond *of* hot coffee.

In sentence (*i*), the word *in* shows the relation between two things—*goat* and *field.*

In sentence (*ii*), the word *of* shows the relation between the attribute expressed by the adjective *fond* and *tea.*

The words *in* and *of* are here used as prepositions.

Use of Important Prepositions

1. Among, Between

'**Among**' is used for more than two persons or things; '**Between**' is used only for two.

Examples:

(*i*) Distribute these sweets *among* the poor students of the class.
(*ii*) Distribute these books *between* Ram and Shyam.

2. Among, In

'**Among**' is used before collective plural nouns. '**In**' is used before collective singular nouns.

Examples:

(*i*) I found him standing *among* the crowd.
(*ii*) I saw him in the crowd.

3. Beside, Besides

'**Beside**' means 'by the side of'; '**Besides**' means 'in addition to'.

Examples:

(*i*) The daughter was sitting *beside* her mother.
(*ii*) *Besides* his relatives, he invited his friends also.

4. In, Within

'**In**' means at the expiry of a period of time in future, '**Within**' means before the expiry of a period of time in any tense.

Examples:

(*i*) She will return *in* a week.
(*ii*) I shall finish my work *within* a weak.

5. On, Upon

'**On**' is used for things at rest; '**Upon**' is used for things in motion.

Examples:

(*i*) He is sitting *on* the floor.
(*ii*) The dog sprang *upon* the table.

6. By, With

'**By**' denotes the agent or doer; '**With**' denotes the instrument with which anything is done.

Examples:

(*i*) The bird was killed *by* the hunter with an arrow.
(*ii*) He beat the dog *with* a stick.
(*iii*) I shall reach here *by* five o'clock.

7. After, In

'**After**' means at the end of a period of time in the past; '**In**' means at the end of a period of time in future.

Examples:

(*i*) I shall return your book *in* a week.
(*ii*) He returned the book *after* a week.

8. For, From, Since

'**For**' is used before a noun denoting a period of time with all the tenses. '**From**' is used before a noun or phrase denoting a point of time, it is used in all the tenses. '**Since**' is used before a noun or phrase denoting some point of time and is always preceded by a verb in the perfect continuous tense or third form of a verb.

Examples:

(*i*) We have been playing cards *for* two hours.
(*ii*) She stayed with her uncle *from* the 15th of March to the 15th of May.
(*iii*) I have been reading this book *since* morning.

9. Above, Over

'**Above**' means 'higher from'; **Over** is used in the following four senses:

(*i*) In the sense of 'above', *e.g.,*
At noon, the sun is *over* our heads.
(*ii*) In the sense of 'beyond', *e.g.,*
I cannot get *over* my disappointment.

(*iii*) In the sense of 'Superiority', *e.g.*,
God *over* all blesses for ever more.

(*iv*) In the sense of 'Conclusion', *e.g.*,
It is all *over* with me.

10. At, Towards

'**At**' denotes the idea of aim; '**Towards**' denotes the idea of destination.

Examples:

(*i*) He threw the stone *at* the cat.

(*ii*) He went *towards* the house.

11. At, In, On

(*i*) '**At**' is used with small towns and villages.

Examples :

(*a*) He was born *at* Sonepat.

(*b*) He lives *at* village Bangra.

(*ii*) '**At**' is used before a noun denoting a definite point of time.

Example:

He called on me *at* 9 p.m. yesterday.

(*iii*) '**In**' is used with the names of big cities, provinces and countries.

Examples:

(*a*) His father lives *in* England.

(*b*) His younger brother lives *in* Lucknow.

(*iv*) '**In**' is used before the names of months and years.

Example:

His elder sister was born *in* 1972 *in* the month of May.

(*v*) '**On**' is used with dates and names of days.

Examples :

(*a*) I joined college *on* the 26th April.

(*b*) He will leave for Kolkata *on* Wednesday next.

Important Information

1. '**In**' is also used in the following phrases :
In the morning; In the evening, In winter, In summer.
2. '**In**' also denotes a place inside anything, *e.g.*,
He travelled *in* a crowded bus.
3. '**At**' is used in the following phrases :
At home, *At* the station, *At* work, *At* play.

12. Below, Beneath

'**Below**' means 'of lower level in position, dignity and expectation' etc. '**Beneath**' means 'under'.

Examples:

(*i*) It is *below* my dignity to talk to her.

(*ii*) They rested *beneath* the shade of a tree.

13. In, Into, To

'**In**' expresses Rest or Motion inside anything. '**Into**' expresses Motion towards the inside of anything or change from one medium to another. '**To**' denotes motion from one place to another.

Examples:

(*i*) The boys are *in* the room.

(*ii*) Translate this passage from English *into* Hindi.

(*iii*) Every morning he goes *to* the temple.

14. Till, By, Of, Off

'**Till**' means upto or not earlier than.

'**By**' means not later than.

'**Of**' shows cause, source, separation, quality, contents, possession, apposition, point of reference, space in time etc.

'**Off**' shows separation at a near distance, and detached condition.

Consider the following examples:

(*i*) I shall work *till* 5 a.m.

(*ii*) Asha died *of* cancer.

(*iii*) The nib *of* the pen is made *of* gold.

(*iv*) He presented me a bottle *of* perfume.

(*v*) Our principal is a man *of* principles.

(*vi*) He lived in the house *of* his friend.

(*vii*) *By* this time tomorrow, I'll have finished my job.

(*viii*) My house is *off* the road.

(*ix*) The book fell *off* the table.

MULTIPLE CHOICE QUESTIONS

Directions: *Tick the correct preposition for the blank in each of the following sentences.*

1. He applied ...... the manager.
A. for B. to
C. with D. by

2. Trust ...... God and do the right.
A. in B. for
C. to D. with

3. She is worthy ...... a prize.
A. with B. for
C. to D. of

4. Mr. Gomes has no taste ...... music.
A. of B. for
C. with D. to

5. You are hard ...... hearing.
A. at B. of
C. with D. for

6. He is sure ...... his success.
A. for B. with
C. on D. of

7. Preeti was warned ...... the danger ahead.
A. for B. at
C. of D. about

8. I am thankful ...... you for a good advice.
A. for B. with
C. to D. of

9. Deepak would not surrender .... the police.
A. with B. to
C. for D. on

10. The small plant in your lawn is very sensitive .... touch.
A. on B. with
C. to D. about

11. Divya was sure to succeed ..... the examination.
A. for B. in
C. to D. with

12. Geeta was jealous ...... Ravina's beauty.
A. to B. with
C. for D. of

13. He was ignorant ..... what was happening there.
A. for B. of
C. to D. with

14. Your pen is inferior ...... mine.
A. than B. with
C. from D. to

15. Reenu is no match ...... Meenu.
A. to B. for
C. with D. upon

16. It is necessary ...... you to apply for this job.
A. on B. with
C. for D. to

17. Be loyal ...... your country.
A. for B. to
C. on D. with

18. Mukesh is junior ...... me.
A. than B. to
C. from D. of

19. Deepika was innocent ...... the crime.
A. of B. with
C. from D. to

20. I am desirous.... joining the Indian cricket team.
A. for B. of
C. to D. on

21. Pradeep is not eligible ...... the post.
A. to B. on
C. upon D. for

22. Does she believe ...... God?
A. to B. for
C. in D. over

23. Mr. Posh was charged..... the murder of his aunt.
A. for B. with
C. on D. to

24. Tagore is famous (or popular) ...... Indians.
A. for B. with
C. to D. towards

25. Kalidasa is famous ...... his drama the *Shakuntalam*.
A. for B. with
C. on D. about

26. He applied ...... the post of a teacher.
A. to B. on
C. for D. at

27. I differ ...... you in this matter.
A. from B. with
C. for D. above

28. My pen differs ...... yours.
A. with B. from
C. for D. upon

29. The air escaped out ...... the balloon.
A. from B. of
C. to D. under

30. I am confident ...... success.
A. of B. to
C. from D. about

ANSWERS

1	2	3	4	5	6	7	8	9	10
B	A	D	B	B	D	D	D	B	D
11	12	13	14	15	16	17	18	19	20
B	D	B	D	B	D	B	B	A	B
21	22	23	24	25	26	27	28	29	30
D	C	B	B	A	C	B	B	A	A

★★★

5

Synonyms & Antonyms

SYNONYMS

Word	Synonyms
Ardent	eager, avid
Arduous	difficult, troublesome, tough
Aspire	hope, wish
Astonish	amaze, confound
Authentic	genuine, actual
Awesome	astonishing, amazing, fearful
Ban	bar, debar
Bare	denuded exposed
Bear	carry, bring
Beautiful	attractive, charming
Becoming	attractive, graceful
Benchmark	model, example
Benevolent	bountiful, benign
Bewitch	attract, captivate
Boisterous	noisy, clamorous
Bonny	handsome, attractive, healthy
Brave	bold, courageous
Break	crack, separate
Brief	laconic, curt
Bright	shining, flashing
Brisk	active, lively
Broad	generous, capacious
Build	assemble, construct
Busy	brisk, active
Cajole	coax, dupe
Call	announce, shout
Calm	peaceful, mild
Candid	fair, frank
Capacious	spacious, roomy
Care	anxiety, concern
Catchy	attractive, captivating
Charming	attractive, appealing
Chief	main, key
Clean	pure, spotless
Clever	apt, intelligent
Clumsy	bungling, awkward
Colossal	giant, enormous
Compact	dense, condensed
Conspicuous	clear, apparent
Cordial	agreeable, cheerful
Credulous	trustful, unsuspicious
Cruel	atrocious, barbarous
Dangerous	alarming, hazardous
Dazzling	glorious, radiant
Deceive	cheat, betray
Deep	profound, bottomless
Delicate	fragile, weak, tender
Delight	ecstasy, happiness
Deny	disprove, rebuf
Eager	ardent, avid
Effective	active, capable
Elegant	beautiful, artistic
Emerge	arise, appear
Encouraging	cheerful, promising
Enormous	colossal, gigantic
Faded	dim, dull
Fair	clean, honest
Fascinating	attractive, bewitching
Foolish	imprudent, senseless
Frank	candid, ingenuous
Garrulous	chattering, gossiping
Generous	liberal, benevolent
Genuine	bonafide, authentic
Gloomy	dark, sad
Glorious	magnificent, excellent
Great	colossal, enormous
Haughty	assuming, arrogant
Hefty	big, robust

Humane	benign, gentle
Humble	modest, meek
Idle	lazy, inactive
Illogical	faulty, incorrect
Immense	enormous, colossal
Impudent	bold, brazen
Indolent	lazy, sluggish
Intelligent	clever, bright
Keen	ardent, avid
Kind	benevolent, benign
Laconic	brief, curt
Leading	dominating, chief
Lively	agile, active
Lucid	evident, clear
Magnificent	excellent, glorious
Morose	gloomy, sad
Neglect	disdain, ignore
Obedient	submissive, amenable
Obscure	cloudy, vague
Obstinate	stubborn, firm
Opulent	lavish, affluent
Overnight	fault, mistake
Peaceful	harmonious, friendly
Polite	humble, civil
Prolific	teeming, bountiful
Radiant	bright, glorious
Rejoicing	delight, cheer
Sad	gloomy, depressed
Select	choose, opt
Silence	calm, peace

ANTONYMS

Abhor	Admire, love, adore
Adore	hate, abhor
Alert	listless, careless
Annex	remove, unfasten
Apex	bottom, nadir
Ban	allow, permit
Beautiful	awful, ugly
Benign	stern, harsh
Boisterous	quiet, peaceful
Brief	lengthy, extensive
Calm	stir, agitate
Careful	careless, unconcerned
Clear	cloudy, vague
Clever	clumsy, boring
Colossal	diminutive, small
Compatible	incompatible, inapt
Courageous	cowardly, timid
Damaging	useful, advantageous
Dangerous	safe, harmless
Deceit	honesty, candour
Delicate	harsh, indelicate
Deny	admit, accept
Dim	bright, clear
Eager	impassive, lazy
Efficient	inefficient, inept
Emerge	enter, fall
Encourage	deter, depress
Engaging	repulsive, unattractive
Fair	unfair, prejudiced
Fake	genuine, bonafide
Fascinating	unattractive, disgusting
Ferocious	mild, gentle
Gallant	cowardly, fearful
Gentle	aggressive, harsh
Gigantic	tiny, puny
Glorious	dull, dim
Handy	clumsy, inept
Happy	unhappy, gloomy
Hard	soft, flexible
Honest	dishonest, unfair
Huge	minute, puny
Idle	active, busy
Illogical	logical, coherent
Incorrect	correct, accurate
Indecent	decent, modest
Innocent	cunning, dishonest
Kind	unkind, cruel
Lazy	active, diligent
Like	unlike, diverse
Lovable	hateful, abhorrent
Major	minor, unimportant
Meek	arrogant, stubborn
Merry	sad, gloomy
Morose	happy, delightful
Nadir	apex, Zenith
Nonsense	sense, wisdom
Object	admire, accept
Obscure	clear, vivid
Overbearing	humble, modest
Peaceful	agitated, disturbed
Playful	gloomy, morose
Polite	impolite, ill-mannered

Proficient	incompetent, unskilled
Promising	unpromising, discouraging
Realistic	unrealistic, fanciful
Refined	unrefined, boorish
Reject	accept, select
Robust	feeble, frail
Secure	insecure, unsafe
Sensible	senseless, stupid
Sluggish	energetic, brisk
Tempting	untempting, unattractive
Tepid	zealous, eager
Timid	arrogant, bold
True	untrue, false
Ungainly	elegant, attractive
Unmannerly	mannerly, polite
Valid	invalid, illegal
Verbose	curt, brief
Violent	calm, quiet

MULTIPLE CHOICE QUESTIONS

Directions (Qs. No. 1 to 40): *In the following questions, each word is followed by four options A, B, C & D. Select the option which best expresses the meaning of the given word.*

1. ABSURD
A. Foolish B. Simple
C. Courageous D. Silly

2. ABANDON
A. Lose B. Profit
C. Vacate D. Foil

3. CAJOLE
A. Pause B. Lenient
C. Blast D. Lure

4. COMBAT
A. Fight B. Conflict
C. Shoot D. Quarrel

5. LAMENT
A. Condone B. Console
C. Complain D. Contribution

6. DEBACLE
A. Disgrace B. Defeat
C. Collapse D. Decline

7. SHIVER
A. Fear B. Tremble
C. Shake D. Ache

8. TORTURE
A. Terror B. Harassment
C. Torment D. Tranquility

9. LAUDABLE
A. Lovable B. Commendable
C. Profitable D. Oblivious

10. FIXED
A. Sterile B. Static
C. Stubborn D. Parennial

11. QUEER
A. Unfamiliar B. Cute
C. Curious D. Strange

12. SUFFICIENT
A. Fit B. Proper
C. Adequate D. Vast

13. GLOSS
A. Brightness B. Soothing
C. Rubbing D. Miracle

14. LONGING
A. Prune B. Apathy
C. Curtail D. Craving

15. JEER
A. Applaud B. Magnanimity
C. Avoid D. Scoff

16. ZENITH
A. Minimum B. Nadir
C. Plant D. Peak

17. GARB
A. Distort B. Dress
C. Trivial D. Rage

18. ABHOR
A. Rude B. Reconcile
C. Crave D. Detest

19. YIELD
A. Shun B. Incisive
C. Retain D. Surrender

20. YOKE
A. Twist B. Release
C. Link D. Extra

21. VENT
A. End B. Strode
C. Opening D. Cure

22. INDICT
A. Allege B. Condemn
C. Warn D. Accuse

23. VENUE
A. Agenda B. Time
C. Distance D. Place

24. FAKE
A. Loyal B. Original
C. Trustworthy D. Imitation

25. PONDER
A. Pollution B. Evaluation
C. Anticipation D. Think

26. BRIEF
A. Limited B. Small
C. Little D. Short

27. GARRULITY
A. Credulity B. Senility
C. Loquaciousness D. Speciousness

28. FURORE
A. Excitement B. Worry
C. Flux D. Anteroom

29. NEUTRAL
A. Unbiased B. Non-aligned
C. Undecided D. Indifferent

30. LAMENT
A. Complain B. Comment
C. Condone D. Console

31. ADVERSITY
A. Failure B. Helplessness
C. Misfortune D. Crisis

32. TURN UP
A. Land up B. Show up
C. Crop up D. Come up

33. DEIFY
A. Flatter B. Challenge
C. Worship D. Face

34. ERROR
A. Misadventure B. Misgiving
C. Ambiguity D. Blunder

35. SHALLOW
A. Artificial B. Superficial
C. Foolish D. Worthless

36. MASSACRE
A. Murder B. Stab
C. Assassinate D. Slaughter

37. COMBAT
A. Conflict B. Quarrel
C. Feud D. Fight

38. VORACIOUS
A. Wild B. Hungry
C. Angry D. Quick

39. IMPROMPTU
A. Offhand B. Unimportant
C. Unreal D. Effective

40. RABBLE
A. Mob B. Noise
C. Roar D. Rubbish

Directions (Qs. Nos. 41 to 75): *In the following questions, each word is followed by four options A, B, C and D. Select the option which looks like the antonym of the given word.*

41. TRAGIC
A. Dramatic B. Strong
C. Gentle D. Comic

42. ORAL
A. Verbal B. Sane
C. Minor D. Written

43. ADMIRE
A. Hate B. Unlike
C. Dislike D. Enough

44. VIOLENT
A. Gentle B. Savage
C. Haughty D. Decline

45. ADVERSITY
A. Windfall B. Inprosperity
C. Prosperity D. Slave

46. GENUINE
A. Spurious B. Obscure
C. Countless D. Apathetic

47. GRUDGE
A. Essence B. Guile
C. Goodwill D. Ill-will

48. STIFF
A. Soft B. Courteous
C. Lively D. Flexible

49. VANITY
A. Conceit B. Pride
C. Ostentious D. Humility

50. FRONT
A. Upper B. Unusual
C. Back D. Rear

51. TANGIBLE
A. Solid B. Actual
C. Concrete D. Ethereal

52. ATTRACT
A. Lured B. Longing
C. Repel D. Disguise

53. COMFORT
A. Discomfort B. Discontent
C. Uncomfort D. Miscomfort

54. WELCOME
A. Repel B. Accept
C. Resist D. Fight

55. TACTFUL
A. Naive B. Loose
C. Strict D. Uncivilized

56. DUTIFUL
A. Harmful B. Watchful
C. Forgetful D. Remiss

57. RIGID
A. Flux B. Adoptable
C. Yielding D. Adaptable

58. RARE
A. Petty B. Poor
C. Small D. Common

59. ZEAL
A. Despair B. Calmness
C. Passiveness D. Indifference

60. FAMILIAR
A. Dangerous B. Strange
C. Friendly D. Unpleasant

61. AMUSED
A. Abused B. Astonished
C. Saddened D. Jolted

62. SHRINK
A. Spoil B. Expand
C. Stretch D. Contract

63. GENUINE
A. Fraudulent B. Direct
C. Candid D. Forthright

64. VIOLENT
A. Tame B. Harmless
C. Humble D. Gentle

65. PATCHY
A. Clear B. Simple
C. Attractive D. Uniform

66. STRINGENT
A. General B. Vehement
C. Lenient D. Magnanimous

67. FLIMSY
A. Frail B. Filthy
C. Firm D. Flippant

68. BUSY
A. Occupied B. Engrossed
C. Relaxed D. Engaged

69. ADAPTABLE
A. Adoptable B. Flexible
C. Yielding D. Rigid

70. LOVE
A. Villainy B. Hatred
C. Compulsion D. Force

71. BALANCE
A. Disbalance B. Misbalance
C. Debalance D. Imbalance

72. RELINQUISH
A. Abdicate B. Renounce
C. Possess D. Deny

73. MOUNTAIN
A. Plain B. Plateau
C. Precipice D. Valley

74. FICKLE
A. Courageous B. Sincere
C. Steadfast D. Humble

75. PERENNIAL
A. Frequent B. Regular
C. Lasting D. Rare

ANSWERS

1	2	3	4	5	6	7	8	9	10
D	C	D	A	C	C	B	C	B	B
11	12	13	14	15	16	17	18	19	20
D	C	A	D	D	D	B	D	D	C
21	22	23	24	25	26	27	28	29	30
C	C	D	D	D	D	C	A	A	A
31	32	33	34	35	36	37	38	39	40
C	B	C	D	B	D	D	B	A	A
41	42	43	44	45	46	47	48	49	50
D	D	C	A	C	A	C	D	D	D
51	52	53	54	55	56	57	58	59	60
D	C	A	C	A	D	D	D	D	B
61	62	63	64	65	66	67	68	69	70
C	C	A	D	D	C	C	C	D	B
71	72	73	74	75					
D	C	D	C	D					

★ ★ ★

6

Comprehension Passages

Directions: *Read the following passages and answer the questions given below each.*

PASSAGE-1

There is no general agreement about how the planets were formed. The most widely accepted theory is that about 5000 millions years ago swirling clouds of matter began to condense. Through the action of centrifugal force, the heavier molecules were concentrated near the centre of the eddies and the lighter, gaseous material was thrown out towards the periphery. Such is the theory. What is known is that nine satellites began orbiting round the sun. These are the planets.

The planet on which man lives is the third closest to the sun, with the third shortest orbit. It also has something none of the others has—an atmosphere that can support life in all the manifold forms that exist on our planet. There may be satellites circling other stars in other parts of the universe that have the right ingredients for some sort of life to evolve, but the earth is the only one in the solar system.

1. According to the passage, the planets are
A. nothing but condensed clouds
B. a collection of gaseous material
C. a collection of condensed swirling material
D. a collection of centrifugal forces

2. The theory of the formation of the planets
A. is generally agreed upon by everyone
B. is a debatable one
C. covers a very wide area
D. is fairly well-known

3. A planet is a 'heavenly body' which moves round
A. the sun
B. a star
C. a satellite of the solar system
D. the universe

4. One essential difference between the earth and the other planets is that
A. the atmosphere of the earth makes possible the presence of life on it
B. the earth draws the heavier molecules into its centre through the action of centrifugal force
C. only the earth is on the periphery of the solar system
D. the earth has the capacity to come into closer contact with the sun

5. The writer claims that the life-supporting atmosphere
A. is there on other planets in the solar system
B. may be there on the other satellites in the universe
C. may evolve on other satellite circling other stars in the universe
D. cannot evolve anywhere outside the earth

PASSAGE-2

Through the break between the trees, she looked into one of the lighted windows above the shop. She could see the cartons of biscuits neatly piled near the far wall. Against her conscious wishes Cissy's saliva glands started pumping the fluid into her mouth. She felt her heart beating strongly from the top of her throat into the back of her mouth. There is nobody, she thought. I can dash in and take a box and dash out again. I know it is a sin but the Lord will not punish us if we are so hungry.

1. The whole passage is a description of
A. Cissy's courage for stealing
B. Cissy's plans before stealing
C. Cissy's temptation before stealing
D. Cissy's greed for stealing

2. How do you know that Cissy felt guilty?
A. She knew what she was doing was morally wrong
B. She felt her heart pounding inside her chest
C. She was saying her prayers before she went to steal
D. She knew that she was about to do something selfish

3. Why did her heart beat strongly?
A. She thought nobody was watching her
B. She was thinking of stealing the biscuits
C. She was eager to taste the biscuits
D. She was ill and was running temperature

4. How was Cissy able to see the cartons of biscuits?
   A. She had very good eyesight
   B. She was able to smell the biscuits
   C. She saw another child eating biscuits
   D. She was aided by a light in the room

5. What was Cissy's reaction when she saw the biscuit cartons?
   A. She wanted to eat all the biscuits
   B. She felt like vomiting
   C. Her mouth started watering
   D. She thought of all the toffees she had eaten

PASSAGE-3

A certain Ameer was on a voyage in his ship when a great storm arose. One of the slaves on board, who had never been to sea, began to wail and cry out in fear. This went on for sometime and no one could silence him. In anger the Ameer asked, 'Is there no one here who can silence this wretched coward?'

A philosopher, who happened to be a passenger, said, 'I think I can quiet this man, Sir, if you give me full permission to do as I please with him.'

'Go ahead,' said the Ameer, 'you have my permission'.

1. What kind of prose is used in this extract?
   A. Informative B. Argumentative
   C. Lyrical D. Narrative

2. The verb 'to wail' means
   A. to smile B. to call
   C. to weep D. to speak

3. The word 'voyage' means
   A. travelling by sea
   B. walking on foot
   C. riding a horse
   D. swimming in sea

4. The slave was afraid because
   A. the Ameer was about to beat him
   B. there was a storm in the sea
   C. he was about to be thrown into the sea
   D. the journey was not coming to an end

5. The philosopher volunteered to
   A. throw off the slave
   B. persuade the slave
   C. silence the slave
   D. kill the slave

PASSAGE-4

We stand poised precariously and challengingly on the razor's edge of destiny. We are now at the mercy of atom bombs and the like which would destroy us completely if we fail to control them wisely. And wisdom in this crisis means sensitiveness to the basic values of life; it means a vivid realisation that we are literally living in one world where we must either swim together or sink together. We cannot afford to tamper with man's single-minded loyalty to peace and international understanding. Anyone who does it is a traitor not only to man's past and present, but also to his future, because he is mortgaging the destiny of unborn generations.

1. Form the tone and style of the passage it appears that the writer is
   A. unware of the global power situation
   B. a humanist with a clear foresight
   C. a prose writer with a fascination for images and metaphors
   D. a traitor who wishes to mortgage the destiny of future generations

2. The phrase "razor's edge of destiny" stands for
   A. an enigma that cuts through the pattern of life like the edge of a razor
   B. a critical situation that foreordains the future
   C. a sharp line of division that marks the alternative courses of action in the future
   D. destiny having sharp edges

3. According to the writer "wisdom" in the present crisis means
   A. responsibility to the "unborn generations"
   B. awareness that we stand poised precariously on the razor's edge of destiny
   C. awareness of the basic values of life
   D. determination to ban nuclear weapons

4. The author is so concerned about the threat of nuclear weapons because he feels that
   A. his country is threatened by a nuclear power
   B. a nuclear war will destroy human civilisation
   C. all countries are interlinked and one cannot escape the consequences of what happens to another country
   D. the world is on the brink of disaster

5. The best way to escape complete annihilation is an atomic war is
   A. to ban nuclear weapons
   B. to turn to religion
   C. to work for international understanding and harmony
   D. to invent more powerful weapons

PASSAGE-5

The editorial policy of a popular daily is controlled by two chief factors. The first is the interest of the advertisers from whom it gets the money which enables it to keep up its large circulation. No widely circulated newspaper dare support a public policy, howsoever much in the national interest, that might conflict with the vested interests of its advertisers. On the other hand, any product that refuses to pay the advertising rates of a powerful national organ will be denounced, smashed and driven off the market. You are not allowed to use any product that dissociates itself from the advertising ring. All this is understandable, since big circulation spells bankruptcy if the paper has to depend on its sales for its revenue.

1. According to this passage, one of the chief factors that controls the editorial policy of a newspaper is
A. the interest of the nation
B. the interest of the reader
C. the interest of the advertisers
D. its cost of production

2. Big circulation spells bankruptcy if the paper depends on its sale for its revenue because
A. to retain its big circulation, it will have to be sold far below the cost of its production
B. the advertisers will not be there to support its cost production
C. the advertisers would drive it out of circulation
D. it will not be able to pursue the policy that would be in the interest of the nation

3. A widely circulated newspaper cannot support a public policy
A. if it is not in the national interest
B. even if it is in the national interest
C. if it supports the interest of the advertiser
D. unless it supports the interest of the advertiser

4. If a producer refuses to pay high rates of advertisement in a widely circulated newspaper
A. the circulation of the newspaper will decrease
B. the rival producers/advertisers will come forward with advertisements against that producer
C. the newspaper will see to it that the product of that producer is driven off the market
D. the newspaper will cut its number of pages to reduce its cost of production

5. The expression *"vested interests of its advertisers"* means
A. selfish motives of the advertisers
B. concerns securely possessed by the advertisers
C. something from which the advertisers get interest
D. something by which the advertisers interests are enhanced

PASSAGE-6

It was very hot. Suddenly at about 3 o'clock in the afternoon, there fell such an abundance of rain that 150 men of the grand guard, in order not to be submerged, were obliged to leave a large depression in which they were hidden. Much to their amazement there began to fall on the ground all about a considerable number of toads, the size of hazelnuts, which began to jump about in every direction. M. Gayet (the soldier who provided this information), who could not believe that these myriad reptiles fell with the rain, stretched out his handkerchief at the height of a man, his comrades holding the corners; they caught a considerable number of toads, most of which had the posterior part elongated into a tail, that is to say, in the tadpole state. During this rain storm, which lasted about half an hour, the men of the grand guard felt very distinctly on their hats and on their clothing the blows struck by falling toads. As a final proof of the reality of this phenomenon, M. Gayet reports that after the storm the three-cornered hats of the men of the guard held in their folds some of the reptiles.

1. A suitable title for this passage would be
A. A Mystery
B. A Rain of Toads
C. Long Time Ago
D. M. Gayet's Report

2. What proof does M. Gayet give to prove that what happened was real?
A. Toads were found in the depression
B. Soldiers felt the toads striking blows as they fell
C. 150 men of the grand guard swore it rained toads
D. Toads, were found in the guards' hats after the rain stopped

3. From where could this account have been taken?
A. A novel
B. A weather report
C. A newspaper
D. A pamphlet

4. The soldiers left their hiding places because they
A. were scared of toads
B. were ordered to
C. were getting wet
D. might have drowned there

5. M. Gayet and his friends caught the toads in
A. a handkerchief
B. their hats
C. their clothing
D. the depression

PASSAGE-7

Workers who repeat the same operation day after day can take no pleasure or pride in their work. Their chief pleasure in life is outside the factory. Their work is dull, and they spend their time with one eye on the clock. It is realised that modern work is often dull, and in some factories wireless set or a gramophone is turned on to provide music for the workers. The title of a common programme given by the British Broadcasting Corporation is "Music while you work". The provision of entertainment while the factory wheels are turning does not cause the work-people to neglect their duty; on the contrary, it increases output. In spite of various attempts to brighten the lives of workers, however, the average man in a factory is rather to be pitied than envied. The dullness of his life is one of the drawbacks of mass production.

1. The workers pass their time in the factory looking at the clock because
A. their work is dreary and uninteresting
B. their pleasure lies outside the factory
C. they wish to deceive the management
D. they want to get their salary without working

2. Some modern factories play radio or gramophone music for workers to
A. distract them from their work
B. reduce the dull nature of their work
C. make them forget the clock
D. cheer them up while working

3. Labourers doing only one type of work throughout their service
A. become experts in that type of work
B. are proud of their ability to do one type of work
C. do not like their work
D. take a lot of interest in their work

4. The modern system of mass production is responsible for
A. the dismal condition of labourers
B. the dullness of the life of the workers
C. the comfortable life of the labourers
D. the miserable condition of the labourers

5. Providing entertainment facilities to the workers when the factory work is going on may cause
A. the labourers to neglect their work
B. rise in the production quantity
C. the labourers to forget the monotony of work
D. a great fall in the output

PASSAGE-8

S.N. Bose is the only physicist whose name is linked with Einstein in all the textbooks of Physics. This is because he hit on a brilliant method whose value Einstein immediately recognised and proclaimed to the scientific world with all the prestige of his great name. In retrospect, it is now clear that even Einstein could not foresee the full power and application range of Bose's idea. Bose's work, along with its subsequent development by Fermi, provides the basis for dividing all the elementary particles of nuclear Physics into two categories—the *bosons* (after Bose) and the *fermions* after Fermi.

1. What Einstein really did for Bose was that
A. he allowed his name to be linked with S.N. Bose in all the textbooks of Physics
B. he fully recognised and proclaimed to the scientific world the importance of Bose's discovery
C. he eventually recognised and proclaimed to the scientific world the importance of Bose's discovery
D. he immediately, though not fully, recognised and proclaimed to the scientific world the importance of Bose's discovery

2. Bose and Fermi worked in the same field; Fermi's work
A. came before that of Bose
B. was published after that of Bose
C. came at the same time as that of Bose
D. led directly to Bose's discovery

3. The main contribution of S.N. Bose was that, he
A. alone divided the elementary particles into two new categories
B. in collaboration with Fermi, divided the elementary particles into two new categories
C. evolved a theory which was further developed by Fermi, and their research led to the division of the elementary particles into two new categories
D. discovered nuclear energy

4. The correct definition of 'Nuclear Physics' is that it is a branch of Physics that
A. involves the study of nuclear weapons
B. studies the application of nuclear energy
C. deals with atoms, their nuclear structure and behaviour
D. studies the nucleus or central part of all particles

5. Einstein endorsed the research done by Bose because he knew
A. it was an original work
B. it would bring about revolutionary changes in Nuclear Physics
C. it would have a powerful impact on other scientists
D. Bose was a dedicated scientist

PASSAGE-9

We are tempted to assume that technological progress is real progress and that material success is the criterion of civilisation. If the Eastern people become fascinated by machines and techniques and use them, as Western nations do, to build huge industrial organisations and large military establishments, they will get involved in power politics and drift into the danger of death. Scientific and technological civilisation brings great opportunities and great rewards but also great risks and temptations. Science and technology are neither good nor bad. They are not to be tabooed but tamed and assigned their proper place. They become dangerous only if they become idols.

1. According to the author, people think that real progress lies in
   A. material success and technological growth
   B. worshipping idols and having faith in them
   C. having large industries and political power
   D. taking risks and facing temptations
2. From the passage one gathers that the Eastern people must
   A. appreciate scientific achievements
   B. build huge industrial organisations
   C. avoid being controlled by machines and techniques of industrial production
   D. be fascinated by machines
3. According to the author, science and technology should be
   A. tabooed and eliminated from life
   B. used in a controlled and careful manner
   C. encouraged and liberally used
   D. made compulsory in education
4. According to the author, science and technology will bring benefits to
   A. only Western nations
   B. only Eastern countries
   C. nobody
   D. all, if tamed properly
5. According to the author, science and technology are
   A. totally harmless
   B. extremely dangerous
   C. to be treated as idols
   D. are useful, if they are not worshipped blindly

PASSAGE-10

The awareness of equal corruption will be a better emotional basis for the so-called multi-racial Commonwealth, of which much is made than its professed principle—the pursuit of common aims in world politics, aims which are so rarefied that a large volume of artificial political oxygen is needed to keep that body-politic breathing. After all, it cannot be denied that even the United States and the Russia are pursuing common aims in world affairs, such as peace, disarmament, democracy, technological progress, as well as freedom as understood by each. But that is not preventing them from doing things which might lead to the destruction or near destruction of mankind. Thus, common aims would seem to be very undependable as guarantees for goodwill and cooperation among nations. On the contrary, a frank admission of being equal sinners would at least encourage charity and discourage moral arrogance. That would be a better foundation for integration for international and multi-racial cooperation.

1. The Superpowers may claim to have the same laudable objectives, but
   A. do not work earnestly to achieve them
   B. undo each other's efforts
   C. still act against the interests of mankind
   D. do not see them in the right perspective
2. The Commonwealth is characterised by
   A. the failure of the constituents to
   B. the racial nature of its membership work for the same goals
   C. uniform lack of moral standards
   D. constant redefining of objectives
3. The thrust of the author's argument is that
   A. the Commonwealth has outlived its utility
   B. membership of the Commonwealth be restricted to the superpowers
   C. members are equally responsible for the present state of world politics
   D. international peace and cooperation are unattainable
4. International cooperation can come about, if
   A. nations become aware of their own failings and discard pride
   B. charitable organizations are encouraged
   C. different races are treated on the basis of equality
   D. nations guilty of immoral actions are exposed
5. Common goals are desirable, but these
   A. do not ensure international co-operation
   B. lead to unnecessary tensions
   C. encourage rivalry between superpowers
   D. lead to destruction of mankind

PASSAGE-11

There was a marked difference of quality between the personages who haunted the near bridge of brick and the personages who haunted the far one of stone. Those of lowest character preferred the former, adjoining the town; they did not mind the glare of the public eye. They had been of no account during their successes; and though they might feel dispirited, they had no sense of shame in their ruin. Instead of sighing at their adversaries they spat, and instead of saying the iron had entered into their souls they said they were down on their luck. The miserables, who would pause on the remoter bridge were of a politer stamp—persons who did not know how to get rid of the weary time. The eyes of this species were mostly directed over the parapet upon the running water below. While one on the downward bridge did not mind who saw him so and kept his back to the parapet to survey the passer-by, one on this never faced the road, never turned his head at coming footsteps, but, sensitive to his own condition, watched the current whenever a stranger approached, as if some strange fish interested him, though every finned thing had been poached out of the river years before.

1. People belonging to the lower strata, in their moments of distress
A. remembered their days of glory
B. dressed shabbily to earn sympathy
C. visited the brick-made bridge
D. felt ashamed of their failures

2. The two bridges were known
A. for their similar design
B. for being equi-distant from town
C. for being haunted places
D. for attracting dejected people to them

3. In this passage, the author is trying to
A. explain the differences between the construction of two bridges
B. describe the way different sections of people like to dress
C. explain the variety of ways in which strangers can be treated
D. describe how people of different classes behaved when unhappy

4. The attitude of the lowly and genteel towards strangers was
A. virtually the same
B. entirely different
C. completely indifferent
D. virulently hostile

5. The bridge of stone was frequented by
A. all the sections of society
B. those fond of fishing
C. the sophisticated but luckless
D. None of these

PASSAGE-12

When talking to a reporter early in the season, a coach tends to talk down the abilities of his new man. He does not want his team to become known as a favourite because, if the team loses, he will be criticised for not making the most of his material. Even when he knows he has a great team, a coach avoids favourable publicity. He realises that over-confidence, injuries, an error on the field or the better luck of his opponent may wreck any season.

1. When talking to a reporter, a coach usually
A. praises his team
B. highlights the qualities of the new members of the team
C. does not acquaint him with the full potentialities of the new players
D. derides his rival teams

2. If a favourite team loses the game, its fans
A. feel let down
B. accuse its members of lack of commitment
C. blame the coach for not providing necessary training
D. want to coach to be fired

3. If his team is elevated to the position of a favourite, it may
A. become over-confident
B. feel obliged to win the game
C. have enthusiastic fans in the field
D. easily intimidate its rivals

4. In spite of everything being favourite, a team may lose the game if its opponents
A. are smarter
B. have just as good material
C. are favoured by chance and circumstances
D. are more relaxed than it is

5. In spite of good players, a team may lose the game if
A. there is no coordination among its members
B. a few players get injured in the field
C. its morale is not high
D. it cannot understand the strategies of its opponents

PASSAGE-13

Though it may be inessential to the imagination, travelling is necessary for an understanding of men. Only with long experience and the opening of his wares on many a beach where his language is not spoken, will the merchant come to know the worth of what he carries and what is parochial and what is universal in his choice. Such delicate goods as justice, love and honour, courtesy and indeed all the things we care for, are valid everywhere but they are variously moulded and often differently handled and sometimes nearly unrecognisable if you meet them in a foreign land and the art of learning fundamental common values is perhaps the greatest gain of travelling to those who wish to live at ease among their fellows.

1. Travelling helps those who
A. wish to make money
B. want to learn foreign languages
C. wish to learn fundamental common values
D. want to resolve differences amongst people

2. When we meet other people while we travel, we learn to differentiate between
A. friends and foes
B. local and universal values
C. imagination and understanding
D. communities and nationalities

3. The things we care for are available in foreign lands in
A. some form or the other
B. unrecognisable forms
C. plenty
D. easily recognisable forms

4. The author terms justice, love, honour and courtesy as delicate goods because they are
A. fragile
B. perishable
C. desirable
D. important

5. According to the passage, travelling leads to
A. selling our wares to the others
B. establishing our superiority over foreigners
C. exploiting foreign lands
D. understanding human nature

PASSAGE-14

The first word-book to embody the ideals of the age was Nathaniel Bailey's *Universal Etymological Dictionary of the English Language,* originally published in 1721 and then, in a beautiful volume with illustrations by Flaxman, in 1731. This edition was the basis of Samuel Johnson's *Dictionary* of 1755; through Johnson, it influenced all subsequent lexicographical practice. The position of dictionary pioneer, commonly granted to Johnson or to Noah Webster, belongs in reality to one of the few geniuses lexicography ever produced: Nathaniel Bailey. Johnson extended Bailey's technique and also revised Bailey's crude etymologies on the basis of Francis Junius' book. Most Englishmen used the word *dictionary* as a mere synonym for Johnson's *Dictionary.* Being regarded as the ideal word-book, it continued in common use until 1990.

1. Nathaniel Bailey's *Dictionary* had
A. no influence on later dictionaries
B. a direct influence on later dictionaries
C. an indirect influence on later dictionaries
D. an influence on Francis Junius' *dictionary* only

2. Johnson's Dictionary was
A. an improvement upon Bailey's *Dictionary*
B. a simplified version of Bailey's *Dictionary*
C. nothing but a copy of Bailey's *Dictionary*
D. fundamentally different from Bailey's *Dictionary*

3. The publication of Johnson's dictionary was separated from the Flaxman edition of Bailey's dictionary by
A. 24 years
B. 10 years
C. 125 years
D. 34 years

4. In the 19th century most Englishmen used the word "dictionary" as a synonym for Johnson's *Dictionary* probably because
A. it was the oldest English dictionary
B. it was the only English dictionary published till then
C. it was more convenient for them to use this shortened form
D. it was the ideal and most commonly used dictionary

5. According to the author, the real pioneer of lexicography was
A. Noah Webster
B. Samuel Johnson
C. Flaxman
D. Nathaniel Bailey

PASSAGE-15

We stumbled slowly along in the darkness, with the black loom of the craggy hills around us, and the yellow speck of light burning steadily in front. There is nothing so deceptive as the distance of a light upon the pitch-dark night and sometimes the glimmer seemed to be far away upon the horizon and sometimes it might have been within a few yards from us. But at last we could see whence it came and then we knew that we were very close.

1. The passage as a whole indicates that the mission of the author and his companion was
A. to investigate the nature of the countryside
B. to detect the movements of suspicious characters
C. to study supernatural phenomena
D. to trace the light to its place of origin

2. The word "stumbled" in the first line suggests that the narrator and his friend
A. had very poor sight
B. were walking on an uneven road
C. had their attention fixed on the distant light
D. were trying to keep their movements secret

3. The last sentence suggests that when they discovered the source of the light,
A. they were surprised by its closeness
B. they were greatly relieved
C. they were very pleased
D. they were utterly disappointed

4. The author and his friend were walking
A. across a dark, bushy stretch
B. along a lonely, winding road
C. across a lonely, hilly countryside
D. along an ill-lit and ill-maintained forest road

5. For the narrator and his friend, the effect of the dim light was
A. to create confusion with regard to distance
B. to brighten an otherwise hopeless situation
C. to indicate divine intervention
D. to lessen the difficulty of their mission

PASSAGE-16

We started pitching the highest camp that has ever been made. Everything took five times as long as it would have taken in a place where there was enough air to breathe; but at last we got the, tent up and when we crawled in, it was not too bad. There was only a light wind, and inside it was not too cold for us to take off our gloves. At night most climbers take off their boots; but I prefer to keep them on. Hillary, on the other hand, took his off and laid them next to his sleeping bag.

1. The narrator of the story is
A. an airline pilot B. a mountaineer
C. a traveller D. a tourist

2. In this passage, 'we' refers to
A. the author and his friends
B. the author and his friend
C. the author and his wife
D. None of the above

3. They crawled into the tent because
A. they must have been too tired to work
B. the entrance to the tent must have been low
C. they had heavy loads on their back
D. they wanted to hide from enemies

4. They took a long time to finish the work because
A. they were very tired
B. it was very cold
C. there was not enough air to breathe
D. it was very dark

5. When they crawled into the tent
A. they took off their gloves because it was not very cold
B. they could not take off their gloves because it was very cold
C. they took off their gloves though it was very cold
D. they did not take off their gloves though it was not cold

PASSAGE-17

All sources of energy upon which industry depends are wasted when they are employed, and industry is expending them at a continually increasing rate. Already coal has been largely replaced by oil and oil is being used up so fast that the East and the West alike consider it to be necessary for their prosperity. And what is true of oil is equally true of other natural resources. Everyday, in fact, many miles of forests are turned into newspapers, but there is no known process by which newspapers can be turned into forests. You will say that this need not worry us, since newspapers will be replaced by radio, but radio requires electricity, electricity requires power and power requires raw materials.

1. The central contention of the passage is that
A. industries should be closed down, since they expend all sources of energy
B. newspapers should not be allowed to destroy forests
C. an all-out effort is necessary for the preservation of natural resources that ultimately supply power
D. power should be generated in abundance

2. The 'and' in the first sentence has the force of
A. as well as B. besides
C. still D. though

3. The statement 'many miles of forests are turned into newspapers' means
A. many miles of forests have become as dry as newspapers
B. devastation of vast areas of forests is a newsworthy item
C. a good part of forests has been felled and converted into newsprint
D. large numbers of trees in forests are converted into raw materials to supply power for the machines that print newspapers

4. According to this passage, oil has become necessary for the prosperity of a nation because
A. it is cheaper than coal
B. it is more useful than coal
C. the East and the West think so
D. it is now the chief source of energy

5. According to this passage, the most indispensable item for an industrialised society is
A. the radio
B. raw materials
C. power
D. electricity

PASSAGE-18

Democratic societies from the earliest times have expected their governments to protect the weak against the strong. No "era of good feeling" can justify discharging the police force or giving up the idea of public control over concentrated private wealth. On the other hand, it is obvious that a spirit of self-denial and moderation on the part of those who hold economic power will greatly soften the demand for absolute equality. Men are more interested in freedom and security than in an equal distribution of wealth. The extent to which Government must interfere with business, therefore, is not exactly measured by the extent to which economic power is concentrated into a few hands. The required degree of government interference depends mainly on whether economic powers are oppressively used, and on the necessity of keeping economic factors in a 'tolerable state of balance.'

But with the necessity of meeting all these dangers and threats to liberty, the powers of government are unavoidably increased, whichever political party may be in office. The growth of government is a necessary result of the growth of technology and of the problems that go with the use of machines and science. Since the government in our nation, as well as in all civilised nations, must take on more powers to meet its problems, there is no way to preserve freedom except by making democracy more powerful.

1. 'Era of good feeling' in second sentence can mean
   A. time of prosperity
   B. time of adversity
   C. time without government
   D. time of police atrocities

2. 'Tolerable state of balance' in the last sentence of the first paragraph may mean
   A. a reasonable amount of government interference
   B. an adequate level of police force
   C. a reasonable check on economic power
   D. a reasonable level of economic equality

3. A spirit of moderation on the part of the economically sound people would make the less-privileged
   A. unhappy with their lot
   B. clamourless for absolute equality
   C. unhappy the rich people
   D. more interested in freedom and security

4. The advent of science and technology has
   A. increased the chances of economic inequality
   B. increased the freedom of people
   C. increased the powers of the government
   D. increased the tyranny of the political parties

5. The growth of government is necessitated
   A. to curb the accumulation of wealth in a few hands
   B. to deploy the police force wisely
   C. to monitor science and technology
   D. to make the rich and the poor happy

PASSAGE-19

Youth today do not realise that one is modern only when his thoughts and actions bring out something new, which can set an example to the rest of the world. Imitating only the Western outlook in life-style, leaving aside their values, is not what modernism is. Should we consider a youth modern if he opts for a dozen girlfriends and then pretends to be ignorant when dowry in marriage is concerned?

The family also plays a vital role in shaping one's life. If the urban population in India is divided into two broad divisions, the elite and the middle class, we will find that youths belonging to both these classes suffer from severe frustrations. The parents in the higher society are so busy with their work that their children are left neglected. Loneliness, tensions arising out of parent's unhappy relations and family feuds result in psychiatric depression in the youth.

The case is similar in the middle class families, though with a difference. Lack of attention at home ruins them. The situation is not so grave with the girls as they generally prefer to stay at home, whatever its conditions be. But young men, desperate to find some refuge; quite often come in contact with drugs, alcohol and other illegal activities. Neither are they happy with the society nor is the society happy with them.

1. The passage is concerned with
   A. the urban youth
   B. the elite class youth
   C. the middle class youth
   D. the modern girls

2. Youths in the elite class families are
   A. lonely and depressed
   B. prone to drug-addiction
   C. desperate for revenge
   D. angry and defiant

3. Being truly modern means
   A. imitating the West
   B. opting for a dozen girl-friend
   C. accepting dowry in marriage
   D. doing something exemplary

4. The situation in case of the girls is
   A. desperate
   B. menacing
   C. not so serious
   D. gloomy

5. Young men seek refuge in
   A. dozen girl-friends
   B. modernism
   C. drugs, alcohol, etc.
   D. dowry in marriage

PASSAGE-20

In the evening we decided to pitch camp as the weather was not encouraging. The wind was high and gathering storm clouds predicted a wild wet night. Moreover, we had arrived at a spot which looked promising for a camp. A level expanse in the lee of a high hill afforded some shelter from the wind; fresh water was near at hand in a stream which flowed across the plain; a copse of trees provided adequate supplies of fuel; and the dry grasses which abounded on the hillside would enhance the comfort of our beds.

Each member of the party was allotted a task. Some erected the tents; others prepared a scanty meal; yet others attended to the needs of the ponies that were now exhausted after a very strenuous day. As the angry sun sank, the bustle of activity was hushed into silence and each man settled down to sleep.

1. As the weather was not encouraging we decided to
   A. set up the camp
   B. pack up the camp
   C. extend the camp
   D. shift the camp

2. The camp site looked encouraging because
A. it was sheltered by some trees
B. the dry grass would provide fuel
C. we had been promised that spot
D. it was level and sheltered

3. The day had been very
A. exciting B. tiring
C. boring D. comfortable

4. The task given to some members was to
A. pitch the tents B. prepare a hot meal
C. walk the ponies D. allot the tasks

5. This passage is about the selection of
A. a suitable home
B. a suitable place for animals
C. a suitable place to camp
D. a suitable route for trekking

ANSWERS

PASSAGE-1

1	2	3	4	5
A	C	A	A	C

PASSAGE-2

1	2	3	4	5
C	A	B	D	C

PASSAGE-3

1	2	3	4	5
D	C	A	B	C

PASSAGE-4

1	2	3	4	5
B	C	C	B	C

PASSAGE-5

1	2	3	4	5
C	B	D	C	B

PASSAGE-6

1	2	3	4	5
B	D	B	D	A

PASSAGE-7

1	2	3	4	5
A	D	C	B	B

PASSAGE-8

1	2	3	4	5
D	B	C	C	B

PASSAGE-9

1	2	3	4	5
A	C	B	D	D

PASSAGE-10

1	2	3	4	5
C	C	C	A	A

PASSAGE-11

1	2	3	4	5
C	D	D	B	C

PASSAGE-12

1	2	3	4	5
C	C	A	C	D

PASSAGE-13

1	2	3	4	5
C	C	B	D	D

PASSAGE-14

1	2	3	4	5
B	A	A	D	D

PASSAGE-15

1	2	3	4	5
D	B	A	C	A

PASSAGE-16

1	2	3	4	5
B	B	B	C	A

PASSAGE-17

1	2	3	4	5
C	C	C	C	B

PASSAGE-18

1	2	3	4	5
A	A	B	C	D

PASSAGE-19

1	2	3	4	5
A	A	D	C	C

PASSAGE-20

1	2	3	4	5
A	D	B	A	C

★★★

7

Phrases and Clauses

PHRASES

The Phrase

A group of words which does not have a finite verb and does not make a complete sense on its own, is known as a Phrase, *e.g.*,

(*i*) We'll play hockey **in the evening**.

(*ii*) **It being a hot day**, we decided not to go out for a picnic.

(*iii*) She ran away **to escape punishment**.

The three kinds of phrases are:

I. Noun Phrases: The phrase which does the function of a Noun is called a Noun Phrase.

(*i*) He likes **oranges**. (Noun)

(*ii*) He likes **to eat oranges**. (Noun Phrase)

The word 'oranges' is a noun and it can be replaced with the phrase 'to eat oranges'. In other words the said phrase acts like a noun therefore, it is a noun phrase.

II. Adverb Phrases: A phrase which does the function of an Adverb is called an Adverb Phrase. Most of the Adverb Phrases refer to the manner, place, time, *e.g.*,

1. (*i*) She knocked at/on the door **gently**. (Adverb of Manner)

   (*ii*) She knocked the door **in a gentle way**. (Adverb Phrase showing Manner)

2. (*i*) I found a coin **here**. (Adverb of Place)

   (*ii*) I found a coin **on this spot.** (Adverb Phrase referring to Place)

3. (*i*) You shall do it **now**. (Adverb of Time)

   (*ii*) You shall do it **at the very moment**. (Adverb Phrase referring to Time)

III. Adjective Phrases: A phrase which does the function of an Adjective is called an Adjective Phrase. Most often an Adjective can be replaced with an adjective phrase.

1. (*i*) Tagore was **a famous man**. (Adjective)

   (*ii*) Tagore was **a man of fame** (Adjective Phrase)

2. (*i*) She is **a cunning lady**. (Adjective)

   (*ii*) She is **a lady full of cunningness**. (Adjective Phrase)

3. (*i*) It is **a round stone**. (Adjective)

   (*ii*) It is **a stone of round shape**. (Adjective Phrase)

CLAUSES

The Clause

A group of words which has a subject and a finite verb but which still does not convey the full sense is known as a clause. Broadly speaking there are three kinds of clauses.

1. The Principal Clause.
2. The Coordinate Clause.
3. The Subordinate Clause.

When we just talk of a clause, we mean most often a subordinate clause which is also known as a dependent clause. A subordinate clause together with a principal clause conveys the full sense. *e.g.*,

(*i*) I know that he likes mangoes best.

(*ii*) Although he was well prepared he could not make an impressive speech.

(*iii*) The boy who scored a century is my classmate.

The three kinds of subordinate clauses are:

I. Adjective Clause: A clause which acts as an adjective is known as Adjectives clause. Most often it can replace an adjective or adjective phrase *e.g.*,

1. Mrs Sharma has a **black** purse. (Adjective)
2. Mrs Sharma has a purse of **black colour.** (Adjective Phrase)
3. Mrs Sharma has a purse **which is black in colour**. (Adjective clause)

Relative Pronouns which make Adjective clauses

• who • whose • whom • which • that
• as • what • whatsoever

Relative Adverbs which make Adjective clauses

• when • why • how • whenever
• where • wherever

Adjective clauses which are made by Relative Pronouns

1. This is the cat **that has sharp claws.**
2. Gopal is the boy **who lives at outskirts of our town.**
3. Jack **whom we met at the toy shop** is a good singer.
4. The boy **whose father is a doctor** was not allowed to go inside the operation theatre.
5. The chef **who prepared meal for us** belongs to France.
6. He is such a boy **as I like.**
7. **What I am looking for** is a post in the army.

Adjective clauses which are made by Relative Adverbs

1. I do not know the place **where she saw a snake.**
2. You may go to the place **wherever you like.**
3. I do not know the time **when the storm started.**
4. I do not know the reason **why he resigned his job,**

II. Adverb Clause: An Adverb clause is the clause which does the function of an Adverb. Most often it replaces an Adverb or an Adverb Phrase. It may modify a verb, an adjective or another adverb, *e.g.*,

1. Amar is taller **than you** (are).
2. **As soon as the boy saw the snake**, he cried loudly.
3. **If you work hard**, you'll get good marks.

III. Noun Clauses: The clause which does the function of a Noun is known as a Noun clause. The noun clause can act in the following ways:

1. As the Subject to a Verb:
   - **Why you are crying** we fail to understand.
   - **Where he will go,** nobody cares.
   - **How he earned money** is known to all.
   - **When he will wake up** is not sure.
2. As Object to a Participle:
   - **Knowing that his father will not rebuke him,** he starts disturbing his sister.
   - **Finding that the necklace lying on the ground** was of gold, he picked it up.
   - **Saying that he did not know French** he started singing English songs.
   - They started playing in the ground **thinking that nobody will object to it.**
3. As Object to an Infinitive:
   - I would like to know **whether you are going to the USA or Russia.**
   - He wants to say **whether his brother will come back or not.**
   - She wants to inform **why she did not attend the meeting.**
4. As Object to a Preposition:
   - He stuck to **what he believed.**
   - Listen to **what she says.**
   - She objected to **what you said.**
5. As Object to a Verb:
   - I do not understand **why he behaves like this.**
6. As Complement to a Verb:
   - His fear is **that he will be asked about the murder.**
   - It seems **that he would catch the train.**
7. Case in Apposition to a Noun or a Pronoun:
   - The fact **that he is honest is known to all.**
   - The reason **why he failed in the examination is not far to seek.**

MULTIPLE CHOICE QUESTIONS

Directions (Q.No. 1-5): *Rewrite each of the following sentences, replacing the adjectives in italics with adjective phrases of the same meaning:*

1. It was a *spacious* room.
A. It was a room of much space.
B. It was a room of long length.
C. It was a room of more width.
D. It was a room of great height.

2. They spent a *sleepless* night.
A. They spent a night with less sleep.
B. They spent a night without much sleep.
C. They spent a night without sleep.
D. They spent a night unsleep.

3. She is a *professional* singer.
A. She is a singer professional.
B. She follows/has the profession of singing.

C. She is a professor of singing.
D. She is a professional of singing.

4. That was a *cowardly* act.
A. That was a coward act.
B. That was a cowardice act.
C. That was an act of coward.
D. That was an act of cowardice.

5. That was a *courageous* act.
A. That was a courage action.
B. That was an act of courage.
C. That was an action of courage.
D. That was an encouraging act.

Directions (Q.No. 6-10): *Rewrite each of the following sentences, replacing the adjective phrases in italics with adjectives of the same meaning:*

6. He is a man *with a bad temper.*
A. He is a bad-tempered man.
B. He is a low-tempered man.
C. He is a high-tempered man.
D. He is a sharp-tempered man.

7. An elephant *with a white skin* is considered sacred by some people.
A. An elephant with a fair skin is considered sacred by some people.
B. An elephant with a fair complexion is considered sacred by some people.
C. A white elephant is considered sacred by some people.
D. A sacred elephant is considered white by some people.

8. His diary contained many pages *with no writing on them.*
A. His diary contained many white pages.
B. His diary contained many unwritten pages.
C. His diary contained many dry pages.
D. His diary contained many wet pages.

9. Everyone will admit that you are a man *of sense.*
A. Everyone will admit that you are a sense man.
B. Everyone will admit that you are a sensuous man.
C. Everyone will admit that you are a man-sensible.
D. Everyone will admit that you are a sensible man.

10. Gandhiji was a leader of *great fame.*
A. Gandhiji was a great famous leader.
B. Gandhiji was a famous leader.
C. Gandhiji was a famous great leader.
D. Gandhiji was a great leader of fame.

Directions (Q.No. 11-15): *Rewrite each of the following sentences, replacing the adverb in italics with an adverb phrase of the same meaning:*

11. Pitch the tent just *here.*
A. Pitch the tent just there.
B. Pitch the tent just at this place.
C. Pitch the tent just anywhere.
D. Pitch the tent just now.

12. Don't talk *impudently.*
A. Don't talk in an impudent way/manner.
B. Don't talk in impudent.
C. Don't talk impudence.
D. Don't talk impudicity.

13. I answered the question *promptly.*
A. I answered the question prompt.
B. I answered the question promptness.
C. I answered the question prompitude.
D. I answered the question with promptness or in a prompt way/manner.

14. They were hurrying *homeward.*
A. They were hurrying towards the home.
B. They were hurrying forward the home.
C. They were hurrying ahead the home.
D. They were hurrying into the home.

15. He thanked me *profoundly.*
A. He thanked me profundity.
B. He thanked me profound way.
C. He thanked me with profundity or in a profound way.
D. He thanked me profoundness.

Directions (Q.No. 16-20): *Rewrite each of the following sentences, replacing the adverb phrase in italics with an adverb of the same meaning:*

16. The boy went near the tiger *without any fear.*
A. The boy went near the tiger fearlessly.
B. The boy went near the tiger fearless.
C. The boy went near the tiger fearlessness.
D. The boy went near the tiger fearsome.

17. He answered my question *with great reservation.*
A. He answered my question reserved.
B. He answered my question reservedness.
C. He answered my question reservedly.
D. He answered my question reservoir.

18. I hope he will come *at a very early date.*
A. I hope he will come earlier.
B. I hope he will come soon.
C. I hope he will come earliest.
D. I hope he will come fast.

19. You will succeed *in the long run.*
A. You will succeed soon.
B. You will succeed running long.
C. You will succeed running longer.
D. You will succeed finally.

20. The chief guest arrived *at that moment.*
A. The chief guest arrived late.
B. The chief guest arrived then.
C. The chief guest arrived earlier.
D. The chief guest arrived momentarily.

Directions (Q.No. 21-30): *Complete each of the following sentences by adding an adjective clause:*

21. Jack is the boy ....
A. who won the first prize.
B. whom won the first prize.
C. which won the first prize.
D. this won the first prize.

22. The bird .... was a parrot.
A. who was green in colour
B. which was green in colour
C. whom was green in colour
D. it was green in colour

23. The thing .... was a knife.
A. who you saw on the road
B. whom you saw on the road
C. which you saw on the road
D. it you saw on the road

24. I do not exactly know the place .... this coin.
A. where he found this coin
B. there he found the coin
C. here he found the coin
D. that he found the coin

25. I do not know the time ....
A. then he left for the bus stop.
B. now he left for the bus stop.
C. when he left for the bus stop.
D. since he left for the bus stop.

26. Do you know the reason ....
A. because he does not help you.
B. since he does not help you.
C. as he does not help you.
D. why he does not help you.

27. The man .... was an army officer.
A. whose was tall and strong
B. who was tall and strong
C. whom was tall and strong
D. which was tall and strong

28. He .... was caught by the police.
A. it was a thief
B. this was a thief
C. that was a thief
D. who was a thief

29. That object .... is actually a purse.
A. which looks like a book
B. that looks like a book
C. who looks like a book
D. what looks like a book

30. You may go to the place ....
A. what you want.
B. whom you want.
C. where you want.
D. whose you want.

Directions (Q.No. 31-40): *Complete each of the following sentences by adding a noun clause:*

31. I do not know ....
A. who broke the windowpane.
B. which broke the windowpane.
C. whom broke the windowpane.
D. why broke the windowpane.

32. I am not sure ....
A. if he will come to see you or not.
B. about he will come to see you or not.
C. whether he will come to see you or not.
D. that he will come to see you or not.

33. Saying .... he began to sing.
A. which he was a good singer
B. that he was a good singer
C. this he was a good singer
D. it he was a good singer

34. Listen to ....
A. it she says.
B. this she says.
C. which she says.
D. what she says.

35. Please allow him to say ....
A. what he wants.
B. which he wants.
C. that he wants.
D. this he wants.

36. He guessed ....
A. it he could not climb up the hill.
B. this he could not climb up the hill.
C. that he could not climb up the hill.
D. which he could not climb up the hill.

37. Knowing .... he decided to go to England.
A. that he had no relatives in India
B. it he had no relatives in India
C. this he had no relatives in India
D. which he had no relatives in India

38. I wanted to know ....
A. what she would deliver her maiden speech.
B. who she would deliver her maiden speech.
C. which she would deliver her maiden speech.
D. when she would deliver her maiden speech.

39. He asserted ....
A. it he was honest.
B. this he was honest.
C. that he was honest.
D. which he was honest.

40. I cannot say ....
A. what she looks like.
B. why she looks like.
C. when she looks like.
D. where she looks like.

Directions (Q.No. 41-50): *Complete each of the following sentences by adding an adverb clause using the conjunction given in brackets:*

41. Stay here (until) ....
A. until he come back.
B. until I come back.
C. until you come back.
D. until she come back.

42. (As soon as) .... we'll go to see a movie.
A. As soon as she've finished
B. As soon as he've finished
C. As soon as I've finished
D. As soon as mother've finished

43. My brother is reading a novel (while) ....
A. while my sister is colouring the pictures.
B. while my sister was colouring the pictures.
C. while my sister has been colouring the pictures.
D. while my sister have been colouring the pictures.

44. Do (as) ....
A. as you instruct.
B. as you were instruct.
C. as you have been instruct.
D. as you are instructed.

45. He sits (as if) ....
A. as if he were a king.
B. as if he was a king.
C. as if he is a king.
D. as if he will be a king.

46. (As soon as) .... he began to smile.
A. As soon as the boy found his lost coin
B. As soon as the boy find his lost coin
C. As soon as the boy will find his lost coin
D. As soon as the boy founded his lost coin

47. He is thinner (than) ....
A. than himself.
B. than you.
C. than hisself.
D. than yourself.

48. I can lend you a hundred rupee note (provided that) ....
A. provided that you returns it to me by the end of this month.
B. provided that you returned it to me by the end of this month.
C. provided that you will return it to me by the end of this month.
D. provided that you return it to me by the end of this month.

49. (Since) .... we should postpone our tour to India.
A. Since we can't catch the flight now,
B. Since we shouldn't catch the flight now,
C. Since we couldn't catch the flight now,
D. Since we wouldn't catch the flight now,

50. (As long as) .... you need not worry about anything.
A. As long as I were here,
B. As long as I am here,
C. As long as I was here,
D. As long as I have been here,

ANSWERS

1	2	3	4	5	6	7	8	9	10
A	C	B	D	B	A	C	B	D	B
11	**12**	**13**	**14**	**15**	**16**	**17**	**18**	**19**	**20**
B	A	D	A	C	A	C	B	D	B
21	**22**	**23**	**24**	**25**	**26**	**27**	**28**	**29**	**30**
A	B	C	A	C	D	B	D	A	C
31	**32**	**33**	**34**	**35**	**36**	**37**	**38**	**39**	**40**
A	C	B	D	A	C	A	D	C	A
41	**42**	**43**	**44**	**45**	**46**	**47**	**48**	**49**	**50**
B	C	A	D	A	A	B	D	A	B

★ ★ ★

8

Active and Passive Voice

A sentence in active voice focuses on the person or thing doing the action.
A sentence in passive voice focuses on the person or thing affected by the action. e.g.,
The idol was built. (Active voice)
Someone built the idol. (Passive voice)

Transformation of voice

- *Voice and Tense are closely associated with each other.*
- *Tense remains the same while transforming the voice.*

MULTIPLE CHOICE QUESTIONS

Directions (Qs. 1 to 30): *In each of the following questions, a sentence is given in Active Voice. Below it are given four alternatives suggesting the Passive Voice form of the given sentence. Choose the correct alternative.*

1. They will have helped you.
A. You will have helped by them.
B. You will have been helped by them.
C. You will be helped by them.
D. You will be helped by them.

2. Open the door.
A. Door may be opened.
B. Let the door be open.
C. Let the door be opened.
D. Door be opened.

3. I am reading a book.
A. A book is read by me.
B. A book is being read by me.
C. A book has been read by me.
D. A book is been read by me.

4. Why did your brother write such a letter?
A. Why your brother wrote such a letter?
B. Why was by brother written such a letter?
C. Why was such a letter written by your brother?
D. Why was written such a letter by your brother?

5. Did you run a great risk?
A. Was a great risk run by you?
B. Was run a great risk by you?
C. Was by you run a great risk?
D. Had you run a great risk?

6. Was he knocking at the door?
A. Was the door being knocked at by him?
B. Was the door being knocked by him?
C. Was the door knocked by him?
D. Was the door knocking at him?

7. What was Rani doing?
A. What was done by Rani?
B. What was Rani being done?
C. What was being done by Rani?
D. What was being doing Rani?

8. Why were you wasting your Time?
A. Why was your time being wasted?
B. Why was your time being wasted by you?
C. Why was your time wasted by you?
D. Why was your time wasted?

9. She has laid out a small garden.
A. A small garden has been laid by her.
B. A small garden has laid out her.
C. A small garden being laid by her.
D. A small garden has been laid out by her.

10. She had already solved all the sums.
A. All the sums had already been solved by her.
B. All the sums have already been solved by her.
C. All the sums have been solved by her.
D. All the sums are solved by her.

11. He will have posted the letter.
A. The letter has been posted by him.
B. The letter will be posted by him.
C. The letter will have been posted by him.
D. The letter is posted by him.

12. They will have sold all the books by 4 P.M.
A. All the books will be sold by 4 P.M.
B. All the books will have been sold by 4 P.M.
C. All the books were being sold by 4 P.M.
D. All the books must be sold by 4 P.M.

13. Do you speak English?
A. Is English spoken by you?
B. Does English spoken by you?
C. Is English being spoken by you?
D. Does English being spoken by you?

14. Had they seen me before?
A. Had myself been seen by them before?
B. Had me being seen by them before?
C. Had I been seen by them before?
D. Had I being seen by them before?

15. May I take this pen?
A. May this pen will be taken by me?
B. May this pen shall be taken by me?
C. May this pen should be taken by me?
D. May this pen be taken by me?

16. Can we send it by air?
A. Can this be sent by air?
B. Can it be sent by air?
C. Can it go by air?
D. Can it be send by air?

17. Who wrote this book?
A. By whom was this book written?
B. By whom is this book written?
C. By whom was this book being written?
D. By whom is this book being written?

18. What did you buy?
A. What is bought by you?
B. What is being bought by you?
C. What was bought by you?
D. What was being bought by you?

19. Whom do you want?
A. Who is wanted by you?
B. Who is being wanted by you?
C. You are wanted by whom?
D. You are being wanted by whom?

20. When will you raise this question?
A. When this question will be raised by you?
B. When will this question be raised by you?
C. When this question is being raised by you?
D. When is this question being raised by you?

21. Who did this?
A. This was done by whom?
B. By whom was this done?
C. Who has done this?
D. By whom this was done?

22. One should keep one's promises.
A. Promises should be kept.
B. One's promises should be kept by one.
C. Promises must be kept.
D. One's promises one should keep.

23. Give the order.
A. Order given.
B. Order be given.
C. Let the order be given.
D. Order may be given by you.

24. You will have to do it.
A. It will be done by you.
B. It will have to be done by you.
C. It has to be done by you.
D. It would have to be done by you.

25. Keep to the left.
A. You are ordered to keep to the left.
B. You ought to keep to the left.
C. You are advised to keep to the left.
D. You must keep to the left.

26. They will arrange a party.
A. A party will have to be arranged by them.
B. A party they will have to arrange.
C. A party will be arranged by them.
D. A party by them will be arranged.

27. Someone has picked my pocket.
A. My pocket is picked.
B. My pocket has picked.
C. My pocket has been picked.
D. My pocket was picked.

28. He kept me waiting.
A. I kept waiting for him.
B. I kept waiting by him.
C. I was waiting for him.
D. I was kept waiting by him.

29. Why do you tell a lie?
A. Why is a lie told by you?
B. Why is told a lie by you?
C. Why is told by you a lie?
D. Why has a lie been told by you?

30. I have written a letter.
A. A letter is written by me.
B. A letter has been written by me.
C. A letter was written by me.
D. A letter had been written by me.

Directions (Qs. 31 to 35): *In the following questions, a sentence has been given in Active/Passive Voice. Out of the four alternatives suggested, select the one that Best Expresses the same sentence in Passive/Active Voice.*

31. Circumstances will oblige me to go.
- A. I will oblige the circumstances and go.
- B. I shall be obliged to go by the circumstances.
- C. Under the circumstances, I should go.
- D. I shall be obliged by the circumstances to go.

32. We waste much time on trifles.
- A. Much time was wasted on trifles.
- B. Much time will be wasted on trifles.
- C. Much time is wasted by us on trifles.
- D. Much time is wasted on trifles.

33. Mohan gave the beggar an old shirt.
- A. An old shirt was given to Mohan by the beggar.
- B. An old shirt was given to the beggar by Mohan.
- C. The beggar is given an old shirt by Mohan.
- D. An old shirt is given to the beggar by Mohan.

34. They have made him a king.
- A. A king has been made by him.
- B. He was made a king by them.
- C. They have been made king by him.
- D. He has been made a king by them.

35. Who taught you English?
- A. By whom English was taught to you?
- B. By whom you were taught English?
- C. By whom was English taught to you?
- D. By whom are you taught English?

Directions (Qs. 36 to 45): *In each of the following questions, a sentence is given in Passive Voice. Below it are given four alternatives suggesting the Active Voice form of the given sentence. Choose the correct alternative.*

36. He was made a king.
- A. He became a king.
- B. They made him a king.
- C. They had made him a king.
- D. He has been made a king.

37. Good news is expected by us.
- A. We are expecting good news.
- B. We have been expecting good news.
- C. We had expected good news.
- D. We expect good news.

38. The child must be looked after.
- A. The child you must look after.
- B. You must look after the child.
- C. You must look the child after.
- D. You may look after the child.

39. What is wanted by you?
- A. What you want?
- B. What did you want?
- C. What do you want?
- D. What you do want?

40. Your father is known to me.
- A. I am known to your father.
- B. I know your father.
- C. I have known your father.
- D. I knew your father.

41. She may be told the story by you.
- A. The story may be told by you to her.
- B. You may tell the story to her.
- C. You may tell her the story.
- D. You may tell to her the story.

42. Duty ought to be done.
- A. Let duty be done.
- B. One ought to do one's duty.
- C. One should do his duty.
- D. Do your duty.

43. Is English spoken by you?
- A. Did you speak English?
- B. Do you speak English?
- C. Have you spoken English?
- D. Do you know how to speak English?

44. Gold coins are contained in this box.
- A. This box contains gold coins.
- B. This box has contained gold coins.
- C. This box is containing gold coins.
- D. This box has gold coins.

45. Character is revealed by manners.
- A. Manners revealed character.
- B. Manners reveal character.
- C. Manners have revealed character.
- D. Manners do reveal character.

ANSWERS

1	2	3	4	5	6	7	8	9	10
B	C	B	C	A	A	C	B	D	A
11	**12**	**13**	**14**	**15**	**16**	**17**	**18**	**19**	**20**
C	B	A	C	D	B	A	C	A	B
21	**22**	**23**	**24**	**25**	**26**	**27**	**28**	**29**	**30**
B	A	C	B	C	C	C	D	A	B
31	**32**	**33**	**34**	**35**	**36**	**37**	**38**	**39**	**40**
D	C	B	D	C	B	D	B	C	B
41	**42**	**43**	**44**	**45**					
C	B	B	A	B					

★★★

9

Direct and Indirect Narration

The words spoken by a speaker are known to be in Direct Speech.

The words spoken by somebody and expressed by someone else with some modification are known as Indirect Speech. e.g.,

(a) Rohit says to me, "You do not understand me." *(Direct Speech)*

(b) Rohit tells me that I do not understand him. *(Indirect Speech)*

MULTIPLE CHOICE QUESTIONS

Directions (Qs. 1 to 13): *Select the correct indirect speech for the following sentences:*

1. I said to him, "I shall help you."

A. I told him that I can help him.
B. I told him that I would help him.
C. I told him that I will help him.
D. I told him that I shall be helping him.

2. My Teacher said to me, "The earth revolves round the sun."

A. My teacher told me that the earth revolves round the sun.
B. My teacher told me that the earth revolve round the sun.
C. My teacher told me that the earth had been revolving round the sun.
D. My teacher told me that the earth has been revolving round the sun.

3. I said to my friend, "My father daily goes for a walk."

A. I told my friend that my father daily goes for a walk.
B. I told my friend that my father daily went for a walk.
C. I told my friend that my father has to go for a walk.
D. I told my friend that my father had gone for a walk.

4. He said to me, "May God bless you!"

A. He requested that God can bless me.
B. He prayed that God can bless me.
C. He prayed that God might bless me.
D. He prayed that God will bless me.

5. The patient said, "Thank you, doctor."

A. The patient thanked the doctor.
B. The patient requested the doctor with thanks.
C. The patient told the doctor thanks.
D. The patient suggested the doctor thanks.

6. Satish said, "No, I shall not talk to him."

A. Satish told that he should not talk to him.
B. Satish suggested that he would not have talked to him.
C. Satish exclaimed with sorrow that he would not talk with him.
D. Satish refused to talk to him.

7. The child said, "What a lovely place!"

A. The child exclaimed with sorrow that it was a lovely place.
B. The child thought that the place was lovely.
C. The child exclaimed with joy that the place was very lovely.
D. The child suggested that the place was lovely.

8. He said, "What a fool I have been!"
A. He told himself with sorrow that he was a fool.
B. He confessed with regret that he had been a great fool.
C. He said himself a fool.
D. He suggested that he could be a fool.

9. He said, "Alas! I am ruined."
A. He told me that he had been ruined.
B. He exclaimed with joy that he had been ruined.
C. He exclaimed with sorrow that he was ruined.
D. He told me that he should not be ruined.

10. The accused said, "I am not guilty."
A. The accused exclaimed with sorrow that I am not guilty.
B. The accused exclaimed with joy that he was not guilty.
C. The accused stated that he was not guilty.
D. The accused told me that he has not been guilty.

11. My teacher said, "The earth is round".
A. My teacher said that the earth was round.
B. My teacher says that the earth is round.
C. My teacher said that the earth is round.
D. My teacher ordered that the earth is round.

12. He said, "What a place it is!"
A. He said that it was a very fine place.
B. He said that is a very fine place.
C. He said that the place is fine.
D. He exclaimed with joy/surprise that it was a very fine place.

13. Ria said, "Shall I thread the needle?"
A. Ria asked if she should thread the needle.
B. Ria asked if she shall thread the needle.
C. Ria ordered if she should thread the needle.
D. Ria says that if she would thread the needle.

Directions (Qs. 14 to 33): *Pick out the correct alternative that completes the incomplete sentence which is changed into indirect narration.*

14. She said to me, "I shall see you as soon as I get time."

She told me:
A. that she will see me as soon as she will get time.
B. that she would see me as soon as she would get time.
C. she would see me whenever she got time.
D. that she would see me whenever she gets time.

15. My secretary said to me, "Your plane will leave if you do not go at once."

My secretary told me that:
A. her plane would leave if she did not go at that time.
B. her plane would leave if I do not go at once.
C. my plane would leave if I did not go at that very time.
D. my plane will leave if I did not go at that time.

16. My mother said to me, "Don't quarrel among yourselves".

My mother:
A. forbade me to quarrel among ourselves.
B. asked me not to quarrel among ourselves.
C. asked me that not to quarrel among ourselves.
D. asked me to quarrel not among ourselves.

17. Her father said to her mother, "Excuse the daughter."

Her father:
A. requested her mother to excuse the daughter.
B. asked her mother to excuse the daughter.
C. asked her mother to have excused the daughter.
D. asked her mother to have been excused.

18. He said to his friend, "Wait here till father comes."

He requested his friend:
A. to wait here till father had come.
B. that to wait there till his friend came.
C. to wait there till father came.
D. to wait here until his friend came.

19. She said to her maid, "Run and catch the thief."

She ordered her maid:
A. ran and catch the thief.
B. that to run and to catch the thief.
C. ran and caught the thief.
D. to run and catch the thief.

20. Anita said to Sunita, "What are you doing?"

Anita asked Sunita:
A. what she will be doing.
B. that what she is doing.
C. that what she was doing.
D. what she was doing.

21. She said to me, "Are you meeting me today?"

She enquired of me:
A. whether I am meeting her that day.
B. whether I was meeting her today.
C. whether I was meeting her that day.
D. I was meeting her that day.

22. Nitish said to me, "When did you buy this pen?"

Nitish asked me:
A. when I was to buy that pen.
B. when I would buy that pen.
C. when I had bought that pen.
D. when I was buying that pen.

23. She said to me, "Are you going to market?"

She enquired of me:

A. I am going to market.
B. I was going to market.
C. if I was going to market.
D. if I had been going to the market.

24. Damini said, "Why did not you change your clothes?"

Damini asked me:

A. why I had not changed my clothes.
B. why I did not change my clothes.
C. why I would not change my clothes.
D. why I have not been changing my clothes.

25. Umesh said to me, "Have you read that novel?"

Umesh asked me:

A. if he was reading that novel.
B. if he had read that novel.
C. if I had read that novel.
D. if I was reading that novel.

26. She said to me, "I shall forgive you."

She told me:

A. that she will forgive me.
B. that she was going to forgive me.
C. that she will not forgive me.
D. that she would forgive me.

27. I said to her, "It was very hot last night."

I told her:

A. that it had been very hot the previous night.
B. that it was very hot the previous night.
C. that it has been very hot the last night.
D. that it had been very hot this night.

28. She said to me, "I thank you for the help you have given."

She:

A. told me that she thanked me for the help I had given.
B. thanked me for the help I have given.
C. thanked to me for the help I have given.
D. thanked me for the help I had given.

29. Mohini said to me, "Trust in God."

Mohini advised me:

A. that I should trust in God.
B. should trust in God.
C. trusted in God.
D. to trust in God.

30. I said to him, "Let us go to school."

I told him:

A. we would go to school.
B. we shall go to school.
C. that we would go to school.
D. that we should go to school.

31. Rajni said, "May God bless you?"

Rajni:

A. exclaimed with wish that God might bless me.
B. expressed a wish that God might bless me.
C. asked God to bless me.
D. shouted with joy to bless me.

32. My mother said to me, "Do not have so many friends."

My mother forbade me:

A. to have so many friends.
B. not to have so many friends.
C. to have been so many friends.
D. to possess so many friends.

33. Ram said, "Pay attention to me."

Ram asked:

A. pay attention to him.
B, paid attention to him.
C. having paid attention to him.
D. to pay attention to him.

Directions (Qs. 34 to 50): *In questions below, the sentences have been given in Direct/Indirect Speech. Out of the four alternatives suggested select the one which best expresses the given sentence in Indirect/Direct Speech.*

34. She said that her brother was getting married.

A. She said, "Her brother is getting married."
B. She told, "My brother is getting married."
C. She said, "My brother is getting married."
D. She said, "My brother was married."

35. "Please don't go away", she said.

A. She said to please her and not go away.
B. She told me to go away.
C. She begged me not to go away.
D. She begged that I not go away.

36. "If you don't keep quiet I shall shoot you", he said to her in a calm voice.

A. He warned her to shoot if she didn't keep quiet calmly.
B. He said calmly that I shall shoot you if you don't be quiet.
C. He warned her calmly that he would shoot her if she didn't keep quiet.
D. Calmly he warned her that be quiet or else he will have to shoot her.

37. I told him that he was not working hard.

A. I said to him, "You are not working hard."
B. I told him, "You are not working hard."
C. I said, "You are not working hard."
D. I said to him, "He is not working hard."

38. She said that she would finish the work the next day.
A. She said, "I will finish the work the next day."
B. She said, "I will finish the work tomorrow."
C. She said, "You will finish the work tomorrow."
D. She said, "I finished the work."

39. She said to him, "Why don't you go today?"
A. She asked him why he did not go that day.
B. She said to him that why he don't go today.
C. She asked him not to go today.
D. She asked him why he did not go today.

40. "Are you alone, my son?" asked a soft voice close behind me.
A. A soft voice asked that what I was doing there alone.
B. A soft voice said to me are you alone son.
C. A soft voice from my back asked if I was alone.
D. A soft voice close behind me asked if I was alone.

41. My cousin said, "My room-mate had snored throughout the night."
A. My cousin said that her room-mate snored throughout the night.
B. My cousin told me that her room-mate snored throughout the night.
C. My cousin complained to me that her room-mate is snoring throughout the night.
D. My cousin felt that her room-mate may be snoring throughout the night.

42. He asked Rama if he needed his help then.
A. He said to Rama, "Do you need my help?"
B. He told Rama, "Tell me if you need help."
C. He asked Rama, "Do I need your help?"
D. He said to Rama, "Do you need my help now?"

43. Nita ordered her servant to bring her a cup of tea.
A. Nita told her servant, "Bring a cup of tea."
B. Nita said, "Bring me a cup of tea."
C. Nita said to her servant, "Bring me a cup of tea."
D. Nita said to her servant, "Bring her that cup of tea."

44. He exclaimed with joy that India had won the Sahara Cup.
A. He said, "India has won the Sahara Cup."
B. He said, "India won the Sahara Cup."
C. He said, "How! India will win the Sahara Cup."
D. He said, "Hurrah! India has won the Sahara Cup."

45. The boy said, "Who dare call you a thief?"
A. The boy enquired who dared call him a thief.
B. The boy asked who called him a thief.
C. The boy told that who dared call him a thief.
D. The boy wondered who dared call a thief.

ANSWERS

1	2	3	4	5	6	7	8	9	10
B	A	A	C	A	D	C	B	C	C
11	**12**	**13**	**14**	**15**	**16**	**17**	**18**	**19**	**20**
C	D	A	B	C	A	B	C	D	D
21	**22**	**23**	**24**	**25**	**26**	**27**	**28**	**29**	**30**
C	C	C	A	C	D	A	A	A	D
31	**32**	**33**	**34**	**35**	**36**	**37**	**38**	**39**	**40**
B	A	D	C	C	C	A	B	A	D
41	**42**	**43**	**44**	**45**					
A	D	C	B	A					

★★★

10

One Word Substitution

There are many single words in English language which can be perfectly used for a number of words. These words help in expressing ideas in a short and correct manner for the right occasion. Such words not only increase the vocabulary but also enable you to economise in the use of words to a great extent.

Multiple Word Expression	*Substitution*
One who always looks towards the bright side of things	*Optimist*
One who always looks towards the dark side of things	*Pessimist*
The time when one develops from a child into an adult	*Adolescence*
The process of growing more plants in order to form a forest	*Afforestation*
The science which deals with farming	*Agriculture*
From some other country or place etc.	*Alien*
A term, etc. giving more than one meaning	*Ambiguous*
A vehicle which is used to carry sick persons	*Ambulance*
An animal which can live both in water and on land	*Amphibian*
A lawless situation when there is no government	*Anarchy*
Belonging to the history of thousands of years old	*Ancient*
Something happening once a year	*Annual*
A very old object but still valuable	*Antique*
Words of opposite meanings	*Antonyms*
Words of similar meanings	*Synonyms*
Signatures of a famous person	*Autograph*
A government led by one person with absolute authority	*Autocracy*
A written work of one's own life history	*Autobiography*
A person who has never been married	*Bachelor*
A person usually having no hair on his head	*Bald*
A place where one can deposit money and get interest	*Bank*
A person who cuts our hair	*Barber*
A building/group of buildings where soldiers live	*Barracks*
A person who makes buns and biscuits	*Baker*
A person who lives by asking people for food and money without doing any useful job	*Beggar*
The crime of having married to two persons at the same time	*Bigamy*
The branch of science which deals with the study of plants	*Botany*
Able to speak two languages	*Bilingual*
Able to speak more than two languages	*Polyglot*
The branch of science which deals with the living organisms	*Biology*
A powerful snow storm	*Blizzard*
A great successful book or movie	*Blockbuster*
A short news on the radio or TV	*Bulletin*

Multiple Word Expression	*Substitution*
A system in which the most important works are organised by the government officials	*Bureaucracy*
A person who has no vision in his eyes	*Blind*
A page or a series of pages on which the information of days, weeks, months, etc. is given	*Calendar*
A person who eats human flesh	*Cannibal*
A complete list of items often arranged alphabetically	*Catalogue*
A sudden disaster	*Catastrophe*
A period of 100 years	*Century*
A branch of science which deals with chemicals	*Chemistry*
A printed leaf usually issued by banks that we sign to carry certain financial deal	*Cheque*
A person who makes or mends shoes	*Cobbler*
A group of people who has been chosen by others to make decisions on their own	*Committee*
A building in which nuns live	*Convent*
An animal which feeds on other animals	*Carnivorous*
A person who does criticism	*Critic*
A person who cannot hear	*Deaf*
A condition in which one loses a lot of water from one's body because of vomiting, etc.	*Dehydration*
A system of government in which the people cast their votes to elect their leaders	*Democracy*
The study of skin problems	*Dermatology*
A large stretch of land covered with sand	*Desert*
The art of managing relationships between countries	*Diplomacy*
A piece of information about the words in a book form	*Dictionary*
A piece of information about the telephone numbers of the people in a book form	*Directory*
A person in charge of a newspaper, magazine etc.	*Editor*
A person who thinks he is better than others	*Egoist*
To leave your country and settle in some other country	*Emigrate*
A book or series of books giving almost all knowledge about an area or some persons, etc.	*Encyclopaedia*
Study of insects	*Entomology*
Time when day and night are of the same duration	*Equinox*
To sell things out of the country	*Export*
To purchase things from some other country	*Import*
A plant or animal no longer in existence	*Extinct*
A situation when there is a shortage of food for a long period of time	*Famine*
An amount of money that we pay for some action or services	*Fee*
Something related to women	*Feminine*
An animal strong and aggressive	*Ferocious*
A piece of land where plants grow easily from the soil that is favourable to them	*Fertile*
A work of literature having some imaginary events	*Fiction*
A large amount of water covering certain area	*Flood*
A person who sells flowers	*Florist*
A religious ceremony for burying or cremating a dead person	*Funeral*
A substance which kills fungus	*Fungicide*
A person studying or having studied the diseases and the related things of female reproductory system	*Gynaecologist*
The murder of the people of the same group, race or country	*Genocide*
A substance which kills germs	*Germicide*
A situation in which many people die because of fire during war	*Holocaust*
The act of killing a person deliberately	*Homicide*
A word having the pronunciation as the other one does but differing in meaning	*Homophone*
A word having the same spelling as the other one does but it is pronounced in some other way	*Homonym*
A person who is attracted towards the person of the same sex	*Homosexual*
Go across and parallel to the ground	*Horizontal*

Multiple Word Expression	*Substitution*
A substance which kills the insects	*Insecticide*
That cannot be corrected	*Incorrigible*
That cannot be defeated	*Invincible*
That cannot be eaten	*Inedible*
That cannot be seen	*Invisible*
A place in a school or college where books are kept for the benefit of students, teachers etc.	*Library*
A place in a school or college where scientific experiments are performed	*Laboratory*
An official who is a judge in the lowest court	*Magistrate*
A piece of music or a book before it is printed	*Manuscript*
Something related to men	*Masculine*
One who believes in the existence of God	*Theist*
One who does not believe in the existence of good	*Atheist*
That can be believed	*Credible*
That cannot be believed	*Incredible*
That which dissolves in a solvent	*Soluble*
That which does not dissolve in a solvent	*Insoluble*
Handwriting that can be read	*Legible*
Handwriting that cannot be read	*Illegible*
A person who does jobs beneficial to mankind	*Philanthropist*
A person who goes on foot	*Pedestrian*
A person who fights for his own country	*Patriot*
An act of killing oneself	*Suicide*
A woman whose husband is dead	*Widow*
A man whose wife is dead	*Widower*
A person who eats both vegetarian and non-vegetarian food	*Omnivorous*
Something which is present everywhere at the same time	*Omnipresent*
One who knows everything	*Omniscient*
A child who does not have parents	*Orphan*
An award, etc. given after the death of the recipient	*Posthumous*
The place where animals are kept for amusement and for the knowledge of the public	*Zoo*
The science which deals with the study of animals	*Zoology*

MULTIPLE CHOICE QUESTIONS

Directions: *In questions given below, out of the four alternatives, choose the one which can be substituted for the given words/sentences.*

1. Something that relates to everyone in the world
A. General B. Common
C. Usual D. Universal

2. An expression of mild disapproval
A. Warning B. Denigration
C. Impertinence D. Reproof

3. One who is not easily pleased by anything
A. Maiden B. Medieval
C. Precarious D. Fastidious

4. Murder of a king
A. Infanticide B. Matricide
C. Genocide D. Regicide

5. A remedy for all diseases
A. Stoic B. Marvel
C. Panacea D. Recompense

6. A dramatic performance
A. Mask B. Mosque
C. Masque D. Mascot

7. Study of birds
A. Orology B. Optology
C. Ophthalmology D. Ornithology

8. Ready to believe
A. Credulous B. Credible
C. Creditable D. Incredible

9. Incapable of being seen through
A. Ductile B. Opaque
C. Obsolete D. Potable

10. One who eats everything
A. Omnivorous B. Omniscient
C. Irresistible D. Insolvent

11. A place where bees are kept is called
A. An apiary B. A mole
C. A hive D. A sanctuary

12. One who cannot be corrected
A. Incurable B. Incorrigible
C. Hardened D. Invulnerable

13. One who is in charge of a museum
A. Curator B. Supervisor
C. Caretaker D. Warden

14. Continuing fight between parties, families, clans, etc.
A. Enmity B. Feud
C. Quarrel D. Skirmish

15. A voice loud enough to be heard
A. Audible B. Applaudable
C. Laudable D. Oral

16. A paper written by hand
A. Handicraft B. Manuscript
C. Handiwork D. Thesis

17. Habitually silent or talking little
A. Servile B. Unequivocal
C. Taciturn D. Synoptic

18. To slap with a flat object
A. Chop B. Hew
C. Gnaw D. Swat

19. A person who speaks many languages
A. Linguist B. Monolingual
C. Polyglot D. Bilingual

20. A light sailing-boat built specially for racing
A. Canoe B. Yacht
C. Frigate D. Dinghy

21. A fixed orbit in space in relation to earth
A. Geological B. Geo-synchronous
C. Geo-centric D. Geo-stationary

22. A style in which a writer makes a display of his knowledge
A. Pedantic B. Verbose
C. Pompous D. Ornate

23. A religious discourse
A. Preach B. Stanza
C. Sanctorum D. Sermon

24. A place that provides refuge
A. Asylum B. Sanatorium
C. Shelter D. Orphanage

25. Detailed plan of a journey
A. Travelogue B. Travelkit
C. Schedule D. Itinerary

26. A person who insists on something
A. Disciplinarian B. Stickler
C. Instantaneous D. Boaster

27. A drawing on transparent paper
A. Red print B. Blue print
C. Negative D. Transparency

28. One who believes that all things and events in life are predeter-mined is a
A. Fatalist B. Puritan
C. Egoist D. Tyrant

29. A school boy who cuts classes frequently is a
A. Defeatist B. Sycophant
C. Truant D. Martinet

30. The act of violating the sanctity of the church is
A. Blasphemy B. Heresy
C. Sacrilege D. Desecration

31. A place where monks live as a secluded community
A. Cathedral B. Diocese
C. Convent D. Monastery

32. One who is fond of fighting
A. Bellicose B. Aggressive
C. Belligerent D. Militant

33. Tending to move away from the centre or axis
A. Centrifugal B. Centripetal
C. Axiomatic D. Awry

34. Words inscribed on tomb
A. Epitome B. Epistle
C. Epilogue D. Epitaph

35. Leave or remove from a place considered dangerous
A. Evade B. Evacuate
C. Avoid D. Exterminate

36. Original inhabitants of a country
A. Aborge B. Aborger
C. Aborgory D. Aborigins

37. Government by the officials
A. Theocracy B. Plutocracy
C. Bureaucracy D. Democracy

38. Incapable of being exhausted
A. Inexhaustible B. Unexhaustible
C. Exhaustable D. Non-tired

39. A person of good understanding, knowledge and reasoning power
A. Expert B. Intellectual
C. Snob D. Literate

40. One absorbed in his own thoughts and feelings rather than in things outside
A. Scholar B. Recluse
C. Introvert D. Intellectual

41. One who is indifferent to pains and pleasure of life
A. stoic B. metaphysical
C. pessimist D. sceptic

42. List of names of persons showing duties to be performed by each in turn
A. notice B. bulletin
C. roster D. agenda

43. Long angry speech of criticism or accusation
A. track record B. tirade
C. taut D. outburst

44. One who is in favour of never drinking alcoholic drinks
A. idealist B. uxorious
C. teetotaller D. unalcoholic

45. Trying to win favour by flattery and charm
A. smarmy B. shrewish
C. toady D. loquacious

46. A decision on which one cannot go back
A. incorrigible B. irrevocable
C. rigid D. invulnerable

47. The science that studies the varieties of human race
A. phrenology B. physiology
C. sociology D. ethnology

48. A person who hates women
A. philogynist B. philatelist
C. misogamist D. misogynist

49. A group of people in a particular grade in an organisation
A. colleague B. staff
C. echelon D. commission

50. Honourably discharged from service
A. emeritus B. latitudinarian
C. infallible D. meritorious

51. One who does not believe in the existence of God
A. atheist B. altruist
C. agnostic D. flippant

52. The large money paid for an early retirement
A. goldmine B. golden handshake
C. gratuity D. lion's share

53. A hater of learning and knowledge
A. misologist B. misogynist
C. philologist D. philanthropist

54. One who lives and acts for the welfare of others
A. misanthrope B. credulous
C. altruist D. gregarious

55. Mental weariness for want of occupation
A. desperate B. depression
C. fatigue D. ennui

56. That which makes it difficult to recognise the presence in real of somebody or something
A. cover B. mask
C. make-up D. camouflage

57. To bear a hand in one's new business
A. partnership B. interfere
C. assist D. join

58. One who renounces the world and practices self-discipline in order to attain salvation
A. devotee B. ascetic
C. theist D. parsimonious

59. A place where gambling is practiced
A. hotel B. motel
C. casino D. stadium

60. A sad song is a
A. dirge B. elegy
C. ditty D. knell

ANSWERS

1	2	3	4	5	6	7	8	9	10
D	D	D	D	C	C	D	A	B	A
11	12	13	14	15	16	17	18	19	20
A	B	A	B	A	B	C	D	A	B
21	22	23	24	25	26	27	28	29	30
D	A	D	A	D	B	D	A	C	C
31	32	33	34	35	36	37	38	39	40
D	A	A	D	B	B	C	A	B	C
41	42	43	44	45	46	47	48	49	50
A	C	B	C	A	B	D	D	C	A
51	52	53	54	55	56	57	58	59	60
A	B	A	C	D	D	C	B	C	A

★ ★ ★

हिन्दी

(क) भाषिक अनुप्रयोग और व्याकरणिक कुशलताएँ

1

वर्ण विचार

वर्ण

वर्ण वह मूल ध्वनि है जिसका खण्ड नहीं किया जा सकता है। जैसे–अ, आ, क्, ख्, ग्, च्, ट् आदि।

वर्ण को लिखने के लिए जिन चिह्नों का प्रयोग किया जाता है, उसे अक्षर कहते हैं। अक्षर का अर्थ है, जिसका क्षर न हो अर्थात् जो नष्ट न हो।

वर्णमाला : वर्णों के समूह को वर्णमाला कहते हैं। अंग्रेजी में इसे ही Alphabet कहते हैं। हिन्दी वर्णमाला को दो भागों में विभक्त किया जा सकता है–(*i*) स्वर (*ii*) व्यंजन

स्वर (Vowel)

स्वर उन मूल ध्वनियों या वर्णों को कहा जाता है जिनका उच्चारण बिना किसी अवरोध के होता है। वस्तुतः इनका उच्चारण अबाध एवं स्वतंत्रतापूर्वक होता है। हिन्दी के भाषा-वैज्ञानिकों ने स्वर वर्णों की संख्या ग्यारह निर्धारित की है। स्वर निम्नलिखित हैं :–अ, आ, इ, ई, उ, ऊ, ए, ऐ, ओ, औ, ऋ।

विद्वानों का एक वर्ग 'ऋ' को अब हिन्दी वर्णमाला के अन्तर्गत नहीं रखता है। क्योंकि इसका प्रयोग मात्र तत्सम शब्दों में ही होता है। वास्तव में 'ऋ' के प्रयोग की अपनी सीमाएँ हैं।

स्वरों का वर्गीकरण : सामान्यतः स्वरों का वर्गीकरण चार आधारों पर किया जाता है–

(*i*) उच्चारण काल
(*ii*) उत्पत्ति
(*iii*) जाति
(*iv*) उच्चारण स्थान।

उच्चारण-काल का आधार : उच्चारण-काल का आधार स्वर के उच्चारण में लगे हुए समय से है। कुछ स्वर ऐसे हैं जिनके उच्चारण में कम समय लगता है और कुछ ऐसे हैं जिनके उच्चारण में अधिक। उच्चारण में लगे समय का मापन मात्रा से किया जाता है। उच्चारण के काल-मान को मात्रा कहते हैं। उच्चारण-काल के आधार पर स्वरों के दो भेद किये जाते हैं :

(क) ह्रस्व स्वर (Short Vowel)
(ख) दीर्घ स्वर (Long Vowel)

(क) **ह्रस्व स्वर** : जिनके उच्चारण में समय कम लगता है उन स्वरों को ह्रस्व स्वर कहते हैं। जैसे–अ, इ, उ, ए, ऋ।

(ख) **दीर्घ स्वर** : जिनके उच्चारण में अधिक समय लगता है, उन्हें दीर्घ स्वर कहते हैं। जैसे–आ, ई, ऊ, ऐ, औ।

उत्पत्ति का आधार : उत्पत्ति को आधार मानकर भी स्वरों का वर्गीकरण दो रूपों में किया गया है–(i) मूल स्वर (ii) संधि स्वर

(*i*) **मूल स्वर** : मूल स्वर उन स्वरों को कहते हैं जिनकी उत्पत्ति में दूसरे स्वरों की आवश्यकता नहीं होती है। जैसे–अ, इ, उ, ऋ।

(*ii*) **संधि स्वर** : संधि स्वर उन स्वरों को कहते हैं जिनकी उत्पत्ति मूल स्वरों के योग से होती है। संधि स्वर के भी दो भेद हैं–(अ) दीर्घ संधि स्वर (ब) संयुक्त संधि स्वर

(अ) **दीर्घ संधि स्वर** : किसी एक मूल स्वर में उसी मूल स्वर के योग से बने स्वर को दीर्घ संधि कहते हैं। जैसे : आ, ई, ऊ।

(ब) **संयुक्त संधि स्वर** : दो भिन्न स्वरों के मेल से निर्मित स्वर संयुक्त संधि स्वर कहे जाते हैं। जैसे–अ + इ = ए, अ + उ = ओ, आ + ए = ऐ, आ + ओ = औ। इस प्रकार–ए, ऐ, ओ, औ–संयुक्त संधि स्वर हैं।

जाति का आधार : जाति के आधार पर स्वरों को निम्नलिखित वर्गों में विभक्त किया गया है–

(*i*) सवर्ण स्वर (*ii*) असवर्ण स्वर

(*i*) **सवर्ण स्वर** : सवर्ण स्वर वे हैं जिनका उच्चारण समान स्थान तथा प्रयत्न से होता है। इन्हें सजातीय स्वर भी कहते हैं। जैसे : अ, आ, इ, ई, उ, ऊ।

(*ii*) **असवर्ण स्वर** : असवर्ण स्वर वे हैं जिनका उच्चारण अलग-अलग स्थानों तथा असमान प्रयत्नों से होता है। इसे विजातीय स्वर भी कहते हैं। जैसे : अ + इ = ए, आ + ए = ऐ, अ + उ = ओ, अ + ओ = औ।

उच्चारण-स्थान का आधार

स्वरों के उच्चारण में जिह्वा तथा ओष्ठ की विशेष भूमिका है। अतएव इनको आधार मानकर स्वरों के अनेक भेद किये गये हैं।

जिह्वा के भागों के आधार पर

स्वरों के उच्चारण में कभी जिह्वा का अग्रभाग काम करता है तो कभी पश्चभाग और कभी मध्यभाग। अतः इस दृष्टि से स्वरों के निम्नलिखित भेद हो सकते हैं:

(*i*) **अग्रस्वर :** ये वे स्वर हैं जिनके उच्चारण में जिह्वा का अग्रभाग कार्य करता है। जैसे—इ, ई, ए, ऐ।

(*ii*) **मध्य स्वर :** यह स्वर जिह्वा के मध्य भाग से उच्चरित होता है। जैसे—अ।

(*iii*) **पश्च स्वर :** पश्च स्वर वे स्वर हैं जिनका उच्चारण जिह्वा के पश्चभाग से होता है। जैसे—आ, उ, ऊ, ओ, औ।

जिह्वा की ऊँचाई के आधार पर : तालु और जिह्वा के मध्य की ऊँचाई के अनुसार स्वरों के निम्नलिखित चार भेद हैं :-

(*i*) **संवृत :** संवृत स्वरों के उच्चारण में जिह्वा तालु से नीचे सटी रहती है। जैसे—इ, ई, उ, ऊ।

(*ii*) **अर्द्ध संवृत :** अर्द्ध संवृत स्वरों के उच्चारण करते समय जिह्वा अपेक्षाकृत कम सटी रहती है। जैसे—ए, ओ।

(*iii*) **विवृत :** विवृत स्वर के उच्चारण में जिह्वा ऊपर उठी रहती है। जैसे :—आ।

(*iv*) **अर्द्ध विवृत :** अर्द्ध विवृत स्वर के उच्चारण में जिह्वा विवृत की अपेक्षा कुछ समय ऊपर जाती है। जैसे—ऐ, औ।

ओष्ठ की स्थिति के आधार पर

इसके अनुसार स्वरों के तीन भेद किये गए हैं :

(*i*) **वर्तुल :** वर्तुल स्वर वे हैं जिनके उच्चारण में ओष्ठ की स्थिति गोलाकार हो जाती है। जैसे—उ, ऊ।

(*ii*) **अर्द्ध वर्तुल :** इन स्वरों के उच्चारण में ओष्ठ वर्तुल स्वरों की अपेक्षा कुछ कम गोल होते हैं। जैसे—ओ, औ।

(*iii*) **अवर्तुल :** ऐसे स्वर जिनके उच्चारण में ओष्ठ फैले रहते हैं, अवर्तुल कहे जाते हैं। जैसे—इ, ई, ए, ऐ, अ, आ।

व्यंजन (Consonant)

व्यंजन : वे ध्वनियाँ जिनके उच्चारण में बाहर निकलती हुई वायु मुख विवर में किसी न किसी स्थान पर बाधित होती है, व्यंजन कहलाती हैं। व्यंजन ध्वनि का उच्चारण स्वतंत्र रूप से नहीं होता है। अर्थात् इनके उच्चारण में स्वर की सहायता की आवश्यकता पड़ती है। जैसे—क, च, ट, त, प, आदि। हिन्दी में व्यंजन ध्वनियों की संख्या 33 है।

व्यंजन की परिभाषा दूसरे प्रकार से भी दी जा सकती है। जिन वर्णों का उच्चारण किसी दूसरे वर्ण की सहायता से (स्वर की सहायता से) होता है या स्वरों की सहायता के बिना नहीं हो सकता—उन्हें व्यंजन वर्ण कहते हैं। 'अ' के बिना व्यंजन का उच्चारण संभव नहीं है। उदाहरण—क् + अ = क, ग् + अ = ग आदि।

व्यंजनों को निम्नलिखित वर्गों में रखा जाता है :

क वर्ग	क ख ग घ ङ
च वर्ग	च छ ज झ ञ
ट वर्ग	ट ठ ड ढ ण
त वर्ग	त थ द ध न
प वर्ग	प फ ब भ म
अन्तस्थ	य र ल व
उष्म	श ष स ह
संयुक्त व्यंजन	क्ष त्र ज्ञ
द्विगुण व्यंजन	ड़ ढ़
अनुस्वार	(ं)
विसर्ग	(:)

हिन्दी व्यंजन ध्वनियों का उच्चारण निम्नलिखित आधार पर किया जाता है—

(*i*) उच्चारण स्थान के आधार पर

(*ii*) उच्चारण प्रयत्न के आधार पर

उच्चारण स्थान के आधार पर

ध्वनि का उच्चारण मुख के जिस स्थान विशेष से होता है उसको उस ध्वनि विशेष का उच्चारण स्थान कहा जाता है। उच्चारण स्थान को दृष्टि में रखकर व्यंजन के निम्नलिखित भेद किये गये हैं :

(क) कंठ्य (ख) तालव्य (ग) मूर्धन्य (घ) दन्त्य (ङ) ओष्ठ्य (च) दन्तोष्ठ्य (छ) नासिक्य (ज) कण्ठ तालव्य (झ) कण्ठोष्ठ्य

(क) कंठ्य : कंठ से उच्चरित ध्वनियों को कंठ्य ध्वनियाँ कहते हैं। जैसे—क, ख, ग, घ, ङ। अ, आ, और विसर्ग भी।

(ख) तालव्य : तालु से उच्चारण की जाने वाली ध्वनियाँ तालव्य ध्वनियाँ कही जाती हैं। जैसे—च, छ, ज, झ, ञ, श, य। इ, ई भी।

(ग) मूर्धन्य : मूर्धा का स्थान कठोर तालु और कोमल तालु के मध्य है। जैसे : ट, ठ, ड, ढ, ण।

(घ) दन्त्य : दन्त्य ध्वनियाँ वे हैं जिनके उच्चारण में जिह्वा ऊपर की दन्तावली का स्पर्श करती है। जैसे—त, थ, द, ध, न, ल, स।

(ङ) ओष्ठ्य : वे ध्वनियाँ जिनका उच्चारण दोनों ओष्ठों के सम्पर्क में आने से होता है ओष्ठ्य कहलाती हैं। जैसे—प, फ, ब, भ, म। उ, ऊ भी।

(च) दन्तोष्ठ्य : दन्तोष्ठ्य वे ध्वनियाँ हैं जिनका उच्चारण ऊपर की दन्तावली और अधरोष्ठ के सम्पर्क से होता है।

(छ) नासिक्य : जिन ध्वनियों के उच्चारण में नासिका की सहायता लेनी पड़ती है उन्हें नासिक्य या आनुनासिक ध्वनियाँ कहते हैं। जैसे—ङ, ञ, ण, न, य।

(ज) कण्ठ तालव्य : जिन ध्वनियों के उच्चारण में तालु और कण्ठ दोनों को सहयोग करना पड़ता है, उन्हें कण्ठ तालव्य ध्वनियाँ कहते हैं। जैसे—ए, ऐ।

(झ) कण्ठोष्ठ्य : वे ध्वनियाँ कण्ठोष्ठ्य हैं जिनका उच्चारण कण्ठ और ओष्ठ्य के मिले-जुले प्रयत्न से होता है। जैसे—ओ, औ।

उच्चारण प्रयत्न के आधार पर

व्यंजन ध्वनियों के उच्चारण-काल में उनमें स्पष्टता लाने के लिए जो क्रिया करनी पड़ती है उसे 'प्रयत्न' कहते हैं।

उच्चारण-प्रयत्न की दृष्टि से हिन्दी के व्यंजनों का वर्गीकरण निम्नलिखित है–

(क) स्पर्श : इन व्यंजनों के उच्चारण के समय वागेन्द्रिय विभिन्न उच्चारण अवयवों को संस्पर्शित करती है। वस्तुतः इनके उच्चारण-काल में वायु बाहर निकलते समय अवरुद्ध होती है। तद्न्तर वायु वेग से बाहर निकलती है और उसी समय व्यंजन ध्वनि का निर्माण करती है। इस प्रक्रिया से उत्पन्न व्यंजन को स्पर्श व्यंजन कहते हैं। क वर्ग, च वर्ग, ट वर्ग, तथा प वर्ग की व्यंजन ध्वनियाँ स्पर्श हैं।

(ख) उष्म : कुछ ध्वनियों के उच्चारण के समय वायु पूर्ण रूप से अवरुद्ध नहीं होती वरन् आंशिक रूप में अवरुद्ध होती है। इस समय वायु मुख-विवर से संकीर्ण मार्ग से बाहर निकलती है जिससे उसका संघर्षण होता है। इस संघर्षण की क्रिया से उत्पन्न ध्वनि को उष्म कहते हैं। श, ष, स, ह उष्म व्यंजन ध्वनियाँ हैं।

(ग) पार्श्विक : पार्श्विक ध्वनि के उच्चारण में जिह्वा का अगला हिस्सा मसूड़े को स्पर्श करता है और वायु जिह्वा के दाहिने तथा बायें पार्श्व से बाहर निकल जाती है। केवल 'ल' ध्वनि पार्श्विक है।

(घ) लुण्ठित : लुण्ठित ध्वनि वह है जिसके उच्चारण में जिह्वा का अग्रांश दन्त मूल को छूता है और छूते समय उसमें कम्पन उत्पन्न होता है। केवल 'र' लुण्ठित व्यंजन ध्वनि है।

(ङ) उत्क्षिप्त : इन ध्वनियों को उच्चारित करते समय जिह्वा का निचला हिस्सा कठोर तालु को ताड़ित करता है अर्थात् उसमें ठोकर मारता है और तेजी से सामान्य स्थिति में लौट आता है। ड़, ढ़ उत्क्षिप्त ध्वनियाँ हैं।

(च) अल्पप्राण : जिन वर्णों के उच्चारण में अल्पप्राण अर्थात् कम वायु की आवश्यकता पड़ती है, उन्हें अल्पप्राण कहते हैं। प्रत्येक वर्ण की प्रथम, तृतीय, पंचम ध्वनियाँ अल्पप्राण होती हैं। जैसे–क, ग, ङ, च, ज, ञ, ट, ड, ण, त, द, न, प, ब, म तथा य, र, ल, व अल्पप्राण हैं।

(छ) महाप्राण : महाप्राण ध्वनियाँ वे हैं जिनके उच्चारण में अधिक वायु की जरूरत होती है। इन ध्वनियों के उच्चारण में हकार की ध्वनि सुनाई देती पड़ती है। प्रत्येक वर्ग के द्वितीय, और चतुर्थ व्यंजन महाप्राण हैं। जैसे–ख, घ, छ, झ, ठ, ढ़, थ, ध, फ, भ, तथा श, ष, ह।

(ज) घोष व्यंजन : घोष व्यंजन वे हैं जिनके उच्चारण में स्वर यंत्रों में प्रकम्पन होते हैं। इन्हें नाद ध्वनियाँ भी कहते हैं। प्रत्येक वर्ग का तीसरा, चौथा और पाँचवा व्यंजन घोष या नाद वर्ण है। जैसे–ग, घ, ङ, ज, झ, ञ, द, ध, न, ब, भ, म।

(झ) अघोष व्यंजन : अघोष व्यंजन के उच्चरित होने में स्वर यंत्रों में कम्पन नहीं होता है। प्रत्येक वर्ग का प्रथम और द्वितीय वर्ण अघोष होता है। जैसे–क, ख, च, छ, त, थ, प, फ।

(ञ) अन्तस्थ वर्ण : य और व को अंतस्थ माना जाता है।

नवागत ध्वनियाँ

हिन्दी में कुछ विदेशी ध्वनियों का आगम हुआ है। ये ध्वनियाँ मूलतः अरबी-फारसी की हैं जो उर्दू के माध्यम से हिन्दी में पहुँची हैं। इन ध्वनियों को हिन्दी ने आत्मसात् कर लिया है। जैसे–क़, ख़, ग़, ज़, फ़।

अनुस्वार और विसर्ग

अनुस्वार और विसर्ग भी व्यंजन वर्ण हैं। अनुस्वार के लिए एक बिन्दु तथा विसर्ग के लिए दो बिन्दुओं का प्रयोग किया जाता है। अनुस्वार का प्रयोग स्वर/व्यंजन के ऊपर तथा विसर्ग का स्वर/व्यंजन के बाद किया जाता है। जैसे–अं, अः, पं, तः।

वर्तनी विवेक

अशुद्ध	शुद्ध	अशुद्ध	शुद्ध
आर्दश	आदर्श	अत्योक्ति	अत्युक्ति
आसीस	आशीष	अद्यपि	यद्यपि
आवश्यक्ता	आवश्यकता	तथापी	तथापि
आल्हाद	आह्लाद	असाढ़	आषाढ़
आशिर्वाद	आशीर्वाद	अध्यात्मिक	आध्यात्मिक
आमिश	आमिष	ऐतिहासज्ञ	इतिहासज्ञ
आधीन	अधीन	इतिहासिक	ऐतिहासिक
अधीनस्त	अधीनस्थ	संसारिक	सांसारिक
गृहस्त	गृहस्थ	समाजिक	सामाजिक
आरोग्यता	आरोग्य	अभीष्ठ	अभीष्ट
निरोग	नीरोग	इक्षा	इच्छा
अंधेर	अँधेरा	अस्थान	स्थान
आंख	आँख	अतिथी	अतिथि

अशुद्ध	शुद्ध	अशुद्ध	शुद्ध
अर्थात	अर्थात्	समीती	समिति
भगवान	भगवान्	इकठ्ठा	इकट्ठा
श्रीमान	श्रीमान्	इक्षुक	इच्छुक
श्रीमति	श्रीमती	स्वक्ष	स्वच्छ
अवकास	अवकाश	महत्व	महत्त्व
अर्ध	अर्द्ध	उद्येश	उद्देश्य
अहिल्या	अहल्या	उज्वल	उज्ज्वल
द्रोपती	द्रौपदी	उंगली	उँगली
द्वारिका	द्वारका	उलटा	उल्टा
इसांई	ईसाई	चिन्ह	चिह्न
ईर्षा	ईर्ष्या	एश्वर्य	ऐश्वर्य
आनाथ	अनाथ	उपलक्ष	उपलक्ष्य
असहनीय	असह्य	उलंघन	उल्लंघन

अशुद्ध	शुद्ध	अशुद्ध	शुद्ध	अशुद्ध	शुद्ध	अशुद्ध	शुद्ध
अपरान्ह	अपराह्न	उँषा	उषा	श्रृजन	सृजन	वनिक	वणिक्
पूर्वान्ह	पूर्वाह्न	अहसास	एहसास	द्वैवार्षिक	द्विवार्षिक	विधिवत	विधिवत्
मध्यान्ह	मध्याह्न	कवियित्रि	कवयित्री	द्रविभूत	द्रवीभूत	विरहणी	विरहिणी
स्वास्थ	स्वास्थ्य	कौशिल्या	कौशल्या	पृष्ट	पृष्ठ	वैमनस्यता	वैमनस्य
कार्यकर्म	कार्यक्रम	धूआं	धुआँ	पत्नि	पत्नी	विद्यार्थि	विद्यार्थी
कार्रवाही	कार्यवाही	नारायन	नारायण	निछावर	न्यौछावर	वापिस	वापस
कार्यबाई	कार्रवाई	रामायन	रामायण	निरपराधी	निरपराध	वक्तागण	वक्तृगण
केन्द्रीयकरण	केन्द्रीकरण	अर्चणा	अर्चना	भागिरथी	भागीरथी	श्राप	शाप
औद्योगीकरण	उद्योगीकरण	नबाब	नवाब	मिश्रदेश	मिस्रदेश	शुद्धीकरण	शुद्धिकरण
गुंगा	गूँगा	जबाब	जवाब	महाराजा	महाराज	शक्ती	शक्ति
कैलाश	कैलास	नुपुर	नूपुर	मृन्मय	मृण्मय	शाहस	साहस
कनिष्ट	कनिष्ठ	नैपुण्यता	नैपुण्य, निपुणता	मूर्छा	मूर्च्छा	विभूती	विभूति
कौतुहल	कौतूहल	निर्गुणी	निर्गुण	मूहुर्त	मुहूर्त	श्रीयुत्	श्रीयुत
कोमलांगिनी	कोमलांगी	निछावर	न्यौछावर	यथेष्ठ	यथेष्ट	श्री युक्त	श्री युत
गरदन	गर्दन	निरिह	निरीह	मुंह	मुँह	संग्रहीत	संगृहीत
गरिष्ट	गरिष्ठ	परिशिष्ठ	परिशिष्ट	महानतम	महत्तम	श्रेष्ट	श्रेष्ठ
गर्द्धव	गर्दभ	प्राप्ती	प्राप्ति	मंत्रीवर	मंत्रिवर	सदृश्य	सदृश
चर्मोत्कर्ष	चरमोत्कर्ष	पूज्यनीय	पूज्य, पूजनीय	मंत्रीमण्डल	मंत्रिमण्डल	सप्ताहिक	साप्ताहिक
चांद	चाँद	प्रमाणिक	प्रामाणिक	यशलाभ	यशोलाभ	विहंगिनी	विहंगी
चक्षूरोग	चक्षुरोग	प्रदर्शिनी	प्रदर्शनी	राजागण	राजगण	स्थायीत्व	स्थायित्व
चारदीवारी	चहारदीवारी	प्रज्ज्वलित	प्रज्वलित	लिपी	लिपि	समुद्रिक	सामुद्रिक
ज्योत्सना	ज्योत्स्ना	प्रसंशा	प्रशंसा	रूग्न	रुग्ण	स्वामी भक्ति	स्वामिभक्ति
जगत	जगत्	परिस्थिती	परिस्थिति	ललायित	लालायित	हितैशी	हितैषी
ज्येष्ट	ज्येष्ठ	पौरुषत्व	पौरुष, पुरुषत्व	रूपया	रुपया	सैना	सेना
जगबन्धु	जगद्‌बन्धु	पाठार	पठार	मैथली	मैथिली	सेनिक	सैनिक
तिलांजली	तिलांजलि	पक्षीगण	पक्षिगण	महान	महान्	पृथवी	पृथ्वी
तत्कालिक	तात्कालिक	बाल्मिकी	वाल्मीकि	याज्ञवल्क	याज्ञवल्य	दयालू	दयालु
तत्व	तत्त्व	ब्रम्ह	ब्रह्म	रुक्मणी	रुक्मिणी	इन्दू	इन्दु
तलाब	तालाब	बृज	ब्रज	धूली	धूलि	हिन्दु	हिन्दू
त्रिवार्षिक	त्रैवार्षिक	बृजभाषा	ब्रजभाषा	अंजली	अंजलि	गुरू	गुरु
तरुछाया	तरुच्छाया	बांस	बाँस	शशी भूषण	शशिभूषण	रितु	ऋतु
त्रितीय	तृतीय	बारात	बरात	जागरन	जागरण	व्यंग	व्यंग्य
तदोपरान्त	तदुपरान्त	बंगला	बँगला	अन्तरराष्ट्रीय	अन्तर्राष्ट्रीय	बधू	वधू
द्वन्द	द्वन्द्व	बुद्धिवान	बुद्धिमान	सन्यासी	संन्यासी	बृहस्पति	वृहस्पति
दूकान	दुकान	भष्म	भस्म	बन्दना	वन्दना	बुद्धवार	बुधवार
दाइत्व	दायित्व	भीस्म	भीष्म	परिनाम	परिणाम	तृया	त्रिया
दिवारात्रि	दिवारात्र	भाग्यमान	भाग्यवान	लक्षमण	लक्ष्मण	स्त्रीयाँ	स्त्रियाँ
धोका	धोखा	पाठान	पठान	नदीयाँ	नदियाँ	महीलाएँ	महिलाएँ
पुरष्कार	पुरस्कार	विकाश	विकास	भूगोलिक	भौगोलिक	ऐतिहासिक	ऐतिहासिक
श्रृंगार	शृंगार	व्यवहारिक	व्यावहारिक	ऐनक	ऐनक	जै	जय
श्रृष्टि	सृष्टि	बीणा	वीणा	पाठान	पठान	प्रतिक्षा	प्रतीक्षा
सूचि	सूची	बिमार	बीमार	छिपकिली	छिपकली	गीतांजली	गीतांजलि
संसारिक	सांसारिक	संपत्ती	संपत्ति	एंपायर	अंपायर	अगामी	आगामी
बजाए	बजाय	शिखिर	शिखर	महाबलि	महाबली	सूनसान	सुनसान

वस्तुनिष्ठ प्रश्नोत्तर

1. व्याकरण–
   A. भाषा की लिपि निर्धारित करता है
   B. भाषा को सुबोध बनाता है
   C. भाषा का रूप निर्धारित करता है
   D. भाषा के वर्णों का अध्ययन करता है

2. वर्ण–
   A. स्वर हैं B. व्यंजन हैं
   C. ध्वनियाँ हैं D. उच्चारण हैं

3. हिन्दी में कितने वर्ण हैं?
   A. 56 B. 26
   C. 44 D. 36

4. स्वर/स्वरों–
   A. मूल ध्वनियाँ हैं
   B. को किसी अन्य ध्वनि की सहायता के बिना उच्चरित किया जा सकता है
   C. की संख्या 11 है
   D. उपरोक्त सभी

5. जिन स्वरों के उच्चारण में 'अ' के उच्चारण के बराबर समय लगता है, उन्हें क्या कहते हैं?
   A. दीर्घ स्वर B. ह्रस्व स्वर
   C. प्लुत स्वर D. पूर्ण स्वर

6. क् + ष =
   A. श B. क्ष
   C. ष D. उपर्युक्त में से कोई नहीं

7. व्यंजन तीन प्रकार के होते हैं–(*i*) स्पर्श, (*ii*) अन्तस्थ और (*iii*)....
   A. ऊष्म B. कन्ठ्य
   C. दन्तोष्ठ D. नासिका

8. त, थ, द, ध, का उच्चारण–
   A. दाँतों के साथ जिह्वा के मेल से होता है
   B. कंठ और ओठों के मेल से होता है
   C. केवल ओठों से होता है
   D. जीभ के प्रयोग के बिना होता है

9. एक या एक से अधिक वर्णों के संयोग से बनी ध्वनियों को क्या कहते हैं?
   A. स्वर B. व्यंजन
   C. शब्द D. रूढ़ि

10. 'पाठशाला' शब्द किस वर्ग का है?
    A. यौगिक
    B. रूढ़ि
    C. योगरूढ़ि
    D. उपर्युक्त में से कोई नहीं

निर्देश (प्रश्न संख्या 11 से 25 तक): *इन प्रश्नों में स्वर या मात्रा की दृष्टि से शब्द को अशुद्ध रूप में लिया गया है। नीचे दिए गए चार विकल्पों में से शुद्ध रूप चुनिए।*

11. A. निलिप्त B. निर्लप्त
    C. निर्लिप्त D. निर्लीप्त

12. A. इच्छादुम B. इच्छाद्रम
    C. इच्छाद्रुम D. इच्छादम

13. A. द्विरूक्ति B. दिरुक्ति
    C. द्विरक्ती D. द्विरुकती

14. A. विसमृति B. विसमरती
    C. विस्मती D. विस्मृति

15. A. जगतापाण B. जगतप्राण
    C. जगत्प्राण D. जगर्त्पाण

16. A. आर्शीवाद B. आशिर्वाद
    C. आशीर्वाद D. आर्शिवाद

17. A. सास्टांग B. साष्टांग
    C. सस्टांग D. शाष्टांग

18. A. परिस्थती B. परीस्थिति
    C. परिस्थिति D. परिस्थिती

19. A. पृक्रति B. प्रकृती
    C. प्रिकृति D. प्रकृति

20. A. वाँक्षनीय B. वाँछनीय
    C. वाँछनिय D. वान्छनीय

21. A. स्वर्गिय B. स्र्वगीय
    C. स्वर्गीय D. स्वर्गीअ

22. A. विस्वास B. विश्वास
    C. वीश्वास D. विष्वास

23. A. प्रज्वलित B. प्रज्जलित
    C. प्रज्जवलित D. प्रजलित

24. A. कौशल्या B. कोशल्या
    C. कौसल्या D. कोसल्या

25. A. पूज्यनीय B. पूजनीय
    C. पुजनीय D. पूजनिय

निर्देश (प्रश्न संख्या 26 से 40 तक): *नीचे दिए गए वाक्यों में गहरे काले शब्दों की वर्तनी के लिए चार-चार विकल्प दिए गए हैं। इनमें से एक विकल्प में शब्द की वर्तनी शुद्ध है। उस विकल्प को चुनिए–*

26. चारों ओर **उजज्वल** चाँदनी फैली थी
    A. उज्वल B. उज्ज्वल
    C. उज्जवल D. उजज्वल

27. हमें नियमों का **उलंल्घन** नहीं करना चाहिए
A. उल्लंघन B. उलंल्घन
C. उलंघन D. ऊल्लंघन

28. हम **जान्तंत्रिक** पद्धति में विश्वास करते हैं
A. जानतांत्रिक B. जनतांत्रिक
C. जनतांत्रीक D. जनतंत्रिक

29. इस पुस्तक के अन्त में दो **परिशिष्ठ** दिए गए हैं
A. परिशिष्ठ B. प्ररिशिष्ट
C. परिशिष्ट D. प्रशिष्ट

30. आपके दर्शन कर मैं स्वयं को **कृत्यकृत्य** अनुभव करता हूँ
A. कृत्यकृत B. कृत्यक्रत्य
C. कृत्कृत्य D. कृतकृत्य

31. यदि आप **विद्वेशपूर्ण** अफवाहें फैलाते हैं तो आपके साथी भी यही करने लगेंगे
A. विद्धेषपूर्ण B. विद्वेशपूर्ण
C. वीद्वेशपूर्ण D. विद्वेषपूर्ण

32. अपने **तात्कालीक** कर्त्तव्य के अतिरिक्त अन्य किसी भी बात पर विचार न कीजिए
A. तत्कालिक B. तात्कालिक
C. तातकालिक D. तात्कालीक

33. आइए पढ़-लिखकर स्वयं को **लाभान्वीत** करें
A. लाभान्वित B. लाभानिवित
C. लाभान्वीत D. लाभन्वित

34. कानपुर एक महत्वपूर्ण **व्यावसाइक** केन्द्र है
A. व्यावसायक B. व्यावसाइक
C. व्यावसाईक D. व्यावसायिक

35. प्रगति मैदान **प्रदर्शिनी** के लिए उपयुक्त स्थान है
A. पृदर्शनी B. प्रदर्शनी
C. प्रदर्शिनी D. प्रियदर्शिनी

36. अपने पूर्वजों के **पदचिन्हों** पर चलना हमारा कर्त्तव्य है
A. पादचिह्नों B. पदचिह्नों
C. पदचिह्नों D. पदचिण्हों

37. कल **साँयंकाल** का मौसम बड़ा ही सुहावना था
A. सायंकाल B. सांयकाल
C. साँयकाल D. सायमकाल

38. विक्रमी **संवत** ईसवी सन् से 57 वर्ष आगे रहता है
A. संवत् B. संबत
C. सम्वत D. समवत्

39. **युधिस्टिर** सबसे बड़े पाण्डव थे
A. युधिस्थिर B. युधिस्टिर
C. युधिष्ठिर D. युधष्ठिर

40. प्रधानमंत्री ने **मंत्रिमण्डल** के बैठक की अध्यक्षता की
A. मन्त्रिमन्डल B. मन्त्रिमण्डल
C. मन्त्रीमण्डल D. मंत्रीमण्डल

41. क्ष, त्र, ज्ञ वर्ण है :
A. संयुक्त व्यंजन B. उष्म व्यंजन
C. स्पर्श व्यंजन D. अंतःस्थ व्यंजन

42. फ, ब किस प्रकार के वर्ण हैं?
A. दंतोष्ठ्य B. मूर्धन्य
C. तालव्य D. ओष्ठ्य

43. ध्वनि किसकी लघुत्तम इकाई है?
A. शब्द B. भाषा
C. वाक्य D. अक्षर

44. बिना अवरोध के उच्चारित होने वाले वर्ण कहलाते हैं :
A. घोष B. स्पर्श
C. स्वर D. व्यंजन

45. इनमें से कौन स्पर्श व्यंजन है?
A. क–वर्ग B. च–वर्ग
C. त–वर्ग D. ये सभी

उत्तरमाला

1	2	3	4	5	6	7	8	9	10
C	C	C	D	B	B	A	A	C	A
11	**12**	**13**	**14**	**15**	**16**	**17**	**18**	**19**	**20**
C	C	A	D	C	C	B	C	D	A
21	**22**	**23**	**24**	**25**	**26**	**27**	**28**	**29**	**30**
C	B	C	A	B	B	A	B	C	D
31	**32**	**33**	**34**	**35**	**36**	**37**	**38**	**39**	**40**
D	B	A	D	B	B	A	A	C	B
41	**42**	**43**	**44**	**45**					
A	D	B	C	D					

★ ★ ★

2

शब्दभेद (स्रोत/उत्पत्ति)

शब्द

ध्वनियों के मेल से बने सार्थक वर्ण समुदाय को 'शब्द' कहते हैं। दूसरे शब्दों में–एक अक्षर या एक से अधिक अक्षरों का समूह, जिसका कुछ अर्थ होता है, शब्द कहा जाता है।

जैसे–पुष्प, पहाड़, लड़का, मैं, तुम आदि।

शब्दों का वर्गीकरण

साधारणतः शब्दों का वर्गीकरण चार आधारों पर किया जाता है। ये आधार निम्नलिखित हैं :

(1) व्युत्पत्ति के आधार पर
(2) उत्पत्ति के आधार पर
(3) अर्थ के आधार पर
(4) विकार के आधार पर

व्युत्पत्ति के आधार पर

व्युत्पत्ति के आधार पर शब्दों के तीन भेद होते हैं :-

(क) रूढ़ (ख) यौगिक (ग) योगरूढ़

(क) **रूढ़ :** रूढ़ वे शब्द हैं जिनका खण्ड नहीं हो सकता। यदि इन शब्दों को खण्डित कर दिया जाता है तो उनके खण्डों का कोई अर्थ नहीं होता। जैसे–नाक, कान, घर, जल, फल, शीला, सीता, राम, हल, रात आदि।

(ख) **यौगिक :** वे शब्द जिनका निर्माण अन्य शब्दों के या प्रत्ययों के जोड़ से होता है, यौगिक कहे जाते हैं। जैसे–पाठशाला, दहीवाली, नाकवाला, शक्तिवान, पानीवाला आदि।

(ग) **योगरूढ़ :** योगरूढ़ शब्द दूसरे शब्दों के योग से निर्मित होते हैं। खण्ड करने पर इनके प्रत्येक खण्ड या योग का अपना अर्थ होता है। परन्तु जब दोनों खण्डों को एक कर दिया जाता है तो उस शब्द का अपना एक विशेष अर्थ होता है। इस प्रकार, योगरूढ़ वे शब्द हैं जो दूसरे शब्दों के योग से बनते हैं और प्रत्येक योग का अपना अर्थ होता है तथापि उनका एक विशेष अर्थ होता है।

उदाहरणतः जलज में जल का अर्थ है पानी और 'ज' का अर्थ है–जन्म लेने वाला। इस प्रकार दोनों का अर्थ हुआ जल में जन्म लेने वाला। परन्तु यह शब्द जल में उत्पन्न होने वाले सेवार आदि अन्य पदार्थों के लिए व्यवहत नहीं होता है, वरन् कमल के लिए रूढ़ हो गया है और उससे मात्र कमल का बोध होता है। इसी प्रकार जलद, कुशल, पीताम्बर, लम्बोदर आदि शब्द हैं।

उत्पत्ति के आधार पर

उत्पत्ति के अनुसार शब्दों का वर्गीकरण निम्नलिखित है : (क) तत्सम (ख) तद्भव (ग) देशज (घ) विदेशज

(क) **तत्सम :** तत्सम मूलतः संस्कृत के शब्द हैं। संस्कृत के इन शब्दों के प्रयोग हिन्दी में ज्यों-के-त्यों होते हैं। जैसेः–कवि, घृत, अग्नि, रवि, माता, भ्राता, पिता, अमृत, महान् आदि।

(ख) **तद्भव :** तद्भव वे शब्द हैं जिनका विकास संस्कृत के शब्दों से हुआ है। तद्भव का अर्थ है–'तत्' (तस्य) = उसके अर्थात् 'संस्कृत से' और 'भव' अर्थात् उत्पन्न। जैसे–घृतः = घी, अग्नि = आग, कर्म = काम, दाद्य = दही, अमृत = अमरित, कार्य = कारज, दुग्ध = दूध, जन्म = जनम, धर्म = धरम आदि।

(ग) **देशज :** देशज का अर्थ है–देश में उत्पन्न। हिन्दी भाषा के वे शब्द जो भारत की विभिन्न बोलियों एवं भाषाओं से आए हैं, देशज कहे जाते हैं। जैसे–कटोरी, थाली, पेट, पैर, पेड़, लोटा, डोरी आदि।

(घ) **विदेशज :** हिन्दी भाषा के वे शब्द जिनका आगम विदेशी भाषाओं से हुआ है, विदेशज शब्द कहे जाते हैं। जैसे–चाक़ू, मोटर, ट्रेन, स्टेशन, आदमी, अमीर, फालतू, किताब, तारीख़, तकिया, गवाह, देहात, जहर, बाल्टी, चेहरा, लगाम, कालीन, कैंची, बेग़म, तम्बाक़ू, बहादुर, प्रेस, पार्टी, स्टेशन, गजट, डायरी, रेडियो, नम्बर, नोटिस आदि।

अर्थ के आधार पर

अर्थ के अनुसार शब्दों के दो भेद हैं :

(क) सार्थक (ख) निरर्थक

(क) **सार्थक :** सार्थक शब्द वे हैं, जिनका कुछ अर्थ होता है। जैसे–घर, घोड़ा, कमल, कलम, पुस्तक आदि। ये सभी शब्द सार्थक हैं, क्योंकि इन शब्दों के कहने से किसी परिचित पदार्थ का बिम्ब बनता है। जैसे–पुस्तक कहने से पढ़ने के काम में आने वाली किताब का बोध होता है। इस प्रकार ऊपर सभी शब्द सार्थक हैं।

(ख) **निरर्थक :** निरर्थक शब्द वे हैं जिनका कुछ भी अर्थ नहीं होता है। जैसे–अल्ल, बल्ल, गर्र, फर्र, मलक, नीपा, धदू आदि।

विकार के आधार पर

विकार के अनुसार सार्थक शब्दों के दो भेद किए गए हैं : (क) विकारी (ख) अविकारी

(क) विकारी शब्द

विकारी शब्द वे शब्द हैं, जिनके रूप में विकार या परिवर्तन होता है। यह विकार लिंग, वचन और कारक में होता है। जैसे–घोड़ा।

लिंग के कारण परिवर्तन	घोड़ा से घोड़ी।
वचन के कारण परिवर्तन	घोड़ा से घोड़े, घोड़ों।
कारक के कारण परिवर्तन	घोड़ा से घोड़ों ने, घोड़े से आदि।

विकारी शब्दों के भेद

विकारी शब्दों के चार भेद हैं : (*i*) संज्ञा (*ii*) सर्वनाम (*iii*) विशेषण (*iv*) क्रिया

(*i*) **संज्ञा :** संज्ञा का अर्थ है नाम। किसी वस्तु, व्यक्ति, स्थान आदि के नाम को संज्ञा कहते हैं। जैसे–घर, पटना, कलम, बुढ़ापा आदि।

(*ii*) **सर्वनाम :** सर्वनाम उन शब्दों को कहते हैं जिनका प्रयोग संज्ञा के स्थान पर होता है। जैसे–वह, मैं, तुम, उस, आप, वे आदि।

(*iii*) **विशेषण :** संज्ञा अथवा सर्वनाम की विशेषता प्रकट करने वाले शब्द को विशेषण कहते हैं। जैसे–सुन्दर, मोटा, लाल, काला, दुबला आदि।

(*iv*) **क्रिया :** क्रिया उन शब्दों को कहते हैं जिनसे किसी काम का होना या करना प्रकट हो, जैसे–खाना, रोना, हँसना, लिखना आदि।

(ख) अविकारी शब्द

वे शब्द जिनके रूप में विकार अथवा परिवर्तन नहीं होता है, अविकारी शब्द कहलाते हैं, अर्थात लिंग, वचन और कारक की दृष्टि से कोई परिवर्तन या विकार नहीं होता है। अविकारी शब्द 'अव्यय' भी कहलाते हैं।

अविकारी शब्दों के चार भेद हैं–

(*i*) क्रिया विशेषण (*ii*) समुच्चय बोधक (*iii*) सम्बन्ध बोधक (*iv*) विस्मयादि बोधक

(*i*) **क्रिया विशेषण :** क्रिया की विशेषता प्रकट करने वाले शब्द क्रिया विशेषण कहलाते हैं। जैसे–धीरे-धीरे, जल्दी-जल्दी आदि।

(*ii*) **समुच्चय बोधक :** समुच्चय बोधक शब्द वे हैं जो दो शब्दों, वाक्यों या वाक्यांशों को परस्पर जोड़ते हैं। जैसे–परन्तु, किन्तु, तथा और आदि।

(*iii*) **सम्बन्ध बोधक :** सम्बन्ध बोधक वे अव्यय हैं जो एक शब्द का दूसरे शब्द से सम्बन्ध स्थापित करते हैं। जैसे–ऊपर, नीचे, समीप, पास, निकट आदि।

(*iv*) **विस्मयादि बोधक :** विस्मय, हर्ष, शोक, घृणा, आदि भावों को प्रकट करने के लिए जिन शब्दों का प्रयोग किया जाता है, उन्हें विस्मयादि बोधक अव्यय कहते हैं। जैसे–हाय! छिः! अरे! हे! आदि।

प्रमुख विदेशी शब्द

अंग्रेजी भाषा के शब्द

अफसर, अपील, अस्पताल, ऑर्डर, ऑर्डरली, इंच, इंजन, इन्जीनियर, इन्सपेक्टर, एजेन्ट, एजेन्सी, कप्तान, कम्पनी, कमिश्नर, कमीशन, कैम्प, कोर्ट, क्वार्टर, क्रिकेट, केबिन, गार्ड, गजट, गवर्नर, गारंटी, जेलर, जेल, डॉक्टर, डायरी, डेयरी, डिप्टी, डिस्ट्रिक्ट, ट्यूशन, टीचर, पेन, पेंसिल, पॉकेट, नोटिस, नर्स, नम्बर, पार्टी, पार्सल, प्लेट, पाउडर, मीटिंग, मिनिस्टर, मोनीटर, मेनेजमेंट, मार्केट, म्युनिस्पेलटी, पार्लियामेंट, क्वालिटी, कॉलेज, कस्टमर, टिकट, चेन, चैलेंज, टेलीविजन, रेडियो, कम्प्यूटर, मीडिया, मेम्बर, ट्राफिक, ट्रेन, प्लेटफार्म, ड्रेस, ड्रामा, कार्बन, हेलिकॉप्टर, कॉर्पोरेशन आदि।

अरबी भाषा के शब्द

अमीर, अजीब, अजब, अहमियत, आखिर, आदमी, अक्ल, असर, आदत, इनाम, इज्जत, इमारत, इलाज, ईनाम, औरत, औलाद, कसूर, कदम, कर्ज, किस्त, किस्मत, कसम, कीमत, कसरत, कुर्सी, किताब, खबर, खत्म, खराब, गरीब, जवाब, तकदीर, तारीख, तकिया, तमाशा, तरक्की, दिमाग, दवा, दावा, दावत, दावात, दफ्तर, दुकान, दौलत, नतीजा, नशा, नकद, नकल, नहर, फकीर, फैसला, बहस, मुहावरा, माल, मालूम, मल्लाह, मवाद, मौसम, मुसाफिर, लिफाफा, लायक, वकील, शराब, हिम्मत, हैजा, कैद, हक, हुक्म, हाल, हवालात, हाकिम आदि।

तुर्की भाषा के शब्द

उर्दू, कालीन, कैंची, कुली, कुर्की, चेचक, चमचा, चुगली, चकमक, तमगा, तलाश, तोप, बहादुर, बेगम, लफंगा, लाश, सुराग, कुर्ता, खच्चर, दारोगा, बारूद आदि।

पुर्तगाली भाषा के शब्द

अलकतरा, अनन्नास, आया, आलपीन, आलमारी, इंसान, इस्तिरी, कमीज, किरानी, कमरा, काजू, गमला, गोदाम, गोभी, चाभी, तम्बाकू, तौलिया, नीलाम, पादरी, पिस्तौल, फीता, मेज, लबादा, साया आदि।

फारसी भाषा के शब्द

आराम, आमदनी, अफसोस, आतिशबाजी, आवारा, आफत, आवाज, आईना, उम्मीद, कबूतर, कमीना, कुश्ती, किशमिश, कमरबन्द, किनारा, खाल, खुद, खामोश, खरगोश, खुश, खुराक, खूब, गल्ला, गवाह, गिरफ्तार, गरम, गुलाब, चाबुक, चिराग, चश्मा, चर्खा, चूंकि, चेहरा, जहर, जिन्दगी, जादू, जान, जुर्माना, जोश, तमाशा, तेज, तीर, ताक, ताजा, दीवार, देहात, दुकान, दरबान, दंगल, दिल, दवा, नाव, पलंग, पैदावार, पलक, पुल, पारा, पेशा, बहरा, बीमार, मुफ्त, मोर्चा, मुर्गा, मरहम, याद, यार, रंग, रात, लेकिन, शादी, शोर, सितारा, सरदार, सरकार, सूद, सौदागर आदि।

तत्सम-तद्भव शब्द

तत्सम	तद्भव	तत्सम	तद्भव
आम्र	आम	अग्नि	आग
उष्ट्र	ऊँट	वत्स	बच्चा
नव	नौ	मध्य	में
शलाका	सलाई	गृह	घर
पुष्प	फूल	मयूर	मोर
नारिकेल	नारियल	हरिद्रा	हल्दी
कर्पूर	कपूर	घृत	घी
सक्तु	सत्तू	हस्त	हाथ
चतुर्दश	चौदह	क्षीर	खीर
घोटक	घोड़ा	दुग्ध	दूध
चंचु	चोंच	मेघ	मेह
शत	सौ	कार्य	काज
क्षेत्र	खेत	कर्ण	कान
हस्ति	हाथी	दन्त	दाँत
तिक्त	तीता	वधू	बहू
कर्म	काम	स्वर्णकार	सोनार
चत्वारि	चार	अक्षि	आँख
पर्यंक	पलंग	कच्छप	कछुआ
अग्रणी	अगाड़ी	उपवास	उपास
अक्षर	आखर	उच्च	ऊँचा
अट्टालिका	अटारी	कोटि	करोड़
अगणित	अनगिनत	चित्रक	चीता
आमसक	आँवला	चतुष्पाद	चौपाया
आलस्य	आलस	चतुर्वेदी	चौवे
कपाट	किवाड़	चैत्र	चैत
कुम्भकार	कुम्हार	चतुर्थ	चौथा
चन्द्रिका	चाँदनी	क्षुर	छुरा
कोकिल	कोयल	छिद्र	छेद
कंकण	कंगन	कुपुत्र	कपूत
कुष्ठ	कोढ़	चणक	चना
काक	कौआ	चर्मकार	चमार
कार्तिक	कातिक	घट	घड़ा
आश्चर्य	अचरज	चक्रवाक	चकवा
आदित्यवार	इतवार	तीक्ष्ण	तीखा
दधि	दही	पुस्तिका	पोथी
घृणा	घिन	पाषाण	पाहन
गृहणी	घरनी	मिष्ट	मीठा
ग्राहक	गाहक	पृष्ठ	पीठ
ग्राम	गाँव	पूर्ण	पूरा
गंभीर	गहरा	प्रतिच्छाया	परछाई
गर्त	गड्ढ़ा	पश्चाताप	पछतावा
युक्ति	जुगत	पर्पट	पापड़
जंघा	जाँघ	पार्श्व	पास

तत्सम	तद्भव	तत्सम	तद्भव
दंश	डंक	धान्य	धान
नव्य	नया	मुक्ता	मोती
पौत्र	पोता	मित्र	मीत
दूर्वा	दूब	मृत्यु	मौत
दृष्टि	दीठि	रिक्त	रीता
धरित्री	धरती	रक्षिका	राखी
स्थाल	थाली	पंक्ति	पाँत
प्रस्तर	पत्थर	पाद	पाँव
ग्रन्थि	गाँठ	ज्येष्ठ	जेठ
क्षुद्र	छोटा	यम	जम
द्यूत	जुआ	त्वरित	तुरत
तादृश	तैसा	स्थल	थल
रात्रि	रात	नृत्य	नाच
वारिद	बादल	नासिका	नाक
विद्युत	बिजली	पूप	पूआ
वंशी	बाँसुरी	ध्वनि	धुन
भद्र	भला	गर्दभ	गदहा
भ्रातृ	भाई	निर्झर	झरना
भिक्षा	भीख	दण्ड	डण्डा
भ्रू	भौंह	तृण	तिनका
भक्त	भगत	निर्वाह	निबाह
वंश	बाँस	ताम्र	ताम्बा
लवण	नोन	योद्धा	जोधा
यज्ञोपवीत	जनेऊ	युवक	जवान
निमंत्रण	न्योता	शर्करा	शक्कर
श्वसुर	ससुर	शून्य	सूना
शृंगार	सिंगार	श्रावण	सावन
सर्व	सब	उल्लास	हुलास
हरित	हरा	सूर्य	सूरज
शृंगाल	सियार	शिंशपा	शीशम
स्रोत	सोत	भ्रमर	भौंरा
स्वर्ण	सोना	महिषी	भैंस
स्वामी	साईं	श्मशान	मसान
शृंग	सींग	मत्स्य	मछली
संध्या	सांझ	मस्तक	माथा
श्वाँस	साँस	मशक	मच्छर
स्वजन	साजन	शूचि	सूई
शिक्षा	सीख	शूकर	सूअर
सूत्र	सूत	सर्प	साँप
शय्या	सेज	हट्ट	हाट
हरिण	हिरन	ओष्ठ	होंठ
हीरक	हीरा	शाक	साग
श्रेणी	सीढ़ी	स्वप्न	सपना

वस्तुनिष्ठ प्रश्नोत्तर

1. उत्पत्ति की दृष्टि से शब्दों के कितने भेद हैं?
A. चार B. छह
C. आठ D. दस

2. तद्भव शब्द के कितने भेद बताए गए हैं?
A. दो B. चार
C. आठ D. दस

3. हिन्दी में 'अल्ला' किस विदेशी शब्द का रूपांतर है?
A. तुर्की B. फारसी
C. अरबी D. उपर्युक्त में से कोई नहीं

4. रचना/बनावट के अनुसार शब्दों के कितने भेद हैं?
A. एक B. दो
C. तीन D. चार

5. 'पीला-पान' निम्न में से किस प्रकार का शब्द है?
A. रूढ़ B. यौगिक
C. योगरूढ़ D. इनमें से कोई नहीं

6. निम्न में से कौन-सा शब्द योगरूढ़ है?
A. लम्बोदर B. पंकज
C. चक्रपाणि D. इनमें से सभी

7. 'आलपीन' किस विदेशी शब्द का हिन्दी रूप है?
A. पुर्तगाली B. तुर्की
C. अंग्रेजी D. इनमें से कोई नहीं

8. निम्न में से कौन-सा शब्द असंगत है?
A. अफसोस B. आतिशबाजी
C. आमदनी D. किताब

9. निम्न में से कौन योगरूढ़ है?
A. आग-बबूला B. दूध-वाला
C. छल-छंद D. पंकज

10. निम्न में से कौन संस्कृत का तत्सम रूप नहीं है?
A. गोमल B. घोटक
C. हरिद्रा D. आग

11. निम्न शब्दों में से कौन-सा मूल शब्द है?
A. नाक B. कान
C. मुंह D. इनमें से सभी

12. 'अपील' निम्न में से किसका तत्सम रूप है?
A. पुर्तगाली B. अंग्रेजी
C. अरबी D. फारसी

13. 'अधिकरण' शब्द रूप में कौन-सा शब्द रूप असंगत है?
A. अ B. करण
C. अधि D. इनमें से सभी

14. 'लालिमा' शब्द में कौन-सा प्रत्यय है?
A. इमा B. एमा
C. ईमा D. इनमें से कोई नहीं

15. 'इत' प्रत्यय से निर्मित शब्दों में कौन असंगत है?
A. पंचाइत B. संगीत
C. गोराइत D. रंगत

16. 'आई' प्रत्यय से बने शब्दों में कौन सही है?
A. चतुराई B. भलाई
C. बुराई D. इनमें से सभी

17. 'निपटारा' शब्द में कौन-सा प्रत्यय है?
A. आरा B. अरा
C. रा D. इनमें से कोई नहीं

18. 'पौरूषेय' में कौन-सा प्रत्यय है?
A. एय B. ए
C. ऐ D. इनमें से कोई नहीं

19. 'शौकीन' शब्द रूप से मूल शब्द को अलग कर प्रत्यय बताएं?
A. ईन B. कीन
C. ई D. इनमें से कोई नहीं

20. 'बांसुरी' शब्द रूप में कौन-सा प्रत्यय है?
A. सुरी B. री
C. बाँ D. इनमें से कोई नहीं

21. 'उमस' शब्द रूप से मूल शब्द और प्रत्यय को अलग कर मूल शब्द को लिखें?
A. मस B. उम
C. स D. इनमें से सभी

22. 'जमींदार' शब्द रूप में से प्रत्यय को अलग कर प्रत्यय को लिखें?
A. दार B. र
C. मींदा D. इनमें से कोई नहीं

23. नीचे दिए गए शब्दों में से कौन तत्सम रूप है?
A. गोबर B. घोड़ा
C. शत D. खीर

24. 'तम्बाकू' निम्न में से किस विदेशी शब्द का हिन्दी रूप है?
A. अरबी B. फारसी
C. पुर्तगाली D. अंग्रेजी

25. 'चक्रपाणि' निम्न में से किस तरह का शब्द है?
A. रूढ़ B. यौगिक
C. योगरूढ़ D. इनमें से कोई नहीं

26. 'लालटेन' निम्न में से किस विदेशी शब्द का तद्भव रूप है?
A. पुर्तगाली B. अंग्रेजी
C. अरबी D. तुर्की

27. दिए गए रूढ़ शब्दों में से कौन-सा असंगत है?

A. नाक B. कान
C. पीला D. पंकज

28. 'अधि' उपसर्ग से बने शब्दों में से कौन-सा असंगत है?

A. अधिपति B. अधिकार
C. अधिपाठक D. अत्यधिक

29. 'निपटारा' शब्द में कौन-सा प्रत्यय लगा है?

A. टारा B. आरा
C. पिटारा D. इनमें से कोई नहीं

30. 'आना' प्रत्यय से निर्मित शब्द-रूपों में से कौन-सा असंगत है?

A. मिलाना B. उठाना
C. सिरहाना D. इनमें से कोई नहीं

31. 'सुहावना' शब्द-रूप में से प्रत्यय को छांटिए?

A. हावना B. आवना
C. अवना D. वना

32. 'आहट' प्रत्यय से निर्मित शब्द रूपों में से कौन-सा असंगत है?

A. गड़गड़ाहट B. गुर्राहठ
C. चिकनाहट D. कड़वाहट

33. निम्न में से कौन-सा देशज प्रत्यय का उदाहरण है?

A. आहट B. इयल
C. ओड़ा D. उपरोक्त में सभी

34. 'प्यास' शब्द-रूप में कौन-सा प्रत्यय लगा है?

A. आश B. आष
C. आस D. इनमें से सभी

35. 'न' प्रत्यय से निर्मित शब्द रूपों में से कौन-सा असंगत है?

A. चलन B. कथन
C. पतन D. इनमें से कोई नहीं

36. 'धुंधला' शब्द-रूप में से प्रत्यय को अलग करें?

A. ल B. अला
C. ला D. आला

37. 'लालसा' शब्द-रूप में से प्रत्यय को अलग छांटिए?

A. स B. सा
C. आसा D. लसा

38. 'पीहर' शब्द-रूप में से प्रत्यय से मूल शब्द को छांटिए?

A. पीह B. हर
C. पहर D. इनमें से कोई नहीं

39. 'मेहनताना' मूल शब्द से प्रत्यय को अलग करें?

A. आना B. मेहनत
C. ताना D. इनमें से कोई नहीं

40. निम्न में से कौन-सा शब्द यौगिक का उदाहरण नहीं है?

A. विद्यालय B. हिमालय
C. आग-बबूला D. झट

41. 'जलज' निम्न में से किस तरह का शब्द है?

A. रूढ़ B. यौगिक
C. योगरूढ़ D. उपरोक्त में से सभी

42. 'चाबी' निम्न में से किस विदेशी शब्द का हिन्दी रूप है?

A. अंग्रेजी B. पुर्तगाली
C. अरबी D. फारसी

43. 'कुली' किस विदेशी भाषा का शब्द है?

A. तुर्की B. अरबी
C. पुर्तगाली D. अंग्रेजी

44. निम्न में से कौन-सा विदेशी उपसर्ग का उदाहरण है?

A. हर B. कम
C. बद D. इनमें से सभी

45. निम्न में से किस शब्द में अंग्रेजी उपसर्ग हैं?

A. हैड ऑफिस
B. सब-इंस्पेक्टर
C. को-ऑपरेटिव
D. उपरोक्त सभी में

उत्तरमाला

1	2	3	4	5	6	7	8	9	10
A	A	C	C	B	A	A	D	D	D
11	**12**	**13**	**14**	**15**	**16**	**17**	**18**	**19**	**20**
D	B	C	A	D	D	A	A	A	B
21	**22**	**23**	**24**	**25**	**26**	**27**	**28**	**29**	**30**
B	B	C	C	C	B	D	D	B	D
31	**32**	**33**	**34**	**35**	**36**	**37**	**38**	**39**	**40**
B	B	D	C	D	C	B	B	A	D
41	**42**	**43**	**44**	**45**					
C	B	A	D	D					

★ ★ ★

3

पर्याय/विलोम

पर्यायवाची शब्द

किसी शब्द के समान अर्थ के लिए जिन शब्दों को प्रयोग में लाया जाता है उन्हें पर्यायवाची शब्द कहा जाता है। आशय यह है कि पर्याय का अभिप्राय 'बदले में आने वाला' से लिया गया है। पर्यायवाची शब्द को 'प्रतिशब्द' भी कहते हैं। हिन्दी के कुछ पर्यायवाची शब्द निम्नांकित हैं–

अग्नि – पावक, आग, दहन, हुताशन, ज्वलन, कृशानु।

अमृत – सुधा, अमिय, पीयूष, मधु, जीवनोदक।

अधम – नीच, दुष्ट, पामर, खल, दुर्जन।

अन्न – अनाज, राशि, धान्य, दाना।

नदी – सरिता, नद, पयश्विनी, आपगा, तरंगिणी।

नरक – यमपुर, यमलोक, यमालय, कृतान्तगेह।

पवित्र – निर्मल, विमल, पावन, शुद्ध, विशुद्ध।

पर्वत – नग, पहाड़, भूधर, गिरि, तुंग, अंद्रि।

पण्डित – सुधी, विद्वान, मनीषी, प्रबुद्ध, कोविद।

पेड़ – पादप, वृक्ष, तरू, विटप, द्रुय, गाछ।

पुत्र – सुत, बेटा, तनय, आत्मज, लड़का, तनुज।

पुत्री – सुता, बेटी, तनया, आत्मजा, लड़की, तनुजा।

पृथ्वी – भू, धरा, वसुधा, वसुन्धरा, अवनि, मही।

भूपति – नृप, नरेश, राजा, नरपति, भूपाल।

हवा – वायु, समीर, पवन, अनिल, समीरण।

सरस्वती – वीणापाणि, शारदा, माहश्वेता, पद्मासना, वाणी, भारती।

साँप – सर्प, अहि, नाग, विषधर, भुजंग, व्याल, पन्नग।

समुद्र – सागर, उदधि, पयोधि, नदीस, सिन्धु, रत्नाकर, जलधि।

दुःख – पीड़ा, कष्ट, व्यथा, वेदना, यातना, खेद, सन्ताप।

विष्णु – वज्रपाणि, विश्वम्भर, माधव, दामोदर, लक्ष्मीपति, गोविन्द, नारायण।

तालाब – सरोवर, सर, जलाशय, पोखर, पुष्कर, पद्माकर, ताल, तड़ाग।

बाण – तीर, शर, नाराच, विशिख, शिलीमुख।

वाटिका – बाग, उपवन, बगीचा, उद्यान, आराम।

समूह – समुदाय, वृन्द, दज, झुण्ड, मण्डली, टोली, जत्था।

फूल – पुष्प, पुहुप, प्रसून, सुमन, कुसुम, सारंग।

ब्रह्मा – विधि, स्वयंभू, चतुरानन, प्रजापति, विधाता, पितामह।

भौंरा – मधुप, भ्रमर, भृंग, मधुकर, षट्पद, भँवरा।

शिव – महेश्वर, शंकर, चन्द्रशेखर, नीलकण्ठ, त्रिलोचन, शंभु, पशुपति, मह्यदेव, त्रिनेत्र।

मुनि – संन्यासी, अवधूत, साधु, सन्त, योगी, वैरागी।

यमुना – कालिन्दी, तरणि-तनुजा, सूर्य-सुता, जमुना, रवि-तनया।

बादल – मेघ, घन, घटा, अम्बुद, नीरद, पयोधर, जलधर, वारिद, जलद।

बिजली – विद्युत, क्षणदा, चपला, चंचला, दामिनी, क्षणप्रभा, तड़ित, सौदामिनी।

इच्छा – वांछा, अभिलाषा, कामना, स्पृहा, मनोरथ।

आम – रसाल, आम्र, अमृतफल, सहकार।

गाय – गौ, धेनु, सुरभि, गौरी, दोग्धी, सौरमेयी।

चन्द्रमा – चाँद, शशि, रजनीश, राकेश, राकापति, सुधाकर, मयंक, चन्द्र।

दूध – गोरस, दुग्ध, पय, क्षीर।

देवता – सुर, अमर, देव, निर्जर, विवुध।

धन – अर्थ, द्रव्य, वित्त, सम्पदा, सम्पत्ति, दौलत, विभूति।

पक्षी – खग, विहग, विहंग, परिन्दा, पखेरू, चिड़िया, द्विज, अण्डज।

गणेश – गणपति, गजानन, विनायक, एकदंत, लम्बोदर, मोदकप्रिय।

गदहा – खर, गर्दभ, रासभ, वैशाखनन्दन, धूसर, वेशर।

गंगा – भागीरथी, जाह्नवी, त्रिपथगा, मंदाकिनी, देवापमा, देवनदी, सुरसरि।

कुवेर – यक्षराज, धनपति, किन्नरेश, धनराज, धनद, यक्षपति।

किरण – रश्मि, अंशु, कर, मरीचि, मयूख, गो, प्रभा, अर्चि।

किनारा – कूल, तट, कगार, तीर, छोर।

इन्द्र – सुरपति, देवेन्द्र, देवराज, मधवा, पुरन्दर, वासव, शचीपति, बिड़ौजा।

ईश्वर – परमात्मा, प्रभु, ईश, ब्रह्मा, भगवान्, जगदीश, परमपिता।

आँख – लोचन, दृग, नेत्र, नयन, चक्षु, दृष्टि, अक्षि।

घोड़ा – अश्व, घोटक, वाजि, हय, तुरंग, सैन्धव, हरी।

आकाश – गगन, अम्बर, व्योम, नभ, आसमान, अनन्त।

राक्षस – दैत्य, दनुज, दानव, यातुधान, निशाचर, रजनीचर।

कपड़ा – वस्त्र, पट, अम्बर, वसन, चीर, परिधान।

कामदेव – मदन, मन्मथ, अनंग, पुष्पधन्वा, पंचशर।

चतुर – निपुण, दक्ष, कुशल, चालाक, होशियार, विज्ञ, नागर।

अनुपम – अनूठा, अद्वितीय, अद्भुत, अपूर्व, अनूप, विलक्षण।

अहंकार – घमण्ड, दर्प, अभिमान, दंभ।

मछली – मीन, मत्स्य, झख, शफरी, नस-जीवन।

माता – माँ, जननी, अम्बा, अम्मा।

पत्थर – पाहन, पाथर, पाषाण, अश्म, उपस, प्रस्तर।

नाव – नौका, पतंग, बेड़ा, जलयान, डोंगी, तरी, तरणी।

रात – निशा, रजनी, विभावरी, रात्रि, यामिनी, रैन, शर्वरी, राका।

पत्नी – वधू, भार्या, दारा, कलय, प्राणप्रिय, अर्द्धांगिनी।

सोना – कंचन, कनक, हेम, सुवर्ण, कसधौत, हाटक, हिरण्य।

हाथी – गज, द्विप, करी, कुंजर, द्विरद, नाग।

हाथ – कर, हस्त, पाणि।

स्त्री – महिला, नारी, कान्ता, कामिनी, वनिता, रमणी।

सूर्य – दिनकर, दिवाकर, भास्कर, मार्तण्ड, दिनेश, दिनमान, अंशुमाली, भानु, रवि।

सिंह – शेर, मृगराज, शार्दूल, मृगेन्द्र, केशरी, व्याघ्र, वनराज, पंचानन, पंचमुख।

सुन्दर – सलिल, रुचिर, चारु, मनोहर, रमणीय, कमनीय, अभिराम।

सेवक – भृत्य, नौकर, अनुचर, चाकर, किंकर, दास, परिचारक।

विपरीतार्थक शब्द

विपरीतार्थक शब्द वे हैं जो दिए गए किसी शब्द का विलोम या उल्टा अर्थ बताते हैं।

शब्द	विपरीतार्थक शब्द	शब्द	विपरीतार्थक शब्द
उत्तम	अधम	आभ्यंतर	बाध्य
अन्तर्मुखी	बहिर्मुखी	आस्तिक	नास्तिक
सुगम	अगम	आर्द्र	शुष्क
सुलभ	दुर्लभ	आत्मा	परमात्मा
सुबोध	दुर्बोध	आयात	निर्यात
सरस	नीरस	आसक्त	अनासक्त
अन्तर्द्वन्द्व	बहिर्द्वन्द्व	अन्धकार	प्रकाश
अल्पायु	दीर्घायु	अथ	इति
अग्रज	अनुज	अवनि	अम्बर
आगमन	प्रस्थान	अधिक	न्यून
आदि	अन्त	अज्ञ	विज्ञ
अनुलोम	प्रतिलोम	अतिवृष्टि	अनावृष्टि
अति	अल्प	अँधेरा	उजाला
अमर	मर्त्य	अनुकूल	प्रतिकूल
अमावस्या	पूर्णिमा	अनिवार्य	वैकल्पिक
अनुरक्ति	विरक्ति	अल्पमत	बहुमत
आकाश	पाताल	अनुगामी	अग्रगामी
आगामी	गत/विगत	अपव्ययी	मितव्ययी
आदर	निरादर	अपमान	सम्मान
आय	व्यय	अपना	पराया
आशा	निराशा	अनुराग	विराग

शब्द	विपरीतार्थक शब्द	शब्द	विपरीतार्थक शब्द
आविर्भाव	तिरोभाव	अपेक्षा	उपेक्षा
अन्तर्धान	तिरोधान	अल्पसंख्यक	बहुसंख्यक
आकर्षण	विकर्षण	अमृत	विष
उत्कर्ष	अपकर्ष	अरुचि	सुरुचि
उत्थान	पतन	अभिशाप	वरदान
उन्नत	अवनत	आवृत्त	अनावृत्त
उन्नति	अवनति	इहलोक	परलोक
जय	पराजय	कटु	मधु
इच्छा	अनिच्छा	कठोर	कोमल
इष्ट	अनिष्ट	कपट	निष्कपट
उपकार	अपकार	कनिष्ठ	ज्येष्ठ
उत्साह	निरुत्साह	कर्मण्य	अकर्मण्य
उर्वर	उरुसर	कीर्ति	अपकीर्ति
उऋण	ऋणी	वक्र	सरल
उग्र	शान्त	सुन्दर	कुरूप
शान्त	अशान्त	क्रय	विक्रय
उतार	चढ़ाव	खरीद	फरोख्त
उच्च	निम्न	कृत्रिम	प्राकृतिक
उदय	अस्त	कृतज्ञ	कृतघ्न
उँच	नीच	कृष्ण	शुक्ल
उदयाचल	अस्ताचल	खण्डन	मण्डन

शब्द	विपरीतार्थक शब्द	शब्द	विपरीतार्थक शब्द
उदार	कृपण	गणतन्त्र	राजतन्त्र
उत्कृष्ट	निकृष्ट	गरल	सुधा
उत्तीर्ण	अनुत्तीर्ण	स्वर्ग	नरक
उपयुक्त	अनुपयुक्त	गुण	दोष
उपसर्ग	प्रत्यय	गुप्त	प्रकट
उपयोग	अनुपयोग	गुरु	लघु
सदुपयोग	दुरूपयोग	विपन्न	सम्पन्न
उधार	नकद	राजा	रंक
हर्ष	विषाद	अमीर	गरीब
एक	अनेक	धनी	निर्धन
एड़ी	चोटी	दुर्बल	सबल
एकत्र	विकीर्ण	घर	बाहर
ग्राह्य	त्याज्य	चर	अचर
गृहस्थ	संन्यासी	चिरन्तन	नश्वर
आद्य	अन्त्य	चोर/असाधु	साधु
आम	खास	छूत	अछूत
ऐश्वर्य	अनैश्वर्य	जागरण	निद्रा
ऐतिहासिक	अनैतिहासिक	जंगम	स्थावर
करुण	निष्ठुर	जीवित	मृत
झूठ	सच	जंगली	पालतू
मिथ्या	सत्य	प्राचीन	नवीन/अर्वाचीन
ताप	शीत	प्रत्यक्ष	परोक्ष
तीव्र	मन्द	प्रवृत्ति	निवृत्ति
तुच्छ	महान्	प्रशंसा	निन्दा
तुकान्त	अतुकान्त	प्रसिद्ध	अप्रसिद्ध
दक्षिण	उत्तर	प्रेम	घृणा
पूरब	पश्चिम	पूर्णता	अपूर्णता
प्रलय	सृष्टि	पूर्ण	अपूर्ण
दुर्जन	सज्जन	बन्धन	मोक्ष/मुक्ति
स्वच्छ	अस्वच्छ	पूर्ववर्ती	परवर्ती
संश्लिष्ट	विश्लेषित	सफल	असफल/निष्फल
स्वामी	सेवक	पुरातन	नूतन
देशज	विदेशज	पुराना	नया
देव	दानव	बर्बर/असभ्य	सभ्य
देवता	राक्षस	अन्तरंग	बहिरंग
धर्म	अधर्म	बलवान	बलहीन
धैर्य	अधैर्य	भद्र	अभद्र
नश्वर	शाश्वत	भेद	अभेद
नगर	ग्राम	लघुता	गुरुता

शब्द	विपरीतार्थक शब्द	शब्द	विपरीतार्थक शब्द
नागरिक	ग्रामीण	लिप्त	निर्लिप्त
नाम	अनाम	लोभी	निर्लोभी
नाथ	अनाथ	लौकिक	अलौकिक
निरर्थक	सार्थक	विमुख	सम्मुख
निरामिष	सामिष	विधवा	सधवा
निर्लज्ज	सलज्ज	विशिष्ट	साधारण
नैसर्गिक	कृत्रिम	विस्तृत	संक्षिप्त
परमार्थ	स्वार्थ	विधि	निषेध
पक्ष	विपक्ष	विवेक	अविवेक
पराजय	जय/विजय	वीर	कायर
पण्डित	मूर्ख	वृद्धि	ह्रास
परतन्त्र	स्वतन्त्र	व्यावहारिक	अव्यावहारिक
आजाद	गुलाम	आसक्ति	अनासक्ति
पाप	पुण्य	वैतनिक	अवैतनिक
पुरस्कार	तिरस्कार	सदाचारी	दुराचारी
प्रधान	गौण	समास	व्यास
सम	विषम	सदय	निर्दय
सक्रिय	निष्क्रिय	समष्टि	व्यष्टि
सगुण	निर्गुण	सम्मुख	विमुख
सहयोगी	प्रतियोगी	समूल	निर्मूल
सखा/मित्र	शत्रु	सार्थक	निरर्थक
सशंक	निस्संक	सात्विक	तामसिक
सापेक्ष	निरपेक्ष	साकार	निराकार
साक्षर	निरक्षर	सुपात्र	कुपात्र
सुगन्ध	दुर्गन्ध	सुपथ	कुपथ
सुशील	दुःशील	सुमति	कुमति
सुकर्म	कुकर्म	स्तुत्य	निंद्य
स्थूल	सूक्ष्म	क्षम्य	अक्षम्य
मूर्त	अमूर्त	श्री गणेश	इति श्री
सुर	असुर	श्लील	अश्लील
सुकाल	अकाल	शोषक	पोषक
सुदूर	सन्निकट	शासक	शासित
सुसंगति	कुसंगति	स्तुति	निन्दा
सौभाग्य	दुर्भाग्य	शिक्षित	अशिक्षित
सम्पन्न	विपन्न	श्वेत	श्याम
संकल्प	विकल्प	श्रव्य	दृश्य
सन्धि	विच्छेद	हास	रुदन
सन्तोष	असन्तोष	हित	अहित
संघटन	विघटन	हिंसा	अहिंसा

वस्तुनिष्ठ प्रश्नोत्तर

निर्देश (प्रश्न संख्या 1 से 15 तक): *नीचे एक शब्द दिया गया है। दिए गए चार विकल्पों में से पर्यायवाची शब्द ज्ञात करना है।*

1. अनन्त
A. विष्णु B. अतिशय
C. असंख्य D. आकाश

2. आडम्बर
A. ढोंग B. तम्बू
C. दर्प D. आवाज

3. कपाल
A. अदृष्ट B. खप्पर
C. भाग्य D. माथा

4. छंद
A. आवरण B. पद
C. बंधन D. आचरण

5. ऐश्वर्य
A. बड़ाई B. विलास
C. सुख D. सम्पदा

6. खर
A. रावण B. कुंठित
C. गधा D. मूर्ख

7. पक्षी
A. नीरज B. नभ
C. विहग D. सरसिज

8. कमल
A. कुसुम B. पुष्प
C. प्रसून D. पुंडरीक

9. चतुरानन
A. ब्रह्मा B. इन्द्र
C. विष्णु D. देवता

10. जल
A. घटा B. नीर
C. दिनकर D. सुधाकर

11. अमृत
A. सुधा B. कौमुदी
C. मन्मथ D. सुधाकर

12. इच्छा
A. अमिय B. हर्ष
C. आकांक्षा D. रश्मि

13. उद्यान
A. धाम B. कुसुमाकर
C. आलय D. वाटिका

14. अन्त्य
A. समाप्त B. अन्तिम
C. नीच D. कुलीन

15. घर
A. सदन B. उपवन
C. पंचशर D. हुताशन

निर्देश (प्रश्न संख्या 16 से 25 तक): *निम्नलिखित वाक्यों में गहरे काले शब्दों के लिए पर्यायवाची जोड़ों का चयन कीजिए।*

16. **मछली** का चित्र किसने बनाया है?
A. मीन–मत्स्य B. सफरी–धात्री
C. जलनिगग्नि–मकर D. भामा–मत्स्य

17. **नारी** स्वभावतः कोमल होती है
A. त्रिया–भामिनी B. कामिनी–दामिनी
C. रमणी–कालिन्दी D. कान्ता–निशा

18. सूर्य का **प्रकाश** सम्पूर्ण धरा को आलोकित करता है
A. दिनकर–ज्योति B. छवि–प्रभाकर
C. ज्योति–दीप्ति D. प्रस्तर–अचला

19. कितना सुन्दर **घर** है?
A. शान्ति–निकेतन B. गृह–वाटिका
C. पंकज–भवन D. धाम–आलय

20. समुद्र मंथन में निकले **अमृत** के लिए देव–दानव में युद्ध शुरू हो गया
A. सुधा–मधु B. सोम–मंगल
C. रसाल–पियूष D. दृग–सुरभोग

21. **तालाब** का जल सूख गया है
A. झील–सरोवर B. तड़ाग–खड़ग
C. ताल–अवयव D. जलाशय–सरिता

22. कितना सुन्दर **पुष्प** है
A. सुमन–भ्रमर B. सुता–सुमन
C. सुमन–कुसुम D. उर्पी–प्रसून

23. **आसमान** में तारे हैं
A. व्योम–गगन B. अम्बर–लोचन
C. भवन–सैन्धव D. अम्बु–अम्बर

24. सुगन्धित **पवन** बह रही है
A. समीर–अनिल B. मारुत–अनल
C. वात–शैल D. वायु–प्रवाह

25. **घोड़ा** सड़क पर अड़कर भड़क गया
A. हय–मुकुल B. तुरंग–घोटक
C. वाजि–अम्बुज D. गदह–तुरंग

निर्देश (प्रश्न संख्या 26 से 30 तक): *निम्नलिखित विकल्पों में से कौन-सा दिए गए शब्द का सही पर्यायवाची नहीं है?*

26. देवता
A. सुर B. असुर
C. अमर D. निर्जर

27. तारा
A. अम्बु B. तारक
C. नक्षत्र D. नखत

28. बेटा
A. पुत्र B. सुत
C. आत्मज D. अग्रज

29. मनुष्य
A. नर B. महीपाल
C. मनुज D. मानव

30. गणेश
A. गणपति B. गौरीसुत
C. मतंग D. गजानन

निर्देश (प्रश्न संख्या 31 से 45 तक): *नीचे दिए गए शब्दों के विलोम के लिए चार-चार विकल्प दिए गए हैं। उनमें से उचित विकल्प का चयन कीजिए।*

31. कृपण
A. अधम B. दानी
C. कृतघ्न D. कनिष्ठ

32. क्षणिक
A. शाश्वत B. संक्षेप
C. विरह D. क्षुद्र

33. स्वदेश
A. गाँव B. नगर
C. परदेश D. स्वर्ग

34. स्तुति
A. सेवक B. निवेदन
C. प्रार्थना D. निन्दा

35. सर्दी
A. गर्मी B. धूप
C. उष्ण D. शीतल

36. शान्त
A. लघु B. चंचल
C. डरपोक D. बहादुर

37. भीगा
A. सूखा B. नरम
C. उष्ण D. गरम

38. कुसुम
A. वज्र B. नारी
C. खिन्न D. ठंडा

39. तम
A. सम B. कृश
C. नम D. प्रकाश

40. नख
A. शिख B. अनित्य
C. श्याम D. निन्दा

41. भौतिक
A. पाश्चात्य B. दैविक
C. दैहिक D. आध्यात्मिक

42. अवनि
A. आकाश B. अम्बर
C. गगन D. आसमान

43. कर्कशा
A. कोमल B. निर्मल
C. विह्वल D. व्याकुल

44. अवनत
A. बढ़ना B. उत्कर्ष
C. ऊँचा D. उन्नत

45. अति
A. न्यून B. कम
C. अल्प D. नगण्य

उत्तरमाला

1	2	3	4	5	6	7	8	9	10
C	A	D	B	D	C	C	D	A	B
11	**12**	**13**	**14**	**15**	**16**	**17**	**18**	**19**	**20**
A	C	D	C	A	A	A	C	D	A
21	**22**	**23**	**24**	**25**	**26**	**27**	**28**	**29**	**30**
A	C	A	A	B	B	A	D	B	C
31	**32**	**33**	**34**	**35**	**36**	**37**	**38**	**39**	**40**
B	A	C	D	A	B	A	A	D	A
41	**42**	**43**	**44**	**45**					
D	B	A	D	C					

★ ★ ★

4

शब्द विवेक (शब्द प्रयोग में सूक्ष्म अंतर)

युग्म शब्द को श्रुतिसम भिन्नार्थक या समोच्चरित शब्द भी कहा जाता है। इस प्रकार के दो शब्दों में मामूली-सा अन्तर होता है। वह अन्तर मात्रागत या वर्णगत होता है। फलतः ऐसे शब्द सुनने में एक समान तो लगते हैं लेकिन अर्थ भिन्न-भिन्न होते हैं। हिन्दी में ऐसे शब्दों की संख्या अत्यधिक है। नीचे वैसे प्रमुख शब्द युग्मों को अर्थ सहित प्रस्तुत किया जा रहा है–

1.	अंश	=	भाग/हिस्सा
	अंस	=	कन्धा
2.	अपेक्षा	=	आवश्यकता/उम्मीद
	उपेक्षा	=	अवहेलना
3.	अभिराम	=	सुन्दर
	अविराम	=	लगातार
4.	अनल	=	आग
	अनिल	=	हवा
5.	अवलम्ब	=	आश्रय/सहारा
	अविलम्ब	=	शीघ्र
6.	अन्त	=	समाप्त/खत्म
	अन्त्य	=	अन्तिम
7.	अभिहित	=	कथित
	अविहित	=	अनुचित
8.	अम्बुज	=	कमल
	अम्बुद	=	बादल
9.	अलि	=	भ्रमर
	अली	=	सखी
10.	उपकार	=	भलाई
	अपकार	=	बुराई
11.	अजिक	=	ललाट
	अलीक	=	झूठ
12.	अभिनय	=	स्वांग
	अविनय	=	उद्‌दण्डता
13.	अतल	=	तलहीन
	अतुल	=	जिसकी तुलना न हो सके
14.	अकथ	=	जो कहा नहीं जाय
	अथक	=	बिना थके हुए।
15.	अन्न	=	अनाज
	अन्य	=	दूसरा
16.	आदि	=	आरम्भ/शुरू
	आदी	=	अभ्यस्त, अदरक
17.	अभय	=	निर्भय
	उभय	=	दोनों
18.	अर्जन	=	संग्रह
	अर्चन	=	पूजा
19.	अमित	=	अत्यधिक
	अमीत	=	शत्रु
20.	अणु	=	सूक्ष्म कण
	अनु	=	पीछे
21.	अशक्त	=	असमर्थ
	असक्त	=	विरक्त
22.	अब्ज	=	कमल
	अब्द	=	बादल
23.	अवधि	=	समय
	अवधी	=	अवध की भाषा
24.	अभ्यास	=	अनुशीलन
	अभ्याश	=	पड़ोस
25.	आभरण	=	आभूषण
	आमरण	=	मरण तक
26.	आकर	=	खान
	आकार	=	आकृति
27.	आयत	=	चतुर्भुज
	आयात	=	बाहर से लाना
28.	आर्त	=	दुःखी
	आर्द्र	=	गीला
29.	आवास	=	वास स्थान
	आभास	=	झलक
30.	आवृत्त	=	घिरा हुआ
	आवृत्ति	=	दुहराना
31.	इत्र	=	सुगन्धित पदार्थ
	इतर	=	दूसरा
32.	स्त्री	=	महिला
	इस्त्री	=	कपड़े पर कलप करना
33.	अरि	=	दुश्मन
	अरी	=	स्त्री के लिए सम्बोधन

34. उद्यत = तैयार, तत्पर
    उद्धत = उद्‌दण्ड

35. ऋतु = मौसम
    ऋत = सत्य

36. कश = चाबुक
    कष = कसौटी

37. कुल = वंश
    कूल = किनारा

38. कलि = कलियुग
    कली = अधखिला फूल

39. कपिश = मटमैला
    कपीश = बन्दरों का राजा

40. कर्म = कार्य
    क्रम = सिलसिला

41. कंगाल = दरिद्र
    कंकाल = ठठरी (मानव की)

42. कटिबद्ध = तैयार
    कटिबन्ध = कमर बन्द

43. करोड़ = सौ लाख की संख्या
    क्रोड़ = गोद

44. कृत = किया हुआ
    क्रीत = खरीदा हुआ

45. कृपण = कंजूस
    कृपाण = कटार

46. कृषाण = किसान
    कृशानु = आम

47. क्रान्ति = उलटफेर, आन्दोलन
    कांति = चमक

48. कुट = किला
    कूट = पहाड़ की चोटी

49. कुजन = दुर्जन
    कूजन = पक्षियों का कलरव

50. केशर = सिंह की गर्दन के बाल
    केसर = कुमकुम

51. कोष = खजाना
    कोश = शब्द-संग्रह
    कोस = दो मील दूरी

52. खाद = उर्वरक
    खाद्य = खाने की सामग्री

53. खोया = भूल गया
    खोआ = दूध से निर्मित खाद्य पदार्थ

54. गिरि = पर्वत
    गिरी = बीज/गूदा

55. चषक = प्याला
    चसक = आदत

56. चरण = पैर
    चारण = भाट

57. चिर = पुराना
    चीर = वस्त्र

58. चिता = शव जलाने के लिए लकड़ियों की शय्या
    चीता = एक हिंसक पशु

59. गृह = घर
    ग्रह = नक्षत्र

60. करण = इन्द्रियाँ, करण कारक
    कर्ण = कान

61. कुच = स्तर
    कूच = प्रस्थान

62. कौर = ग्रास
    कोर = किनारा

63. चतुष्पद = चौपाया
    चतुष्पथ = चौराहा

64. चक्रवात = बवंडर
    चक्रवाक = चकवा पक्षी

65. छत्र = छाता
    छात्र = विद्यार्थी

66. क्षति = हानि
    क्षिति = पृथ्वी

67. जलज = कमल
    जलद = बादल

68. नीरज = कमल
    नीरद = बादल

69. जघन्य = गर्हित
    जघन = जाँघ

70. जगत् = संसार
    जगत = कुएँ का चबूतरा

71. जामन = दूध जमाने के लिए प्रयुक्त पदार्थ
    जामुन = एक फल

72. जेठ = वर्ष का एक महीना
    ज्येष्ठ = बड़ा (उम्र में)

73. टुक = थोड़ा
    टूक = टुकड़ा

74. टोटा = घाटा
    टोंटा = बन्दूक का कारतूस

75. तरणि = सूर्य
    तरणी = नाव

76. दाई = धामी, नौकरानी
    दायी = जवाबदेह

77. दारु = लकड़ी
    दारू = शराब

78.	दिवा	=	दिन
	दीया	=	दीपक
79.	दिन	=	दिवस
	दीन	=	गरीब
80.	द्विप	=	हाथी
	द्वीप	=	टापू
81.	दुर्ग	=	गढ़
	दुर्गा	=	एक देवी
82.	दमन	=	दबाना
	दामन	=	आँचल
83.	तक्र	=	मट्ठा
	तर्क	=	बहस
84.	द्रव्य	=	धन
	द्रव	=	तरल पदार्थ
85.	देव	=	देवता
	दैव	=	भाग्य
86.	नहर	=	कृत्रिम नदी
	नाहर	=	सिंह
87.	नग	=	पहाड़
	नाग	=	सर्प
88.	नगर	=	शहर
	नागर	=	चतुर व्यक्ति
89.	नाश	=	ध्वंस
	नास	=	सुंघनी
90.	नारी	=	स्त्री
	नाड़ी	=	नब्ज
91.	निसान	=	झण्डा
	निशान	=	चिह्न, प्रतीक
92.	निर्जर	=	देवता
	निर्झर	=	झरना
93.	निहित	=	छिपा हुआ
	निहत	=	मरा हुआ
94.	नियत	=	निश्चित
	नीयत	=	इरादा
	नियति	=	भाग्य
95.	नमित	=	नत
	निमित्त	=	कारण
96.	नीर	=	जल
	नीड़	=	घोंसला
97.	निर्माण	=	बनाना
	निर्वाण	=	मोक्ष
98.	नकल	=	अनुकरण
	नकुल	=	नेवला, पाण्डवों में एक
99.	निधन	=	मृत्यु
	निर्धन	=	गरीब

100.	नित	=	प्रतिदिन
	नीत	=	लाया हुआ
101.	नीम	=	एक पेड़
	नींव	=	आधार
102.	नेत्र	=	आँख
	नेतृ	=	नेता
103.	पुरुष	=	मर्द
	परुष	=	कठोर
104.	परिधान	=	वस्त्र
	प्रधान	=	मुख्य
105.	पवन	=	हवा
	पावन	=	पवित्र
106.	पाहन	=	पत्थर
	पाहुन	=	अतिथि
107.	परवाह	=	चिन्ता
	प्रवाह	=	बहाव
108.	प्रहर	=	समय
	प्रहार	=	चोट
109.	परिताप	=	दुःख
	प्रताप	=	पराक्रम
110.	पथ	=	मार्ग
	पथ्य	=	रोगी का भोजन
111.	पट्ट	=	तख्ता
	पट	=	वस्त्र
112.	प्रमाण	=	सबूत
	प्रणाम	=	नमस्कार
113.	परिणाम	=	फल
	परिमाण	=	मात्रा
114.	प्रणय	=	प्रेम
	परिणय	=	विवाह
115.	परदेश	=	दूसरा देश
	प्रदेश	=	प्रान्त, राज्य
116.	परीक्षा	=	इम्तहान
	परिक्षा	=	कीचड़
117.	प्रदीप	=	दीपक
	प्रतीप	=	उल्टा
118.	पानी	=	जल
	पाणि	=	हाथ
119.	पास	=	निकट
	पाश	=	बन्धन
120.	पिक	=	कोयल
	पीक	=	पान का थूक
121.	प्रेषित	=	भेजा हुआ
	प्रोषित	=	प्रवासी
122.	फन	=	कला
	फण	=	साँप का फण

123. बलि = बलिदान
बली = वीर
124. बहन = भगिनी
वहन = ढोना
125. बहु = बहुत
बहू = पुत्रवधू
126. बार = दफा
वार = दिन
127. वाण = तीर
बान = आदत
128. बात = वचन
वात = हवा
129. भवन = घर
भुवन = संसार
130. भट = योद्धा
भट्ट = पण्डित
131. भाल = ललाट
भार = वजन
132. मल = गन्दगी
मल्ल = पहलवान
133. मणि = रत्न
मणी = सर्प
134. मद = अहंकार
मद्य = शराब
135. मनुज = मनुष्य
मनोज = कामदेव
136. मांस = गोश्त
मास = महीना
137. मात्र = केवल
मातृ = माता
138. मेध = यज्ञ
मेघ = बादल
139. मेदा = पेट
मैदा = बारीक आटा
140. रत = तल्लीन
रक्त = खून
141. रेचक = दस्तावर
रोचक = रुचिकर
142. लक्ष = लाख
लक्ष्य = उद्देश्य
143. लवण = नमक
लवन = खेत की फसल की कटाई
144. वस्तु = चीज
वास्तु = इमारत, भवन
145. अकुल = बिना कुल के
आकुल = व्याकुल
146. वरद = वर देने वाला
विरद = यश
147. वरण = चुनना
वरन् = बल्कि
148. वाद = विचार/सिद्धान्त
वाद्य = बाजा
149. वदन = मुख
बदन = शरीर
150. विस्मृत = भूला हुआ
विस्मित = आश्चर्य में पड़ा हुआ
151. विपिन = जंगल
विपन्न = दुःखी, निर्धन
152. वित्त = धन
वृत्त = गोलाकार
153. विष = जहर
विस = कमल का डण्ठल
बीस = उन्नीस से एक अधिक संख्या
154. सम = समान
शय = संचय
155. सहर = सबेरा
शहर = नगर
156. शव = लाश
शब = रात
157. सिता = चीनी
सीता = जानकी
158. शस्त्र = हथियार
शास्त्र = ग्रन्थ
159. सर = तालाब
शर = बाण
160. सुर = देवता
सूर = अंधा
शूर = वीर
161. सुत = बेटा
सूत = सारथी, धागा
162. सप्त = सात
शप्त = शाप ग्रस्त
163. शंकर = शिव
संकर = दोगला
164. सर्ग = काव्य का अध्याय
स्वर्ग = कल्पित लोक
165. स्वपच = स्वयंवाकी
श्वपच = चाण्डाल
166. सत्व = सार
स्वत्व = अधिकार

167.	समिति	=	सभा
	सम्मति	=	सलाह
168.	शय्या	=	बिछावन
	सज्जा	=	सजावट
169.	संग	=	साथ
	संघ	=	समिति, संगठन
170.	शाला	=	घर
	साला	=	पत्नी का भाई
171.	सबल	=	ताकतवर
	शवल	=	चितकबरा
172.	सर्व	=	सभी
	शर्व	=	शंकर
173.	सुगन्ध	=	खुशबू
	सौगन्ध	=	कसम
174.	शुक्ति	=	सीप
	सूक्ति	=	अच्छी उक्ति
175.	शीशा	=	काँच
	सीसा	=	एक धातु
176.	सती	=	पतिव्रता नारी
	शती	=	शताब्दी
177.	श्वेत	=	सफेद
	श्वेद	=	पसीना
178.	शुक	=	सुग्गा
	शूक	=	जौ
179.	शिखर	=	चोटी (पर्वत की)
	शेखर	=	सिर
180.	शक्ल	=	चेहरा
	सकल	=	सम्पूर्ण
181.	हरि	=	विष्णु
	हरी	=	हरे रंग की
182.	सुमन	=	फूल
	सुअन	=	पुत्र
183.	संदेह	=	शक
	सदेह	=	सशरीर
184.	स्व	=	अपना
	श्व	=	आने वाला दिन
185.	शुचि	=	पवित्र
	सूची	=	विषय क्रम
186.	सुधि	=	स्मरण
	सुधी	=	समझदार, विद्वान्
187.	हल	=	जोतने का यंत्र
	हल्	=	शुद्ध व्यंजन
188.	भंगि	=	लहर
	भंगी	=	मेहतर
189.	दूत	=	संवाददाता
	द्यूत	=	जुआ का खेल
190.	देश	=	राज्य
	द्वेष	=	शत्रुता
191.	तरंग	=	लहर
	तुरंग	=	घोड़ा
192.	चालक	=	ड्राइवर
	चालाक	=	चतुर
193.	लोम	=	रोवाँ
	लोभ	=	लालच
194.	बिना	=	रहित, अभाव
	वीणा	=	एक वाद्य यंत्र
195.	प्रसाद	=	कृपा
	प्रासाद	=	महल
196.	भित्ति	=	दीवार
	भीति	=	डर
197.	मूल	=	जड़
	मूल्य	=	दाम
198.	अक्ष	=	धुरी
	यक्ष	=	एक देव योनि
199.	अश्व	=	घोड़ा
	अश्म	=	पत्थर
200.	आसन	=	बैठने की वस्तु
	अशन	=	भोजन
201.	अह	=	दिन
	अहि	=	साँप
202.	अणि	=	सूई की नोक
	अनी	=	फौज
203.	दारा	=	पत्नी
	द्वार	=	दरवाजा
204.	पृथा	=	कुन्ती
	प्रथा	=	रीति
205.	श्रवण	=	कान
	स्रवन	=	बहना
206.	श्याम	=	श्री कृष्ण
	स्याम	=	एक देश
207.	वृन्द	=	समूह
	वृन्त	=	डण्ठल
208.	मित	=	थोड़ा
	मित्र	=	दोस्त
209.	दुरति	=	पाप
	दुरत	=	छिपा
210.	चार	=	चार की संख्या
	चारु	=	सुन्दर

वस्तुनिष्ठ प्रश्नोत्तर

निर्देश (प्रश्न संख्या 1 से 40 तक): *अधोलिखित प्रश्नों में दिए गए शब्द युग्मों के सही अर्थभेद का विकल्प चयन कीजिए।*

1. अंश - अंस ....
A. भाग - संख्या B. भाग - कंधा
C. कंधा - भाग D. संख्या - कंधा

2. अंत्य - अंत
A. अंतिम - समाप्त होना B. समाप्त होना - अंत्यज
C. अनंतिम - समाप्त D. समाप्त - अनंतिम

3. अनल - अनिल ....
A. जल - वायु B. वायु - जल
C. अग्नि - वायु D. वायु - धूप

4. अंगना, अँगना ....
A. लक्ष्मी - दरवाजा B. आँगन - द्वार
C. स्त्री - आँगन D. आँगन - लक्ष्मी

5. अन्न - अन्य ....
A. गेहूँ - चावल B. अनाज - दूसरा
C. धान - कोई D. धान - कण

6. आसन - असन ....
A. बैठने की वस्तु - भोजन B. गद्दी - मिठाई
C. फूल - फल D. गद्दी - कुर्सी

7. उपेक्षा - अपेक्षा ....
A. अपमान - सम्मान B. निरादर - आवश्यकता
C. आवश्यकता - अपमान D. अपमान - तिरस्कार

8. असक्त - अशक्त ....
A. बली - निर्बल B. निर्बल - आसक्त
C. विरक्त - शक्तिहीन D. योगी - बीमार

9. आगम - अगम ....
A. पुराण - समुद्र B. शास्त्र - अथाह
C. महाकाव्य - फुटकर काव्य D. वेद पुराण - अज्ञात

10. उभय - अभय ....
A. सब - निर्भीक B. निर्भीक - सब
C. दोनों - निर्भय D. सभी - साहसी

11. अकथ - अथक ....
A. अवर्णनीय - बिना थके, लगातार
B. अद्वितीय - उत्साह का भाव
C. अलौकिक - बहादुरीपूर्वक
D. इनमें से कोई नहीं

12. अरी!, अरि ....
A. हे माई, भयानक
B. किसी नारी को संबोधन - शत्रु
C. प्रिय को संबोधन - अमित्र
D. प्रिय को उलाहना - भयंकर व्यक्ति

13. यक्ष - अक्ष ....
A. यायावर - घुमंतू B. किन्नर देवजाति - धुरी
C. पार्वत्य - मौलिक D. गंधर्व - चक्कर

14. आदी - आदि ....
A. साग - पुराना B. अदरक - आरंभ, वगैरह
C. भूमिज - क्षितिज D. कोई नहीं

15. इतर - इत्र ....
A. दूसरा - तेल B. सुगंधि - रस
C. दूसरा - सुगंध D. सुगंध - खुशबू

16. ऋतु - ऋत ....
A. मौसम - सत्य B. जलवायु - जगत्
C. जलवायु - ईश्वर D. जगत - ईश्वर

17. कृती - कृति ....
A. रचयिता - पुस्तक B. निपुण - कर्मकर्ता - रचना
C. बहादुर - सुलेख D. चतुर - कहानी

18. क्रीत - कृत ....
A. बाजार - वस्तु B. वस्तु - खरीद
C. खरीदा हुआ - किया हुआ D. पाया हुआ - बेचा हुआ

19. कर्ण - कारण ....
A. श्रवण - क्रिया
B. कान - तृतीया विभक्ति करण कारक
C. शरीर का अंग - व्याकरण का अंग
D. भाषा का अंग - शरीर का अंग

20. कपिश - कपीश ....
A. कडुआ - जानवर
B. मलिन, मटमैला - हनुमान, सुग्रीव
C. गंदा - वीर
D. मैला - शक्तिशाली

21. कर्कट - करकट ....
A. कठोर - गंदा B. केकड़ा - कूड़ा
C. जीव - गंदगी D. जलचर - भूमिस्थ

22. कपि - कपी ....
A. बंदर - घिरनी B. जीव - रहट
C. फलभक्षी - जल प्रदायी D. कोई नहीं

23. क्षात्र - छात्र ....
A. क्षत्रिय संबंधी - विद्यार्थी
B. योद्धा - शिक्षार्थी
C. युद्ध में जाने वाला - विद्यालय जाने वाला
D. विजेता - सुशिक्षित

24. चीता - चिता ....

A. शेर - श्मशान

B. मृत्यु - चिंता

C. श्मशान - मृत्यु

D. एक जानवर - शवदाह हेतु लकड़ी का ढेर

25. चारु - चार ....

A. सुंदर - आदमी B. गिनती - खूबसूरत

C. सुंदर - चार (गिनती का) D. अलौकिक - असंख्य

26. जगत् - जगत ....

A. दुनिया - मैदान B. संसार - कुएँ का चबूतरा

C. विस्तार - संकोच D. चबूतरा - विश्व

27. टूक - टुक ....

A. लकड़ी - आवाज B. स्पष्ट - ठक, ठक

C. टुकड़ा - थोड़ा D. एक हिस्सा - आधा हिस्सा

28. तरि - तरी ....

A. नाव - तलछट, गीलापन B. नदी - तलहटी

C. किनारा - कीचड़ D. तालाब - सड़ा कीचड़

29. तर्क - तक्र ....

A. बहस - रस B. वाद विवाद - पेय

C. बहस, विवाद - मट्ठा D. बातचीत - गोरस

30. दात - दाँत ....

A. दाता - एक अंग B. दाता - एक दाँत

C. दान - मुँह के दाँत D. पुण्य - याचक

31. दाई - दायी ....

A. दासी, (पालिका) - दाता, जवाबदेह

B. नौकरानी - अधिकारी

C. सेवक - दानी

D. सहायिका - नौकरानी

32. दैव - देव ....

A. सत्कर्य - देवता B. देवता - धर्मात्मा

C. मान - सुर D. भाग्य - देवता

33. दारू - दारु ....

A. तरल - ठोस B. पेय - जलाऊ

C. शराब - लकड़ी D. मूल्यवान् - सूखा काठ

34. दीवा - दिवा ....

A. अँधेरा - उजाला B. दीपक - दिन

C. प्रकाश - अंधकार D. ज्योति - प्रकाश

35. नाई - नांई ....

A. बाल बनाने वाला - तरल, भाँति

B. व्यवसायी - समान

C. प्रजा - दाता

D. श्रमजीवी - तरह-तरह से

36. चीर - चिर ....

A. घोठी - पुरानी B. साड़ी - प्राचीन

C. पहनावा - बीता समय D. कोई ठीक नहीं

37. निर्जर - निर्झर ....

A. न जलने वाला - प्रवाह

B. देवता - झरना

C. मानव - नदी

D. नदी - सड़क

38. नंदी - नांदी ....

A. देव - वाचाल

B. देवगो - सिफारिश

C. शिव का बैल - मंगलाचरण

D. कोई ठीक नहीं

39. प्रसाद - प्रासाद

A. भोग, (कृपा) - महल B. पकवान - देवालय

C. देवालय - अनुकंपा D. कोई भी सही नहीं

40. परिक्षा - परीक्षा ....

A. जल - खोज B. कीचड़ - इम्तहान

C. तलछट - आविष्कार D. परिणाम - असहाय

उत्तरमाला

1	2	3	4	5	6	7	8	9	10
B	A	C	C	B	A	B	C	B	C
11	**12**	**13**	**14**	**15**	**16**	**17**	**18**	**19**	**20**
A	B	B	B	C	A	B	C	B	B
21	**22**	**23**	**24**	**25**	**26**	**27**	**28**	**29**	**30**
B	A	A	D	C	B	C	A	C	C
31	**32**	**33**	**34**	**35**	**36**	**37**	**38**	**39**	**40**
A	D	C	B	A	B	B	C	A	B

★ ★ ★

5

पद परिचय एवं पद भेद की पहचान

संज्ञा (Noun)

किसी व्यक्ति, वस्तु, स्थान, व्यापार तथा भाव आदि के नाम को संज्ञा कहते हैं। जैसे–हिमालय, गंगा, कोलकाता, वेद, आकाश, सुख, दुःख, खेती आदि। संज्ञा एक विकारी शब्द है।

संज्ञा के भेद

संज्ञा का वर्गीकरण जीवन्तता, गणना, व्युत्पत्ति, एवं अर्थ के आधार पर किया गया है। लेकिन जीवन्तता, गणना, व्युत्पत्ति का आधार मानकर किया गया वर्गीकरण विशेष महत्त्वपूर्ण नहीं है। अर्थ के आधार पर किया गया वर्गीकरण ही परम्परागत है। अधिकांशतः विद्वानों ने संज्ञा के पाँच भेद माने हैं :

(*i*) व्यक्तिवाचक संज्ञा (*ii*) जातिवाचक संज्ञा (*iii*) द्रव्यवाचक संज्ञा (*iv*) समूहवाचक संज्ञा (*v*) भाववाचक संज्ञा।

(*i*) **व्यक्तिवाचक संज्ञा :** किसी विशेष व्यक्ति या स्थान का नाम बोध कराने वाली संज्ञा को व्यक्तिवाचक संज्ञा कहते हैं। जैसे–शीला, राकेश, कानपुर, इलाहाबाद, भारत, यमुना आदि। व्यक्तिवाचक संज्ञा के अन्तर्गत निम्नलिखित नामों का समावेश होता है :-

व्यक्तियों के नाम–रमेश, शीला, ज्ञानप्रकाश, बिहारी, कालिदास।

दिशाओं के नाम–पूर्व, पश्चिम, उत्तर, दक्षिण।

नदियों के नाम–यमुना, महानन्दा, गंगा, सिन्धु, गोमती आदि।

गाँवों के नाम–कल्याणपुर, रामपुर, लालगँज आदि।

देशों के नाम–भारत, रूस, चीन, जापान आदि।

वस्तुओं के नाम–रामायण (ग्रंथ), महाभारत (ग्रंथ), टाइटन (घड़ी), फिलिप्स (रेडियो), ओनीडा (टेलीविजन) आदि।

समुद्रों के नाम–प्रशान्त महासागर, भूमध्य सागर, हिन्द महासागर, आदि।

इसी प्रकार त्योहारों एवं उत्सवों के नाम, पुस्तकों एवं समाचार-पत्रों के नाम, चौराहों तथा सड़कों के नाम, पर्वतों के नाम, राज्यों के नाम, ग्रह तथा नक्षत्रों के नाम, भाषाओं के नाम, वस्तुओं आदि के नाम भी व्यक्तिवाचक संज्ञा में समाविष्ट होते हैं।

(*ii*) **जातिवाचक संज्ञा :** जिस संज्ञा से एक ही प्रकार की वस्तुओं या प्राणी की पूरी जाति का बोध होता है, उसे जातिवाचक संज्ञा कहते हैं। जैसे–घोड़ा, गाय, बाघ, स्त्री, लड़का, पुस्तक, सड़क, विद्यालय आदि।

जातिवाचक संज्ञा के अन्तर्गत आगत शब्दों को अधोलिखित कोटियों में बाँटा जा सकता है–

जानवरों के नाम–बैल, ऊँट, भैंस, शेर, हिरण आदि।

स्थानों के नाम–मैदान, पाठशाला, औषधालय आदि।

वस्तुओं के नाम–घड़ी, आलमारी, पंखा, किताब, आदि।

सम्बन्धियों के नाम–चाचा, मामा, मौसी, भाई आदि।

व्यवसायों एवं पदों के नाम–लोहार, कुम्हार, मोची, अध्यापक, धोबी आदि।

प्राकृतिक तत्त्वों के नाम–वर्षा, गर्मी, भूकम्प, तूफान आदि।

(*iii*) **द्रव्यवाचक संज्ञा :** द्रव्यवाचक संज्ञा से धातु या किसी द्रव्य का बोध होता है, जिसे तौला या नापा जा सकता है तथा जिससे अन्य वस्तुओं का निर्माण होता है। जैसे–सोना, चाँदी, ताँबा, लोहा, पीतल, दूध, पानी, तेजाब, तेल, पारा, घी आदि।

(*iv*) **समूहवाचक संज्ञा :** समूहवाचक संज्ञा को समुदायवाचक संज्ञा भी कहते हैं। वस्तुतः जिस संज्ञा से पदार्थ या प्राणियों के समूह का बोध होता है, उसे समूहवाचक संज्ञा कहते हैं। जैसे–सेना, सभा, कक्षा, मेला, दल, गुच्छा, कुञ्ज, भीड़ आदि।

(*v*) **भाववाचक संज्ञा :** भाववाचक संज्ञा वह संज्ञा है, जिससे किसी वस्तु या प्राणी के स्वभाव, गुण, धर्म, व्यापार एवं दशा का बोध होता है। जैसे–वीरता, चतुराई, मिठास, बुढ़ापा, बचपन, चाल, खेल, दौड़ आदि।

भाववाचक संज्ञा का निर्माण

भाववाचक संज्ञाओं का निर्माण तद्धित और कृदन्त प्रत्ययों को विभिन्न शब्द भेदों में लगाकर किया जाता है। उदाहरणार्थ–

जातिवाचक संज्ञा से

जातिवाचक संज्ञा	भाववाचक संज्ञा	जातिवाचक संज्ञा	भाववाचक संज्ञा
पशु	पशुता	स्त्री	स्त्रीत्व
मनुष्य	मनुष्यता	विद्वान्	विद्वता
पंडित	पांडित्य/पंडिताई	शत्रु	शत्रुता
लड़का	लड़कपन	बूढ़ा	बुढ़ापा
दास	दासत्व	बंधु	बंधुत्व
ग्राम	ग्रामीण	शहर	शहरी

देहात	देहाती	मित्र	मित्रता
भ्राता	भ्रातृत्व	साधु	साधुता
देह	दैहिक	माता	मातृत्व
जाति	जातीयता	घर	घरेलू
समाज	सामाजिकता	मूर्ख	मूर्खता

विशेषण से–

विशेषण	भाववाचक संज्ञा	विशेषण	भाववाचक संज्ञा
सुन्दर	सुन्दरता	कठोर	कठोरता
कुरूप	कुरूपता	मधुर	मधुरता
गर्म	गर्मी	उष्ण	उष्णता
ठंडा	ठंडक	छोटा	छुटपन/छोटापन
सर्द	सर्दी	लम्बा	लम्बाई
चौड़ा	चौड़ाई	ऊँचा	ऊँचाई
काला	कालापन	मीठा	मिठास
लाल	लाली	चतुर	चतुराई
नीला	नीलापन	बड़ा	बड़ाई/बड़प्पन
कड़वा	कड़वाहट/कड़वापन	पवित्र	पवित्रता
मैला	मैल	शीतल	शीतलता
गंदा	गंदगी	मलिन	मलिनता
लघु	लघुता	गुरु	गुरुता
खुरदरा	खुरदरापन	लचीला	लचीलापन
धूर्त	धूर्तता	ठोस	ठोसपन
ईमानदार	ईमानदारी	दक्ष	दक्षता
कर्मठ	कर्मठता	पटु	पटुता
निपुण	निपुणता	भिन्न	भिन्नता
शिष्ट	शिष्टता	एक	एकता
वीर	वीरता	नीच	नीचता
उच्च	उच्चता	क्लिष्ट	क्लिष्टता
कायर	कायरता	सभ्य	सभ्यता
नपुंसक	नपुंसकता	शांत	शांति
उज्ज्वल	उज्ज्वलता	नम्र	नम्रता
क्षुद्र	क्षुद्रता	लोभी	लोभ
लालची	लालच	क्रोधी	क्रोध
डरावना	डर	भयावह	भय
आश्चर्य जनक	आश्चर्य	संक्षिप्त	संक्षिप्तता
दीर्घ	दीर्घता		

क्रिया से–

क्रिया	भाववाचक संज्ञा	क्रिया	भाववाचक संज्ञा
चढ़ना	चढ़ाई/चढ़ाव	विकसित होना	विकास
पढ़ना	पढ़ाई	विचारना	विचार
लड़ना	लड़ाई	निकलना	निकास
उठना	उठाव	सजाना	सजावट
बहना	बहाव	लिखना	लिखावट
खींचना	खिंचाव	दौड़ना	दौड़
लूटना	लूट	सिसकना	सिसकी
घुलना	घोल	झाड़ना	झाड़
बोलना	बोल	फूँकना	फूँक
कूदना	कूद	घबराना	घबराहट
झुकना	झुकाव	बनाना	बनावट
तनना	तनाव	मिलाना	मिलावट

लिंग (Gender)

'व्याकरण' में लिंग, पुरुष एवं स्त्री जाति के लिए प्रयुक्त चिह्न को कहा जाता है। इसे परिभाषित करते हुए कहा जा सकता है–''लिंग उसे कहते हैं जिससे संज्ञा के स्त्री या पुरुष होने का बोध हो।'' दूसरे शब्दों में–''जिस चिह्न से व्यक्ति या वस्तु की स्त्री या पुरुष जाति का ज्ञान हो, उसे लिंग कहते हैं।''

लिंग-भेद

हिन्दी में लिंग के दो भेद मान्य हैं–(*i*) पुल्लिंग (*ii*) स्त्रीलिंग

(*i*) **पुल्लिंग (Masculine Gender) :** 'पुल्लिंग' संज्ञा के उस रूप को कहा जाता है, जिससे उसके पुरुष होने का बोध होता है। जैसे–राजेश, मुकेश, प्रमोद, सूर्य, चाँद, बैल, घोड़ा इत्यादि।

(*ii*) **स्त्रीलिंग (Feminine Gender) :** स्त्रीलिंग से आशय संज्ञा के उस रूप से है जिससे उसके स्त्री होने का पता चले। जैसे–राधा, शीला, घोड़ी, बकरी, तितली, मैना, कोयल, मुर्गी आदि।

लिंग-निर्णय के नियम

पुल्लिंग शब्दों के पहचान के लिए नियम :

1. हिन्दी में वे तत्सम शब्द जो अकारान्त हैं, साधारणतः पुल्लिंग होते हैं।
   जैसे–ग्रंथ, हल, फल, जल, सूर्य, अध्यक्ष आदि।
   अपवाद–पुस्तक।
2. प्राणियों में मनुष्य, बड़े पशु आदि में नर पुल्लिंग होते हैं और नारी स्त्रीलिंग होती हैं।
   जैसे–आदमी, बैल, घोड़ा, बकरा, कुत्ता, गधा, हाथी आदि। क्योंकि ये सभी नर बोधक शब्द हैं।
3. कुछ प्राणियों के लिंग-निर्णय का आधार व्यवहार है। व्यवहार के आधार पर लिंग-निर्णय विशेषतः कीड़ों, छोटे पक्षियों या जिनमें नर-मादा का अन्तर कठिन है–का होता है।
   जैसे–बन्दर, तीतर, बटेर, चीता आदि पुल्लिंग हैं जबकि मछली, मैना, गौरैया, कोयल स्त्रीलिंग हैं।

4. अप्राणिवाचक संज्ञाओं का लिंग-निर्णय रूप के आधार पर होता है। पुल्लिंग शब्दों के उदाहरण के तौर पर निम्नलिखित शब्द दिये जाते हैं-
   (क) द्रव पदार्थों (liquid) के नाम–दही, पानी, शर्बत, घी, तेल, सिरका इत्यादि।
   (ख) धातुओं के नाम–लोहा, ताम्बा, सोना, पीतल, जस्ता आदि। **अपवाद**–चाँदी।
   (ग) ग्रहों के नाम–मंगल, बुध, शुक्र, शनि, आदि। **अपवाद**–पृथ्वी।
   (घ) वनस्पतियों के नाम–सागौन, अशोक, महुवा, पीपल, आम, ताड़, बाँस आदि। **अपवाद**–नीम, जामुन, आदि।
   (ङ) अनाजों के नाम–चना, उड़द, जौ, गेहूँ, चावल, धान, मटर, आदि। **अपवाद**–अरहर, मक्का, ज्वार, मूँग, आदि।
   (च) रत्नों के नाम–हीरा, मोती, माणिक, नीलम, मूँग, जवाहर आदि। **अपवाद**–मणि
   (छ) दिनों के नाम–सोम, मंगल, रवि, गुरु आदि।
   (ज) पहाड़ों के नाम–विन्ध्याचल, हिमालय, हिन्दुकुश आदि।
   (झ) जल और स्थल भागों के नाम–नगर, द्वीप, देश, समुद्र, घर, आकाश, पाताल आदि। **अपवाद**–नदी, झील, घाटी आदि।
   (ञ) भाव वाचक संज्ञाएँ–जिनके अन्त में ना, वा, पा, आव, पन, आ होते हैं प्रायः पुल्लिंग होते हैं। जैसे :–घेरा, डेरा, बसेरा, बुढ़ापा, बड़प्पन, बहाव, चढ़ाव आदि।
   (ट) हिन्दी की वे संज्ञाएँ जिनके अन्त में आकार होता है पुल्लिंग होती हैं। परन्तु इसमें संस्कृत के तत्सम शब्द शामिल नहीं होंगे और न हिन्दी के 'इया' प्रत्यय को लगाकर बने हुए शब्द ही।
   जैसे–रुपया, छाता, आटा, पैसा, पहिया, कपड़ा, चमड़ा आदि।
   (ठ) कृदन्त संज्ञाएँ–जिनके अन्त में 'आन' होता है। जैसे–नहान, उठान, मिलान आदि।

स्त्रीलिंग शब्दों की पहचान

1. हिन्दी में जिन संज्ञाओं के अन्त में आ, इ, उ, हो, वे स्त्रीलिंग मानी जाती हैं। हिन्दी की ये संज्ञाएँ संस्कृत से हिन्दी में आयी हैं।
   उदाहरण :
   आ वन्दना, प्रार्थना, कविता, दया, क्षमा, कृपा, रेखा आदि।
   इ सिद्धि, मति, गति, रीति, नीति, विधि, निधि आदि।
   उ मृत्यु, रेणु, धेनु, आदि।
2. ऐसी भाव वाचक संज्ञाएँ जिनके अन्त में ट, वट, आई, ता, हट, हो स्त्रीलिंग होती हैं।
   उदाहरण :
   ट खाट, बाट, हाट आदि।
   वट मिलावट, लिखावट, सजावट आदि।
   आई लड़ाई, मिठाई, भलाई, चढ़ाई आदि।
   ता लघुता, प्रभुता, ममता, क्षमता आदि।
   हट अकुलाहट, घबड़ाहट, आहट आदि।
3. हिन्दी की उन संज्ञाओं को स्त्रीलिंग माना जाता है जिनके अन्त में ई, इया, ऊ, ख, त, स, हो। जैसे-
   ई नदी, चिट्ठी, टोपी, धोती, रोटी, चलनी आदि।
   अपवाद–घी, दही, जी, मोती, पानी, यही।
   इया खटिया, डिबिया, मचिया, पुड़िया, बुढ़िया, आदि।
   ऊ लू, बालू, झाड़ू, गेरू, दारू आदि।
   ख राख, भूख, कोख, साख, आँख, ईख, रेख आदि।
   अपवाद–रूख।
   त बात, रात, लात, छत आदि।
   स मिठास, रास (लगाम), ओस, प्यास, साँस, आदि।
   अपवाद–निकास, निवास।
4. कृदन्त की अकारान्त संज्ञाएँ भी स्त्रीलिंग होती हैं। जैसे–लूट, दौड़, चमक, पुकार, छाप, मार, समझ आदि। **अपवाद**–मेल, बिगार, नाच, खेल।
5. अनुस्वारांत संज्ञाएँ भी स्त्रीलिंग होती हैं। जैसे–खड़ाऊँ, चूँ आदि।
6. नदियों के नाम स्त्रीलिंग होते हैं। जैसे–गंगा, यमुना, गोमती, कृष्णा, बेतवा आदि। **अपवाद**–ब्रहमपुत्र, सोन, सिन्धु।
7. नक्षत्रों के नाम स्त्रीलिंग होते हैं। जैसे–अश्विनी, रोहिणी, अनुराधा, कृत्तिका आदि।
8. तिथियों के नाम स्त्रीलिंग होते हैं। जैसे–प्रतिपदा, दूज, तीज, चौथ, अष्टमी, नवमी आदि।
9. किराने के पदार्थों के नाम स्त्रीलिंग होते हैं। जैसे–इलायची, सुपारी, लौंग, दालचीनी आदि। **अपवाद**–जीरा, नमक, कपूर, केसर आदि।
10. भोजनों के नाम स्त्रीलिंग होते हैं। जैसे–खीर, दाल, खिचड़ी, कढ़ी, पकौड़ी, पूड़ी, कचौड़ी, आदि। **अपवाद**–भात, रायता, दूध, पराठा, हलुआ आदि।

वचन (Number)

वचन का शाब्दिक अर्थ है–बोली। परन्तु हिन्दी में व्याकरण की दृष्टि में वचन का अर्थ संख्या से लिया जाता है। इसलिए वचन को परिभाषित करते हुए कहा जा सकता है–संज्ञा, सर्वनाम, विशेषण और क्रिया के जिस रूप से संख्या का बोध होता है, उसे वचन कहते हैं।

वचन के भेद

हिन्दी में वचन के दो भेद माने गए हैं–(1) एकवचन (2) बहुवचन

(1) **एकवचन (Singular Number) :** जैसा कि नाम से स्पष्ट है, एकवचन विकारी शब्द का वह रूप है जिससे एक ही व्यक्ति

या वस्तु का बोध होता है। उदाहरण–घोड़ा दौड़ता है। गाय चरती है। इन वाक्यों में 'घोड़ा' और 'गाय' से एक जानवर का बोध होता है। अतः ये एकवचन हैं।

(2) बहुवचन (Plural Number) : बहुवचन वह विकारी शब्द है जिससे एक से अधिक वस्तुओं, व्यक्तियों आदि का बोध होता है। जैसे–घोड़े चरते हैं। गायें दौड़ती हैं। 'घोड़े' और 'गायें' कहने से एक से अधिक जानवरों का बोध होता है। अतः ये बहुवचन हैं।

वचन के रूपान्तर : यद्यपि वचन के कारण संज्ञा, सर्वनाम, विशेषण और क्रिया के रूप में परिवर्तन होता है तथापि सर्वनाम, विशेषण और क्रिया के रूप मूलतः इनसे जुड़ी संख्या पर ही आधारित होते हैं। अतएव एकवचन में संज्ञा शब्दों के रूपान्तर की ही प्रमुखता है।

वचन के अधीन संज्ञा के रूप दो तरह से परिवर्तित होते हैं–

(1) विभक्ति रहित

(2) विभक्ति सहित

विभक्ति रहित संज्ञाओं के बहुवचन बनाने के नियम

विभक्ति रहित संज्ञाओं का बहुवचन साधारणतः निम्नलिखित नियमों के अन्तर्गत बनाया जाता है-

1. पुल्लिंग संज्ञा के आकारान्त को एकारान्त कर बहुवचन बनाया जाता है। यथा-

एकवचन	**बहुवचन**	**एकवचन**	**बहुवचन**
घोड़ा	घोड़े	गधा	गधे
लड़का	लड़के		

अपवाद–मामा, नाना, बाबा, पिता, योद्धा, आत्मा, देवता, जामाता आदि। इन शब्दों के रूप दोनों वचनों में समान होते हैं।

2. पुल्लिंग आकारान्त शब्दों के अतिरिक्त अन्य मात्राओं से अन्त होने वाले शब्दों के रूप दोनों वचनों में एक समान रहते हैं। जैसे–

एकवचन	**बहुवचन**	**एकवचन**	**बहुवचन**
एक बालक	चार बालक	एक डाकू	चार डाकू
एक भाई	चार भाई	एक जौ	चार जौ

3. आकारान्त स्त्रीलिंग शब्दों के अन्त में 'एँ' जोड़ने से बहुवचन बनता है। जैसे–

एकवचन	**बहुवचन**	**एकवचन**	**बहुवचन**
शाखा	शाखाएँ	लता	लताएँ
माता	माताएँ	महिला	महिलाएँ

4. अकारान्त स्त्रीलिंग संज्ञा के बहुवचन शब्द में आगत अंतिम अ को यें कर देने से बनता है। जैसे–

एकवचन	**बहुवचन**	**एकवचन**	**बहुवचन**
गाय	गायें	रात	रातें
बात	बातें	आँख	आँखें
याद	यादें		

5. दीर्घ या ह्रस्व इकारान्त संज्ञाओं को ह्रस्व इकारान्त कर उनके अन्त में याँ जोड़ देने से बहुवचन बनता है। जैसे–

एकवचन	**बहुवचन**	**एकवचन**	**बहुवचन**
नारी	नारियाँ	पहेली	पहेलियाँ
लड़की	लड़कियाँ	सहेली	सहेलियाँ
नीति	नीतियाँ	नदी	नदियाँ
घड़ी	घड़ियाँ	छड़ी	छड़ियाँ
धोती	धोतियाँ	साड़ी	साड़ियाँ

6. जिन स्त्रीलिंग शब्दों के अन्त में 'या' आता है, 'या' पर चन्द्रबिन्दु लगाकर बहुवचन बनाया जाता है जैसे–

एकवचन	**बहुवचन**	**एकवचन**	**बहुवचन**
बुढ़िया	बुढ़ियाँ	चिड़िया	चिड़ियाँ
गुड़िया	गुड़ियाँ	डिबिया	डिबियाँ
दुनिया	दुनियाँ		

7. ह्रस्व या दीर्घ ऊकारान्त स्त्रीलिंग संज्ञाओं को ह्रस्व उकारान्त बनाकर अन्त में 'एँ' लगाने से बहुवचन का निर्माण होता है। जैसे-

एकवचन	**बहुवचन**	**एकवचन**	**बहुवचन**
धेनु	धेनुएँ	वस्तु	वस्तुएँ
बहू	बहुएँ	ऋतु	ऋतुएँ

8. कुछ शब्द समष्टि मूलक होते हैं। जैसे–गण, कुल, वृन्द, समूह, वर्ग, लोग, जन, मण्डल, दल, ग्राम, मण्डली आदि। ये शब्द विशेषतः वहाँ जोड़े जाते हैं, जहाँ दोनों वचनों में पुल्लिंग अथवा स्त्रीलिंग में एक ही रूप होते हैं।

उदाहरण :

एकवचन	**बहुवचन**	**एकवचन**	**बहुवचन**
पाठक	पाठकगण	आप	आप लोग
तुम	तुम लोग	छात्र	छात्रगण
विद्यार्थी	विद्यार्थीगण		

विभक्ति सहित संज्ञाओं के बहुवचन बनाने के नियम

सविभक्ति संज्ञाओं के बहुवचन बनाने के सामान्य नियम निम्नलिखित हैं–

1. संस्कृत शब्दों को छोड़कर हिन्दी के अकारान्त, आकारान्त तथा एकारान्त संज्ञाओं के अन्तिम अ, आ, ए के बदले बहुवचन बनाने में इसे 'ओं' कर दिया जाता है। जैसे-

एकवचन	**बहुवचन**
नर	नरों (का)
चीता	चीतों (द्वारा)
चोर	चोरों (ने)
घोड़ा	घोड़ों (को)

विभक्ति चिह्नों के साथ प्रयोग :

(क) नरों की कहानी।

(ख) चीतों का भय।

(ग) चोरों की पकड़।

(घ) घोड़ों की हिनहिनाहट।

2. संस्कृत आकारान्त संज्ञाओं तथा हिन्दी एवं संस्कृत की सम्पूर्ण अकारान्त, उकारान्त, ऊकारान्त तथा आकारान्त संज्ञाओं को बहुवचन बनाने के लिए अन्त में 'ओं' जोड़ना पड़ता है। ऊकारान्त में 'ओं' सम्पृक्त करने के पूर्व उसे उकारान्त करना पड़ता है।
जैसे–

एकवचन	**बहुवचन**	**विभक्ति चिह्नों के साथ प्रयोग**
कला	कलाओं	कलाओं का प्रदर्शन
घर	घरों	घरों में जाओ
वधू	वधुओं	वधुओं का सम्मेलन

3. समस्त इकारान्त और ईकारान्त संज्ञाओं का बहुवचन बनाने के लिए अन्त में 'यों' जोड़ना पड़ता है। ईकारान्त संज्ञाओं में 'यों' जोड़ने के पूर्व ई का इ कर दिया जाता है।
जैसे–

एकवचन	**बहुवचन**	**विभक्ति चिह्नों के साथ प्रयोग**
नारी	नारियों	नारियों की स्थिति
नदी	नदियों	नदियों का प्रवाह
कवि	कवियों	कवियों की वाणी
कपि	कपियों	कपियों का समूह

कारक (Case)

संज्ञा या सर्वनाम के उस रूप को कारक कहते हैं जिससे उसका सम्बन्ध वाक्य के अन्य शब्दों विशेषतः क्रिया के साथ प्रकट होता है। वास्तव में, विभक्ति चिह्नों से युक्त संज्ञा या सर्वनाम शब्द ही वाक्य में अन्य शब्दों से सम्बन्ध प्रकट करते हैं।

ने, को, से, द्वारा–आदि विभक्ति चिह्न हैं। कारक का एक उदाहरण इस प्रकार है–'मोहन ने बाग में डण्डे से आम तोड़ा।' इस वाक्य में मोहन ने, डण्डे से, और आम संज्ञाओं के रूपान्तरण हैं। जिस तत्त्व के द्वारा इन रूपान्तरित संज्ञाओं का सम्बन्ध तोड़ा, क्रिया से स्पष्ट होता है, वही कारक है।

कारक-चिह्न

हिन्दी में कारक के आठ भेद माने जाते हैं :

	कारक	**विभक्ति या कारक चिह्न**
1.	कर्त्ता	ने
2.	कर्म	को
3.	करण	से, द्वारा
4.	सम्प्रदान	को, के लिए
5.	अपादान	से
6.	सम्बन्ध	का, के, की, रा, रे, री, ना, ने, नी
7.	अधिकरण	में, पर
8.	सम्बोधन	हे, हो, अरे, अजी, अहो आदि।

कारक-चिह्न/विभक्ति/परसर्ग

हिन्दी में कारक का ज्ञान कराने के लिए संज्ञा या सर्वनाम के साथ जो प्रत्यय लगाये जाते हैं, उन्हें ही व्याकरण में विभक्ति कहते हैं। हिन्दी में चूँकि विभक्ति चिह्न पद से अलग प्रयुक्त होते हैं इसलिए इन्हें 'परसर्ग' भी कहा जाता है। परसर्ग का शब्दिक अर्थ है–पीछे जुड़ना। कारक चिह्न सदैव संज्ञा या सर्वनाम के पीछे जुड़ते हैं।

(i) **कर्त्ता कारक :** कर्त्ता का अभिप्राय है, करने वाला। वाक्य में जो क्रिया सम्पन्न करता है, उसे कर्त्ता कहा जाता है। जैसे–राम पढ़ता है। सुरेश पत्र लिखता है। इन वाक्यों में राम और सुरेश कर्त्ता कारक हैं क्योंकि ये ही क्रिया को सम्पादित करने वाले हैं।

(ii) **कर्म कारक :** कर्त्ता द्वारा सम्पादित क्रिया का फल जिस पर पड़ता है, उसे 'कर्म' कहते हैं। जैसे–शीला ने राजेश को पढ़ाया। इस वाक्य में कर्त्ता है–शीला, क्रिया है–पढ़ाना। पढ़ाना क्रिया का फल राजेश पर स्पष्ट पड़ रहा है। इसलिए यहाँ राजेश कर्म कारक की स्थिति में है।

(iii) **करण कारक :** वाक्य में करण कारक उस शब्द को कहते हैं जो क्रिया को पूर्ण करने में साधन के रूप में कर्ता का सहायक होकर आता है। जैसे–मैं कलम से लिखता हूँ। इस वाक्य में 'कलम से' करण कारक है क्योंकि लेखन-क्रिया में कलम साधन है।

(iv) **सम्प्रदान कारक :** कर्त्ता क्रिया की सिद्धि जिसके लिए करता है अथवा जिसको कुछ देता है, उसे प्रकट करने वाले शब्द रूप को सम्प्रदान कारक कहते हैं। जैसे–श्याम मीरा के लिए खिलौने लाया। राकेश शीला के लिए रोता है। इन वाक्यों में लाना और रोना क्रियाएँ क्रमशः मीरा और शीला के लिए सम्पादित की जा रही हैं। इसलिए मीरा और शीला के लिए शब्द रूप सम्प्रदान कारक है।

(v) **अपादान कारक :** वाक्य में अलगाव सूचित करने वाला शब्द अपादान कारक कहलाता है। जैसे–शारदा नहर गंगा नदी से निकली है। पेड़ से पत्ते गिरते हैं। इन वाक्यों में निकलना और गिरना क्रियाओं के अलग होने का भाव क्रमशः गंगा नदी और पेड़ से स्पष्ट हो रहा है। अतएव इन दोनों शब्दों की स्थिति अपादान कारक में है।

(vi) **सम्बन्ध कारक :** संज्ञा, सर्वनाम का वह रूप जिससे वाक्य में आगत अन्य शब्द के साथ जुड़ाव या सम्बन्ध का बोध हो सम्बन्ध कारक कहलाता है। सम्बन्ध कारक का सम्बन्ध क्रिया के साथ प्रत्यक्ष नहीं होता है। जैसे–शीला की पुस्तक। रमेश का घोड़ा। मेरी कलम।

इन वाक्यों में शीला की, रमेश का, मेरी–क्रमशः पुस्तक, घोड़ा, कलम से लगाव स्पष्ट करते हैं। अतः ये सम्बन्ध कारक हैं।

(vii) **अधिकरण कारक :** संज्ञा या सर्वनाम के उस रूप को अधिकरण कारक कहते हैं जिससे वाक्य में क्रिया के आधार का बोध

होता है। जैसे—गाय बाग में चरती है। विद्यालय में 400 विद्यार्थी हैं। इन वाक्यों में 'बाग में' और 'विद्यालय में' अधिकरण कारक हैं। क्योंकि वे क्रमशः गाय के चरने के लिए तथा विद्यार्थियों के लिए आधार का काम करते हैं।

(viii) **सम्बोधन कारक :** वाक्य में वक्ता श्रोता का ध्यान अपनी ओर खींचने के लिए अथवा उसे सचेत करने के लिए संज्ञा के जिस रूप को प्रयुक्त करता है उसे सम्बोधन कारक कहते हैं। जैसे—अरे राकेश, तुमने यह क्या हाल कर रखा है। इस वाक्य में 'अरे राकेश' सम्बोधन कारक है, क्योंकि इस पद द्वारा ध्यानाकृष्ट किया गया है। सम्बोधन कारक का सम्बन्ध क्रिया के साथ नहीं होता है। इसका प्रयोग बिना चिह्न के भी हो सकता है। जैसे गुरुदेव, क्षमा करें। यहाँ गुरुदेव सम्बोधन कारक है।

सर्वनाम (Pronoun)

सर्वनाम दो शब्दों से मिलकर बना है—सर्व + नाम। सर्व का अर्थ है 'सब' और 'नाम' का अर्थ 'संज्ञा' है। जिन विकारी शब्दों का प्रयोग संज्ञा के बदले में होता है, उन्हें सर्वनाम कहते हैं। जैसे—तुम, मैं, आप, यह, वह, जो, सो, कोई, कुछ, कौन, क्या इत्यादि।

सर्वनाम का प्रयोग कर वाक्य को संज्ञा के पुनरुक्ति दोष से बचाया जाता है। सर्वनाम की सर्वोपरि विशेषता यह है कि उससे उसी संज्ञा का बोध होता है जिससे उसका पूर्वापर सम्बन्ध होता है। किन्तु संज्ञा से केवल उसी का बोध होता है, जिसका वह नाम है। उदाहरण के लिए 'घोड़ा' कहने से मात्र घोड़ा का ही बोध होता है, पुस्तक, गाय आदि का ज्ञान नहीं होता। लेकिन 'वह' कहने से पूर्वापर सम्बन्ध के अनुरूप ही संज्ञा का पता चलता है।

सर्वनाम के भेद

सर्वनाम के सात भेद माने गये हैं :

(1) पुरुषवाचक सर्वनाम
(2) निजवाचक सर्वनाम
(3) निश्चयवाचक सर्वनाम
(4) अनिश्चयवाचक सर्वनाम
(5) सम्बन्धवाचक सर्वनाम
(6) प्रश्नवाचक सर्वनाम
(7) साकल्पवाचक सर्वनाम

(1) **पुरुषवाचक सर्वनाम**—जो सर्वनाम—बोलने वाले, सुनने वाले और जिसके विषय में कुछ कहा जाए—का बोध कराते हैं, उन्हें पुरुषवाचक सर्वनाम कहते हैं।
जैसे—मैं, तुम, वह आदि।
पुरुषवाचक सर्वनाम तीन प्रकार के होते हैं :
(क) उत्तम पुरुष (ख) मध्यम पुरुष (ग) अन्य पुरुष
(क) उत्तम पुरुष—उत्तम पुरुष में वक्ता या लेखक आते हैं। जैसे—मैं, हम।
(ख) मध्यम पुरुष—मध्यम पुरुष में—तू, तुम, आप, आते हैं। जिससे कोई बात बोली या कही जाती है उसे मध्यम पुरुष कहते हैं।
(ग) अन्य पुरुष—जिसके विषय में कुछ कहा, लिखा या सुना जाए—वह अन्य पुरुष कहलाता है। जैसे—वह, वे।

(2) **निजवाचक सर्वनाम**—जो सर्वनाम स्वयं या निज का बोध कराने वाले हैं उन्हें निजवाचक सर्वनाम कहते हैं। जैसे—मैं आप चला जाऊँगा। तुम आप वहाँ चले जाना। मैं अपने को सुधार लूँगा। यहाँ 'आप' निजवाचक सर्वनाम है।
निजवाचक सर्वनाम 'आप' एक ही तरह दोनों वचनों में आता है और तीनों पुरुषों में इसका प्रयोग किया जा सकता है।
(क) निजवाचक सर्वनाम 'आप' का प्रयोग किसी संज्ञा, सर्वनाम के निश्चय के लिए होता है। जैसे—मैं आप आया हूँ।
(ख) निजवाचक 'आप' का प्रयोग दूसरे व्यक्ति के निराकरण के लिए होता है। जैसे—उन्होंने मुझे रहने को कहा और आप चलते बने।
(ग) सर्वसाधारण के अर्थ में भी आप का प्रयोग होता है। जैसे—आप भला तो जग भला।
(घ) निश्चय के अर्थ में कभी-कभी 'आप' के साथ 'ही' जोड़ा जाता है। जैसे—मैं आप ही चला आया था।

निजवाचक आप और पुरुषवाचक आप में अन्तर
पुरुषवाचक आप मध्यम पुरुष में आदर सूचक के रूप में प्रयुक्त होता है। इसका रूप तू के स्थान पर होता है। जैसे—आप कब आयेंगे? आप कहाँ जा रहे हैं?
निजवाचक 'आप' शब्द स्वयं या खुद के लिए होता है। जैसे—वह अपने आप आ जायेगा। मैं आप ही बुरा हूँ।

(3) **निश्चयवाचक सर्वनाम**—जिस सर्वनाम से किसी निश्चित व्यक्ति या वस्तु का बोध होता है, उसे निश्चयवाचक सर्वनाम कहते हैं। जैसे—यह, वह आदि। यह का बहुवचन 'ये' और 'वह' का बहुवचन 'वे' है।

(4) **अनिश्चयवाचक सर्वनाम**—जिस सर्वनाम से किसी निश्चित व्यक्ति, वस्तु या स्थान का बोध न हो, उसे अनिश्चयवाचक सर्वनाम कहते हैं।
जैसे—कोई, कुछ आदि।
उदाहरण : कोई आ रहा है। कुछ भी लेते आना।
साधारणतः 'कोई' अनिश्चित व्यक्ति के लिए आता है और 'कुछ' अनिश्चित वस्तु के लिए।

(5) **सम्बन्धवाचक सर्वनाम**—जिस सर्वनाम से संज्ञा या अन्य सर्वनाम के साथ सम्बन्ध जाना जाता है, उसे सम्बन्धवाचक सर्वनाम कहते हैं। जैसे—जो आयेगा सो जायेगा। जिसकी लाठी उसकी भैंस। यहाँ 'जिस' और 'उस' सम्बन्ध वाचक सर्वनाम हैं। वर्तमान हिन्दी में 'सो', 'तिस', 'तिन' शब्दों के स्थान पर 'यह' और 'उन' का प्रयोग भी शुद्ध माना जाता है।

(6) **प्रश्नवाचक सर्वनाम**–जिस सर्वनाम शब्द से प्रश्न का बोध हो, उसे प्रश्नवाचक सर्वनाम कहते हैं। जैसे–क्या, कौन आदि।

उदाहरण :

तुम्हारा नाम क्या है?
आप क्या चाहते हैं?
कौन आ रहा है?

'कौन' शब्द व्यक्ति के विषय में तथा 'क्या' शब्द वस्तु के विषय में प्रश्न के निमित्त प्रयोग में लाया जाता है।

(7) **साकल्पवाचक सर्वनाम**–इस सर्वनाम में साकल्प या समूह का बोध होता है। जैसे–सब, कुल, सकल आदि। इसे समूह बोधक भी कहते हैं।

सर्वनाम की विशेषताएँ

(1) सर्वनाम का लिंग के अनुसार रूपात्मक परिवर्तन नहीं होता है। मैं, तुम, यह, वह इत्यादि सर्वनाम पुरुष और स्त्री दोनों के लिए प्रयोग में लाये जाते हैं।

(2) सर्वनाम के कारकीय रूपों में सम्बन्ध कारक नहीं होता है।

(3) सर्वनाम के कारकीय रूपों में सम्बन्ध कारक का केवल 'का' रूप लिंग से प्रभावित होता है।

जैसे–उसकी पुत्री। उसका पुत्र।
मेरी पुत्री। मेरा पुत्र।

सर्वनाम का लिंग

लिंग की दृष्टि से सर्वनाम में किसी प्रकार का परिवर्तन उपस्थित नहीं होता। उसका रूप सदैव एक-सा विद्यमान रहता है। वाक्य में उनका प्रयोग चाहे पुल्लिंग के लिए हो या स्त्रीलिंग के लिए। मैं, तुम, हम, वह, वे आदि सर्वनामों का प्रयोग दोनों लिंगों में एक जैसा होता है।

जैसे– मैं खेलता हूँ। लड़का कहेगा।
मैं खेलती हूँ। लड़की कहेगी।

लड़का और लड़की पुल्लिंग स्त्रीलिंग संज्ञाओं के स्थान पर प्रयुक्त 'मैं' सर्वनाम के रूप में किसी प्रकार का परिवर्तन नहीं हुआ।

सर्वनाम का वचन

सर्वनाम का प्रयोग दोनों वचनों में संज्ञा की तरह ही होता है। जैसे–

एकवचन	**बहुवचन**
वह	वे
यह	ये
मैं	हम

विशेषण (Adjective)

संज्ञा या सर्वनाम शब्दों की विशेषता बताने वाले शब्दों को विशेषण कहते हैं। जैसे–लाल पैण्ट, पाँच आम, मोटा लड़का, अच्छी लड़की आदि। ऊपर के उदाहरणों में लाल, पाँच, मोटा, अच्छी आदि विशेषण हैं।

विशेषण के भेद

विशेषण के निम्नलिखित भेद हैं–

(1) सार्वनामिक विशेषण
(2) संख्यावाचक विशेषण
(3) गुणवाचक विशेषण
(4) परिमाणवाचक विशेषण
(5) व्यक्तिवाचक विशेषण
(6) प्रविशेषण

(1) **सार्वनामिक विशेषण**–ऐसे सर्वनाम शब्द जो विशेषण के रूप में प्रयुक्त किये जाते हैं, वे सार्वनामिक विशेषण कहे जाते हैं। क्या, कोई, कुछ, यह, वह, कौन, जो, सो, जैसा, कैसा, इतना, उतना आदि सार्वनामिक विशेषण के उदाहरण हैं। वस्तुतः ऐसे शब्द सर्वनाम और विशेषण दोनों ही का कार्य करते हैं। जब क्रिया के पूर्व उन शब्दों का प्रयोग होता है तब वे सर्वनाम होते हैं और जब उनका प्रयोग किसी संज्ञा के साथ होता है तब उन्हें विशेषण कहा जाता है। जैसे–

सर्वनाम	**विशेषण**
वह पढ़ रहा है।	वह लड़का पढ़ रहा है।
यह देखो।	यह घोड़ा देखो।

सार्वनामिक विशेषण के दो भेद हैं–

(क) मूल सार्वनामिक विशेषण
(ख) यौगिक सार्वनामिक विशेषण

(क) **मूल सार्वनामिक विशेषण**–मूल सार्वनामिक विशेषण वे हैं जिनमें वचन एवं कारक के कारण किसी प्रकार का परिवर्तन उपस्थित नहीं होता। जैसे–यह, वह, कौन, जो, सो, कोई कुछ, क्या आदि।

(ख) **यौगिक सार्वनामिक विशेषण**–ये मूल सर्वनाम में प्रत्यय लगाकर बनाये जाते हैं तथा इनका रूप कारक एवं वचन के अनुसार बदलता रहता है। जैसे–कैसा, कैसी, ऐसा, ऐसे, ऐसी, जैसा, जैसे, जैसी। इसी प्रकार वैसा, तैसा, इतना, उतना, जितना, कितना आदि।

(2) **संख्यावाचक विशेषण**–संख्यावाचक विशेषण के द्वारा संज्ञा या सर्वनाम की संख्या का ज्ञान होता है। संज्ञा-सर्वनाम की संख्यात्मक विशेषता स्पष्ट करने के कारण ही इसे संख्यावाचक विशेषण कहा जाता है। जैसे–दस घोड़े, चालीस गायें, कुछ आदमी, सब अध्यापक। यहाँ दस, चालीस, कुछ, सब–संख्यावाचक विशेषण हैं। क्योंकि इनसे संख्या की संख्यात्मक स्थिति का आभास मिलता है।

संख्यावाचक विशेषण के दो प्रकार हैं–

(क) निश्चित संख्यावाचक
(ख) अनिश्चित संख्यावाचक

(क) निश्चित संख्यावाचक विशेषण–निश्चित संख्या का बोध कराने वाले विशेषण को निश्चित संख्यावाचक विशेषण कहते हैं। जैसे–आठ लड़कियाँ, तीस रुपये।

(ख) अनिश्चित संख्यावाचक विशेषण–संज्ञा या सर्वनाम की निश्चित संख्या का बोध न कराने वाले विशेषण को अनिश्चित संख्यावाचक विशेषण कहा जाता है। जैसे–कुछ मकान, सब घोड़े।

(3) गुणवाचक विशेषण–जिस शब्द से संज्ञा या सर्वनाम का गुण स्पष्ट होता है, उसे गुणवाचक विशेषण कहते हैं। गुण के अन्तर्गत संज्ञा या सर्वनाम के रूप, रंग, स्थान, स्वभाव आदि स्थितियों का स्पष्टीकरण होता है। गुण से आशय अच्छे और बुरे दोनों से है। जैसे–सुन्दर पुरुष, गरीब किसान, दुष्ट आदमी, काला घोड़ा, मोटी स्त्री, सूखा खेत, शान्त अध्यापक।

(4) परिमाणवाचक विशेषण–जिन शब्दों के द्वारा परिमाण अर्थात् माप, तौल इत्यादि का बोध होता है, उन्हें परिमाणवाचक विशेषण कहते हैं। जैसे–बहुत पानी, थोड़ा दूध, कुछ अनाज, सब तेल। इसके दो भेद हैं–(क) निश्चित परिमाणवाचक (ख) अनिश्चित परिमाणवाचक।

(क) निश्चित परिमाणवाचक–जिससे परिमाण की निश्चित स्थिति का पता चलता है, उसे निश्चित परिमाणवाचक विशेषण कहते हैं। जैसे–दो किलो दूध, चार गज कपड़ा।

(ख) अनिश्चित परिमाणवाचक–जिससे निश्चित परिमाण का बोध नहीं होता है, उसे अनिश्चित परिमाणवाचक विशेषण कहते हैं।

जैसे–कुछ अनाज, सब तेल।

(5) व्यक्तिवाचक विशेषण–व्यक्तिवाचक संज्ञा से निर्मित विशेषणों को व्यक्तिवाचक विशेषण कहते हैं।

जैसे–कानपुर-कानपुरी, बनारस-बनारसी, पटना-पटनियाँ, कलकत्ता-कलकतिया आदि।

(6) प्रविशेषण–विशेषण की एक नयी कोटि भी बनायी गयी है। इसका नाम प्रविशेषण है। प्रविशेषण वे शब्द हैं जो विशेषण की विशेषता बताते हैं।

जैसे–शीला अति सुन्दर है।

राणा प्रताप बड़े साहसी थे।

राजेश अत्यन्त मेधावी छात्र है।

विशेषण का पद परिचय

विशेषण के पद-परिचय में लिंग, वचन, विशेषण, विशेषण का भेद, विशेष्य और कारक बताए जाते हैं।

जैसे–मानव श्रेष्ठतम कृति है।

श्रेष्ठतम–विशेषण, गुणवाचक विशेषण, पुल्लिंग, एकवचन, विशेष्यकृति, उत्तमावस्था, विशेष्य विशेषण।

क्रिया (Verb)

क्रिया–वाक्य में जिस शब्द से किसी काम का होना या करना ज्ञात होता है, उसे क्रिया कहते हैं। जैसे–लिखना, पढ़ना, खाना, खेलना, दौड़ना, रोना, आना, जाना आदि।

क्रिया विकारी शब्द है जिसके रूप, लिंग, वचन और पुरुष के अनुसार बदलते हैं।

धातु

क्रिया जिस मूल शब्द से बनती है, उसे धातु कहते हैं। क्रिया का निर्माण 'धातु' में 'ना' जोड़ने से होता है। क्रिया से 'ना' हटा देने पर जो शेष बचता है, वही धातु कहलाता है। जैसे–लिख, खा, आ, जा, पढ़ आदि धातु हैं।

धातु के भेद–धातु मुख्यतः दो प्रकार के होते हैं–

(1) मूल धातु
(2) यौगिक धातु

(1) **मूल धातु**–मूल धातु किसी पर आधारित न होकर स्वतंत्र होता है। जैसे–पढ़, लिख, खा, देख इत्यादि।

(2) **यौगिक धातु**–यौगिक धातु का निर्माण प्रत्येक के जुड़ाव से होता है। यौगिक धातु का निर्माण मुख्यतः तीन प्रकार से होता है–

(*i*) धातु में जब प्रत्यय का योग किया जाता है तब अकर्मक से सकर्मक और प्रेरणार्थक धातु की रचना होती है।

(*ii*) धातु के साथ धातु को संपृक्त करने से संयुक्त धातु की रचना होती है।

(*iii*) संज्ञा या विशेषण से नाम धातु का निर्माण होता है।

प्रेरणार्थक क्रिया–(धातु)–जिससे यह ज्ञात होता हो कि कर्त्ता स्वयं नहीं कर रहा है बल्कि कार्य करने के लिए किसी अन्य को प्रेरित कर रहा है, वह प्रेरणार्थक क्रिया कहलाती है।

जैसे–पढ़ना = पढ़ाना/पढ़वाना।

चलना = चलाना/चलवाना।

यौगिक क्रिया–(धातु)–दो या दो से अधिक धातुओं के मेल से जिस क्रिया का निर्माण होता है, उसे यौगिक क्रिया कहते हैं। जैसे–गिर पड़ना, मार देना, रख देना इत्यादि।

नाम धातु–जिस धातु की रचना संज्ञा या विशेषण से होती है, उसे नाम धातु कहते हैं। जैसे–हाथ से हथियाना, लात से लतियाना इत्यादि।

क्रिया के भेद

साधारणतः क्रिया के भेद दो आधारों पर किये जाते हैं–

(*i*) रूप के आधार पर (*ii*) अर्थ के अनुसार

रूप के अनुसार क्रिया के भेद

रूप के अनुसार क्रिया के दो भेद हैं–

(क) सकर्मक क्रिया (ख) अकर्मक क्रिया

(क) सकर्मक क्रिया—जिस क्रिया के साथ कर्म के प्रयोग की अपेक्षा होती है, अथवा जो क्रिया कर्म के साथ आती है, उसे सकर्मक क्रिया कहते हैं। सकर्मक क्रिया को सम्पादित करने वाला यद्यपि कर्त्ता ही होता है, किन्तु उसके कार्य का फल कर्म पर पड़ता है। जैसे—राम रोटी खाता है। इस वाक्य में प्रयुक्त क्रिया खाता है—सकर्मक है, क्योंकि उसका एक कर्म है। रोटी खानें वाला राम है लेकिन उसकी क्रिया खाना का फल रोटी पर पड़ता है। वह जाता है। यहाँ जाना क्रिया सकर्मक है। इस वाक्य में यद्यपि कर्म का प्रयोग नहीं हुआ है लेकिन कर्म के प्रयोग की आवश्यकता है। 'जाता है' के पहले घर, गाँव, स्कूल, मंदिर या किसी विशेष स्थान का बोधक शब्द रखा जा सकता है।

(ख) अकर्मक क्रिया—जिस क्रिया का प्रयोग बिना कर्म के होता है अर्थात् जिस क्रिया के साथ कर्म का प्रयोग न हो, वह अकर्मक क्रिया कहलाती है। अकर्मक क्रिया के कर्त्ता का फल कर्त्ता पर ही पड़ता है। जैसे—वह रोता है। यहाँ प्रयुक्त 'रोना' क्रिया अकर्मक है। क्योंकि इस वाक्य में न तो कोई कर्म है और न उसके प्रयोग की आवश्कता ही महसूस होती है। रोना क्रिया का फल कर्त्ता 'वह' पर ही पड़ रहा है।

अर्थ के अनुसार क्रिया के भेद

(क) समापिका क्रिया

(ख) असमापिका क्रिया

(क) समापिका क्रिया—समापिका क्रिया वह क्रिया है जिससे पूर्णता का भाव प्रकट होता है। दूसरे शब्दों में कहा जा सकता है—"वह क्रिया जो संदेह या आकांक्षा को समाप्त कर देती है, समापिका क्रिया है।" जैसे—रमेश मैदान में खेलता है। इस वाक्य में 'खेलता है' समापिका क्रिया है क्योंकि इसके बाद रमेश क्या करता है, इस तरह का संदेह नहीं रह जाता।

(ख) असमापिका क्रिया—असमापिका क्रिया वह है जिससे अपूर्णता का भाव जाना जाता है। इस क्रिया से सन्देह या आकांक्षा का समापन नहीं होता और आगे जानने की जरूरत महसूस होती है। जैसे—'राम ने आते ही...।' यदि इस वाक्य को यहीं छोड़ दिया जाए तो आकांक्षा होगी कि 'क्या किया'? इस आकांक्षा की समाप्ति तभी होगी जब आगे वाक्य जोड़ दिया जाए—'बच्चों को प्यार किया।' अब पूरा वाक्य हुआ। राम ने आते ही बच्चों को प्यार किया। इस प्रकार आते ही, आते हुए, आकर इत्यादि असमापिका क्रियाएँ हैं।

काल (Tense)

काल क्रिया के उस रूपान्तरण को कहते हैं जिससे कार्य-व्यापार का समय और उसके पूर्ण अथवा अपूर्ण अवस्था का बोध हो।

जैसे— राम खाता है।
राम जायेगा।
मोहन ने खाया।

काल के भेद

क्रिया के मुख्यतः तीन काल हैं—(1) वर्तमान काल (2) भूतकाल (3) भविष्यत् काल

(1) वर्तमान काल

'वर्तमान काल' में क्रिया से कार्य होने का बोध होता है अर्थात् इसमें क्रिया के व्यापार की निरन्तरता का स्पष्टीकरण होता है। जैसे—'वह पढ़ता है।' —इस वाक्य में पढ़ने की क्रिया हो रही है।

वर्तमान काल के भेद

(क) सामान्य वर्तमान

(ख) अपूर्ण वर्तमान/तात्कालिक वर्तमान

(ग) पूर्ण वर्तमान

(घ) संभाव्य वर्तमान

(क) सामान्य वर्तमान—सामान्य वर्तमान उसे कहते हैं जिसमें क्रिया का वर्तमान काल में होना जाना जाता है।

जैसे— मोहन जाता है।
राम पढ़ता है।
गीता देखती है।

(ख) अपूर्ण वर्तमान—इसका दूसरा नाम तात्कालिक वर्तमान भी है। अपूर्ण वर्तमान में इस बात का बोध होता है कि क्रिया वर्तमान काल में जारी है। जैसे—मैं पत्र लिख रहा हूँ। सुरेश गाना गा रहा है।

(ग) पूर्ण वर्तमान—इस काल से यह ज्ञात होता है कि क्रिया वर्तमान काल में सम्पन्न हो चुकी है। जैसे—राम गया है। रमेश ने रोटी खायी है।

(घ) संभाव्य वर्तमान—इस काल में कार्य के पूर्ण होने की संभावना रहती है। जैसे—राम खाया हो। वह सोया हो।

(2) भूतकाल

भूतकाल का अर्थ है—बीता हुआ समय अर्थात् क्रिया के जिस रूपान्तरण से कार्य के समापन का बोध हो, उसे भूतकाल की क्रिया कहते हैं। जैसे—राम खा चुका था। वह सोया था। सीता ने गाया।

भूतकाल के भेद

भूतकाल के छः भेद हैं—

(क) सामान्य भूत — (घ) अपूर्ण भूत

(ख) आसन्न भूत — (ङ) संदिग्ध भूत

(ग) पूर्ण भूत — (च) हेतु हेतु मद् भूत

(क) सामान्य भूत—इस काल की क्रिया से यह ज्ञात होता है कि कार्य स्वाभाविक रीति से हुआ अर्थात् क्रिया के विशेष समय का बोध नहीं होता। जैसे—राम ने पत्र लिखा। मोहन गया।

(ख) **आसन्न भूत**–इस बात के द्वारा यह ज्ञात होता है कि क्रिया की समाप्ति निकट भूत में तत्काल हुई। जैसे–राम पत्र लिख चुका है। वह अभी आया था।

(ग) **पूर्ण भूत**–पूर्ण भूत की क्रिया से यह स्पष्ट पता चलता है कि क्रिया की समाप्ति सुदूर भूत में ही हो चुकी है अर्थात् क्रिया के सम्पादित होने के समय का स्पष्ट ज्ञान होता है।
जैसे–राम ने रावण को मारा था। आशा ने गीत गाया था।

(घ) **अपूर्ण भूत**–इस काल की क्रिया से यह ज्ञात होता है कि भूतकाल में कार्य निरन्तर जारी था।
जैसे–रमेश पुस्तक पढ़ रहा था। सुरेश खाना खा रहा था।

(ङ) **संदिग्ध भूत**–संदिग्ध भूत में इस बात का सन्देह बना रहता है कि कार्य समाप्त हुआ या नहीं। जैसे–तुमने लिखा होगा। उसने चुराया होगा।

(च) **हेतु हेतु मद् भूत**–इस काल में यह पता चलता है कि यद्यपि क्रिया का समापन भूतकाल में होना था। परन्तु किसी कारणवश नहीं हो सका।
दूसरे शब्दों में हम कह सकते हैं कि इस काल में कार्य के होने की शर्त लगी रहती है अर्थात् एक क्रिया की सिद्धि में दूसरी क्रिया शर्त बनकर प्रयुक्त होती है।
जैसे– यदि तुम पढ़ते तो परीक्षा पास करते।
यदि वर्षा होती तो पैदावार अच्छी होती।

(3) भविष्यत् काल

वह क्रिया जो भविष्य में होनी है, उसे भविष्यत् काल की क्रिया कहा जाता है।

जैसे– वह खाएगा।
वह नौकरी करेगा।
रमेश व्यापार करेगा।

भविष्यत् काल के भेद

(क) सामान्य भविष्यत् (ख) हेतु हेतु मद् भविष्यत्
(ग) सम्भाव्य भविष्यत्

(क) **सामान्य भविष्यत्**–इस काल की क्रिया से यह पता चलता है कि कार्य स्वाभाविक रीति से भविष्य में पूरा होगा।
जैसे–मैं लिखूँगा। वह गाँव जायेगा।

(ख) **हेतु हेतु मद् भविष्यत्**–इस काल की क्रिया से यह प्रकट होता है कि भविष्य में एक क्रिया का होना दूसरी क्रिया पर निर्भर करता है।
जैसे– अध्यापक आएं तो पढ़ाएं।
विद्यार्थी पढ़े तो परीक्षा उत्तीर्ण करे।

(ग) **संभाव्य भविष्यत्**–इस काल की क्रिया से भविष्यत् काल में कार्य के होने की संभावना का बोध होता है।
जैसे– सम्भव है, वह पत्र लिखे।
सम्भवतः वह कल आए।

अव्यय (Indeclinable)

'अव्यय' ऐसे शब्द या शब्दांश को कहते हैं जिसके रूप में लिंग, वचन, कारक इत्यादि के कारण कोई विचार (परिवर्तन) उत्पन्न नहीं होता। जैसे–जब, तब, यहाँ, वहाँ, कब, क्यों, वाह, आह, ठीक, अरे, और, तथा, एवं, किन्तु, परन्तु, बल्कि, इसलिए, अतः, अतएव, चूँकि, अर्थात्, इत्यादि।

अव्यय के भेद

अव्यय के चार भेद हैं–
(1) क्रिया विशेषण (Adverb)
(2) सम्बन्ध बोधक (Preposition)
(3) समुच्चय बोधक (Conjunction)
(4) विस्मयादि बोधक (Interjection)

क्रिया-विशेषण

'क्रिया-विशेषण' ऐसे अविकारी शब्दों को कहा जाता है जो क्रिया-विशेषण या दूसरे क्रिया-विशेषण की विशेषता बतलाते हैं। दूसरे शब्दों में–क्रिया के अर्थ में विशेषता उत्पन्न करने वाले शब्दों को क्रिया विशेषण कहते हैं।

जैसे– तुम तेज दौड़ते हो।
राम वहाँ जा रहा है।

उपर्युक्त वाक्यों में 'तेज' और 'वहाँ' विशेषता बताने वाले शब्द हैं। कभी-कभी क्रिया-विशेषण, विशेषण या दूसरे क्रिया-विशेषण शब्दों की विशेषता बतलाते हैं।

जैसे– वह बहुत अच्छा लड़का है।
तुम बहुत जल्दी आए।

क्रिया-विशेषण के भेद

क्रिया-विशेषण का विभाजन निम्नलिखित तीन आधारों पर होता है–
(*i*) प्रयोग के आधार पर (*ii*) रूप के आधार पर
(*iii*) अर्थ के आधार पर

(*i*) क्रिया-विशेषण के भेद (प्रयोग के आधार पर)

प्रयोग के अनुसार क्रिया-विशेषण के तीन भेद हैं :–
(क) साधारण क्रिया-विशेषण (ख) संयोजक क्रिया-विशेषण
(ग) अनुबद्ध क्रिया-विशेषण

(क) **साधारण क्रिया-विशेषण**–वाक्य में स्वतंत्र रूप से प्रयोग किये जाने वाले क्रिया-विशेषण शब्द साधारण क्रिया-विशेषण कहलाते हैं।
जैसे–रमेश, जल्दी जाओ।
अरे, ठग कहाँ गया।
हाय! अब वह क्या करेगा।

(ख) **संयोजक क्रिया-विशेषण**–जो क्रिया विशेषण दो उपवाक्यों को जोड़ने के लिए प्रयुक्त होते हैं, उन्हें संयोजक क्रिया-विशेषण कहते हैं।
जैसे–जब अध्यापक आयेंगे, तब बच्चे पढ़ेंगे।
जहाँ अभी कानपुर शहर है, वहाँ किसी समय जंगल था।

(ग) अनुबद्ध क्रिया-विशेषण—अनुबद्ध क्रिया विशेषण वे हैं जिनका प्रयोग वाक्य में अवधारण (निश्चय) के लिए किसी भी शब्द-भेद के साथ होता है।

जैसे—मैं उसका पता मात्र जानता हूँ।
यह तो किसी ने चालाकी की है।
शीला मुझे जानती तक नहीं।

—ही, भर, केवल, मात्र, भी आदि अवधारण के लिए आते हैं, अतः ये अनुबद्ध क्रिया-विशेषण हैं।

***(ii)* क्रिया-विशेषण के भेद (रूप के आधार पर)**

रूप के अनुसार क्रिया-विशेषण को तीन भागों में वर्गीकृत किया गया है—

(क) मूल क्रिया-विशेषण
(ख) यौगिक क्रिया-विशेषण
(ग) स्थानीय क्रिया-विशेषण

(क) मूल क्रिया-विशेषण—मूल क्रिया-विशेषण ऐसे क्रिया-विशेषण हैं जो किसी शब्द के मेल से नहीं बनते हैं।

जैसे—नीचे, नजदीक, दूर, ऊपर, अभी, फिर, पुनः आदि।

(ख) यौगिक क्रिया-विशेषण—यौगिक क्रिया-विशेषण दूसरे शब्दों के मेल से बनते हैं। दूसरे शब्दों के योग से निर्मित होने के कारण इन्हें यौगिक क्रिया-विशेषण कहते हैं।

जैसे—साल भर, रात भर, प्रति वर्ष, हर दिन, हृदय से आदि। यौगिक क्रिया-विशेषण का निर्माण संज्ञा, सर्वनाम, विशेषण, धातु और अव्यय के मेल से होता है।

यौगिक क्रिया-विशेषण का निर्माण—यौगिक क्रिया-विशेषण साधारणतः निम्नलिखित शब्दों के मेल से बनते हैं :

संज्ञा द्विरुक्ति से—साल-साल, घर-घर, वन-वन, बीच-बीच, हाथों-हाथ।

दो संज्ञाओं के मेल से—हाथ-पाँव, घर-बाहर, एड़ी-चोटी, नख-शिख, सुबह-शाम।

विशेषणों की द्विरुक्ति से—साफ-साफ, ठीक-ठीक, थोड़ा-थोड़ा।

संज्ञा और विशेषणों के मेल से—हर-घड़ी, एक-साथ, एक-बार।

क्रिया-विशेषणों की द्विरुक्ति से—धीरे-धीरे, बैठे-बैठे, पहले-पहले, कभी-कभी।

दो क्रिया-विशेषणों के मेल से—नीचे-ऊपर, दूर-पास, आजकल, आस-पास, जब-तब।

अनुकरण वाचक शब्दों की द्विरुक्ति—धड़ाधड़, फटाफट, खटाखट, टनाटन, भनाभन।

अव्ययों के मेल से—यथाशक्ति, यथाक्रम, अनुक्रम, प्रतिदिन, अजन्म, भरपेट।

पूर्वकालिक कृदन्त और विशेषण के मेल से—विशेषकर, एक-एक कर, मुख्यकर।

(ग) स्थानीय क्रिया-विशेषण—ऐसे दूसरे शब्द, जो बिना परिवर्तन के किसी विशेष स्थान पर क्रिया-विशेषण के स्थान पर प्रयुक्त होते हैं स्थानीय क्रिया-विशेषण कहलाते हैं।

जैसे—वह अपना सिर पढ़ेगा।

***(iii)* क्रिया-विशेषण के भेद (अर्थ के आधार पर)**

अर्थ के अनुसार क्रिया-विशेषण के निम्नलिखित भेद हैं—

(क) परिमाणवाचक क्रिया-विशेषण—जिन शब्दों के द्वारा परिमाण का बोध होता है, उन्हें परिमाणवाचक क्रिया विशेषण कहते हैं। ये निम्नलिखित प्रकार से वर्गीकृत हो सकते हैं।

वे परिमाणवाचक क्रिया विशेषण जो कम मात्रा काबोध कराते हैं।

(*i*) अधिकता बोधक—बहुत, भारी, खूब, अत्यन्त, अतिशय, बड़ा।
(*ii*) न्यूनता बोधक —कम, अल्प, अत्यल्प, कुछ, जरा, किंचित्।
(*iii*) पर्याप्ति बोधक—केवल, बराबर, बस, काफी, यथेष्ठ।
(*iv*) तुलना-वाचक—अधिक, कम, जितना, उतना, कितना, बढ़कर।
(*v*) श्रेणी-वाचक—क्रम-क्रम से, बारी-बारी से, यथा-क्रम, थोड़ा-थोड़ा, तिल-तिल आदि।

(ख) रीतिवाचक क्रिया-विशेषण—इनकी संख्या बहुत अधिक है। नीचे मुख्य रीतिवाचक क्रिया-विशेषण दिये जाते हैं।

(क) प्रकार – यथा, तथा, ऐसे, कैसे, जैसे, सहज, अनायास, साक्षात्, हौले, पैदल।
(ख) निश्चय – सचमुच, सही, निस्सन्देह, अवश्य, वस्तुतः इत्यादि।
(ग) स्वीकार – हाँ, जी, ठीक, सच।
(घ) अनिश्चय – शायद, कदाचित, यथासंभव।
(ङ) कारण – किसलिए, क्यों, काहे को।
(च) निषेध – न, नहीं, मत।
(छ) अवधारण – भी, ही, मात्र, भर, तक, तो, सा।

(ग) स्थान वाचक क्रिया-विशेषण—इसके द्वारा स्थान का ज्ञान होता है। इसके दो भेद हैं :—

(1) स्थितिवाचक—यहाँ, वहाँ, ऊपर, नीचे, पीछे, बाहर, भीतर, पास, सर्वत्र इत्यादि।
(2) दिशावाचक—इधर, उधर, किधर, दाएँ, बाएँ, इस तरफ, उस तरफ आदि।

(घ) कालवाचक क्रिया-विशेषण—इसके द्वारा समय का ज्ञान होता है। इसका वर्गीकरण तीन भागों में किया गया है :—

समय वाचक—आज, कल, परसों, नरसों, तरसों, जब, तब, सबेरे, शाम, तुरन्त इत्यादि।

अवधि वाचक—आजकल, नित्य, सदा, लगातार, दिनभर, कब का।

पौनः पुन्य वाचक—प्रतिदिन, एक, दूसरे, तीसरे, बार-बार, बहुधा इत्यादि।

(ङ) गुणवाचक क्रिया-विशेषण—जिन शब्दों से क्रिया का गुण प्रकट होता है, उनको गुण वाचक क्रिया-विशेषण कहते हैं। जैसे—वह तेज भागता है।

सम्बन्ध-बोधक

सम्बन्ध-बोधक वे अविकारी शब्द हैं जो संज्ञा या सर्वनाम के अनन्तर प्रयुक्त होकर वाक्य में आगत अन्य शब्दों के साथ उसका सम्बन्ध प्रकट

करते हैं। जैसे—परिश्रम के बिना सफलता नहीं मिलती। उसने कक्षा पाँच तक पढ़ा। इन वाक्यों में 'बिना' और 'तक' शब्द सम्बन्ध-बोधक हैं।

सम्बन्ध-बोधक के भेद—सम्बन्ध-बोधक अव्यय का वर्गीकरण प्रयोग, अर्थ और व्युत्पत्ति के आधार पर अधोलिखित रूप में किया गया है—

प्रयोग के अनुसार भेद—प्रयोग के अनुसार सम्बन्ध-बोधक के दो भेद हैं—(*i*) सम्बद्ध, (*ii*) अनुबद्ध

(*i*) **सम्बद्ध-सम्बन्ध-बोधक**—सम्बद्ध सम्बन्ध-बोधक अव्यय का प्रयोग वाक्य में संज्ञा की विभक्तियों के बाद होता है।
जैसे—परिश्रम के बिना, पूजा से पहले, घर के बाहर, घोड़े के ऊपर।

(*ii*) **अनुबद्ध सम्बन्ध-बोधक**—अनुबद्ध सम्बन्ध-बोधक अव्यय वाक्य में संज्ञा के विकृत रूप के अनन्तर प्रयुक्त होता है।
जैसे—मित्रों सहित, कटोरे भर, पाँचवी तक, सैनिकों समेत।

अर्थ के अनुसार सम्बन्ध-बोधक के भेद

(*i*) काल-वाचक—आगे, पीछे, पूर्व, पश्चात्, लगभग, बाद, उपरान्त आदि।
(*ii*) स्थान-वाचक—आगे, पीछे, नीचे, तले, सामने, पास, निकट, भीतर, यहाँ, वहाँ, बीच, बाहर, दूर।
(*iii*) दिशा-वाचक—प्रति, ओर, तरफ, पार, आरपार, आसपास।
(*iv*) साधन-वाचक—जरिये, द्वारा, मारफत, हाथे, सहारे, बल करके।
(*v*) हेतु-वाचक—लिए, वास्ते, सीमित, खातिर, कारण, हेतु, मारे।
(*vi*) विषय-वाचक—बाबत, बनिस्बत, विषय, भरोसे इत्यादि।
(*vii*) व्यतिरेक-वाचक—सिवाय, अलावा, बिना, अतिरिक्त, रहित, बगैर।
(*viii*) विरोध-वाचक—समान, तरह, तुल्य, अनुसार, अनुरूप, भाँति, नाई, सरीखा, खिलाफ, प्रतिकूल, विपरीत, उल्टे।
(*ix*) विनिमय-वाचक—बदले, पलटे, एवज, जगह।
(*x*) सहचर-वाचक—संग, समेत, साथ, वश, स्वाधीन, सहित, अधीन।
(*xi*) संग्रह-वाचक—तक, भर, मात्र, पर्यंत।
(*xii*) तुलना-वाचक—अपेक्षा, बनिस्बत, आगे, सामने।

व्युत्पत्ति के अनुसार सम्बन्ध-बोधक के भेद

व्युत्पत्ति के अनुसार सम्बन्ध-बोधक के निम्नलिखित भेद हैं—
(*i*) मूल सम्बन्ध-बोधक
(*ii*) यौगिक सम्बन्ध-बोधक

(*i*) **मूल सम्बन्ध-बोधक**—हिन्दी में मूल सम्बन्ध-बोधक अव्यय वे हैं जो दूसरे शब्दों के योग से नहीं बनते हैं।
जैसे—बिना, पर्यंत, नाईं, पूर्वक, समेत इत्यादि।

(*ii*) **यौगिक सम्बन्ध-बोधक**—यौगिक सम्बन्ध-बोधक वे हैं जो दूसरे शब्दों के योग से बनते हैं।
जैसे—उपेक्षा, मारफत, भीतर, दरम्यान।

यौगिक सम्बन्ध-बोधक का निर्माण—इसका निर्माण अधोलिखित शब्दों से होता है :—

संज्ञा से—पलटे, मारफत, लेखे, बदले, विषय, पालते, नाच आदि।
विशेषण से—समान, तुल्य, उल्टा, ऐसा, जैसा, योग्य, सरीखा आदि।
क्रिया-विशेषण से—ऊपर, भीतर, यहाँ, बाहर, पास, पीछे, इत्यादि।
क्रिया से—करके, लिए, मारे, जाने।

समुच्चय बोधक

जो अव्यय दो या दो से अधिक शब्दों, वाक्यांशों अथवा वाक्यों को जोड़ता या अलग करता है, उसे 'समुच्चय बोधक' अव्यय कहते हैं। जैसे—"राम और लक्ष्मण वन गए।" यहाँ 'और' अव्यय दो वाक्यों 'राम वन गए', 'लक्ष्मण वन गए' को जोड़ता है। इस वाक्य में और समुच्चय बोधक है।

समुच्चय बोधक अव्यय के भेद

समुच्चय बोधक अव्यय के दो प्रमुख भेद हैं—(*i*) समानाधिकरण समुच्चय बोधक, (*ii*) व्यधिकरण समुच्चय बोधक

(*i*) **समानाधिकरण समुच्चय बोधक**—समानाधिकरण समुच्चय बोधक उन अव्ययों को कहते हैं जो दो मुख्य वाक्यों या समान स्थिति वाले पदों अथवा वाक्य खण्डों को जोड़ते हैं। इनके चार उपभेद निम्नलिखित हैं—
संयोजक—और, तथा एवं, अब और व।
विभाजक—या, वा, अथवा, किंबा, कि, न कि, नहीं तो, न न, चाहे....चाहे।
विरोध दर्शन—बल्कि, मगर, परन्तु, किन्तु, लेकिन, पर, वरन्।
परिमाण दर्शक—इसलिए, अतः, अतएव, सो।

(*ii*) **व्यधिकरण समुच्चय बोधक**—व्यधिकरण समुच्चय बोधक अव्यय उसे कहते हैं जिसका प्रयोग प्रधान वाक्य या उसके समानाधिकरण वाक्य खण्डों को जोड़ने के लिए होता है। इनके भी चार भेद हैं—
कारक वाचक—क्योंकि, चूँकि, कि, कारण, इसलिए, जो कि।
उद्देश्य वाचक—कि, जो, इसलिए, ताकि।
संकेत वाचक—जो....तो, यदि....तो, चाहे, परन्तु, यद्यपि, तो... भी, अगर, कि।
स्वरूप वाचक—कि, जो, अर्थात्, याने, मानो।

विस्मयादि बोधक अव्यय

'विस्मयादि बोधक अव्यय' वे पद हैं जिनका प्रयोग वक्ता के शोक, हर्ष आदि मनोभावों की अभिव्यक्ति के लिए होता है। किन्तु उनका सम्बन्ध वाक्य या उसके किसी विशेष पद से नहीं होता है।

जैसे—हाय! अब वह नहीं रहा। इस वाक्य में हाय विस्मयादि बोधक अव्यय है। इसका सम्बन्ध न तो वाक्य से है और न किसी पद से।

विस्मयादि बोधक अव्यय के भेद

विस्मयादि बोधक अव्ययों का वर्गीकरण अधोलिखित रूप में किया गया है—

(*i*) हर्ष बोधक —आहा! वाह-वाह! धन्य-धन्य! शाबाश! जय-जय! कैसा मनोरम दृश्य!
(*ii*) शोक बोधक —आह! ऊह! हा-हा! दइया रे! राम-राम! बाप रे! आदि।
(*iii*) आश्चर्य बोधक —वाह! हैं! ऐ! ओहो! क्या! वाह वा!
(*iv*) अनुमोदन बोधक—ठीक! वाह! शाबाश! हाँ-हाँ! अच्छा!
(*v*) तिरस्कार बोधक—छिः! हट! अरे! धिक्! दुर्! चुप!
(*vi*) स्वीकार बोधक—हाँ! जी हाँ! अच्छा! जी! ठीक! बहुत अच्छा!
(*vii*) सम्बोधन बोधक—अरे! रे! लो! हे! अहो! अजी! जी! अरी!

वस्तुनिष्ठ प्रश्नोत्तर

1. कौन-से शब्द अविकारी होते हैं?
A. सर्वनाम B. देशज
C. क्रिया-विशेषण D. यौगिक

2. निम्नलिखित वाक्यों में से किस वाक्य में अकर्मक क्रिया है?
A. राम आम खाता है B. उसने कमीज पहनी
C. पुष्पा रोती है D. मैंने उसे पुस्तक दी

3. संज्ञा के स्थान पर प्रयुक्त होने वाले शब्द को क्या कहते हैं?
A. सर्वनाम B. सार्थक
C. अविकारी D. अव्यय

4. मुख्यतः काल कितने हैं?
A. पाँच B. चार
C. तीन D. दो

5. 'वह पढ़ रहा है'–यह कौन-सा काल है?
A. भूतकाल B. भविष्यत् काल
C. वर्तमान काल D. अपूर्ण काल

6. मूल क्रिया के अतिरिक्त वाक्य में जितनी भी क्रियाएँ आती हैं, उन्हें क्या कहते हैं?
A. अकर्मक क्रिया B. सहायक क्रिया
C. गौण क्रिया D. रंजक क्रिया

7. 'इधर-उधर कहीं मत जाना' में 'इधर-उधर' व्याकरण की दृष्टि से क्या है?
A. क्रिया-विशेषण B. विशेषण
C. सर्वनाम D. क्रिया

8. निम्नलिखित शब्दों में से कौन-सा शब्द अविकारी है?
A. घोड़ा B. आजकल
C. संकेत D. नदी

9. निम्नलिखित शब्दों में से कौन-सा शब्द स्त्रीलिंग है?
A. दही B. मधु
C. मोती D. धातु

10. 'कक्षा' कौन-सी संज्ञा है?
A. जातिवाचक B. भाववाचक
C. समुदायवाचक D. व्यक्तिवाचक

11. हिन्दी में कितने 'कारक' होते हैं?
A. दस B. आठ
C. पाँच D. तीन

12. विशेषण उन शब्दों को कहते हैं, जो–
A. संज्ञा के स्थान पर इस्तेमाल किए जाएं
B. संज्ञा की विशेषता प्रकट करें
C. क्रिया की विशेषता प्रकट करें
D. अपने आप में पूर्ण हों

13. नीचे कुछ शब्दों के पुल्लिंग और स्त्रीलिंग के जोड़े दिए हुए हैं। कौन-सा जोड़ा गलत है?
A. शूद्र-शूद्रा B. ग्वाला-ग्वालिन
C. कबूतर-कबूतरी D. बाल-बाली

14. सतीश ने आम खाये। इसमें 'आम' शब्द–
A. एकवचन है B. बहुवचन है
C. दोनों है D. दोनों में से कोई नहीं है

15. 'दया' भाववाचक संज्ञा है। इससे विशेषण बनेगा–
A. दयालु B. दीनता
C. दयात्व D. दयता

16. 'पढ़ना' से भाववाचक संज्ञा क्या बनेगी?
A. पाठ B. पठनीय
C. पढ़ाई D. पाठक

17. निम्नलिखित में से कौन-सा शब्द विशेषण है?
A. पशुता B. यौवन
C. चातुर्य D. दुष्ट

18. गली में 'तीसरा' मकान श्याम का है। यहाँ 'तीसरा' व्याकरण की दृष्टि से क्या है?
A. बहुवचन B. विशेषण
C. संज्ञा D. अव्यय

19. 'ने' किस कारक की विभक्ति है?
A. करण B. कर्म
C. कर्ता D. सम्प्रदान

20. 'यश' व्याकरण की दृष्टि से क्या है?
A. विशेषण B. संज्ञा
C. क्रिया D. क्रिया-विशेषण

21. 'श्रीमान' का स्त्रीलिंग है–
A. पत्नी B. श्रीमती
C. देवी D. महोदया

22. निम्न में से कौन-सा शब्द तद्भव है?
A. अग्नि B. हाथ
C. रात्रि D. कर्ण

23. निम्न वाक्यों में से किस वाक्य में क्रिया कर्मवाच्य है?
A. राम के पिता अध्यापक हैं
B. वे सब काश्मीर जायेंगे
C. उत्सव में राष्ट्रीय गीत गाया गया
D. बच्चे पार्क में खेल रहे हैं

24. 'उसे' का बहुवचन है–
A. उसको B. उससे
C. उन्हें D. उसका

25. 'हमें' का एकवचन है–
A. हम B. हमको
C. मुझे D. मुझसे

26. निम्न में से कौन-सा शब्द तत्सम नहीं है?

A. दुग्ध　B. चूर्ण
C. क्षेत्र　D. माता

27. निम्न में से कौन-सा शब्द अविकारी नहीं है?

A. आज　B. कल
C. ऊपर　D. घोड़ा

28. 'मीठा' विशेषण है। इससे भाववाचक संज्ञा बनेगी–

A. मीठात्व　B. मीठापन
C. मिठास　D. मिठाई

29. 'राधा तेज दौड़ती है'। इसमें तेज शब्द क्या है?

A. क्रिया　B. क्रिया-विशेषण
C. विशेषण　D. उपरोक्त में से कोई भी नहीं

30. जो शब्द संज्ञा के बदले प्रयुक्त होता है, उसे कहते हैं–

A. सर्वनाम　B. क्रिया
C. विशेषण　D. क्रिया-विशेषण

31. निम्न में से कौन-सा शब्द सर्वनाम है?

A. मेरी　B. उन्होंने
C. हमारे　D. उपरोक्त तीनों

32. निम्न में से भाववाचक संज्ञा है–

A. मोहन　B. खिलाड़ी
C. बचपन　D. मैदान

33. निम्न में से कौन-सा शब्द विशेषण है?

A. रोग　B. घोड़ा
C. गाँव　D. शोक

34. निम्न में से कौन-सी अकर्मक क्रिया है?

A. चुराना　B. माँगना
C. लेना　D. हँसना

35. निम्न में से कौन-सी सकर्मक क्रिया है?

A. सोना　B. हँसना
C. रोना　D. देखना

36. पंडित की भाववाचक संज्ञा है–

A. पंडित्व　B. पंडिताइन
C. पंडिताऊ　D. पांडित्य

37. 'विद्वान्' का स्त्रीलिंग है–

A. विद्वानी　B. विद्यावती
C. विदुषी　D. विदुषिनी

38. निम्नलिखित में से कौन-सा शब्द भाववाचक संज्ञा नहीं है?

A. बन्धुत्व　B. प्रभुता
C. मानवता　D. कुशल

39. 'दैनिक' क्या है?

A. संज्ञा　B. सर्वनाम
C. क्रिया　D. विशेषण

40. 'श्रद्धा' का विशेषण क्या बनता है?

A. श्रद्धास्पद　B. श्रद्धेय
C. श्रद्धालु　D. उपर्युक्त में से कोई भी नहीं

41. उपसर्ग का प्रयोग होता है, शब्द के–

A. मध्य में　B. आदि में
C. अन्त में　D. आदि और अंत दोनों में

42. सर्वनाम का प्रयोग किसके बदले किया जाता है?

A. क्रिया-विशेषण　B. क्रिया
C. विशेषण　D. संज्ञा

43. व्याकरण की दृष्टि से 'प्रेम' शब्द क्या है?

A. भाववाचक संज्ञा　B. विशेषण
C. अव्यय　D. क्रिया

44. 'मैंने' कौन-सा कारक है?

A. कर्ता　B. कर्म
C. करण　D. सम्प्रदान

45. 'सेवक' का स्त्रीलिंग है–

A. सेवका　B. सेवकाइन
C. सेवकी　D. सेविका

उत्तरमाला

1	2	3	4	5	6	7	8	9	10
C	C	A	C	C	B	A	B	D	C
11	**12**	**13**	**14**	**15**	**16**	**17**	**18**	**19**	**20**
B	B	D	B	A	C	D	B	C	B
21	**22**	**23**	**24**	**25**	**26**	**27**	**28**	**29**	**30**
B	B	C	C	C	D	D	C	B	A
31	**32**	**33**	**34**	**35**	**36**	**37**	**38**	**39**	**40**
D	C	D	D	D	D	C	D	D	C
41	**42**	**43**	**44**	**45**					
B	D	A	A	D					

★ ★ ★

6

अशुद्ध वाक्य को शुद्ध करना

	अशुद्ध वाक्य		शुद्ध वाक्य
1.	कई रेलवे कर्मचारियों की गिरफ्तारी हुई।	–	रेलवे के कई कर्मचारियों की गिरफ्तारी हुई।
2.	वह दण्ड देने योग्य है।	–	वह दण्डित होने योग्य है/वह दण्ड पाने योग्य है।
3.	सौ रुपए सधन्यवाद प्राप्त हुए।	–	सौ रुपए प्राप्त हुए। धन्यवाद!
4.	महाविद्यालय की ओर से प्रधानमंत्री को अभिनन्दन पत्र प्रदान किया गया।	–	महाविद्यालय की ओर से प्रधानमंत्री को अभिनन्दन पत्र अर्पित किया गया।
5.	कुत्ता दरवान की तरह दुम हिलाता हुआ दरवाजे पर खड़ा रहता था।	–	कुत्ता दुम हिलाता हुआ दरवान की तरह दरवाजे पर खड़ा रहता था।
6.	इन बातों के बावजूद भी वह नहीं समझ सका।	–	इन बातों के बावजूद वह नहीं समझ सका।
7.	ये बातें केवल दिखावा भर थीं।	–	ये बातें केवल दिखावा थीं/ये बातें दिखावा भर थीं।
8.	दक्षिण का अधिकांश भाग पठार है।	–	दक्षिण का अधिक भाग पठार है।
9.	मेरी निगाह मेरे मित्र की ओर थी।	–	मेरी निगाह मित्र की ओर थी।
10.	प्रधानाध्यापक लड़के चुनेंगे।	–	प्रधानाध्यापक लड़कों को चुनेंगे।
11.	मैंने लिख चुका था।	–	मैं लिख चुका था।
12.	मैंने इस गाड़ी से जाना है।	–	मुझे इस गाड़ी से जाना है।
13.	कर्ण बहुत बड़े दायक थे।	–	कर्ण बहुत बड़े दाता थे।
14.	इसका कोई अर्थ नहीं होता।	–	इसका कुछ अर्थ नहीं होता।
15.	आओ, तुम भी कोई काम कर लो।	–	आओ, तुम भी कुछ काम कर लो।
16.	श्री कृष्ण के अनेकों नाम हैं।	–	श्री कृष्ण के अनेक नाम हैं।
17.	उसकी गर्दन शर्म से नीचे थी।	–	उसकी गर्दन शर्म से नीची थी।
18.	मैं आपकी श्रद्धा करता हूँ।	–	मैं आप पर श्रद्धा रखता हूँ।
19.	सरकार शान्ति-व्यवस्था के लिए पुलिस पर निर्भर करती है।	–	सरकार शान्ति-व्यवस्था के लिए पुलिस पर निर्भर रहती है।
20.	मैं अपने गुरु के उँपर बहुत श्रद्धा रखता हूँ।	–	मैं अपने गुरु पर बहुत श्रद्धा रखता हूँ।
21.	कृष्ण और सुभद्रा भाई-बहन थीं।	–	कृष्ण और सुभद्रा भाई-बहन थे।
22.	राम और श्याम विद्यालय जा रहा है।	–	राम और श्याम विद्यालय जा रहे हैं।
23.	राम और सीता वन को जा रही थीं।	–	राम और सीता वन को जा रहे थे।
24.	शायद वे जरूर जाएँगे।	–	शायद वे जाएँगे/वे जरूर जाएँगे।
25.	मेरी स्त्री बीमार है।	–	मेरी पत्नी बीमार है।
26.	शरीफ पुरुष किसी को तंग नहीं करते।	–	शरीफ लोग किसी को तंग नहीं करते/सज्जन पुरुष किसी को तंग नहीं करते।
27.	इस समस्या का कोई उपाय नहीं है।	–	इस समस्या का कोई समाधान नहीं है।
28.	हो सकता है वह अवश्य पास हो जाए।	–	हो सकता है वह पास हो जाए।
29.	किसी और दूसरे आदमी को भेज दीजिए।	–	किसी और को भेज दीजिए/किसी दूसरे को भेज दीजिए।
30.	यह दवा बहुत तत्काल असर दिखाती है।	–	यह दवा तत्काल असर दिखाती है।
31.	यहाँ तरुण नवयुवकों की शिक्षा का प्रबन्ध है।	–	यहाँ नवयुवकों की शिक्षा का प्रबन्ध है।
32.	प्रत्येक दिन स्नान करना चाहिए।	–	प्रतिदिन स्नान करना चाहिए।

	अशुद्ध वाक्य		शुद्ध वाक्य
33.	सैनिकों ने खूँखार अस्त्र-शस्त्रों से हमला किया।	–	सैनिकों ने विनाशकारी अस्त्र-शस्त्रों से हमला किया।
34.	हैजे आदि से हजारों लोग मर गए।	–	हैजा आदि से हजारों लोग मर गए।
35.	पूज्यनीय पिताजी को प्रणाम।	–	पूज्य पिताजी/पूजनीय पिताजी को प्रणाम।
36.	उसकी सौन्दर्यता पर सब मुग्ध थे।	–	उसके सौन्दर्य पर सब मुग्ध थे। या, उसकी सुन्दरता पर सब मुग्ध थे।
37.	अत्याधिक कार्य स्वास्थ को बिगाड़ देता है।	–	अत्यधिक कार्य स्वास्थ्य को बिगाड़ देता है।
38.	भिखारी ने राजा को आशीर्वाद प्रदान किया।	–	भिखारी ने राजा को आशीर्वाद दिया।
39.	प्राणीमात्र पर दया करो।	–	प्राणिमात्र पर दया करो।
40.	झगड़े का श्री गणेश तब हुआ जब जुलूस पर किसी ने पत्थर फेंक दिया।	–	झगड़े का आरम्भ तब हुआ जब जुलूस पर किसी ने पत्थर फेंक दिया।
41.	मेरा पतलून मैला है।	–	मेरी पतलून मैली है।
42.	उसकी दादी अभी जिन्दी है।	–	उसकी दादी अभी जिन्दा है।
43.	राम ने बाजार जाना है।	–	राम को बाजार जाना है।
44.	आज की ताजी खबर पढ़िए।	–	आज की ताजा खबर पढ़िए।
45.	हमने उनकी योजनाओं को दुम दबाकर स्वीकार कर लिया।	–	हमने उनकी योजनाओं को विवश होकर स्वीकार कर लिया।
46.	वह विद्वान महिला थीं।	–	वह विदुषी थीं।
47.	इसका उत्तरदाइत्व आपके उँपर है।	–	इसका उत्तरदायित्व आप पर है।
48.	उनकी मृत्यु से नगर की अपूर्व क्षति हुई।	–	उनकी मृत्यु से अपूरणीय क्षति हुई।
49.	साहित्य और जीवन का घोर सम्बन्ध है।	–	साहित्य और जीवन का घनिष्ठ सम्बन्ध है।
50.	ईश्वर उसकी मृत आत्मा को शान्ति दें।	–	ईश्वर उसकी आत्मा को शान्ति दें।
51.	आप खाना खाने आ जाओ।	–	आप खाना खाने आ जाएँ।
52.	आप कहोगे।	–	आप कहेंगे।
53.	अगर मैं गलती करूँ तो आप मुझे दुरुस्त कर दें।	–	अगर मैं गलती करूँ तो आप मुझे सुधार दें।
54.	काँग्रेस ने भारत की अच्छाई के अनेक कार्य किए।	–	काँग्रेस ने भारत की भलाई के लिए अनेक कार्य किए।
55.	उसका पैर गरम आग पर पड़ गया।	–	उसका पैर आग पर पड़ गया।
56.	शब्द केवल संकेत मात्र होते हैं।	–	शब्द केवल संकेत होते हैं। या, शब्द संकेत मात्र होते हैं।
57.	उसकी दृष्टि चित्र में गड़ी थी।	–	उसकी दृष्टि चित्र पर गड़ी थी।
58.	वे लगन के साथ देश की सेवा कर रहे हैं।	–	वे लगनपूर्वक देश की सेवा कर रहे हैं।
59.	फिर, कुछ देर से उसने कहा।	–	फिर, कुछ देर बाद उसने कहा।
60.	केवल कहने मात्र से कुछ नहीं होता।	–	केवल कहने से कुछ नहीं होता।
61.	चाहे जैसे भी हो, तुम वहाँ जाओ।	–	चाहे जैसे हो, तुम वहाँ जाओ।
62.	सभी प्रकार की चीज मौजूद थी।	–	सभी प्रकार की चीजें मौजूद थीं।
63.	आपके एक-एक शब्द तुले हुए होते हैं।	–	आपके एक-एक शब्द नपे-तुले होते हैं।
64.	आपकी राय से यह काम जरूरी है।	–	आपकी राय में यह काम जरूरी है।
65.	आपकी पुस्तक धन्यवाद सहित लौटाता हूँ।	–	आपकी पुस्तक धन्यवादपूर्वक लौटाता हूँ।
66.	हमारे बाप-दादाओं ने कभी ऐसा नहीं किया।	–	हमारे बाप-दादा ने कभी ऐसा नहीं किया।
67.	सबों ने यही राय दी।	–	सबने यही राय दी।
68.	संज्ञा की प्रशंसा करने वाले शब्द विशेषण होते हैं।	–	संज्ञा की विशेषता बताने वाले शब्द विशेषण होते हैं।
69.	मुझे प्रायः समस्त काम अपने हाथों करना पड़ता है।	–	मुझे प्रायः सम्पूर्ण काम अपने हाथों करना पड़ता है।
70.	सूरदास के उँपर डॉ॰ हजारी प्रसाद द्विवेदी ने एक उत्तम ग्रंथ लिखा है।	–	सूरदास के सम्बन्ध में डॉ॰ हजारी प्रसाद द्विवेदी ने एक उत्तम ग्रंथ लिखा है।
71.	अधिकांश धन व्यर्थ गया।	–	धन का अधिकांश व्यर्थ गया।
72.	राम का भविष्य शंकर के उँपर निर्भर है।	–	राम का भविष्य शंकर पर निर्भर है।
73.	इन दोनों में केवल यही अन्तर है।	–	इन दोनों में यही अन्तर है।
74.	उसे एक चिट्ठी लिखना होगा।	–	उसे एक चिट्ठी लिखनी होगी।

अशुद्ध वाक्य		शुद्ध वाक्य
75. यह बात हृदय से सम्भव है वे न मानें।	–	सम्भव है यह बात वे हृदय से नहीं मानें।
76. आज उपशिक्षा मंत्री जी नगर में पधार रहे हैं।	–	आज शिक्षा उपमंत्री जी नगर में पधार रहे हैं।
77. अधिकांश उर्दू के कवि शृंगारी कविता लिखते हैं।	–	उर्दू के अधिकतर कवि शृंगारी कविता लिखते हैं।
78. उसकी आवाज कान में सुनाई पड़ी।	–	उसकी आवाज सुनाई पड़ी/उसकी आवाज कान में पड़ी।
79. वह कहते हैं।	–	वे कहते हैं।
80. थोड़ी देर बाद वे वापस लौट आए।	–	थोड़ी देर बाद वे लौट आये। या, थोड़ी देर बाद वे वापस आए।
81. उन्हें मृत्युदण्ड की सजा मिली।	–	उन्हें मृत्युदण्ड मिला।
82. उसी आदमी को, जो आपके पास जायेगा, यह पुस्तक दे दिजिए।	–	उसी आदमी को, जो आपके पास जाएगा, यह पुस्तक दे दीजिए।
83. मेरा विश्वास मेरी आँखों पर भी नहीं है।	–	मेरा विश्वास अपनी आँखों पर भी नहीं है।
84. वह अनेक प्रकार के बहाने बनाने लगा।	–	वह अनेक बहाने बनाने लगा।
85. आप अपनी ताकत के बल पर यह काम करना चाहते हैं।	–	आप अपने बल पर यह काम करना चाहते हैं। या, आप अपनी ताकत पर यह काम करना चाहते हैं।
86. मैं आज प्रातःकाल के समय वहाँ गया था।	–	मैं आज प्रातःकाल वहाँ गया था।
87. कृपया यह बताने का अनुग्रह करें।	–	कृपया यह बतलावें। या, यह बतलाने की कृपा करें। या, यह बतलाने का अनुग्रह करें।
88. सारे देशभर में यह बात फैल गई।	–	सारे देश में यह बात फैल गई/या, देशभर में यह बात फैल गई।
89. वह इस बात की व्यवस्था का कोई प्रबन्ध नहीं कर सकता।	–	वह इस बात की व्यवस्था नहीं कर सकता/या, वह इस बात का प्रबन्ध नहीं कर सकता।
90. देश की रक्षा का भार तुम्हारे उँपर है।	–	देश की रक्षा का भार तुम पर है।
91. दंगे में दस मनुष्य मरे और पन्द्रह आदमी घायल हुए।	–	दंगे में दस आदमी मरे और पन्द्रह घायल हुए।
92. कुछ पशु खेती के काम में आने के सिवा वे धर्म की दृष्टि से भी पूज्य हैं।	–	कुछ पशु खेती के काम में आने के अतिरिक्त धर्म की दृष्टि से भी पूज्य हैं।
93. वह खाने-पीने के व्यंजन बना रही थी।	–	वह व्यंजन बना रही थी।
94. प्रायः ऐसे अवसर आते हैं जिसमें लोगों को कभी-कभी अपना मत बदलना पड़ता है।	–	प्रायः ऐसे अवसर आते हैं जिनमें लोगों को अपना मत बदलना पड़ता है।
95. आगरा के निकट दो रेलगाड़ियाँ लड़ गईं।	–	आगरा के निकट दो रेलगाड़ियों की टक्कर हो गई।
96. वृक्ष में फल लगे हैं।	–	वृक्ष पर फल लगे हैं।
97. उसने उधर देखा और बोला।	–	उसने उधर देखा और कहा।
98. वहाँ पूड़ियाँ और झरने का पानी पीकर हमलोग आगे बढ़े।	–	वहाँ पूड़ियाँ खाकर और झरने का पानी पीकर हमलोग आगे बढ़े।
99. मैं यह काम किया चाहता हूँ।	–	मैं यह काम करना चाहता हूँ।
100. मेरे को ऐसा मत कहो।	–	मुझको ऐसा मत कहो।
101. वे कोई स्कूल नहीं खोले थे।	–	उन्होंने कोई स्कूल नहीं खोला था।
102. पंजाब के मुसलमान वहाँ प्रवेश किए थे।	–	पंजाब के मुसलमानों ने वहाँ प्रवेश किया था।
103. लड़ाई के द्वारा लोगों ने खूब धन कमाया।	–	लड़ाई के समय लोगों ने खूब धन कमाया।
104. यह बीमारी देश में लड़ाई के द्वारा फैली थी।	–	देश में यह बीमारी लड़ाई के कारण फैली थी।
105. उन्होंने सरलता के साथ उत्तर दिया।	–	उन्होंने सरलतापूर्वक उत्तर दिया।
106. उनके विरुद्ध मुकदमा चलाया गया।	–	उन पर मुकदमा चलाया गया।
107. पूर्व इसके कि कोई हँसे, हम हँस पड़े।	–	किसी के हँसने के पहले हम स्वयं हँस पड़े।
108. परीक्षा की प्रणाली बदलना चाहिए।	–	परीक्षा की प्रणाली बदलनी चाहिए।
109. मैं तुम्हारे साथ नहाकर चलूँगा।	–	मैं नहाकर तुम्हारे साथ चलूँगा।
110. शुद्ध गाय का दूध सेवन करो।	–	गाय का शुद्ध दूध सेवन करो।
111. इतने वेतन से केवल दाल-रोटी हो जाती है।	–	इतने वेतन से केवल दाल-रोटी ही मिल पाती है।

	अशुद्ध वाक्य		शुद्ध वाक्य
112.	प्रेमचन्द जी ने पर्याप्त मात्रा में कहानी और उपन्यास लिखे।	–	प्रेमचन्द जी ने पर्याप्त संख्या में कहानी और उपन्यास लिखे।
113.	अनेकों बार समझाने पर भी वह नहीं समझा।	–	अनेक बार समझाने पर भी वह नहीं समझा।
114.	वह आगामी वर्ष हरिद्वार गया था।	–	वह गत् वर्ष हरिद्वार गया था।
115.	वह धर्मशालें में गया है।	–	वह धर्मशाला में गया है।
116.	मित्रों! उसकी भाग्य फूट गई।	–	मित्रों! उसका भाग्य फूट गया।
117.	हमें अपने माता-पिता का आदर करना चाहिए।	–	हमें माता-पिता का आदर करना चाहिए।
118.	उन्हें व्यर्थ रुपए देने से कोई लाभ नहीं है।	–	उन्हें रुपए देने से कोई लाभ नहीं/ अथवा, उन्हें रुपए देना व्यर्थ है।
119.	शास्त्रीजी की मृत्यु से हमें बड़ा खेद हुआ।	–	शास्त्री जी के निधन से हमें बहुत दुःख हुआ।
120.	शोक है कि आपने मेरे पत्रों का उत्तर नहीं दिया।	–	दुःख है कि आपने मेरे पत्रों के उत्तर नहीं दिए।
121.	एक-एक करके सभी चले गए।	–	एक-एक कर सभी चले गए।
122.	यह ग्रंथ दोहा और चौपाइयों में लिखा गया है।	–	यह ग्रंथ दोहे और चौपाइयों में लिखा गया है।
123.	मैं माता का दर्शन करने गया था।	–	मैं माता के दर्शन करने गया था।
124.	यही वे कारण हैं जिनके कारण देश में अशान्ति बढ़ रही है।	–	यही वे कारण हैं जिनसे देश में अशान्ति बढ़ रही है।
125.	ऐसी एकाध बातें और देखने में आती हैं।	–	ऐसी एकाध बात और देखने में आती है।
126.	प्रत्येक छोटी-मोटी विशेषताओं को देखना चाहिए।	–	प्रत्येक छोटी-मोटी विशेषता को देखना चाहिए।
127.	उन्होंने हाथ जोड़ा।	–	उन्होंने हाथ जोड़े।
128.	हम तो शादी में अवश्य ही जाएँगे।	–	हम शादी में अवश्य जाएँगे।
129.	तुम्हारा सब काम गलत होता है।	–	तुम्हारे सब काम गलत होते हैं।
130.	वह तो केवल आप ही पर निर्भर है।	–	वह तो केवल आप पर निर्भर है।
131.	उनकी आँखों की दृष्टि शून्य आकाश की ओर थी।	–	उनकी दृष्टि शून्य आकाश की ओर थी। या, उनकी आँखें शून्य आकाश की ओर थीं।
132.	वे सब काल-चक्र के पहिए के नीचे दब गए।	–	वे सब काल-चक्र में डूब गए।
133.	लड़का मिठाई लेकर भागता घर आया।	–	लड़का मिठाई लेकर दौड़ता हुआ घर आया।
134.	उसके अंग-अंग में सौन्दर्यता भरी थी।	–	उसके अंग-अंग में सौन्दर्य था।
135.	दो दिन की बदली के पीछे आज सूर्य निकला है।	–	दो दिन की बदली के बाद आज सूर्य निकला है।
135.	कोयला जलकर राख हो गई।	–	कोयला जलकर राख हो गया।
136.	सारा राज्य उसके लिए एक थाती थी।	–	सारा राज्य उसके लिए एक थाती था।
137.	मैं अपनी बात का स्पष्टीकरण करने के लिए तैयार हूँ।	–	मैं अपनी बात के स्पष्टीकरण के लिए तैयार हूँ।
138.	यह चित्र, गाँधी जी जब यहाँ पधारे थे। उस समय लिया गया था।	–	यह चित्र उस समय लिया गया था, जब गाँधी जी यहाँ पधारे थे।
139.	शत्रु उस पर टूट गए।	–	शत्रु उस पर टूट पड़े।
140.	लोग रविवार के दिन छुट्टी मनाते हैं।	–	लोग रविवार को छुट्टी मनाते हैं।
141.	उनकी एक आँख कानी थी।	–	वे काने थे।
142.	भीष्म पितामह आजन्म ब्रह्मचारी रहे।	–	भीष्म पितामह आजीवन ब्रह्मचारी रहे।
143.	वह अपनी विद्या समाप्त करके ही कुछ काम करेगा।	–	वह अपनी शिक्षा समाप्त करके ही कुछ काम करेगा।
144.	चावल का चिन्तनीय अभाव है।	–	चावल का अभाव चिंतनीय है।
145.	वह व्यक्ति ही क्या, जो कभी दुःख नहीं उठाया।	–	वह व्यक्ति ही क्या, जिसने कभी दुःख नहीं उठाया।
146.	यहाँ सर्वोत्कृष्ट ज्वर की चिकित्सा होती है।	–	यहाँ ज्वर की सर्वोत्कृष्ट चिकित्सा होती है।
147.	घड़ा और लोटा में पानी है।	–	घड़े और लोटे में पानी है।
148.	नौकर से कहो कि मेरा सामान तैयार रखो।	–	नौकर से कहो कि मेरा सामान तैयार रखे।
149.	गाँधी का देश सदैव आभारी रहेगा।	–	देश गाँधी का सदैव आभारी रहेगा।
150.	मैंने यह बात उनके द्वारा सुनी थी।	–	मैंने यह बात उनसे सुनी थी।

वस्तुनिष्ठ प्रश्नोत्तर

निर्देश (प्रश्न संख्या 1 से 4 तक): *निम्नलिखित अशुद्ध वाक्यों के शुद्ध रूप का नीचे दिए विकल्पों में से चयन कीजिए।*

1. मैं तेरे को बता दूँगा
A. मैं बता तुझको दूँगा B. मैं तुम्हें बता दूँगा
C. मैं तुझको बता दूँगा D. सभी वाक्य सही हैं

2. पेड़ों पर कोयल बोल रही थी
A. पेड़ पर कोयलें बोल रही थीं
B. पेड़ पर कोयल बोल रही थी
C. पेड़ों पर कोयल थी
D. सभी वाक्य सही हैं

3. मुझे भारी दुःख हुआ
A. मुझे बहुत दुःख हुआ
B. मुझे दुःखी हुआ
C. मुझे ज्यादा दुःख हुआ
D. सभी वाक्य सही हैं

4. वह पूर्णतया उत्तीर्ण हो गया
A. वह एकदम उत्तीर्ण हो गया
B. वह उत्तीर्ण हो गया
C. वह एकदम पास हो गया
D. सभी वाक्य सही हैं

निर्देश (प्रश्न संख्या 5 से 31 तक): *निम्नलिखित में शुद्ध वाक्य का चयन कीजिए।*

5. A. एक गीतों की पुस्तक ला दो
B. गीतों की एक पुस्तक ला दो
C. पुस्तक एक गीतों की ला दो
D. पुस्तक गीतों की एक ला दो

6. A. बन्दर को काटकर चाकू से फल खिला दो
B. चाकू से बन्दर को काटकर फल खिला दो
C. चाकू से फल काटकर बन्दर को खिला दो
D. फल काटकर चाकू से बन्दर को खिला दो

7. A. बाघ और बकरी एक घाट पर पानी पीती हैं
B. बाघ और बकरी एक घाट पर पानी पीते हैं
C. बाघ और बकरी पानी पीते हैं एक घाट पर
D. बाघ और बकरी पीते हैं पानी एक घाट पर

8. A. मैं गाने की कसरत कर रहा हूँ
B. मैं गाने का अभ्यास कर रहा हूँ
C. मैं गाने का शौक कर रहा हूँ
D. मैं गाने का व्यायाम कर रहा हूँ

9. A. उसकी अवस्था चालीस वर्ष की है
B. उसकी आयु चालीस वर्ष की है
C. उसका बात मत करो
D. आपका पत्र सधन्यवाद मिला

10. A. मैं जाते-जाते रुक गया
B. मैं जा रहा था पर रुक गया
C. मैं जा रहा था और रुक गया
D. अचानक जाते-जाते रुक गया

11. A. उसे जाने दो, रोको मत
B. रोको मत, उसे जाने दो
C. मत रोको, उसे जाने दो
D. उसे जाने ही दो, रोको नहीं

12. A. रात दस बजे गाड़ी आएगी
B. दस बजे रात में गाड़ी आएगी
C. रात में दस बजे गाड़ी आएगी
D. गाड़ी रात में दस बजे आएगी

13. A. रामचन्द्रजी को दशरथ ने चौदह वर्ष का वनवास दिया
B. दशरथ ने राम को चौदह वर्षों के लिए वनवास दिया
C. चौदह वर्षों का वनवास दशरथ ने राम को दिया
D. दशरथ ने राम को चौदह वर्षों का वनवास दिया

14. A. सम्भवतः कल तक वर्षा हो जाएगी
B. सम्भवतः कल तक अवश्य वर्षा हो जाएगी
C. कल तक निश्चित रूप से वर्षा होने की संभावना है
D. सम्भावना है कि कल तक निश्चय ही वर्षा होगी

15. A. हिन्दी के विकास के मुख्य तीन काल हैं, केवल
B. हिन्दी के विकास के तीन ही मुख्य काल हैं
C. तीन मुख्य काल हिन्दी के विकास के हैं
D. हिन्दी के विकास के तीन काल मुख्य हैं

16. छात्र द्वारा अवकाश के प्रार्थना-पत्र के अन्त में लिखा जाना चाहिए
A. आपका शिष्य B. आपका आज्ञाकारी शिष्य
C. आपका छात्र D. आपका स्नेही

17. A. जो जैसा कभी बोता है वैसा काटता है
B. वह जैसा कभी बोएगा है वैसा काटेगा
C. जो जैसा बोएगा वैसा ही काटेगा
D. जिसने जब जैसा बोया उसने तब वैसा काटा

18. A. मेरे को घर जाना चाहिए
B. मैंने घर जाना चाहिए
C. मुझे घर जाना चाहिए
D. मुझको घर को जाना चाहिए

19. 'मुझे केवल दस रुपए मात्र मिले' वाक्य अशुद्ध है, क्योंकि
A. वाक्य में **मुझे** नहीं होना चाहिए
B. वाक्य में **मिले** अन्त में नहीं होना चाहिए
C. वाक्य में **रुपए** मात्र से पूर्व नहीं होना चाहिए
D. वाक्य में **केवल** नहीं होना चाहिए

20. A. हमारे यहाँ तरुण नवयुवकों को काम सिखाया जाता है
B. पंडित जी की मृत्यु का हमें खेद है
C. यही नहीं, बल्कि वे वहाँ से चले भी आए
D. मुझसे यह काम सम्भव नहीं हो सकता

21. A. वहाँ भारी-भरकम भीड़ जमा थी
B. जो धन का भूखा है, वह साधु नहीं है
C. मुझे इस अधिवेशन का समाचार नहीं मिला था
D. मेरी कविता मुद्रित हो रही है

22. सही वाक्य का चयन कीजिए
A. देश सदा महात्मा गांधी का ऋणी रहेगा
B. महात्मा गांधी का देश सदा ऋणी रहेगा
C. महात्मा गांधी का सदा देश ऋणी रहेगा
D. देश महात्मा गांधी का सदा ऋणी रहेगा

23. A. परिवर्तन का यह अर्थ नहीं कि कदापि अतीत की सर्वथा उपेक्षा की जाए
B. परिवर्तन का अर्थ यह कदापि नहीं कि अतीत की सर्वथा उपेक्षा की जाए
C. परिवर्तन का अर्थ यह कदापि नहीं कि अतीत की सर्वथा अपेक्षा की जाए
D. परिवर्तन का यह अर्थ कदापि नहीं कि अतीत की सर्वथा उपेक्षा की जाए

24. A. जानते हैं किसी को कि इस बात को सताया न जाए
B. जानते हैं इस बात को किसी को सताया न जाए
C. इस बात को जानते हैं किसी को कि सताया नहीं जाए
D. इस बात को जानते हैं कि किसी को सताया न जाए

25. A. सीटी की आवाज जिधर से आ रही थी मैं उधर ही दौड़ पड़ा
B. बस सीटी की आवाज जिधर से आ रही थी मैं उधर ही दौड़ पड़ा
C. सीटी की आवाज जिधर से आ रही थी बस उधर ही मैं दौड़ पड़ा
D. जिधर से सीटी की आवाज आ रही थी मैं उधर ही दौड़ पड़ा

26. A. अधिकारियों ने कागजात का निरीक्षण किया
B. अधिकारियों ने कागजात का परीक्षण किया
C. अधिकारियों ने कागजात की जाँच की
D. अधिकारियों ने कागजात का अन्वेषण किया

27. A. भारत में अनेकों जातियाँ हैं
B. भारत में अनेक जातियाँ हैं
C. भारत में अनेकों जाति हैं
D. भारत में अनेक जाति हैं

28. A. वह दण्ड देने योग्य है
B. वह दण्ड के योग्य है
C. वह दण्ड लेने योग्य है
D. वह दण्ड पाने योग्य है

29. A. फल बच्चे को काटकर खिलाओ
B. बच्चे को काटकर फल खिलाओ
C. बच्चे को फल काटकर खिलाओ
D. काटकर फल बच्चे को खिलाओ

30. A. उसे अनुत्तीर्ण होने की आशा है
B. उसे अनुत्तीर्ण होने की आशंका है
C. उसे अनुत्तीर्ण होने का शक है
D. उसे अनुत्तीर्ण होने का संशय है

31. A. कल पाठ पढ़कर आइए
B. पाठ पढ़कर कल आइए
C. पाठ पढ़कर आइए कल
D. कल पाठ पढ़कर आइए

निर्देश (प्रश्न संख्या 32 से 46 तक): *निम्नलिखित अशुद्ध वाक्य के लिए चार-चार विकल्प दिए गए हैं। सही विकल्प चुनिए।*

32. जो मिठाइयाँ पसन्द हों आप खा लो
A. जो मिठाई पसन्द हों आप खा लो
B. जो मिठाई पसन्द हो तुम खा लो
C. जो मिठाइयाँ पसन्द हों तुम खा लो
D. जो मिठाइयाँ पसन्द हों उन्हें आप खाइए

33. हम बचपन में वहाँ जाता रहा
A. हम बचपन में वहाँ जाएंगे
B. हम बचपन में वहाँ जाते रहे हैं
C. मैं बचपन में वहाँ जाता रहा
D. मैं बचपन में वहाँ जाऊँगा

34. प्रत्येक व्यक्ति कविता नहीं कर सकते
A. प्रत्येक व्यक्ति कविता कर सकते हैं
B. प्रत्येक व्यक्ति कविता नहीं कर सकते हैं
C. प्रत्येक व्यक्ति कविता नहीं कर सकता
D. हर व्यक्ति कविता कर सकते हैं

35. हेम नरेश को पुस्तक दिया
A. हेम नरेश की पुस्तक दी
B. हेम ने नरेश को पुस्तक दी
C. हेम नरेश का पुस्तक देगा
D. हेम ने नरेश का पुस्तक दिया

36. मन्त्री ड्राइवर को कार चलवाता है
A. मन्त्री ड्राइवर से कार चलवाता है
B. मन्त्री ड्राइवर की कार चलवाता है
C. मन्त्री ड्राइवर के लिए कार चलवाता है
D. मन्त्री ड्राइवर पर कार चलवाता है

37. A. जीवन और साहित्य का घोर सम्बन्ध है
B. जीवन और साहित्य का निकट सम्बन्ध है
C. जीवन और साहित्य का घनिष्ठ सम्बन्ध है
D. जीवन और साहित्य का गहरा सम्बन्ध है

38. A. सूर्य पश्चिम को अस्त होता है
B. मुझे विद्यालय जाना है
C. मैं तो आप के ऊपर निर्भर हूँ
D. लड़ाई में लोगों ने खूब कमाया

39. A. यह अध्यापक बहुत श्रेष्ठ पढ़ाता है
B. आज गोपाल उसके अपने काम से शहर गया
C. यह गाय बहुत प्यासी है
D. मानव ईश्वर की सबसे उत्कृष्टतम कृति है

40. A. रमेश के अन्दर बहुत विद्वता है
B. रमा विदुषी महिला है
C. सभी श्रेणियों के लोग वहाँ उपस्थित थे
D. धन्यवाद देता हूँ मैं उन्हें

41. A. आवश्यकता आविष्कार की जननी है
B. आविष्कार की जननी आवश्यकता है
C. आविष्कार आवश्यकता की जननी है
D. जननी है आविष्कार की आवश्यकता

42. A. मैं आपसे कुछ नहीं कह सकता हूँ
B. कुछ नहीं कह सकता हूँ मैं आपसे
C. आपसे मैं कुछ नहीं कह सकता हूँ
D. आपको मैं कुछ नहीं कह सकता हूँ

43. A. गंगा का उद्‌गम स्थल गंगोत्री में है
B. गंगा का उद्‌गम स्थल गंगोत्री पर है
C. गंगा का उद्‌गम स्थल गंगोत्री से है
D. गंगा का उद्‌गम स्थल गंगोत्री है

44. A. मुझे आज की बैठक का समाचार नहीं था
B. मैंने अभी लखनऊ जाना है
C. पाप को डरो, पानी से नहीं
D. एक कप चाय मुझे भी देना

45. A. विष्णु के अनेकों नाम हैं
B. कन्या पराया धन होती है
C. वह पढ़ता-पढ़ता सो गया
D. मैं रोज गाने की कसरत करता हूँ

46. A. आज हमारी सौभाग्यवती कन्या का विवाह है
B. उसने गीत की दो-चार लड़ियाँ ही सुनाई
C. देखो, कहीं उसकी नींद न खुल जाए
D. यह कार्य आप पर निर्भर करता है

निर्देश (प्रश्न संख्या 47 से 50 तक): *निम्नलिखित प्रश्नों के दिए गए वाक्यों के काले भाग में कुछ न कुछ त्रुटि है। उसके शुद्ध रूप को नीचे के विकल्प से ज्ञात कीजिए। यदि काले भाग में कोई गलती न हो तो अपने उत्तर के रूप में (D) अर्थात् कोई सुधार आवश्यक नहीं है, को इंगित कीजिए।*

47. समाज एवं देश के बहुमुखी विकास के लिए तन, मन, धन से प्रयत्न करना होगा **केवल मात्र कागजी योजनाओं** से कोई लाभ नहीं होगा
A. केवल सिर्फ कागजी योजनाओं
B. सिर्फ मात्र कागजी योजनाओं
C. मात्र कागजी योजनाओं
D. कोई सुधार आवश्यक नहीं है

48. बढ़ती महंगाई के कारण **देशी घी खरीदने** की सार्थकता लोगों में नहीं रह गई
A. देशी घी खरीद सकने
B. देशी घी खरीद करने
C. देशी सामान खरीद सकने
D. कोई सुधार आवश्यक नहीं है

49. बैठक कक्ष **केवल महिलाओं के उपयोग के लिए है**
A. केवल महिलाओं द्वारा इसका उपयोग होना चाहिए
B. केवल महिलाओं के उपयोग में लाना चाहिए
C. इसका उपयोग केवल महिलाओं द्वारा हो
D. कोई सुधार आवश्यक नहीं है

50. सभी घायल **भर्ती किए गए तथा ध्यान रखा गया**
A. अन्दर दाखिल हुए और ध्यान दिया गया
B. दाखिल हुए और ध्यान दिया गया
C. भर्ती किए गए और ध्यान रखा गया
D. कोई सुधार आवश्यक नहीं

उत्तरमाला

1	2	3	4	5	6	7	8	9	10
C	B	A	B	B	C	B	B	A	A
11	**12**	**13**	**14**	**15**	**16**	**17**	**18**	**19**	**20**
B	A	D	A	A	B	C	C	D	D
21	**22**	**23**	**24**	**25**	**26**	**27**	**28**	**29**	**30**
D	A	D	D	D	C	B	B	D	B
31	**32**	**33**	**34**	**35**	**36**	**37**	**38**	**39**	**40**
B	D	C	C	B	A	C	B	C	B
41	**42**	**43**	**44**	**45**	**46**	**47**	**48**	**49**	**50**
A	A	D	D	B	C	C	D	D	D

★ ★ ★

7

वाक्य रचनान्तरण (सरल/संयुक्त/मिश्र)

वाक्य

वाक्य सार्थक शब्दों का वह समूह है जिससे बोलने अथवा लिखने वाले का तात्पर्य पूरी तरह स्पष्ट हो जाता है। जैसे : वह निर्धन लेकिन परिश्रमी बालक है। रीता गीत गाती है।

उपवाक्य

जब किसी एक भाव को स्पष्ट करने के लिए किसी एक वाक्य के अंश-रूप में दो या दो से अधिक वाक्यों का उपयोग किया जाता है, तब उन अंश या खण्ड वाक्यों में प्रत्येक को उपवाक्य कहा जाता है।

जैसे– 'मैं जानता हूँ कि वे मेरे मित्र हैं।'

इस वाक्य में 'मैं जानता हूँ' तथा 'वे मेरे मित्र हैं' दोनों ही उपवाक्य या खण्डवाक्य कहलाएँगे।

उपवाक्य के भेद

उपवाक्य के दो भेद हैं :

1. प्रधान उपवाक्य, 2. आश्रित उपवाक्य

1. **प्रधान उपवाक्य**–जो उपवाक्य पूरे वाक्य से पृथक होकर भी अपना स्वतन्त्र एवं पूर्ण अर्थ रखता है उसे प्रधान उपवाक्य कहते हैं। जैसे–'मैं जानता हूँ कि वे मेरे मित्र हैं।' इस वाक्य में 'मैं जानता हूँ'–प्रधान उपवाक्य है।
2. **आश्रित उपवाक्य**–जो उपवाक्य प्रधान उपवाक्य के बिना अपना अर्थ स्पष्ट नहीं कर सकता वह 'आश्रित उपवाक्य' कहलाता है। आश्रित उपवाक्य अर्थ के लिए वस्तुतः प्रधान उपवाक्य पर आश्रित रहता है।
   जैसे–'मैं जानता हूँ कि वे मेरे मित्र हैं'–में 'वे मेरे मित्र हैं' –आश्रित उपवाक्य है।

आश्रित उपवाक्य के भेद

1. संज्ञा उपवाक्य
2. विशेषण उपवाक्य
3. क्रिया उपवाक्य

1. **संज्ञा उपवाक्य**–जो आश्रित उपवाक्य संज्ञा का दायित्व निर्वाह करता है उसे 'संज्ञा उपवाक्य' कहते हैं।
   जैसे–'मैं नहीं जानता कि वे कब लौटेंगे।'–इस वाक्य का उपवाक्य 'वे कब लौटेंगे' 'जानता' क्रिया के कर्म के रूप में कार्य कर रहा है इसलिए संज्ञा उपवाक्य है।
2. **विशेषण उपवाक्य**–जो आश्रित उपवाक्य विशेषण का कार्य करता है, उसे विशेषण उपवाक्य कहते हैं।
   जैसे–वह लड़का **जो कल यहाँ आया था** बीमार है।
   वह अपने नौकर को **जिसने चोरी की है** पीट रहा है।
   वह अपने नौकर को उस छड़ी से पीट रहा है **जिसे उसने कल ही खरीदी है**। इनमें प्रत्येक रेखांकित उपवाक्य विशेषण का कार्य कर रहा है।
   विशेषण उपवाक्य मुख्यतः जो, जिसको, जिससे, जिसके लिए, जिसका, जिसमें आदि से प्रारम्भ होता है।
3. **क्रिया उपवाक्य**–जो उपवाक्य क्रिया विशेषण का कार्य करे उसे क्रिया विशेषण उपवाक्य कहते हैं।
   जैसे–**जब पानी बरसता है** तब मेढक बोलता है।
   जहाँ वह मन्दिर बना हुआ है वहाँ एक दिन यज्ञ हुआ था।
   इन वाक्यों में प्रत्येक रेखांकित उपवाक्य क्रिया विशेषण उपवाक्य हैं। क्यों ये उपवाक्य क्रिया विशेषण का कार्य करते हैं। क्रिया विशेषण उपवाक्य का आरम्भ विशेषतः निम्नलिखित शब्दों से होता है– जब, ज्योंही, जब-जब, जहाँ-कहाँ, जिधर, जैसे, मानो, ज्यों-ज्यों, जैसे-जैसे, जहाँ तक, चूँकि, ताकि, शायद, तथापि आदि।

वाक्य के भेद

वाक्यों के भेद सामान्यतः दो आधारों पर किए जाते हैं–

(क) रचना के आधार पर

(ख) अर्थ के आधार पर

रचना के आधार पर

रचना के आधार पर वाक्य के तीन भेद होते हैं–1. सरल वाक्य 2. मिश्र वाक्य 3. संयुक्त वाक्य

1. **सरल वाक्य**–जिस वाक्य में एक ही उपवाक्य होता है, उसे सरल वाक्य कहते हैं। इसमें केवल एक कर्त्ता और एक क्रिया होती है।
   जैसे– राम ने रावण का वध किया।
   बच्चे खेल रहे हैं।
   वह मेरा मित्र है।
1. **मिश्र वाक्य**–जिस वाक्य में एक प्रधान उपवाक्य तथा एक या अधिक आश्रित उपवाक्य हो उसे मिश्र वाक्य कहते हैं।

जैसे–तुम वहाँ आ सकते हो जहाँ मैं रहता हूँ।
मैं उस व्यक्ति को जानता हूँ जो तुम्हारा मित्र है।
हमसे वह पुस्तक खो गई है जो तुमने हमें दी थी।

3. **संयुक्त वाक्य**–जिस वाक्य में दो या दो से अधिक प्रधान उपवाक्य हों और वे परस्पर किसी अव्यय द्वारा जुड़े हों तो वह संयुक्त वाक्य कहलाता है।
जैसे– मैं आया और वह चल दिया।
उसने परिश्रम किया किन्तु असफल रहा।
संयुक्त वाक्य में सरल तथा मिश्र दोनों प्रकार के वाक्य प्रविष्ट हो सकते हैं। प्रधान उपवाक्यों को जोड़ने वाले शब्द प्रायः निम्नलिखित होते हैं।
यथा–और, तथा, एवं, व, वा, या, अथवा, परन्तु, पर, किन्तु, बल्कि, इसलिए, सो, अतः आदि।

अर्थ के आधार पर

अर्थ के आधार पर वाक्य के मुख्यतः आठ भेद होते हैं:–

1. **विधि वाचक वाक्य**–जिस वाक्य से किसी बात के होने का बोध हो उसे विधि वाचक वाक्य कहते हैं।
जैसे–अच्छे लोग सदा मधुर भाषण करते हैं।
2. **निषेध वाचक वाक्य**–जिस वाक्य से आज्ञा, अनुरोध, आदेश आदि का भाव प्रकट हो, उसे आज्ञा वाचक वाक्य कहते हैं।
जैसे–परिश्रम कभी व्यर्थ नहीं जाता।
3. **आज्ञा वाचक वाक्य**–जिस वाक्य से आज्ञा, अनुरोध, आदेश आदि का भाव प्रकट हो, उसे आज्ञा वाचक वाक्य कहते हैं।
जैसे– कभी चोरी न करो।
यहाँ आइये।
4. **प्रश्न वाचक वाक्य**–जिस वाक्य से किसी प्रकार के प्रश्न का बोध हो उसे प्रश्न वाचक वाक्य कहते हैं।
जैसे– तुम क्या चाहते हो?
5. **विस्मयादि बोधक वाक्य**–जिस वाक्य से हर्ष, शोक, विस्मय आदि का बोध हो उसे विस्मयादि बोधक वाक्य कहते हैं।
जैसे– अहा! कितना सुन्दर फल है।
6. **इच्छा वाचक वाक्य**–जिस वाक्य से इच्छा या आशंका का बोध हो उसे इच्छा वाचक वाक्य कहते हैं।
जैसे– भगवान, आपको दीर्घायु करें।
7. **संदेह वाचक वाक्य**–जिस वाक्य से किसी प्रकार के संदेह का बोध हो उसे संदेह वाचक वाक्य कहते हैं। जैसे–वे लोग आ रहे होंगे। वह शायद बीमार है।
8. **संकेत वाचक वाक्य**–जिस वाक्य से किसी शर्त या संकेत का बोध हो उसे संकेत वाचक वाक्य कहते हैं।
जैसे–यदि वह पढ़ता तो निश्चय ही उत्तीर्ण होता।

वाक्य-विस्तार

किसी भी वाक्य के मुख्य रूप से दो अंग होते हैं–

(1) उद्देश्य
(2) विधेय।

उद्देश्य

वाक्य में जिस वस्तु या व्यक्ति के बारे में कुछ कहा जाता है उसे उद्देश्य कहते हैं। वाक्य की समाविका क्रिया का कर्त्ता ही उद्देश्य होता है।

जैसे– सीता पुस्तक पढ़ती है।
मेरी माताजी इन दिनों बीमार हैं।
मैं उन्हें जानता हूँ।

इन वाक्यों में सीता, माताजी, मैं–उद्देश्य अथवा कर्त्ता शब्द हैं। उद्देश्य का अपना विस्तार भी होता है। संज्ञा, सर्वनाम, विशेषण, क्रिया विशेषण, क्रियार्थक संज्ञा, वाक्यांश आदि सभी उद्देश्य का रूप ले सकते हैं।

जैसे–

1. संज्ञा–गाय रँभाती है।
2. सर्वनाम–वे घर जाते हैं।
3. विशेषण–मेहनती छात्र सफलता पाते हैं।
4. क्रिया–धीरे-धीरे चलो।
5. क्रियार्थक संज्ञा–टहलना स्वास्थ्यप्रद होता है।
6. वाक्यांश–दूसरे की निन्दा अच्छी नहीं होती।

उद्देश्य का विस्तार–उद्देश्य की विशेषता वाले शब्दों को उद्देश्य का विस्तार कहते हैं।

जैसे–दुष्ट जनों की संगति अच्छी नहीं होती है। विस्तार शब्दों के भिन्न-भिन्न रूप होते हैं।

जैसे–

1. विशेषण–दुष्टजन त्याज्य हैं।
2. सम्बन्ध कारक–मेरी पुस्तक खो गई है।
3. क्रिया द्योतक–सोता हुआ व्यक्ति जाग उठा।
4. प्रश्न बोधक–क्या चाहते हो?
5. वाक्यांश–निरन्तर परिश्रम करने वाला छात्र सुखी होता है।
6. संबोधनात्मक–हे भाई! तुम कौन हो?

विधेय

उद्देश्य के सम्बन्ध में जो कुछ कहा जाता है उसे विधेय कहते हैं। जैसे–राम-श्याम खेल रहे हैं। विधेय 'साधारण और जटिल' दो प्रकार के होते हैं। विधेय के साथ यदि पूरक शब्द आता है तब विधेय 'जटिल' कहलाता है। संज्ञा, विशेषण, सम्बन्ध वाचक तथा क्रिया विशेषण प्रायः पूरक शब्दों के रूप में आते हैं।

1. संज्ञा–मेरे मित्र अध्यापक हैं।
2. विशेषण–वह छात्र मेधावी है।
3. सम्बन्ध वाचक–यह पुस्तक तो आपकी है।
4. क्रिया विशेषण–तुम कहाँ खो गए थे।

विधेय का विस्तार–विधेय के सम्बन्ध में जो कुछ कहा या लिखा जाए उसे विधेय का विस्तार कहते हैं। जैसे–घोड़ा धीरे-धीरे दौड़ रहा है। वह घर लौटते ही गिर पड़ा।

विधेय का विस्तार निम्नलिखित रूपों में होता है–

कर्म	–	बच्चा सेब खाता है।
विशेषण	–	आभा विदुषी है।
क्रिया विशेषण	–	घोड़ा धीरे-धीरे दौड़ रहा है।
सम्बन्ध सूचक	–	पुत्र के साथ माँ चली गई।
क्रिया द्योतक	–	मोटर पों-पों करती चली गई।

पूर्वकालिक क्रिया – वह उठकर दौड़ पड़ा।
पद वाक्यांश – बाजार से लौटने के बाद वह सो गया।
करण कारक – उसने मुझे बेंत से मारा।
सम्प्रदान कारक – गरीबों के लिए उसने दान दिया।
अपादान कारक – वृक्ष से पत्ते गिरते हैं।
अधिकरण कारक – वह पिता पर आश्रित है।

मिश्र वाक्य से सरल वाक्य में रूपान्तरण

मिश्र वाक्य		सरल वाक्य
1. सीता ने कहा कि मैं घर जाऊंगी।	–	1. सीता ने घर जाने के लिए कहा।
2. 'संशय की एक रात' खंडकाव्य है, वैसे ही 'प्रवाद पर्व भी खंडकाव्य है।	–	2. 'संशय की एक रात' की भांति 'प्रवाद पर्व भी खंडकाव्य है।
3. जब बारिश होती है, तब फूल लिखते हैं।	–	3. बारिश होने पर फूल खिलते हैं।
4. जो लोग अध्ययन करते हैं, वे अच्छा लिख पाते हैं।	–	4. अध्ययन करने वाले लोग अच्छा लिख पाते हैं।
5. जितना सुख हमें घर में मिलता है, उतना और जगह नहीं।	–	5. घर जितना सुख हमें और जगह नहीं मिलता।

सरल वाक्य से मिश्र वाक्य में रूपान्तरण

सरल वाक्य		मिश्र वाक्य
1. परिश्रमी को सफलता मिलती है।	–	1. जो परिश्रमी होता है, उसे सफलता मिलती है।
2. गंभीर संवेदनाओं के कवि का सम्मान सभी करते हैं।	–	2. जिनके पास गंभीर संवेदनाएं होती हैं, ऐसे कवि का सम्मान सभी करते हैं।
3. हमारे परिवार ने अपने सम्मानित कवि के नाम पर पुस्तकालय बनवाया।	–	3. हमारे परिवार ने एक पुस्तकालय बनवाया, जो हमारे सम्मानित कवि के नाम पर है।

संयुक्त वाक्य से सरल वाक्य में रूपान्तरण

संयुक्त वाक्य		सरल वाक्य
1. वे अब दिखाई नहीं देते, क्योंकि बाजार जाते हैं।	–	1. वे बाजार जाने के कारण अब दिखाई नहीं देते।
2. तुम इतनी उछल-कूद मचा रहे हो, लेकिन यह व्यर्थ है।	–	2. तुम व्यर्थ ही इतनी उछल-कूद मचा रहे हो।
3. वह न केवल पढ़ता, अपितु पढ़ाता भी है।	–	3. वह पढ़ने के साथ-साथ पढ़ाता भी है।
4. वह दिनभर पढ़ता है और रात में सोता है।	–	4. वह दिनभर पढ़कर रात में सोता है।
5. बारिश हो रही थी इसलिए छुट्टी भी मिली।	–	5. बारिश होने पर ही छुट्टी मिली।
6. वह बहुत भागा, परंतु असफल रहा।	–	6. बहुत भागने पर भी वह असफल रहा।

मिश्र वाक्य से संयुक्त वाक्य में रूपान्तरण

मिश्र वाक्य		संयुक्त वाक्य
1. मैंने जो पुस्तक लिखी थी, वह छप गई।	–	1. मैंने पुस्तक लिखी थी और वह छप गई।
2. हालांकि मुझे लिखना था, फिर भी नहीं लिख पाया।	–	2. मुझे लिखना था किंतु नहीं लिख पाया।
3. जब दुर्घटना की खबर सुनी, तब मन दुखी हो गया।	–	3. दुर्घटना की खबर सुनी और मन दुखी हो गया।
4. जब भी मैं विकास के घर गया, मेरा आदर सत्कार हुआ।	–	4. विकास के घर मेरा आदर भी हुआ और सत्कार भी।

संयुक्त वाक्य से मिश्र वाक्य में रूपान्तरण

संयुक्त वाक्य		मिश्र वाक्य
1. वे मेधावी छात्रा हैं, इसलिए उन्हें सफलता अवश्य मिलेगी।	–	1. वे मेधावी छात्रा हैं, उन्हें सफलता अवश्य मिलेगी।
2. वहाँ सब तरफ हरियाली है और वहीं वह नदी है।	–	2. जहाँ सब तरफ हरियाली है, वहीं वह नदी है।
3. विशाल ने एक मोबाइल खरीदा है और वह नया है।	–	3. विशाल ने जो मोबाइल खरीदा है, वह नया है
4. शिक्षक ने सबको गृहकार्य करने को कहा एवं स्वयं करने को कहा।	–	4. शिक्षक ने कहा कि सबको गृहकार्य स्वयं करना है।

वस्तुनिष्ठ प्रश्नोत्तर

1. आज बहुत पानी गिरा।—यह कैसा वाक्य है?
A. साधारण वाक्य B. मिश्र वाक्य
C. संयुक्त वाक्य D. उपवाक्य

2. 'उससे अब अकेले नहीं रहा जाता है'। यह कैसा वाक्य है?
A. कर्तृवाक्य B. कर्मवाच्य
C. भाववाच्य D. इनमें से कोई नहीं

3. 'वहाँ जाओ'। यह कैसा वाक्य है?
A. निषेधवाचक B. प्रश्नवाचक
C. आज्ञावाचक D. अनुरोधवाचक

4. 'उसने कहा कि मैं घर जाऊँगा'। यह कैसा वाक्य है?
A. सरल वाक्य B. संयुक्त वाक्य
C. मिश्र वाक्य D. प्रश्नवाचक वाक्य

5. 'तुम यह काम मत करो।' यह कैसा वाक्य है?
A. आज्ञावाचक B. निषेधवाचक
C. प्रश्नवाचक D. विस्मयवाचक

6. 'हो सकता है राम का काम बन जाय।' यह कैसा वाक्य है?
A. निषेधवाचक B. प्रश्नवाचक
C. संदेहवाचक D. आज्ञावाचक

7. 'अरे! उसने तो कमाल कर दिया।' यह कैसा वाक्य है?
A. प्रश्नवाचक B. निषेधवाचक
C. विस्मयवाचक D. इच्छावाचक

8. 'राम क्रिकेट खेलता है पर अच्छा नहीं।' यह कैसा वाक्य है?
A. सरल वाक्य B. संयुक्त वाक्य
C. मिश्र वाक्य D. इनमें से कोई नहीं

9. 'ज्यों ही मैंने दरवाजा खोला कि वह आ गया।' यह कैसा वाक्य है?
A. सरल वाक्य B. संयुक्त वाक्य
C. मिश्र वाक्य D. इनमें से कोई नहीं

10. 'वह आए तो काम बन सकता है।' यह कैसा वाक्य है?
A. इच्छाबोधक B. संदेहसूचक
C. संकेतार्थक D. विधानार्थक

11. तुम विद्यालय के लिए यह कर दो या रमेश को बोल दो।
A. संयुक्त वाक्य B. मिश्र वाक्य
C. सरल वाक्य D. इनमें से कोई नहीं

12. मजदूर मेहनत करता है, किंतु उसके लाभ से वंचित रहता है।
A. सरल वाक्य B. मिश्र वाक्य
C. संयुक्त वाक्य D. इनमें से कोई नहीं

13. प्रत्येक धर्म सिखाता है कि आपस में भाई-चारे से रहो।
A. मिश्र वाक्य B. संयुक्त वाक्य
C. सरल वाक्य D. इनमें से कोई नहीं

14. मुझे विश्वास है कि आप अवश्य आएँगे।
A. मिश्र वाक्य B. संयुक्त वाक्य
C. सरल वाक्य D. इनमें से कोई नहीं

15. अल्प ज्ञानी व्यक्ति बुद्धिमान की कद्र करना क्या जाने।
A. सरल वाक्य B. संयुक्त वाक्य
C. मिश्र वाक्य D. इनमें से कोई नहीं

16. नीति कहती है कि तुम गलत के साथ गलत मत करो।
A. सरल वाक्य B. संयुक्त वाक्य
C. मिश्र वाक्य D. इनमें से कोई नहीं

17. दुष्ट व्यक्ति की मित्रता स्थायी नहीं होती।
A. सरल वाक्य B. संयुक्त वाक्य
C. मिश्र वाक्य D. इनमें से कोई नहीं

18. अमर के रहते विद्यालय के किसी छात्र को सर्वश्रेष्ठ खिलाड़ी की पदवी नहीं मिल सकती।
A. मिश्र वाक्य B. संयुक्त वाक्य
C. सरल वाक्य D. इनमें से कोई नहीं

19. मैंने किरायेदार नहीं रखे, मुसीबत मोल ले ली।
A. सरल वाक्य B. मिश्र वाक्य
C. संयुक्त वाक्य D. इनमें से कोई नहीं

20. समय पर पश्चाताप करना ही बुद्धिमानी की बात है।
A. सरल वाक्य B. मिश्र वाक्य
C. संयुक्त वाक्य D. इनमें से कोई नहीं

21. रचना की दृष्टि से वाक्य के कितने भेद होते हैं?
A. तीन B. पाँच
C. छह D. आठ

22. सरल वाक्य में कितने कर्ता और कितनी क्रिया होती है?
A. एक कर्ता, एक क्रिया
B. एक कर्ता, एक क्रिया, एक सहायक क्रिया
C. दो क्रिया एक कर्ता
D. दो कर्ता दो क्रिया

23. अधोलिखित में से वाक्य के (रचना के आधार पर) भेद कौन-से हैं?
A. सरल वाक्य B. मिश्र वाक्य
C. संयुक्त वाक्य D. उपर्युक्त तीनों

24. **धूप निकली है** में कितने उद्देश्य और कितने विधेय हैं?
A. एक उद्देश्य एक विधेय B. एक उद्देश्य दो विधेय
C. उपर्युक्त दोनों D. कोई नहीं

25. सरल वाक्य में कितने उद्देश्य और कितने विधेय होते हैं?
A. एक उद्देश्य एक विधेय B. दो उद्देश्य एक विधेय
C. दो विधेय दो उद्देश्य D. उपर्युक्त में से कोई ठीक नहीं

26. मिश्र वाक्य में कितनी समापिका क्रियाएँ होती हैं?

A. दो　　B. एक या एक से अधिक
C. कोई　　D. कोई ठीक नहीं

27. वह कौन ऐसा भारतीय है जो गाँधीजी को नहीं जानता। कौन-सा वाक्य है?

A. सरल वाक्य　　B. मिश्र वाक्य
C. संयुक्त वाक्य　　D. कोई नहीं

28. मिश्र वाक्य में कितने वाक्य होते हैं?

A. एक मुख्य वाक्य एक उपवाक्य
B. दो मुख्य वाक्य
C. दो उपवाक्य
D. कोई ठीक नहीं

29. मुख्य वाक्य और उपवाक्य में किसकी संगति होती है?

A. भाव की　　B. ध्वनि की
C. अर्थ की　　D. किसी की नहीं

30. जहाँ साधारण और मिश्र वाक्यों का मेल संयोजक अव्ययों द्वारा होता है, उसे कहते हैं–

A. सरल वाक्य　　B. मिश्र वाक्य
C. संयुक्त वाक्य　　D. विधि वाक्य

31. संयुक्त वाक्य में कैसे वाक्य अव्ययों द्वारा संयुक्त किए जाते हैं?

A. सरल वाक्य　　B. मिश्र वाक्य
C. उपर्युक्त दोनों　　D. कोई ठीक नहीं

32. मैं नहा चुका तब वह साबुन लाया। कौन-सा वाक्य है?

A. विधिवाचक, सरल वाक्य
B. विधिवाचक, मिश्र वाक्य
C. विधिवाचक, संयुक्त वाक्य
D. कोई नहीं

33. तुम नहाओ और तुम्हारे बाद सभी नहायें। कौन-सा वाक्य है?

A. आज्ञावाचक सरल वाक्य
B. आज्ञावाचक मिश्र वाक्य
C. आज्ञावाचक संयुक्त वाक्य
D. कोई नहीं

34. राम घर पहुँच गया होगा। कैसा वाक्य है?

A. विधि वाक्य　　B. विस्मयवाचक वाक्य
C. संदेहवाचक वाक्य　　D. संकेतवाचक वाक्य

35. वह परीक्षा में उत्तीर्ण हो। कैसा वाक्य है?

A. विधिवाचक वाक्य　　B. इच्छावाचक वाक्य
C. संकेतवाचक वाक्य　　D. संदेहवाचक वाक्य

36. तुम न बचाते तो वह डूब जाता। कैसा वाक्य है?

A. संकेतवाचक वाक्य　　B. इच्छावाचक वाक्य
C. संदेहवाचक वाक्य　　D. विस्मयवाचक वाक्य

37. संकेतवाचक वाक्य निर्भर रहता दूसरे वाक्य की–

A. संभावना पर　　B. धारणा पर
C. अवधारणा पर　　D. इच्छा पर

38. जिस वाक्य में किसी बात के होने का बोध हो उसे कहते हैं–

A. आज्ञावाचक वाक्य　　B. संदेहवाचक वाक्य
C. इच्छावाचक वाक्य　　D. विधिवाचक वाक्य

39. जिस वाक्य में दुख एवं सुख का बोध हो उसे कहते हैं–

A. संकेतवाचक वाक्य　　B. संदेहवाचक वाक्य
C. विस्मयवाचक वाक्य　　D. विधिवाचक वाक्य

40. अहा! तुम्हारे आने से सभी प्रसन्न हैं। वाक्य में कौन-सा भाव है?

A. संदेह का　　B. विस्मय का
C. इच्छा का　　D. संकेत का

उत्तरमाला

1	2	3	4	5	6	7	8	9	10
A	C	C	C	B	C	C	B	C	C
11	**12**	**13**	**14**	**15**	**16**	**17**	**18**	**19**	**20**
A	C	A	A	A	C	A	C	C	A
21	**22**	**23**	**24**	**25**	**26**	**27**	**28**	**29**	**30**
A	A	D	A	A	B	B	A	C	C
31	**32**	**33**	**34**	**35**	**36**	**37**	**38**	**39**	**40**
C	B	C	C	B	A	A	A	C	B

★ ★ ★

8

मुहावरा

मुहावरा का शाब्दिक अर्थ 'अभ्यास' है। किन्तु उस वाक्यांश अथवा शब्द समूह को मुहावरा कहते हैं जो अपने साधारण अर्थ को त्याग कर एक विशेष अर्थ प्रकट करने लगता है। मुहावरों के प्रयोग से भाषा का सौंदर्य एवं उसकी शीलता बढ़ जाती है।

नीचे कुछ मुहावरे, उसका अर्थ तथा वाक्यों में प्रयोग दिया जा रहा है–

- **अंग-अंग ढीला होना**—*बहुत थक जाना*
  अपनी बहिन की शादी में काम करते-करते मेरा ***अंग-अंग ढीला*** हो गया।
- **अंगारे उगलना**—*क्रोध में अति कठोर शब्द कहना*
  जब औरंगजेब के दरबार में शिवाजी ने अपना अपमान होते देखा तो वे ***अंगारे उगलने*** लगे।
- **अँगूठा दिखाना**—*इनकार करना*
  स्वार्थी मित्र संकट के समय सहायता माँगे जाने पर ***अँगूठा दिखाकर*** चले जाते हैं।
- **अंधे की लकड़ी होना**—*एकमात्र सहारा*
  अब तो बेटा तुम ही हमारे लिए ***अन्धे की लकड़ी*** के समान हो।
- **अँधेरे घर का उजाला होना**—*इकलौता बेटा*
  रामू मेरे छोटे भाई की एकमात्र संतान है। वही उसके ***अँधेरे घर का उजाला*** है।
- **अक्ल के पीछे लाठी लिए फिरना**—*हमेशा उल्टा काम करना*
  हमारा एक साथी तो हर समय ***अक्ल के पीछे लाठी लिए फिरता*** है।
- **अक्ल पर पत्थर पड़ना**—*बुद्धि नष्ट हो जाना*
  तुम्हारी तो ***अक्ल पर पत्थर पड़*** गए हैं जो तुम मेरी बात समझते ही नहीं।
- **अपना उल्लू सीधा करना**—*स्वार्थ सिद्ध करना*
  वह ***अपना उल्लू सीधा करके*** चलता बना।
- **अपना-सा मुँह लेकर रह जाना**—*लज्जित होना*
  हम वहाँ बड़ी उम्मीद लेकर गए थे, किन्तु उसने ऐसी निराशापूर्ण बात कही जिससे हमें ***अपना-सा मुँह लेकर रह जाना*** पड़ा।
- **अपनी खिचड़ी आप पकाना**—*सबसे अलग रहना*
  कुछ लोग ऐसे स्वभाव के होते हैं कि वे किसी से मिलना ही नहीं चाहते; ***अपनी खिचड़ी आप ही पकाते*** हैं।
- **अपने मुँह मियाँ मिट्ठू बनना**—*अपनी प्रशंसा स्वयं करना*
  अपने मुँह मियाँ मिट्ठू बनने से क्या होता है, दूसरे लोग तुम्हारी प्रशंसा करें तब बात है।
- **अपने पैरों पर खड़े होना**—*आत्मनिर्भर होना*
  जब तक तुम इस योग्य न हो जाओ कि ***अपने पैरों पर खड़े हो*** सको तब तक तुम्हें विवाह के बारे में सोचना भी नहीं चाहिए।
- **आँख की किरकिरी होना**—*अप्रिय होना*
  राम व्यर्थ में ही मुझे अपनी ***आँख की किरकिरी*** समझता है।
- **आँख चुराना**—*सामने आने से घबराना*
  जब से उसने मेरा पेन लिया है, तब से वह ***आँखें चुराता*** फिरता है।
- **आँखें नीली-पीली करना**—*क्रोध में आना*
  मैंने ऐसा कोई गलत काम नहीं किया है; आप व्यर्थ में ***आँखें नीली-पीली न करें***।
- **आँखें फेर लेना**—*उपेक्षा करना*
  स्वार्थी मित्र संकट के समय में ***आँखें फेर लेते*** हैं।
- **आँखों का तारा होना**—*अत्यन्त प्रिय*
  कृष्ण अपने माँ-बाप की ***आँखों का तारा*** है।
- **आँखों का पानी ढल जाना**—*बेशर्म हो जाना*
  उसके माँ-बाप उसे बहुतेरा समझाते-बुझाते हैं, किन्तु उसकी ***आँखों का तो पानी ढल*** गया है। उस पर किसी बात का असर होता ही नहीं।
- **आँखों में धूल झोंकना**—*धोखा देना*
  जो लोग दूसरों की ***आँखों में धूल झोंकने*** की कोशिश करते हैं, वे वस्तुतः अपने को ही धोखा देते हैं।
- **आकाश-पाताल एक करना**—*बहुत अधिक परिश्रम करना*
  राम ने नौकरी प्राप्त करने के लिए ***आकाश-पाताल एक कर*** दिया।
- **आग पर घी डालना**—*क्रोध को बढ़ाना*
  तुम्हारा टोकना तो ***आग पर घी डालने*** जैसा था।
- **आटे-दाल का भाव मालूम होना**—*जीवन में कष्टों का अनुभव करना*
  अब तक तो तुम अकेले थे, कुछ पता ही नहीं चला; अब तुम्हें ***आटे-दाल का भाव मालूम होगा***।
- **आम के आम और गुठलियों के दाम**—*दोहरा लाभ*
  मूँगफली के व्यापार में ***आम के आम और गुठलियों के दाम*** मिलते हैं; क्योंकि उसकी गिरी से तेल निकाल कर खली बिक जाती है और मूँगफली का छिलका भी बिक जाता है।
- **आस्तीन का साँप**—*विश्वासघाती*
  उस पर कभी विश्वास मत करो, वह ***आस्तीन का साँप*** है।
- **ईंट से ईंट बजाना**—*नष्ट-भ्रष्ट कर देना*
  शिवाजी ने मुगल साम्राज्य की ***ईंट से ईंट बजा*** दी।

- **ईद का चाँद होना**—*बहुत कम दिखाई पड़ना*
  तुम तो ***ईद के चाँद हो गए*** हो; कभी इधर आते ही नहीं।
- **उड़ती चिड़िया पहचानना**—*मन की बात ताड़ लेना*
  मुझसे क्यों छिपाते हो, ***मैं उड़ती चिड़िया पहचान*** लेता हूँ।
- **उल्लू सीधा करना**—*काम निकालना*
  अधिकांश लोग ***उल्लू सीधा*** होते ही बात नहीं करते।
- **ऊँट के मुँह में जीरा**—*आवश्यकता से बहुत कम देना*
  एक रोटी से उसका क्या बनेगा, यह तो उसके लिए ***ऊँट के मुँह में जीरा*** की तरह है।
- **एक अनार सौ बीमार**—*किसी चीज की माँग आपूर्ति से अधिक होना*
  यह वस्तु मैं किस-किस को दूँ, इसके माँगने वाले इतने अधिक हैं कि यह ***एक अनार सौ बीमार*** वाली बात हो रही है।
- **एक तीर से दो शिकार करना**—*एक साथ दो मतलब पूरे करना*
  तुम्हारे ऐसा कहने से ***एक तीर से दो शिकार*** होंगे, सबके सामने उसकी पोल खुल जाएगी और तुम्हारा काम भी बन जाएगा।
- **एक थैली के चट्टे-बट्टे होना**—*एक ही स्वभाव के*
  तुम सब ***एक ही थैली के चट्टे-बट्टे हो***, कोई किसी से कम नहीं।
- **एक हाथ से ताली न बजना**—*किसी काम के लिए एक ही व्यक्ति उत्तरदायी नहीं होता*
  एक हाथ से ताली नहीं बजती, तुमने भी अवश्य कुछ-न-कुछ ऐसी बात जरूर की होगी, जिसका यह परिणाम निकला।
- **ओखली में सिर देना**—*जानते हुए किसी कष्ट में पड़ना*
  अब तो ***ओखली में सिर दे ही दिया*** है, इस काम को पूरा करना ही है।
- **कच्ची गोलियाँ खेलना**—*अनुभव की कमी होना*
  मैंने कोई ***कच्ची गोलियाँ नहीं खेली*** हैं, जो मैं तुम्हारी बातों में आ जाऊँ।
- **कटे पर नमक छिड़कना**—*दु:खी को और दु:खी करना*
  तुम यह बात कहकर ***कटे पर नमक छिड़कना*** चाहते हो।
- **कठपुतली की तरह नाचना**—*किसी के कहने के अनुसार कार्य करते रहना*
  पता नहीं उसने महेश पर कैसा जादू किया है कि वह उसके सामने ***कठपुतली की तरह नाचता*** रहता है।
- **कब्र के मुर्दे उखाड़ना**—*पुरानी बातों की याद दिलाना*
  जो बात हो गई सो हो गई; ***कब्र के मुर्दे उखाड़ने*** से क्या लाभ।
- **कलई खुलना**—*सच्ची बात प्रकट हो जाना*
  तुम कब तक अपने फेल होने की बात को छिपाओगे, एक न एक दिन तो ***कलई खुलेगी*** ही।
- **कलेजा दो टूक होना**—*बहुत दु:खी होना*
  तुमने आज जैसी बातें कही हैं, उनसे मेरा ***कलेजा दो टूक हो*** गया है।
- **कलेजे पर साँप लोटना**—*डाह से जलना*
  मेरी तरक्की देखकर उसके ***कलेजे पर साँप लोट*** गया।
- **काँटे बिछाना**—*रुकावटें पैदा करना*
  जो दूसरे के मार्ग में ***काँटे बिछाता*** है, वह स्वयं ही उसमें उलझता है।
- **काटो तो खून नहीं**—*डर से पीला पड़ जाना*
  चोरी करते पकड़े जाने पर उसकी दशा ऐसी हो गई कि ***काटो तो खून नहीं***।
- **काठ का उल्लू**—*मूर्ख*
  वह पढ़ा-लिखा तो बहुत है, किन्तु सांसारिक मामलों में ***काठ का उल्लू*** है।
- **कान का कच्चा**—*बिना जाँच किये प्रत्येक बात पर विश्वास कर लेना*
  जो व्यक्ति ***कान के कच्चे*** होते हैं वे मित्र बनाने योग्य नहीं होते।
- **कान पर जूँ न रेंगना**—*तनिक भी ध्यान न देना*
  मैंने उसे बार-बार समझाया कि पढ़ाई-लिखाई की ओर ध्यान दो, परन्तु उसके ***कान पर जूँ तक न रेंगी***।
- **कान में तेल डालना**—*किसी की बात न सुनना*
  कृष्णा के नौकरी कर लेने पर सबने उसकी टीका-टिप्पणी की, किन्तु वह ***कान में तेल डाले*** रही।
- **किताब का कीड़ा होना**—*दिन-रात पढ़ते रहना*
  रवीन्द्र किसी बात से मतलब नहीं रखता, वह तो ***किताब का कीड़ा*** है।
- **किस खेत की मूली**—*अत्यन्त तुच्छ*
  तुम हो ***किस खेत की मूली***, मैं तुम जैसों की बिल्कुल परवाह नहीं करता।
- **कोल्हू का बैल बनना**—*दिन-रात काम में लगे रहना*
  तुम तो हर समय ***कोल्हू के बैल ही बने*** रहते हो, तभी तो तुम्हारा स्वास्थ्य ठीक नहीं रहता।
- **कौड़ी-कौड़ी को मोहताज होना**—*पास में एक पैसा न होना*
  जबसे उसकी नौकरी छूटी है, तबसे वह ***कौड़ी-कौड़ी को मोहताज*** हो गया है।
- **खटाई में पड़ना**—*उलझ जाना*
  तुम्हारी तरक्की का मामला ***खटाई में पड़*** गया है।
- **खाने दौड़ना**—*झल्ला उठना*
  मैंने कुछ कहा भी है कि आप ***खाने दौड़*** रहे हैं।
- **खून-पसीना एक करना**—*अत्यधिक परिश्रम करना*
  तुम्हारे इस मामले में तो कृष्ण ने ***खून-पसीना एक कर*** दिया।
- **गंगाजली उठाना**—*हाथ में गंगाजल लेकर सौगन्ध खाना*
  मैं ***गंगाजली उठाकर*** कहता हूँ कि मैं बिल्कुल निर्दोष हूँ।
- **गज-भर की छाती होना**—*उत्साह से भर जाना*
  अपनी पुत्री के परीक्षा में प्रथम आने से उसकी ***गज-भर की छाती हो*** गई।
- **गहरा हाथ मारना**—*बहुत माल प्राप्त करना*
  जगदीश ने अपने पुत्र के विवाह में ***गहरा हाथ मारा*** है।
- **गाँठ का पूरा**—*धनी व्यक्ति*
  वह ऊपर से कैसा ही प्रतीत हो, किन्तु है ***गाँठ का पूरा***।
- **गागर में सागर भरना**—*थोड़े शब्दों में बहुत-कुछ कह देना*
  वह बहुत कम बोलता है किन्तु जब भी बोलता है तो उसकी बातों में ***गागर में सागर भरा*** होता है।
- **गाजर-मूली समझना**—*बहुत तुच्छ समझना*
  शिवाजी मुगल सैनिकों को ***गाजर-मूली की तरह समझते*** थे।
- **गाढ़े पसीने की कमाई**—*मेहनत से कमाया हुआ धन*
  यह मेरे ***गाढ़े पसीने की कमाई*** है, मैं नहीं चाहता कि इसे व्यर्थ में पानी की तरह बहाया जाए।

- **गिरगिट की तरह रंग बदलना**—*कभी कुछ कहना और कभी कुछ*
आजकल विधान सभाओं के अनेक सदस्य ***गिरगिट की तरह रंग बदलते*** दिखाई देते रहते हैं।
- **गुड़ गोबर करना**—*बना काम बिगाड़ देना*
तुमने ये शब्द कहकर सारा ***गुड़ गोबर कर*** दिया।
- **गोबर गणेश**—*मूर्ख*
तुम बिल्कुल ***गोबर गणेश*** हो, अपने हित की बात ही नहीं समझते।
- **घड़ों पानी पड़ना**—*अति लज्जित होना*
चुगली करने की बात खुल जाने पर उस पर ***घड़ों पानी पड़*** गया।
- **घर का दिया बुझ जाना**—*इकलौते पुत्र की मृत्यु होना*
दीपक उसका इकलौता पुत्र था, उसके मर जाने से उसके ***घर का दिया ही बुझ*** गया।
- **घाट-घाट का पानी पीना**—*जगह-जगह से अनुभव प्राप्त करना*
मुसीबत के दिनों में उसे ***घाट-घाट का पानी पीना*** पड़ा है।
- **घाव पर नमक छिड़कना**—*दु:खी को (कठोर शब्दों से) और दु:खी करना*
तुम्हारे ये शब्द ***घाव पर नमक छिड़कने*** का काम कर रहे हैं।
- **घास काटना**—*किसी काम को लापरवाही से करना*
घास मत काटो, जरा धीरे-धीरे अच्छी तरह पढ़ो।
- **घी के दीये जलाना**—*खूब खुशियाँ मनाना*
जिस दिन मेरे भाई की नौकरी लग जायेगी उस दिन मैं ***घी के दीये जलाऊँगा***।
- **घुटने टेक देना**—*हार मान लेना*
सैल्युकस ने चन्द्रगुप्त मौर्य के आगे ***घुटने टेक दिये***।
- **घोड़े बेचकर सोना**—*निश्चिन्त होकर सोना*
बहिन का विवाह करने के पश्चात् वह ऐसे सो गया मानो ***घोड़े बेचकर सोया*** हो।
- **चलता पुर्जा**—*चालाक व्यक्ति*
चन्द्र बड़ा ही ***चलता पुर्जा*** है, उससे बचकर रहना।
- **चाँदी का जूता मारना**—*रुपये के बल पर दबाना*
वह तो ***चाँदी का जूता मारती*** है और सबसे अपना काम करा लेती है।
- **चाँदी होना**—*अत्यधिक लाभ होना*
आजकल महँगाई के जमाने में व्यापारियों की ***चाँदी*** है।
- **चादर देखकर पाँव फैलाना**—*अपनी शक्ति के अनुसार कार्य करना*
बुद्धिमानी इसी में है कि ***चादर देखकर पाँव फैलाये*** जायें अन्यथा जीवन में बड़ी कठिनाई का सामना करना पड़ता है।
- **चार चाँद लगना**—*शोभा बढ़ना*
वह सुन्दर तो है ही, पर इस साड़ी को पहनने पर उसकी सुन्दरता में ***चार चाँद लग*** जाते हैं।
- **चार दिन की चाँदनी**—*थोड़े दिनों का सुख*
तुम इतना घमण्ड क्यों करते हो, यह सुख तो ***चार दिन की चाँदनी*** है, कभी दु:ख के दिन भी आ सकते हैं।
- **चिकना घड़ा होना**—*किसी बात का असर न पड़ना*
वह तो बिल्कुल ***चिकना घड़ा हो*** गया है, उस पर कहे-सुने का असर पड़ता ही नहीं।
- **चिराग लेकर ढूँढना**—*बहुत छानबीन करना*
तुम यदि ***चिराग लेकर भी ढूँढो,*** तब भी तुम्हें ऐसा सज्जन नहीं मिलेगा।
- **चुल्लू भर पानी में डूब मरना**—*मुँह दिखाने योग्य न रहना*
तीसरी बार भी परीक्षा में फेल होने पर उसे ***चुल्लू भर पानी में डूब मरना*** चाहिए।
- **चूना लगाना**—*धोखा देना*
कितनी ही सावधानी से काम लो, किन्तु कभी-कभी दुकानदार ***चूना लगा*** ही देते हैं।
- **चोली-दामन का साथ होना**—*अटूट सम्बन्ध होना*
भारत और नेपाल का ***चोली दामन का साथ*** है।
- **छक्के छूटना**—*हिम्मत हार जाना*
भारतीयों की वीरता देखकर पाकिस्तानी सैनिकों के ***छक्के छूट*** गए।
- **छठी का दूध याद आना**—*घोर कष्ट में पड़ना*
मैं तुम्हें ऐसी मार लगाऊँगा कि ***छठी का दूध याद आ*** जायेगा।
- **छप्पर फाड़कर देना**—*बिना परिश्रम किए धन मिलना*
भगवान् जब देता है तो ***छप्पर फाड़कर देता*** है।
- **छाती पर मूँग दलना**—*हमेशा दु:ख देना*
तू इस तरह ***छाती पर मूँग ही दलता*** रहेगा या कहीं जाकर कुछ काम खोजने की कोशिश भी करेगा?
- **जरा-सा मुँह निकल आना**—*दुर्बल हो जाना*
उस पर इन दिनों इतना काम पड़ा है कि उसका ***जरा-सा मुँह निकल आया*** है।
- **जली-कटी कहना**—*कठोर बातें कहना*
वह हमेशा ***जली-कटी कहता*** रहता है, पता नहीं वह क्या चाहता है।
- **जहर का घूँट पीकर रह जाना**—*अपमान को चुपचाप सहन कर लेना*
यद्यपि उसने सबके सामने मेरा अपमान किया किन्तु फिर भी मैं आपका ख्याल करके ***जहर का घूँट पीकर रह*** गया।
- **जहर की पुड़िया**—*उपद्रवी व्यक्ति*
वह सीधी नहीं है, ***जहर की पुड़िया*** है।
- **झंडा गाड़ना**—*अधिकार करना*
शिवाजी ने तोरण के किले को जीतकर उस पर अपना ***झंडा गाड़*** दिया।
- **टोपी उछालना**—*अपमानित करना*
महेश ने सबके सामने मेरी ***टोपी उछाली,*** यह उसने ठीक नहीं किया।
- **ठोकना-बजाना**—*अच्छी तरह परखना*
जिस तरह तुम हरेक वस्तु परख कर खरीदते हो उसी तरह मित्र भी ***ठोक-बजाकर*** बनाना चाहिए।
- **डंके की चोट पर**—*खुल्लमखुल्ला स्पष्ट शब्दों में कहना*
मैं ***डंके की चोट पर*** कहता हूँ कि किसी भी हालत में उसका साथ नहीं छोड़ूँगा।
- **डूबते को तिनके का सहारा**—*असहाय को थोड़ी सहायता भी काफी काम कर जाती है*
तुम्हारी थोड़ी सहायता ही ***डूबते को तिनके का सहारा*** के समान सिद्ध हुई।

- **डेढ़ चावल की खिचड़ी पकाना**—*सबसे अलग रहकर कार्य करना*
  कुछ लोग ऐसे होते हैं जो ***डेढ़ चावल की खिचड़ी पकाना*** चाहते हैं, परन्तु समाज ऐसे लोगों का सम्मान नहीं करता।
- **ढेर हो जाना**—*मर जाना*
  उसने डाकू पर लाठी का एक ही प्रहार किया कि वह ***ढेर हो*** गया।
- **तलवार के घाट उतारना**—*तलवार से मारना*
  हल्दीघाटी के मैदान में राजपूतों ने असंख्य मुगल सैनिकों को ***तलवार के घाट उतार*** दिया।
- **तारे गिनना**—*रात-भर जागना*
  मैं उसकी स्मृति में रात-भर ***तारे गिनता*** रहा, एक पल को भी नींद नहीं आई।
- **तिल का ताड़ बनाना**—*छोटी-सी बात को बहुत बढ़ाना*
  बहुत लोगों को ***तिल का ताड़ बनाने*** में बड़ा आनन्द आता है।
- **तिलों में तेल न होना**—*कोई आशा न होना*
  तुम किससे पार्टी (दावत) माँग रहे हो; इन ***तिलों में तेल नहीं*** है।
- **तेली का बैल होना**—*रात-दिन काम में लगा रहना*
  तुम तो हमेशा ***तेली के बैल*** के समान काम में लगे रहते हो।
- **थाली का बैंगन होना**—*स्वार्थवश कभी किसी का साथ देना और कभी किसी का*
  तुम तो बिल्कुल ***थाली के बैंगन हो***, तुम्हारा कोई भरोसा नहीं।
- **दाँत काटी रोटी**—*गहरी मित्रता*
  जोशी और कैलाश में ***दाँत काटी रोटी*** थी किन्तु पता नहीं क्यों आजकल वे एक-दूसरे से दूर-दूर रहते हैं।
- **दाँत खट्टे करना**—*हरा देना*
  शिवाजी ने औरंगजेब की सेना के ***दाँत खट्टे कर*** दिए।
- **दाल में काला होना**—*किसी बात की शंका होना*
  वह बार-बार इधर आता है, अवश्य कुछ ***दाल में काला*** है।
- **दिन दूनी रात चौगुनी**—*बहुत तेज गति से*
  स्वतन्त्रता मिलने के उपरान्त भारत ने ***दिन दूनी रात चौगुनी*** उन्नति की है।
- **दूध का दूध पानी का पानी**—*सच्चा न्याय*
  राजा विक्रमादित्य अत्यन्त पेचीदे मामलों में भी ***दूध का दूध पानी का पानी*** कर देते थे।
- **दो नावों में पैर रखना**—*दोनों पक्षों का समर्थन करना*
  जो लोग ***दो नावों पर पैर रखते*** हैं, वे किसी के भले नहीं बन पाते।
- **धूप में बाल सफेद न करना**—*बहुत अनुभवी होना*
  मेरे ***बाल धूप में सफेद नहीं*** हुए हैं, मैं सबकुछ जानता हूँ।
- **नाक पर मक्खी न बैठने देना**—*किसी को कुछ कहने का अवसर न देना*
  वह बहुत ही सिद्धान्तवादी है, ***नाक पर मक्खी भी नहीं बैठने*** देता।
- **पाँचों उँगलियाँ घी में होना**—*बहुत लाभ होना*
  आजकल व्यापारियों की ***पाँचों उँगलियाँ घी*** में हैं।
- **पाँव उखड़ जाना**—*हारकर भागना*
  राणा सांगा की विशाल सेना को देखकर बाबर की सेना के ***पाँव उखड़*** गए।
- **पापड़ बेलना**—*मुसीबत झेलना (परिश्रम करना)*
  मैंने अपनी जिन्दगी में बड़े ***पापड़ बेले*** हैं, तब कहीं जाकर यह दिन देखने को मिला है।
- **पेट का हल्का होना**—*किसी बात को छिपा न सकना*
  जो मनुष्य ***पेट के हल्के होते*** हैं, वे सबके बुरे बन जाते हैं।
- **पौ बारह होना**—*लाभ ही लाभ होना*
  आजकल व्यापारियों की ***पौ बारह*** है।
- **बाल की खाल निकालना**—*सूक्ष्म विवेचन करना*
  तर्क करने वाले प्रत्येक बात में ***बाल की खाल निकालते*** हैं।
- **बाल बाँका न होना**—*तनिक भी हानि न होना*
  आग में प्रहलाद का तो ***बाल भी बाँका न हुआ*** किन्तु उसकी बुआ होलिका जलकर भस्म हो गई।
- **मुँह में पानी भर आना**—*लालच आना*
  लोमड़ी ने जब अंगूर लटकते हुए देखे तो उसके ***मुँह में पानी भर आया***।
- **मुट्ठी गरम करना**—*रिश्वत देना*
  तुम्हें इस काम के लिए अधिकारियों की ***मुट्ठी गरम करनी*** पड़ेगी।
- **रंग में भंग पड़ना**—*मजा किरकिरा होना*
  उत्सव के समय यकायक पानी बरसने से ***रंग में भंग पड़*** गया।
- **लकीर का फकीर होना**—*पुरानी रीति पर चलना*
  तुम तो बिल्कुल ***लकीर के फकीर हो,*** किसी बात को तर्क की कसौटी पर कसना ही नहीं चाहते।
- **सफेद झूठ बोलना**—*सरासर झूठ बोलना*
  तुम ***सफेद झूठ बोलते*** हो; ऐसा कभी नहीं हो सकता।
- **सिर पर कफन बाँधना**—*मरने के लिए तैयार होना*
  भारत को स्वतन्त्र कराने के लिए अनेक वीरों ने ***सिर पर कफन बाँध*** लिया था।
- **सिर पर भूत सवार होना**—*किसी धुन पर अड़े होना*
  जब शान्ति के ***सिर पर भूत सवार होता*** है, तो फिर उसे कोई नहीं समझा सकता।
- **सूर्य को दीपक दिखाना**—*महान् व्यक्ति का परिचय देने की कोशिश करना*
  स्वामी विवेकानन्द के सम्बन्ध में कुछ कहना ***सूर्य को दीपक दिखाना*** ही है।
- **हाथ धोकर पीछे पड़ना**—*बुरी तरह सताना*
  वह तो ***हाथ धोकर मेरे पीछे पड़*** गया है, मैं कितना ही अच्छा काम करूँ, वह कोई-न-कोई गलती निकाल ही देता है।
- **हाथ-पाँव फूल जाना**—*बहुत घबरा जाना*
  दंगाइयों के अचानक घर में घुस जाने पर मेरे ***हाथ-पाँव फूल*** गए।
- **हाथों के तोते उड़ जाना**—*सुध-बुध खोना*
  दुकान खोलते ही जब सेठ जी ने देखा कि तिजोरी खुली पड़ी है, तो उनके ***हाथ के तोते उड़*** गए।

वस्तुनिष्ठ प्रश्नोत्तर

निर्देश : *नीचे प्रत्येक प्रश्न में एक मुहावरा दिया गया है और उसके नीचे A, B, C, D विकल्प के सामने उसका (मुहावरे का) अर्थ दिया गया है। चारों अर्थों में से जो अर्थ आपको सर्वाधिक उपयुक्त लगे, उस पर सही का निशान लगाइये।*

1. आँख नीली-पीली करना
A. उत्सुकता से देखना B. सावधान हो जाना
C. बहुत क्रुद्ध होना D. हैरानी प्रकट करना

2. आन की आन में
A. एकदम B. अपमान करते हुए
C. इज्जत देना D. अपने आप

3. एक की चार लगाना
A. गप्प मारना B. अपनी बात ऊपर रखना
C. अनेक बहाने बनाना D. झूठी शिकायत करना

4. कसर निकालना
A. कमी पूरी करना B. उदारता दिखाना
C. बदला लेना D. चैन से न बैठने देना

5. खटपट होना
A. झगड़ा होना B. शोर होना
C. आवाज होना D. शान्ति भंग होना

6. अन्धे की लकड़ी
A. सबसे बड़ा सहारा
B. एक मात्र आशा
C. आशा की किरण
D. असहाय व्यक्ति का एकमात्र सहारा

7. अक्ल पर पत्थर पड़ना
A. अक्ल का उपयोग न करना B. बुद्धि काम न देना
C. बुद्धि नष्ट हो जाना D. मंद बुद्धि होना

8. अपना उल्लू सीधा करना
A. अपना काम निकालना
B. अपने को विपत्ति से मुक्त करना
C. अपना काम पूरा होने पर मुँह फेर लेना
D. दूसरे को उल्लू बनाकर अपना हित साधना

9. अपना-सा मुँह लेकर रह जाना
A. पराजित होना B. लज्जित होना
C. निराश होना D. हिम्मत पस्त होना

10. अपने मुँह मियाँ मिट्ठू बनना
A. डींग मारना B. रोब जमाना
C. स्वयं अपनी प्रशंसा करना D. अपने माल की तारीफ करना

11. आँख चुराना
A. आँखें न मिलाना B. शरमाना
C. सामने न आना D. डराना

12. आँखें फेर लेना
A. बेमुरव्वत
B. शिष्टाचार न बरतना
C. मिलना-जुलना बंद कर देना
D. उपेक्षा करना

13. आँधी के आम
A. सस्ती वस्तु
B. खराब वस्तु
C. बिना परिश्रम के प्राप्त वस्तु
D. मुफ्त मिली वस्तु

14. आग उगलना
A. मारने को दौड़ना B. खरी-खोटी सुनाना
C. बहुत क्रोध दिखाना D. क्रोध से पागल होना

15. आस्तीन का साँप
A. छिपा रुस्तम B. गुदड़ी का लाल
C. समय पर साथ न देना D. विश्वासघाती

16. ईद का चाँद होना
A. बहुत कम दिखाई देना B. बहुत प्रिय होना
C. बहुत सुन्दर होना D. बहुत लाड़ला होना

17. एक थैली के चट्टे-बट्टे
A. एक ही गुट के B. एक जैसी प्रकृति के
C. एक ही जाति-धर्म के D. एक से एक बढ़ कर

18. कागजी घोड़े दौड़ाना
A. मंसूबे बाँधना B. लिखा-पढ़ी करना
C. कागज काला करना D. व्यर्थ का काम करना

19. कान का कच्चा
A. दूसरों की बात न सुनने वाला
B. एक कान से सुनना दूसरे से निकाल देना
C. बिल्कुल बर्दाश्त न करना
D. दूसरों की बातों पर सहज विश्वास करना

20. गच्चा खाना
A. धोखे में ठगा जाना B. पराजित होना
C. हार मानना D. आरोप में फँस जाना

21. कोल्हू का बैल
A. दिन-रात काम करते रहना
B. बड़ी मेहनत व ईमानदारी से काम करना
C. एक ही काम करने लायक होना
D. एक ही काम करते-करते ऊब जाना

22. खरी-खोटी सुनाना
A. गाली देना B. भला-बुरा कहना
C. खबरदार करना D. बड़े-छोटे का लिहाज न करना

23. गंगा नहाना
A. पुण्य कमाना
B. किसी बड़े काम को पूरा करके राहत महसूस करना
C. भविष्य में अच्छा काम करने का संकल्प लेना
D. स्वास्थ्य-लाभ करना

24. गाल बजाना
A. स्वाद ले-लेकर खाना B. डींग मारना
C. प्रसन्न होना D. अशिष्ट व्यवहार करना

25. घास काटना
A. छोटा-मोटा काम करना
B. व्यर्थ समय गँवाना
C. ऐसा काम करना, जिसमें परिश्रम के अनुसार लाभ न हो
D. किसी काम को बेपरवाही से करना

26. घुटने टेकना
A. प्रणाम करना B. पराजय स्वीकार करना
C. गुलामी स्वीकार करना D. हिम्मत हारना

27. चूना लगाना
A. चापलूसी करके अपना काम निकालना
B. धोखा देना
C. कठोर बात कहना
D. सफाई करना

28. जहर का घूँट पीकर रह जाना
A. पराधीन होना
B. बड़ा अपमान सहकर भी चुप रहना
C. क्रोध दबा जाना
D. स्वयं मुसीबत मोल लेना

29. गले मढ़ना
A. पीछे पड़ना B. आगा-पीछा न सोचना
C. मुसीबत मोल लेना D. जबरदस्ती दे देना

30. टोपी उछालना
A. अपमान करना B. अत्यधिक खुशी व्यक्त करना
C. अच्छी तरह परखना D. इज्जत करना

31. डंके की चोट पर कहना
A. अपमानित करना B. खुल्लमखुल्ला कहना
C. कोई लिहाज न करना D. भला-बुरा सब कह डालना

32. तारे गिनना
A. व्यर्थ का काम करना
B. असम्भव काम की कोशिश करना
C. रात-भर जागना
D. सोने की भरसक कोशिश करना

33. दाँत काटी रोटी
A. जूठा भोजन
B. गहरी दोस्ती
C. चारों तरफ से संकटों से घिरा
D. रूखा-सूखा भोजन

34. दाल में काला होना
A. मजा न आना
B. किसी बात का संदेह होना
C. किसी संकट की शुरुआत
D. संकट की घड़ी में नई मुसीबत आ जाना

35. नौ-दो ग्यारह होना
A. लेन-देन पूरा होना B. भाग जाना
C. पूरा ध्यान रखना D. सौदेबाजी करना

36. पहाड़ टूट पड़ना
A. बहुत नुकसान होना B. भारी मुसीबत आ जाना
C. असम्भव बात होना D. उथल-पुथल होना

37. पाँचों उँगलियाँ घी में होना
A. रोज बढ़िया भोजन मिलना B. गुलछर्रे उड़ाना
C. अत्यधिक लाभ होना D. चैन से दिन गुजरना

38. पेट का हल्का होना
A. अपच होना
B. क्रोधी होना
C. किसी बात को गुप्त न रख पाना
D. जल्दी ही घबरा जाना

39. पेट में दाढ़ी होना
A. बहुत लालची होना
B. धूर्त होना
C. बहुत मोटा होना
D. छोटी आयु में ही बहुत चतुर-चालाक होना

40. बट्टा लगना
A. कीमत घट जाना B. कलंक लगना
C. घाटा होना D. पोल खुल जाना

41. बहती गंगा में हाथ धोना
A. आसानी से काम पूरा कर लेना
B. दूसरों को मौके का लाभ उठाते देखकर खुद भी मौके का लाभ उठा लेना
C. सबकी हाँ में हाँ मिलाना
D. मौका हाथ से न जाने देना

42. बातों में आना
A. झूठ पर विश्वास करना
B. बात को पी जाना
C. भेद प्रकट कर देना
D. किसी की बातों पर विश्वास कर लेना

43. भंडा फूटना
A. बेइज्जती होना B. भेद खुल जाना
C. बँटवारा होना D. मन की भड़ास निकालना

44. भूत सवार होना
A. पागल होना
B. किसी के वश में होना
C. किसी बात/काम के पीछे पड़ जाना
D. जी-तोड़ मेहनत करना

45. मक्खियाँ मारना
A. गंदे काम करना
B. खाली बैठे रहना
C. समय व्यतीत करने हेतु कुछ-न-कुछ करते रहना
D. आनन्द करना

46. माथा ठनकना
A. क्रोध आना B. याद आना
C. सन्देह होना D. उपाय सूझना

47. मुँह में पानी भर आना
A. लालच आना B. खाने की इच्छा होना
C. हड़पने का उपाय सोचना D. प्रसन्न हो जाना

48. रफूचक्कर हो जाना
A. बचकर भाग जाना B. मैदान छोड़कर भाग जाना
C. छिप जाना D. सरपट भागना

49. लट्टू होना
A. लोट-पोट होना B. मुग्ध होना
C. प्रभावित होना D. आगे-पीछे चक्कर लगाना

50. शेखी बघारना
A. बड़ी-बड़ी बातें करना B. बढ़ा-चढ़ाकर आत्मप्रशंसा करना
C. घमंड करना D. कोरी बातें करना

51. सब्ज़ बाग दिखाना
A. खुश करना B. सांत्वना देना
C. झूठी आशा बँधाना D. सफेद झूठ बोलना

52. साँप का बच्चा
A. जहरीला B. दुश्मन
C. स्वभाव से दुष्ट D. तेज गति से भागने वाला

53. सितारा गर्दिश में होना
A. घाटा होना B. बुरे दिन होना
C. पराजित होना D. पतन होना

54. सिर धुनना
A. पछताना B. लज्जित होना
C. तंग करना D. शोक मनाना

55. हवा बाँधना
A. सबको दबाकर रखना B. धाक जमाना
C. खुशामद करना D. साँस रोकना

56. हाथ तंग होना
A. कंजूस होना B. किफायत करना
C. रुपये पैसे की कमी होना D. कंगाल हो जाना

57. शह देना
A. दुलराना B. डराना
C. उकसाना D. धमकाना

58. सिर खाना
A. परेशान करना B. रट लगाना
C. शोर करना D. शरारत करना

59. सीधा करना
A. पीटना B. आदत सुधारना
C. अकड़ दूर करना D. रास्ते पर लाना

60. सौ बात सुनाना
A. लम्बी बात करना B. भला-बुरा कहना
C. मीन-मेख निकालना D. जिद करना

उत्तरमाला

1	2	3	4	5	6	7	8	9	10
C	A	D	C	A	D	C	A	B	C
11	12	13	14	15	16	17	18	19	20
C	D	C	C	D	A	B	B	D	A
21	22	23	24	25	26	27	28	29	30
A	B	B	B	D	B	B	B	D	A
31	32	33	34	35	36	37	38	39	40
B	C	B	B	B	B	C	C	D	B
41	42	43	44	45	46	47	48	49	50
B	D	B	C	B	C	A	A	B	B
51	52	53	54	55	56	57	58	59	60
C	C	B	A	B	C	C	A	C	B

★★★

9

लोकोक्ति

लोकोक्ति पूर्ण वाक्य हुआ करती है। यह किसी घटना विशेष का निष्कर्ष होती है। यह एक ओर वास्तविकता का संकेत देती है तो दूसरी ओर तीखी आलोचना या व्यंग्य प्रस्तुत करती है। कथन को प्रभावशाली बनाने में लोकोक्तियाँ बहुत महत्व रखती हैं। नीचे कुछ वाक्य प्रयोग सहित लोकोक्तियाँ दी जा रही हैं–

- **अपनी करनी पार उतरनी**–*अपना कार्य ही फलदायक होता है।*
  जीवन में दूसरों का सहारा ढूँढने से क्या होता है, अपनी करनी पार उतरनी।
- **अंधेर नगरी चौपट राजा**–*अन्याय का बोलबाला।*
  अयोग्य अधिकारी होने पर सभी कामों में धांधली चलती है, ठीक ही कहा गया है–अंधेर नगरी चौपट राजा।
- **हाथ पतला होना**–*दयनीय दशा होना।*
  व्यापार में घाटा हो गया इसलिए आजकल उसका हाथ पतला है।
- **अपनी-अपनी ढपली, अपना-अपना राग**–*मनमानी।*
  संगठन के अभाव में लोग अपनी-अपनी ढपली, अपना-अपना राग अलापते हैं।
- **लाल गुदड़ी में नहीं छिपते**–*होनहार का व्यक्तित्व छिपा नहीं रह सकता।*
  राजीव अपने जीवन में संघर्ष कर रहा है। असाधारण प्रतिभा के बावजूद उसे मंजिल नहीं मिल रही, लेकिन उसके साथी भरोसा दिलाते हैं–लाल गुदड़ी में भी नहीं छिपते।
- **खेल खिलाड़ी का, पैसा मदारी का**–*मेहनत किसी की, लाभ दूसरे का।*
  पूँजीवादी व्यवस्था की सबसे बड़ी बुराई यही है कि खेल खिलाड़ी का, पैसा मदारी का।
- **कंगाली में आटा गीला**–*एक मुसीबत पर दूसरी मुसीबत आ पड़ना।*
  विजय की नौकरी छूट गई, ऊपर से घर में नल खराब हो गया। इस पर विजय की पत्नी कहने लगी–कंगाली में आटा गीला।
- **गोदी में बैठकर दाढ़ी नोंचे**–*भला करने वाले के साथ दुष्टता करना।*
  समय ऐसा आ गया है कि लोग गोदी में बैठकर दाढ़ी नोंचने लगते हैं।
- **चोर को कहें चोरी कर और साह से कहें जागते रहो**–*दो पक्षों को लड़ाने वाला।*
  संजीव ने पड़ोसी से कहकर रामपाल के यहाँ छापा डलवा दिया और फिर रामलाल को बता दिया कि छापा किसने डलवाया है। उसकी हरकत पर लोग कह उठे चोर को कहें चोरी कर और साह से कहें जागते रहो।
- **दादा कहने से बनिया गुड़ देता है**–*मधुर वाणी से काम बन जाता है।*
  आजकल समय ऐसा आ गया है जब दादा कहने से ही बनिया गुड़ देता है।
- **दीवार के भी कान होते हैं**–*रहस्य की बात गुपचुप करनी चाहिए।*
  अजय, विजय को विनय की चोरी की दास्तान सुनाने लगा तो विजय ने अजय से कहा–धीरे बोलो, दीवार के भी कान होते हैं।
- **न रहेगा बाँस न बजेगी बाँसुरी**–*मूल कारण को रफा-दफा करे तो झगड़ा-फसाद ही न हो।*
  अध्यापक ने विद्यार्थी से कहा, तुम आलस्य त्याग दो इससे तुम्हें सफलता एवं उत्तम स्वास्थ्य प्राप्त होगा क्योंकि न रहेगा बाँस न बजेगी बाँसुरी।
- **तबेले की बला बंदर के सिर**–*अपराध करे कोई, पकड़ा जाये कोई और।*
  पुलिस वालों की तबेले की बला बंदर के सिर रखने की आदत हो गई है।
- **रानी रूठेगी तो अपना सुहाग लेगी**–*रूठने से अपना ही नुकसान होता है।*
  पुत्र के विवाह में दामाद के न आने से दुखी शर्मा जी को कहना पड़ा, 'रानी रूठेगी तो अपना सुहाग लेगी।'
- **अपना रख पराया चख**–*अपनी नहीं दूसरों की चीज का इस्तेमाल करना।*
  संजय बहुत चालाक है, वह अपना रख पराया चख की नीति पर चलता है।
- **आए थे हरि भजन को ओटन लगे कपास**–*उच्च लक्ष्य लेकर चलना पर कोई घटिया काम करने लगना।*
  पार्टी के कार्यकर्ता जागृति अभियान पर निकले लेकिन रास्ते में शराब और जुए में मस्त हो गए तो नेताजी को कहना पड़ा–आए थे हरि भजन को ओटन लगे कपास।
- **खग जाने खग ही की भाषा**–*एक साथ काम करने वाले एक-दूसरे के भाव-इशारे समझ जाते हैं।*
  दलाल के इशारे दूसरा दलाल समझ जाता है और किसान देखता रह जाता है, सच है–खग जाने खग ही की भाषा।
- **कोयला होय न ऊजला सौ मन साबुन धोय**–*दुष्ट व्यक्ति की प्रकृति में कोई परिवर्तन नहीं होता उसे चाहे कितनी ही सीख दी जाए।*
  मास्टर जी ने गाँव के विकास को हर प्रकार से समझाया कि वह बुरी आदतें छोड़ दें लेकिन वह नहीं माना। हारकर मास्टर जी को मानना पड़ा कोयला होय न ऊजला सौ मन साबुन धोय।

- **चमड़ी जाय पर दमड़ी न जाय**–*बहुत कंजूसी।*
सेठ लालाराम स्टेशन से पैदल घर सामान उठाकर आ गए तो बीबी बोली सेठ जी आप भी चमड़ी जाय पर दमड़ी न जाय कहावत में विश्वास रखते हैं।
- **गागर में सागर भरना**–*संक्षेप में विस्तृत बात कह देना।*
बिहारी ने अपने दोहों में गागर में सागर भर दिया है।
- **गुड़ खाए गुलगुलों से परहेज**–*बनावटी त्याग।*
स्वामीजी प्याज नहीं खाते, परन्तु प्याज की बनी पकौड़ियाँ खा लेते हैं, ऐसे ही लोगों के लिए कहा गया है–गुड़ खाए गुलगुलों से परहेज।
- **मार के आगे भूत भागे**–*मार से सब डरते हैं।*
पुलिस ने उसे मारा तो उसने अपराध कबूल लिया। सच है, मार के आगे भूत भागता है।
- **होनहार बिरवान के होत चीकने पात**–*होनहार बालक के लक्षण आरम्भ से ही दिखाई देने लगते हैं।*
विकास के कार्यकलाप देखकर सभी यही कहते हैं–होनहार बिरवान के होत चीकने पात।
- **चौबे गये छब्बे बनने दुब्बे बनकर आये**–*लाभ के बदले हानि हो जाना।*
प्रेस में प्रश्न-पत्र छापने वाले शर्मा जी ने मॉडल पेपर निकालकर प्रकाशक बनने का प्रयास किया जिसमें घाटा हो गया और उनकी दशा पर लोग कहने लगे, चौबे गये छब्बे बनने दुब्बे बनकर आये।
- **हाथ मलना**–*कुछ प्राप्त न होना।*
विनय को इनाम मिला और मैं हाथ मलता रह गया।
- **अब पछताए होत क्या जब चिड़ियाँ चुग गईं खेत**–*नुकसान हो जाने के बाद पछताना बेकार।*
परीक्षा के दिनों में अरविन्द ने पढ़ाई नहीं की, फेल तो होना ही था, जब वह रोने लगा तो पिता ने कहा–अब पछताए होत क्या जब चिड़ियाँ चुग गईं खेत।
- **आम के आम गुठलियों के दाम**–*दोहरा लाभ।*
राजेश गन्ने का रस बेचता है और छीलन गौशाला वाले खरीदकर ले जाते हैं। इस प्रकार उसके तो आम के आम गुठलियों के दाम हैं।
- **उल्टा चोर कोतवाल को डांटे**–*दोषी होने पर धौंस जमाना।*
राजेश से कक्षा में देर से आने के लिए मॉनीटर ने कारण पूछा तो राजेश ने कहा, 'तुम्हें मतलब'? तुम क्या अध्यापक हो, जाओ अपना काम करो। उसका जवाब सुनकर एक लड़का कह उठा, उल्टा चोर कोतवाल को डाँटे।
- **अपना ही पैसा खोटा तो परखने वाले का क्या दोष**–*अपनी ही चीज खराब हो तो दूसरे को दोष देना उचित नहीं।*
अजय ने पड़ोसी की लड़की छेड़ दी। इस पर उसकी माँ अजय के घर आकर उसे बुरा भला कहने लगी, इस पर उसके पिताजी बोले अपना ही पैसा खोटा हो तो परखने वाले का क्या दोष।
- **न अंधे को न्यौता देते न दो जने आते**–*न यह काम करते न बवाल खड़ा होता।*
संजीव ने एक विधवा से विवाह किया, जिसके दो बच्चे थे। फिर जब अपने दो बच्चे हो गए तो गुजारा कठिन हो गया, इस पर मित्र ने समझाया न अंधे को न्यौता देते न दो जने आते।
- **चोरी का माल मोरी में**–*गलत ढंग से अर्जित धन गलत ढंग से ही खर्च होता है।*
मनोहर ने रिश्वत लेकर खूब धन कमाया, लेकिन बच्चे की बीमारी में सब खर्च हो गया, इस प्रकार चोरी का माल मोरी में चला गया।
- **घर की मुर्गी दाल बराबर**–*घर की वस्तु का आदर नहीं होता।*
व्यक्ति कितना ही महान् हो, घर में उसका मूल्यांकन उतना नहीं हो सकता है, क्योंकि घर की मुर्गी दाल बराबर होती है।
- **कहीं की ईंट कहीं का रोड़ा, भानुमती ने कुनबा जोड़ा**–*इधर-उधर की सामग्री एकत्र करके कोई रचना करना।*
राजग गठबंधन की सरकार कहीं की ईंट कहीं का रोड़ा, भानुमती ने कुनबा जोड़ा वाली सरकार थी।
- **काठ की हाण्डी बार-बार नहीं चढ़ती**–*अन्याय बार-बार नहीं चलता।*
जितेन्द्र बिना टिकट यात्रा के अपराध में पकड़ा ही गया, ठीक ही कहा गया है कि काठ की हाण्डी बार-बार नहीं चढ़ती।
- **काला अक्षर भैंस बराबर**–*निरक्षर व्यक्ति के लिए पुस्तकें व्यर्थ हैं।*
हमें कागज क्यों दिखाते हो, हमारे लिए काला अक्षर भैंस बराबर।
- **खरबूजे को देखकर खरबूजा रंग बदलता है**–*जब कोई व्यक्ति अपने साथी के अनुसार आचरण करने लगता है तब यह कहावत कही जाती है।*
राहुल द्रविड़ को शानदार बल्लेबाजी करते देख लक्ष्मण ने भी शानदार बल्लेबाजी करके भारत को ऑस्ट्रेलिया के विरुद्ध मैच जिता दिया, तब ऑस्ट्रेलिया के खिलाड़ियों को कहना पड़ा–खरबूजे को देखकर खरबूजा रंग बदलता है।
- **खुदा गंजे को नाखून नहीं देता**–*अयोग्य को अधिकार नहीं मिलता।*
अकर्मण्य व्यक्ति को अधिकार नहीं मिल पाते हैं, क्योंकि खुदा गंजे को नाखून नहीं देता।
- **इस हाथ दे उस हाथ ले**–*कर्म का फल शीघ्र मिलता है।*
दूसरों का सम्मान करने से स्वयं को सम्मान मिलता है। ठीक ही है–इस हाथ दे उस हाथ ले।
- **आधी छोड़ सारी को धावै, आधी मिलै न पूरी पावै**–*अधिक लोभ करने से हानि ही होती है।*
भाजपा ने समयपूर्व चुनाव करा दिये कहीं हार न जाये, सच भी है आधी छोड़ सारी को धावै, आधी मिलै न पूरी पावै।
- **ईश्वर की माया, कहीं धूप कहीं छाया**–*संसार में कहीं दुख है कहीं सुख है।*
किसी घर दूध घी की बहार है और किसी घर सूखी रोटी भी नहीं है, ठीक ही कहा गया है–ईश्वर की माया कहीं धूप कहीं छाया।
- **उल्टे बाँस बरेली को**–*विपरीत कार्य करना।*
शीला फिरोजाबाद गयी तो चूड़ियाँ ले गई तब रीना बोली–दीदी तुमने तो उल्टे बाँस बरेली वाली कहावत चरितार्थ कर दी, फिरोजाबाद तो चूड़ियों का शहर है।
- **आज का बनिया कल का सेठ**–*काम करते रहने से आदमी बड़ा हो ही जाता है।*
अजय ने सुनील से कहा निराश मत हो मित्र, मेहनत से कार्य करते रहो एक दिन इसी फर्म में तरक्की पा जाओगे। कहावत भी है आज का बनिया कल का सेठ।

- **एक सड़ी मछली सारे तालाब को गन्दा कर देती है**–*अच्छे समाज को एक बुरा व्यक्ति कलंकित कर देता है।*
  मुहल्ले में एक धंधा करने वाली के बस जाने से पूरा मुहल्ला बदनाम हो गया। सच है एक सड़ी मछली सारे तालाब को गन्दा कर देती है।
- **एक तो करेला फिर नीम चढ़ा**–*दोहरा कटुत्व।*
  सुधा एक तो पढ़ने में कमजोर है और दूसरे शिक्षकों के प्रति उसका व्यवहार ठीक नहीं है, ऐसे लोगों के लिए कहा गया है–एक तो करेला फिर नीम चढ़ा।
- **एक पंथ दो काज**–*एक उपाय से दो कार्यों का होना।*
  रामू हिन्दी विषय में एम.ए. की तैयारी कर रहा था। उसने साहित्यरत्न का भी फार्म भर दिया, इस प्रकार उसके एक पंथ दो काज हो गए।
- **ऊँची दुकान फीका पकवान**–*केवल बाहरी दिखावा।*
  हमने अन्नपूर्णा होटल का नाम बहुत सुना था, लेकिन जब हमने वहाँ खाना खाया तो न अच्छा खाना था न सफाई। सोचकर रह गये ऊँची दुकान फीका पकवान।
- **आप मियाँ जी माँगते द्वार खड़े दरवेश**–*अति दरिद्र के यहाँ भिक्षा माँगने वालों का आना।*
  विजय कर्ज के बोझ से दबा था, फिर भी उसकी पत्नी साधुओं को प्रतिदिन खिलाती थी। यह देखकर लेनदार ने कहा आप मियाँ जी माँगते द्वार खड़े दरवेश।
- **अपना हाथ जगन्नाथ**–*स्वयं किया हुआ कार्य फलदायी होता है।*
  घर का कार्य नौकरों से कराने की अपेक्षा स्वयं करना अच्छा है। अपना हाथ जगन्नाथ।
- **घी का लड्डू टेढ़ा भला**–*काम की वस्तु कम अच्छी रहने पर भी ठीक रहती है।*
  राज का व्यवहार अजीबो-गरीब है लेकिन वह बहुत योग्य है। अतः नियोक्ता उसे घी का लड्डू टेढ़ा भला अनुसार सहन करते हैं।
- **आटे के साथ घुन भी पिसता है**–*दोषी व्यक्ति का साथी निर्दोष भी मारा जाता है।*
  सोनू ने चोरी नहीं की लेकिन वह मोनू का साथी तो है, अतः पुलिस उसे भी पकड़कर ले गई। इसे कहते हैं आटे के साथ घुन भी पिसता है।
- **अंधे के हाथ बटेर**–*अनायास कोई वस्तु मिल जाना।*
  मंजू की शादी गुड्डू से हो गई तो दोनों को जानने वाला कह उठा अंधे के हाथ बटेर लग गई।
- **कहाँ राजा भोज कहाँ गंगू तेली**–*छोटे आदमी की बड़े आदमी से क्या तुलना।*
  मदर टेरेसा की सिस्टर निर्मला से तुलना क्या चीज है? कहाँ राजा भोज कहाँ गंगू तेली।
- **खिसयानी बिल्ली खम्भा नोचे**–*शर्म के मारे क्रोध करने लगना।*
  विजय चोरी करते पकड़ा गया तो माता-पिता को कोसने लगा कि मुझे अच्छी सीख क्यों नहीं दी। सही है खिसयानी बिल्ली खम्भा नोचे।
- **थोथा चना बाजे घना**–*कम ज्ञान या गुण रखने वाला बातें बढ़-चढ़कर करता है।*
  जब कोई गुणहीन व्यक्ति अपनी प्रशंसा करने लगता है तब यह कहावत चरितार्थ होती है।
- **आँख के अंधे नाम नैनसुख**–*नाम बड़ा और गुण उसके विपरीत।*
  माता-पिता ने बालक का नाम धनीराम रखा, लेकिन बड़ा होकर धनीराम को दो जून की रोटी जुटानी भारी पड़ रही है, अतः किसी ने सही कहा है–आँख के अंधे नाम नैन सुख।
- **धोबी का कुत्ता घर का न घाट का**–*निकम्मा व्यक्ति।*
  नीरज ने नौकरी छोड़ दी और व्यापार में भी असफल रहा तो माता-पिता ने कहा–धोबी का कुत्ता घर का न घाट का।
- **दूर के ढोल सुहावने**–*दूर की वस्तु अच्छी लगना।*
  सुनील को चीन का बना कपड़ा अधिक पसन्द है, जबकि भारत का बना कपड़ा काफी अच्छा होता है, ठीक ही कहा गया है–दूर के ढोल सुहावने।
- **मान न मान मैं तेरा मेहमान**–*जबरदस्ती का मेहमान।*
  सुरेश ने राजेश को पार्टी में आने का न्यौता नहीं दिया लेकिन वह फिर भी आ धमका तो इस पर लोग कहने लगे मान न मान मैं तेरा मेहमान।
- **अंधे की लकड़ी**–*बेसहारे का सहारा।*
  विनय अपने बूढ़े बाप का इकलौता पुत्र था, अचानक कल उसका देहान्त हो गया तो रामलाल ने कहा–अंधे की तो लकड़ी ही टूट गई।
- **भागते भूत की लँगोटी भली**–*जिस व्यक्ति से कुछ भी मिलने की आशा न हो, उससे यदि थोड़ा भी मिल जाता है, तब यह कहावत प्रयुक्त होती है।*
  अजय ने विकास को 500 रुपये उधार दिए थे, बड़ी मुश्किल से 100 रुपये विकास ने वापस दिये तो अजय ने सोचा भागते भूत की लँगोटी ही भली।
- **मन चंगा तो कठौती में गंगा**–*यदि मन शुद्ध है तो तीर्थाटन की आवश्यकता नहीं है।*
  मनुष्य मन से पवित्र है तो सभी तीर्थ उसके पास हैं अतः भक्त रविदास ने कहा है–मन चंगा तो कठौती में गंगा।
- **मुल्ला की दौड़ मस्जिद तक**–*सीमित क्षेत्र तक पहुँच।*
  पवन अधिक-से अधिक ग्राम प्रधान के पास जाएगा, मुल्ला की दौड़ मस्जिद तक।
- **यह मुँह और मसूर की दाल**–*जब कोई व्यक्ति अपनी योग्यता से अधिक पाने की अभिलाषा करता है तब यह कहावत चरितार्थ होती है।*
  बी.ए. में तृतीय श्रेणी में पास हुआ विवेक पी.सी.एस. की बात करने लगा तो अजय ने उससे कहा–यह मुँह और मसूर की दाल।
- **क्या काबुल में गधे नहीं होते**–*अच्छे स्थान पर बुरे लोग भी होते हैं।*
  दफ्तर में सचिन का मोबाइल चोरी हो गया–जब उसने कहा कि किसी बाहरी आदमी ने चोरी की है तो अजय ने कहा–क्या काबुल में गधे नहीं होते।

वस्तुनिष्ठ प्रश्नोत्तर

निर्देश (प्रश्न संख्या 1 से 10 तक): *नीचे प्रत्येक प्रश्न में एक लोकोक्ति दी गई है और उसके नीचे A, B, C, D विकल्प के सामने उसका (लोकोक्ति का) अर्थ दिया गया है। चारों अर्थों में से जो अर्थ आपको सर्वाधिक उपयुक्त लगे, उस पर सही का निशान लगाइये।*

1. काठ की हाँडी बार-बार नहीं चढ़ती
A. किसी भी व्यक्ति को बार-बार धोखा नहीं दिया जा सकता
B. धोखा देने की एक ही तरकीब बार-बार सफल नहीं होती
C. धोखा देने की सब तरकीबें हर बार सफल नहीं होतीं
D. ठगने वाला हर बार अपनी तरकीब बदलता रहता है

2. खिसियानी बिल्ली खंभा नोचे
A. निराश व्यक्ति किसी-न-किसी वस्तु का सहारा ढूँढता है
B. किसी काम में सफल न होने पर अपना क्रोध अन्य किसी पर अकारण प्रकट करना
C. असफल व्यक्ति ऊटपटाँग काम करने लगता है
D. असफलता का दोष किसी अन्य व्यक्ति के सिर मढ़ना

3. खोदा पहाड़ निकली चुहिया
A. साधारण कार्य के लिए असाधारण प्रयत्न करना
B. असाधारण प्रयत्न के बाद अति छोटी सफलता मिलना
C. ऐसा फल निकलना, जिसकी अपेक्षा न हो
D. परिणाम, प्रयत्न के बिल्कुल विपरीत हो

4. घर की मुर्गी दाल बराबर
A. घर में विद्यमान चीज खूब जमकर (इफरात) इस्तेमाल होती है
B. घर का खाना सबसे बढ़िया होता है चाहे मुर्गी हो या दाल हो
C. घर में उपलब्ध वस्तु को अधिक महत्व नहीं दिया जाता
D. घर में पली मुर्गी को दाल भी खिलाई जाती है

5. चोर की दाढ़ी में तिनका
A. चोर सदैव सशंकित रहता है
B. चोर को लगता है कि सब उसके बारे में जानते हैं
C. पापी को अपने पाप का भय बना रहता है
D. चोर चोरी करते समय अपना कुछ-न-कुछ सबूत जरूर छोड़ जाता है

6. जिसकी लाठी उसकी भैंस
A. जबरदस्त सबसे अपनी बात मनवा लेता है
B. जबरदस्त को जो वस्तु पसन्द आ जाती है, वह उसे लेकर ही दम लेता है
C. जबरदस्त किसी की परवाह नहीं करता
D. जबरदस्त की लाठी में बल होता है

7. दूध का दूध–पानी का पानी
A. निष्पक्ष न्याय
B. जैसे को तैसा
C. अन्यायी को दण्ड
D. ऐसा न्याय, जिससे दोनों पक्ष संतुष्ट हों

8. नौ नकद न तेरह उधार
A. नकद के नौ और उधार के तेरह बराबर होते हैं
B. नकद के नौ अच्छे, उधार के तेरह नहीं अच्छे
C. अधिक लाभ के लोभ में उधार देना हानिकारक होता है
D. उधार की दुकान अधिक दिन नहीं चल पाती

9. बन्दर क्या जाने अदरक का स्वाद
A. गँवार व्यक्ति को गुणों की पहचान नहीं होती
B. गँवार व्यक्ति के गुण छिपे ही रहते हैं
C. गँवार व्यक्ति गुण-दोष पहचानने की कोशिश नहीं करता
D. गँवार व्यक्ति को कोई उत्तम वस्तु मिल जाये तो भी वह उसकी कद्र नहीं करता

10. साँप मरे न लाठी टूटे
A. असम्भव कार्य
B. दोनों प्रकार के लाभ मिलना
C. काम भी हो जाये और नुकसान (हानि) भी न उठानी पड़े
D. बिना नुकसान उठाये कोई बड़ा काम नहीं होता

निर्देश (प्रश्न संख्या 11 से 15 तक): *निम्नलिखित वाक्यांशों के लिए उपयुक्त लोकोक्तियाँ बताइए।*

11. अल्प समय के लिए अधिकार हाथ में आने पर मनमानी करना
A. सौ दिन चोर का एक दिन साहूकार का
B. बंदर की आशनाई घर में आग लगाई
C. अंधे को अंधेरे में बहुत दूर की सूझी
D. एक दिन का बादशाह बनना और चमड़े का सिक्का चलाना

12. सत्ता सम्पन्न व्यक्ति मदांध हो ही जाते हैं
A. प्रभुता पाय काह मद नाहीं
B. फटे में पाँव दफ्तर में नाव
C. आँख न दीदा काढ़े कसीदा
D. ऊँट मक्का की ओर भागता है

13. हराम की कमाई व्यर्थ जाती है
A. आदमी जानै बसे, सोना जाने कसै
B. आप मियाँजी माँगते दूर खड़े दरवेश
C. चोरी का माल मोरी में
D. अन्धी पीसे कुत्ते खाएं

14. विपदा सब पर आती है
A. चाँद को भी ग्रहण लगता है
B. इब्तदाए इश्क है रोता है क्या, आगे आगे देखिए होता है क्या
C. एक तवे की रोटी, क्या छोटी क्या मोटी
D. आसमान से गिरा, खजूर में अटका

15. केवल दिखावे से नाम नहीं मिलता
- A. जोग जुगत व जानी, कपड़े रंग भये बिरागी
- B. खेत खाए गदहा, मारा जाए जुलहा
- C. आप मरे बिना स्वर्ग नहीं मिलता
- D. कहने से कुम्हार गधे पर नहीं चढ़ता

निर्देश (प्रश्न संख्या 16 से 20 तक): *प्रत्येक प्रश्न में दी गई गहरे काली छपी लोकोक्तियों के अर्थ के लिए सही विकल्प का चयन कीजिए।*

16. रीता की पड़ोसी उसे रोज **जली-भुनी** सुनाती है
- A. किसी वस्तु का जलाना
- B. भला-बुरा कहना
- C. कड़वी बात करना
- D. सब कुछ कहना

17. घर से निकलने के बाद राजेश को **आटे-दाल का भाव मालूम हो गया**
- A. आटे-दाल के लिए लाइन में खड़े होना
- B. आटे-दाल का भाव ज्ञात करना
- C. आटा-दाल खरीदना
- D. वास्तविकता का ज्ञान होना

18. नीतू के लिए **काला अक्षर भैंस बराबर** है
- A. अल्प ज्ञान रखना
- B. अक्षरों का काला होना
- C. अक्षर व भैंस का बराबर होना
- D. बिल्कुल निरक्षर होना

19. रेखा को जरा भी चिन्ता नहीं थी, क्योंकि उसका तो यह हाल है कि **सावन सूखे न भादो हरे**
- A. नुकसान न होना
- B. अत्यधिक लाभ प्राप्त होना
- C. हमेशा एक-सी दशा में रहना
- D. कपटपूर्ण व्यवहार

20. मोहन बेकार में अदालत के चक्कर लगा रहा है, जबकि उसे **लेना एक न देना दो**
- A. किसी से कोई मतलब न होना
- B. गुप्त बात भी छिपी नहीं रह सकती
- C. सार रहित
- D. एक लेकर दो देना

निर्देश (प्रश्न संख्या 21 से 30 तक): निम्नलिखित लोकोक्तियों को उचित शब्दों से पूर्ण करें।

21. होनहार .... के होत चीकने पात
- A. पुरुष
- B. बिरवान
- C. जवान
- D. पंडित

22. ऊँची दुकान .... पकवान
- A. अच्छे
- B. पूरे
- C. फीके
- D. मीठे

23. एक पन्थ दो ....
- A. काम
- B. काज
- C. पाठ
- D. राह

24. दिन-दूना .... चौगुना
- A. माह
- B. रात
- C. चार
- D. काम

25. सब .... बाईस पसेरी
- A. आम
- B. नाम
- C. पान
- D. धान

26. घर आया .... भी नहीं निकाला जाता
- A. मेहमान
- B. कुत्ता
- C. रिश्तेदार
- D. ब्राह्मण

27. धोये जो सौ बार तौ .... होये ना सेत
- A. कपड़ा
- B. आदमी
- C. काजर
- D. गन्दा

28. ज्यों-ज्यों भीजे .... त्यों-त्यों भारी होय
- A. कामरी
- B. कमली
- C. उधारी
- D. कर्जा

29. सौ सुनार की एक .... की
- A. कुम्हार
- B. मल्लाह
- C. इस्पात
- D. लोहार

30. करम के बलिया पकाई .... हो गया दलिया
- A. भात
- B. रोटी
- C. खीर
- D. मेवा

उत्तरमाला

1	2	3	4	5	6	7	8	9	10
B	B	B	C	B	A	A	C	A	C
11	**12**	**13**	**14**	**15**	**16**	**17**	**18**	**19**	**20**
D	A	C	A	A	B	D	D	C	A
21	**22**	**23**	**24**	**25**	**26**	**27**	**28**	**29**	**30**
B	C	B	B	D	B	C	A	D	C

★★★

(ख) अपठित बोधात्मक प्रश्न

अभ्यास 1

प्रेममार्गी शाखा के प्रमुख कवि मलिक मोहम्मद जायसी संसार से इतने विरक्त नहीं थे। वे लोक तथा परलोक दोनों की साधना चाहते थे। उन्होंने अपने 'पद्मावत' में मसनवी परम्परा के अनुकूल शेरशाह की वंदना की है। उन्होंने लौकिक प्रेमगाथाओं के रूपक द्वारा परमार्थिक प्रेम की साधना की है। पद्मावती की प्रेम-कथा जो पृथ्वीराज रासो में वीर रस के आश्रित गौण थी, वह जायसी की 'पद्मावत' में मुख्यता प्राप्त कर लेती है। पद्मावत में कथा भी है और रूपक के द्वारा अलौकिक तत्त्वों की व्यंजना भी है। यद्यपि जायसी मुसलमान थे तथापि वे भारतीय संस्कृति से पूर्णतया परिचित थे। थोड़े बहुत हेर-फेर के साथ उनके काव्य में भारतीय अन्तर-कथाओं और धार्मिक परम्पराओं का उल्लेख हुआ है। उसमें रासो की अपेक्षा अन्विति अधिक है और आरंभ से लेकर अन्त तक शैली और भाषा की एकरसता है। पद्मावत प्रबंधकाव्य का एक अच्छा उदाहरण कहा जा सकता है।

—काव्य के रूप, डॉ. गुलाब राय

1. मलिक मोहम्मद जायसी थे :
   A. अवधी भाषा के प्रथम कवि
   B. सूफी सन्त कवि
   C. शेरशाह सूरी के सभासद्
   D. जायस के नागरिक

2. जायसी के सर्वोत्कृष्ट ग्रंथ का नाम है :
   A. आखिरी कलाम
   B. अखरा बट
   C. पद्मावत
   D. मधुमालती

3. उक्त गद्य खण्ड का उपयुक्त शीर्षक हो सकता है :
   A. पद्मावत का कथानक
   B. पद्मावत परिचय
   C. जायसी और उनका पद्मावत
   D. कविवर जायसी

4. पद्मावत महाकाव्य की भाषा है :
   A. ब्रजभाषा
   B. भोजपुरी
   C. खड़ी बोली
   D. अवधी

5. अवधी भाषा के सर्वाधिक लोकप्रिय महाकाव्य का नाम है :
   A. रामचरितमानस   B. पद्मावत
   C. मधुमालती   D. मृगावती

अभ्यास 2

सामान्य दुष्टों की वन्दना में या तो भय रहता है, या व्यंग्य। परन्तु जहाँ हम हानि होने के पहले ही हानि के कारण की वन्दना करने लगते हैं, वहाँ हमारी वन्दना के मूल में भय नहीं बल्कि उसकी स्थायी दशा की आशंका है। इस वंदना में दुष्टों को थपकी देकर सुलाने की चाल है जिसमें विघ्न-बाधाओं से जान बच सके। आशंका से उत्पन्न यह नम्रता गोस्वामी जी को आश्रय से आलंबन बना देती है। जब स्फुट अंशों के संचारीभावों तथा अनुभवों को छोड़कर वंदना के पीछे निहित भावना की दृष्टि से देखते हैं तो यह आश्रय से संक्रमित आलंबन का उदाहरण बन जाता है। सन्तों, देवताओं तथा राम की वन्दना पर्याप्त नहीं इसलिए दुष्टों की भी वन्दना की जाती है। इससे दुष्टों के महत्त्व की मायिक सृष्टि होती है और वह उन्हें और भी उपहास्य बना देती है।

—हास्य के सिद्धान्त तथा मानस में हास्य
प्रो. जगदीश पाण्डेय

1. दुष्ट वन्दना के पीछे कवि का उद्देश्य है :
   A. दुष्टों को लज्जित करना
   B. दुष्टों को थपकी देकर सुलाना
   C. दुष्टों से अपना बचाव करना
   D. दुष्टों का सहयोग प्राप्त करना

2. रामचरितमानस एक भक्ति काव्य है। इसमें दुष्ट वंदना का रहस्य है :
   A. तुलसी की व्यापक दृष्टि
   B. तुलसी का सभी को राममय देखना
   C. तुलसी की उदारता
   D. तुलसी का शील-सौजन्य

3. उपरोक्त अवतरण का उपयुक्त शीर्षक हो सकता है :
   A. तुलसी की दुष्ट वंदना
   B. तुलसी की उदारता
   C. तुलसी का मानवीय दृष्टिकोण
   D. उपर्युक्त तीनों

4. देवताओं, महापुरुषों, सज्जनों के साथ दुष्टों की वंदना इसलिए सार्थक कही जाएगी कि महाकवि तुलसी :
   A. संत कवि थे
   B. उदार चेता थे
   C. हित-अनहित और अपने-पराये की भावना से ऊपर उठ चुके थे
   D. निर्वैरता चाहते थे

5. जीवन में हास्य का महत्त्व इसलिए है कि वह जीवन को :
   A. प्रेरणा देता है   B. आनन्दित करता है
   C. आगे बढ़ाता है   D. सरस बनाता है

अभ्यास 3

इन्द्र यह सुनकर स्वयं महर्षि दधीचि के आश्रम में गए और उन्हें मजबूरी कह सुनायी। ऋषि जग-कल्याण के लिए सहर्ष अपना शरीर त्यागने के लिए तैयार हो गए। उनकी हड्डियों से त्वष्ठा ने वज्र बनाया। इस वज्र को हाथ में लेकर इन्द्र दुगुने उत्साह से वृत्रासुर के सम्मुख गए। उनके मेघरूपी रथ के गर्जन से एक बार वृत्रासुर का कलेजा काँप गया। उनके साथ चलते हुए मरुत जोर-जोर से उनकी जयजयकार कर रहे थे। इन्द्र ने सबसे पहले अपने वज्र से वृत्रासुर की माया को काट दिया। फिर भी वह दैत्य बड़ा शक्तिशाली था। अपनी माया से विछिन्न होकर भी वह बहुत देर तक इन्द्र से जूझता रहा। लेकिन अन्त में इन्द्र ने वज्र के प्रहार से वृत्रासुर का सिर काट दिया। वृत्रासुर के मरते ही रुका हुआ जल बह निकला, नदी-नाले फिर से भर उठे और देखते-ही-देखते खेत लहलहा उठे।

1. महर्षि दधीचि एक ऐसे ऋषि थे जिन्होंने :

A. देवताओं की रक्षा के लिए अपने शरीर का त्याग किया था
B. योग बल से अपने शरीर को त्याग कर वृत्रासुर के वध हेतु वज्र बनाने के लिए इन्द्र को अपनी अस्थियाँ सुलभ करा दी थीं
C. वृत्रासुर के वध में इन्द्र की सहायता की थी
D. वृत्रासुर का वध किया था

2. हमें इस अवतरण से यह प्रेरणा मिलती है कि परोपकार के लिए आवश्यकता पड़ने पर :

A. अपने शरीर भी दे देना चाहिए
B. अपना सर्वस्व दे देना चाहिए
C. अपनी अस्थियाँ दे देनी चाहिए
D. अपनी सम्पत्ति दे देनी चाहिए

3. इस गद्यांश का उपयुक्त शीर्षक हो सकता है :

A. दधीचि का आत्मदान B. दधीचि का सर्वस्व दान
C. वृत्रासुर वध D. इन्द्र का कोप

4. निम्नलिखित में से सही कथन पर निशान लगाइए :

A. वृत्रासुर इन्द्र का प्रतिद्वन्द्वी था
B. वृत्रासुर एक आततायी राक्षस था
C. वृत्रासुर एक महाप्रतापी राक्षस था, जिसने जलावरोध कर रखा था
D. वृत्रासुर उपर्युक्त में से कोई नहीं था

इस उद्धरण में प्रयुक्त निम्नलिखित शब्दों के सही अर्थों पर निशान लगाइए :

5. महर्षि

A. मुनि B. ऋषि जो ब्राह्मण न हो
C. ऋषि जो ब्राह्मण हो D. ऋषियों का एक पद विशेष

6. जगकल्याण :

A. संसार का हित
B. संसार की भलाई
C. संसार को सुख देना
D. संसार के लिए आनन्द की व्यवस्था करना

7. वज्र :

A. एक प्रकार का बाजा
B. एक प्रकार का शस्त्र
C. एक प्रकार का आघात
D. पत्थर गिरना या बिजली गिरना

अभ्यास 4

महाकवि सूरदास का 'सूर-सागर' भागवत के आधार पर लिखा हुआ ग्रंथ है। इसीलिए महाकवि 'सूर' ने भी ब्रह्म का यही स्वरूप ग्रहण किया और भगवान श्रीकृष्ण को अपनी उपासना का केन्द्र मानकर वैष्णव सम्प्रदाय के सिद्धान्तों का ही प्रतिपादन किया है। वास्तव में वैदिक ऋचाओं में वर्णित सिद्धान्त ही वैदिक धर्म के प्रकाण्ड आचार्यों द्वारा प्रचारित हुए हैं। काल और स्थिति के अनुसार धार्मिक सिद्धान्तों में भी परिवर्तन होना आवश्यक है। सर्वप्रथम दृष्टि से भगवान कृष्ण ने इन वैदिक सिद्धान्तों में कुछ परिवर्तन कर सूरकालीन वैष्णव धर्म का शिलान्यास किया। अतः भगवान कृष्ण को ही वैष्णव धर्म का प्रथम आचार्य कहना अनुचित न होगा। धार्मिक और ऐतिहासिक अनुसंधानों के अनुसार वेदों और संहिताओं की रचना भिन्न-भिन्न काल में हुई है। उदाहरणार्थ—यजुर्वेद संहिता में केशी नामक राक्षस का कृष्ण द्वारा वध किए जाने का उल्लेख है। इससे प्रमाणित होता है कि यह संहिता कृष्ण जन्म के बाद लिखी गई है।

—सूरदर्शन, डॉ. कृष्ण लाल 'हंस'

1. उक्त गद्यांश का सारांश एक पंक्ति में इस प्रकार हो सकता है :

A. श्रीमद्‌भागवत ग्रंथ सूर-सागर की रचना का आधार है
B. श्रीमद्‌भागवत नहीं अपितु ब्रह्म वैवर्त्त पुराण सूर-सागर का आधार है
C. महाभारत ग्रंथ सूर-सागर का आधार है
D. वैदिक ऋचाएँ सूर-सागर का आधार हैं

2. हिन्दी साहित्य में भक्ति तथा रीति काल को सम्मिलित करके तीन उत्तम कवि माने गए हैं, जिनमें प्रथम स्थान :

A. सूरदास का है B. तुलसीदास का है
C. केशवदास का है D. देव का है

3. महाकवि सूरदास भक्तिकाल में सगुण भक्ति की :

A. कृष्ण भक्ति शाखा के कवि थे
B. राम कृष्ण दोनों की भक्ति शाखा के कवि थे
C. स्मार्त्त कवि थे
D. उपर्युक्त किसी शाखा के कवि नहीं थे

4. इस गद्यांश का उपयुक्त शीर्षक हो सकता है :

A. सूर-सागर का प्रणयन
B. वैष्णव धर्म के प्रथम आचार्य श्रीकृष्ण
C. परब्रह्म श्रीकृष्ण
D. वैष्णव धर्म का शिलान्यास

5. सूर-सागर की कथा श्रीमद्‌भागवत के :

A. दशम स्कंध से ली गई है
B. एकादश स्कंध से ली गई है
C. नवम स्कंध से ली गई है
D. उपर्युक्त किसी स्कंध से नहीं ली गई है

अभ्यास 5

''पर्वतीय पथ और पत्थरों की चोट से टूटे नाखून और चुटीली उँगलियों के बीच में ढाल बनी मूँज की चप्पल मानो मनुष्य को पशु बनाकर खुर न देने वाले परमात्मा का उपहास कर रही हो। पाँव से दो बालिश्त ऊँचा और ऊनी-सूती पैबन्दों से बना हुआ पाजामा मनुष्य की लज्जाशीलता की विडंम्बना जैसा लगता था। किसी से कभी मिले हुए पुराने कोट में, नीचे के मटमैले स्तर की झाँकी देती हुई, ऊपरी तह तार-तार फटकर झालरदार हो उठी थी और सब अपने पहनने वाले को एक झबरे जन्तु की भूमिका में उपस्थित करती थी। अस्पष्ट रंग और अनिश्चित रूप वाली दोपलिया टोपी के छेद से रूखे बाल जहाँ-तहाँ झाँककर मैले पानी और उसके बीच-बीच में झाँकते हुए सेवार की स्मृति करा देते थे।'' **–स्मृति की रेखाएँ, महादेवी वर्मा**

1. श्रीमती महादेवी वर्मा द्वारा किया गया उक्त रेखांकन 'स्मृति की रेखाएँ' नामक पुस्तक से है। यह रेखांकन :
A. एक निर्धन व्यक्ति का है
B. एक पहाड़ी नागरिक का है
C. एक पहाड़ी मजदूर का है
D. उपरोक्त में से किसी का नहीं है

2. उपर्युक्त गद्यांश का सार्थक शीर्षक हो सकता है :
A. एक विपन्न कुली
B. एक पर्वतीय श्रमिक
C. निर्धनता एक अभिशाप
D. करुणा की मूर्ति

3. महादेवी वर्मा की शैली की समीक्षा-मात्र एक पंक्ति में कर पाना असंभव है। फिर भी, कहा जा सकता है कि उनकी काव्य-शैली की तरह उनकी गद्य शैली भी :
A. भावना प्रधान है B. चित्रांकन प्रधान है
C. कल्पना प्रधान है D. मनोरम है

4. महादेवी वर्मा विरचित अनेक काव्यग्रंथ, निबन्ध तथा रेखाचित्र हैं। कुछ एक के नाम हैं :
A. दीपशिखा, यामा
B. अतीत के चलचित्र, स्मृति की रेखाएँ
C. नीरजा, नीहार
D. उपरोक्त सभी

5. इस गद्य कृति के अतिरिक्त महादेवी वर्मा द्वारा रचित प्रमुखतम गद्य कृति का नाम है :
A. अतीत के चलचित्र B. मेरा परिवार
C. पथ के साथी D. शृंखला की कड़ियाँ

अभ्यास 6

''आरोग्य रक्षा के नियम माँ-बाप को न मालूम रहने के कारण उनके बाल-बच्चों को भोग भुगतने पड़ते हैं। उनकी जो दुर्गति होती है, उन पर जो आफतें आती हैं उनका ठौर-ठिकाना नहीं। हजारों बच्चे तो माँ-बाप की असावधानी और मूर्खता के कारण पैदा होते ही मर जाते हैं। जो बचते हैं उनमें लाखों अशक्त, निर्बल और जन्म-रोगी होते हैं और करोड़ों ऐसे नीरोग और सबल नहीं होते जैसे होने चाहिए। अब इन सबको आप जोड़ डालिए तो आपको मालूम हो जाएगा कि माँ-बाप की नादानी के कारण सन्तति को कितनी हानि उठानी पड़ती है; कितना दु:ख सहना पड़ता है।''

—शिक्षा, आचार्य महावीर प्रसाद द्विवेदी

1. इस गद्य खण्ड का उपयुक्त शीर्षक हो सकता है :
A. स्वास्थ्य रक्षा
B. माता-पिता और उनके बच्चों का स्वास्थ्य
C. नीरोग रहने के उपाय
D. स्वस्थ कैसे रहें?

2. आचार्य पं. महावीर प्रसाद द्विवेदी अपने समय के :
A. श्रेष्ठ विद्वान् थे
B. शीर्षस्थ समालोचक थे
C. हिन्दी भाषा के प्रबल पक्षधर और आचार्य थे
D. श्रेष्ठ आयुर्वेदाचार्य थे

3. हिन्दी के निबन्ध साहित्य के विकास में आचार्य द्विवेदी का स्थान :
A. शीर्षस्थ था B. समालोचक जैसा था
C. प्रवर्तक जैसा था D. उन्नायक जैसा था

4. आचार्य पं. महावीर प्रसाद द्विवेदी निम्नलिखित में से किस/किन पत्रिका/पत्रिकाओं के सम्पादक थे?
A. साहित्य संदेश B. सरस्वती
C. विशाल भारत D. उपर्युक्त तीनों

5. सन्तति का अर्थ होता है :
A. पत्नी तथा पुत्र B. आत्मीय जन
C. सम्बन्धी लोग D. औलाद (बाल-बच्चे)

अभ्यास 7

''अन्तिम क्षण थे, सर्वदा के लिए वियोग हो रहा था। देखती आँखों शाहजहाँ का सर्वस्व लूट रहा था और वह भारत सम्राट हताश हाथ-पर-हाथ धरे बेबस बैठा था और अपनी किस्मत को रो रहा था। सिंहासनारूढ़ हुए कोई तीन वर्ष भी नहीं बीते थे कि उसकी प्रियतमा इस लोक से विदा लेने की तैयारी कर रही थी। शाहजहाँ की सभी आशाओं पर, उसकी सारी उमंगों पर पाला पड़ रहा था।...''

''हाय अन्त हो गया, सर्वस्व लुट गया! प्रेमी, जीवन-यात्रा का एकमात्र साथी सर्वदा के लिए छोड़कर चल बसा। भारत सम्राट शाहजहाँ की प्रेयसी, साम्राज्ञी मुमताज महल सदा के लिए इस लोक से विदा हो गई। शाहजहाँ भारत का सम्राट था, जहान का शाह था, किन्तु वह भी अपनी प्रेयसी को जाने से रोक न सका।'' **—ताज, महाराज कुमार रघुबीर सिंह**

1. इस गद्यांश में अभिव्यक्ति के लिए प्रयुक्त शैली को हम क्या कहेंगे?
A. विचार प्रधान शैली B. व्यास शैली
C. भाव प्रवण शैली D. कल्पना प्रधान शैली

2. इस गद्यांश में व्यक्त विचार यह दर्शाते हैं कि कोई व्यक्ति कितना ही साधन-सम्पन्न, सक्षम तथा सबल क्यों न हो, किन्तु वह महाबली काल के समक्ष :
A. एक भुनगा-सा होता है

B. अति तुच्छ होता है
C. किंकर्त्तव्यविमूढ़ हो जाता है
D. चुप हो जाता है

3. उक्त गद्यांश का सर्वाधिक उपयुक्त शीर्षक हो सकता है :
A. महाबली काल B. मुमताज की मृत्यु
C. शाहजहाँ की बेबसी D. प्रेयसी वियोग

4. उक्त गद्यांश में लेखक को शाहजहाँ की मन:स्थिति को चित्रित करने में :
A. बहुत कम सफलता मिली है
B. अत्यधिक सफलता मिली है
C. किंचित् सफलता मिली है
D. प्रशंसनीय सफलता मिली है

5. वियोग से तात्पर्य है:
A. वैमनस्य B. विलाप
C. मेल-मिलाप D. बिछुड़ना

अभ्यास 8

आचार्य शुक्ल जी के गंभीर निबंध 'चिंतामणि' में संग्रहीत हैं। उनमें दो प्रकार के निबंध हैं, एक तो भावों के विश्लेषण से सम्बन्ध रखने वाले निबंध जो भाव-विषयक होते हुए भी आवश्यक नहीं हैं वरन् उच्चकोटि के विचारात्मक हैं, दूसरे साहित्यिक जिनमें कुछ सैद्धांतिक आलोचना से संबंध रखते हैं, जैसे—'साधारणीकरण और व्यक्ति वैचित्र्यवाद' और कुछ व्यावहारिक आलोचनाओं के हैं, जैसे 'भारतेन्दु हरिश्चन्द्र'। आचार्य शुक्ल जी के मनोवैज्ञानिक निबंधों की भी अन्विति उनकी आलोचनाओं से की जा सकती है, वे भारतीय रस सिद्धान्त पर अवलम्बित हैं और उनका सम्बन्ध जीवन सागर के निजी अवगाहन से है। इन निबंधों के भावों का विश्लेषण पर्याप्त मात्रा में हुआ है किन्तु जीवन से चुने हुए उपयुक्त उदाहरणों के कारण यह विश्लेषण दुरूह नहीं होने पाया है। 'लज्जा और ग्लानि' का आधार भारत की आत्मग्लानि है, 'लोभ और प्रीति' का अन्तर समझ लेने पर जायसी के 'रत्नसेन' के प्रेम की आलोचना भली प्रकार समझी जा सकती है।

—काव्य के रूप, डॉ. गुलाब राय

1. उक्त गद्यांश का सम्यक् अनुशीलन करने से पता चलता है कि लेखक ने :
A. शुक्ल जी को समझने में काफी प्रयास किया था
B. शुक्ल जी के साहित्य का सम्यक् अध्ययन किया था
C. शुक्ल जी से दिशाबोध ग्रहण किया था
D. शुक्ल जी को समीप से देखा था

2. डॉ. गुलाब राय की शैली थी :
A. कथा शैली B. भावना प्रवण शैली
C. विवेचना प्रधान शैली D. विश्लेषणात्मक शैली

3. डॉ. गुलाब राय ने आचार्य शुक्ल की शैलियों का जो वर्गीकरण किया है वह :
A. अत्यन्त वैज्ञानिक है B. शोधपूर्ण है
C. सर्वांगीण है D. यथातथ्य है

4. उक्त गद्यांश के लिए उचित शीर्षक होगा :
A. आचार्य शुक्ल की निबंध-शैली
B. शुक्ल जी की निबंध-कला
C. निबंध कला और शुक्ल जी
D. हिन्दी के श्रेष्ठ निबंधकार शुक्ल जी

5. अन्विति का अर्थ है :
A. अनुरक्ति B. तालमेल
C. आलोचना D. अर्चना

अभ्यास 9

चीन में न तो वर्ण व्यवस्था थी न जाति-पाँति का भेदभाव। परम्परा के अनुसार सम्मान के मुख्य पात्र क्रमशः विद्वान्, राज्य पदाधिकारी, योद्धा और अध्यापक थे। साधारण लोगों में नौ श्रेणियाँ थीं। अन्न उत्पन्न करने वाले, माली, लकड़हारे, पशु-पक्षी पालने वाले, बुनकर, नौकर-चाकर, कारीगर, व्यापारी और फुटकर काम करने वाले। कुलीनों तथा साधारण लोगों में अथवा श्रेणियों और व्यवसायों में ऊँच-नीच का भेद कायम था। पर यह विभेद नगण्य-सा था। अपनी योग्यता के अनुसार मनुष्य का स्थान घटता-बढ़ता था। लोग आपस में विवाह आदि बिना किसी बाधा के करते थे। चीनियों में विद्वान् और सेनापति विशेष आदर के पात्र समझे जाते थे। हिजड़े, भाँड, गुलाम, हरकारे, वेश्याएँ नीचे के स्तर के लोग थे। चीन में गुलामों की दशा उतनी खराब नहीं थी जितनी रोम तथा यूरोप के देशों के मध्य युग में थी। गुलामों से घरेलू काम कराये जाते थे। उनकी विशेष जाति नहीं थी। उन्हें यद्यपि खरीदा-बेचा जा सकता था तथापि उनसे न तो नीच काम कराए जाते थे और न उन्हें सताया जाता था।

—विश्व इतिहास, डॉ. रामप्रसाद त्रिपाठी

1. उक्त उद्धरण के अध्ययन से पता चलता है कि मध्यकालीन चीन में :
A. जाति प्रथा प्रचलित थी
B. सामाजिक जीवन काफी समुन्नत था
C. सामाजिक जीवन वैभवपूर्ण था
D. वर्ण-व्यवस्था से रहित था

2. उक्त उद्धरण का उपयुक्त शीर्षक हो सकता है :
A. मध्यकालीन चीन का सामाजिक जीवन
B. मध्यकालीन चीन में सामाजिक व्यवस्था
C. चीनी समाज में विविधता
D. चीनी समाज में गिरावट

3. उक्त गद्य खण्ड का सारांश एक पंक्ति में इस प्रकार व्यक्त किया जा सकता है :
A. अन्य तत्कालीन समाजों की तुलना में मध्यकाल में चीन का सामाजिक जीवन समुन्नत था
B. चीन का मध्यकालीन समाज विकास के शिखर पर था
C. चीन मध्यकालीन राज्यों में अग्रणी था
D. मध्यकालीन चीन का सामाजिक जीवन विकासोन्मुख था

4. चीन के सामाजिक इतिहास का अनुशीलन करने से पता चलता है कि चीन में :
A. सामाजिक भेदभाव अवश्य था भले ही वहाँ वर्ण-व्यवस्था नहीं थी

B. समाज के सभी सदस्य एक-सा जीवन नहीं जीते थे
C. चीनी समाज गुलामों को उत्पीड़ित करता था
D. मध्यकालीन चीन में नागरिक सुविधाओं का अभाव था

5. चीन में विशेष आदर के पात्र समझे जाते थे :
A. हिजड़े और भाँड B. विद्वान् और वेश्याएँ
C. विद्वान् और सेनापति D. कारीगर और व्यापारी

अभ्यास 10

''मनुष्य जब नई-नई सच्चाइयों को देखता है तब वह अपना नैतिक कर्त्तव्य समझता है कि उनके अनुसार व्यवहार करे परन्तु ऐसे मौकों पर धर्म उसके रास्ते में रुकावट बनकर खड़ा होता रहा है। जब गैलीलियो ने इस बात का पता लगाया कि सूर्य पृथ्वी के इर्द-गिर्द नहीं घूमता, पृथ्वी सूर्य के गिर्द घूमती है, तो उसने अपना नैतिक कर्त्तव्य समझा कि सच्चाई को जाहिर करे। उसने जब इस सत्य को प्रकट किया तो धर्म के ठेकेदारों ने उसे जेल में डाल दिया, और उसे तब छोड़ा जब उसने कह दिया कि उसका विचार गलत था। संसार का इतिहास इस बात का साक्षी था कि धर्म सत्य को दबाता रहा है। रूढ़िवाद ने बुद्धिवाद का विरोध किया। इस दृष्टि से धर्म और विज्ञान की लड़ाई एक तरह से धर्म और नीति की लड़ाई है।''

—समाजशास्त्र के मूल तत्त्व, सत्यव्रत सिद्धान्तालंकार

1. ''धर्म और विज्ञान की लड़ाई, धर्म और नीति की लड़ाई है।'' इस कथन का आशय है :
A. धर्म ने सत्य को स्वीकार नहीं किया
B. धर्म और नीति ने मिलकर सत्य को दबाया
C. धर्म और नीति ने सत्य को स्वीकार नहीं किया
D. रूढ़िवाद ने बुद्धिवाद को नकारा

2. उक्त गद्यांश का आशय है :
A. धर्म और सत्य का सनातन संघर्ष
B. ज्ञान के रास्ते में धर्म बाधक
C. धर्म और नीति द्वारा विज्ञान की अवहेलना
D. विज्ञान द्वारा धर्म और नैतिकता का पर्दाफाश

3. इस गद्यांश का उपयुक्त शीर्षक हो सकता है :
A. धर्म और विज्ञान
B. धर्म और नैतिकता पर विज्ञान का प्रभाव
C. विज्ञान की लड़ाई
D. नैतिकता

4. समाजशास्त्र का अध्ययन आवश्यक है :
A. जीवन की सफलता के लिए
B. सामाजिक पुनर्निर्माण के लिए
C. सामाजिक सुव्यवस्था के लिए
D. उपर्युक्त किसी के लिए नहीं

5. 'जाहिर' से अभिप्राय है :
A. प्रकाशित B. धूमिल
C. स्थापित D. उजागरीप्रकट

उत्तरमाला

अभ्यास-1

1	2	3	4	5
B	C	C	D	A

अभ्यास-2

1	2	3	4	5
B	B	A	B	D

अभ्यास-3

1	2	3	4	5	6	7
B	B	C	C	C	A	B

अभ्यास-4

1	2	3	4	5
A	B	A	B	A

अभ्यास-5

1	2	3	4	5
C	B	A	D	A

अभ्यास-6

1	2	3	4	5
B	C	C	B	D

अभ्यास-7

1	2	3	4	5
C	C	C	D	D

अभ्यास-8

1	2	3	4	5
B	C	D	A	B

अभ्यास-9

1	2	3	4	5
D	B	A	A	C

अभ्यास-10

1	2	3	4	5
D	B	A	B	D

★ ★ ★

गणित
(MATHEMATICS)

1

संख्या पद्धति

Number System

प्रायः सभी संख्याओं का निर्माण अंकों से होता है। दाशमिक संख्या प्रणाली में शून्य से लेकर नौ तक (0, 1, 2, 3, 4, 5, 6, 7, 8 तथा 9) कुल दस अंक होते हैं।

संख्याएँ अनेक प्रकार की होती हैं, नीचे संख्याओं के कुछ प्रकार दिए गए हैं।

प्राकृत संख्याएँ (Natural Numbers)

वे संख्याएँ जो वस्तुओं की गिनती करने में प्रयुक्त की जाती हैं, प्राकृत संख्याएँ कहलाती हैं।

$$N = \{1, 2, 3, 4, ...\}$$

पूर्ण संख्याएँ (Whole Numbers)

यदि प्राकृत संख्याओं के साथ शून्य को भी सम्मिलित कर लिया जाए, तो वे संख्याएँ पूर्ण संख्याएँ कहलाती हैं।

$$W = \{0, 1, 2, 3, ...\}$$

पूर्णांक (Integers)

धन पूर्णांक $(I^+) = \{1, 2, 3, ...\}$,

शून्य पूर्णांक '0' तथा ऋण पूर्णांक $(I^-) = \{..., -3, -2, -1\}$ के सम्मिलित समुच्चय को पूर्णांकों का समुच्चय कहते हैं।

$$I = \{..., -3, -2, -1, 0, 1, 2, 3,...\}$$

परिमेय संख्याएँ (Rational Numbers)

वे सभी संख्याएँ जिन्हें p/q के रूप में व्यक्त किया जा सके, परिमेय संख्याएँ कहलाती हैं; जहाँ $q \neq 0$

$Q = \{p/q : p$ तथा q पूर्णांक हैं और $q \neq 0\}$

जैसे $7, -2, \frac{7}{5}, 0$ इत्यादि परिमेय संख्याएँ हैं।

अपरिमेय संख्याएँ (Irrational Numbers)

वे सभी संख्याएँ जिन्हें p/q के रूप में व्यक्त नहीं किया जा सकता, अपरिमेय संख्याएँ कहलाती हैं; जैसे $\sqrt{2}, \sqrt{3}, \sqrt{5}$ इत्यादि अपरिमेय संख्याएँ हैं।

- परिमेय तथा अपरिमेय संख्याओं का योग तथा अन्तर अपरिमेय होता है।

  उदाहरण : $3+\sqrt{5}$ एक अपरिमेय संख्या है।

- परिमेय तथा अपरिमेय संख्याओं का गुणनफल अपरिमेय संख्या होता है।

  उदाहरण : $3\sqrt{5}$ एक अपरिमेय संख्या है।

वास्तविक संख्याएँ (Real Numbers)

वास्तविक संख्याओं में परिमेय तथा अपरिमेय दोनों प्रकार की संख्याएँ आती हैं।

सम संख्याएँ (Even Numbers)

वे सभी प्राकृत संख्याएँ जो 2 से पूर्णतः विभाजित हो जाती हैं, सम संख्याएँ कहलाती हैं।

उदाहरण : 2, 4, 6, 8, ... सम संख्याएँ हैं।

विषम संख्याएँ (Odd Numbers)

वे सभी प्राकृत संख्याएँ जो 2 से पूर्णतः विभाजित नहीं होती हैं, विषम संख्याएँ कहलाती हैं।

उदाहरण : 1, 3, 5, 7, ... विषम संख्याएँ हैं।

अभाज्य संख्याएँ (Prime Numbers)

वे सभी संख्याएँ जो 1 तथा स्वयं के अतिरिक्त किसी अन्य संख्या से पूर्णतः विभाजित न हो, अभाज्य संख्याएँ कहलाती हैं। सबसे छोटी अभाज्य संख्या 2 है।

उदाहरण : 2, 3, 5, 7, 11, ... सभी अभाज्य संख्याएँ हैं।

भाज्य संख्याएँ (Composite Numbers)

1 के अतिरिक्त वे सभी प्राकृत संख्याएँ जो अभाज्य नहीं है। सबसे छोटी भाज्य संख्या 4 है।

भाज्यता की जाँच (Test of Divisibility)

2 से भाज्य : यदि दी गई संख्या के इकाई के स्थान पर शून्य या सम संख्या हो, तो वह संख्या 2 से भाज्य होगी।

3 से भाज्य : यदि दी गई संख्या के सभी अंकों का योग 3 से विभाजित हो जाता है, तो वह संख्या 3 से भाज्य होगी।

4 से भाज्य : यदि दी गई संख्या के इकाई व दहाई के अंकों द्वारा बनी संख्या 4 से विभाजित है, तो वह संख्या 4 से विभाजित होगी।

5 से भाज्य : यदि दी गई संख्या के इकाई के स्थान पर शून्य या 5 हो, तो वह संख्या 5 से भाज्य होगी।

6 से भाज्य : यदि दी गई संख्या 2 तथा 3 से पूर्णतः विभाजित हो जाती है, तो वह संख्या 6 से भाज्य होगी।

8 से भाज्य : यदि दी गई संख्या के अन्तिम तीन अंकों द्वारा बनी संख्या 8 से विभाजित हो जाती है, तो वह संख्या 8 से भाज्य होगी।

9 से भाज्य : यदि दी गई संख्या के सभी अंकों का योग 9 से विभाजित हो जाता है, तो वह संख्या 9 से भाज्य होगी।

11 से भाज्य : यदि दी गई संख्या के विषम स्थानों के अंकों तथा सम स्थानों के अंकों के योग का अन्तर या तो शून्य है या 11 से विभाजित हो जाता है, तो वह संख्या 11 से भाज्य होगी।

उदाहरण : 3 के चार क्रमागत गुणज का योग 162 है। उनमें बड़ी संख्या क्या है?

हल : यदि संख्याएँ $x, x + 3, x + 6$ तथा $x + 9$ हों, तो

$\therefore x + x + 3 + x + 6 + x + 9 = 162$

$\Rightarrow \quad 4x + 18 = 162$

$\Rightarrow \quad x = \dfrac{162-18}{4} = 36$

अतः सबसे बड़ी संख्या $x + 9 = 36 + 9 = 45$.

भिन्न (Fraction)

वह संख्या जो p/q के रूप में व्यक्त हो तथा $q \neq 0$ हो, भिन्न कहलाती है। जहाँ p को भिन्न का अंश तथा q को भिन्न का हर कहते हैं।

उदाहरण : 3/7 एक भिन्न है, जिसमें 3 भिन्न का अंश तथा 7 भिन्न का हर है।

भिन्न के प्रकार (Types of Fractions)

भिन्नों के प्रमुख प्रकार निम्नवत् हैं :

1. **दशमलव भिन्न (Decimal Fraction) :** वे भिन्न जिनके हर 10 या 10 की घात में हो, दशमलव भिन्न कहलाती हैं।

   उदाहरण : $\dfrac{3}{10}, \dfrac{9}{100}, \dfrac{13}{1000}$ आदि।

2. **उचित भिन्न (Proper Fraction) :** वे भिन्न जिनके अंश, हर से कम होते हैं, उचित भिन्न कहलाती हैं।

   उदाहरण : $\dfrac{3}{7}, \dfrac{4}{9}$ आदि।

3. **अनुचित भिन्न (Improper Fraction) :** वे भिन्न जिनके अंश, हर से अधिक होते हैं, अनुचित भिन्न कहलाती हैं।

भिन्नों की तुलना (Comparison of Fractions)

भिन्नों की तुलना करने में निम्न विधियों का प्रयोग करते हैं :

1. **भिन्नों को दशमलव रूप में परिवर्तित करके :** जब दो या दो से अधिक भिन्नों की तुलना करनी हो, तो उन्हें दशमलव रूप में परिवर्तित करके उनकी तुलना की जा सकती है।
2. **भिन्नों का हर समान करके :** दिए गए भिन्नों में सभी भिन्नों के हरों का ल.स. लेकर उनके हर समान कर लिए जाते हैं, फिर उनके अंशों की तुलना की जाती है। बड़े अंश वाली भिन्न बड़ी होती है।

महत्त्वपूर्ण तथ्य एवं सूत्र

- भाज्य = (भाजक × भागफल) + शेषफल
- शून्य न तो धन पूर्णांक है और न ही ऋण पूर्णांक।
- शून्य न तो सम संख्या है और न ही विषम संख्या है।
- 1 न तो अभाज्य संख्या है और न ही भाज्य।
- एकमात्र सम अभाज्य संख्या 2 है।
- 1 से 100 के मध्य केवल 25 अभाज्य संख्याएं हैं।
- प्रथम n प्राकृत संख्याओं का योग $= \dfrac{n(n+1)}{2}$
- प्रथम n सम प्राकृत संख्याओं का योग $= n(n + 1)$
- प्रथम n तक की सम प्राकृत संख्याओं का योग $= \dfrac{n}{2}\left(\dfrac{n}{2}+1\right)$
- प्रथम n विषम प्राकृत संख्याओं का योग $= n^2$

भिन्नों पर संक्रियाएँ

1. **भिन्नों का योग (Addition of Fractions)**

   (*i*) जब हर समान हो

   - $a\dfrac{b}{c} + d\dfrac{e}{c} = (a+d) + \dfrac{(b+e)}{c}$

   (*ii*) जब हर असमान हो

   - $a\dfrac{b}{c} + d\dfrac{e}{c} = a + d + \left(\dfrac{b \times f + c \times e}{c \times f}\right)$

जैसे :

(*i*) $2\dfrac{3}{2} + 3\dfrac{5}{2} = (2+3) + \dfrac{(3+5)}{2} = 5 + \dfrac{8}{2} = 5 + 4 = 9$

(*ii*) $2\dfrac{3}{2} + 4\dfrac{2}{3} = (2+4) + \dfrac{9+4}{6} = 6 + \dfrac{13}{6} = 6\dfrac{13}{6} = 8\dfrac{1}{6}$

2. **भिन्नों का अन्तर (Subtraction of Fractions)**

   (*i*) जब हर समान हो

   - $a\dfrac{b}{c} - d\dfrac{e}{c} = (a-d) + \left(\dfrac{b-e}{c}\right)$

   (*ii*) जब हर असमान हो

   - $a\dfrac{b}{c} - d\dfrac{e}{f} = a - d + \left(\dfrac{b \times f - c \times e}{c \times f}\right)$

जैसे :

(*i*) $5\dfrac{2}{3} - 3\dfrac{1}{3} = (5-3) + \dfrac{(2-1)}{3} = 2 + \dfrac{1}{3} = 2\dfrac{1}{3}$

(ii) $4\frac{2}{3}-2\frac{1}{2}=(4-2)+\left(\frac{4-3}{6}\right)=2+\frac{1}{6}=2\frac{1}{6}$

3. **भिन्नों का गुणा (Multiplication of Fractions)**

- $a\times b\frac{c}{d}=(a\times b)+\left(a\times\frac{c}{d}\right)$
- $a\frac{b}{c}\times d\frac{e}{f}=\frac{(ac+b)(df+e)}{c\times f}$

जैसे :

(i) $3\times2\frac{3}{4}=(3\times2)+\left(3\times\frac{3}{4}\right)=6+\frac{9}{4}=6\frac{9}{4}$

(ii) $1\frac{2}{3}\times2\frac{3}{4}=\frac{(3\times1+2)(4\times2+3)}{3\times4}=\frac{5\times11}{12}=\frac{55}{12}$

4. **भिन्नों का भाग (Division of Fractions)**

- $a\div\frac{b}{c}=\frac{ac}{b}$
- $\frac{a}{b}\div c=\frac{a}{bc}$
- $\frac{a}{b}\div\frac{c}{d}=\frac{ad}{bc}$

जैसे :

(i) $3\div\frac{4}{5}=\frac{15}{4}$

(ii) $\frac{3}{2}\div4=\frac{3}{8}$

(iii) $\frac{2}{3}\div\frac{4}{5}=\frac{5}{6}$

- यदि $\frac{a}{b}$ तथा $\frac{c}{d}$ दो भिन्न हैं तथा $ad>bc$,

  तब, $\frac{a}{b}>\frac{c}{d}$
- यदि दिए गए भिन्नों के अंश व हर का अन्तर समान हो, तो सबसे बड़े अंश वाली भिन्न सबसे बड़ी तथा सबसे छोटे अंश वाली भिन्न सबसे छोटी होती है।

अभ्यास प्रश्न

1. निम्न में से कौन-सी संख्या अपरिमेय है?

A. $\frac{22}{7}$ B. π
C. 1.333... D. 3.14

2. निम्न में से कौन-सी संख्या परिमेय है?

A. $\sqrt{4}$ B. $\sqrt{3}$
C. $2+\sqrt{3}$ D. $5\sqrt{3}$

3. प्रथम 40 प्राकृत संख्याओं का योग कितना है?

A. 420 B. 840
C. 480 D. 820

4. 50 से 90 के बीच सभी अभाज्य संख्याओं का योग कितना है?

A. 485 B. 572
C. 722 D. 635

5. 5332624 निम्न में से किस संख्या से विभाजित होती है?

A. 4 B. 8
C. 11 D. इन सभी से

6. 100 तथा 200 के बीच आने वाले उन पूर्णांकों, जो 9 तथा 6 दोनों से विभाजित हों, की कुल संख्या होगी :

A. 5 B. 7
C. 6 D. 8

7. 3453426 निम्न में से किस संख्या से विभाजित हो जाती है?

A. 2 B. 3
C. 9 D. इन सभी से

8. $\left(1-\frac{1}{2}\right)\left(1-\frac{1}{3}\right)\left(1-\frac{1}{4}\right).....\left(1-\frac{1}{n}\right)$ का मान है :

A. $\frac{1}{n}$ B. $\frac{2}{n}$
C. $\frac{2(n-1)}{n}$ D. $\frac{2}{n(n+1)}$

9. प्रथम 68 तक की सम प्राकृत संख्याओं का योग कितना है?

A. 1180 B. 1170
C. 1190 D. 1160

10. चार अंकों की बड़ी से बड़ी तथा छोटी-से-छोटी संख्याओं का योग क्या होगा?

A. 10999 B. 1099
C. 10111 D. 111101

11. भाजक भागफल का 25 गुना है तथा शेषफल का 5 गुना है, यदि भागफल 16 हो, तो भाज्य है :

A. 6400 B. 6480
C. 400 D. 480

12. यदि $1^3 + 2^3 + 3^3 + ... + 10^3 = 3025$ हो, तो $2^3 + 4^3 + 6^3 + ... + 20^3$ का मान है :

A. 6050 B. 9075
C. 12100 D. 24200

13. दो संख्याओं का योगफल 90 है। यदि उन दोनों संख्याओं में 40 का अन्तर हो, तो संख्या ज्ञात करें :

A. 33 और 57 B. 37 और 53
C. 40 और 50 D. 25 और 65

14. किन्हीं दो संख्याओं का योगफल 79 है। यदि उन दोनों संख्याओं में 23 का अन्तर हो, तो संख्या बताएँ :

A. 39 और 40 B. 29 और 50
C. 49 और 30 D. 28 और 51

15. किन्हीं दो अंकों की संख्या के अंकों का योग 9 है। यदि संख्या से 45 घटा दिया जाए, तो अंकों के मान पलट जाते हैं, तो संख्या ज्ञात करें :

A. 36 B. 63
C. 27 D. 72

16. दो अंकों वाली एक संख्या में इकाई स्थान का अंक दहाई स्थान के अंक से 2 अधिक है। यदि दोनों अंकों का योग 12 है, तो संख्या क्या है?

A. 57 B. 75
C. 84 D. 35

17. दो अंकों वाली एक संख्या के अंकों का योग 10 है। यदि संख्या से 36 घटा दिया जाए, तो अंकों के स्थान बदल जाते हैं। तो संख्या ज्ञात करें :

A. 73 B. 37
C. 36 D. 63

18. यदि 8 × 97 + 325 × N = 5239, तो N के स्थान पर कौन-सी संख्या आएगी?

A. 73.13 B. 13.73
C. 12.73 D. 73.12

19. निम्न प्रश्न में तारांकित (*) के स्थान पर क्या आना चाहिए?

4827 + 5 * 2 = 5359

A. 4 B. 3
C. 2 D. 7

20. निम्नलिखित में कौन-सा कथन असत्य है?

A. π एक अपरिमेय संख्या है।
B. 22/7 एक परिमेय संख्या है।
C. –1 सबसे बड़ी ऋणात्मक पूर्णांक है।
D. सबसे छोटी अभाज्य संख्या 3 है।

21. निम्नलिखित में से कौन-सा कथन असत्य है?

A. दो सम संख्याओं का योग सम संख्या होता है।
B. दो विषम संख्याओं का योग हमेशा सम संख्या होगा।
C. दो विषम संख्याओं का गुणनफल सदैव सम संख्या होगा।
D. सबसे छोटी प्राकृत संख्या 1 होती है।

22. तीन अंकों की बड़ी से बड़ी संख्या, जो 35 से पूर्णतः विभाजित हो, होगी?

A. 999 B. 990
C. 980 D. 995

23. $2 \div \frac{1}{2} + \frac{1}{3} \div \frac{2}{3} + \frac{1}{3} \div 4 = ?$

A. $7\frac{3}{12}$ B. $12\frac{4}{7}$
C. $12\frac{3}{7}$ D. $4\frac{7}{12}$

24. $9 - \left(1\frac{3}{4} + 6\frac{2}{3}\right)$ का मान है :

A. $\frac{7}{12}$ B. $\frac{3}{5}$
C. 3 D. $\frac{13}{5}$

25. $\left(3\frac{2}{3} - 3\frac{1}{6}\right) + \frac{16}{9}$ का मान है :

A. $\frac{22}{9}$ B. $\frac{20}{3}$
C. $2\frac{5}{18}$ D. $1\frac{5}{9}$

26. यदि $x + \frac{5}{6} + \frac{5}{7} + \frac{4}{9} = 2\frac{125}{126}$ हो, तो x का मान है :

A. 1 B. 3
C. 1/9 D. 3/7

27. $\dfrac{1}{1 + \dfrac{1}{2 + \dfrac{1}{3}}}$ का मान है :

A. 3/7 B. 10/7
C. 7/10 D. 7/9

28. $3\frac{2}{5} + 1\frac{3}{7} + 1\frac{6}{35}$ का मान है :

A. 5 B. $7\frac{2}{7}$
C. $5\frac{11}{35}$ D. 6

29. निम्न भिन्नों में कौन-सी भिन्न सबसे बड़ी है?

$\frac{7}{12}, \frac{11}{16}, \frac{12}{17}, \frac{13}{18}, \frac{31}{36}$

A. $\frac{31}{36}$ B. $\frac{7}{12}$
C. $\frac{12}{17}$ D. $\frac{11}{16}$

30. निम्नलिखित भिन्नों में से कौन-सी सबसे छोटी है?

$\frac{9}{13}, \frac{17}{26}, \frac{28}{39}, \frac{33}{52}$

A. $\frac{33}{52}$ B. $\frac{17}{26}$
C. $\frac{9}{13}$ D. $\frac{28}{39}$

31. दो भिन्नों का गुणनफल $\frac{14}{15}$ है तथा उनका भागफल $\frac{35}{24}$ है। इनमें से बड़ी भिन्न है :

A. $\frac{7}{4}$ B. $\frac{7}{6}$

C. $\frac{7}{3}$ D. $\frac{4}{5}$

32. $8\frac{1}{2}-\left[3\frac{1}{4}\div\left\{1\frac{1}{4}-\frac{1}{2}\left(1\frac{1}{2}-\frac{1}{3}-\frac{1}{6}\right)\right\}\right]$ का सरलीकृत मान है :

A. $4\frac{1}{2}$ B. $4\frac{1}{6}$

C. $9\frac{1}{2}$ D. $\frac{2}{9}$

33. $\dfrac{1}{3+\dfrac{1}{2-\dfrac{1}{\frac{7}{9}}}}+\dfrac{17}{22}$ का मान है :

A. $\frac{12}{22}$ B. $\frac{22}{5}$

C. $\frac{5}{22}$ D. 1

34. निम्न में सबसे छोटी भिन्न कौन-सी है?

$\frac{8}{15}, \frac{14}{33}, \frac{7}{13}, \frac{11}{13}$

A. $\frac{8}{15}$ B. $\frac{7}{13}$

C. $\frac{11}{13}$ D. $\frac{14}{33}$

35. किसी संख्या के $\frac{3}{4}$ का $\frac{1}{2}, \left(10 \text{ का } 2\frac{1}{2}\right)$ के बराबर है। वह कौन-सी संख्या है?

A. 50 B. 60

C. $66\frac{2}{3}$ D. 56

36. जब किसी लड़के से किसी भिन्न का $\frac{6}{7}$ बताने को कहा गया, तो उसने गलती से उस भिन्न को $\frac{6}{7}$ से भाग दे दिया ओर सही उत्तर से $\frac{13}{70}$ अधिक उत्तर प्राप्त किया। वह भिन्न है :

A. $\frac{2}{3}$ B. $\frac{3}{5}$

C. $\frac{4}{5}$ D. $\frac{7}{9}$

37. भिन्न $\frac{4}{7}$ का कौन-सा भाग उसी में जोड़ा जाए, कि योग $1\frac{1}{14}$ प्राप्त हो?

A. $\frac{7}{8}$ B. $\frac{1}{2}$

C. $\frac{4}{7}$ D. $\frac{15}{14}$

38. यदि $2 = x+\dfrac{1}{1+\dfrac{1}{3+\frac{1}{4}}}$ हो, तब x का मान है :

A. $\frac{16}{17}$ B. $\frac{21}{17}$

C. $\frac{13}{17}$ D. $\frac{12}{17}$

39. निम्नांकित में से सबसे बड़ी भिन्न है :

$\frac{6}{7}, \frac{5}{6}, \frac{7}{8}, \frac{4}{5}$

A. $\frac{6}{7}$ B. $\frac{4}{5}$

C. $\frac{5}{6}$ D. $\frac{7}{8}$

40. $\dfrac{2\frac{3}{4}}{1\frac{5}{6}}\div\frac{7}{8}\times\left(\frac{1}{3}+\frac{1}{4}\right)+\frac{5}{7}\div\frac{3}{7}$ का $\frac{3}{4}$ का मान है :

A. $\frac{56}{77}$ B. $\frac{49}{80}$

C. $\frac{2}{3}$ D. $3\frac{2}{9}$

41. $5\frac{1}{4}$ तथा $4\frac{2}{5}$ का गुणनफल है :

A. $20\frac{4}{5}$ B. $23\frac{1}{10}$

C. $7\frac{4}{5}$ D. इनमें से कोई नहीं

42. $6\frac{3}{4}$ तथा $3\frac{2}{3}$ का योग है :

A. $10\frac{1}{12}$ B. $13\frac{1}{12}$

C. $10\frac{5}{12}$ D. इनमें से कोई नहीं

43. वह छोटी-से-छोटी संख्या, जिसे $\frac{12}{5}$ के हर में जोड़ने पर एक उचित भिन्न प्राप्त हो, तो संख्या होगी :

A. 2 B. 5
C. 8 D. 7

44. भिन्नों $\frac{11}{25}, \frac{11}{27}, \frac{11}{13}$ तथा $\frac{11}{19}$ को अवरोही क्रम में निम्न प्रकार से लिखा जाएगा :

A. $\frac{11}{25}, \frac{11}{27}, \frac{11}{13}, \frac{11}{19}$ B. $\frac{11}{13}, \frac{11}{19}, \frac{11}{25}, \frac{11}{27}$

C. $\frac{11}{27}, \frac{11}{25}, \frac{11}{19}, \frac{11}{13}$ D. $\frac{11}{13}, \frac{11}{25}, \frac{11}{27}, \frac{11}{19}$

45. बीजीय भिन्न $\frac{x^{-1}-1}{x-1}$ में हर का भाग अंश में देने पर मान प्राप्त होगा :

A. $-x$ B. $-(1-x)$

C. $\frac{1}{x}$ D. $-\frac{1}{x}$

46. मोहन लाल सहगल ने अपनी पूँजी का $\frac{1}{4}$ भाग अपने लड़के को, $\frac{1}{3}$ भाग अपनी पत्नी को तथा $\frac{1}{8}$ भाग अपनी पुत्री को दे दिया। अब, उसके पास उसकी पूँजी का कितना भाग शेष रह गया?

A. $\frac{7}{24}$ B. $\frac{5}{24}$

C. $\frac{11}{24}$ D. $\frac{1}{8}$

47. दो परिमेय संख्याओं का योग $-\frac{4}{5}$ है। यदि एक संख्या $-\frac{7}{20}$ हो, तो दूसरी संख्या क्या होगी?

A. $\frac{9}{20}$ B. $-\frac{3}{20}$

C. $-\frac{4}{15}$ D. $-\frac{9}{20}$

48. दो परिमेय संख्याओं का योग $\frac{1}{2}$ है। यदि इनमें से एक संख्या $-\frac{8}{19}$ हो, तो दूसरी संख्या क्या होगी?

A. $\frac{35}{38}$ B. $\frac{25}{38}$

C. $-\frac{25}{38}$ D. $\frac{16}{38}$

49. $-\frac{7}{8}$ में कौन-सी भिन्न संख्या जोड़ी जाए, कि योगफल $\frac{5}{9}$ प्राप्त हो?

A. $\frac{103}{72}$ B. $\frac{12}{72}$

C. $\frac{110}{72}$ D. $\frac{19}{37}$

50. $\frac{5}{14}$ से क्या घटाया जाए, कि प्राप्त भिन्न $\frac{7}{42}$ हो?

A. 21 B. $\frac{5}{21}$

C. $\frac{7}{21}$ D. $\frac{4}{21}$

उत्तरमाला

1	2	3	4	5	6	7	8	9	10
B	A	D	D	D	C	D	A	C	A
11	**12**	**13**	**14**	**15**	**16**	**17**	**18**	**19**	**20**
B	D	D	D	D	A	A	B	B	D
21	**22**	**23**	**24**	**25**	**26**	**27**	**28**	**29**	**30**
C	C	D	A	C	A	C	D	A	A
31	**32**	**33**	**34**	**35**	**36**	**37**	**38**	**39**	**40**
B	B	D	D	C	B	A	B	D	D
41	**42**	**43**	**44**	**45**	**46**	**47**	**48**	**49**	**50**
B	C	C	B	D	A	D	A	A	D

व्याख्यात्मक उत्तर

4. 50 तथा 90 के बीच अभाज्य संख्याएँ 53, 59, 61, 67, 71, 73, 79, 83 व 89 हैं।
= अभिष्ट योग
= 53 + 59 + 61 + 67 + 71 + 73 + 79 + 83 + 89 = 635

5. 5332624 के इकाई तथा दहाई के अंकों द्वारा बनी संख्या 4 से विभाजित होती है।

अतः संख्या 4 से विभाजित होती है तथा संख्या के इकाई, दहाई तथा सैकड़े से बनी संख्या 8 से विभाजित होती है।

अतः संख्या 8 से विभाजित होती है तथा संख्या के विषम स्थानों के अंकों का योग तथा सम स्थानों के अंकों का अन्तर $= (5 + 3 + 6 + 4) - (3 + 2 + 2) = 11$ है।
अतः संख्या 11 से विभाजित होती है।

7. 3453426 में इकाई का अंक सम संख्या है।
अतः संख्या 2 से विभाजित होती है तथा संख्या के अंकों का योग $= 3 + 4 + 5 + 3 + 4 + 2 + 6 = 27$, 3 तथा 9 से विभाजित होती है। अतः संख्या 3 तथा 9 से विभाजित होती है।

9. प्रथम n तक की सम प्राकृत संख्याओं का योग

$$\therefore \quad = \frac{n}{2}\left(\frac{n}{2}+1\right)$$

प्रथम 68 तक की सम प्राकृत संख्याओं का योग

$$= \frac{68}{2}\left(\frac{68}{2}+1\right)$$
$$= 34(34 + 1) = 34 \times 35$$
$$= 1190$$

10. चार अंकों की बड़ी से बड़ी संख्या = 9999
चार अंकों की छोटी से छोटी संख्या = 1000
अतः अभीष्ट योग = 9999 + 1000 = 10999

14. माना संख्याएँ x तथा y हैं। तब प्रश्नानुसार,

$$x + y = 79 \quad ....(i)$$
$$x - y = 23 \quad ....(ii)$$

समी (i) तथा (ii) को हल करने पर,

$$x + y = 79$$
$$x - y = 23$$
$$2x = 102$$
$$\Rightarrow \quad 2x = 102$$
$$\Rightarrow \quad x = 51$$

x का मान समी (i) में रखने पर,

$$51 + y = 79$$
$$\Rightarrow \quad y = 79 - 51 = 28$$
$$x = 51, y = 28$$

17. माना इकाई का अंक x तथा दहाई का अंक y है, तो संख्या $10y + x$ होगी तथा अंक पलटने पर संख्या $10x + y$ होगी।
प्रश्नानुसार,

$$x + y = 10 \quad ....(i)$$

तथा $\quad x + 10y - 36 = 10x + y$

$$\Rightarrow \quad 9x - 9y = -36$$
$$\Rightarrow \quad 9(x - y) = -36$$
$$\Rightarrow \quad x - y = -4 \quad ...(iii)$$

समी (i) तथा (ii) को जोड़ने पर,

$$x + y = 10$$
$$x - y = -4$$
$$2x = 6$$

$$\Rightarrow \quad x = 6/2 = 3$$

x का मान समी. (i) में रखने पर, $3 + y = 10$

$$\Rightarrow \quad y = 10 - 3 = 7$$
$$x = 3, y = 7$$

संख्या $= 10 \times 7 + 3 = 73$

22. तीन अंकों की बड़ी से बड़ी संख्या = 999

```
      28
35 ) 999
     70
     299
     280
      19
```

अतः तीन अंकों की सबसे बड़ी अभीष्ट संख्या
$= 999 - 19 = 980$

26.
$$x+\frac{5}{6}+\frac{5}{7}+\frac{4}{9} = 2\frac{125}{126}$$
$$x = \frac{377}{126}-\frac{5}{6}-\frac{5}{7}-\frac{4}{9}$$
$$x = \frac{377-105-90-56}{126}$$
$$= \frac{377-251}{126}=\frac{126}{126}=1$$

27.
$$\frac{1}{1+\frac{1}{2+\frac{1}{3}}}=\frac{1}{1+\frac{1}{\frac{7}{3}}} = \frac{1}{1+\frac{3}{7}}=\frac{1}{\frac{7+3}{7}}=\frac{7}{10}$$

28.
$$3\frac{2}{5}+1\frac{3}{7}+1\frac{6}{35} = \frac{17}{5}+\frac{10}{7}+\frac{41}{35}$$
$$= \frac{119+50+41}{35} = \frac{210}{35}=6$$

29. प्रत्येक भिन्न के अंश तथा हर का अन्तर निकालने पर,

$$12 - 7 = 5$$
$$16 - 11 = 5$$
$$17 - 12 = 5$$
$$18 - 13 = 5$$
$$36 - 31 = 5$$

स्पष्ट है, कि भिन्न के अंश व हर का अन्तर समान है। अतः बड़े अंश वाली भिन्न बड़ी होगी।

$\therefore$ भिन्न $\frac{31}{36}$ सबसे बड़ी भिन्न है।

33.
$$\frac{1}{3+\frac{1}{2-\frac{1}{\frac{7}{9}}}}+\frac{17}{22} = \frac{1}{3+\frac{1}{2-\frac{9}{7}}}+\frac{17}{22}=\frac{1}{3+\frac{1}{\frac{5}{7}}}+\frac{17}{22}$$

$$= \frac{1}{3+\frac{7}{5}} + \frac{17}{22} = \frac{5}{22} + \frac{17}{22}$$

$$= \frac{5+17}{22} = \frac{22}{22} = 1$$

35. माना वह संख्या $= x$

प्रश्नानुसार,

$$x \times \frac{3}{4} \text{ का } \frac{1}{2} = 10 \text{ का } 2\frac{1}{2}$$

$$\Rightarrow \quad x \times \frac{3}{4} \times \frac{1}{2} = 10 \times \frac{5}{2}$$

$$\Rightarrow \quad x = \frac{10 \times 5 \times 4}{3} = \frac{200}{3} = 66\frac{2}{3}$$

36. माना अभीष्ट भिन्न x है।

प्रश्नानुसार,

$$\frac{x}{\frac{6}{7}} - \frac{6}{7}x = \frac{13}{70}$$

$$\Rightarrow \quad \frac{7x}{6} - \frac{6x}{7} = \frac{13}{70}$$

$$\Rightarrow \quad \frac{49x - 36x}{42} = \frac{13}{70}$$

$$\Rightarrow \quad \frac{13x}{42} = \frac{13}{70} \quad \Rightarrow x = \frac{42}{70} = \frac{3}{5}$$

37. माना भिन्न का x भाग जोड़ना है।

$\therefore$ प्रश्नानुसार,

$$\frac{4}{7} + x\frac{4}{7} = 1\frac{1}{14}$$

$$\Rightarrow \quad \frac{4}{7}(1+x) = \frac{15}{14}$$

$$\Rightarrow \quad 1 + x = \frac{15 \times 7}{14 \times 4} = \frac{15}{8}$$

$$\Rightarrow \quad x = \frac{15}{8} - 1$$

$$\Rightarrow \quad x = \frac{15-8}{8} = \frac{7}{8}$$

45. $$\frac{x^{-1}-1}{x-1} = \frac{\frac{1}{x}-1}{x-1}$$

$$= \frac{1-x}{x(x-1)} = -\frac{(x-1)}{x(x-1)}$$

$$= -\frac{1}{x}$$

50. माना x घटाया जाता है, तब

प्रश्नानुसार,

$$\frac{5}{14} - x = \frac{7}{42}$$

$$\Rightarrow \quad x = \frac{5}{14} - \frac{7}{42}$$

$$\Rightarrow \quad x = \frac{15-7}{42}$$

$$\Rightarrow \quad x = \frac{8}{42} = \frac{4}{21}$$

❐❐❐❐❐

2

वर्ग तथा वर्गमूल

Square and Square Root

वर्ग (Square)

जब किसी दी गई संख्या को उसी संख्या से गुणा की जाती है, तो प्राप्त गुणनफल दी गई संख्या का वर्ग कहलाता है।

उदाहरण : 7 का वर्ग = 7^2

$= 7 \times 7 = 49$

वर्गमूल (Square Root)

किसी दी गई संख्या का वर्गमूल वह संख्या है, जिसका वर्ग करने पर दी गई संख्या प्राप्त होती है। इसे चिन्ह $\sqrt{\ }$ द्वारा प्रदर्शित करते हैं।

उदाहरण : 16 का वर्गमूल = $\sqrt{16}$

$= 4$

वर्गमूल ज्ञात करने की विधियाँ

वर्गमूल ज्ञात करने की निम्न दो विधियाँ हैं :

1. **गुणनखण्ड विधि :** यह विधि निम्न उदाहरण द्वारा समझी जा सकती है।

   उदाहरण : 900 का वर्गमूल क्या है?

   हल :

2	900
2	450
3	225
3	75
5	25
5	5
	1

$\Rightarrow \quad 900 = 2 \times 2 \times 3 \times 3 \times 5 \times 5$

$\Rightarrow \quad \sqrt{900} = \sqrt{\underline{2 \times 2} \times \underline{3 \times 3} \times \underline{5 \times 5}}$

$= 2 \times 3 \times 5$

$= 30$

2. **भाग विधि :** यह विधि निम्न उदाहरण द्वारा समझी जा सकती है।

   उदाहरण : 99856 का वर्गमूल ज्ञात करो।

   हल :

	316
3	9 98 56
	9
61	98
	61
626	3756
	3756
	×

अतः 99856 वर्गमूल 316 है।

एक (पूर्ण वर्ग) दशमलव संख्या का वर्गमूल ज्ञात करना

किसी दशमलव संख्या को परिमेय संख्या के रूप में बदले बिना भी हम इसका वर्गमूल ज्ञात कर सकते हैं। यह प्रक्रिया इस प्रकार की जाती है।

1. दशमलव संख्या के पूर्णांकीय भाग में सामान्य रीति से दण्ड खींचिए।
2. दशमलव भाग में प्रथम दशमलव स्थान से आरम्भ कर अंकों के प्रत्येक युग्म पर दण्ड लगाइए।
3. अब सामान्य विभाजन विधि से वर्गमूल निकालना आरम्भ कीजिए।
4. जैसे ही पूर्णांकीय भाग समाप्त हो, भागफल में दशमलव बिन्दु स्थापित कर दीजिए।
5. शून्य शेषफल प्राप्त होते ही प्रक्रिया रोक दीजिए। इस स्थिति में, भागफल ही संख्या का वर्गमूल है।

उदाहरण : 37.0881 का वर्गमूल विभाजन विधि से ज्ञात करें।

हल :

	6.09
6	37.081
	36
120	108
	0
1209	10881
	10881
	0

$\therefore \quad \sqrt{37.0881} = 6.09$

महत्वपूर्ण तथ्य एवं सूत्र

- यदि किसी पूर्ण वर्ग संख्या के इकाई के स्थान पर 1 हो, तो वर्गमूल में इकाई के स्थान पर 1 या 9; 4 हो, तो 2 या 8; 5 हो, तो 5; 6 हो, तो 4 या 6 तथा 9 हो, तो 3 या 7 होगा।
- सम संख्या का वर्गमूल सम संख्या तथा विषम संख्या का वर्गमूल विषम संख्या होता है।
- जिस संख्या के अन्त में इकाई का अंक 2, 3, 7 या 8 हो, तो वह संख्या पूर्ण वर्ग नहीं होगी।

कुछ महत्वपूर्ण वर्गमूल

(*i*) $\sqrt{2} = 1.414$ (*ii*) $\sqrt{3} = 1.732$

(*ii*) $\sqrt{5} = 2.236$ (*iv*) $\sqrt{6} = 2.449$

(*v*) $\sqrt{7} = 2.646$ (*vi*) $\sqrt{10} = 3.162$

- 4 अंकों की सबसे बड़ी पूर्ण वर्ग संख्या = 9801
- 5 अंकों की सबसे बड़ी पूर्ण वर्ग संख्या = 99856
- 6 अंकों की सबसे बड़ी पूर्ण वर्ग संख्या = 998001
- 4 अंकों की सबसे छोटी पूर्ण वर्ग संख्या = 1024
- 5 अंकों की सबसे छोटी पूर्ण वर्ग संख्या = 10000
- 6 अंकों की सबसे छोटी पूर्ण वर्ग संख्या = 100489
- यदि $\sqrt{\ }$ के अन्दर एक ही value बार-बार repeat करता है तो :

  $\sqrt{a\sqrt{a\sqrt{a\sqrt{a}}}} \ldots n$ बार $= a^{\left(\frac{2^n-1}{2^n}\right)}$

  जहाँ n = root की संख्या
- $\sqrt{a\sqrt{a\sqrt{a\sqrt{a}}}} \ldots \infty = 1$

  यदि $a = n(n+1)$
- $\sqrt{a+\sqrt{a+\sqrt{a+}}} \ldots \infty = (n+1)$
- $\sqrt{a-\sqrt{a-\sqrt{a-}}} \ldots \infty = n$
- $\sqrt{a \pm \sqrt{a \pm \sqrt{a \pm}}} \ldots \infty = \frac{\sqrt{4a+1} \pm 1}{2}$

अभ्यास प्रश्न

1. यदि $\frac{x}{\sqrt{0.09}} = 12$ हो, तो x का मान क्या होगा?

A. 0.3 B. 3
C. 36 D. 3.6

2. $\sqrt{32} - \sqrt{128} + \sqrt{50}$ का मान क्या होगा?

A. 1.414 B. 4.141
C. 1.732 D. 2.000

3. $\sqrt{128} + \sqrt{160} - \sqrt{16}$ का मान क्या होगा?

A. 17.96 B. 16.66
C. 19.96 D. 18.86

4. $\sqrt{15612 + \sqrt{154 + \sqrt{225}}}$ बराबर है :

A. 135 B. 155
C. 105 D. 125

5. यदि $\sqrt{1 + \frac{25}{144}} = 1 + \frac{x}{12}$ हो, तो x का मान बराबर है :

A. 1 B. 2
C. 5 D. 9

6. यदि $\sqrt{x} + 238 = 360$ का 4/5 हो, तो x का मान है :

A. 2500 B. 3025
C. 3600 D. 6400

7. यदि $\frac{\sqrt{32.4}}{\sqrt{x}} = 2$ हो, तो x का मान है :

A. 9 B. 0.9
C. 0.09 D. इनमें से कोई नहीं

8. $\sqrt{\frac{36.1}{102.4}}$ बराबर है :

A. $\frac{29}{32}$ B. $\frac{19}{72}$
C. $\frac{19}{32}$ D. $\frac{29}{62}$

9. $\sqrt{\frac{0.289}{0.00121}}$ बराबर है :

A. $\frac{170}{11}$ B. $\frac{17}{110}$
C. $\frac{17}{11}$ D. $\frac{0.17}{11}$

10. $\sqrt{\frac{0.081 \times 0.484}{0.0064 \times 6.25}}$ बराबर है :

A. 9 B. 0.9
C. 99 D. 0.99

11. यदि $\sqrt{75.24 + x} = 8.71$ हो, तो x का मान है :

A. 0.6241 B. 6.241
C. 62.41 D. इनमें से कोई नहीं

12. $\left(\sqrt{72} - \sqrt{18}\right) \div \sqrt{12}$ का मान है :

A. $\sqrt{6}$ B. $\sqrt{\frac{5}{2}}$
C. $\sqrt{\frac{2}{3}}$ D. $\frac{\sqrt{6}}{2}$

13. $\frac{\sqrt{24}+\sqrt{216}}{\sqrt{96}}=?$

A. $2\sqrt{6}$ B. 2

C. $6\sqrt{2}$ D. $\frac{2}{\sqrt{6}}$

14. $\sqrt{10+\sqrt{25+\sqrt{108+\sqrt{154+\sqrt{225}}}}}$ का मान है :

A. 10 B. 8
C. 6 D. 4

15. 294 को किस छोटी-से-छोटी संख्या से गुणा किया जाए, कि इस प्रकार प्राप्त संख्या एक पूर्ण वर्ग हो?

A. 2 B. 3
C. 6 D. 24

16. 269 में कौन-सी छोटी-से-छोटी संख्या जोड़ी जाए, कि इस प्रकार प्राप्त योग एक पूर्ण वर्ग हो?

A. 31 B. 16
C. 7 D. 20

17. 5 अंकों की बड़ी-से-बड़ी वह कौन-सी संख्या है, जो एक पूर्ण वर्ग हो?

A. 99999 B. 99764
C. 99976 D. 99856

18. 6 अंकों की छोटी-से-छोटी वह कौन-सी संख्या है, जो एक पूर्ण वर्ग हो?

A. 100036 B. 100049
C. 100489 D. 100169

19. $\frac{2707}{\sqrt{?}}=27.07$

A. 10 B. 100
C. 1000 D. 10000

20. छात्रों के एक समूह में प्रत्येक छात्र से उतने ही पैसे लिए गए, जितने इस समूह में छात्र थे। यदि कुल धन ₹ 5929 इकट्ठा हुआ हो, तो समूह में कितने छात्र थे?

A. 67 B. 77
C. 87 D. 57

21. यदि $\sqrt{24}=4.898$ लगभग, तो $\sqrt{\frac{8}{3}}=?$

A. 0.544 लगभग B. 1.333 लगभग
C. 1.633 लगभग D. 2.666 लगभग

22. 0.000529 वर्गमूल है :

A. 0.0003 B. 0.23
C. 0.023 D. 0.0023

23. दिए गये विकल्पों में से 5 अंकों की सबसे बड़ी संख्या में कम से कम कितना घटाया जाए कि परिणाम पूर्ण वर्ग हो जाए?

A. 143 B. 202
C. 198 D. इनमें से कोई नहीं

24. दिए गए विकल्पों में से 4 अंकों की सबसे छोटी संख्या में कम से कम कितना जोड़ा जाए की परिणाम पूर्ण वर्ग संख्या हो जाए?

A. 24 B. 26
C. 489 D. इनमें से कोई नहीं

25. $\sqrt{3\sqrt{3\sqrt{3\sqrt{3}}}}=?$

A. $3^{\frac{11}{16}}$ B. $3^{\frac{13}{16}}$

C. $3^{\frac{15}{16}}$ D. 1

26. $\sqrt{72+\sqrt{72+\sqrt{72+}}}\ ....\infty$

A. 7 B. 8
C. 9 D. 11

27. यदि $x=\sqrt{19+\sqrt{19+\sqrt{19}}}\ ....\infty$ हो तो कौन-सा कथन सही है?

A. $3.5 < x < 4$ B. $4 < x < 4.5$
C. $4.5 < x < 5$ D. इनमें से कोई नहीं

28. $\sqrt{(0.798)^2+0.404\times0.798+(0.202)^2}+1$ बराबर है।

A. 0 B. 2
C. 1.596 D. 0.404

29. यदि $\sqrt{4096}=64$ है, तो $\sqrt{40.96}+\sqrt{0.4096}+\sqrt{0.004096}+\sqrt{0.00004096}$ का दो दशमलव स्थानों तक मान है :

A. 7.09 B. 7.10
C. 7.11 D. 7.12

30. यदि $\sqrt{16-6\sqrt{7}}=a+b\sqrt{7}$ हो, तो b का मान है :

A. -2 B. -1

C. $-\frac{2}{3}$ D. $-\frac{1}{2}$

उत्तरमाला

1	2	3	4	5	6	7	8	9	10
D	A	C	D	A	A	D	C	A	D
11	**12**	**13**	**14**	**15**	**16**	**17**	**18**	**19**	**20**
A	D	B	D	C	D	D	C	D	B
21	**22**	**23**	**24**	**25**	**26**	**27**	**28**	**29**	**30**
C	C	A	A	C	C	C	B	C	B

व्याख्यात्मक उत्तर

1. $\frac{x}{\sqrt{0.09}} = 12$

$\Rightarrow \quad \frac{x}{0.3} = 12$

$\Rightarrow \quad x = 3.6$

2. $\sqrt{32} - \sqrt{128} + \sqrt{50}$

$= \sqrt{\underline{2\times2}\times\underline{2\times2}\times2}$
$-\sqrt{\underline{2\times2}\times\underline{2\times2}\times\underline{2\times2}\times2} + \sqrt{\underline{5\times5}\times2}$

$= 4\sqrt{2} - 8\sqrt{2} + 5\sqrt{2}$

$= 9\sqrt{2} - 8\sqrt{2} = \sqrt{2}$

$= 1.414$

3. $\sqrt{128} + \sqrt{160} - \sqrt{16}$

$= \sqrt{4\times4\times4\times2} + \sqrt{4\times4\times5\times2} - \sqrt{4\times4}$

$= 8\sqrt{2} + 4\sqrt{10} - 4$

$= 11.314 + 12.649 - 4$

$= 19.96$

4. $\sqrt{15612 + \sqrt{154 + \sqrt{225}}}$

$= \sqrt{15612 + \sqrt{154 + 15}}$

$= \sqrt{15612 + \sqrt{154 + 15}}$

$= \sqrt{15612 + \sqrt{169}}$

$= \sqrt{15612 + 13}$

$= \sqrt{15625} = 125$

5. $\sqrt{1 + \frac{25}{144}} = 1 + \frac{x}{12}$

$\Rightarrow \quad \sqrt{\frac{144+25}{144}} = 1 + \frac{x}{12}$

$\Rightarrow \quad \sqrt{\frac{169}{144}} = 1 + \frac{x}{12}$

$\Rightarrow \quad \frac{13}{12} - 1 = \frac{x}{12}$

$\Rightarrow \quad \frac{13-12}{12} = \frac{x}{12}$

$\Rightarrow \quad x = 1$

6. $\sqrt{x} + 238 = 360 \times \frac{4}{5}$

$\Rightarrow \sqrt{x} + 238 = 288$

$\Rightarrow \quad \sqrt{x} = 50$

$\Rightarrow \quad x = 2500$

7. $\frac{\sqrt{32.4}}{\sqrt{x}} = 2$

$\Rightarrow \quad \frac{32.4}{x} = 4$

$\Rightarrow \quad x = \frac{32.4}{4} = 8.1$

9. $\sqrt{\frac{0.289}{0.00121}} = \sqrt{\frac{289\times100}{121}}$

$= \frac{17\times10}{11} = \frac{170}{11}$

10. $\sqrt{\frac{0.081\times0.484}{0.0064\times6.25}} = \sqrt{\frac{81\times484}{64\times625}}$

$= \frac{9\times22}{8\times25} = \frac{198}{200} = 0.99$

11. $\sqrt{75.24 + x} = 8.71$

$\Rightarrow \quad 75.24 + x = 75.8641$

$\Rightarrow \quad x = 75.8641 - 75.24$

$\Rightarrow \quad x = 0.6241$

13. $\frac{\sqrt{24} + \sqrt{216}}{\sqrt{96}} = \frac{\sqrt{6\times4} + \sqrt{6\times6\times6}}{\sqrt{16\times6}}$

$= \frac{2\sqrt{6} + 6\sqrt{6}}{4\sqrt{6}}$

$= \frac{8\sqrt{6}}{4\sqrt{6}} = 2$

17. पाँच अंकों की बड़ी से बड़ी संख्या = 99999

	316
3	9 99 99
	9
61	99
	61
626	3899
6	3756
	143

अतः अभीष्ट संख्या = 99999 − 143 = 99856

19. $\frac{2707}{\sqrt{x}} = 27.07$

$\Rightarrow \quad \sqrt{x} = \frac{2707}{27.07} = \frac{2707\times100}{2707} = 100$

दोनों ओर का वर्ग करने पर,

$$x = (100)^2 = 10000$$

21. $\sqrt{\frac{8}{3}} = \sqrt{\frac{8\times 3}{3\times 3}}$

$$= \frac{\sqrt{24}}{3} = \frac{4.898}{3} = 1.633 \text{ लगभग}$$

22.

$$\begin{array}{r|l} & 0.023 \\ \hline 2 & 0.\overline{00}\,\overline{05}\,\overline{29} \\ & \quad 04 \\ \hline 43 & \quad 129 \\ 3 & \quad 129 \\ \hline & \quad\quad 0 \end{array}$$

23. हम जानते हैं, पाँच अंकों की बड़ी से बड़ी पूर्ण वर्ग संख्या

= 99856

$$\therefore \begin{array}{r} 99999 \\ -99856 \\ \hline \times\times 143 \end{array}$$

24. हम जानते हैं, चार अंकों की छोटी से छोटी पूर्ण वर्ग संख्या

= 1024

$\therefore$ अभीष्ट संख्या = $\begin{array}{r} 1024 \\ -1000 \\ \hline \times\times 24 \end{array}$

25. $(3)^{\frac{2^4-1}{2^4}} = 3^{\frac{15}{16}}$

26. $72 = 8 \times 9 = 9$

$(n) \times (n + 1)$

27. $x = \frac{\sqrt{4\times 19}+1}{2} = \frac{\sqrt{77}+1}{2} = \frac{8.8+1}{2} = 4.9$

$4.5 < x < 5$

28. $\sqrt{(0.798)^2 + 2\times 0.202\times 0.798 + (0.202)^2} + 1$

$$= \sqrt{(0.798+0.202)^2} + 1$$

$$= 1.0 + 1 = 2$$

29. $\sqrt{\frac{4096}{100}} + \sqrt{\frac{4096}{10000}} + \sqrt{\frac{4096}{1000000}} + \sqrt{\frac{4096}{100000000}}$

$$= \frac{64}{10} + \frac{64}{100} + \frac{64}{1000} + \frac{64}{10000}$$

$$= 6.4 + 0.64 + 0.064 + 0.0064$$

$$= 7.11$$

30. $\sqrt{16-6\sqrt{7}} = \sqrt{(3)^2 + \left(\sqrt{7}\right)^2 - 2\times 3\times \sqrt{7}}$

$$= \sqrt{\left(3-\sqrt{7}\right)^2} = \left(3-\sqrt{7}\right)$$

$a + b\sqrt{7}$ की तुलना करने पर, $b = -1$

❑❑❑❑❑

3 घन तथा घनमूल
Cube and Cube Root

घन (Cube)

किसी संख्या को उसके वर्ग से गुणा करने पर जो गुणनफल प्राप्त होता है, उसे उस संख्या का घन कहते हैं।

उदाहरण : 5 का घन $= 5^3 = 5 \times 5^2 = 125$

घनमूल (Cube Root)

किसी संख्या a का घनमूल b होगा, यदि $a = b^3$ घनमूल को $\sqrt[3]{\ }$ से प्रदर्शित करते हैं।

अतः $\sqrt[3]{a} = b$

किसी दी गई संख्या का घनमूल ज्ञात करने के लिए अभाज्य गुणनखण्ड विधि का प्रयोग करते हैं। इसमें पहले दी गई संख्या के अभाज्य गुणनखण्ड ज्ञात करते हैं। अब, इन गुणनखण्डों के तीन-तीन के युग्म बनाते हैं। घनमूल के लिए इन तीन-तीन के युग्म में से एक गुणनखण्ड लेते हैं। इनको गुणा करने पर प्राप्त गुणनफल दी गई संख्या का घनमूल होता है।

उदाहरण : $\sqrt[3]{64} = \sqrt[3]{4 \times 4 \times 4} = 4$

दशमलव संख्याओं का घनमूल ज्ञात करना

दशमलव में दी हुई संख्या का घनमूल निकालने के लिए निम्नलिखित चरणों का पालन करेंगे।

(*i*) सर्वप्रथम संख्या को भिन्न के रूप में इस प्रकार व्यक्त करते हैं, कि दशमलव के बाद जितने अंक होते हैं, अंक 1 के आगे उतने ही शून्य लगाकर उसे हर के रूप में प्रकट कर सकें तथा शेष पूर्णांक संख्या को अंश के रूप में व्यक्त कर सकें।

जैसे : $0.000216 = \dfrac{216\ (\text{अंश})}{1000000\ (\text{हर})}$

(*ii*) तत्पश्चात् अंश और हर के गुणनखण्ड करते हैं

$$\frac{216}{1000000} = \frac{2 \times 2 \times 2 \times 3 \times 3 \times 3}{10 \times 10 \times 10 \times 10 \times 10 \times 10}$$

(*iii*) गुणनखण्डों में 3-3 के समूह बनाते हैं :

$$\frac{\underline{2 \times 2 \times 2} \times \underline{3 \times 3 \times 3}}{\underline{10 \times 10 \times 10} \times \underline{10 \times 10 \times 10}}$$

(*iv*) अन्त में प्रत्येक समूह (ऊपर-नीचे) को गुणा करके गुणनफल में अन्त से उतने ही अंक बाद दशमलव लगा देते हैं, नीचे जितनी शून्य होती हैं,

$$= \frac{2 \times 3}{10 \times 10} = \frac{6}{100} = 0.06$$

महत्वपूर्ण तथ्य एवं सूत्र

- यदि a तथा b दो अशून्य घन संख्याएँ हों, तो

1. $\sqrt[3]{a.b} = \sqrt[3]{a} . \sqrt[3]{b}$ **2.** $\sqrt[3]{\dfrac{a}{b}} = \dfrac{\sqrt[3]{a}}{\sqrt[3]{b}}$

कुछ महत्वपूर्ण संख्याओं के घन

$(2)^3 = 8$	$(3)^3 = 27$
$(4)^3 = 64$	$(5)^3 = 125$
$(6)^3 = 216$	$(7)^3 = 343$
$(8)^3 = 512$	$(9)^3 = 729$
$(10)^3 = 1000$	$(11)^3 = 1331$
$(12)^3 = 1728$	$(13)^3 = 2197$
$(14)^3 = 2744$	$(15)^3 = 3375$

कुछ महत्वपूर्ण संख्याओं के घनमूल

$\sqrt[3]{8} = 2$	$\sqrt[3]{27} = 3$
$\sqrt[3]{64} = 4$	$\sqrt[3]{125} = 5$
$\sqrt[3]{216} = 6$	$\sqrt[3]{343} = 7$
$\sqrt[3]{512} = 8$	$\sqrt[3]{729} = 9$
$\sqrt[3]{1000} = 10$	$\sqrt[3]{1331} = 11$
$\sqrt[3]{1728} = 12$	$\sqrt[3]{2197} = 13$
$\sqrt[3]{2744} = 14$	$\sqrt[3]{3375} = 15$

अभ्यास प्रश्न

1. 972 को किस छोटी-से-छोटी संख्या से गुणा किया जाए, कि गुणनफल पूर्ण घन हो?

A. 5 B. 6
C. 7 D. 8

2. 4 अंकों की बड़ी-से-बड़ी संख्या जो पूर्ण घन हो, होगी :

A. 9999 B. 9261
C. 8000 D. इनमें से कोई नहीं

3. $\sqrt[3]{\sqrt{0.000729}}$ का मान है :

A. 0.03 B. 0.3
C. 3 D. इनमें से कोई नहीं

4. $\sqrt[3]{5\frac{104}{125}}$ का मान है :

A. $1\frac{3}{5}$ B. $1\frac{2}{5}$
C. $1\frac{4}{5}$ D. $2\frac{2}{5}$

5. 0.000001 का घनमूल होगा :

A. 0.1 B. 0.01
C. 0.001 D. 0.0001

6. 2744 का घनमूल ज्ञात करो :

A. 16 B. 14
C. 18 D. 12

7. 5832 का घनमूल क्या है?

A. 18 B. 16
C. 14 D. 22

8. $2\sqrt[3]{32}-3\sqrt[3]{4}+\sqrt[3]{500}$ बराबर है :

A. $4\sqrt[3]{6}$ B. $3\sqrt{24}$
C. $6\sqrt[3]{4}$ D. $\frac{9}{6}$

9. $\frac{\sqrt[3]{8}}{16}\div\sqrt{\frac{100}{49}}\times\sqrt[3]{125}$ बराबर है :

A. $\frac{7}{4}$ B. $\frac{3}{4}$
C. – 2 D. 1

10. $\sqrt[3]{216^{-3}\div(343)^{-2}}$ का मान है :

A. $\frac{36}{156}$ B. $\frac{17}{54}$
C. $\frac{49}{216}$ D. $\frac{49}{412}$

11. $\sqrt{16\sqrt[3]{512\times 8}}=?$

A. 16 B. 8
C. 9 D. 15

12. $\frac{432}{625}$ को किस संख्या से भाग दें, कि प्राप्त संख्या पूर्ण घन बन जाए?

A. $\frac{1}{3}$ B. $\frac{1}{5}$
C. $\frac{2}{5}$ D. $\frac{3}{5}$

13. $\sqrt[3]{\frac{512}{729}}+\sqrt[3]{\frac{8}{27}}+\sqrt{\frac{25}{81}}$ का मान होगा :

A. $2\frac{1}{8}$ B. $2\frac{1}{7}$
C. $2\frac{1}{9}$ D. $2\frac{1}{11}$

14. $\sqrt[3]{21+\sqrt{16}+\sqrt[3]{8}}$ का मान होगा :

A. 8 B. 5
C. 4 D. 3

15. $\sqrt[3]{1.728}$ का मान होगा :

A. 1.5 B. 0.15
C. 1.52 D. 1.2

16. 0.000216 का घनमूल क्या होगा?

A. 0.6 B. 0.06
C. 0.006 D. उपरोक्त में से कोई नहीं

17. 3600 को किस छोटी-से-छोटी संख्या से भाग किया जाए, कि भागफल पूर्ण घन हो?

A. 5 B. 2
C. 450 D. 9

18. $\sqrt[3]{1+\sqrt[3]{343}}$ का मान क्या होगा?

A. 2 B. 6
C. 7 D. 8

19. $\sqrt[3]{\sqrt[3]{512}}=?$

A. 2 B. 4
C. 8 D. 12

20. $\sqrt[3]{\frac{72.9}{0.4096}}$ का मान है :

A. 5.625 B. 72
C. 9 D. 90

21. यदि $p = 999$ हो तो $\sqrt[3]{p(p^2+3p+3)+1}$ का मान है :

A. 1000 B. 999
C. 998 D. 1002

22. $\sqrt{21+\sqrt[3]{59+\sqrt{16+\sqrt[3]{722+\sqrt[3]{49}}}}}$ का मान है :

A. 4 B. 5
C. 6 D. 8

23. यदि $(1^3 + 2^3 + 3^3 + 4^3 + 5^3) = 225$ दिया हो तो $(2^3 + 4^3 + 6^3 + 8^3 + 10^3)$ का मान होगा :

A. 450 B. 900
C. 1800 D. $(225)^3$

24. $\sqrt[3]{333+\sqrt[3]{987+\sqrt[3]{2197}}}$ बराबर है :

A. 21 B. 18
C. 7 D. 3

25. यदि 175616 का घनमूल 56 है, तो $\sqrt[3]{175.616} + \sqrt[3]{0.175616} + \sqrt[3]{0.000175616}$ का मान बराबर है :

A. 0.168 B. 62.16
C. 6.216 D. 6.116

उत्तरमाला

1	2	3	4	5	6	7	8	9	10
B	B	B	C	B	B	A	C	A	C
11	**12**	**13**	**14**	**15**	**16**	**17**	**18**	**19**	**20**
A	C	C	D	D	B	C	A	A	A
21	**22**	**23**	**24**	**25**					
A	B	C	C	C					

व्याख्यात्मक उत्तर

1. $\because \quad 972 = 6 \times 6 \times 3 \times 3 \times 3$

उपरोक्त से स्पष्ट है, कि यदि 972 को 6 से गुणा किया जाए, तो गुणनफल पूर्ण घन होगा।

3. $\sqrt[3]{\sqrt{0.000729}} = \sqrt[3]{0.027} = 0.3$

4. $\sqrt[3]{5\frac{104}{125}} = \sqrt[3]{\frac{729}{125}} = \frac{9}{5} = 1\frac{4}{5}$

5. $\sqrt[3]{0.000001} = \sqrt[3]{\frac{1}{1000000}}$

$= \sqrt[3]{\frac{1}{100 \times 100 \times 100}} = \frac{1}{100} = 0.01$

6. $\sqrt[3]{2744} = \sqrt[3]{\underline{2 \times 2 \times 2} \times \underline{7 \times 7 \times 7}}$

$= 2 \times 7 = 14$

7. $\sqrt[3]{5832} = \sqrt[3]{\underline{2 \times 2 \times 2} \times \underline{9 \times 9 \times 9}}$

$= 2 \times 9 = 18$

8. $2\sqrt[3]{32} - 3\sqrt[3]{4} + \sqrt[3]{500}$

$= 4\sqrt[3]{4} - 3\sqrt[3]{4} + 5\sqrt[3]{4} = 6\sqrt[3]{4}$

9. $\frac{\sqrt[3]{8}}{\sqrt{16}} \div \sqrt{\frac{100}{49}} \times \sqrt[3]{125} = \frac{2}{4} \times \frac{7}{10} \times 5 = \frac{7}{4}$

10. $\sqrt[3]{(216)^{-3} \div (343)^{-2}} = \sqrt[3]{(6^3)^{-3} \times \frac{1}{(7^3)^{-2}}}$

$= \sqrt[3]{6^{-9} \times (7^3)^2}$

$= \frac{7^2}{6^3} = \frac{49}{216}$

11. $\sqrt{16\sqrt[3]{512 \times 8}} = \sqrt{16\sqrt[3]{\underline{8 \times 8 \times 8} \times \underline{2 \times 2 \times 2}}}$

$= \sqrt{16 \times 8 \times 2} = 16$

12. $\frac{432}{625} = \frac{3 \times 3 \times 2 \times 2 \times 2 \times 2 \times 3}{5 \times 5 \times 5 \times 5}$

उपरोक्त से स्पष्ट है, कि 2/5 से भाग करने पर संख्या पूर्ण घन बन जाएगी।

13. $\sqrt[3]{\frac{512}{729}} + \sqrt[3]{\frac{8}{27}} + \sqrt{\frac{25}{81}} = \frac{8}{9} + \frac{2}{3} + \frac{5}{9}$

$= \frac{8+6+5}{9} = \frac{19}{9} = 2\frac{1}{9}$

14. $\sqrt[3]{21 + \sqrt{16} + \sqrt[3]{8}} = \sqrt[3]{21 + 4 + 2} = \sqrt[3]{27} = 3$

15. $\sqrt[3]{1.728} = \sqrt[3]{1.2 \times 1.2 \times 1.2} = 1.2$

16. $\sqrt[3]{0.000216} = \sqrt[3]{\frac{216}{1000000}}$

$= \sqrt[3]{\frac{6 \times 6 \times 6}{100 \times 100 \times 100}}$

$= \frac{6}{100} = 0.06$

17. 3600 = 3 × 3 × 2 × 2 × 2 × 2 × 5 × 5

उपरोक्त से स्पष्ट है, कि 3600 को 450 से भाग देने पर भागफल पूर्ण घन बन जाएगा।

18. $\sqrt[3]{1+\sqrt[3]{343}} = \sqrt[3]{1+7} = \sqrt[3]{8} = 2$

19. $\sqrt[3]{\sqrt[3]{512}} = \sqrt[3]{\sqrt[3]{8 \times 8 \times 8}} = \sqrt[3]{8} = \sqrt[3]{2 \times 2 \times 2} = 2$

20. $\sqrt[3]{\frac{72.9}{0.4096}} = \sqrt[3]{\frac{729 \times 1000}{4096}}$

$= \sqrt[3]{\frac{9 \times 9 \times 9 \times 10 \times 10 \times 10}{16 \times 16 \times 16}}$

$= \frac{9 \times 10}{16} = 5.625$

21. $\sqrt[3]{p^3 + 3p^2 + 3p + 1} = \sqrt[3]{(p+1)^3}$

$= p + 1 = 999 + 1$

$= 1000$

22. $\sqrt{21 + 3\sqrt{59 + \sqrt{16 + \sqrt[3]{729}}}} = \sqrt{21 + \sqrt[3]{59 + \sqrt{16 + 9}}}$

$= \sqrt{21 + \sqrt[3]{59 + 5}} = \sqrt{21 + \sqrt[3]{64}}$

$= \sqrt{21 + 4} = \sqrt{25} = 5$

23. $2^3 (1^3 + 2^3 + 3^3 + 4^3 + 5^3)$

$= 8 \times 225 = 1800$

24. $\sqrt[3]{333 + \sqrt[3]{987 + 13}} = \sqrt[3]{333 + (1000)^{\frac{1}{3}}}$

$= \sqrt[3]{333 + 10} = \sqrt[3]{343} = 7$

25. $\sqrt[3]{\frac{175616}{1000}} + \sqrt[3]{\frac{175616}{1000000}} + \sqrt[3]{\frac{175616}{1000000000}}$

$= \frac{56}{10} + \frac{56}{100} + \frac{56}{1000}$

$= 5.6 + 0.56 + 0.056$

$= 6.216$

❒❒❒❒❒

4 घातांक, करणी और सरलीकरण
Indices, Surds and Simplification

घातांक (Indices)

यदि $a \times a \times a \times .... \times m$ बार को a^m लिखा जाए, तो इसे a की घात m पढ़ा जाता है। a को आधार तथा m को घातांक कहते हैं।

घातांक के नियम (Rules of Indices)

माना a तथा b दो वास्तविक संख्याएँ हैं तथा m और n दो धन पूर्णांक हैं, तब

(i) $a^m \times a^n = a^{m+n}$ (ii) $\frac{a^m}{a^n} = a^{m-n}$

(iii) $(a^m)^n = a^{m \times n}$ (iv) $a^{-m} = \frac{1}{a^m}$

(v) $(ab)^m = a^m b^m$ (vi) $\left(\frac{a}{b}\right)^m = \frac{a^m}{b^m}$

(vii) $a^0 = 1$

करणी (Surds)

यदि किसी संख्या के मूल का निश्चित मान ज्ञात नहीं किया जा सकता हो, तो उस मूल को करणी कहते हैं।

उदाहरण : $\sqrt{3}, \sqrt[3]{4}, \sqrt[3]{6}$ आदि।

करणी के नियम (Rules of Surds)

माना a एक परिमेय संख्या है तथा m और n दो धन पूर्णांक हैं, तब

(i) $\left(\sqrt[n]{a}\right)^n = a$ (ii) $\sqrt[m]{ab} = \sqrt[m]{a} \cdot \sqrt[m]{b}$

(iii) $\sqrt[m]{\frac{a}{b}} = \frac{\sqrt[m]{a}}{\sqrt[m]{b}}$ (iv) $\left(\sqrt[m]{a}\right)^n = \sqrt[m]{a^n}$

(v) $\sqrt[m]{\sqrt[n]{a}} = \sqrt[mn]{a}$

सरलीकरण (Simplification)

सरलीकरण के अन्तर्गत दिए गए व्यंजकों में गणितीय संक्रियाओं; जैसे–जोड़ घटाव, गुणा, भाग, ... आदि का जब एक-साथ अथवा कुछ चिह्नों के साथ प्रयोग किया जाता है तब, हम BODMAS क्रम का पालन कर क्रियाओं को सम्पन्न करते हैं।

BODMAS क्रम में सर्वप्रथम कोष्ठकों (Bracket) की क्रियाओं को ध्यान में रखते हैं, (यदि कोष्ठक दिए हों) जो Vi Ci Cu Sq के अनुरूप होती हैं। कोष्ठकों के बाद 'का' (of) की क्रिया, फिर 'भाग' (÷) की क्रिया, फिर गुणा (×) की क्रिया, फिर जोड़ (+) की क्रिया तथा अन्त में घटाव (–) की क्रिया को सम्पन्न करते हैं।

दोनों क्रमों का संक्षिप्त रूप इस प्रकार है :

B → कोष्ठक (Bracket)
Vi (रेखा कोष्ठक), Ci (छोटा कोष्ठक), Cu (मंझला कोष्ठक), Sq (बड़ा कोष्ठक)

O → का (Of)

D → भाग (Division)

M → गुणा (Multiplication)

A → योग (Addition)

S → अन्तर (Subtraction)

उपरोक्त क्रम के अलावा व्यंजकों के सरलीकरण में विभिन्न बीजगणितीय सूत्रों का भी प्रयोग किया जाता है।

महत्वपूर्ण तथ्य एवं सूत्र

- किसी द्विपद द्विघात करणी तथा उसके संयुग्मी का गुणनफल सदैव एक परिमेय संख्या होती है।
- किसी द्विपद द्विघात करणी का परिमेयकारी गुणक, उस करणी का संयुग्मी होता है अर्थात $\sqrt{a}+\sqrt{b}$ का परिमेयकारी गुणक $\sqrt{a}-\sqrt{b}$ होता है।
- सरलीकरण के अन्तर्गत व्यंजक में यदि तीनों कोष्ठक दिए हैं, तो सर्वप्रथम छोटा कोष्ठक (Circular Bracket) उसके बाद मंझला

कोष्ठक (Curly Bracket), तत्पश्चात् बड़ा कोष्ठक (Square Bracket) खोलने की संक्रिया करते हैं।

- किसी संक्रिया या कोष्ठक की अनुपस्थिति में उनके क्रम में परिवर्तन नहीं होता।
- $a^2 - b^2 = (a + b)(a - b)$
- $(a + b)^2 = a^2 + 2ab + b^2$
- $(a - b)^2 = a^2 - 2ab + b^2$
- $(a + b)^3 = a^3 + b^3 + 3ab(a + b)$
- $(a - b)^3 = a^3 - b^3 - 3ab(a - b)$
- $a^3 + b^3 = (a + b)(a^2 - ab + b^2)$
- $a^3 - b^3 = (a - b)(a^2 + ab + b^2)$
- $(a + b + c)^2 = a^2 + b^2 + c^2 + 2ab + 2bc + 2ca$
- $a^2 + b^3 + c^3 - 3abc$
  $= (a + b + c)(a^2 + b^2 + c^2 - ab - bc - ca)$
- यदि $a + b + c = 0$ हो, तो
  $a^3 + b^3 + c^3 = 3abc$
- $(a + b)^2 = (a - b)^2 + 4ab$

अभ्यास प्रश्न

1. $\left(-\frac{1}{512}\right)^{-2/3}$ का मान है :

A. $-\frac{1}{64}$ B. $\frac{1}{64}$
C. -64 D. 64

2. यदि $(27)^{1/3} \times (81)^{-1/2} = 3^n$ हो, तो n का मान है :

A. -1 B. 0
C. 27 D. 81

3. $\frac{2^{\frac{2}{3}} \times \sqrt[3]{2^7}}{\sqrt[3]{2^6}} = ?$

A. 0 B. 2
C. 1 D. 4

4. $\frac{2^{n+4} - 2{\cdot}2^n}{2{\cdot}2^{n+3}} + 2^{-3}$ का मान है :

A. 2^{n+1} B. $-2^{n+1} + \frac{1}{8}$
C. $\frac{9}{8} - 2^n$ D. 1

5. यदि $\frac{9^n \times 3^5 \times (27)^3}{3 \times (81)^4} = 27$ हो, तो n बराबर है :

A. 0 B. 2
C. 3 D. 4

6. $\sqrt{5 + \sqrt[3]{x}} = 3$ हो, तो x का मान है :

A. 125 B. 64
C. 27 D. 9

7. यदि $a^x = b^y = c^z$ तथा $b^2 = ac$ हो, तो y बराबर है :

A. $\frac{xz}{x+z}$ B. $\frac{xz}{2(x-z)}$
C. $\frac{xz}{2(z-x)}$ D. $\frac{2xz}{x+z}$

8. $\frac{3^{n+2} - 3^n}{3^{n+1} + 3^n}$ का मान, जहाँ n एक वास्तविक संख्या है, हैं :

A. 2 B. 3
C. 4 D. 0

9. यदि $4^x - 4^{x-1} = 24$ हो, तो $(2x)^x$ का मान है :

A. 25 B. 125
C. $\sqrt{5}$ D. $25\sqrt{5}$

10. $\sqrt{\frac{x}{0.0064}} = \sqrt[3]{0.008}$ में x का मान है :

A. 0.256 B. 0.0256
C. 0.000256 D. 0.00256

11. $\frac{\left(x+\frac{1}{y}\right)^a \left(x-\frac{1}{y}\right)^b}{\left(y+\frac{1}{x}\right)^a \left(y-\frac{1}{x}\right)^b}$ बराबर है :

A. $\left(\frac{x}{y}\right)^{(a+b)}$ B. $\left(\frac{y}{x}\right)^{(a+b)}$
C. $(xy)^{a+b}$ D. $\frac{x^a}{y^b}$

12. $[x^{(b-c)}]^{.(b+c)} . [x^{(c-a)}]^{.(c+a)} . [x^{(a-b)}]^{(a+b)}$ बराबर है :

A. 0 B. x^{abc}
C. 1 D. x^{a+b+c}

13. $\left(\frac{x^a}{x^b}\right)^{1/ab} \times \left(\frac{x^b}{x^c}\right)^{1/bc} \times \left(\frac{x^c}{x^a}\right)^{1/ca} = ?$

A. 1 B. $x^{1/abc}$
C. $x^{1/(ab+bc+ca)}$ D. इनमें से कोई नहीं

14. $\left(\frac{x^b}{x^c}\right)^{(b+c-a)} \times \left(\frac{x^c}{x^a}\right)^{(c+a-b)} \times \left(\frac{x^a}{x^b}\right)^{(a+b-c)} = ?$

A. x^{abc} B. x^{a+b+c}
C. $x^{ab+bc+ca}$ D. 1

15. $\dfrac{1}{1+x^{(b-a)}+x^{(c-a)}}+\dfrac{1}{1+x^{(a-b)}+x^{(c-b)}}+\dfrac{1}{1+x^{(b-c)}+x^{(a-c)}}=?$

A. x^{a-b-c} B. 1
C. 0 D. 3

16. यदि m तथा n ऐसी पूर्ण संख्याएँ हैं, कि $m^n = 121$, तब $(m-1)^{n+1}$ का मान है :

A. 1 B. 10
C. 121 D. 1000

17. यदि $[3^{m^2} \div (3^m)^2]^{1/m} = 81$, तो m का मान क्या होगा?

A. 3 B. 6
C. – 3 D. – 6

18. $\dfrac{(856+167)^2+(856-167)^2}{856\times856+167\times167}=?$

A. 1 B. 0
C. 3 D. 2

19. $287 \times 287 - 2 \times 287 \times 269 + 269 \times 269 = ?$

A. 556 B. 446
C. 354 D. 324

20. $\dfrac{(598+178)^2-(598-178)^2}{598\times178}=?$

A. 1/2 B. 4
C. 402 D. 209/399

21. $5-\left[\dfrac{3}{4}+\left\{2\dfrac{1}{2}-\left(0.5+\overline{\dfrac{1}{6}-\dfrac{1}{7}}\right)\right\}\right]$ का मान होगा :

A. $\dfrac{191}{84}$ B. $\dfrac{84}{191}$
C. 0 D. 1

22. $1+\dfrac{2}{1+\dfrac{3}{2-\dfrac{1}{1+\dfrac{1}{2}}}}$ का मान होगा :

A. 13/21 B. 21/13
C. 13/4 D. इनमें से कोई नहीं

23. $\dfrac{15}{2+\dfrac{3}{\dfrac{5}{3}\div\dfrac{5/3}{\dfrac{2}{5}\times\dfrac{1}{3}}}}$ का मान है :

A. $2\dfrac{9}{47}$ B. $3\dfrac{9}{47}$
C. $5\dfrac{9}{47}$ D. $\dfrac{30}{49}$

24. यदि $\dfrac{3}{5}$ का $\dfrac{4}{9}$ का $\dfrac{5}{8}$ का $x = 36$, तो x का क्या मान है?

A. 214 B. 260
C. 320 D. 216

25. $13\dfrac{1}{2}-\left[4\dfrac{1}{2}-\left\{3-\left(2-\dfrac{1}{2}\right)\right\}\right]$ का मान क्या होगा?

A. $9\dfrac{1}{2}$ B. $10\dfrac{1}{2}$
C. $8\dfrac{1}{2}$ D. $11\dfrac{1}{2}$

26. $\dfrac{3}{4}\div2\dfrac{1}{4}$ का $\dfrac{2}{3}-\dfrac{\dfrac{1}{2}-\dfrac{1}{3}}{\dfrac{1}{2}+\dfrac{1}{3}}\times3\dfrac{1}{3}+\dfrac{5}{6}$ का मान है :

A. $\dfrac{7}{18}$ B. $\dfrac{49}{54}$
C. $\dfrac{2}{3}$ D. $\dfrac{1}{6}$

27. $\dfrac{(589+187)^2-(589-187)^2}{589\times187}=?$

A. $\dfrac{1}{2}$ B. 4
C. 402 D. $\dfrac{201}{388}$

28. $\dfrac{649\times649+351\times351-649\times351}{649\times649\times649+351\times351\times351}=?$

A. $\dfrac{1}{298}$ B. $\dfrac{1}{1000}$
C. $\dfrac{149}{500}$ D. इनमें से कोई नहीं

29. $\dfrac{(931+138)^2+(931-138)^2}{(931\times931+138\times138)}=?$

A. 1069 B. 793
C. $\dfrac{793}{1069}$ D. इनमें से कोई नहीं

30. $\dfrac{957\times957\times957+143\times143\times143}{957\times957-957\times143+143\times143}=?$

A. 1000 B. 814
C. 1100 D. इनमें से कोई नहीं

उत्तरमाला

1	2	3	4	5	6	7	8	9	10
D	A	B	D	C	B	D	A	D	C
11	**12**	**13**	**14**	**15**	**16**	**17**	**18**	**19**	**20**
A	C	A	D	B	D	B	D	D	B
21	**22**	**23**	**24**	**25**	**26**	**27**	**28**	**29**	**30**
A	B	D	D	B	A	B	B	D	C

व्याख्यात्मक उत्तर

1. $\left(-\frac{1}{512}\right)^{-2/3} = (-512)^{2/3}$

$= (-8^3)^{2/3} = (-8)^2 = 64$

2. $(27)^{1/3} \times (81)^{-1/2} = 3^n$

$\Rightarrow \quad (3^3)^{1/3} \times (3^4)^{-1/2} = 3^n$

$\Rightarrow \quad 3 \times 3^{-2} = 3^n$

$\Rightarrow \quad 3^{-1} = 3^n$

$\Rightarrow \quad n = -1$

3. $\frac{2^{\frac{2}{3}} \times \sqrt[3]{2^7}}{\sqrt[3]{2^6}} = \frac{2^{\frac{2}{3}} \times 2^{\frac{7}{3}}}{2^{\frac{6}{3}}}$

$= 2^{\left(\frac{2}{3}+\frac{7}{3}-\frac{6}{3}\right)} = 2^{\left(\frac{2+7-6}{3}\right)}$

$= 2^{\frac{3}{3}} = 2^1 = 2$

4. $\frac{2^{n+4} - 2.2^n}{2 \cdot 2^{n+3}} + 2^{-3} = \frac{2^n \cdot 2^4 - 2.2^n}{2 \cdot 2^n \cdot 2^3} + \frac{1}{2^3}$

$= \frac{2^n(16-2)}{2^n(16)} + \frac{1}{8}$

$= \frac{14}{16} + \frac{1}{8}$

$= \frac{14+2}{16} = \frac{16}{16} = 1$

5. $\frac{(3^2)^n \times 3^5 \times (3^3)^3}{3 \times (3^4)^4} = 3^3$

$\Rightarrow \quad \frac{3^{2n} \times 3^5 \times 3^9}{3 \times 3^{16}} = 3^3$

$\Rightarrow \quad 3^{2n+5+9-1-16} = 3^3$

$\Rightarrow \quad 2n - 3 = 3$

$\Rightarrow \quad n = 3$

6. $\sqrt{5+\sqrt[3]{x}} = 3$

$\Rightarrow \quad 5+\sqrt[3]{x} = 9$

$\Rightarrow \quad \sqrt[3]{x} = 4$

$\Rightarrow \quad x = 64$

7. माना $a^x = b^y = c^z = k$

$\Rightarrow \quad a = k^{1/x},\ b = k^{1/y}$

तथा $\quad c = k^{1/2}$

तथा $\quad b^2 = ac$

$\Rightarrow \quad k^{2/y} = k^{1/x} . k^{1/z}$

$\Rightarrow \quad k^{2/y} = k^{1/x + 1/z}$

$\Rightarrow \quad \frac{2}{y} = \frac{1}{x} + \frac{1}{z}$

$\Rightarrow \quad \frac{2}{y} = \frac{z+x}{xz}$

$\Rightarrow \quad y = \frac{2xz}{x+z}$

8. $\frac{3^{n+2} - 3^n}{3^{n+1} + 3^n} = \frac{3^n.9 - 3^n}{3^n.3 + 3^n}$

$= \frac{9-1}{3+1} = \frac{8}{4} = 2$

9. $4^x - 4^{x-1} = 24$

$\Rightarrow \quad 4^x - 4^x . 4^{-1} = 24$

$\Rightarrow \quad 4^x\left(1-\frac{1}{4}\right) = 24$

$\Rightarrow \quad 4^x\left(\frac{3}{4}\right) = 24$

$\Rightarrow \quad 4^x = \frac{24 \times 4}{3}$

$\Rightarrow \quad 4^x = 2^5$

$\Rightarrow \quad 2^{2x} = 2^5$

$\Rightarrow \quad 2x = 5$

$\Rightarrow \quad x = \dfrac{5}{2}$

अब, $(2x)^x = (5)^{5/2} = 25\sqrt{5}$

13. $\left(\dfrac{x^a}{x^b}\right)^{1/ab} \times \left(\dfrac{x^b}{x^c}\right)^{1/bc} \times \left(\dfrac{x^c}{x^a}\right)^{1/ac}$

$$= \left(\frac{x^{a/ab}}{x^{b/ab}}\right) \times \left(\frac{x^{b/bc}}{x^{c/bc}}\right) \times \left(\frac{x^{c/ac}}{x^{a/ac}}\right)$$

$$= \left(\frac{x^{\frac{1}{b}}}{x^{\frac{1}{a}}}\right) \times \left(\frac{x^{\frac{1}{c}}}{x^{\frac{1}{b}}}\right) \times \left(\frac{x^{\frac{1}{a}}}{x^{\frac{1}{c}}}\right)$$

$$= x^{\frac{1}{b}-\frac{1}{a}} \times x^{\frac{1}{c}-\frac{1}{b}} \times x^{\frac{1}{a}-\frac{1}{c}}$$

$$= x^{\frac{1}{b}-\frac{1}{a}+\frac{1}{c}-\frac{1}{b}+\frac{1}{a}-\frac{1}{c}}$$

$$= x^0 = 1$$

17. $[3^{m^2} \div (3^m)^2]^{1/m} = 81$

$\Rightarrow \quad [3^{m^2} \div 3^{2m}]^{1/m} = 3^4$

$$\left(\frac{3^{m^2}}{3^{2m}}\right)^{\frac{1}{m}} = 3^4$$

$\Rightarrow \quad \left(3^{m^2-2m}\right)^{\frac{1}{m}} = 3^4$

$\Rightarrow \quad 3^{\frac{m(m-2)}{m}} = 3^4$

$\Rightarrow \quad 3^{m-2} = 3^4$

$\Rightarrow \quad m - 2 = 4$

$\Rightarrow \quad m = 4 + 2 = 6$

18. माना $856 = a$ तथा $167 = b$

तब, दिए गए व्यंजक में मान रखने पर,

$$\frac{(a+b)^2+(a-b)^2}{a\times a+b\times b} = \frac{a^2+b^2+2ab+a^2+b^2-2ab}{a^2+b^2}$$

$$= \frac{2(a^2+b^2)}{(a^2+b^2)} = 2$$

20. $\dfrac{(598+178)^2-(598-178)^2}{598\times 178} = \dfrac{4\times 598\times 178}{598\times 178} = 4$

$[\because (a+b)^2 - (a-b)^2 = 4ab]$

21. $5-\left[\dfrac{3}{4}+\left\{2\dfrac{1}{2}-\left(0.5+\overline{\dfrac{1}{6}-\dfrac{1}{7}}\right)\right\}\right]$

$$= 5-\left[\frac{3}{4}+\left\{\frac{5}{2}-\left(\frac{1}{2}+\frac{7-6}{42}\right)\right\}\right]$$

$$= 5-\left[\frac{3}{4}+\left\{\frac{5}{2}-\left(\frac{1}{2}+\frac{1}{42}\right)\right\}\right]$$

$$= 5-\left[\frac{3}{4}+\left\{\frac{5}{2}-\frac{22}{42}\right\}\right]$$

$$= 5-\left[\frac{3}{4}+\frac{105-22}{42}\right]$$

$$= 5-\left[\frac{3}{4}+\frac{83}{42}\right]$$

$$= 5-\left[\frac{63+166}{84}\right]$$

$$= 5-\frac{229}{84}$$

$$= \frac{420-229}{84} = \frac{191}{84}$$

22. $1+\cfrac{2}{1+\cfrac{3}{2-\cfrac{1}{1+\cfrac{1}{2}}}} = 1+\cfrac{2}{1+\cfrac{3}{2-\cfrac{2}{3}}}$

$$= 1+\cfrac{2}{1+\cfrac{3}{4/3}}$$

$$= 1+\cfrac{2}{1+\cfrac{9}{4}} = 1+\frac{8}{13}$$

$$= \frac{13+8}{13} = \frac{21}{13}$$

27. $\dfrac{(589+187)^2-(589-187)^2}{589\times 187} = \dfrac{4\times 589\times 187}{589\times 187}$

$= 4 \quad [\because (a+b)^2 - (a-b)^2 = 4ab]$

❑❑❑❑❑

5 सीधा अनुपात, विलोमानुपात और मिश्र समानुपात

Direct, Indirect and Chain Rule

सीधा अनुपात (Direct Proportion)

यदि दो राशियाँ इस प्रकार हों कि एक राशि के घटने (या बढ़ने) पर दूसरी राशि भी उसी अनुपात में घटे (या बढ़े), तो ये राशियाँ सीधे अनुपात में कहलाती हैं।

विलोमानुपात (Indirect Proportion)

यदि दो राशियाँ इस प्रकार हों कि एक राशि को घटाने से दूसरी राशि बढ़े या एक को बढ़ाने से दूसरी घटे, तो ये राशियाँ विलोमानुपात में कहलाती हैं।

यूँ तो Chain Rule से संबंधित सभी प्रश्नों को Repeated use of Rule Three से हल किया जा सकता है, लेकिन इस नियम के अनुप्रयोग में समय अपेक्षाकृत अधिक लगता है। अतः ऐसे प्रश्नों को सूत्रों से हल करना अधिक सुविधाजनक होता है।

मिश्र समानुपात (Chain Rule)

जब तीन समानुपात दिए गये हों तो चौथा समानुपात ज्ञात करना साधारण समानुपात (Simple Proportion) या "Rule of Three" कहलाता है। "Rule of three" का बार-बार प्रयोग (Repeated Use) मिश्र समानुपात (Chain Rule) कहलाता है।

दूसरे शब्दों में, यदि चार राशियाँ समानुपाती हों तथा इनमें से तीन राशियाँ ज्ञात हों, तो चौथी राशि को x मानकर समानुपात के गुण का प्रयोग करके इसका मान ज्ञात करते हैं।

$$(a : b) : : (c : x) \Rightarrow ax = bc \Rightarrow x = \frac{bc}{a}$$

METHOD–1

यदि m_1 आदमी किसी काम को d_1 दिनों में समाप्त करें तथा m_2 आदमी उसी काम को d_2 दिनों में समाप्त करें तो $m_1d_1 = m_2d_2$

उदाहरण : यदि 36 आदमी किसी काम को 25 दिनों में पूरा कर सकते हों, तो उसी काम को 15 आदमी कितने दिनों में पूरा करेंगे?

हलः

$$m_1d_1 = m_2d_2$$

$$36 \times 25 = 15 \times d_2$$

$$\therefore \quad d_2 = \frac{36 \times 25}{15} = 60 \text{ दिन}$$

अतः 15 आदमी इस काम को 60 दिनों में समाप्त करेंगे।

METHOD–2

यदि m_1 व्यक्ति h_1 घंटे प्रतिदिन काम करके d_1 दिनों में किसी काम को समाप्त करें और उसी काम को m_2 व्यक्ति h_2 घंटे प्रतिदिन करके d_2 दिनों में समाप्त करें तो

$$m_1h_1d_1 = m_2h_2d_2$$

उदाहरण : 40 आदमी 5 घंटे प्रतिदिन काम करके किसी काम को 21 दिनों में समाप्त करते हैं। उसी काम को 15 आदमी 8 घंटे प्रतिदिन काम करके कितने दिनों में समाप्त करेंगे?

हलः $40 \times 5 \times 21 = 15 \times 8 \times d_2$

$$\therefore \quad d_2 = \frac{40 \times 5 \times 21}{15 \times 8} = 35$$

अतः 15 आदमी 8 घंटे प्रतिदिन करके 35 दिनों में समाप्त करेंगे।

METHOD–3

यदि m_1 मजदूरों के d_1 दिनों की मजदूरी R_1 हो और m_2 मजदूरों के d_2 दिनों की मजदूरी R_2 हो तो,

$$\frac{m_1d_1}{R_1} = \frac{m_2d_2}{R_2}$$

उदाहरण : 10 मजदूरों की 15 दिनों की मजदूरी ₹ 1800 है। 12 मजदूरों की 8 दिनों की मजदूरी कितनी होगी?

हलः

$$\frac{10 \times 15}{1800} = \frac{12 \times 8}{R_2}$$

$$\Rightarrow \quad R_2 = \frac{1800 \times 12 \times 8}{10 \times 15} = ₹\ 1152$$

अतः अभीष्ट मजदूरी = ₹ 1152

METHOD–4

यदि m_1 व्यक्ति d_1 दिनों में W_1 काम करें और m_2 व्यक्ति d_2 दिनों में W_2 काम करें तो,

$$\frac{m_1d_1}{W_1} = \frac{m_2d_2}{W_2}$$

उदाहरण : 14 मजदूर 1176 किताबें 7 दिनों में तैयार करते हैं, तो 1200 किताबें 5 दिनों में तैयार करने के लिए कितने और मजदूरों की आवश्यकता होगी?

हल: $\frac{14 \times 7}{1176} = \frac{m_2 \times 5}{1200}$

$\Rightarrow \quad m_2 = \frac{14 \times 7 \times 1200}{5 \times 1176} = 20$

$\therefore$ मजदूरों की अतिरिक्त संख्या = 20 – 14 = 6

METHOD–5

$$\text{शेष खाद्य सामग्री} = \frac{m_1(d_1 - d_2)}{m_1 \pm m_2}$$

उदाहरण: किसी किले में 800 व्यक्तियों के लिए 50 दिनों की खाद्य सामग्री थी। परन्तु 20 दिन के बाद 200 व्यक्ति और आ गये। अब शेष खाद्य सामग्री कितने दिनों के लिए पर्याप्त होगी?

हल: $\frac{m_1(d_1 - d_2)}{m_1 + m_2} = \frac{800(50-20)}{800+200}$

$= \frac{800 \times 30}{1000} = 24$ दिन

METHOD–6

$$\text{शेष कार्य} = \frac{m_1(d_1 - d_2)}{m_1 \pm m_2}$$

उदाहरण: 90 व्यक्तियों ने किसी कार्य को पूरा करने के लिए 45 दिन का ठेका लिया। परन्तु किसी कारणवश 24 दिन के बाद 20 व्यक्ति बाहर चले गये तो शेष कार्य कितने दिनों में समाप्त होगा?

हल: शेष कार्य $= \frac{90(45-24)}{90-20} = \frac{90 \times 21}{70} = 27$ दिन

अतः शेष काम 27 दिनों में पूरा होगा।

अभ्यास प्रश्न

1. यदि 4.5 मीटर लम्बी लोहे की एक समांग छड़ का भार 17.1 किग्रा. हो, तो इसी प्रकार की 12 मीटर लम्बी छड़ का भार क्या होगा?
A. 48 किग्रा. B. 52 किग्रा.
C. 45.6 किग्रा. D. 47 किग्रा.

2. एक मानचित्र में यदि 0.8 सेमी., 8.8 किमी. वास्तविक दूरी को प्रदर्शित करे, तो 80.5 सेमी. कितनी वास्तविक दूरी को व्यक्त करेगा?
A. 820 किमी. B. 885.5 किमी.
C. 845 किमी. D. इनमें से कोई नहीं

3. किसी समय झन्डे में लगी 17.5 मीटर ऊँची छड़ की परछाई 40.25 मीटर है, उसी समय 28.75 मीटर लम्बी परछाई कितनी ऊँची इमारत की होगी?
A. 15.5 मीटर B. 12.5 मीटर
C. 16.5 मीटर D. 14.5 मीटर

4. यदि 5 व्यक्ति एक खाई 1 घण्टे में खोद सकें, तो 12 व्यक्ति ऐसी ही खाई खोदने में कितना समय लेंगे?
A. 15 मिनट B. 25 मिनट
C. 18 मिनट D. 35 मिनट

5. कुछ व्यक्ति एक कार्य को 40 दिन में समाप्त कर सकते है। यदि 8 व्यक्ति और होते तो यह कार्य 10 दिन कम में समाप्त हो जाता। आरम्भ में कितने व्यक्ति थे?
A. 20 B. 22
C. 24 D. 23

6. एक किले में 40 व्यक्तियों के लिए 12 दिन का राशन है। यही राशन 30 व्यक्तियों के लिए कितने दिन के लिए पर्याप्त होगा?
A. 8 दिन B. 12 दिन
C. 16 दिन D. 18 दिन

7. एक किले में 500 सैनिकों के लिए 24 दिन का भोजन था। 300 सैनिक और आ जाने पर यह भोजन कितने दिन चलेगा?
A. 15 दिन B. 14 दिन
C. 16 दिन D. 17 दिन

8. यदि 10 व्यक्ति 60 घरों में रंग रोगन 120 दिन में करें, तो 5 व्यक्ति 30 घरों का रंग रोगन कितने दिन में करेंगे?
A. 85 दिन B. 80 दिन
C. 90 दिन D. 120 दिन

9. यदि 6 मजदूरों का 15 दिन का वेतन ₹ 700 हो, तो 9 मजदूरों का 12 दिन का वेतन कितना होगा?
A. ₹ 790 B. ₹ 840
C. ₹ 830 D. ₹ 850

10. यदि 39 मजदूर 5 घण्टे प्रतिदिन कार्य करके एक सड़क की मरम्मत 12 दिन में कर सकें, तो 30 मजदूर 6 घण्टे प्रतिदिन कार्य करके इस सड़क की मरम्मत कितने दिनों में पूरी कर सकेंगे?
A. 12 दिन B. 13 दिन
C. 16 दिन D. 11 दिन

11. यदि 24 आदमी 7 घण्टे प्रतिदिन कार्य करके किसी काम को 27 दिन में समाप्त करें तो 14 आदमी 9 घण्टे प्रतिदिन कार्य करके इस काम को कितने दिन में समाप्त करेंगे?

A. 34 दिन　　B. 35 दिन
C. 40 दिन　　D. 36 दिन

12. 30 व्यक्ति, 6 घण्टे प्रतिदिन कार्य करके 24 दिन में 1500 खिलौने बनाते हैं। कितने दिन में 18 व्यक्ति, 8 घण्टे प्रतिदिन कार्य करके 1800 खिलौने बनायेंगे?

A. 25 दिन　　B. 36 दिन
C. 35 दिन　　D. इनमें से कोई नहीं

13. 4 आदमी तथा 6 महिलायें मिलकर किसी कार्य को 8 दिन में पूरा कर सकते हैं, जबकि 3 आदमी तथा 7 महिलायें मिलकर इस कार्य को 10 दिन में पूरा कर सकते हैं। 10 महिलायें इसे कितने दिनों में पूरा करेंगी?

A. 32 दिन　　B. 40 दिन
C. 42 दिन　　D. 36 दिन

14. 5 व्यक्ति, 7 घण्टे प्रतिदिन कार्य करके एक प्रवेश-सूची 8 दिन में तैयार कर सकते हैं। इस कार्य को 4 दिन में पूरा कराने के लिए 2 व्यक्ति और सम्मिलित कर लिये जायें, तो उन्हें प्रतिदिन कितने घंटे काम करना होगा?

A. 8 घण्टे　　B. 9 घण्टे
C. 10 घण्टे　　D. 12 घण्टे

15. 4 बुनकर, 4 चटाई, 4 दिनों में बुन सकते हैं। इसी गति से 8 बुनकरों द्वारा 8 दिनों में कितनी चटाइयाँ बुनी जा सकती हैं?

A. 4　　B. 8
C. 12　　D. 16

16. कितने व्यक्ति 28 दिनों में किसी काम को समाप्त करेंगे जबकि 42 व्यक्ति उसी काम को 16 दिनों में समाप्त करते हैं?

A. 18　　B. 26
C. 22　　D. इनमें से कोई नहीं

17. 22 बाइन्डर्स 33 दिनों में 1331 किताबें बनाता है। 1210 किताबों को 44 दिनों में बनाने के लिए कितने बाइन्डर्स की जरूरत होगी?

A. 19　　B. 18
C. 17　　D. 15

18. 12 मजदूर 7 घंटे प्रतिदिन काम करके 10 दिनों में ₹ 1228 कमाते हैं। 5 घंटे प्रतिदिन काम करके 18 मजूदर 15 दिनों में ₹ कितने कमाते हैं?

A. ₹ 3420　　B. ₹ 3500
C. ₹ 3480　　D. ₹ 3440

19. 40 आदमी 250 मीटर लम्बी दीवार 5 दिनों में बनाते हैं। कितने व्यक्ति 275 मीटर लम्बी दीवार 11 दिनों में बना पायेंगे?

A. 18　　B. 20
C. 22　　D. 15

20. किसी सैनिक छावनी में 360 सैनिकों के लिए 40 दिनों की खाद्य सामग्री थी। लेकिन दूसरे छावनी से 140 सैनिक और आ गए, तो वह अब कितने दिन चलेगी?

A. $28\frac{4}{5}$　　B. $25\frac{1}{5}$
C. $30\frac{1}{2}$　　D. 24

21. 300 आदमी 5 घंटे प्रतिदिन काम करके किसी काम को 24 दिनों में समाप्त कर सकते हैं। कितने दिनों में 25 आदमी प्रतिदिन 6 घंटे काम करके आधे काम को समाप्त कर देंगे?

A. 128　　B. 124
C. 120　　D. 126

22. 250 आदमी किसी काम को 28 दिनों में समाप्त करते हैं। $\frac{8}{5}$ काम को 25 दिनों में समाप्त करने के लिए कितने अतिरिक्त आदमियों की जरूरत होगी?

A. 190　　B. 198
C. 195　　D. 180

23. 21 मजूदर 6 घंटे प्रतिदिन काम करके 16 दिनों में 60 मीटर लम्बी दीवार बनाते हैं। यदि 14 मजदूर 4 घंटे प्रतिदिन काम करें, तो वे कितने दिनों में 75 मीटर लम्बी दीवार बना पायेंगे?

A. 45　　B. 40
C. 44　　D. 35

24. 25 लड़के 9 दिनों में ₹ 1200 कमाते हैं। कितने लड़के 12 दिनों में ₹ 1664 रुपये कमायेंगे?

A. 26　　B. 25
C. 23　　D. 21

25. 10 घोड़ों के लिए 14 दिनों की खाद्य सामग्री 140 किग्रा. चना था। 180 किग्रा. चना 18 घोड़ों के लिए कितना दिन चलेगा?

A. 20　　B. 15
C. 10　　D. 12

26. एक सैनिक छावनी में 800 सैनिकों के लिए 36 दिनों का भोजन सामग्री रखी गयी थी, लेकिन बगल की एक अन्य सैनिक छावनी से कुछ और सैनिक आ गए और तब खाद्य सामग्री 24 दिनों में ही समाप्त हो गयी। कितने अतिरिक्त सैनिक उस छावनी में आए थे?

A. 380　　B. 390
C. 420　　D. 400

27. 18 इंजन 5 घंटे प्रतिदिन चलते हुए 15 दिनों में 720 लीटर डीजल की खपत करते हैं। 20 इंजन 6 घंटे प्रतिदिन चलते हुए कितने दिनों में 1152 लीटर डीजल की खपत करेंगे?

A. 24　　B. 20
C. 16　　D. 18

28. किसी काम को 45 दिनों में 90 व्यक्तियों द्वारा पूरा किया जाना है। वे सब 6 घंटे प्रतिदिन करके 25 दिनों में $\frac{3}{5}$ काम समाप्त कर पाये। कितने अतिरिक्त आदमी काम पर लगाये गए, जिससे पूरा काम निश्चित समय में संपन्न हो गया, जबकि प्रत्येक व्यक्ति ने 5 घंटे प्रतिदिन काम किया था?

A. 10　　B. 15
C. 30　　D. इनमें से कोई नहीं

29. 5 आदमी 20 दिनों में 4 घंटे प्रतिदिन काम करके 300 कलमें तैयार करते हैं। 8 आदमी 16 दिनों में कितनी कलमें तैयार करेंगे, जबकि वे 10 घंटे प्रतिदिन काम करते हैं?

A. 960 B. 940
C. 950 D. 930

30. किसी हौज का दो-तिहाई भाग 120 मिनट में भर जाता है। उसी हौज के 90% भाग को भरने में कितना समय लगेगा?

A. 165 मिनट B. 180 मिनट
C. 145 मिनट D. 162 मिनट

उत्तरमाला

1	2	3	4	5	6	7	8	9	10
C	B	B	B	C	C	A	D	B	B
11	**12**	**13**	**14**	**15**	**16**	**17**	**18**	**19**	**20**
D	B	B	C	D	D	D	A	B	A
21	**22**	**23**	**24**	**25**	**26**	**27**	**28**	**29**	**30**
C	B	A	A	C	D	D	D	A	D

व्याख्यात्मक उत्तर

1. माना अभीष्ट भार $= x$ किग्रा.

अधिक लम्बाई, अधिक भार (सीधा अनुपात)

$4 \cdot 5 : 12 :: 17 \cdot 1 : x$

$\Leftrightarrow 4 \cdot 5 \times x = 12 \times 17.1$

$\Leftrightarrow \quad x = \dfrac{(12 \times 17 \cdot 1)}{4 \cdot 5} = 45.6$ किग्रा.

2. माना अभीष्ट भार $= x$ किग्रा.

मानचित्र में अधिक दूरी, वास्तव में अधिक दूरी (सीधा अनुपात)

$0 \cdot 8 : 80 \cdot 5 :: 8 \cdot 8 : x$

$\Leftrightarrow \quad 0 \cdot 8 \times x = 80 \cdot 5 \times 8 \cdot 8$

$\Leftrightarrow \quad x = \dfrac{(80 \cdot 5 \times 8 \cdot 8)}{0 \cdot 8} = 885.5$ किग्रा.

3. माना इमारत की अभीष्ट ऊँचाई $= x$ मीटर

कम परछाई, कम ऊँचाई (सीधा अनुपात)

$40 \cdot 25 : 28 \cdot 75 :: 17 \cdot 5 : x$

$\Leftrightarrow 40 \cdot 25 \times x = 28 \cdot 75 \times 17 \cdot 5$

$\Leftrightarrow \quad x = \dfrac{28 \cdot 75 \times 17 \cdot 5}{40 \cdot 25} = 12 \cdot 5$ मीटर

4. माना अभीष्ट समय $= x$ मिनट

अधिक व्यक्ति, कम समय (विलोमानुपात)

$12 : 5 :: 60 : x \Leftrightarrow 12 \times x = (5 \times 60)$

$\Leftrightarrow \quad x = \dfrac{(5 \times 60)}{12} = 25$ मिनट

5. माना आरम्भ में x व्यक्ति थे।

तब, $40 : 30 :: (x + 8) : x$

$\Leftrightarrow \dfrac{40}{30} = \dfrac{x+8}{x} \quad \Leftrightarrow 4x = 3x + 24 \quad \Leftrightarrow x = 24$ व्यक्ति

6. माना अभीष्ट दिनों की संख्या $= x$

कम व्यक्ति, अधिक दिन का राशन (विलोमानुपात)

$30 : 40 :: 12 : x$

$\Leftrightarrow (30 \times x) = (40 \times 12)$

$\Leftrightarrow \quad x = \dfrac{(40 \times 12)}{30} = 16$ दिन

7. माना अभीष्ट दिनों की संख्या $= x$

अधिक व्यक्ति, कम दिन का भोजन (विलोमानुपात)

$800 : 500 :: 24 : x$

$\Leftrightarrow (800 \times x) = (500 \times 24)$

$\Leftrightarrow \quad x = \dfrac{(500 \times 24)}{800} = 15$ दिन

8. माना अभीष्ट दिनों की संख्या $= x$

कम व्यक्ति, अधिक दिन (विलोमानुपात)

कम घर, कम दिन (सीधा अनुपात)

$$\left.\begin{matrix} 5 : 10 \\ 60 : 30 \end{matrix}\right\} :: 120 : x$$

$\therefore (5 \times 60 \times x) = (10 \times 30 \times 120)$

$\Leftrightarrow \quad x = \dfrac{(10 \times 30 \times 120)}{(5 \times 60)} = 120$ दिन

9. माना अभीष्ट वेतन $= x$ रु.

अधिक मजदूर, अधिक दिन (समानुपात)

कम दिन, कम वेतन (समानुपात)

$$\left.\begin{array}{l}6:9\\15:12\end{array}\right\}::700:x$$

$\therefore (6 \times 15 \times x) = (9 \times 12 \times 700)$

$\Leftrightarrow \quad x = \dfrac{(9 \times 12 \times 700)}{(6 \times 15)} = ₹\ 840$

10. माना अभीष्ट दिनों की संख्या = x.
कम मजदूर, अधिक दिन (विलोमानुपात)
अधिक घण्टे प्रतिदिन, कम दिन (विलोमानुपात)

$$\left.\begin{array}{l}30:39\\6:5\end{array}\right\}::12:x$$

$\therefore (30 \times 6 \times x) = (39 \times 5 \times 12)$

$\Leftrightarrow \quad x = \dfrac{(39 \times 5 \times 12)}{(30 \times 6)} = 13$ दिन

11. माना अभीष्ट दिनों की संख्या = x.
कम आदमी, अधिक दिन (विलोमानुपात)
कम घण्टे प्रतिदिन, अधिक दिन (विलोमानुपात)

$$\left.\begin{array}{l}14:24\\9:7\end{array}\right\}::27:x$$

$\therefore (14 \times 9 \times x) = (24 \times 7 \times 27)$

$\Leftrightarrow \quad x = \dfrac{(24 \times 7 \times 27)}{(14 \times 9)} = 36$ दिन

12. माना अभीष्ट दिनों की संख्या = x.
कम व्यक्ति, अधिक दिन (विलोमानुपात)
अधिक घण्टे, कम दिन (विलोमानुपात)
अधिक खिलौने, अधिक दिन (सीधा अनुपात)

$$\left.\begin{array}{lcl}18&:&30\\8&:&6\\1500&:&1800\end{array}\right\}::24:x$$

$\therefore (18 \times 8 \times 1500 \times x) = (30 \times 6 \times 1800 \times 24)$

$\Leftrightarrow \quad x = \dfrac{(30 \times 6 \times 1800 \times 24)}{(18 \times 8 \times 1500)} = 36$ दिन

13. $\{(4 \times 8)$ आदमी + (6×8) महिलायें$\}$
$\equiv \{(3 \times 10)$ आदमी + (7×10) महिलायें$\}$

$\therefore$ 2 आदमी $\equiv$ 22 महिलायें

$\therefore$ (44 + 6) महिलायें काम समाप्त करती हैं = 8 दिन में।

10 महिलायें काम समाप्त करेंगी = $\left(\dfrac{8 \times 50}{10}\right)$ दिन में = 40 दिन में।

14. माना अभीष्ट घण्टे = x.
अधिक व्यक्ति, कम घण्टे (विलोमानुपात)
कम दिन, अधिक घंटे (विलोमानुपात)

$$\left.\begin{array}{l}7:5\\4:8\end{array}\right\}::7:x$$

$\Leftrightarrow 7 \times 4 \times x = (5 \times 8 \times 7) \quad \Leftrightarrow x = 10$ घण्टे

15. माना अभीष्ट चटाइयों की संख्या = x
अधिक बुनकर, अधिक चटाइयाँ (सीधा अनुपात)
अधिक दिन, अधिक चटाइयाँ (सीधा अनुपात)

$$\left.\begin{array}{l}4:8\\4:8\end{array}\right\}::4:x$$

$\Leftrightarrow 4 \times 4 \times x = (8 \times 8 \times 4) = 16$ चटाइयाँ

16. $m_1 \times 28 = 42 \times 16$

या, $m_1 = \dfrac{42 \times 16}{28} = 24$

$\therefore$ व्यक्तियों की अभीष्ट संख्या = 24

17. $\dfrac{22 \times 33}{1331} = \dfrac{m_2 \times 44}{1210}$

$\therefore \; m_2 = \dfrac{1210 \times 22 \times 33}{1331 \times 44} = 15$

$\therefore$ बाइन्डर्स की अभीष्ट संख्या = 15

18. $\dfrac{12 \times 7 \times 10}{2128} = \dfrac{18 \times 5 \times 15}{R_2}$

या, $R_2 = \dfrac{2128 \times 18 \times 5 \times 15}{12 \times 7 \times 10} = 3420$

$\therefore$ अभीष्ट मजदूरी = ₹ 3420

19. $\dfrac{40 \times 5}{250} = \dfrac{m_2 \times 11}{275}$

या, $m_2 = \dfrac{40 \times 5 \times 275}{250 \times 11} = 20$

$\therefore$ अभीष्ट व्यक्ति = 20

20. $360 \times 40 = (360 + 140) \times d_2$
या, $360 \times 40 = 500 \times d_2$

या, $d_2 = \dfrac{360 \times 40}{500} = \dfrac{144}{5} = 28\dfrac{4}{5}$

$\therefore$ अभीष्ट दिन = $28\dfrac{4}{5}$

21. $\dfrac{300 \times 5 \times 24}{1} = \dfrac{25 \times 6 \times d_2}{\frac{1}{2}}$

$\therefore \; d_2 = \dfrac{300 \times 5 \times 24}{2 \times 25 \times 6} = 120$

$\therefore$ अभीष्ट समय = 120 दिन

22. $\dfrac{250 \times 28}{1} = \dfrac{m_2 \times 25}{\frac{8}{5}}$

या, $m_2 = \frac{250 \times 28 \times 8}{25 \times 5} = 448$

∴ अतिरिक्त आदमियों की संख्या = 448 – 250 = 198

23. $\frac{21 \times 6 \times 6}{60} = \frac{14 \times 4 \times d_2}{75}$

या, $d_2 = \frac{21 \times 6 \times 16 \times 75}{14 \times 4 \times 60} = 45$

∴ अभीष्ट समय = 45 दिन

24. $\frac{25 \times 9}{1200} = \frac{b \times 12}{1664}$ या, $b = \frac{1664 \times 25 \times 9}{1200 \times 12} = 26$

∴ लड़कों की अभीष्ट संख्या = 26

25. $\frac{10 \times 14}{140} = \frac{18 \times d_2}{180}$

या, $d_2 = \frac{10 \times 14 \times 180}{140 \times 18} = 10$

∴ अभीष्ट दिन = 10

26. $800 \times 36 = m_2 \times 24$ ∴ $m_2 = \frac{800 \times 36}{24} = 1200$

∴ अतिरिक्त सैनिकों की अभीष्ट संख्या = 1200 – 800 = 400

27. $\frac{18 \times 5 \times 15}{720} = \frac{20 \times 6 \times d_2}{1152}$

∴ $d_2 = \frac{1152 \times 18 \times 5 \times 15}{720 \times 20 \times 6} = 18$

∴ अभीष्ट दिन = 18

28. $\frac{90 \times 25 \times 6}{\frac{3}{5}} = \frac{m_2 \times (45 - 25) \times 5}{\left(1 - \frac{3}{5}\right)}$

या, $\frac{90 \times 25 \times 6}{\frac{3}{5}} = \frac{m_2 \times 20 \times 5}{\frac{2}{5}}$

या, $m_2 = \frac{90 \times 25 \times 6 \times 2 \times 5}{20 \times 5 \times 5 \times 3} = 90$

∵ 90 व्यक्ति पहले से ही कार्यरत हैं। अतः अतिरिक्त व्यक्तियों की जरूरत नहीं पड़ेगी।

∴ अभीष्ट उत्तर = 0

29. अभीष्ट कलम = x

$\frac{5 \times 4 \times 20}{300} = \frac{8 \times 10 \times 16}{x}$

या, $x = \frac{300 \times 8 \times 10 \times 16}{5 \times 4 \times 20} = 960$

30. $\frac{120}{\frac{2}{3}} = \frac{t_2}{\frac{90}{100}}$

या, $t_2 = 120 \times \frac{3}{2} \times \frac{90}{100} = 162$

∴ अभीष्ट समय = 162 मिनट

❑❑❑❑❑

6 राशियों की तुलना
Comparing Quantities

प्रतिशतता (Percentage)

❖ **प्रतिशतता:** प्रतिशत वह भिन्न है जिसका हर (Denominator) 100 हो। अंश (Numerator) को दर प्रतिशत कहा जाता है। इसे प्रायः % चिह्न द्वारा व्यक्त किया जाता है।

x प्रतिशत का अर्थ है, किसी वस्तु के 100 बराबर भागों में से x भाग। इसे $x\%$ से व्यक्त करते हैं। स्पष्ट है कि, $x\% = \frac{x}{100}$.

उदाहरण: $25\% = \frac{25}{100} = \frac{1}{4}$.

❖ **प्रतिशत को भिन्न में बदलना:** किसी प्रतिशत को भिन्न में बदलने के लिए उसे 100 से भाग दिया जाता है।

जैसे: $15\% = \frac{15}{100} = \frac{3}{20}$.

❖ **भिन्न को प्रतिशत में बदलना:** भिन्न को प्रतिशत में बदलने के लिए उसे 100 से गुणा किया जाता है।

जैसे: $\frac{3}{5} = \frac{3}{5} \times 100 = 60\%$.

❖ **दशमलव को प्रतिशत में बदलना:** दशमलव को प्रतिशत में बदलने के लिए उसे 100 से गुणा किया जाता है।

जैसे: $0.3 = 0.3 \times 100 = \frac{3}{10} \times 100 = 30\%$.

स्मरणीय तथ्य

$5\% = \frac{1}{20}$	$10\% = \frac{1}{10}$	$80\% = \frac{4}{5}$
$30\% = \frac{3}{10}$	$75\% = \frac{3}{4}$	$60\% = \frac{3}{5}$
$8\frac{1}{3}\% = \frac{1}{12}$	$40\% = \frac{2}{5}$	$90\% = \frac{9}{10}$
$12\frac{1}{2}\% = \frac{1}{8}$	$33\frac{1}{3}\% = \frac{1}{3}$	$150\% = \frac{3}{2}$

महत्त्वपूर्ण सूत्र

- जब A की आय B से $x\%$ अधिक हो, तो B की आय A से प्रतिशत कमी $= \frac{x}{(100+x)} \times 100$
- जब A की आय B से $x\%$ कम हो, तो B की आय A से प्रतिशत अधिक $= \frac{x}{(100-x)} \times 100$
- किसी वस्तु के भाव में R% वृद्धि हो जाने पर इस मद पर खर्च न बढ़े, इसके लिए
  वस्तु की खपत में कमी $= \left\{\frac{R}{100+R} \times 100\right\}\%$
- किसी वस्तु के भाव में R% कमी आ जाने पर इस मद पर खर्च कम न हो, इसके लिए
  वस्तु की खपत में वृद्धि $= \left\{\frac{R}{100-R} \times 100\right\}\%$
- गेहूँ के मूल्य में $m\%$ की कमी होने से कोई व्यक्ति ₹ x में y किलोग्राम गेहूँ अधिक खरीद लेगा, गेहूँ का प्रतिकिलो घटा हुआ मूल्य $= \frac{m}{100} \times \frac{x}{y}$
- चावल के मूल्य में $m\%$ की वृद्धि होने से कोई व्यक्ति ₹ x में y किलो चावल कम खरीदता है। उसका बढ़ा हुआ मूल्य $= \frac{m}{100} \times \frac{x}{y}$
- किसी मशीन का वर्तमान मूल्य x है तथा उसके मूल्य में प्रतिवर्ष $m\%$ का अवमूल्यन हो रहा है। t वर्षों के बाद उसका मूल्य $= x\left(1 - \frac{m}{100}\right)^t$
- किसी वस्तु का मूल्य ₹ m/kg से घटकर ₹ n/kg हो जाए, तो खर्च पूर्ववत रखने के लिए खपत में प्रतिशत वृद्धि $= \frac{(m-n)}{n} \times 100$
- किसी वस्तु का मूल्य ₹ m/kg से बढ़कर ₹ n/kg हो जाय, तो खर्च पूर्ववत रखने के लिए खपत में प्रतिशत कमी $= \frac{(n-m)}{n} \times 100$

लाभ, हानि और बट्टा (Profit, Loss and Discount)

❖ **क्रय मूल्य (Cost Price):** जिस मूल्य पर कोई वस्तु खरीदी जाती है वह मूल्य उस वस्तु का क्रय मूल्य कहलाता है।

जैसेः राम ने एक पंखा ₹ 500 में खरीदा तथा ₹ 600 में बेच दिया। यहाँ क्रय मूल्य ₹ 500 है।

❖ **विक्रय मूल्य (Selling Price):** जिस मूल्य पर कोई वस्तु बेची जाती है, उसे उस वस्तु का विक्रय मूल्य कहते हैं।

जैसेः राम ने एक पुस्तक ₹ 50 में खरीदी तथा ₹ 80 में बेच दी। यहाँ विक्रय मूल्य ₹ 80 है।

❖ **लाभ (Profit):** यदि किसी वस्तु का विक्रय-मूल्य उसके क्रय-मूल्य से अधिक हो, तो वहाँ लाभ होता है।

❖ **हानि (Loss):** यदि किसी वस्तु का क्रय-मूल्य उसके विक्रय-मूल्य से अधिक हो, तो वहाँ हानि होती है।

❖ **अंकित मूल्य (Marked Price):** यह वह मूल्य है जो किसी वस्तु पर या उसके पैकेट पर अंकित रहता है।

जैसेः किसी साबुन के पैकेट पर लिखा है "Price ₹ 10 (inclusive of all taxes)" अर्थात् अंकित मूल्य ₹ 10 है। इसे सूची मूल्य भी कहा जाता है।

❖ **बट्टा (Discount):** किसी वस्तु के अंकित मूल्य पर जो छूट दी जाती है उसे बट्टा कहते हैं।

जैसेः एक साड़ी की कीमत ₹ 200 है तथा यह 20% छूट पर बेची जाती है। अतः बट्टा = 20%.

❖ **क्रमिक बट्टा (Successive Discount):** जब किसी वस्तु के अंकित मूल्य पर r_1 % की छूट देने के बाद शेष धनराशि पर r_2 % की छूट दी जाए, फिर r_2 % की छूट देने के बाद शेष धनराशि पर r_3 % की छूट दी जाए, तो r_1 %, r_2 % तथा r_3 % को क्रमिक बट्टा कहा जाता है।

महत्त्वपूर्ण सूत्र

- क्रय मूल्य (CP) = विक्रय मूल्य (SP) – लाभ (Profit)
- क्रय मूल्य (CP) = विक्रय मूल्य (SP) + हानि (Loss)
- लाभ (Profit) = विक्रय मूल्य (SP) – क्रय मूल्य (CP)
- हानि (Loss) = क्रय मूल्य (CP) – विक्रय मूल्य (SP)
- प्रतिशत लाभ = $\frac{\text{लाभ}}{\text{क्रय मूल्य}} \times 100$
- प्रतिशत हानि = $\frac{\text{हानि}}{\text{क्रय मूल्य}} \times 100$
- जब m वस्तु का क्रय मूल्य n वस्तु के विक्रय मूल्य के बराबर हो, तो प्रतिशत

$$\text{लाभ} = \frac{m-n}{n} \times 100 \text{ जहाँ } m > n$$

$$\text{हानि} = \frac{n-m}{n} \times 100 \text{ जहाँ } n > m$$

- जब ₹ m में n वस्तु खरीदकर ₹ n में m वस्तु बेची जाए, तो

$$\text{प्रतिशत लाभ} = \frac{n^2 - m^2}{m^2} \times 100 \text{ जब } n > m$$

$$\text{प्रतिशत हानि} = \frac{m^2 - n^2}{m^2} \times 100 \text{ जब } m > n$$

- यदि कोई दुकानदार क्रय मूल्य पर ही वस्तुओं को बेचते हुए एक किलो के स्थान पर m ग्राम का इस्तेमाल करता है, तो उसका

$$\text{प्रतिशत लाभ} = \frac{(1000-m)}{m} \times 100$$

- यदि किसी वस्तु को ₹ x में बेचने पर $m\%$ की हानि हो, तो उसे कितने ₹ में बेचने पर $n\%$ का लाभ होगा?

$$\text{विक्रय मूल्य} = x \times \left(\frac{100+n}{100-m}\right)$$

यदि $m\%$ लाभ हो, तो विक्रय मूल्य = $x \times \left(\frac{100+n}{100+m}\right)$

यदि $n\%$ हानि हो, तो विक्रय मूल्य = $x \times \left(\frac{100-n}{100-m}\right)$

अर्थात् लाभ की स्थिति में (+) तथा हानि की स्थिति में (–) चिह्न का प्रयोग करें।

- किसी वस्तु को $m\%$ लाभ के बदले $n\%$ लाभ पर बेचा जाता है, तो ₹ x अधिक/कम प्राप्त होते हैं। अतः

$$\text{क्रय मूल्य} = \frac{x}{m \text{ और } n \text{ में अंतर}} \times 100$$

- किसी वस्तु को $m\%$ हानि के बदले $n\%$ हानि पर बेचा जाता है, तो ₹ x कम/अधिक प्राप्त होते हैं। अतः

$$\text{क्रय मूल्य} = \frac{x}{m \text{ और } n \text{ में अंतर}} \times 100$$

- किसी वस्तु को $m\%$ हानि के बदले $n\%$ लाभ पर बेचा जाता है, तो ₹ x अधिक प्राप्त होता है। अतः

$$\text{क्रय मूल्य} = \frac{x}{(m+n)} \times 100$$

- यदि m वस्तुओं के बेचने से n वस्तुओं के विक्रय मूल्य के बराबर लाभ हो, तो प्रतिशत लाभ = $\frac{n}{m-n} \times 100$
- यदि m वस्तुओं के बेचने से n वस्तुओं के विक्रय मूल्य के बराबर हानि हो, तो प्रतिशत हानि = $\frac{n}{m+n} \times 100$
- किसी वस्तु को ₹ m में बेचने से उतने ही ₹ का लाभ होता है जितना उसे ₹ n में बेचने से हानि होती है, तब वस्तु का

$$\text{क्रय मूल्य} = \frac{m+n}{2}$$

- किसी वस्तु को ₹ m में बेचने से होने वाले प्रतिशत लाभ का संख्यात्मक मान क्रय मूल्य के बराबर है, ऐसी स्थिति में वस्तु का क्रय मूल्य = $10\sqrt{m+25} - 50$

- उपरोक्त कथन में प्रतिशत हानि का संख्यात्मक मान क्रय मूल्य के बराबर हो, तो क्रय मूल्य = $10\sqrt{25-m}+50$
- **क्रय मूल्य**

$$= \text{विक्रय मूल्य} \times \left(\frac{100}{100+P}\right) = \text{विक्रय मूल्य} \times \left(\frac{100}{100-L}\right)$$

- **विक्रय मूल्य**

$$= \text{क्रय मूल्य} \times \left(\frac{100+P}{100}\right) = \text{क्रय मूल्य} \times \left(\frac{100-L}{100}\right)$$

(जहाँ P = प्रतिशत लाभ तथा L = प्रतिशत हानि)

साधारण ब्याज (Simple Interest)

❖ **साधारण ब्याज (Simple Interest):** जब कोई व्यक्ति, किसी व्यक्ति से कोई राशि उधार लेता है, तो उस राशि के अतिरिक्त वह जो धन (राशि) लौटाता है। वही साधारण ब्याज कहलाता है।

❖ **मूलधन (Principal):** उधार दी गई या ली गई राशि मूलधन कहलाती है।

❖ **मिश्रधन (Amount):** ब्याज सहित लौटाई गई राशि मिश्रधन कहलाती है। इसमें मूलधन तथा ब्याज दोनों शामिल होते हैं।

❖ **समय (Time):** कर्ज के रूप में लिया गया धन एक निश्चित अवधि के बाद देय होता है। यह अवधि समय कहलाता है।

❖ **दर (Rate):** प्रत्येक कर्ज एक निश्चित दर पर दिया जाता है, जिसे प्रायः प्रतिशत में व्यक्त किया जाता है।

महत्वपूर्ण सूत्र

- साधारण ब्याज (SI) = $\dfrac{\text{मूलधन} \times \text{दर} \times \text{समय}}{100}$
- मिश्रधन (Amount) = मूलधन + साधारण ब्याज
- मूलधन (Principal) = $\dfrac{\text{साधारण ब्याज} \times 100}{\text{दर} \times \text{समय}}$
- दर (Rate) = $\dfrac{\text{साधारण ब्याज} \times 100}{\text{मूलधन} \times \text{समय}}$
- समय (Time) = $\dfrac{\text{साधारण ब्याज} \times 100}{\text{मूलधन} \times \text{दर}}$
- ब्याज (Interest) = मिश्रधन − मूलधन
- कोई राशि साधारण ब्याज की दर से t वर्षों में n गुनी हो जाती है तो, दर = $\dfrac{(n-1)\times 100}{t}$
- कोई राशि साधारण ब्याज पर r % की दर से n गुनी हो जाती है, तो समय = $\dfrac{(n-1)\times 100}{r}$
- कोई राशि t_1 वर्षों में n_1 गुनी हो जाती है, तो कितने वर्षों में n_2 गुनी हो जाएगी?

$$\frac{(n_1-1)}{t_1} = \frac{(n_2-1)}{t_2} \Rightarrow t_2 = \frac{(n_2-1)}{(n_1-1)} \times t_1$$

- यदि उपरोक्त कथन में समय के बदले दर हो, तो

$$\frac{(n_1-1)}{r_1} = \frac{(n_2-1)}{r_2} \Rightarrow r_2 = \frac{(n_2-1)}{(n_1-1)} \times r_1$$

- कोई राशि एक निश्चित समय (t) के लिए r_1% वार्षिक दर पर दी गयी। यदि वह r_2% दर पर दी गयी होती, तो ₹ x अधिक/कम ब्याज के रूप में प्राप्त होता। ऐसी स्थिति में,

$$\text{मूलधन} = \frac{x \times 100}{(\text{दर में अन्तर}) \times t}$$

- यदि कोई धन साधारण ब्याज पर t_1 वर्षों में A_1 हो जाती है तथा t_2 वर्षों में A_2 हो जाती है तो मूलधन

$$P = A_1 - \left[\frac{(A_2 - A_1)}{(t_2 - t_1)} \times t_1\right]$$

- किसी राशि पर साधारण ब्याज मूलधन का $\dfrac{m}{n}$ है। यदि ब्याज की दर तथा समय समान हो, तो

वार्षिक ब्याज दर = समय = $\sqrt{\dfrac{m}{n} \times 100}$

- कोई धन P पर पहले t_1 वर्षों के लिए दर r_1%, अगले t_2 वर्षों के लिए दर r_2% तथा अगले t_3 वर्षों के लिए दर r_3% हो तथा कुल ब्याज ₹ x हो, तो

$$\text{मूलधन (P)} = \frac{x \times 100}{(r_1t_1 + r_2t_2 + r_3t_3)}$$

- कोई राशि P को दो भागों में इस तरह बाँटा जाता है कि पहले भाग पर r_1% दर से t_1 वर्षों का ब्याज, दूसरे भाग r_2% दर से t_2 वर्षों का ब्याज समान होता है।

ऐसी स्थिति में–

$$\frac{\text{पहला भाग}}{\text{दूसरा भाग}} = \frac{r_2 \times t_2}{r_1 \times t_1}$$

चक्रवृद्धि ब्याज (Compound Interest)

❖ **चक्रवृद्धि ब्याजः** कभी-कभी उधार दिये गये धन को चुकता करने के लिए एक निश्चित अवधि तय कर ली जाती है जो कि प्रायः वार्षिक, छमाही अथवा तिमाही होती है। इस अवधि के बाद मूलधन तथा ब्याज को जोड़ने पर बना मिश्रधन अगली अवधि के लिए मूलधन बन जाता है। प्रत्येक अवधि के लिए यही क्रिया दोहराई जाती है। अन्त में बना मिश्रधन चक्रवृद्धि-मिश्रधन कहलाता है।

चक्रवृद्धि ब्याज = (चक्रवृद्धि मिश्रधन) − (मूलधन)।

महत्वपूर्ण सूत्र

- यदि ब्याज वार्षिक देय हो, तो मिश्रधन = $P\left(1+\dfrac{R}{100}\right)^n$.

- यदि ब्याज छमाही देय हो, तो दर = $\frac{R}{2}\%$ प्रति छमाही तथा समय = $2n$ छमाही

  चक्रवृद्धि मिश्रधन = $P\left(1+\frac{R}{2\times100}\right)^{2n}$.

- यदि ब्याज तिमाही देय हो, तो दर = $\frac{R}{4}\%$ प्रति तिमाही तथा समय = $4n$ तिमाही

  चक्रवृद्धि मिश्रधन = $P\left(1+\frac{R}{4\times100}\right)^{4n}$.

- यदि ब्याज वार्षिक हो तथा ब्याज की दर पहले वर्ष $R_1\%$, दूसरे वर्ष $R_2\%$ तथा तीसरे वर्ष $R_3\%$ हो, तो 3 वर्ष बाद चक्रवृद्धि मिश्रधन

  $= P\left(1+\frac{R_1}{100}\right)\times\left(1+\frac{R_2}{100}\right)\times\left(1+\frac{R_3}{100}\right)$.

- यदि समय एक परिमेय संख्या हो, जैसे $3\frac{2}{5}$ वर्ष।

  तब, $3\frac{2}{5}$ वर्ष बाद चक्रवृद्धि मिश्रधन

  $= P\left(1+\frac{R}{100}\right)^3\times\left(1+\frac{2}{5}\cdot\frac{R}{100}\right)$.

- n वर्ष बाद देय किसी धन x का वर्तमान मूल्य = $\frac{x}{\left(1+\frac{R}{100}\right)^n}$.

- किसी धन (P) को $r\%$ वार्षिक चक्रवृद्धि ब्याज की दर से $t\frac{x}{y}$ वर्षों के लिए दिया गया हो, तो

  मिश्रधन (A) = $P\left(1+\frac{r}{100}\right)^t\left(1+\frac{r}{100}\times\frac{x}{y}\right)$

- किसी मूलधन (P) को $r_1\%$ दर पर t_1 वर्षों के लिए, $r_2\%$ दर पर t_2 वर्षों तथा r_3 दर पर t_3 वर्षों के लिए दी गयी हो, तो

  मिश्रधन (A) = $P\left(1+\frac{r_1}{100}\right)^{t_1}\left(1+\frac{r_2}{100}\right)^{t_2}\left(1+\frac{r_3}{100}\right)^{t_3}$

- कोई मूलधन (P), t वर्षों में ₹ A हो जाती है, तो चक्रवृद्धि ब्याज की दर = $\left\{\left(\frac{A}{P}\right)^{\frac{1}{t}}-1\right\}\times100$

- चक्रवृद्धि ब्याज दर से यदि कोई मूलधन t_1 वर्षों में n_1 गुनी तथा t_2 वर्षों में n_2 गुनी हो जाए, तो

  दर = $\left\{\left(\frac{n_2}{n_1}\right)^{\frac{1}{t_2-t_1}}-1\right\}\times100$

- किसी धन पर 2 वर्षों में $r\%$ वार्षिक चक्रवृद्धि ब्याज की दर से साधारण ब्याज m हो, तो

  चक्रवृद्धि ब्याज = $m+\left(\frac{m\times r}{200}\right)$

  जब समय = 3 वर्ष हो, तो

  चक्रवृद्धि ब्याज = $\left(\frac{m\times r^2}{30000}+\frac{m\times r}{100}+m\right)$

- किसी निश्चित दर से 2 वर्षों में किसी धन पर साधारण ब्याज ₹ m तथा चक्रवृद्धि ब्याज ₹ n हो, तो

  ब्याज की दर = $\frac{2(n-m)\times100}{m}$

- उपरोक्त कथन में मूलधन = $\frac{m^2}{4(n-m)}$

- यदि कोई धन t वर्षों में n गुना हो जाता है, तो चक्रवृद्धि ब्याज से n^x गुना होने में लगा समय $= t\times x$
- यदि कोई धन t वर्ष में n गुणा हो जाय, तो चक्रवृद्धि ब्याज से $(t\times x)$ वर्ष में वह धन n^x गुना हो जाएगा।
- किसी राशि P पर 2 वर्षों में $r\%$ वार्षिक दर से साधारण तथा चक्रवृद्धि ब्याज का अन्तर d हो, तो

  मूलधन (P) = $\frac{d\times(100)^2}{r^2}$

  या, $d=\frac{Pr^2}{(100)^2}$ या, $r=\sqrt{\frac{d}{p}}\times100$

अभ्यास प्रश्न

1. 800 का 40% क्या होगा?

A. 420 B. 320
C. 440 D. 220

2. 1200 का कितने प्रतिशत 900 है?

A. 65% B. 70%
C. 75% D. 85%

3. राम का वेतन ₹ 800 से बढ़कर ₹ 1000 हो गया, तो बताओ उसके वेतन में कितने प्रतिशत की वृद्धि हुई?

A. 24% B. 25%
C. 35% D. 28%

4. किसी संख्या में से 15 घटाने पर उस संख्या में 20% की कमी हो जाती है, तो उस संख्या का 60% क्या है?

A. 75 B. 35
C. 45 D. 55

5. 5 घंटा, एक दिन का कितना % है?

A. 22% B. $20\frac{5}{6}\%$
C. 26% D. 40%

6. एक संख्या में 25% कमी करने पर यह 225 हो जाती है। इसमें कितने प्रतिशत वृद्धि की जाये कि वह 375 हो जाये?

A. 25% B. 45%
C. 35% D. 15%

7. यदि x, y से 10% अधिक हो, तो y, x से कितने प्रतिशत कम है?

A. $9\frac{2}{11}\%$ B. $9\frac{1}{11}\%$
C. $2\frac{9}{11}\%$ D. $4\frac{11}{12}\%$

8. एक पुस्तकालय में कुल पुस्तकों में से 40% अंग्रेजी में, शेष का 40% हिन्दी में तथा शेष पुस्तकें उड़िया में हैं। यदि हिन्दी में पुस्तकों की संख्या 4800 हो, तो पुस्तकालय में कुल कितनी पुस्तकें हैं?

A. 18000 B. 20000
C. 22000 D. 24000

9. एक पृष्ठ की फोटोकापी कराने में ₹ 1 खर्च होता है। 1000 कापी होने के बाद होने वाली फोटोकापी पर 2% बट्टा दिया जाता है। 5000 कापी कराने में क्या खर्च आयेगा?

A. ₹ 3820 B. ₹ 4820
C. ₹ 4930 D. ₹ 4920

10. ताजा फल में 68% पानी है तथा सूखे फल में 20% पानी है। 100 किग्रा ताजा फल से कितना सूखा फल प्राप्त होगा?

A. 36 किग्रा B. 40 किग्रा
C. 48 किग्रा D. 15 किग्रा

11. चावल के मूल्य में 20% कमी होने पर ₹ 385 में पहले से 3.5 किग्रा अधिक चावल मिलता है। पहले चावल की दर प्रति किग्रा क्या थी?

A. ₹ 20 B. ₹ 22.50
C. ₹ 25 D. ₹ 27.50

12. 405 मिठाइयाँ कुछ बच्चों को इस प्रकार वितरित की गई कि प्रत्येक बच्चे को मिलने वाली मिठाइयों की संख्या कुल बच्चों की संख्या का 20% थी। प्रत्येक बच्चे को कितनी मिठाइयाँ मिलीं?

A. 9 B. 12
C. 21 D. 24

13. एक परीक्षा में 640 छात्र तथा 360 छात्राएं सम्मिलित हुए। इसमें 60% छात्र तथा 80% छात्राएं सफल रहे। कितने प्रतिशत फेल हुए?

A. 20% B. 30.5%
C. 32.8% D. 60%

14. एक परीक्षा में पूरी कक्षा के औसत अंक 80 थे। इनमें से 10% विद्यार्थियों ने 95 अंक प्राप्त किये तथा 20% ने 90 अंक प्राप्त किये। शेष विद्यार्थियों का औसत प्राप्तांक क्या था?

A. 72 B. 74
C. 75 D. 65

15. एक परीक्षा में 35% विद्यार्थी उत्तीर्ण हुए तथा 455 अनुत्तीर्ण। इस परीक्षा में कुल कितने विद्यार्थी बैठे?

A. 650 B. 700
C. 750 D. 600

16. तेल के मूल्य में 25% वृद्धि होने पर एक गृहणी को इसकी खपत कितने प्रतिशत कम करनी होगी कि खर्च न बढ़े?

A. 22% B. 20%
C. 24% D. 25%

17. चीनी के दामों में 16% गिरावट आने पर एक गृहणी को इसकी खपत में कितने प्रतिशत वृद्धि करनी होगी जिससे पूर्व बजट अपरिवर्तित रहे?

A. 16% B. $21\frac{1}{3}\%$
C. $19\frac{1}{21}\%$ D. 20%

18. यदि चाय के दाम ₹ 60 प्रति किग्रा से ₹ 75 प्रति किग्रा. हो जायें, तो एक परिवार को इसकी खपत में कितने प्रतिशत कमी करनी होगी जिससे पूर्व बजट प्रभावित न हो?

A. 18% B. 12%
C. 16% D. 20%

19. तेल के मूल्यों में 20% वृद्धि होने पर एक व्यक्ति ने इसकी खपत इतनी कम कर दी कि इस मद में खर्च न बढ़े। खपत में कमी तथा पहले की खपत का अनुपात क्या होगा?

A. 1 : 5 B. 1 : 6
C. 4 : 5 D. 2 : 3

20. एक कर्मचारी के वेतन में प्रतिवर्ष 50% वृद्धि की जाती है। यदि अब उसका वेतन ₹ 10000 हो, तो 4 वर्ष बाद उसका वेतन कितना होगा?

A. ₹ 26500 B. ₹ 33750
C. ₹ 50625 D. ₹ 62500

21. तीन वर्ष पूर्व एक कस्बे की जनसंख्या 160000 थी। यदि इसमें तीन वर्षों में क्रमशः 3%, 2.5% तथा 5% वार्षिक दर से वृद्धि हुई हो, तो इस कस्बे की वर्तमान जनसंख्या कितनी होगी?

A. 177000 B. 177366
C. 177461 D. 177596

22. एक जिले की जनसंख्या 64000 है। यदि इसमें $2\frac{1}{2}\%$ वार्षिक दर से प्रतिवर्ष वृद्धि होती रहे, तो 3 वर्ष बाद इसकी जनसंख्या क्या होगी?

A. 68911 B. 68921
C. 69200 D. 70000

23. एक कस्बे की जनसंख्या में 5% वार्षिक दर से वृद्धि होती है। यदि इसकी वर्तमान जनसंख्या 138915 हो, तो 3 वर्ष पूर्व इसकी जनसंख्या कितनी थी?

A. 100000 B. 108000
C. 110000 D. 120000

24. एक मशीन 3 वर्ष पूर्व खरीदी गई। इसका 10% वार्षिक दर से अवमूल्यन होता है। यदि इसका वर्तमान मूल्य ₹ 8748 हो, तो यह कितने मूल्य में खरीदी गई थी?

A. ₹ 9000   B. ₹ 13000
C. ₹ 12000   D. ₹ 11000

25. एक देश की वर्तमान जनसंख्या 10 करोड़ है तथा अनुमान लगाया गया है कि 3 वर्ष बाद यह जनसंख्या बढ़कर 13.31 करोड़ हो जायेगी। वृद्धि की वार्षिक दर क्या है?

A. 9%   B. 10%
C. 11%   D. 12%

26. यदि 16 वस्तुओं का विक्रय-मूल्य 20 वस्तुओं के क्रय-मूल्य के बराबर हो, तो विक्रेता को:

A. 10% हानि होगी   B. 15% लाभ होगा
C. 25% हानि होगी   D. 25% लाभ होगा

27. एक फल-विक्रेता ने 100 संतरे ₹ 350 में खरीदकर ₹ 48 प्रति दर्जन के भाव से बेच दिये। उसे कितने प्रतिशत लाभ अथवा हानि हुई?

A. $14\frac{2}{7}\%$ लाभ   B. 12% लाभ
C. $14\frac{2}{7}\%$ हानि   D. 12% हानि

28. A ने कोई वस्तु ₹ 400 की खरीदकर B को 20% लाभ पर बेच दी। B ने इसे C को 10% लाभ पर बेच दिया। C ने इसे कितने में खरीदा?

A. ₹ 482   B. ₹ 582
C. ₹ 528   D. ₹ 428

29. प्रीति ने एक पुस्तक 10% हानि पर बेची। यदि वह इसे ₹ 85 अधिक में बेचती, तो उसे 7% लाभ होता। पुस्तक का क्रय-मूल्य क्या है?

A. ₹ 500   B. ₹ 600
C. ₹ 625   D. ₹ 725

30. एक व्यापारी अपनी वस्तुओं को क्रय-मूल्य पर बेचने का दिखावा करता है। परन्तु वह 1 किग्रा. के स्थान पर 900 ग्राम का बाट प्रयोग करता है। उसका लाभ प्रतिशत कितना है?

A. $16\frac{2}{3}\%$ B. $33\frac{1}{3}\%$
C. $8\frac{1}{3}\%$ D. $11\frac{1}{9}\%$

31. एक दुकानदार दो घड़ियों में से प्रत्येक को ₹ 616 में बेचता है। इस प्रकार वह एक घड़ी पर 12% लाभ कमाता है तथा दूसरी पर 12% हानि। कुल पर उसे कितना लाभ अथवा हानि होती है?

A. न लाभ न हानि   B. $1\frac{11}{25}\%$ लाभ
C. $1\frac{11}{25}\%$ हानि   D. $3\frac{2}{25}\%$ हानि

32. एक व्यक्ति को कोई वस्तु एक निश्चित मूल्य पर बेचने से 20% लाभ होता है। यदि वह इसे इससे दुगुने मूल्य पर बेचे, तो उसे कितने प्रतिशत लाभ होगा?

A. 125%   B. 130%
C. 135%   D. 140%

33. एक फल विक्रेता को ₹ 9 प्रति किग्रा. की दर से आम बेचने पर 20% हानि होती है। इस पर 5% लाभ कमाने के लिए उसे कितने ₹ प्रति किग्रा. की दर से बेचना होगा?

A. ₹ 11.81   B. ₹ 12
C. ₹ 12.25   D. ₹ 12.31

34. एक फल विक्रेता ने ₹ 34 के 8 की दर से सेब खरीदे तथा उन्हें ₹ 57 के 12 की दर से बेच दिया। ₹ 45 का लाभ कमाने हेतु उसे कितने सेब बेचने होंगे?

A. 90   B. 80
C. 120   D. 110

35. 17 गेंदें ₹ 720 में बेचने पर, 5 गेंदों के क्रय-मूल्य के बराबर हानि होती है। एक गेंद का क्रय मूल्य क्या होगा?

A. ₹ 40   B. ₹ 55
C. ₹ 45   D. ₹ 60

36. 20 वस्तुओं का क्रय-मूल्य x वस्तुओं के विक्रय मूल्य के बराबर है। यदि लाभ 25% हो, तो x का मान क्या होगा?

A. 12   B. 16
C. 14   D. 22

37. 90 बॉल-पैन ₹ 160 में बेचकर एक व्यक्ति 20% हानि उठाता है। वह ₹ 96 के कितने बाल-पैन बेचे कि उसे 20% लाभ हो?

A. 28   B. 36
C. 32   D. 35

38. किसी रेडियो को ₹ 2700 में बेचने से 8% का लाभ होता है। उसी रेडियो को कितने ₹ में बेचा जाए ताकि 16% का लाभ हो सके?

A. ₹ 2800   B. ₹ 2950
C. ₹ 2850   D. ₹ 2900

39. एक दुकानदार कहता है कि वह सभी वस्तुएँ 10% हानि पर बेचता है लेकिन वह एक किलो के बाट के स्थान पर 800 ग्राम के बाट का ही प्रयोग करता है। वह कितना प्रतिशत लाभ कमाता है?

A. 9.5%   B. 8.5%
C. 10.5%   D. 12.5%

40. अशोक अपनी सभी वस्तुओं पर 15% लाभ कमाता है लेकिन वह ऐसी तराजू का इस्तेमाल करता है जो 800 ग्राम को 900 ग्राम दिखाता है। उसका कुल लाभ प्रतिशत क्या है?

A. 20%   B. 25%
C. 32%   D. इनमें से कोई नहीं

41. एक फ्रिज की कीमत ₹ 7000 है तथा वह 20%, 10% के क्रमिक बट्टे पर उपलब्ध है। कोई ग्राहक कितने ₹ में खरीदेगा?

A. ₹ 5200   B. ₹ 5040
C. ₹ 5080   D. ₹ 5240

42. महेश ने एक सोफा 10% तथा 20% के क्रमिक बट्टे पर खरीदा। उसने उस सोफे को ₹ 16920 में बेचकर 25% का लाभ कमाया। उस सोफे का अंकित मूल्य क्या है?

A. ₹ 18300   B. ₹ 18800
C. ₹ 18400   D. ₹ 18100

43. एक वाशिंग मशीन 25% की छूट पर उपलब्ध है लेकिन नकद भुगतान करने पर 5% की अतिरिक्त छूट दी जाती है। इस अतिरिक्त छूट के कारण यदि कोई ग्राहक ₹ 468.75 बचा लेता है तो उस वाशिंग मशीन का अंकित मूल्य क्या है?

A. ₹ 8500 B. ₹ 11500
C. ₹ 12500 D. ₹ 9500

44. एक खुदरा विक्रेता 12% के बट्टे पर एक मशीन खरीदता है तथा ₹ 4554 में बेचकर 15% लाभ कमाता है। वह कुल कितने ₹ बट्टे (छूट) के रूप में प्राप्त करता है?

A. ₹ 580 B. ₹ 575
C. ₹ 540 D. ₹ 535

45. एक आदमी एक गाय को 10% लाभ पर बेच देता है। यदि उसने गाय को 20% कम में खरीदा होता तथा ₹ 630 कम में बेचा होता, तो उसे 20% का लाभ होता। गाय का क्रय मूल्य क्या है?

A. ₹ 4300 B. ₹ 4500
C. ₹ 4580 D. ₹ 4525

46. एक व्यक्ति ने एक सिलाई मशीन ₹ 343 में खरीदी। वह इस पर कितना मूल्य अंकित करे कि 30% छूट देने के बाद भी उसे 20% का लाभ प्राप्त हो?

A. ₹ 588 B. ₹ 568
C. ₹ 540 D. ₹ 578

47. एक बेईमान दुकानदार माल खरीदते समय 10% तथा बेचते समय 20% ठगता है। वह कुल कितने प्रतिशत का लाभ उठाता है?

A. 36% B. 32%
C. 24% D. 30%

48. A ने एक स्कूटर 20% हानि पर B को बेच दिया तथा B ने ₹ 26000 में 30% लाभ प्राप्त कर उसे C को बेच दिया। B ने कितने रुपये में उस स्कूटर को खरीदा था?

A. ₹ 19000 B. ₹ 20000
C. ₹ 18000 D. ₹ 21000

49. राघव ने 20 लीटर दूध ₹ 15 प्रति लीटर की दर से तथा ₹ 12 प्रतिलीटर की दर से 60 लीटर दूध खरीदा। दोनों को 30 लीटर पानी में मिला दिया। फिर उसे लगभग किस भाव से बेचे कि उसे 20% का लाभ हो?

A. ₹ 15 प्रति लीटर B. ₹ 18 प्रति लीटर
C. ₹ 12 प्रति लीटर D. ₹ 11.12 प्रति लीटर

50. एक बेईमान दुकानदार एक किग्रा के स्थान पर 950 ग्राम ही तौलता है। और वह कहता है कि मैं सभी वस्तुओं को क्रय मूल्य पर ही बेचता हूँ तो उसका लाभ प्रतिशत बताओ।

A. 95% B. $5\frac{5}{19}\%$
C. 15% D. $3\frac{5}{19}\%$

51. कितने समय में ₹ 4500 की राशि पर 5% वार्षिक दर से साधारण ब्याज की राशि ₹ 1012.50 हो जाएगी?

A. $3\frac{1}{2}$ वर्ष B. $4\frac{1}{2}$ वर्ष
C. $2\frac{1}{2}$ वर्ष D. $5\frac{1}{2}$ वर्ष

52. विजय ने ₹ 4800 नीरू से 3 वर्षों के लिए कर्ज लिया। समय की समाप्ति के बाद वह ₹ 5808 वापस करता है। साधारण ब्याज की वार्षिक दर क्या है?

A. 7% B. 6%
C. 9% D. 8%

53. चमन ने ₹ 5000 एक सेठ से ऋण लिया। वह 12% वार्षिक साधारण ब्याज दर से 5 वर्षों के बाद ऋण की राशि लौटा देता है तथा ब्याज के रूप में एक घड़ी तथा पेन देता है जिसके मूल्यों में 23 : 7 का अनुपात है। घड़ी की कीमत क्या है?

A. ₹ 2325 B. ₹ 2300
C. ₹ 2350 D. ₹ 2320

54. कोई राशि 12 वर्षों में तीन गुनी हो जाती है। साधारण ब्याज की दर क्या है?

A. $16\frac{2}{3}\%$ B. $12\frac{1}{2}\%$
C. 15% D. 18%

55. मैंने एक व्यक्ति को 7.57% वार्षिक साधारण ब्याज पर कुछ रुपये $2\frac{1}{2}$ वर्षों के लिए ऋण के रूप में दिये। मैंने गणना की कि यदि दर 1.37% कम होती, तो मुझे ₹ 3425 कम प्राप्त होते। मैंने कितने रुपये उसे ऋण के रूप में दिये?

A. ₹ 97000 B. ₹ 98000
C. ₹ 99000 D. ₹ 100000

56. कोई धनराशि 4 वर्षों में ₹ 750 तथा 7 वर्षों में ₹ 900 हो जाती है। साधारण ब्याज की दर क्या है?

A. $9\frac{1}{11}\%$ B. $8\frac{2}{3}\%$
C. $12\frac{1}{2}\%$ D. $8\frac{3}{11}\%$

57. कोई धनराशि $4\frac{1}{2}$ वर्षों में 163% हो जाती है। साधारण ब्याज की वार्षिक दर क्या है?

A. 12% B. 15%
C. 14% D. 18%

58. किसी मूलधन का साधारण ब्याज मूलधन का $\frac{25}{36}$वाँ भाग है। यदि वार्षिक ब्याज दर तथा समय समान हो, तो वह वार्षिक दर क्या है?

A. $8\frac{1}{3}\%$ B. $6\frac{1}{4}\%$
C. $10\frac{1}{2}\%$ D. 12%

59. किसी मूलधन का साधारण ब्याज मूलधन का 81% है। यदि वार्षिक दर तथा समय का संख्यात्मक मान समान हो, तो समय क्या है?

A. 6 वर्ष B. 7 वर्ष
C. 9 वर्ष D. 10 वर्ष

60. एक धनराशि 2 वर्षों में बढ़कर ₹ 6000 हो जाती है। यदि उतने समय के लिए उस धनराशि पर ₹ 1000 ब्याज प्राप्त होता है, तो सामान्य ब्याज-दर ज्ञात करें।

A. 8% B. 10%
C. 9% D. 15%

61. साधारण ब्याज की $6\frac{1}{4}\%$ वार्षिक दर से कोई धनराशि कितने वर्षों में स्वयं की दोगुनी हो जाएगी?

A. 13 वर्ष B. 15 वर्ष
C. 16 वर्ष D. 14 वर्ष

62. कोई राशि 5 वर्ष में दोगुनी हो जाती है, तो बताओ वह कितने वर्ष में चौगुनी हो जाएगी?

A. 12 वर्ष B. 15 वर्ष
C. 16 वर्ष D. 14 वर्ष

63. किसी धन का साधारण ब्याज कितने प्रतिशत वार्षिक ब्याज की दर से 8 वर्ष में 2 गुना हो जाएगा?

A. 18% B. 25%
C. 22% D. 28%

64. कितने प्रतिशत वार्षिक ब्याज की दर से किसी निश्चित समय में कोई धन अपने से तिगुना हो जाएगा। जबकि उतने ही समय में 10% वार्षिक ब्याज की दर से छः गुना हो जाता है।

A. 5% B. 3%
C. 2% D. 4%

65. कितने समय में किसी धन का साधारण ब्याज, धन का $\frac{2}{5}$ गुना हो जाता है जबकि साधारण ब्याज की दर 5% हो।

A. 8 वर्ष B. 9 वर्ष
C. 16 वर्ष D. 6 वर्ष

66. किसी धनराशि पर वार्षिक ब्याज की दर से साधारण ब्याज, मूलधन का $\frac{25}{16}$ है। यदि दर प्रतिशत तथा वर्षों में समय को निरूपित करने वाली संख्याएँ बराबर हों, तो ब्याज की दर है:

A. 8% B. $11\frac{1}{2}\%$
C. $12\frac{1}{2}\%$ D. $12\frac{1}{4}\%$

67. कोई राशि साधारण ब्याज की दर से उधार ली। पहले 4 वर्ष के लिए वार्षिक ब्याज दर 3%, अगले 3 वर्षों के लिए 5%, इससे अधिक वर्षों के लिए 4% वार्षिक ब्याज दर है। यदि उसने 12 वर्ष के अंत में ₹ 2350 ब्याज अदा किया हो, तो बताओ वह राशि क्या है?

A. ₹ 5000 B. ₹ 4000
C. ₹ 7000 D. ₹ 6000

68. यदि समान वार्षिक दर से समान समय के लिए ₹ x का साधारण ब्याज ₹ y हो तथा ₹ y का साधारण ब्याज ₹ z हो, तो निम्न में से सत्य कथन कौन-सा है?

A. $xyz = 1$ B. $z^2 = xy$
C. $x^2 = yz$ D. $y^2 = zx$

69. किसी धन पर $7\frac{1}{2}\%$ वार्षिक दर से 15 महीने के साधारण ब्याज तथा $12\frac{1}{2}\%$ वार्षिक दर से 8 महीने के साधारण ब्याज का अन्तर ₹ 32.50 है। वह धन क्या है?

A. ₹ 3140 B. ₹ 3110
C. ₹ 3120 D. ₹ 3115

70. ₹ 4000 को दो भागों में साधारण ब्याज पर दिया गया। एक भाग 8% वार्षिक दर से तथा दूसरा भाग 10% वार्षिक दर से। यदि कुल वार्षिक ब्याज ₹ 352 हो, तो 8% वार्षिक दर पर कितना धन दिया गया?

A. ₹ 2200 B. ₹ 2300
C. ₹ 2400 D. ₹ 2500

71. आनन्द ने निशा से ₹ 15000, 12% वार्षिक दर से चक्रवृद्धि ब्याज पर उधार लिये। इस ऋण को चुकता करने के लिए आनन्द को 2 वर्ष बाद कितना धन देना होगा?

A. ₹ 18600 B. ₹ 18618
C. ₹ 18816 D. ₹ 18869

72. एक पेड़ की ऊँचाई में प्रतिवर्ष $\frac{1}{8}$ गुना वृद्धि हो जाती है। यदि पेड़ की वर्तमान ऊँचाई 64 सेमी. हो, तो 2 वर्ष बाद इसकी ऊँचाई कितनी होगी?

A. 70 सेमी. B. 72 सेमी.
C. 81 सेमी. D. 90 सेमी.

73. समीर ने ₹ 15000 एक वर्ष के लिए 10% वार्षिक दर पर उधार दिये। यदि ब्याज प्रति छमाही संयोजित हो, तो वर्ष के अन्त में उसे कितना धन मिलेगा?

A. ₹ 16500 B. ₹ 16525.50
C. ₹ 16537.50 D. ₹ 18150

74. ₹ 1200 का 1 वर्ष में 10% वार्षिक दर से चक्रवृद्धि ब्याज तथा साधारण ब्याज का अन्तर कितना होगा, जबकि चक्रवृद्धि ब्याज छमाही देय हो?

A. ₹ 5 B. ₹ 3
C. ₹ 2 D. ₹ 6

75. कितने समय में ₹ 30000 का 7% वार्षिक दर से चक्रवृद्धि ब्याज ₹ 4347 हो जायेगा?

A. 2 वर्ष B. 3 वर्ष
C. 5 वर्ष D. 4 वर्ष

76. कितने वर्ष में ₹ 1600 का चक्रवृद्धि मिश्रधन 10% वार्षिक दर से ₹ 1852.20 हो जायेगा, जबकि ब्याज प्रति छमाही संयोजित होता रहे?

A. 3 वर्ष B. $1\frac{1}{2}$ वर्ष
C. $2\frac{1}{2}$ वर्ष D. 2 वर्ष

77. ₹ 5000 पर 4% वार्षिक दर से $1\frac{1}{2}$ वर्ष के चक्रवृद्धि ब्याजों में क्या अन्तर होगा जबकि ब्याज क्रमशः वार्षिक तथा छमाही देय हो?

A. ₹ 2.04 B. ₹ 3.06
C. ₹ 4.80 D. ₹ 8.30

78. किसी धन पर 5% वार्षिक दर से 3 वर्ष का चक्रवृद्धि ब्याज ₹ 252.20 है। इतने ही धन पर इसी दर से इतने ही समय का साधारण ब्याज क्या होगा?

A. ₹ 235 B. ₹ 240
C. ₹ 230 D. ₹ 245

79. किसी धन पर 5% वार्षिक दर से 2 वर्ष का चक्रवृद्धि ब्याज ₹ 328 है। इतने ही धन पर इसी दर से इतने ही समय का साधारण ब्याज क्या होगा?

A. ₹ 318 B. ₹ 316
C. ₹ 320 D. ₹ 222

80. किसी धन पर 4% वार्षिक दर से 2 वर्ष का चक्रवृद्धि ब्याज तथा साधारण ब्याज का अन्तर ₹ 80 है। यह धन कितना है?

A. ₹ 40,000 B. ₹ 45,000
C. ₹ 55,000 D. ₹ 50,000

81. कोई धन चक्रवृद्धि ब्याज से 15 वर्ष में दुगुना हो जाता है। कितने वर्ष में यह अपने से 8 गुना हो जायेगा?

A. 28 वर्ष B. 35 वर्ष
C. 45 वर्ष D. 40 वर्ष

82. ₹ 12000 की राशि 10% चक्रवृद्धि ब्याज की दर से उधार दी जाती है, तो बताओ 3 वर्ष का मिश्रधन क्या होगा?

A. ₹ 14748 B. ₹ 16000
C. ₹ 15972 D. इनमें से कोई नहीं

83. अर्द्धवार्षिक रूप में संयोजित, ₹ 6250 का 12% वार्षिक दर से एक वर्ष का चक्रवृद्धि ब्याज होगा:

A. ₹ 772.50 B. ₹ 772
C. ₹ 672.50 D. ₹ 672

84. कोई राशि 4 वर्ष में 3 गुनी हो जाती है, तो बताओ वह कितने वर्ष में स्वयं की 9 गुनी हो जाएगी?

A. 9 वर्ष B. 8 वर्ष
C. 15 वर्ष D. 12 वर्ष

85. ₹ 6400 की राशि 5% की दर से 2 वर्ष के लिए उधार दी जाती है, तो चक्रवृद्धि ब्याज व सरल ब्याज का अन्तर क्या होगा?

A. ₹ 18 B. ₹ 16
C. ₹ 14 D. ₹ 10

86. कोई राशि 10% की दर से 3 वर्ष के लिए उधार दी जाती है, तो चक्रवृद्धि ब्याज व सरल ब्याज का अन्तर ₹ 279 प्राप्त होता है, तो वह राशि क्या है?

A. ₹ 8000 B. ₹ 9000
C. ₹ 8250 D. ₹ 7800

87. किसी मूलधन पर 3 वर्षों में 6% वार्षिक चक्रवृद्धि ब्याज की दर से साधारण ब्याज की राशि ₹ 150 है, तो चक्रवृद्धि ब्याज की राशि क्या होगी?

A. ₹ 162.25 B. ₹ 160.50
C. ₹ 161 D. ₹ 159.18

88. 2.5% वार्षिक ब्याज की दर से 2 वर्षों में किसी धनराशि पर साधारण ब्याज की राशि ₹ 240 है, तो इसी दर तथा धनराशि पर उतने ही समय में चक्रवृद्धि ब्याज की राशि क्या होगी?

A. ₹ 250 B. ₹ 240
C. ₹ 255 D. ₹ 243

89. किसी धनराशि पर 2 वर्षों में साधारण ब्याज तथा चक्रवृद्धि ब्याज क्रमशः ₹ 300 तथा ₹ 315 है। चक्रवृद्धि ब्याज की वार्षिक दर प्रतिशत क्या है?

A. 8% B. 6%
C. 9% D. 10%

90. ₹ 5500 की राशि 6 वर्ष में 3 गुना हो जाती है। चक्रवृद्धि ब्याज की वार्षिक दर से 12 वर्ष में वह राशि कितनी हो जाएगी?

A. ₹ 49200 B. ₹ 50000
C. ₹ 49800 D. ₹ 49500

उत्तरमाला

1	2	3	4	5	6	7	8	9	10
B	C	B	C	B	A	B	B	D	B
11	**12**	**13**	**14**	**15**	**16**	**17**	**18**	**19**	**20**
D	A	C	C	B	B	C	D	B	C
21	**22**	**23**	**24**	**25**	**26**	**27**	**28**	**29**	**30**
B	B	D	C	B	D	A	C	A	D
31	**32**	**33**	**34**	**35**	**36**	**37**	**38**	**39**	**40**
C	D	A	A	D	B	B	D	D	D

41	42	43	44	45	46	47	48	49	50
B	B	C	C	B	A	B	B	D	B
51	**52**	**53**	**54**	**55**	**56**	**57**	**58**	**59**	**60**
B	A	B	A	D	A	C	A	C	B
61	**62**	**63**	**64**	**65**	**66**	**67**	**68**	**69**	**70**
C	B	B	D	A	C	A	D	C	C
71	**72**	**73**	**74**	**75**	**76**	**77**	**78**	**79**	**80**
C	C	C	B	A	B	A	B	C	D
81	**82**	**83**	**84**	**85**	**86**	**87**	**88**	**89**	**90**
C	C	A	B	B	B	D	D	D	D

व्याख्यात्मक उत्तर

1. $800 \times \frac{40}{100} = 320$

2. $1200 \times x\% = 900$

$\Rightarrow \quad \frac{1200 \times x}{100} = 900$

$\Rightarrow \quad x = \frac{900}{1200} \times 100 = 75\%$

अर्थात् जिसके साथ "का" लगा होता है उसे नीचे लिखते हैं।

3. वेतन में वृद्धि = 1000 – 800 = ₹ 200

% वृद्धि = $\frac{200}{800} \times 100 = 25\%.$

4. माना वह संख्या = x

$x - 15 = \frac{80x}{100}$

$5x - 75 = 4x$

$x = 75$

तो $\quad 75 \times \frac{60}{100} = 45$

दूसरी विधि $\quad 20\% = 15$

तो $\quad 60\% = \frac{15}{20} \times 60 = 45.$

5. $\frac{5}{24} \times 100 = 20\frac{5}{6}\%.$

6. माना संख्या = x

तब, $\quad x$ का $75\% = 225$

$\Rightarrow \quad x \times \frac{75}{100} = 225$

$\Rightarrow \quad x = \left(\frac{225 \times 100}{75}\right) = 300$

अब मूल संख्या = 300

वृद्धि के बाद संख्या = 375

इच्छित % वृद्धि = $\left(\frac{75}{300} \times 100\right)\% = 25\%.$

7. $x = y$ का $110\% = \left(y \times \frac{110}{100}\right) = \frac{11y}{10}$

$\Rightarrow \quad y = \frac{10x}{11}$

अभीष्ट % = $\left\{\frac{(x-y)}{x} \times 100\right\}\%$

$= \left\{\frac{\left(x - \frac{10x}{11}\right)}{x} \times 100\right\}\%$

$= \frac{100}{11}\% = 9\frac{1}{11}\%.$

8. माना कुल पुस्तकों की संख्या = x

अंग्रेजी में पुस्तकें = (x का 40%) = $\left(x \times \frac{40}{100}\right) = \frac{2x}{5}$

शेष = $\left(x - \frac{2x}{5}\right) = \frac{3x}{5}$

हिन्दी में पुस्तकें = $\left(\frac{3x}{5}\right.$ का $\left.40\%\right) = \left(\frac{3x}{5} \times \frac{40}{100}\right) = \frac{6x}{25}$

$\therefore \quad \frac{6x}{25} = 4800$

$\Rightarrow \quad x = \left(4800 \times \frac{25}{6}\right) = 20000$

अतः कुल पुस्तकों की संख्या = 20000.

9. कुल खर्च = ₹ (1000 × 1) + (4000 × 1 का 98%)

= ₹ $\left\{1000 + \left(4000 \times \frac{98}{100}\right)\right\}$ = ₹ (1000 + 3920) = ₹ 4920.

10. 100 किग्रा ताजे फल से प्राप्त निचोड़ = 100 किग्रा का (100 – 68)% = 32 किग्रा

माना 100 किग्रा ताजे फल से प्राप्त सूखे फल = x किग्रा

x किग्रा सूखे फल से प्राप्त निचोड़ x किग्रा का

$(100-20)\% = \left(x \times \frac{80}{100}\right) = \frac{4x}{5}$ किग्रा

$\therefore \quad \frac{4x}{5} = 32$

$x = \left(32 \times \frac{5}{4}\right) = 40$ किग्रा।

11. माना पहले चावल की दर = ₹ x प्रति किग्रा

पहले ₹ 385 में प्राप्त चावल की मात्रा = $\frac{385}{x}$ किग्रा

नई दर = ₹$\left(x \times \frac{80}{100}\right)$ प्रति किग्रा = ₹$\frac{4x}{5}$ प्रति किग्रा

अब, ₹ 385 में प्राप्त चावल की मात्रा = $\frac{385}{(4x/5)}$ किग्रा

= $\frac{1925}{4x}$ किग्रा

$\therefore \quad \frac{1925}{4x} - \frac{385}{x} = \frac{7}{2}$

$\Rightarrow \quad \frac{(1925-1540)}{4x} = \frac{7}{2}$

$\Rightarrow \quad 14x = 385$

$\Rightarrow \quad 2x = 55$

$\Rightarrow \quad x = 27.50$

अतः पहले चावल की दर = ₹ 27.50 प्रति किग्रा

12. माना कुल बच्चों की संख्या = x

प्रत्येक बच्चे को मिली मिठाइयों की संख्या = $\left(x \text{ का } \frac{20}{100}\right) = \frac{x}{5}$

$\therefore$ कुल मिठाइयों की संख्या = $\left(x \times \frac{x}{5}\right) = \frac{x^2}{5}$

$\therefore \quad \frac{x^2}{5} = 405$

$\Rightarrow \quad x^2 = 2025$

$\Rightarrow \quad x = \sqrt{2025} = 45$

प्रत्येक बच्चे को मिली मिठाइयों की संख्या = $\left(\frac{45}{5}\right) = 9$.

13. कुल विद्यार्थियों की संख्या = (640 + 360) = 1000

फेल होने वालों की संख्या = (640 का 40%) + (360 का 20%)

$= \left(640 \times \frac{40}{100}\right) + \left(360 \times \frac{20}{100}\right) = (256 + 72) = 328$

$\therefore$ फेल % = $\left(\frac{328}{1000} \times 100\right)\% = 32.8\%$.

14. माना कुल विद्यार्थियों की संख्या = x

तब, कुल अंक = $80x$

माना अभीष्ट औसत प्राप्तांक = y

तब,

(x का 10%) × 95 + (x का 20%) × 90 + (x का 70%) × y = $80x$

$\Rightarrow \left(x \times \frac{10}{100} \times 95\right) + \left(x \times \frac{20}{100} \times 90\right) + \left(x \times \frac{70}{100} \times y\right) = 80x$

$\Rightarrow \quad 9.5x + 18x + \frac{7xy}{10} = 80x$

$\Rightarrow \quad \frac{7xy}{10} = (80 - 27.5)x = 52.5x$

$\Rightarrow \quad 7y = 525$

$\Rightarrow \quad y = 75$

$\therefore$ अभीष्ट औसत प्राप्तांक = 75.

15. माना कुल परीक्षार्थी = x

अनुत्तीर्ण हुए विद्यार्थी = (100 – 35)% = 65%

$\therefore \quad x$ का 65% = 455

$\Rightarrow \quad \left(x \times \frac{65}{100}\right) = 455$

$\Rightarrow \quad x = \left(455 \times \frac{100}{65}\right) = 700$

अतः कुल परीक्षार्थी = 700.

16. संक्षिप्त विधि :

खपत में कमी % = $\left\{\frac{R}{(100+R)} \times 100\right\}\%$

$= \left(\frac{25}{125} \times 100\right)\% = 20\%$.

17. संक्षिप्त विधि :

खपत में वृद्धि % = $\left\{\frac{R}{(100-R)} \times 100\right\}\%$

$= \left(\frac{16}{84} \times 100\right)\% = 19\frac{1}{21}\%$.

18. संक्षिप्त विधि :

चाय के मूल्यों में वृद्धि % = $\left(\frac{15}{60} \times 100\right)\% = 25\%$

खपत में कमी % = $\left\{\frac{R}{(100+R)} \times 100\right\}\%$

$= \left(\frac{25}{125} \times 100\right)\% = 20\%$.

19. माना आरम्भ में खपत 1 इकाई थी जिसका मूल्य ₹ 100 था।

अब, मूल्य = ₹ 120

₹ 120 में अब प्राप्त होती है = 1 इकाई

₹ 100 में अब प्राप्त होगी = $\left(\frac{1}{120}\times 100\right)$ इकाई = $\frac{5}{6}$ इकाई

खपत में कमी = $\left(1-\frac{5}{6}\right)$ इकाई = $\frac{1}{6}$ इकाई

(खपत में कमी) : (पहले की खपत) = $\frac{1}{6} : 1 = 1 : 6$.

20. 4 वर्ष बाद वेतन = ₹ $\left[10000\times\left(1+\frac{50}{100}\right)^4\right]$

= ₹ $\left(10000\times\frac{3}{2}\times\frac{3}{2}\times\frac{3}{2}\times\frac{3}{2}\right)$ = ₹ 50625.

21. वर्तमान जनसंख्या

$= \left\{160000\times\left(1+\frac{3}{100}\right)\times\left(1+\frac{2.5}{100}\right)\times\left(1+\frac{5}{100}\right)\right\}$

$= \left(160000\times\frac{103}{100}\times\frac{41}{40}\times\frac{21}{20}\right) = 177366.$

22. 3 वर्ष बाद जनसंख्या = $\left[64000\times\left(1+\frac{5}{2\times 100}\right)^3\right]$

$= \left(64000\times\frac{41}{40}\times\frac{41}{40}\times\frac{41}{40}\right) = 68921.$

23. माना 3 वर्ष पूर्व कस्बे की जनसंख्या = x

तब, $x\times\left(1+\frac{5}{100}\right)^3 = 138915$

$\Rightarrow \left(x\times\frac{21}{20}\times\frac{21}{20}\times\frac{21}{20}\right) = 138915$

$\Rightarrow x = \left(138915\times\frac{20}{21}\times\frac{20}{21}\times\frac{20}{21}\right)$

$= 120000$

अतः 3 वर्ष पूर्व कस्बे की जनसंख्या = 120000.

24. माना मशीन ₹ x में खरीदी गई थी।

तब, इसका वर्तमान मूल्य = $\left[x\times\left(1-\frac{10}{100}\right)^3\right]$

= ₹ $\left(x\times\frac{9}{10}\times\frac{9}{10}\times\frac{9}{10}\right)$ = ₹ $\frac{729x}{1000}$

$\therefore \frac{729x}{1000} = 8748$

$x = \frac{(8748\times 1000)}{729} = 12000$

अतः मशीन का अभीष्ट मूल्य = ₹ 12000.

25. माना वृद्धि की दर = R% वार्षिक तब, (10 करोड़) × $\left(1+\frac{R}{100}\right)^3$

= (13.31 करोड़)

$\Rightarrow \left(1+\frac{R}{100}\right)^3 = \frac{13.31}{10} = \frac{1331}{1000} = \left(\frac{11}{10}\right)^3$

$\Rightarrow \left(1+\frac{R}{100}\right) = \frac{11}{10}$

$\Rightarrow \frac{R}{100} = \left(\frac{11}{10}-1\right) = \frac{1}{10}$

$\Rightarrow R = \left(100\times\frac{1}{10}\right) = 10$

अतः अभीष्ट दर = 10% वार्षिक।

26. माना प्रत्येक वस्तु का क्रय-मूल्य = ₹ 1

तब, 16 वस्तुओं का क्रय-मूल्य = ₹ 16

16 वस्तुओं का विक्रय-मूल्य = 20 वस्तुओं का क्रय-मूल्य = ₹ 20

₹ 16 पर लाभ = ₹ 4

$\Rightarrow$ लाभ % = $\left(\frac{4}{16}\times 100\right)\% = 25\%$

27. 100 संतरों का क्रय-मूल्य = ₹ 350

100 संतरों का विक्रय-मूल्य = ₹ $\left(\frac{48}{12}\times 100\right)$ = ₹ 400

अतः लाभ = ₹ (400 – 350) = ₹ 50

$\Rightarrow$ लाभ % = $\left(\frac{50}{350}\times 100\right)\% = 14\frac{2}{7}\%$.

28. A का विक्रय-मूल्य = ₹ 400 का 120% = ₹ $\left(400\times\frac{120}{100}\right)$

= ₹ 480

B का विक्रय-मूल्य = ₹ 480 का 110% = ₹ $\left(480\times\frac{110}{100}\right)$

= ₹ 528

अतः C ने इसे ₹ 528 में खरीदा।

29. माना क्रय मूल्य = ₹ x

तब, (7% लाभ पर विक्रय-मूल्य) – (10% हानि पर विक्रय-मूल्य) = 85

$\Rightarrow \left(x\times\frac{107}{100}\right)-\left(x\times\frac{90}{100}\right) = 85$

$\Rightarrow 107x - 90x = 8500$

$\Rightarrow 17x = 8500$

$\Rightarrow x = 500$

अतः पुस्तक का क्रय-मूल्य = ₹ 500.

30. माना 1 किग्रा. का क्रय-मूल्य = ₹ 1000

तब, 900 ग्राम का क्रय-मूल्य = 900

900 ग्राम का विक्रय-मूल्य = 1000

₹ 900 पर लाभ = ₹ 100

$\Rightarrow$ लाभ % $= \left(\frac{100}{900}\times 100\right)\% = 11\frac{1}{9}\%.$

31. इसमें सदैव हानि होती है।

हानि % $= \left(\frac{\text{उभयनिष्ठ लाभ व हानि \%}}{10}\right)^2 \%$

$= \left(\frac{12}{10}\right)^2 = \left(\frac{12}{10}\times\frac{12}{10}\right)\% = \frac{36}{25}\% = 1\frac{11}{25}\%.$

32. माना क्रय मूल्य = ₹ x

तब, विक्रय मूल्य = ₹ x का 120% = ₹ $\left(x\times\frac{120}{100}\right)$ = ₹ $\frac{6x}{5}$

नया विक्रय मूल्य = ₹ $\left(2\times\frac{6x}{5}\right)$ = ₹ $\frac{12x}{5}$

तब, लाभ = ₹ $\left(\frac{12x}{5}-x\right)$ = ₹ $\frac{7x}{5}$

$\therefore$ लाभ % $= \left(\frac{7x}{5}\times\frac{1}{x}\times 100\right)\% = 140\%.$

33. माना फल विक्रेता ने 1 किग्रा. आम बेचे।
विक्रय मूल्य = ₹ 9, हानि = 20%

$\Rightarrow$ क्रय मूल्य = ₹ $\left(\frac{100}{80}\times 9\right)$ = ₹ $\frac{45}{4}$

अब, क्रय मूल्य = ₹ $\frac{45}{4}$, लाभ = 5%

विक्रय मूल्य = ₹ $\left(\frac{105}{100}\times\frac{45}{4}\right)$ = ₹ 11.81

अतः आम बेचने की दर = ₹ 11.81 प्रति किग्रा.।

34. 1 सेब का क्रय-मूल्य = ₹ $\left(\frac{34}{8}\right)$ = ₹ 4.25

1 सेब का विक्रय मूल्य = ₹ $\left(\frac{57}{12}\right)$ = ₹ 4.75

प्रत्येक सेब पर लाभ = ₹ (4.75 – 4.25) = ₹ .50

अभीष्ट सेबों की संख्या $= \left(\frac{45}{0.50}\right) = \left(45\times\frac{100}{50}\right) = 90.$

35. (17 गेंदों का क्रय-मूल्य) – (17 गेंदों का विक्रय-मूल्य)
= (5 गेंदों का क्रय-मूल्य)

$\Rightarrow$ (12 गेंदों का क्रय-मूल्य) = (17 गेंदों का विक्रय-मूल्य) = ₹ 720

$\Rightarrow$ 1 गेंद का क्रय-मूल्य = ₹ $\left(\frac{720}{12}\right)$ = ₹ 60.

36. माना 1 वस्तु का क्रय-मूल्य = ₹ 1
तब, x वस्तुओं का क्रय-मूल्य = ₹ x
तथा x वस्तुओं का विक्रय-मूल्य = ₹ 20

$\therefore$ लाभ % $= \left\{\frac{(20-x)}{x}\times 100\right\}\%$

अतः $\frac{(20-x)}{x}\times 100 = 25$

$\Rightarrow \quad \frac{(20-x)}{x} = \frac{1}{4}.$

$\Rightarrow \quad 5x = 80$

$\Rightarrow \quad x = 16.$

37. विक्रय मूल्य = ₹ 160 तथा हानि = 20%

$\Rightarrow$ क्रय-मूल्य = ₹ $\left(\frac{100}{80}\times 160\right)$ = ₹ 200

$\therefore$ 90 बाल-पेन का क्रय-मूल्य = ₹ 200

$\Rightarrow$ 1 बाल-पेन का क्रय-मूल्य = ₹ $\left(\frac{200}{90}\right)$ = ₹ $\left(\frac{20}{9}\right)$

अब, 1 बाल-पेन का क्रय-मूल्य = ₹ $\left(\frac{20}{9}\right)$, लाभ = 20%

$\therefore$ 1 बाल-पेन का विक्रय-मूल्य = ₹ $\left(\frac{120}{100}\times\frac{20}{9}\right)$ = ₹ $\frac{8}{3}$

$\therefore$ ₹ 96 के बाल-पेन $= \left(96\times\frac{3}{8}\right) = 36.$

38. विक्रय मूल्य $= 2700\times\frac{(100+16)}{(100+8)} = 2700\times\frac{116}{108}$ = ₹ 2900.

39. गलत बाट के कारण उसका प्रतिशत लाभ $= \frac{1000-800}{800}\times 100$

$= \frac{200}{800}\times 100 = 25\%$

कुल प्रतिशत लाभ $= (25-10) - \frac{25\times 10}{100} = 15 - 2.5 = 12.5\%.$

40. कम तौलने के कारण प्रतिशत लाभ $= \frac{900-800}{800}\times 100$

$= \frac{100}{800}\times 100 = 12\frac{1}{2}\%$

उसका कुल लाभ $= 15 + 12.5 + \frac{15\times 12.5}{100}$

$= 27.5 + 1.875$

$= 29.375\%.$

41. ग्राहक का क्रय मूल्य $= 7000\times\frac{(100-20)}{100}\times\frac{(100-10)}{100}$

$= 7000\times\frac{80}{100}\times\frac{90}{100}$

= ₹ 5040.

42. माना अंकित मूल्य = ₹ 100

महेश द्वारा सोफा का खरीद मूल्य $= 100\times\frac{90}{100}\times\frac{80}{100}$ = ₹ 72

विक्रय-मूल्य = $72 \times \frac{125}{100} = ₹ 90$

$\because$ ₹ 90 विक्रय-मूल्य तो अंकित मूल्य = ₹ 100

$\therefore$ ₹ 16920 विक्रय-मूल्य तो अंकित मूल्य = $\frac{100}{90} \times 16920$
= ₹ 18800.

43. माना अंकित मूल्य = ₹ 100

बट्टा = 100 का $\frac{25}{100}$ = ₹ 25

शेष राशि = 100 – 25 = ₹ 75

अतिरिक्त छूट = 75 का $\frac{5}{100}$ = ₹ 3.75

$\because$ ₹ 3.75 की बचत है ₹ 100 में

$\therefore$ ₹ 468.75 की बचत है $\frac{100}{3.75} \times 468.75$ = ₹ 12500

$\therefore$ अंकित मूल्य = ₹ 12500.

44. माना अंकित मूल्य = ₹ 100

बट्टा = ₹ 12

खरीद मूल्य = 100 – 12 = ₹ 88

विक्रय-मूल्य = $88 \times \frac{115}{100}$ = ₹ 101.20

अतः बट्टा की राशि = $\frac{12}{101.20} \times 4554$ = ₹ 540.

45. माना क्रय-मूल्य = ₹ 100

विक्रय-मूल्य = 100 + 10 = ₹ 110

नया क्रय-मूल्य = 100 – 20 = ₹ 80

दूसरा विक्रय-मूल्य = $80 \times \frac{120}{100}$ = ₹ 96

विक्रय-मूल्यों का अन्तर = 110 – 96 = ₹ 14

$\therefore$ क्रय-मूल्य = $\frac{100}{14} \times 630$ = ₹ 4500.

46. माना क्रय-मूल्य = ₹ 100

विक्रय-मूल्य = 100 + 20 = ₹ 120

अंकित मूल्य = $\frac{100}{70} \times 120$ = ₹ $\frac{1200}{7}$

$\because$ ₹ 100 क्रय-मूल्य, तो अंकित मूल्य = ₹ $\frac{1200}{7}$

$\therefore$ ₹ 343 क्रय-मूल्य, तो अंकित मूल्य = $\frac{1200}{7 \times 100} \times 343$ = ₹ 588.

47. प्रतिशत लाभ = $(20+10) + \frac{20 \times 10}{100}$ = 30 + 2 = 32%.

48. A द्वारा स्कूटर का खरीद मूल्य

$= \frac{100}{(100-20)} \times \frac{100}{(100+30)} \times 26000 = \frac{100}{80} \times \frac{100}{130} \times 26000$

= ₹ 25000

$\therefore$ B द्वारा स्कूटर का खरीद मूल्य

$= 25000 \times \frac{(100-20)}{100}$

$= 25000 \times \frac{80}{100}$ = ₹ 20000.

49. कुल दूध = 20 + 60 = 80 लीटर

कुल खर्च = 20 × 15 + 12 × 60 = ₹ 1020

30 लीटर पानी मिलाने पर,

बेचने योग्य दूध = 80 + 30 = 110 लीटर

विक्रय मूल्य = $\left(\frac{100+20}{100}\right) \times 1020$ = ₹ 1224

$\therefore$ बेचने का दर = $\frac{1224}{110}$ = ₹ 11.12 प्रति लीटर।

50. लाभ % = $\frac{\text{खरीदी वस्तु} - \text{बेची वस्तु}}{\text{बेची वस्तु}} \times 100$

$= \frac{1000-950}{950} \times 100 = \frac{50}{950} \times 100 = 5\frac{5}{19}\%.$

51. समय = $\frac{1012.50 \times 100}{4500 \times 5} = 4\frac{1}{2}$ वर्ष।

52. ब्याज = 5808 – 4800 = ₹ 1008.

दर = $\frac{1008 \times 100}{4800 \times 3} = 7\%.$

53. ब्याज = $\frac{5000 \times 12 \times 5}{100}$ = ₹ 3000

अतः घड़ी की कीमत = $\frac{23}{(23+7)} \times 3000$

$= \frac{23}{30} \times 3000$ = ₹ 2300.

54. दर = $\frac{(3-1) \times 100}{12}$

$= \frac{200}{12} = \frac{50}{3} = 16\frac{2}{3}\%.$

55. ऋण की राशि अर्थात्

मूलधन = $\frac{3425 \times 100}{1.37 \times \frac{5}{2}}$

$= \frac{3425 \times 100 \times 2}{1.37 \times 5}$ = ₹ 100000.

56. मूलधन = $750 - \frac{(900-750)}{(7-4)} \times 4$

$= 750 - \frac{150}{3} \times 4$

= 750 – 200 = ₹ 550.

4 वर्ष का ब्याज = 750 − 500

= ₹ 200

$\therefore$ दर = $\frac{200\times100}{550\times4} = 9\frac{1}{11}\%$.

57. मूलधन = P (माना)

मिश्रधन = $\left(P \text{ का } \frac{163}{100}\right) = \frac{163}{100}P$

ब्याज = $\frac{163}{100}P - P = \frac{63}{100}P$

अतः दर = $\frac{63P\times100\times2}{100\times P\times9} = 14\%$.

58. दर = $\sqrt{\frac{25}{36}\times100} = \frac{5}{6}\times10 = \frac{25}{3} = 8\frac{1}{3}\%$.

59. समय = $\sqrt{\frac{81}{100}\times100} = \sqrt{81}$ = 9 वर्ष।

60. मूलधन = ₹ (6000 − 1000) = ₹ 5000

दर = $\frac{\text{साधारण ब्याज} \times 100}{\text{मूलधन} \times \text{समय}}$

$= \frac{1000\times100}{5000\times2} = 10\%$

61. समय = $\frac{n-1}{}\times100$

अभीष्ट समय = $\frac{(2-1)\times100}{6.25}$ = 16 वर्ष।

62. समय (t_2) = $\frac{n_2-1}{n_1-1}\times t_1 = \frac{4-1}{2-1}\times5$

= 3 × 5 = 15 वर्ष।

63. दर = $\frac{n_2}{\text{समय}}\times100 = \frac{2}{8}\times100 = 25\%$

64. यहाँ पहली दर R_1 निकालनी है।

दर (R_1) = $\frac{n_1-1}{n_2-1}\times R_2$

$= \frac{3-1}{6-1}\times10 = \frac{2}{5}\times10 = 4\%$.

65. समय = $\frac{\text{साधारण ब्याज} \times 100}{\text{मूलधन} \times \text{दर}} = \frac{2\times100}{5\times5}$ = 8 वर्ष।

66. दर % व समय के संख्यात्मक मान समान हों, तो–

दर = $\sqrt{\text{ब्याज}\times100} = \sqrt{\frac{25}{16}\times100} = 12\frac{1}{2}\%$.

67. मूलधन = $\frac{\text{ब्याज} \times 100}{\text{समय एवं दर के संगत गुणनफल का योग}}$

$= \frac{2350\times100}{4\times3+3\times5+5\times4} = \frac{2350\times100}{12+15+20} = \frac{2350\times100}{47}$

= ₹ 5000.

68. माना दर = R% वार्षिक, समय = T वर्ष

$\frac{x\times R\times T}{100} = y$ तथा $\frac{y\times R\times T}{100} = z$

$\Rightarrow \quad y\times\frac{y\times R\times T}{100} = z\times\frac{x\times R\times T}{100}$

$\Rightarrow \quad y^2 = zx.$

69. माना धन = ₹ x

तब, $\left(x\times\frac{15}{2}\times\frac{15}{12}\times\frac{1}{100}\right)-\left(x\times\frac{25}{2}\times\frac{8}{12}\times\frac{1}{100}\right) = 32.50$

$\Rightarrow \quad \frac{15x}{160}-\frac{x}{12} = \frac{3250}{100}$

$\Rightarrow \quad \frac{45x-40x}{480} = \frac{65}{2}$

$\Rightarrow \quad 10x = (65 \times 480)$

$\Rightarrow \quad x = (65 \times 48)$

= ₹ 3120.

70. माना 8% वार्षिक दर पर धन = ₹ x

तब, 10% वार्षिक दर पर धन = ₹ $(4000 - x)$

$\frac{x\times8\times1}{100}+\frac{(4000-x)\times10\times1}{100} = 352$

$\Rightarrow \quad 8x + 40000 - 10x = 35200$

$\Rightarrow \quad 2x = 4800$

$\Rightarrow \quad x$ = ₹ 2400

$\therefore$ 8% वार्षिक दर पर धन = ₹ 2400.

71. अभीष्ट धन = $\left\{15000\times\left(1+\frac{12}{100}\right)^2\right\}$

$= \left(15000\times\frac{28}{25}\times\frac{28}{25}\right)$ = ₹ 18816.

72. पेड़ की वर्तमान ऊँचाई = 64 सेमी., वार्षिक वृद्धि %

$= \left(\frac{1}{8}\times100\right)\% = \frac{25}{2}\%$ तथा समय = 2 वर्ष

अभीष्ट ऊँचाई = $\left\{64\times\left(1+\frac{25}{2\times100}\right)^2\right\}$ सेमी.

$= \left(64\times\frac{9}{8}\times\frac{9}{8}\right)$ सेमी. = 81 सेमी.

73. मूलधन = ₹ 15000, दर = $\left(\frac{10}{2}\right)\%$ प्रति छमाही तथा समय = 2 छमाही

$\therefore$ अभीष्ट धन = $\left\{15000\times\left(1+\frac{5}{100}\right)^2\right\}$

$$= \left(15000 \times \frac{21}{20} \times \frac{21}{20}\right) = \frac{33075}{2}$$

$= ₹\ 16537.50$

74. साधारण ब्याज $= \left(1200 \times \frac{10}{100} \times 1\right) = ₹\ 120$

अब, मूलधन $= ₹\ 1200$, दर $= \left(\frac{10}{2}\right)\%$ प्रति छमाही तथा

समय = 2 छमाही

$\therefore$ चक्रवृद्धि ब्याज $= \left\{1200 \times \left(1 + \frac{5}{100}\right)^2 - 1200\right\}$

$$= \left\{\left(1200 \times \frac{21}{20} \times \frac{21}{20}\right) - 1200\right\}$$

$= (1323 - 1200) = ₹\ 123$

अभीष्ट अन्तर $= (123 - 120) = ₹\ 3$.

75. चक्रवृद्धि मिश्रधन $= (30000 + 4347) = ₹\ 34347$

माना अभीष्ट समय $= n$ वर्ष

तब, $30000 \times \left(1 + \frac{7}{100}\right)^n = 34347$

$$\Leftrightarrow \left(\frac{107}{100}\right)^n = \frac{34347}{30000} = \frac{11449}{10000} = \left(\frac{107}{100}\right)^2 \Leftrightarrow n = 2.$$

अतः अभीष्ट समय = 2 वर्ष।

76. मूलधन $= ₹\ 1600$, दर $= \left(\frac{10}{2}\right)\%$ प्रति छमाही, चक्रवृद्धि मिश्रधन $= ₹\ 1852.20$

माना समय $= n$ वर्ष $= (2n)$ छमाही

$$\therefore\ 1600 \times \left(1 + \frac{5}{100}\right)^{2n} = 1852.20$$

$$\Leftrightarrow \left(\frac{21}{20}\right)^{2n} = \frac{185220}{160000} = \frac{9261}{8000} = \left(\frac{21}{20}\right)^3$$

$\Leftrightarrow 2n = 3 \Leftrightarrow n = \frac{3}{2}$ वर्ष $= 1\frac{1}{2}$ वर्ष।

77. वार्षिक देय चक्रवृद्धि ब्याज

$$= \left\{5000 \times \left(1 + \frac{4}{100}\right) \times \left(1 + \frac{2}{100}\right) - 5000\right\}$$

$$= \left\{\left(5000 \times \frac{26}{25} \times \frac{51}{50}\right) - 5000\right\}$$

$= (5304 - 5000) = ₹\ 304$.

छमाही देय चक्रवृद्धि ब्याज

$$= \left\{5000 \times \left(1 + \frac{2}{100}\right)^3 - 5000\right\}$$

$$= \left\{\left(5000 \times \frac{51}{50} \times \frac{51}{50} \times \frac{51}{50}\right) - 5000\right\}$$

$= (5306.04 - 5000) = ₹\ 306.04$.

अभीष्ट अन्तर $= (306.04 - 304) = ₹\ 2.04$.

78. माना अभीष्ट धन $= ₹\ x$ तब,

चक्रवृद्धि ब्याज $= \left\{x \times \left(1 + \frac{5}{100}\right)^3 - x\right\}$

$$= \left\{\left(x \times \frac{21}{20} \times \frac{21}{20} \times \frac{21}{20}\right) - x\right\}$$

$$= \left(\frac{9261}{8000} - x\right) = \frac{1261x}{8000}$$

$$\therefore\ \frac{1261x}{8000} = 252.60 \Leftrightarrow x = \left(\frac{252.20 \times 8000}{1261}\right)$$

$$= \left(\frac{25220 \times 8000}{1261 \times 100}\right) = ₹\ 1600$$

अतः साधारण ब्याज $= \left(1600 \times \frac{5}{100} \times 3\right) = ₹\ 240$.

79. माना अभीष्ट धन $= ₹\ x$, तब

चक्रवृद्धि ब्याज $= \left\{x \times \left(1 + \frac{5}{100}\right)^2 - x\right\}$

$$= \left\{\left(x \times \frac{21}{20} \times \frac{21}{20}\right) - x\right\} = \frac{41x}{400}$$

$$\therefore\ \frac{41x}{400} = 328 \Leftrightarrow x = \left(\frac{328 \times 400}{41}\right) = ₹\ 3200$$

अतः साधारण ब्याज $= \left(3200 \times \frac{5}{100} \times 2\right) = ₹\ 320$.

80. माना अभीष्ट धन $= ₹\ x$, तब

चक्रवृद्धि ब्याज $= \left\{x \times \left(1 + \frac{4}{100}\right)^2 - x\right\}$

$$= \left\{\left(x \times \frac{26}{25} \times \frac{26}{25}\right) - x\right\} = \frac{51x}{625}$$

साधारण ब्याज $= \left(x \times \frac{4}{100} \times 2\right) = \frac{2x}{25}$

(चक्रवृद्धि ब्याज) – (साधारण ब्याज) $= \left(\frac{51x}{625} - \frac{2x}{25}\right) = \frac{x}{625}$

$$\therefore\ \frac{x}{625} = 80 \Leftrightarrow x = (625 \times 80) = ₹\ 50000.$$

81. माना मूलधन $= ₹\ x$, तब 15 वर्ष में मिश्रधन $= ₹\ 2x$

$$\therefore\ x \times \left(1 + \frac{R}{100}\right)^{15} = 2x \Leftrightarrow \left(1 + \frac{R}{100}\right)^{15} = 2$$

मान n वर्ष में मूलधन 8 गुना हो जायेगा। तब,

$$x \times \left(1+\frac{R}{100}\right)^n = 8x \Leftrightarrow \left(1+\frac{R}{100}\right)^n = 8 = 2^3$$

$$= \left\{\left(1+\frac{R}{100}\right)^{15}\right\}^3 = \left(1+\frac{R}{100}\right)^{45}$$

अतः $n = 45$.

82. मिश्रधन = मूलधन $\times \left(1+\frac{\text{दर}}{100}\right)^{\text{समय}}$

$$= 12000 \times \frac{110}{100} \times \frac{110}{100} \times \frac{110}{100}$$

= ₹ 15972.

83. $6250 \times \frac{106}{100} \times \frac{106}{100} =$ ₹ 7022.50

ब्याज = ₹ 772.50.

84. 4 वर्ष में 3 गुनी = 3^1

? = 9 गुनी 3^2

$$\text{समय} = \frac{\text{बाद वाली घात}}{\text{पहली घात}} \times t$$

$$= \frac{2}{1} \times 4 = 8 \text{ वर्ष}$$

85. जब समय 2 वर्ष हो, तो

$$\text{अन्तर} = \text{मूलधन} \times \left(\frac{\text{दर}}{100}\right)^2$$

$$= 6400 \times \left(\frac{5}{100}\right)^2$$

$$= 6400 \times \frac{1}{400} = ₹\ 16.$$

86. यहाँ समय 3 वर्ष है और चक्रवृद्धि ब्याज व सरल ब्याज का अन्तर ₹ 279 है।

$$\text{अन्तर} = \text{मूलधन} \times \left(\frac{\text{दर}}{100}\right)^2 \left(\frac{300+\text{दर}}{100}\right)$$

$$279 = x\left(\frac{10}{100}\right)^2 \left(\frac{310}{100}\right)$$

$$279 = x \times \frac{1}{100} \cdot \frac{31}{10}$$

$x =$ ₹ 9000.

87. चक्रवृद्धि ब्याज $= \frac{150 \times 6^2}{30000} + \frac{150 \times 6}{100} + 150$

= 0.18 + 9 + 150 = ₹ 159.18.

88. चक्रवृद्धि ब्याज $= 240 + \left(\frac{240 \times 2.5}{200}\right)$

= 240 + 3 = ₹ 243

89. $\text{दर} = 2\frac{(315-300)}{300} \times 100$

$$= \frac{2 \times 15}{300} \times 100 = 10\%$$

90. $\because 12 = 6 \times 2$

$\therefore$ राशि = 3^2 = 9 गुनी हो जाएगी।

अतः अभीष्ट मिश्रधन = 5500 × 9 = ₹ 49500.

□□□□□

7 बीजगणित और गुणनखण्ड

Algebra and Factorisation

बीजगणितीय सूत्र (Algebraic Identities)

(i) $(a + b)^2 = a^2 + 2ab + b^2$

(ii) $(a - b)^2 = a^2 - 2ab + b^2$

(iii) $a^2 - b^2 = (a - b)(a + b)$

(iv) $(a + b + c)^2 = a^2 + b^2 + c^2 + 2ab + 2bc + 2ca$

(v) $(a + b - c)^2 = a^2 + b^2 + c^2 + 2ab - 2bc - 2ca$

(vi) $(a - b + c)^2 = a^2 + b^2 + c^2 - 2ab - 2bc + 2ca$

(vii) $(-a + b + c)^2 = a^2 + b^2 + c^2 - 2ab + 2bc - 2ca$

(viii) $(a + b)^3 = a^3 + b^3 + 3ab(a + b)$ या
$= a^3 + b^3 + 3a^2b + 3ab^2$

(ix) $(a - b)^3 = a^3 - b^3 - 3ab\,(a - b)$ या
$= a^3 - b^3 - 3a^2b + 3ab^2$

(x) $a^3 + b^3 = (a + b)\,(a^2 + b^2 - ab)$ या
$= (a + b)^3 - 3ab(a + b)$

(xi) $a^3 - b^3 = (a - b)\,(a^2 + b^2 + ab)$ या
$= (a - b)^3 + 3ab\,(a - b)$

(xii) $a^3 + b^3 + c^3 - 3abc = (a + b + c)(a^2 + b^2 + c^2 - ab - bc - ca)$
यदि $a + b + c = 0$
$a^3 + b^3 + c^3 = 3abc$

(xiii) $(x + a)\,(x + b) = x^2 + (a + b)x + ab$

(xiv) $(a + b)^2 + (a - b)^2 = 2(a^2 + b^2)$

(xv) $(a + b)^2 - (a - b)^2 = 4ab$

(xvi) $(a + b)^3 + (a - b)^3 = 2(a^3 + 3ab^2)$

(xvii) $(a + b)^3 - (a - b)^3 = 2(b^3 + 3a^2b)$

(xviii) यदि $x + \frac{1}{x} = t$

तब, $x^2 + \frac{1}{x^2} = t^2 - 2$

(xix) यदि $x - \frac{1}{x} = t$

तब, $x^2 + \frac{1}{x^2} = t^2 + 2$

(xx) $x^3 + \frac{1}{x^3} = \left(x + \frac{1}{x}\right)^3 - 3\left(x + \frac{1}{x}\right)$

(xxi) $x^2 - \frac{1}{x^3} = \left(x - \frac{1}{x}\right)^3 + 3\left(x - \frac{1}{x}\right)$

(xxii) $x + \frac{1}{x} = \sqrt{x^2 + \frac{1}{x^2} + 2}$

(xxiii) $x - \frac{1}{x} = \sqrt{x^2 + \frac{1}{x^2} - 2}$

गुणनखण्ड (Factorisation)

यदि कोई व्यंजक दो या दो से अधिक व्यंजक का गुणनफल है, तो इनमें से प्रत्येक व्यंजक को मूल व्यंजक का गुणनखण्ड तथा उस मूल व्यंजक को, अभाज्य गुणनखण्डों के रूप में प्रदर्शित करने की क्रिया को गुणनखण्ड (Factorisation) कहते हैं।

अभ्यास प्रश्न

1. यदि $2x + 3y = 26$, $2y + z = 19$ और $x + 2z = 29$ हो, तो $x + y + z$ का मान क्या होगा?

A. 20 B. 21
C. 22 D. 23

2. यदि $\frac{(x-y)^2}{x^2-y^2} = 9$ हो, तो $\frac{x+y}{x-y}$ का मान क्या होगा?

A. 1/3 B. 1/9
C. 1/27 D. 1/18

3. यदि $\frac{2x}{3} + \frac{y}{2} = 4$ और $\frac{x}{3} - \frac{y}{2} = 1$ हो, तो x का मान क्या होगा?

A. 2 B. 3
C. 4 D. 5

4. यदि $a = -5$, $b = -6$, $c = 10$ हो, तो व्यंजक

$\frac{(a^3 + b^3 + c^3 - 3abc)}{(ab + bc + ca - a^2 - b^2 - c^2)}$ का मान क्या होगा?

A. 0 B. 1
C. 4 D. 8

5. यदि $a + b + c = 0$ हो, तो व्यंजक $\dfrac{(a^2 + b^2 + c^2)^2}{a^2b^2 + b^2c^2 + c^2a^2}$ का मान क्या होगा?

A. 4 B. 8
C. 12 D. 16

6. यदि $x = 1, y = -3$ तथा $z = 2$ हो, तो व्यंजक $(x^3 + y^3 + z^3).\dfrac{(x^2 - yz)}{(x^2 + y^2 + z^2)}$ का मान क्या होगा?

A. 9 B. – 9
C. – 3 D. 3

7. व्यंजक $\dfrac{(1.5)^3 + (4.7)^3 + (3.8)^3 - 3 \times 1.5 \times 4.7 \times 3.8}{(1.5)^2 + (4.7)^2 + (3.8)^2 - 1.5 \times 4.7 - 4.7 \times 3.8 - 1.5 \times 3.8}$ का मान क्या होगा?

A. 0 B. 1
C. 10 D. 50

8. व्यंजक $\dfrac{(0.22)^3 + (0.11)^3 + (0.32)^3}{(0.66)^3 + (0.96)^3 + (0.33)^3} + \dfrac{(0.32)^3 + (0.45)^3 - (0.77)^3}{81(0.32)(0.45)(0.77)}$ का मान क्या होगा?

A. 0 B. 1
C. 10 D. 100

9. व्यंजक $\dfrac{(0.1)^3 + (0.2)^3 + (0.3)^3 - 3 \times 0.1 \times 0.2 \times 0.3}{(0.1)^2 + (0.2)^2 + (0.3)^2 - 0.1 \times 0.2 - 0.1 \times 0.3 - 0.2 \times 0.3}$ का मान क्या होगा?

A. 60 B. 0.6
C. 0.06 D. 0.006

10. यदि $x^2 + y^2 - 2x + 6y + 10 = 0$ हो, तो $(x^2 + y^2)$ का मान होगा :

A. 4 B. 6
C. 8 D. 10

11. यदि $a = 25, b = 15, c = -10$, तो व्यंजक $\dfrac{a^3 + b^3 + c^3 - 3abc}{(a-b)^2 + (b-c)^2 + (c-a)^2}$ का मान क्या होगा?

A. 30 B. –15
C. –30 D. 15

12. यदि $a^2 + b^2 + c^2 = 2(a - b - c) - 3$, तो $(a - b + c)$ का मान क्या होगा?

A. –1 B. 3
C. 1 D. –2

13. यदि $x^2 + 3x + 1 = 0$, तो $x^3 + \dfrac{1}{x^3}$ का मान क्या होगा?

A. –18 B. 18
C. 36 D. –36

14. यदि $x^a . x^b . x^c = 1$, तो $a^3 + b^3 + c^3$ का मान क्या होगा?

A. 9 B. abc
C. $a + b + c$ D. $3abc$

15. यदि a, b, c तीन शून्येतर वास्तविक संख्याएँ हैं और $a + b + c = 0$ तथा $b^2 \neq ca$, तो $\dfrac{a^2 + b^2 + c^2}{b^2 - ca}$ का मान क्या होगा?

A. 3 B. 2
C. 0 D. 1

16. यदि $a^4 + a^2b^2 + b^4 = 8$ और $a^2 + ab + b^2 = 4$, तो ab का मान क्या होगा?

A. –1 B. 0
C. 2 D. 1

17. यदि $a + b + c = 2$ और $ab + bc + ca = -1$, तो $(a + b)^2 + (b + c)^2 + (c + a)^2$ का मान क्या होगा?

A. 5 B. 10
C. 15 D. 25

18. यदि $x + y + z = 1, xy + yz + zx = -1, xyz = -1$, तो $x^3 + y^3 + z^3$ है :

A. –2 B. –1
C. 0 D. 1

19. यदि $x^2 + y^2 + z^2 = xy + yz + zx, (x \neq 0)$, $\dfrac{4x + 2y - 3z}{2x}$ का मान क्या होगा?

A. 0 B. 1
C. $\dfrac{3}{2}$ D. $\dfrac{1}{2}$

20. यदि $2x + \dfrac{1}{3x} = 6$ हो, तो $3x + \dfrac{1}{2x}$ का मान क्या होगा?

A. 4 B. 8
C. 9 D. 12

21. यदि $x + \dfrac{1}{16x} = 1$, तो $64x^3 + \dfrac{1}{64x^3}$ का मान क्या होगा?

A. 4 B. 52
C. 64 D. 76

22. यदि $x\left(3 - \dfrac{2}{x}\right) = \dfrac{3}{x}, x \neq 0$, तो $x^2 + \dfrac{1}{x^2}$ का मान क्या होगा?

A. $2\frac{1}{3}$ B. $2\frac{2}{3}$
C. $2\frac{4}{9}$ D. $2\frac{5}{9}$

23. यदि $\sqrt{x} + \dfrac{1}{\sqrt{x}} = 5$ हो, तो $x^2 + \dfrac{1}{x^2}$ का मान क्या होगा?

A. 250 B. 525
C. 527 D. 725

24. यदि $x = a(b - c)$, $y = b(c - a)$, $z = c(a - b)$ हो, तो व्यंजक $\left(\frac{x}{a}\right)^3 + \left(\frac{y}{b}\right)^3 + \left(\frac{z}{c}\right)^3$ का मान क्या होगा?

A. $x + y + z$ B. abc
C. $\frac{3xyz}{abc}$ D. $\frac{3abc}{xyz}$

25. यदि $x = \frac{\sqrt{3}+1}{\sqrt{3}-1}, y = \frac{\sqrt{3}-1}{\sqrt{3}+1}$ हो, तो $x^2 + y^2$ का मान क्या होगा?

A. 3 B. 12
C. 2 D. 14

26. यदि $x + \frac{1}{y} = 1$ तथा $y + \frac{1}{z} = 1$ हो, तो $z + \frac{1}{x} = ?$

A. 0 B. 1
C. 2 D. 4

27. यदि $x^2 + y^2 + z^2 + 2 = 2(y - x)$, तो $x^3 + y^3 + z^3$ का मान है :

A. 0 B. 1
C. 2 D. 3

28. यदि $x + y + z = 0$ हो, तो व्यंजक $\frac{(x+y)(y+z)(z+x)}{xyz}$ का मान क्या होगा?

A. –3 B. –2
C. 0 D. –1

29. यदि $x + y = 2z$ हो, तो व्यंजक $\frac{x}{x-z} + \frac{z}{y-z}$ का मान क्या होगा?

A. 1 B. 4
C. 0 D. 2

30. यदि $a + b + c = 15$ तथा $a^2 + b^2 + c^2 = 77$ हो, तो $ab + bc + ca$ का मान क्या होगा?

A. 72 B. 74
C. 78 D. 92

31. $\frac{(a-b)^2}{(b-c)(c-a)} + \frac{(b-c)^2}{(a-b)(c-a)} + \frac{(c-a)^2}{(a-b)(b-c)}$ का मान क्या होगा?

A. 2 B. 0
C. 3 D. 1

32. यदि $x + \frac{1}{x} = 2$ हो, तो व्यंजक $\left(\sqrt{x} + \frac{1}{\sqrt{x}}\right)$ का मान क्या होगा?

A. $\sqrt{2}$ B. 2
C. $\sqrt{2}+1$ D. –2

33. यदि $x + \frac{1}{x} = 2$ हो, तो व्यंजक $\frac{2x^2+2}{3x^2+5x+3}$ का मान क्या होगा?

A. $\frac{4}{11}$ B. $\frac{1}{2}$
C. $1\frac{3}{4}$ D. $2\frac{1}{3}$

34. यदि $\frac{x}{(b-c)(b+c-2a)} = \frac{y}{(c-a)(c+a-2b)} = \frac{z}{(a-b)(a+b-2c)}$ है, तो $x + y + z$ का मान क्या होगा?

A. $a + b + c$ B. 1
C. 0 D. abc

35. यदि $a^2 = b + c$, $b^2 = c + a$, $c^2 = a + b$ हो, तो $\frac{1}{a+1} + \frac{1}{b+1} + \frac{1}{c+1}$ का मान क्या होगा?

A. 1 B. 2
C. –1 D. 0

36. यदि $a = \frac{x}{x+y}$ तथा $b = \frac{y}{x-y}$ हो, तो $\frac{ab}{a-b}$ का मान क्या होगा?

A. $\frac{xy}{x^2+y^2}$ B. $\frac{x^2+y^2}{xy}$
C. $\frac{xy}{x+y}$ D. $\frac{1}{x+y}$

37. यदि $2x - \frac{1}{3x} = 4$ हो, तो $\left(27x^3 - \frac{1}{8x^3}\right)$ का मान क्या होगा?

A. 91 B. 234
C. 243 D. 242

38. यदि $y + \frac{1}{4y} = 1$, तो $8y^3 + \frac{1}{8y^3}$ का मान क्या होगा?

A. 2 B. 4
C. 6 D. 8

39. यदि $a + \frac{1}{a} + 2 = 0$, तो $\left(a^{37} - \frac{1}{a^{200}}\right)$ का मान क्या होग?

A. 0 B. –2
C. 1 D. 2

40. यदि $x + \frac{1}{x} = 3$ हो, तो $x^8 + \frac{1}{x^8}$ का मान होगा?

A. 2200 B. 2207
C. 2120 D. 0

41. $x^2 - 25$ के गुणनखण्ड होंगे :

A. $(x - 1)(x - 25)$ B. $(x + 25)(x - 1)$
C. $(x + 5)(x - 5)$ D. $(x - 5)(x - 5)$

42. यदि $\left(x - \frac{1}{x}\right)$ का वर्ग किया जाये, तो निम्नलिखित में से क्या मान होगा?

A. $x^2 - 2 - \frac{1}{x^2}$ B. $x^2 - 2 + \frac{1}{x^2}$

C. $x^2 - 4 - \frac{1}{x^2}$ D. $x^2 - 2 + \frac{1}{x}$

43. $36 - 9x^2$ के गुणनखण्ड होंगे :

A. $(6 + 3x)(6 - 3x)$ B. $(3x - 6)(6 - 3x)$

C. $(3x + 6)(3x - 6)$ D. $(12x - 3x)(3 + 3x)$

44. यदि व्यंजक $x^3 + 5x^2 - 2 + k$, $(x - 1)$, से पूर्णतः विभाजित हो, तो k का मान कितना होगा?

A. –3 B. –8

C. –3 D. –4

45. $x^3y^3z^3 - 27$ के गुणनखण्ड क्या होंगे?

A. $(xyz - 3)(x^2y^2z^2 + 3xyz + 9)$

B. $(xyz + 3)(x^2y^2z^2 + 3xy + 9)$

C. $(3 - xyz)(x^2y^2z^2 - 3xyz + 9)$

D. $(xyz - 3)(x^2y^2 + y^2z^2 + z^2x^2)$

46. यदि $2x - 3 = a$ हो, तो $8x^3 - 18ax$ का मान क्या होगा?

A. $a^4 + 16$ B. $a^3 + 27$

C. $a^3 + 64$ D. $a^3 + 125$

47. यदि $x = \sqrt{3}$ हो, तो $x^4 + 2 + \frac{1}{x^4}$ का मान क्या होगा?

A. $\frac{9}{100}$ B. $\frac{81}{100}$

C. $\frac{101}{9}$ D. $\frac{100}{9}$

48. निम्नलिखित में से $(1 + 8x)$ में क्या जोड़ा जाये ताकि व्यंजक पूर्ण वर्ग बन जाये?

A. $8x^2$ B. $9x^2$

C. $16x^2$ D. $25x^2$

49. यदि $(x - 2)$, व्यंजक $x^2 + 2x - a$ का एक गुणनखण्ड हो, तो a का मान क्या होगा?

A. 8 B. 6

C. 11 D. 3

50. $\frac{789 \times 789 - 211 \times 211}{789 - 211}$ का मान कितना होगा?

A. 981 B. 1100

C. 1000 D. 999

उत्तरमाला

1	2	3	4	5	6	7	8	9	10
C	B	D	B	A	B	C	A	B	D
11	**12**	**13**	**14**	**15**	**16**	**17**	**18**	**19**	**20**
D	C	A	D	B	D	B	D	C	C
21	**22**	**23**	**24**	**25**	**26**	**27**	**28**	**29**	**30**
B	C	C	C	D	B	A	D	A	B
31	**32**	**33**	**34**	**35**	**36**	**37**	**38**	**39**	**40**
C	B	A	C	A	A	C	A	B	B
41	**42**	**43**	**44**	**45**	**46**	**47**	**48**	**49**	**50**
C	B	A	D	A	B	D	C	A	C

व्याख्यात्मक उत्तर

1. दिया है, $2x + 3y = 26$ ....(i)

$2y + z = 19$ ....(ii)

तथा $x + 2z = 29$ ....(iii)

समी (i) तथा (ii) से,

$[2x + 3y = 26] \times 2$

$[2y + z = 19] \times 3$

घटाने पर, $4x - 3z = -5$

समी (iii) से, $[x + 2z = 29] \times 4$

घटाने पर, $-11z = -121$

या $z = 11$

$\because$ समी (iii) से, $x + 2z = 29$

$x = 29 - 2 \times 11 = 7$

पुनः समी (iii) से,

$2y + z = 19$

$y = \frac{19 - 11}{2} = 4$

$\therefore$ $x + y + z = 7 + 4 + 11 = 22$

2. $\because$ दिया है $\frac{(x-y)^2}{x^2 - y^2} = 9$

या $\frac{(x-y)^2}{(x+y)(x-y)} = 9$ या $\frac{x-y}{x+y} = 9$

$\therefore$ $\frac{x+y}{x-y} = \frac{1}{9}$

3. $\because \quad \frac{2x}{3}+\frac{y}{2} = 4 \quad ...(i)$

$$\frac{x}{3}-\frac{y}{2} = 1 \quad ...(ii)$$

समी (i) तथा (ii) को जोड़ने पर,

$$\frac{2x}{3}+\frac{x}{3} = 4 + 1$$

$$\Rightarrow \quad x = 5$$

4. $\frac{a^3+b^3+c^3-3abc}{ab+bc+ca-a^2-b^2-c^2}$

$$= \frac{(a+b+c)(a^2+b^2+c^2-ab-bc-ca)}{-(a^2+b^2+c^2-ab-bc-ca)}$$

$$= -(a + b + c) = -(-5 - 6 + 10)$$

$$= -1(-11 + 10) = -1 \times -1 = 1$$

5. दिया है, $a + b + c = 0$

$$\Rightarrow \quad (a + b + c)^2 = 0$$

$$\Rightarrow \quad a^2 + b^2 + c^2 + 2ab + 2bc + 2ca = 0$$

$$\Rightarrow \quad a^2 + b^2 + c^2 = -2(ab + bc + ca)$$

$$\Rightarrow \quad (a^2 + b^2 + c^2)^2 = 4(a^2b^2 + b^2c^2 + c^2a^2 + 2ab^2c + 2bc^2a + 2ca^2b)$$

$$\Rightarrow \quad (a^2 + b^2 + c^2)^2 = 4[a^2b^2 + b^2c^2 + c^2a^2 + 2abc\,(a + b + c)]$$

$$\because \quad a + b + c = 0$$

$$\Rightarrow \quad (a^2 + b^2 + c^2)^2 = 4(a^2b^2 + b^2c^2 + c^2a^2)$$

$$\Rightarrow \quad \frac{(a^2+b^2+c^2)^2}{a^2b^2+b^2c^2+c^2a^2} = \frac{4(a^2b^2+b^2c^2+c^2a^2)}{(a^2b^2+b^2c^2+c^2a^2)} = 4$$

6. $x + y + z = 1 - 3 + 2$

$$\therefore \quad x + y + z = 0$$

$$\therefore \quad x^3 + y^3 + z^3 = 3xyz$$

$$\Rightarrow \quad x^2 - yz = [-(y + z)]^2 - yz$$

$$= y^2 + 2yz + z^2 - yz$$

$$= y^2 + yz + z^2$$

$$x^2 + y^2 + z^2 = [-(y + z)]^2 + y^2 + z^2 \quad [\because x = -(y + z)]$$

$$= y^2 + z^2 + 2yz + y^2 + z^2$$

$$= 2(y^2 + z^2 + yz)$$

$$\therefore \quad (x^3+y^3+z^3)\cdot\frac{(x^2-yz)}{(y^2+y^2+z^2)}$$

$$= \frac{3xyz(y^2+yz+z^2)}{2(y^2+yz+z^2)}$$

$$= \frac{3\times1\times(-3)\times2}{2} = -9$$

7. माना $a = 15$, $b = 4.7$ तथा $c = 3.8$ तब

प्रश्नानुसार,

$$\frac{a^3+b^3+c^3-3abc}{a^2+b^2+c^2-ab-bc-ca}$$

$$\Rightarrow \quad \frac{(a+b+c)(a^2+b^2+c^2-ab-bc-ca)}{(a^2+b^2+c^2-ab-bc-ca)}$$

$$a + b + c = 1.5 + 4.7 + 3.8 = 10.0$$

8. $\frac{(0.22)^3+(0.11)^3+(0.32)^3}{(0.66)^3+(0.96)^3+(0.33)^3} + \frac{(0.32)^3+(0.45)^3-(0.77)^3}{81(0.32)(0.45)+(0.77)}$

$$= \frac{(0.22)^3+(0.11)^3+(0.32)^3}{(3\times0.22)^3+(3\times0.32)^3+(3\times0.11)^3} + \frac{(0.32)^3+(0.45)^3-(0.77)^3}{81(0.32)(0.45)(0.77)}$$

$$= \frac{1}{27}\left[\frac{(0.22)^3+(0.11)^3+(0.32)^3}{(0.22)^3+(0.11)^3+(0.32)^3}\right] + \frac{(0.32)^3+(0.45)^3-(0.77)^3}{81(0.32)(0.45)(0.77)}$$

माना $a = 0.32$, $b = 0.45$ तथा $c = -0.77$

तब $a + b + c = 0.32 + 0.45 - 0.77 = 0$

$$\therefore \quad a^3 + b^3 + c^3 = 3abc$$

$$\Rightarrow \quad \frac{1}{27}+\frac{3(0.32)(0.45)(-0.77)}{81(0.32)(0.45)(0.77)}$$

$$\Rightarrow \quad \frac{1}{27}-\frac{1}{27} = 0$$

9. माना $a = 0.1$, $b = 0.2$ तथा $c = 0.3$ तब

प्रश्नानुसार,

$$= \frac{a^3+b^3+c^3-3abc}{a^2+b^2+c^2-ab-bc-ca}$$

$$= \frac{(a+b+c)(a^2+b^2+c^2-ab-bc-ca)}{(a^2+b^2+c^2-ab-bc-ca)}$$

$$= a + b + c$$

$$= 0.1 + 0.2 + 0.3$$

$$= 0.6$$

10. $x^2 + y^2 - 2x + 6y + 10 = 0$

$$\Rightarrow \quad x^2 - 2x + 1 + y^2 + 6y + 9 = 0$$

$$\Rightarrow \quad (x - 1)^2 + (y + 3)^2 = 0$$

$\Rightarrow \quad x = 1$ तथा $y = -3$

$$\therefore \quad x^2 + y^2 = (1)^2 + (-3)^2$$

$$= 1 + 9 = 10$$

11. $\because \quad a^3 + b^3 + c^3 - 3abc$

$$= \frac{1}{2}(a+b+c)[(a-b)^2+(b-c)^2+(c-a)^2]$$

$$\therefore \quad \frac{a^3+b^3+c^3-3abc}{(a-b)^2+(b-c)^2+(c-a)^2}$$

$$= \frac{\frac{1}{2}(a+b+c)[(a-b)^2+(b-c)^2+(c-a)^2]}{(a-b)^2+(b-c)^2+(c-a)^2}$$

$= \frac{a+b+c}{2} = \frac{25+15-10}{2}$

$= \frac{30}{2} = 15$

12. $\because \quad a^2 + b^2 + c^2 = 2(a - b - c) - 3$

$\Rightarrow \quad a^2 + b^2 + c^2 = 2a - 2b - 2c - 3$

$\Rightarrow a^2 - 2a + 1 + b^2 + 2b + 1 + c^2 + 2c + 1 = 0$

$\Rightarrow (a - 1)^2 + (b + 1)^2 + (c + 1) = 0$

$\therefore \quad a = 1, b = -1$ तथा $c = -1$

$\therefore \quad a - b + c = 1 + 1 - 1 = 1$

13. $\because \quad x^2 + 3x + 1 = 0$

$x + \frac{1}{x} = -3$

दोनों ओर घन करने पर,

$\left(x + \frac{1}{x}\right)^3 = (-3)^3$

$\Rightarrow \quad x^3 + \frac{1}{x^3} + 3 \cdot x \cdot \frac{1}{x}\left(x + \frac{1}{x}\right) = -27$

$\Rightarrow \quad x^3 + \frac{1}{x^3} + 3 \times -3 = -27$

$\Rightarrow \quad x^3 + \frac{1}{x^3} = 27 + 9 = -18$

14. $\quad x^a \,.\, x^b \,.\, x^c = 1$

$\Rightarrow \quad x^{a+b+c} = x^0$

$\Rightarrow \quad a + b + c = 0$

$\because \quad a + b + c = 0$

$\therefore \quad a^3 + b^3 + c^3 = 3abc$

15. $\quad a + b + c = 0$

या $\quad b^2 = [-(a + c)]^2$

या $\quad b^2 = a^2 + c^2 + 2ac$

$\therefore \quad \frac{a^2 + b^2 + c^2}{b^2 - ca} = \frac{a^2 + b^2 + c^2 + c^2 + 2ac}{a^2 + c^2 + 2ac - ac}$

$= \frac{2[a^2 + c^2 + ac]}{[a^2 + c^2 + ac]} = 2$

16. $\quad a^4 + a^2b^2 + b^4 = 8$

$\Rightarrow \quad a^4 + a^2b^2 + b^4 + a^2b^2 - a^2b^2 = 8$

$\Rightarrow \quad (a^2)^2 + 2a^2b^2 + (b^2)^2 - a^2b^2 = 8$

$\Rightarrow \quad (a^2 + b^2)^2 = 8 + a^2b^2 \quad ...(i)$

$\because \quad a^2 + ab + b^2 = 4$

या $\quad a^2 + b^2 = 4 - ab$

$\therefore$ समी (i) से, $\quad (4 - ab)^2 = 8 + a^2b^2$

$\Rightarrow \quad 16 + a^2b^2 - 8ab = 8 + a^2b^2$

$\Rightarrow \quad 8ab = 8 \Rightarrow ab = 1$

17. $(a + b)^2 + (b + c)^2 + (c + a)^2$

$= a^2 + b^2 + 2ab + b^2 + c^2 + 2bc + c^2 + a^2 + 2ca$

$= 2a^2 + 2b^2 + 2c^2 + 2ab + 2bc + 2ca$

$= 2[a^2 + b^2 + c^2 + ab + bc + ca]$

$= 2[a^2 + b^2 + c^2 + 2(ab + bc + ca) - (ab + bc + ca)]$

$\because \quad (a + b + c)^2 = a^2 + b^2 + c^2 + 2(ab + bc + ca)$

$= 2[(a + b + c)^2 - (ab + bc + ca)]$

$= 2[(2)^2 - (-1)]$

$= 2(4 + 1) = 2 \times 5 = 10$

18. $x^3 + y^3 + z^3 - 3xyz$

$= (x + y + z)(x^2 + y^2 + z^2 - xy - yz - zx)$

$\Rightarrow x^3 + y^3 + z^3 - 3 \times -1 = 1 \times [x^2 + y^2 + z^2 - (-1)]$

$\Rightarrow \quad x^3 + y^3 + z^3 = x^2 + y^2 + z^2 + 1 - 3$

$\Rightarrow \quad x^3 + y^3 + z^3 = x^2 + y^2 + z^2 - 2 \quad ...(i)$

$\because \quad x + y + z = 1$

या $\quad (x + y + z)^2 = (1)^2$

या $\quad x^2 + y^2 + z^2 + 2(xy + yz + zx) = 1$

या $\quad x^2 + y^2 + z^2 + 2 \times -1 = 1$

या $\quad x^2 + y^2 + z^2 = 3$

$\therefore$ समी (i) से, $x^3 + y^3 + z^3 = 3 - 2 = 1$

19. दिए गए व्यंजक में $x = 1, y = 1$ तथा $z = 1$ रखकर देखने पर,

$x^2 + y^2 + z^2 = (1)^2 + (1)^2 + (1)^2 = 3$

तथा $xy + yz + zx = 1 \times 1 + 1 \times 1 + 1 \times 1 = 3$

$\therefore x = 1, y = 1$ तथा $z = 1$ दिए गए व्यंजक को सन्तुलित करते हैं।

$\therefore \quad \frac{4x + 2y - 3z}{2x} = \frac{4 \times 1 + 2 \times 1 - 3 \times 1}{2 \times 1} = \frac{6-3}{2}$

$= \frac{3}{2}$

20. $\because \quad 2x + \frac{1}{3x} = 6$

$\frac{3}{2}$ से दोनों ओर गुणा करने पर,

$\frac{3}{2} \times 2x + \frac{3}{2} \times \frac{1}{3x} = \frac{3}{2} \times 6$

$\Rightarrow \quad 3x + \frac{1}{2x} = 9$

21. $\because \quad x + \frac{1}{16x} = 1$

दोनों ओर 4 से गुणा करने पर,

$4x + \frac{1}{4x} = 4$

पुनः दोनों ओर घन करने पर,

$\left(4x + \frac{1}{4x}\right)^3 = (4)^3$

$\Rightarrow \quad 64x^3 + \frac{1}{64x^3} + 3.4x.\frac{1}{4x}\left(4x + \frac{1}{4x}\right) = 64$

$$\Rightarrow \quad 64x^3 + \frac{1}{64x^3} + 3 \times 4 = 64$$

$$\Rightarrow \quad 64x^3 + \frac{1}{64x^3} = 52$$

22. $$x\left(3 - \frac{2}{x}\right) = \left(\frac{3}{x}\right)$$

$$\Rightarrow \quad 3x - 2 = \frac{3}{x}$$

$$\Rightarrow \quad 3x - \frac{3}{x} = 2$$

$$\Rightarrow \quad x - \frac{1}{x} = \frac{2}{3}$$

दोनों ओर वर्ग करने पर,

$$\left(x - \frac{1}{x}\right)^2 = \left(\frac{2}{3}\right)^2$$

$$\Rightarrow \quad x^2 + \frac{1}{x^2} - 2 \cdot x \cdot \frac{1}{x} = \frac{4}{9}$$

$$\Rightarrow \quad x^2 + \frac{1}{x^2} = \frac{4}{9} + 2 = \frac{22}{9} = 2\frac{4}{9}$$

23. $\because$ $$\sqrt{x} + \frac{1}{\sqrt{x}} = 5$$

$$\Rightarrow \quad \left(\sqrt{x} + \frac{1}{\sqrt{x}}\right)^2 = (5)^2$$

$$\therefore \quad x + 2.\sqrt{x}.\frac{1}{\sqrt{x}} + \frac{1}{x} = 25$$

$$\therefore \quad x + 2 + \frac{1}{x} = 25$$

$$\Rightarrow \quad x + \frac{1}{x} = 25 - 2 = 23$$

$$\therefore \quad \left(x + \frac{1}{x}\right)^2 = (23)^2$$

$$\Rightarrow \quad x^2 + 2 \cdot x \cdot \frac{1}{x} + \frac{1}{x^2} = 529$$

$$\therefore \quad x^2 + 2 + \frac{1}{x^2} = 529$$

$$\Rightarrow \quad x^2 + \frac{1}{x^2} = 529 - 2$$

$$x^2 + \frac{1}{x^2} = 527$$

24. $$x = a(b - c) \Rightarrow \frac{x}{a} = b - c$$

$$y = b(c - a) \Rightarrow \frac{y}{b} = c - a$$

तथा $$z = c(a - b)$$

$$\Rightarrow \quad \frac{z}{c} = a - b$$

$$\therefore \quad \frac{x}{a} + \frac{y}{b} + \frac{z}{c} = b - c + c - a + a - b = 0$$

$$\Rightarrow \quad \left(\frac{x}{a} + \frac{y}{b} + \frac{z}{c}\right)^3 = 0$$

$$\therefore \quad \frac{x^3}{a^3} + \frac{y^3}{b^3} + \frac{z^3}{c^3} = 3 \cdot \frac{x}{a} \cdot \frac{y}{b} \cdot \frac{z}{c}$$

$$= \frac{3xyz}{abc} \qquad [\because a + b + c = 0)$$

25. $$x = \frac{\sqrt{3}+1}{\sqrt{3}-1} = \frac{(\sqrt{3}+1) \times (\sqrt{3}+1)}{(\sqrt{3}-1)(\sqrt{3}+1)} = \frac{3+1+2\sqrt{3}}{2}$$

$$= 2 + \sqrt{3}$$

तथा $$y = \frac{\sqrt{3}-1}{\sqrt{3}+1} = \frac{(\sqrt{3}-1) \times (\sqrt{3}-1)}{(\sqrt{3}+1)(\sqrt{3}-1)}$$

$$= \frac{3+1-2\sqrt{3}}{2} = 2 - \sqrt{3}$$

$$\therefore \quad x^2 + y^2 = (2+\sqrt{3}) + (2-\sqrt{3})^2$$

$$= 4 + 3 + 2.2\sqrt{3} + 4 + 3 - 2.2\sqrt{3}$$

$$= 7 + 7 = 14$$

26. $$x + \frac{1}{y} = 1$$

$$\Rightarrow \quad xy + 1 = y$$

$$\Rightarrow \quad x = \frac{y-1}{y}$$

$$\Rightarrow \quad \frac{1}{x} = \frac{y}{y-1}$$

तथा $$y + \frac{1}{z} = 1$$

$$\Rightarrow \quad zy + 1 = z$$

$$\Rightarrow \quad z = \frac{1}{1-y}$$

$$\therefore \quad z + \frac{1}{x} = \frac{1}{1-y} + \frac{y}{y-1}$$

$$= \frac{1-y}{1-y} = 1$$

27. $$x^2 + y^2 + z^2 + 2 = 2(y - x)$$

$$\Rightarrow \quad x^2 + y^2 + z^2 + 2 = 2y - 2x$$

$$\Rightarrow \quad x^2 + 2x + 1 + y^2 - 2y + 1 + z^2 = 0$$

$$\Rightarrow \quad (x + 1)^2 + (y - 1)^2 + (z - 0)^2 = 0$$

$$\therefore \quad x = -1, y = 1 \text{ तथा } z = 0$$

तब $x^3 + y^3 + z^3 = (-1)^3 + (1)^3 + (0)^3$
$= -1 + 1 + 0 = 0$

28. $x + y + z = 0 \Rightarrow x + y = -z$
$x + y + z = 0 \Rightarrow y + z = -x$
तथा $x + y + z = 0 \Rightarrow z + x = -y$

$\therefore \dfrac{(x+y)(y+z)(z+x)}{xyz} = \dfrac{(-z)\cdot(-x)\cdot(-y)}{xyz} = -1$

29. $\because$ $x + y = 2z$
या $x - z = z - y$

$\therefore \dfrac{x}{x-z} + \dfrac{z}{y-z} = \dfrac{x}{x-z} - \dfrac{z}{y-z}$

$= \dfrac{x-z}{x-z} = 1 \qquad (\because z - y = x - z)$

30. $\because$ $(a + b + c)^2 = a^2 + b^2 + c^2 + 2(ab + bc + ca)$

$\therefore ab + bc + ca = \dfrac{(a+b+c)^2 - (a^2+b^2+c^2)}{2}$

$= \dfrac{(15)^2 - 77}{2} = \dfrac{225-77}{2}$

$= \dfrac{148}{2} = 74$

31. $\dfrac{(a-b)^3}{(a-b)(b-c)(c-a)} + \dfrac{(b-c)^3}{(a-b)(b-c)(c-a)} + \dfrac{(c-a)^3}{(a-b)(b-c)(c-a)}$

$= \dfrac{(a-b)^3 + (b-c)^3 + (c-a)^3}{(a-b)(b-c)(c-a)}$

$\because (a - b) + (b - c) + (c - a) = 0$
तब माना $a - b = x$, $b - c = y$ तथा $c - a = z$

$\therefore \dfrac{x^3 + y^3 + z^3}{xyz} = \dfrac{3xyz}{xyz} = 3 \qquad (\because x + y + z = 0)$

32. $\left(\sqrt{x} + \dfrac{1}{\sqrt{x}}\right)^2 = x + \dfrac{1}{x} + 2\cdot\sqrt{x}\cdot\dfrac{1}{\sqrt{x}}$

$\Rightarrow \sqrt{x} + \dfrac{1}{\sqrt{x}} = \sqrt{x + \dfrac{1}{x} + 2}$

$= \sqrt{2+2} = \sqrt{4} = 2$

33. $x + \dfrac{1}{x} = 2$

$\Rightarrow x^2 + 1 = 2x$
$\Rightarrow 3x^2 + 3 = 6x$

$\therefore \dfrac{2x^2+2}{3x^2+5x+3} = \dfrac{2(x^2+1)}{3x^2+3+5x}$

$= \dfrac{2\times 2x}{6x+5x} = \dfrac{4x}{11x} = \dfrac{4}{11}$

34. माना कि $\dfrac{x}{(b-c)(b+c-2a)} = \dfrac{y}{(c-a)(c+a-2b)}$

$= \dfrac{z}{(a-b)(a+b-2c)} = k$

$\therefore$ $x = k(b - c)(b + c - 2a)$ ...(i)
$y = k(c - a)(c + a - 2b)$ ...(ii)
$z = k(a - b)(a + b) - 2c)$ ...(iii)

तीनों समीकरणों को जोड़ने पर,

$x + y + z = k[(b - c)(b + c - 2a)$
$+ (c - a)(c + a - 2b) + (a - b)(a + b - 2c)]$
$= k[(b^2 - c^2)(b - c)2a + (c^2 - a^2)$
$- 2b(c - a) + (a^2 - b^2) - 2c\ (a - b)]$
$\Rightarrow x + y + z = k[\{b^2 - c^2) + (c^2 - a^2) + (a^2 - b^2)\}$
$- 2\{a(b - c) + b(c - a) + c(a - b)\}]$
$= k[0 - 2 \times 0]$
$\therefore x + y + z = 0$

35. $a^2 = b + c$, $b^2 = c + a$, $c^2 = a + b$
$\Rightarrow$ $a + a^2 = a + b + c$, $b + b^2$
$= b + c + a$, $c + c^2 = c + a + b$
$\Rightarrow$ $a(a + 1) = a + b + c$, $b(b + 1) = a + b + c$,
$c(c + 1) = a + b + c$

$\Rightarrow a + 1 = \dfrac{a+b+c}{a}, b+1 = \dfrac{a+b+c}{b},$

$c + 1 = \dfrac{a+b+c}{a}$

$\therefore \dfrac{1}{a+1} + \dfrac{1}{b+1} + \dfrac{1}{c+1}$

$= \dfrac{1}{\dfrac{a+b+c}{a}} + \dfrac{1}{\dfrac{a+b+c}{b}} + \dfrac{1}{\dfrac{a+b+c}{c}}$

$= \dfrac{a}{a+b+c} + \dfrac{b}{a+b+c} + \dfrac{c}{a+b+c}$

$= \dfrac{a+b+c}{a+b+c} = 1$

36. $a = \dfrac{x}{x+y}, b = \dfrac{y}{x-y}$

$\Rightarrow \dfrac{ab}{a+b} = \dfrac{\left(\dfrac{x}{x+y}\right)\left(\dfrac{y}{x-y}\right)}{\left(\dfrac{x}{x+y}\right) + \left(\dfrac{y}{x-y}\right)}$

$= \dfrac{xy}{(x+y)(x-y)} \times \dfrac{(x+y)(x-y)}{x(x-y)+y(x+y)}$

$= \dfrac{xy}{x^2 - xy + xy + y^2} = \dfrac{xy}{x^2+y^2}$

37. $\because\ 2x - \frac{1}{3x} = 4$

दोनों ओर $\frac{3}{2}$ से गुणा करने पर,

$$\frac{3.2x}{2} - \frac{3}{2}\cdot\frac{1}{3x} = 4 \times \frac{3}{2}$$

$$3x - \frac{1}{2x} = 6$$

पुनः दोनों तरफ घन करने पर,

$$\left(3x - \frac{1}{2x}\right)^3 = (6)^3$$

$$\Rightarrow\ 27x^3 - \frac{1}{8x^3} - 3\cdot 3x\cdot\frac{1}{2x}\left(3x - \frac{1}{2x}\right) = 216$$

$$\Rightarrow\ 27x^3 - \frac{1}{8x^3} - \frac{9}{2}\times 6 = 216$$

$$\Rightarrow\ 27x^3 - \frac{1}{8x^3} = 216 + 27 = 243$$

38. $y + \frac{1}{4y} = 4$

दोनों ओर 2 से गुणा करने पर,

$$2y + \frac{1}{2y} = 2$$

पुनः दोनों ओर घन करने पर,

$$\left(2y + \frac{1}{2y}\right) = (2)^3$$

$$\Rightarrow 8y^3 + \frac{1}{8y^3} + 3\cdot 2y\cdot\frac{1}{2y}\left(2y + \frac{1}{2y}\right) = 8$$

$$\Rightarrow\ 8y^3 + \frac{1}{8y^3} + 3\times 2 = 8$$

$$\Rightarrow\ 8y^3 + \frac{1}{8y^3} = 8 - 6 = 2$$

39. $a + \frac{1}{a} + 2 = 0$

$\Rightarrow\ a^2 + 1 + 2a = 0$

$\Rightarrow\ (a + 1)^2 = 0$

$\Rightarrow\ a = -1$

$$\therefore\ a^{37} - \frac{1}{a^{200}} = (-1)^{37} - \frac{1}{(-1)^{200}} = -1 - 1 = -2$$

40. $x + \frac{1}{x} = 3$

दोनों ओर वर्ग करने पर,

$$\left(x + \frac{1}{x}\right)^2 = (3)^2$$

$$\Rightarrow\ x^2 + \frac{1}{x^2} + 2\cdot x\cdot\frac{1}{x} = 9$$

$$\Rightarrow\ x^2 + \frac{1}{x^2} = 9 - 2 = 7$$

पुनः दोनों ओर वर्ग करने पर,

$$\left(x^2 + \frac{1}{x^2}\right) = (7)^2$$

$$\Rightarrow\ x^4 + \frac{1}{x^4} + 2\cdot x^2\cdot\frac{1}{x^2} = 49$$

$$\Rightarrow\ x^4 + \frac{1}{x^4} = 49 - 2 = 47$$

पुनः दोनों ओर वर्ग करने पर,

$$\left(x^4 + \frac{1}{x^4}\right) = (47)^2$$

$$\Rightarrow\ x^8 + \frac{1}{x^8} + 2\cdot x^4\cdot\frac{1}{x^4} = 2209$$

$$\Rightarrow\ x^8 + \frac{1}{x^8} = 2209 - 2 = 2207$$

41. $x^2 - 25 = (x)^2 - (5)^2$,

[जोकि $a^2 - b^2$ के रूप में है]

$= (x + 5)(x - 5)$.

42. प्रश्नानुसार,

$$\left(x - \frac{1}{x}\right) \text{ का वर्ग} = \left(x - \frac{1}{x}\right)^2$$

$$= x^2 - 2.x.\frac{1}{x} + \left(\frac{1}{x}\right)^2 = x^2 - 2 + \frac{1}{x^2}.$$

43. $\because\ 36 - 9x^2 = (6)^2 - (3x)^2$

[जोकि $a^2 - b^2$ के रूप में है]

$= (6 + 3x)(6 - 3x)$.

44. $\because$ व्यंजक $x^3 + 5x^2 - 2 + k$, $(x - 1)$ से पूर्णतः विभाजित है

$\therefore$ व्यंजक में $x = 1$ रखने पर शेषफल शून्य आयेगा।

$\therefore\ (1)^3 + 5(1)^2 - 2 + k = 0$

$\Rightarrow\ 1 + 5 - 2 + k = 0$

$\Rightarrow\ 4 + k = 0$

$\Rightarrow\ k = -4$

अतः k का मान -4 होगा।

45. $\because\ x^3y^3z^3 - 27 = (xyz)^3 - (3)^3$ [जोकि $a^3 - b^3$ के रूप में है]

$= (xyz - 3)[(xyz)^2 + xyz.3 + (3)^2]$

$= (xyz - 3)(x^2y^2z^2 + 3xyz + 9)$.

46. $\because \quad 2x - 3 = a$

$\Rightarrow \quad 2x = a + 3 \Rightarrow x = \dfrac{a+3}{2}$

$\because \quad 8x^3 - 18ax = 8.\left(\dfrac{a+3}{2}\right)^3 - 18a.\left(\dfrac{a+3}{2}\right)$

$= (a+3)^3 - 9a.(a+3)$

$= a^3 + 3.a.3(a+3) + 3^3 - 9a(a+3)$

$= a^3 + 9a(a+3) + 27 - 9a(a+3)$

$= (a^3 + 27).$

47. $\because \quad x^4 + 2 + \dfrac{1}{x^4} = (x^2)^2 + 2.x^2.\dfrac{1}{x^2} + \left(\dfrac{1}{x^2}\right)^2$

$= \left(x^2 + \dfrac{1}{x^2}\right)^2$

$\therefore x = \sqrt{3}$ रखने पर,

$= \left((\sqrt{3})^2 + \dfrac{1}{(\sqrt{3})^2}\right)^2 = \left(3 + \dfrac{1}{3}\right)^2$

$= \left(\dfrac{10}{3}\right)^2 = \dfrac{100}{9}.$

48. $\because$ विद्यार्थियों को स्मरण रहना चाहिए कि कोई त्रिपद व्यंजक तभी पूर्ण वर्ग होगा जब उसके दो पद स्वयं पूर्ण वर्ग एवं धनात्मक हों तथा तीसरा पद उन दोनों के वर्गमूलों के गुणनफल का दुगुना हो।

अतः स्पष्ट है कि $1 + 8x$ में $16x^2$ जोड़कर $16x^2 + 8x + 1$ के रूप में परिवर्तित करने पर व्यंजक $(4x)^2 + 2.4x.1 + (1)^2$ के रूप में होगा जोकि पूर्ण वर्ग है।

49. $\because (x - 2)$, व्यंजक $x^2 + 2x - a$ का एक गुणनखण्ड है।

$\therefore$ व्यंजक में $x = 2$ रखने पर शेषफल शून्य आयेगा।

$\therefore \quad (2)^2 + 2.(2) - a = 0$

या $\quad 4 + 4 - a = 0 \Rightarrow a = 8$

अतः a का मान 8 होगा।

50. $\because$ माना कि $789 = a, 211 = b$

$\therefore \quad \dfrac{789 \times 789 - 211 \times 211}{789 - 211} = \dfrac{a^2 - b^2}{a - b}$

$= \dfrac{(a+b)(a-b)}{a-b} = a + b$

a तथा b का मान रखने पर,

$\therefore \quad a + b = 789 + 211 = 1000.$

❑❑❑❑❑

8

रैखिक समीकरण

Linear Equations

रैखिक समीकरण (Linear Equation)

रैखिक बहुपद वाली समीकरण जिसमें चर राशि की घात एक हो, ऐसी समीकरण को रैखिक समीकरण कहते हैं।

एक चर वाली रैखिक समीकरण

जिस रैखिक बहुपद समीकरण में चरों की संख्या एक होती है, उसे एक चर वाली रैखिक समीकरण कहते हैं।

उदाहरण : $2x + 3 = 7, y + 7 = 10$

दो चर वाली रैखिक समीकरण

जिस रैखिक बहुपद समीकरण में चरों की संख्या दो होती हैं, उसे दो चर वाली रैखिक समीकरण या द्विचर समीकरण कहते हैं।

उदाहरण : $3x + 4y = 7, 4x + 3y = 9$

रैखिक समीकरण के चरों का मान ज्ञात करने की विधि

(i) **विलोपन विधि :** इस विधि के निम्न चरण हैं :

चरण 1 : दिए गए समीकरणों के गुणांकों से एक उचित संख्या की इस प्रकार गुणा करते हैं कि दोनों समीकरणों के किसी एक चर के गुणांक बराबर हो जाएँ।

चरण 2 : चरण 1 से प्राप्त समीकरणों को घटाने या जोड़ने पर कोई एक चर नष्ट हो जाता है तथा दूसरे चर का मान प्राप्त हो जाता है।

चरण 3 : प्राप्त चर के मान को किसी एक समीकरण में रखने पर दूसरे चर का मान प्राप्त हो जाता है।

(ii) **प्रतिस्थापन विधि :** माना दो समीकरण

$$ax + by = n$$

तथा $cx + dy = m$ है, तब

$$x = \frac{bm - dn}{cb - ad}$$

तथा

$$y = \frac{am - cn}{ad - cb}$$

अभ्यास प्रश्न

1. दो संख्याओं का योग 80 है। यदि बड़ी संख्या, छोटी संख्या के चार गुने से 5 अधिक हो, तो बड़ी संख्या व छोटी संख्या का मान क्रमशः कितना होगा?

A. 50, 30　　B. 45, 35
C. 65, 15　　D. 15, 65

2. दो अंकों की एक संख्या अपने अंकों के योग का 6 गुनी है। यदि इकाई के अंक से 2 तथा दहाई के अंक से 1 घटा दिया जाये तो इस प्रकार प्राप्त संख्या का मान अपने अंकों के योग का सात गुना हो जाता है, तो वह संख्या कौन-सी होगी?

A. 54　　B. 64
C. 68　　D. 70

3. यदि किसी भिन्न के अंश तथा हर में क्रमशः 1 जोड़ दिया जाए तो भिन्न का मान $\frac{7}{8}$ हो जाता है और यदि भिन्न के अंश तथा हर में क्रमशः 1 घटा दिया जाए तो भिन्न का मान $\frac{6}{7}$ हो जाता है। तो उस भिन्न का मान कितना होगा?

A. $\frac{13}{14}$　　B. $\frac{21}{16}$
C. $\frac{26}{15}$　　D. $\frac{13}{15}$

4. 7 वर्ष पूर्व कमलकान्त की आयु गुलशन की आयु की सात गुनी थी और 3 वर्ष पश्चात् कमलकान्त की आयु गुलशन की आयु की तीन गुनी हो जाएगी। तो कमलकान्त तथा गुलशन की वर्तमान आयु क्रमशः कितनी होगी?

A. 12 वर्ष, 42 वर्ष　　B. 6 वर्ष, 21 वर्ष
C. 8 वर्ष, 24 वर्ष　　D. 10 वर्ष, 40 वर्ष

5. 4 कुर्सियों तथा 7 मेजों का मूल्य ₹ 360 है और 6 कुर्सियों तथा 10 मेजों का मूल्य ₹ 520 है तो एक कुर्सी तथा एक मेज का मूल्य क्रमशः होगा?

A. ₹ 15, ₹ 30 B. ₹ 20, ₹ 40
C. ₹ 18, ₹ 36 D. ₹ 20, ₹ 45

6. एक क्राकरी विक्रेता एक टी सेट 5% हानि पर तथा लेमन सेट 25% लाभ पर बेचता है तो उसे ₹ 15 का लाभ प्राप्त होता है। यदि वह टी सेट 10% लाभ पर तथा लेमन सेट को भी 10% लाभ पर बेचता है तो उसे ₹ 18 का लाभ होता है। टी सेट तथा लेमन सेट का क्रमशः वास्तविक मूल्य क्या होगा?

A. ₹ 100, ₹ 80 B. ₹ 80, ₹ 100
C. ₹ 100, ₹ 60 D. ₹ 150, ₹ 100

7. एक आदमी तथा एक औरत किसी कार्य को 24 दिन में पूरा कर सकते हैं। उसी कार्य को दो आदमी तथा सात औरतें 6 दिन में पूरा करते हों तो एक आदमी तथा एक औरत अलग-अलग उस कार्य को क्रमशः कितने दिनों में पूरा कर सकते हैं?

A. 80 दिन, 60 दिन B. 40 दिन, 60 दिन
C. 50 दिन, 60 दिन D. 52 दिन, 72 दिन

8. ₹ 2100 दो फर्म x तथा y में इस प्रकार लगाए गए कि फर्म x, 4% ब्याज तथा फर्म y, 5% ब्याज के रूप में अदा करती है। इस प्रकार दोनों फर्मों से प्राप्त वार्षिक ब्याज ₹ 96 हो, तो प्रत्येक फर्म में क्रमशः कितने-कितने रुपये लगाये?

A. ₹ 800, ₹ 1100 B. ₹ 900, ₹ 1300
C. ₹ 900, ₹ 1200 D. ₹ 800, ₹ 1500

9. एक खेत की लम्बाई इसकी चौड़ाई की दुगुनी है। यदि लम्बाई 5 मी. घटा दी जाए तथा चौड़ाई 3 मी. बढ़ा दी जाए तो क्षेत्रफल में कोई अन्तर नहीं पड़ता। खेत की लम्बाई व चौड़ाई क्रमशः कितनी होगी?

A. 30 मी., 15 मी. B. 20 मी., 40 मी.
C. 60 मी., 30 मी. D. 18 मी., 19 मी.

10. एक आयताकार खेत की लम्बाई 3 मी. बढ़ा दी जाए तथा चौड़ाई 3 मी. घटा दी जाए तो उसका क्षेत्रफल 18 वर्ग मी. घट जाता है और यदि उसकी लम्बाई 7 मी. बढ़ा दी जाए तथा चौड़ाई 5 मी. घटा दी जाए तो क्षेत्रफल में कोई अन्तर नहीं पड़ता। खेत की लम्बाई व चौड़ाई क्रमशः कितनी होगी?

A. 18 मी., 15 मी. B. 21 मी., 18 मी.
C. 28 मी., 25 मी. D. 32 मी., 28 मी.

11. एक मोटर वोट 6 घंटे में नदी के प्रवाह की दिशा में 100 किमी. जाकर 30 किमी. वापस आ जाती है। यदि मोटर वोट 8 घंटे में नदी के प्रवाह के विरुद्ध 75 किमी. जाकर अपने स्थान पर लौट आती हो, तो मोटर वोट की चाल कितनी होगी?

A. 18 किमी./घंटा B. 32 किमी./घंटा
C. 25 किमी./घंटा D. 20 किमी./घंटा

12. पिता की आयु अपने पुत्र की आयु की तीन गुनी है। 5 वर्ष बाद पिता की आयु का दो गुना पुत्र की आयु का पांच गुना हो जाएगा। पिता तथा पुत्र की वर्तमान आयु क्रमशः कितनी होगी?

A. 45 वर्ष, 15 वर्ष B. 60 वर्ष, 20 वर्ष
C. 54 वर्ष, 18 वर्ष D. 36 वर्ष, 12 वर्ष

13. एक आदमी बहाव की ओर 6 किमी./घंटे की रफ्तार से तथा बहाव के विपरीत दिशा में 2 किमी./घंटे की रफ्तार से तैर सकता हो, तो ठहरे हुए पानी में आदमी की रफ्तार क्या होगी?

A. $3\frac{1}{2}$ किमी./घंटा B. $2\frac{1}{2}$ किमी./घंटा
C. 5 किमी./घंटा D. 4 किमी./घंटा

14. एक संख्या में तीन अंक हैं जिनका योगफल 10 है तथा उस संख्या के मध्य का अंक शेष दो अंकों के योग के बराबर है। यदि पहले तथा तीसरे अंकों को आपस में बदल दिया जाये तो संख्या का मान 99 बढ़ जाता है। उस संख्या को ज्ञात कीजिए?

A. 730 B. 253
C. 154 D. 262

15. यदि किसी वस्तु को ₹ 9 में बेचने पर उतनी ही प्रतिशत हानि उठानी पड़े जितना कि वस्तु का क्रय मूल्य था तो वस्तु का क्रय मूल्य कितना था?

A. ₹ 10 या ₹ 90 B. ₹ 10 या ₹ 100
C. ₹ 90 या ₹ 120 D. ₹ 20 या ₹ 40

16. तरुण और गुलशन दोनों मिलकर किसी काम को 6 दिन में पूरा कर सकते हैं। यदि उसी काम को अकेले तरुण को गुलशन की अपेक्षा 5 दिन कम लगते हों, तो तरुण तथा गुलशन अकेले-अकेले उस काम को क्रमशः कितने दिनों में पूरा करेंगे?

A. 10 दिन, 7 दिन B. 15 दिन, 10 दिन
C. 12 दिन, 15 दिन D. 18 दिन, 16 दिन

17. एक व्यक्ति कुछ दूरी साइकिल पर जाता है। यदि उसकी चाल 3 किमी./घंटा अधिक होती है वह एक निश्चित दूरी 20 मिनट पहले तय कर लेता है। यदि उसकी चाल 3 किमी./घंटा से कम होती है तो वह उस दूरी को 40 मिनट देर से तय करता है। वह दूरी तथा चाल (किमी./घंटा में) क्रमशः कितनी होगी?

A. 12 किमी., 12 किमी./घंटा
B. 18 किमी., 20 किमी./घंटा
C. 32 किमी., 16 किमी./घंटा
D. 20 किमी., 20 किमी./घंटा

18. लवकुश, संजू से कहता है कि यदि तुम मुझे ₹ 5 दे दो तो मेरे और तुम्हारे पास बराबर-बराबर रुपये हो जायेंगे। संजू ने लवकुश को उत्तर दिया कि यदि तुम मुझे ₹ 5 दे दो तो मेरे पास तुमसे दुगुने रुपये हो जायेंगे। दोनों के पास क्रमशः कितने-कितने रुपये थे?

A. ₹ 20, ₹ 40 B. ₹ 25, ₹ 35
C. ₹ 18, ₹ 27 D. ₹ 65, ₹ 75

19. तीन संख्याएँ जो परस्पर अभाज्य हैं, इस प्रकार हैं कि प्रथम दो संख्याओं का गुणनफल 551 है तथा अन्तिम दो संख्याओं का गुणनफल 1073 है। तीनों संख्याओं का योग है :

A. 75 B. 81
C. 85 D. 89

20. पहली संख्या में से दूसरी संख्या घटाने पर 3 प्राप्त होता है तथा पहली संख्या के तीन गुने में से दूसरी संख्या का दोगुना घटाने पर 14 प्राप्त होता है। संख्याएँ क्या हैं?

A. 8, 5 B. 7, 4
C. 6, 3 D. 9, 6

21. दो अंकों वाली एक संख्या इस प्रकार है कि दहाई वाला अंक, इकाई वाले अंक से 2 कम है। इस संख्या के तीन गुने में उस संख्या, जो अंकों के आपस में बदलने से प्राप्त होती है, के 6/7 को जोड़ने पर 108 प्राप्त होता है। संख्या के अंकों का योग है :

A. 8 B. 9
C. 6 D. 7

22. तीन संख्याओं में से, दूसरी संख्या पहली की दोगुनी हैं तथा तीसरी संख्या की तीन गुनी है। यदि तीनों संख्याओं का औसत 44 है, तो पहली और तीसरी संख्याओं का अन्तर है :

A. 24 B. 18
C. 12 D. 6

23. किसी संख्या को जब क्रमिक रूप से 4 और 5 से भाग दिया जाता है, तो शेषफल क्रमशः 1 और 4 आते हैं। जब इसे क्रमिक रूप से 5 से, 4 से भाग दिया जाए, तो शेषफल क्रमशः होंगे :

A. 4, 1 B. 3, 2
C. 2, 3 D. 1, 2

24. 10 वर्ष पूर्व पिता की आयु पुत्र की आयु से तीन गुनी थी। अब से 10 वर्ष पश्चात् पिता की आयु पुत्र की आयु से दोगुनी हो जाएगी, तो उनकी वर्तमान आयु क्या है?

A. 60 वर्ष, 40 वर्ष B. 70 वर्ष, 30 वर्ष
C. 80 वर्ष, 20 वर्ष D. 50 वर्ष, 25 वर्ष

25. माता की आयु अपने बेटे की आयु से तीन गुनी है। 15 वर्ष के पश्चात् माता की आयु बेटे की आयु से दोगुनी होगी, माता की वर्तमान आयु कितने वर्ष है?

A. 30 B. 45
C. 50 D. 60

उत्तरमाला

1	2	3	4	5	6	7	8	9	10
C	A	D	A	B	A	B	C	A	C
11	**12**	**13**	**14**	**15**	**16**	**17**	**18**	**19**	**20**
D	A	D	B	A	B	A	B	C	A
21	**22**	**23**	**24**	**25**					
C	C	C	B	B					

व्याख्यात्मक उत्तर

1. माना कि बड़ी संख्या तथा छोटी संख्या का मान क्रमशः x तथा y है।

प्रश्नानुसार,

$$x + y = 80 \quad .....(i)$$

तथा $$x = 4y + 5 \quad .....(ii)$$

समीकरण (ii) से x का मान समीकरण (i) में रखने पर,

$$4y + 5 + y = 80$$

$$\Rightarrow \quad 5y = 80 - 5 = 75$$

$$\Rightarrow \quad y = \frac{75}{5} = 15$$

y का मान समीकरण (i) में रखने पर, $x + 15 = 80$

$$\Rightarrow \quad x = 80 - 15 = 65$$

$$\Rightarrow \quad x = 65$$

अतः बड़ी संख्या व छोटी संख्या का मान क्रमशः 65 तथा 15 होगा।

2. माना कि दो अंकों की संख्या $= 10x + y$

प्रश्नानुसार, $$(10x + y) = 6(x + y) \quad ....(i)$$

तथा $$10(x - 1) + (y - 2) = 7(x - 1 + y - 2) \quad ....(ii)$$

समीकरण (i) से, $$10x + y = 6x + 6y$$

$$\Rightarrow \quad 4x = 5y \quad ....(iii)$$

समीकरण (ii) से,

$$10x - 10 + y - 2 = 7x + 7y - 21$$

$$\Rightarrow \quad 3x = 6y - 9$$

$$\Rightarrow \quad x = 2y - 3 \quad ....(iv)$$

समीकरण (iv) से x का मान समीकरण (iii) में रखने पर,

$$4(2y - 3) = 5y$$

$$\Rightarrow \quad 8y - 12 = 5y \Rightarrow 3y = 12$$

$$\therefore \quad y = \frac{12}{3} = 4$$

y का समीकरण (iii) में रखने पर,

$$4x = 5 \times 4 \Rightarrow x = 5$$

अतः उस संख्या का मान $= (10 \times 5 + 4 = 54)$ होगा।

3. माना कि उस भिन्न का मान $= \frac{x}{y}$ है

$\therefore$ प्रश्नानुसार, $$\frac{x+1}{y+1} = \frac{7}{8} \quad ....(i)$$

तथा $$\frac{x-1}{y-1} = \frac{6}{7} \quad ....(ii)$$

समी. (*i*) से, $\frac{x+1}{y+1} = \frac{7}{8}$

$\Rightarrow \quad 7y + 7 = 8x + 8$

$\Rightarrow \quad 8x - 7y + 1 = 0 \quad .... (iii)$

समी. (*ii*) से, $\frac{x-1}{y-1} = \frac{6}{7}$

$\Rightarrow \quad 7x - 7 = 6y - 6$

$\Rightarrow \quad 7x - 6y - 1 = 0 \quad .... (iv)$

समीकरण (*iii*) में 6 से तथा समीकरण (*iv*) में 7 से गुणा करके घटाने पर

अर्थात् $48x - 42y + 6 - 49x + 42y + 7 = 0$

$\Rightarrow \quad -x + 13 = 0 \therefore x = 13$

x का मान समीकरण (*i*) में रखने पर, $\frac{13+1}{y+1} = \frac{7}{8}$

$\Rightarrow \quad \frac{14}{y+1} = \frac{7}{8} \Rightarrow y + 1 = 16$

$\Rightarrow \quad y = 15$

अतः उस भिन्न का मान = $\left(\frac{13}{15}\right)$ होगा।

4. माना कि कमलकान्त तथा गुलशन की वर्तमान आयु क्रमशः x वर्ष तथा y वर्ष है

$\therefore$ प्रश्नानुसार, $7(x - 7) = (y - 7) \quad .... (i)$

तथा $3(x + 3) = (y + 3) \quad .... (ii)$

समी. (*i*) से, $7x - 49 = y - 7 \Rightarrow 7x - y = 42 \quad .... (iii)$

समी. (*ii*) से, $3x + 9 = y + 3$

$\Rightarrow \quad 3x - y = -6 \quad .... (iv)$

समी. (*iii*) में से समीकरण (*iv*) घटाने पर,

$7x - y - 3x + y = 42 + 6$

$\Rightarrow \quad 4x = 48 \therefore x = 12$

x का मान समीकरण (*iii*) में रखने पर,

$7 \times 12 - y = 42$

$84 - y = 42 \Rightarrow y = 84 - 42 = 42$

अतः कमलकान्त तथा गुलशन की वर्तमान आयु क्रमशः 12 वर्ष तथा 42 वर्ष है।

5. माना कि एक कुर्सी तथा एक मेज का मूल्य क्रमशः ₹ x तथा ₹ y है

$\therefore$ प्रश्नानुसार, $4x + 7y = 360 \quad .... (i)$

तथा $6x + 10y = 520 \quad .... (ii)$

समीकरण (*i*) में 3 से तथा समीकरण (*ii*) में 2 से गुणा करके घटाने पर,

$3(4x + 7y) - 2(6x + 10y) = 3 \times 360 - 2 \times 520$

$\Rightarrow \quad 12x + 21y - 12x - 20y = 1080 - 1040 \Rightarrow y = 40$

y का मान समीकरण (*i*) में रखने पर,

$4x + 7 \times 40 = 360 \Rightarrow 4x = 360 - 280$

$\Rightarrow \quad 4x = 80 \therefore x = \frac{80}{4} = 20$

अतः एक कुर्सी तथा एक मेज का मूल्य क्रमशः ₹ 20 तथा ₹ 40 है।

6. माना कि टी सेट तथा लेमन सेट का वास्तविक मूल्य क्रमशः ₹ x तथा ₹ y है

प्रश्नानुसार,

(₹ x – ₹ x का 5%) + (₹ y + ₹ y का 25%) = ₹ $(x + y)$ + ₹ 15

$\therefore \left(x - \frac{x}{20}\right) + \left(y + \frac{y}{4}\right) = (x + y) + 15 \therefore -\frac{x}{20} + \frac{y}{4} = 15$

$\Rightarrow \quad 5y - x = 300 \quad .... (i)$

तथा (₹ x + ₹ x का 10%) + (₹ y + ₹ y का 10%)

= ₹ $(x + y)$ + ₹ 18

$\therefore \left(x + \frac{x}{10}\right) + \left(y + \frac{y}{10}\right) = x + y + 18 \therefore \frac{x}{10} + \frac{y}{10} = 18$

$\Rightarrow \quad x + y = 180 \quad ... (ii)$

समीकरण (*i*) व (*ii*) को जोड़ने पर

$5y - x + x + y = 300 + 180$

$\therefore \quad 6y = 480 \Rightarrow y = \frac{480}{6} = 80$

y का मान समीकरण (*i*) में रखने पर,

$5 \times 80 - x = 300$

$\Rightarrow \quad x = 400 - 300 = 100$

अतः टी सेट तथा लेमन सेट का वास्तविक मूल्य क्रमशः ₹ 100 तथा ₹ 80 होगा।

7. माना कि एक आदमी तथा एक औरत उस कार्य को अलग-अलग क्रमशः x दिन तथा y दिन में पूरा कर सकते हैं।

प्रश्नानुसार, $\frac{1}{x} + \frac{1}{y} = \frac{1}{24} \quad .... (i)$

तथा $\frac{2}{x} + \frac{7}{y} = \frac{1}{6} \quad .... (ii)$

समीकरण (*i*) में 7 से गुणा करके समीकरण (*ii*) को घटाने पर,

$\frac{7}{x} + \frac{2}{x} - \frac{2}{x} - \frac{7}{y} = 7 \times \frac{1}{24} - \frac{1}{6}$

$\Rightarrow \quad \frac{5}{x} = \frac{7}{24} - \frac{1}{6} = \frac{3}{24} = \frac{1}{8}$

$\therefore \quad x = 5 \times 8 = 40$

x का मान समीकरण (*i*) में रखने पर,

$\frac{1}{40} + \frac{1}{y} = \frac{1}{24} \Rightarrow \frac{1}{y} = \frac{1}{24} - \frac{1}{40} = \frac{5-3}{120}$

$\therefore \quad \frac{1}{y} = \frac{2}{120} = \frac{1}{60} \Rightarrow y = 60$

अतः एक आदमी तथा एक औरत उस कार्य को अलग-अलग क्रमशः 40 दिनों तथा 60 दिनों में पूरा करेंगे।

8. माना तक फर्म x में ₹ x तथा फर्म y में ₹ y लगाये

प्रश्नानुसार, $x + y = 2100 \quad .... (i)$

तथा ₹ x का 4% + ₹ y का 5% = 96 $\quad .... (ii)$

समीकरण (*ii*) से, $\frac{x}{25}+\frac{y}{20}=96$

$\Rightarrow \quad 4x+5y=9600 \quad \text{.... }(iii)$

समीकरण (*i*) में 5 से गुणा करके समीकरण (*iii*) को घटाने पर,

$5(x+y)-4x-5y=5\times 2100-9600$

$\Rightarrow \quad 5x+5y-4x-5y=10500-9600$

$\Rightarrow \quad x=900$

x का मान समीकरण (*i*) में रखने पर

$900+y=2100 \Rightarrow y=1200$

अतः फर्म x तथा फर्म y में क्रमशः ₹ 900 तथा ₹ 1200 लगाये गये।

9. माना कि खेत की चौड़ाई = x मी.

$\therefore$ खेत की लम्बाई = $2x$ मी. होगी

$\therefore$ खेत का क्षेत्रफल = $2x\times x=2x^2$ मी.

प्रश्नानुसार, $(2x-5)(x+3)=2x^2$

$\therefore \quad 2x^2+6x-5x-15=2x^2 \Rightarrow x=15$

अतः खेत की लम्बाई = $2\times 15=30$ मी.

तथा चौड़ाई = 15 मी. होगी।

10. माना कि आयताकार खेत की लम्बाई व चौड़ाई क्रमशः x मी. तथा y मी. है

प्रश्नानुसार, $(x+3)(y-3)=xy-18 \quad \text{.... }(i)$

तथा $(x+7)(y-5)=xy \quad \text{.... }(ii)$

समीकरण (*i*) से,

$xy-3x+3y-9=xy-18$

$\Rightarrow \quad 3x-3y=9$

$\Rightarrow \quad x-y=3 \quad \text{.... }(iii)$

समीकरण (*ii*) से,

$xy-5x+7y-35=xy$

$\Rightarrow \quad -5x+7y=35 \quad \text{.... }(iv)$

समीकरण (*iii*) में 5 से गुणा करके समीकरण (*iv*) को जोड़ने पर,

$5(x-y)-5x+7y=3\times 5+35$

$\therefore \quad 5x-5y-5x+7y=15+35$

$\Rightarrow \quad 2y=50$

$\Rightarrow \quad y=25$

y का मान समीकरण (*iii*) में रखने पर,

$x-25=3 \Rightarrow x=28$

अतः आयताकार खेत की लम्बाई व चौड़ाई क्रमशः 28 मी. तथा 25 मी. होगी।

11. माना कि मोटर वोट तथा नदी की चाल क्रमशः x किमी./घं तथा y किमी./घं. है

$\therefore$ नदी के प्रवाह की दिशा में मोटर वोट की चाल = मोटर वोट की चाल + नदी की चाल = $x+y$

तथा नदी के प्रवाह के विरुद्ध मोटर वोट की चाल = मोटर वोट की चाल – नदी की चाल = $x-y$

$\therefore$ नदी के प्रवाह की दिशा में मोटर वोट को 100 किमी. दूरी तय करने में लगा समय = $\frac{100}{x+y}$ घं.

तथा नदी के प्रवाह के विरुद्ध मोटर वोट को 30 किमी. दूरी तय करने में लगा समय = $\frac{30}{x-y}$ घं.

प्रश्नानुसार,

$\frac{100}{x+y}+\frac{30}{x-y}=6$ (दिया हुआ है)

$\therefore \quad \frac{50}{x+y}+\frac{15}{x-y}=3 \quad \text{.... }(i)$

इसी प्रकार दूसरी शर्त के अनुसार,

$\frac{75}{x-y}+\frac{75}{x+y}=8 \quad \text{.... }(ii)$

समीकरण (*i*) में 5 से गुणा करके समीकरण (*ii*) को घटाने पर,

$\frac{250}{x+y}+\frac{75}{x-y}-\frac{75}{x-y}-\frac{75}{x+y}=5\times 3-8$

$\therefore \quad \frac{175}{x+y}=15-8$

$\Rightarrow \quad x+y=25 \quad \text{.... }(iii)$

$(x+y)$ का मान समीकरण (*i*) में रखने पर,

$\frac{50}{25}+\frac{15}{x-y}=3 \Rightarrow 2+\frac{15}{x-y}=3$

$\Rightarrow \quad x-y=15 \quad \text{.... }(iv)$

समीकरण (*iii*) व (*iv*) को जोड़ने पर,

$2x=25+15=40$

$\therefore \quad x=\frac{40}{2}=20$

अतः मोटर वोट की चाल 20 किमी./घं. होगी।

12. माना कि पिता तथा पुत्र की वर्तमान आयु क्रमशः x वर्ष तथा y वर्ष है

$\therefore$ प्रश्नानुसार, $x=3y \quad \text{.... }(i)$

तथा $2(x+5)=5(y+5)$

$\Rightarrow \quad 2x-5y=15 \quad \text{..... }(ii)$

समीकरण (*i*) से x का मान समीकरण (*ii*) में रखने पर,

$6y-5y=15 \Rightarrow y=15$

y का मान समीकरण (*i*) में रखने पर,

$x=3\times 15=45$

अतः पिता तथा पुत्र की वर्तमान आयु क्रमशः 45 वर्ष तथा 15 वर्ष होगी।

13. चूँकि ठहरे हुए पानी में आदमी की रफ्तार + नदी की रफ्तार = 6 तथा ठहरे हुए पानी में आदमी की रफ्तार – नदी की रफ्तार = 2

$\therefore$ 2 × ठहरे हुए पानी में आदमी की रफ्तार = 8

$\therefore$ आदमी की रफ्तार = $\frac{8}{2}=4$ किमी./घं।

14. माना कि संख्या का मान = $100x+10y+z$

प्रश्नानुसार, $x+y+z=10 \quad \text{.... }(i)$

तथा $y=x+z \quad \text{.... }(ii)$

तथा $100z + 10y + x = (100x + 10y + z) + 99$ .... (*iii*)

समीकरण (*i*) व (*ii*) से,

$$[x + (x + z) + z] = 10$$

$\Rightarrow$ $2(x + z) = 10$

$\Rightarrow$ $x + z = 5$ .... (*iv*)

समीकरण (*iii*) से,

$$99z - 99x = 99$$

$\Rightarrow$ $z - x = 1$ .... (*v*)

समीकरण (*iv*) तथा (*v*) से,

$$2z = 6 \Rightarrow z = \frac{6}{2} = 3$$

z का मान समीकरण (*iv*) में रखने पर,

$$x + 3 = 5 \Rightarrow x = 2$$

z तथा x का मान समीकरण (*ii*) में रखने पर,

$$y = 2 + 3 = 5$$

अतः उस संख्या का मान $= (100 \times 2 + 10 \times 5 + 3)$

$= 200 + 50 + 3 = 253$ होगा।

15. माना कि वस्तु का क्रय मूल्य ₹ x है

प्रश्नानुसार, विक्रय मूल्य = ₹ x – ₹ x का $x\%$

$\therefore$ $x - x \times \frac{x}{100} = 9$

$\Rightarrow$ $100x - x^2 = 900$

$\Rightarrow$ $x^2 - 100x + 900 = 0$

$\Rightarrow$ $x^2 - 90x - 10x + 900 = 0$

$\Rightarrow$ $x(x - 90) - 10(x - 90) = 0$

$\Rightarrow$ $(x - 90)(x - 10) = 0$

$\Rightarrow$ $x = 10$ या 90

अतः उस वस्तु का क्रय मूल्य ₹ 10 या ₹ 90 होगा।

16. माना कि गुलशन उस काम को x दिनों में करता है

$\therefore$ तरुण उस काम को $(x - 5)$ दिनों में करेगा

$\therefore$ (गुलशन + तरुण) के द्वारा एक दिन में किया गया काम

$$= \frac{1}{x} + \frac{1}{x - 5}$$

परन्तु, (गुलशन + तरुण) के द्वारा एक दिन में किया गया काम $= \frac{1}{6}$ (दिया हुआ है)

$\therefore$ $\frac{1}{x} + \frac{1}{x - 5} = \frac{1}{6} \Rightarrow \frac{2x - 5}{x(x - 5)} = \frac{1}{6}$

$\Rightarrow$ $\frac{2x - 5}{x(x - 5)} = \frac{1}{6}$

$\Rightarrow$ $12x - 30 = x^2 - 5x \Rightarrow x^2 - 17x + 30 = 0$

$\Rightarrow x^2 - 15x - 2x + 30 = 0 \Rightarrow x(x - 15) - 2(x - 15) = 0$

$\Rightarrow$ $(x - 2)(x - 15) = 0 \Rightarrow x = 2$ या 15

चूँकि यहाँ $x = 2$ नहीं हो सकता $\therefore$ x का मान 15 होगा

अतः गुलशन तथा तरुण उस काम को अकेले-अकेले क्रमशः 15 दिनों तथा 10 दिनों में पूरा करेंगे।

17. माना कि वह दूरी x किमी. तथा चाल V किमी./घं. है

$\therefore$ पहुँचने का वास्तविक समय $= \frac{x}{V}$ घं. .... (*i*)

पहली स्थिति में, (V + 3) किमी./घं. की चाल से x किमी. दूरी तय करने में लगा समय $= \left(\frac{x}{V + 3}\right)$ घं.

परन्तु वह 20 मिनट पहले पहुँचता है

$\therefore$ पहुँचने का वास्तविक समय $= \left(\frac{x}{V + 3}\right)$ घं. + 20 मिनट

$$= \left(\frac{x}{V + 3} + \frac{1}{3}\right) \text{ घं.}$$

$\therefore$ समीकरण (*i*) से, $\frac{3x}{V + 3} + \frac{1}{3} = \frac{x}{V}$ ...(*ii*)

दूसरी स्थिति में, (V – 3) किमी./घं. की चाल से x किमी. दूरी तय करने में लगा समय $= \left(\frac{x}{V - 3}\right)$ घं.

परन्तु वह 40 मिनट देर से पहुँचता है।

$\therefore$ पहुंचने का वास्तविक समय $= \left(\frac{x}{V - 3}\right)$ घं. – 40 मिनट

$$= \left(\frac{x}{V - 3} + \frac{2}{3}\right) \text{ घं.}$$

समीकरण (*i*) से, $\frac{x}{V - 3} - \frac{2}{3} = \frac{x}{V}$ (*iii*)

समीकरण (*ii*) से, $\frac{x}{V} - \frac{x}{V + 3} = \frac{1}{3}$

$\Rightarrow$ $\frac{3x}{V(V + 3)} = \frac{1}{3}$ ...(*iv*)

समीकरण (*iii*) से, $\frac{x}{V - 3} - \frac{x}{V} = \frac{2}{3}$

$\Rightarrow$ $\frac{3x}{V(V - 3)} = \frac{2}{3}$ .... (*v*)

समीकरण (*iv*) से समीकरण v का भाग देने पर

$$\frac{V - 3}{V - 3} = \frac{1}{3}$$

$\Rightarrow$ $2V - 6 = V + 3 \Rightarrow V = 9$

V का मान समीकरण (*iii*) में रखने पर,

$$\frac{x}{6} - \frac{2}{3} = \frac{x}{9} \Rightarrow \frac{x}{6} - \frac{x}{9} = \frac{2}{3}$$

$\Rightarrow$ $x = 12$

अतः वह दूरी 12 किमी. तथा वास्तविक चाल 12 किमी./घं. होनी चाहिए।

19. 551 तथा 1073 का म.स. = 29

$\therefore$ पहली संख्या तथा दूसरी संख्या = 29, 19

दूसरी तथा तीसरी संख्या = 29, 37

$\therefore$ तीनों संख्याओं का योग = 19 + 29 + 37 = 85

20. माना पहली संख्या x तथा दूसरी संख्या y है, तब

प्रश्नानुसार, $x - y = 3$ ...(i)

तथा $3x - 2y = 14$ ...(ii)

समी. (ii) – समी. (i) × 2,

$$3x - 2y = 14$$

$$\Rightarrow \quad \underline{= 2x - 2y = 6}$$

$$x = 8$$

x का मान समी. (i) में रखने पर,

$$8 - y = 3$$

अतः $x = 8, y = 5$

प्रतिस्थापन विधि द्वारा

$$x - y = 3 \Rightarrow x = y + 3$$

x का मान समी. (ii) में रखने पर,

$$3(y + 3) - 2y = 14 \Rightarrow 3y + 9 - 2y = 14$$

$$\Rightarrow \quad y = 14 - 9 \Rightarrow y = 5$$

अतः $x = y + 3 \Rightarrow 5 + 3 = 8$

21. माना इकाई का अंक = x

तथा दहाई का अंक = y

$\therefore$ संख्या = $10y + x$

प्रश्नानुसार, $x - y = 2$ ...(i)

तथा $3(10y + x) + \frac{6}{7}(10x + y) = 108$

$$\Rightarrow \quad 210y + 21x + 60x + 6y = 108 \times 7$$

$$\Rightarrow \quad 216y + 81(y + 2) = 108 \times 7$$ [समी. (i) से]

$$\Rightarrow \quad 216y + 81y + 162 = 756$$

$$\Rightarrow \quad 297y = 594$$

$$\Rightarrow \quad y = 2 \quad \therefore x = 4$$

अतः अभीष्ट योग = $x + y = 4 + 2 = 6$

22. माना पहली संख्या = $3x$

तथा दूसरी संख्या = $6x$

तथा तीसरी संख्या = $2x$

प्रश्नानुसार, $44 = \frac{3x + 6x + 2x}{3}$

$$\Rightarrow \quad x = \frac{44 \times 3}{11} = 12$$

$\therefore$ अभीष्ट अन्तर = $3x - 2x$

$$= x = 12$$

24. माना पिता और पुत्र की वर्तमान आयु क्रमशः x और y वर्ष हैं, तब प्रश्नानुसार,

$$(x - 10) = 3(y - 10)$$

$$\Rightarrow \quad (x - 10) = 3y - 30$$

$$\Rightarrow \quad x - 3y = -30 + 10$$

$$\Rightarrow \quad x - 3y = -20 \quad \text{...(i)}$$

तथा $x + 10 = 2(y + 10) \Rightarrow x + 10 = 2y + 20$

$$\Rightarrow \quad x - 2y = 20 - 10$$

$$\Rightarrow \quad x - 2y = 10 \quad \text{...(ii)}$$

समी. (ii) – समी. (i) करने पर,

$$x - 2y = 10$$

$$x - 3y = -20$$

$$\underline{- \quad + \quad +}$$

$$-2y + 3y = 10 + 20$$

$$\Rightarrow \quad y = 30$$

y का मान समी. (i) में रखने पर,

$$x - 3 \times 30 = -20$$

$$\Rightarrow \quad x - 90 = -20$$

$$\Rightarrow \quad x = -20 + 90 = 70$$

अतः पिता की आयु 70 वर्ष तथा पुत्र की आयु 30 वर्ष है।

❑❑❑❑❑

9 ज्यामिति Geometry

बिन्दु (Point)

बिन्दु वह है, जिसमें न लम्बाई हो, न चौड़ाई हो और न मोटाई हो अर्थात् किसी लेखनी से एक समतल पटल पर दबाने पर जो चिह्न बनता है, बिन्दु कहलाता है।

रेखा (line)

- रेखा वह है, जिसमें केवल लम्बाई हो, चौड़ाई और मोटाई न हो।
- एक रेखा में असंख्य बिन्दु होते हैं।
- एक रेखा में कम-से-कम दो बिन्दु अवश्य होंगे।
- रेखा असीमित हैं।
- दो भिन्न-भिन्न रेखाएँ अधिक से अधिक एक बिन्दु पर कटती है।
- दो बिन्दुओं से एक और केवल एक रेखा गुजरती है।

रेखा दो प्रकार की होती हैं–1. सरल रेखा (Straight line), 2. वक्र रेखा (Curved Line)

सरल रेखा (Straight Line) : वह रेखा, जो एक बिन्दु से दूसरे बिन्दु तक बिना दिशा बदले जाती है, सरल रेखा कहलाती है।

यहाँ AB एक सरल रेखा है।

वक्र रेखा (Curved Line) : वह रेखा, जो एक बिन्दु से दूसरे बिन्दु तक टेढ़ी-मेढ़ी दिशा में बदलती हुई जाती है, वक्र रेखा कहलाती है।

कोण (Angle)

किसी बिन्दु पर दो आसन्न रेखाओं के मिलने से जो झुकाव पैदा होता है, उसे कोण कहते हैं। चित्र में, AB और BC रेखाओं से बना कोण ABC है। सांकेतिक रूप से इसे $\angle B$ या $\angle ABC$ या $\angle CBA$ से व्यक्त किया जाता है।

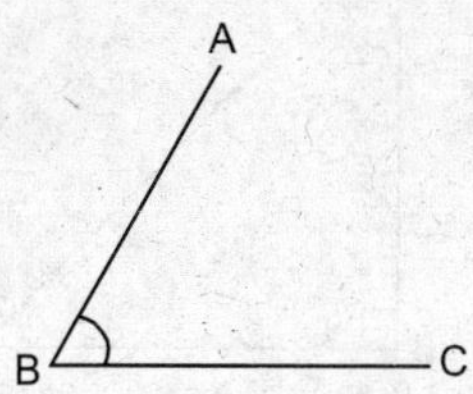

समकोण (Right Angle) : वह कोण, जिसका मान 90° होता है, समकोण कहलाता है। चित्र में, $\angle ABC$ समकोण है।

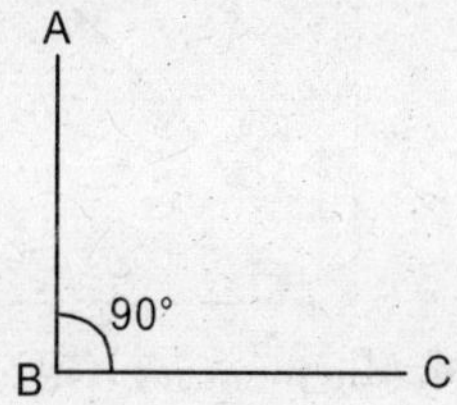

न्यून कोण (Acute Angle) : वह कोण, जिसका मान 0° से अधिक और 90° से कम होता है, उसे न्यून कोण कहते हैं। चित्र में, $\angle ABC$ न्यून कोण है।

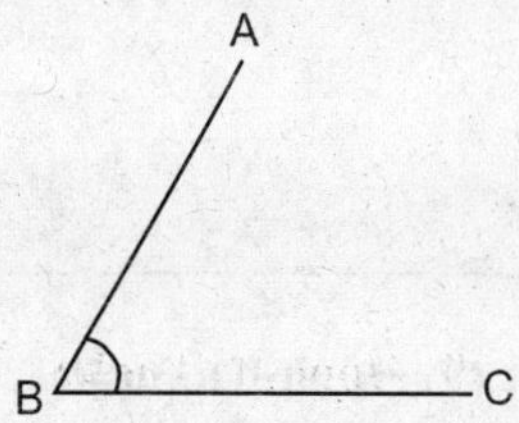

अधिक कोण (Obtuse Angle) : वह कोण, जिसका मान 90° से बड़ा और 180° से छोटा होता है, उसे अधिक कोण कहते हैं। चित्र में, $\angle ABC$ अधिक कोण है।

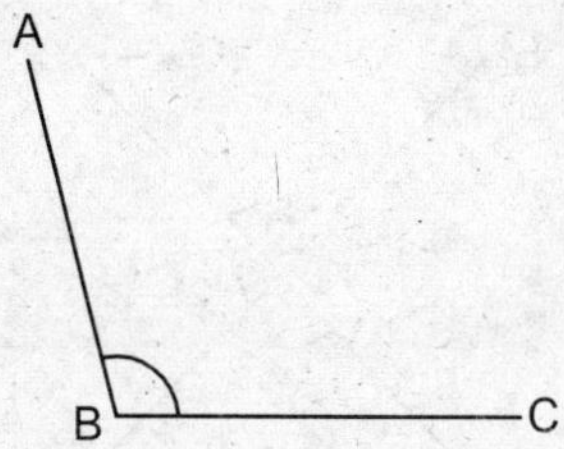

ऋजु कोण (Straight Angle) : वह कोण, जिसका मान 180° होता है, ऋजु कोण कहलाता है। चित्र में, $\angle ABC$ ऋजु कोण है।

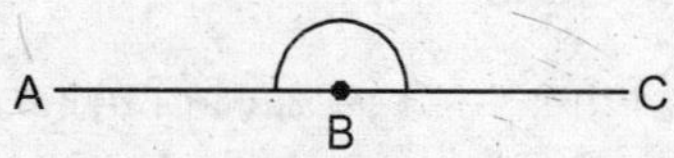

वृहत् कोण (Reflex Angle) : वह कोण, जिसका मान 180° से अधिक और 360° से कम होता है, उसे वृहत् कोण कहते हैं। चित्र में, $\angle ABC$ वृहत् कोण है।

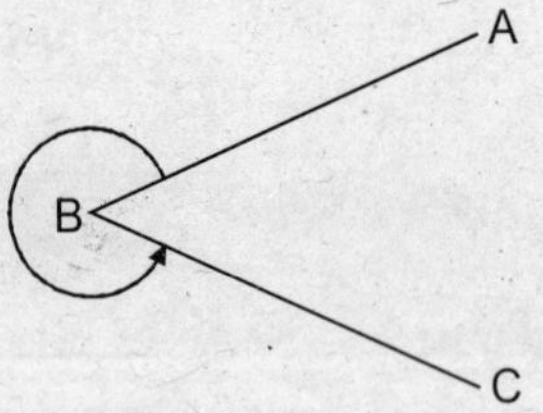

कोटिपूरक कोण (Complementary Angle) : जब दो कोणों का योग 90° होता है, तो प्रत्येक कोण एक-दूसरे के कोटिपूरक कोण कहलाते हैं। चित्र में, ∠ABD का कोटिपूरक ∠DBC और ∠DBC का कोटिपूरक ∠ABD है।

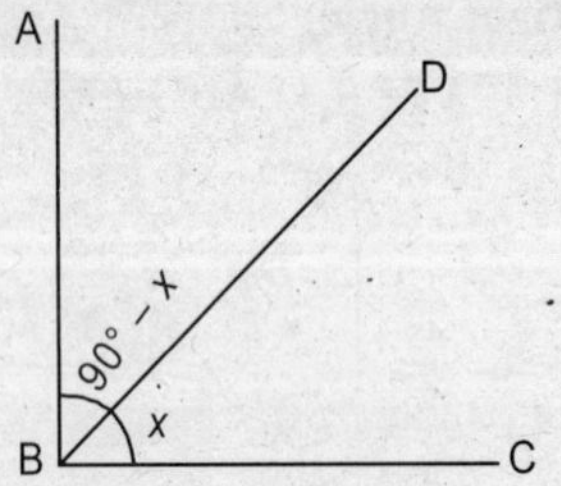

सम्पूरक कोण (Supplementary Angle) : जब दो कोणों का योग 180° होता है, तो प्रत्येक कोण एक-दूसरे के सम्पूरक कोण कहलाते हैं। चित्र में, ∠ABD का सम्पूरक ∠CBD और ∠CBD का सम्पूरक ∠ABD है।

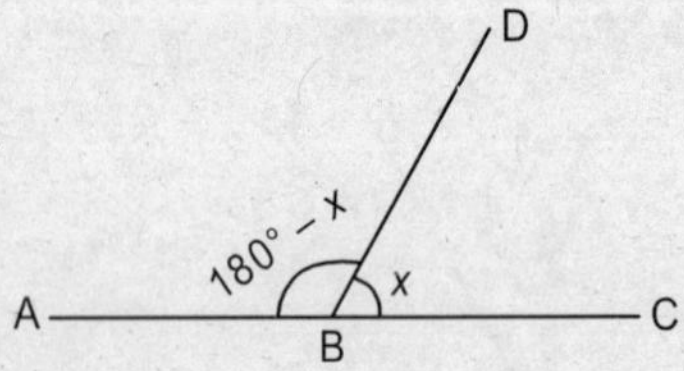

शीर्षाभिमुख कोण (Vertically Opposite Angle) : जब दो रेखाएँ एक-दूसरे को किसी बिन्दु पर प्रतिच्छेदित करती हैं, तब इस प्रकार आमने-सामने बने कोण शीर्षाभिमुख कोण कहलाते हैं। चित्र में, ∠AOC और ∠BOD शीर्षाभिमुख कोण हैं तथा ∠AOD और ∠BOC भी शीर्षाभिमुख कोण हैं। अतः ∠AOC = ∠BOD तथा ∠AOD = ∠BOC होगा।

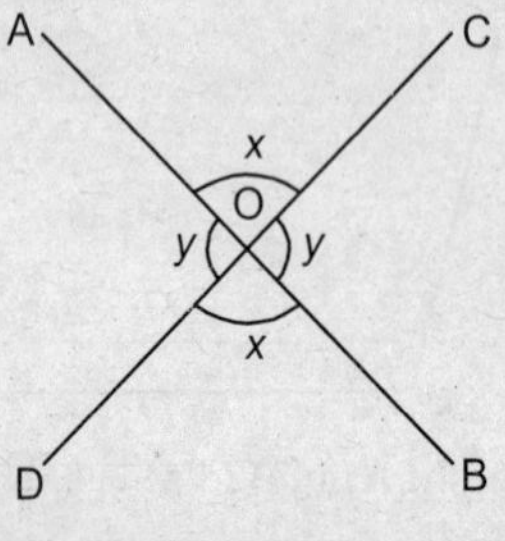

त्रिभुज (Triangle)

तीन रेखाखण्डों से घिरी हुई समतलीय आकृति त्रिभुज कहलाती है। त्रिभुज को Δ से निरूपित करते हैं तथा इसमें तीन भुजाएँ और तीन कोण होते हैं।

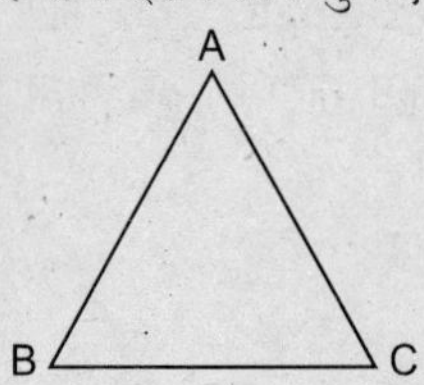

भुजाओं के आधार पर त्रिभुज के प्रकार
(Types of Triangles on the Basis of Sides)

भुजाओं (विमाओं) के आधार पर त्रिभुज के निम्न प्रकार हैं :

विषमबाहु त्रिभुज (Scalene Triangle) : वह त्रिभुज जिसकी सभी भुजाएँ भिन्न-भिन्न लम्बाइयों की होती हैं, विषमबाहु त्रिभुज कहलाता है।

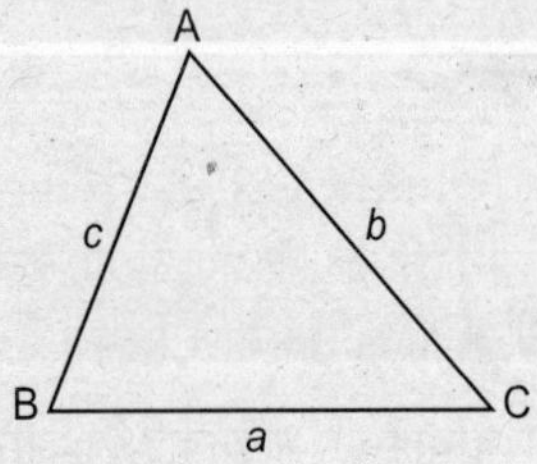

समद्विबाहु त्रिभुज (Isosceles Triangle) : वह त्रिभुज जिसकी दो भुजाएँ बराबर हों, समद्विबाहु त्रिभुज कहलाता है।

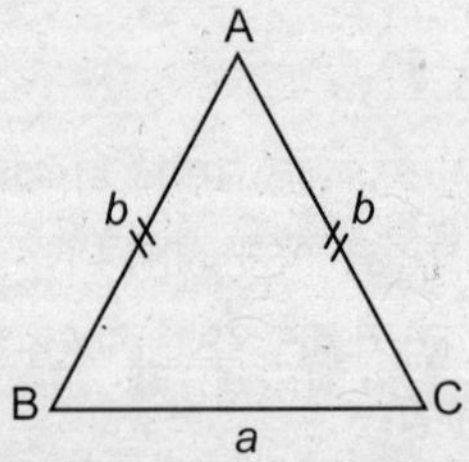

समबाहु त्रिभुज (Equilateral Triangle) : वह त्रिभुज जिसकी तीनों भुजाएँ बराबर हों, समबाहु त्रिभुज कहलाता है।

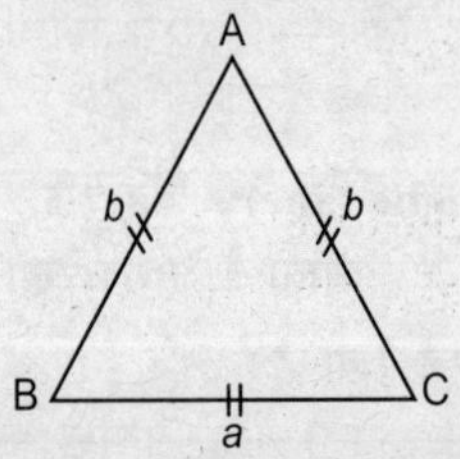

नोट : समबाहु त्रिभुज के प्रत्येक कोण की माप 60° होती है।

कोणों के आधार पर त्रिभुजों के प्रकार
(Types of Triangles on the Basis of Angles)

कोणों के आधार पर त्रिभुज के निम्न प्रकार हैं :

समकोण त्रिभुज (Right Angled Triangle) : जिस त्रिभुज का एक कोण समकोण अर्थात् 90° का हो, उसे समकोण त्रिभुज कहते हैं। चित्र में, ABC एक समकोण त्रिभुज है, जिसमें ∠ABC = 90° है।

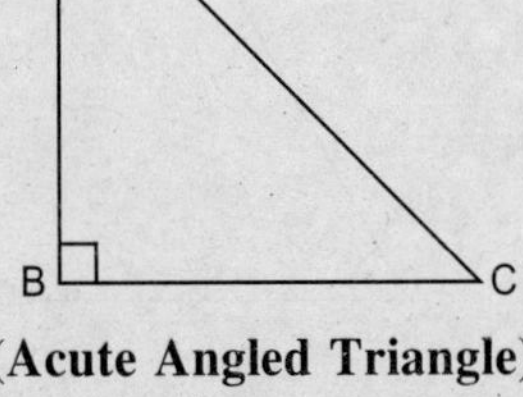

न्यूनकोण त्रिभुज (Acute Angled Triangle) : जिस त्रिभुज के तीनों कोण न्यून कोण अर्थात् 90° से कम हों, उसे न्यूनकोण त्रिभुज कहते

हैं। चित्र में, ABC एक न्यूनकोण त्रिभुज है, जिसमें प्रत्येक कोण की माप 90° से कम है।

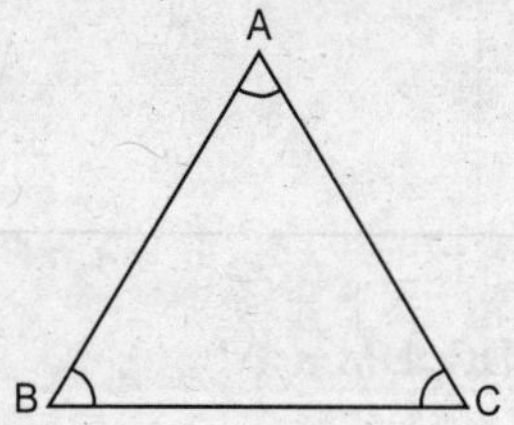

अधिककोण त्रिभुज (Obtuse Angled Triangle) : जिस त्रिभुज का एक कोण अधिककोण अर्थात् 90° से अधिक हो, उसे अधिककोण त्रिभुज कहते हैं। चित्र में, ABC एक अधिककोण त्रिभुज है, जिसमें ∠ABC की माप 90° से अधिक है।

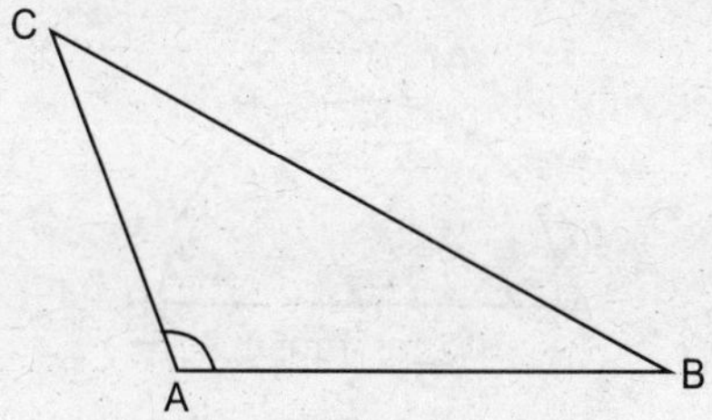

त्रिभुजों से सम्बन्धित महत्वपूर्ण तथ्य (Important Facts Related to Triangle)

- तीन भुजाओं से घिरा समतल क्षेत्र त्रिभुज कहलाता है।
- त्रिभुज के तीनों अन्तःकोणों का योग 180° होता है।
- त्रिभुज में तीन भुजाएँ होती हैं।
- किसी त्रिभुज में कम-से-कम दो न्यून कोण हो सकते हैं।
- किसी त्रिभुज में अधिक-से-अधिक एक अधिककोण या एक समकोण हो सकता है।
- त्रिभुज की समान भुजाओं के सम्मुख बने कोण एकसमान होते हैं।
- यदि किसी त्रिभुज के दो कोण बराबर हों, तो उनकी सम्मुख भुजाएँ भी बराबर होती हैं।
- किसी भी त्रिभुज की दो भुजाओं का योग तीसरी भुजा से अधिक होता है।
- किसी भी त्रिभुज की दो भुजाओं का अन्तर तीसरी भुजा से कम होता है।
- किसी भी त्रिभुज की परिमिति तीनों भुजाओं का योगफल होता है।
- यदि एक त्रिभुज को दूसरे त्रिभुज पर रखने से दूसरा उसे पूरा-पूरा ढक ले, तो दोनों त्रिभुज प्रत्येक दशा में बराबर होंगे।
- संगत भुजाओं के सामने के कोण बराबर होते हैं।
- समद्विबाहु त्रिभुज में दो भुजाएँ आपस में बराबर होती हैं। बराबर भुजाओं के सामने के कोण भी बराबर होते हैं।
- समबाहु त्रिभुज में तीनों भुजाएँ बराबर होती हैं तथा इसके तीनों कोण बराबर यानि प्रत्येक कोण 60° का होता है।
- यदि दो या दो से अधिक त्रिभुजों के कोण आपस में अलग-अलग बराबर हों, तो त्रिभुजों को समान कोणिक त्रिभुज कहते हैं।

चतुर्भुज (Quadrilateral)

किसी समतल पर चार रेखाखण्डों से निर्मित बन्द आकृति चतुर्भुज कहलाती है। चतुर्भुज विभिन्न प्रकार के होते हैं; जैसे समलम्ब, समान्तर चतुर्भुज, समचतुर्भुज, आयत और वर्ग।

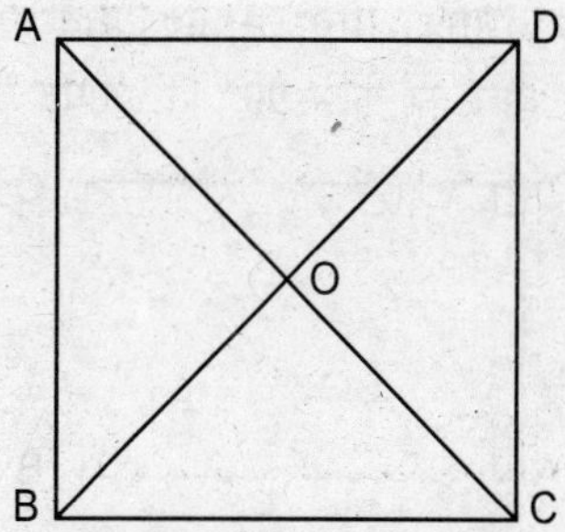

> एक चतुर्भुज के सभी कोणों का योग 360° होता है।
> चतुर्भुज में चार भुजाएँ एवं चार अन्तःकोण होते हैं।
> चतुर्भुज में अधिकतम दो विकर्ण होते हैं।

चतुर्भुज के प्रकार (Type of Quadrilateral)

समान्तर चतुर्भुज (Parallelogram) : एक चतुर्भुज, जिसकी आमने-सामने की भुजाएँ (सम्मुख भुजाएँ) बराबर और समान्तर हों, समान्तर चतुर्भुज कहलाता है।

समान्तर चतुर्भुज के गुण (Porperties of Parallelogram) :

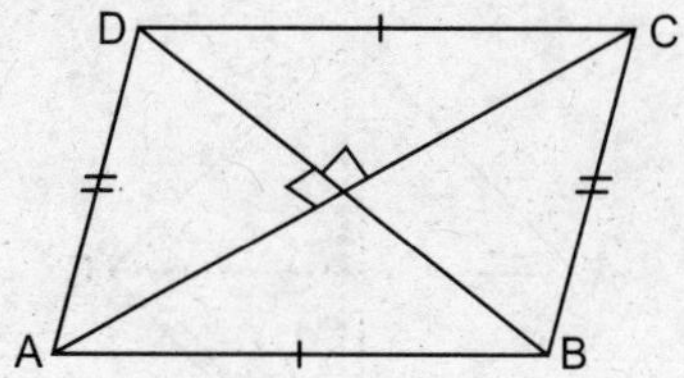

- सम्मुख भुजाएँ बराबर होती हैं।
- सम्मुख कोण बराबर होते हैं।
- विकर्ण एक-दूसरे को समद्विभाजित करते हैं।
- विकर्ण बराबर नहीं होते हैं।

वर्ग (Square)

वह समान्तर चतुर्भुज, जिसकी सभी भुजाएँ समान हों, वर्ग कहलाता है। इसकी आसन्न भुजाओं के बीच बना प्रत्येक कोण 90° का होता है।

वर्ग के गुण (Properties of Square) :

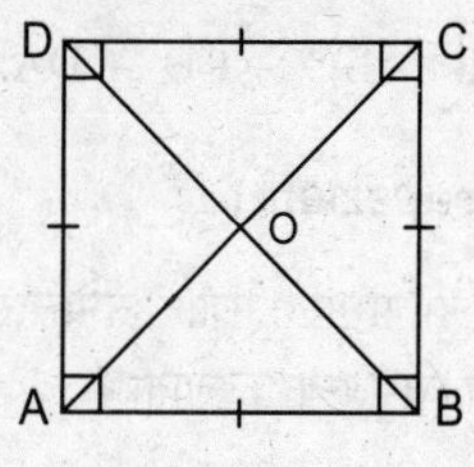

- चारों भुजाएँ बराबर होती हैं।
- प्रत्येक अन्तःकोण समकोण होता है।
- विकर्ण बराबर होते हैं।
- विकर्ण एक-दूसरे को 90° पर समद्विभाजित करते हैं।
- विकर्ण एक-दूसरे पर लम्बवत् होते हैं।

आयत (Rectangle)

वह समान्तर चतुर्भुज, जिसकी सम्मुख भुजाएँ बराबर व समान्तर हों और आसन्न भुजाओं के बीच का कोण 90° हो, आयत कहलाता है।

आयत के गुण (Properties of Rectangle) :

- सम्मुख भुजाएँ बराबर होती हैं।
- प्रत्येक अन्तःकोण समकोण होता है।
- विकर्ण बराबर होते हैं।
- विकर्ण एक-दूसरे को समद्विभाजित करते हैं।

समचतुर्भुज (Rhombus)

वह समान्तर चतुर्भुज जिसकी चारों भुजाएँ बराबर हों, समचतुर्भुज कहलाता है।

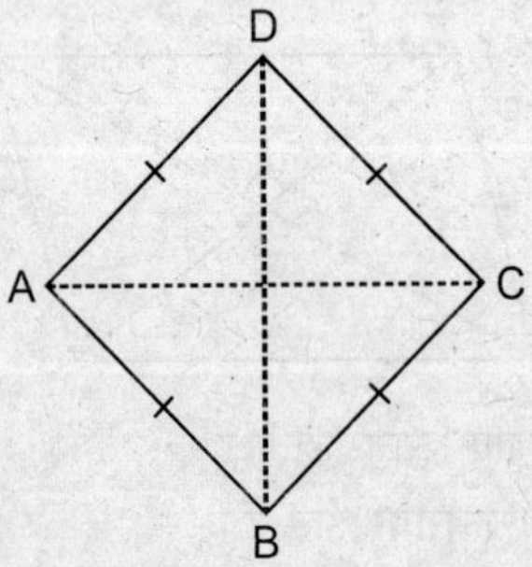

समचतुर्भुज के गुण (Properties of Rhombus) :

- चारों भुजाएँ बराबर होती हैं।
- विकर्ण एक-दूसरे को 90° पर समद्विभाजित करते हैं।
- विकर्ण बराबर नहीं होते हैं।
- भुजाओं के वर्गों का योग विकर्णों के वर्गों के योग के बराबर होता है।

  अर्थात् $AB^2 + BC^2 + CD^2 + DA^2 = AC^2 + BD^2$

समलम्ब (Trapezium)

वह चतुर्भुज जिसकी दो सम्मुख भुजाएँ समान्तर हों तथा शेष दो सम्मुख भुजाएँ असमान्तर हों, समलम्ब कहलाता है।

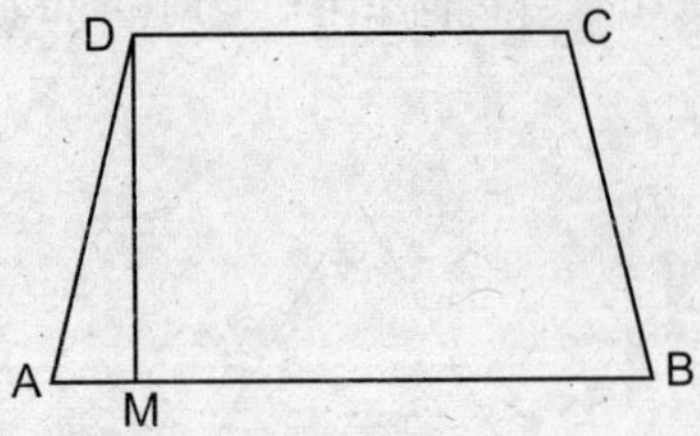

यहाँ पर $AB || DC$, $DM \perp AB$

वृत्त (Circle)

वृत्त एक ऐसी बन्द एवं गोल आकृति है जिसका केन्द्र बिन्दु उसकी परिधि से समान दूरी पर स्थित होता है। इस दूरी को त्रिज्या कहते हैं, जिसे संकेत (r) से प्रदर्शित करते हैं।

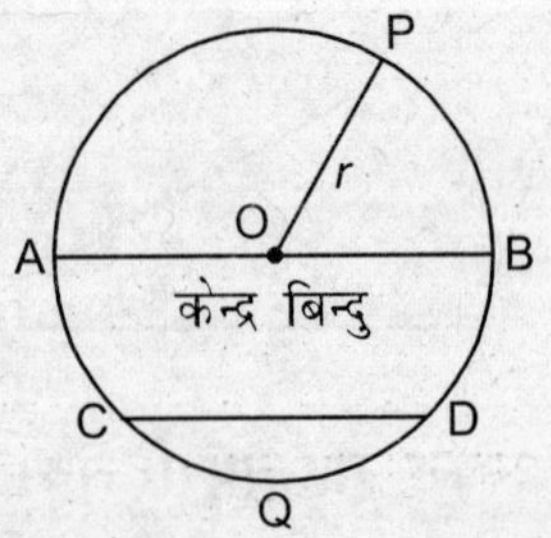

दिए गए वृत्त के चित्र में,

(*i*) AB वृत्त का व्यास है

(*ii*) CD वृत्त की जीवा है

(*iii*) OP वृत्त की त्रिज्या है

(*iv*) CQD वृत्त का चाप है

वृत्त के के गुण (Properties of Circle) :

- एक वृत्त में, केन्द्र से जीवा पर डाला गया लम्ब जीवा को समद्विभाजित करता है।
- एक वृत्त में, जीवा के मध्य-बिन्दु को केन्द्र से मिलाने वाली रेखा जीवा पर लम्ब होती है।
- वृत्त की समान जीवाएँ केन्द्र से समदूरस्थ होती हैं।
- वृत्त की समान जीवाएँ केन्द्र पर समान कोण बनाती हैं।
- केन्द्र से समदूरस्थ जीवाएँ समान होती हैं।
- वृत्त की वे जीवाएँ, जो केन्द्र पर समान कोण बनाती हैं, समान होती हैं।
- तीन असरेखीय बिन्दुओं से होकर के एक और केवल एक ही वृत्त खींचा जा सकता है।

संकेन्द्रीय वृत्त (Concentric Circle)

ऐसे दो वृत्त जिनका एक ही केन्द्र हो तथा दोनों वृत्तों की अलग-अलग त्रिज्याएँ हों, संकेन्द्रीय वृत्त कहलाता है।

अभ्यास प्रश्न

1. त्रिभुज के बाह्य कोणों का योग होता है :

A. 90° B. 180°
C. 360° D. 45°

2. चतुर्भुज के सभी अन्तःकोणों का योग होता है :

A. 2 समकोण B. 3 समकोण
C. 1 समकोण D. 4 समकोण

3. दिए गए चित्र में कोण A का मान होगा :

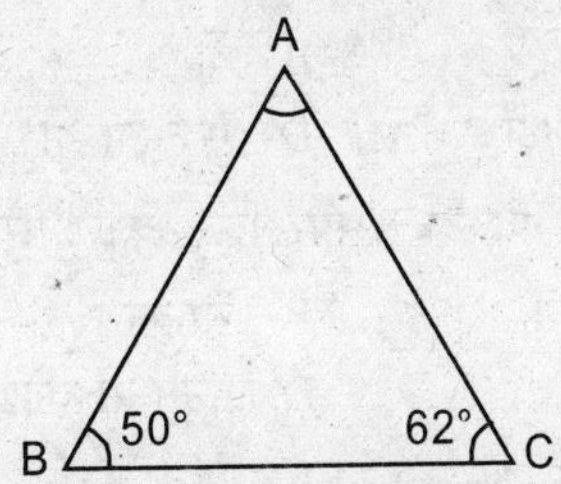

A. 68° B. 58°
C. 78° D. 48°

4. नीचे के चित्र में $\angle x$ का मान क्या होगा?

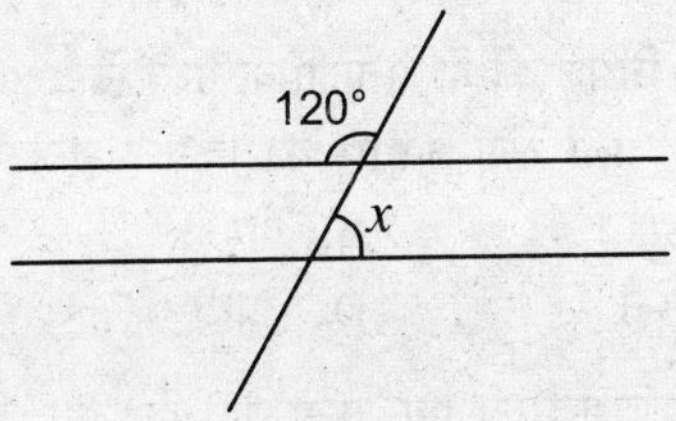

A. 30° B. 45°
C. 60° D. 65°

5. निम्नलिखित चित्र में $\angle AOD$ का मान ज्ञात करें :

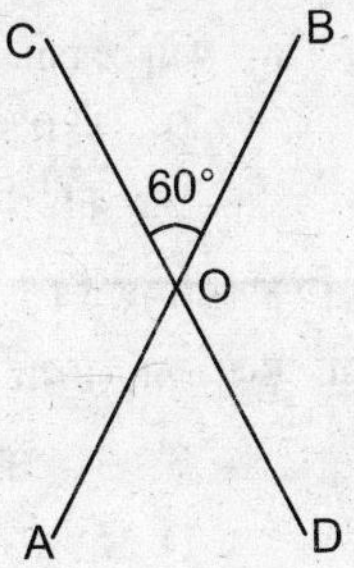

A. 30° B. 60°
C. 70° D. 80°

6. निम्नलिखित कथनों में से सही कथन का चयन करें :

A. एक बिन्दु पर बनने वाले सभी कोणों का योग 180° होता है।
B. किसी त्रिभुज का बहिष्कोण अपने सामने के प्रत्येक कोण से छोटा होता है।
C. यदि शीर्षों से सम्मुख भुजाओं पर खीचें गए लम्ब बराबर हों तो वह त्रिभुज समबाहु त्रिभुज होगा।
D. समद्विबाहु त्रिभुज के तीनों कोण आपस में बराबर होते हैं।

7. दिए गए चित्र में त्रिभुज XYZ में अन्तःकोण $\angle Y$ का मान होगा :

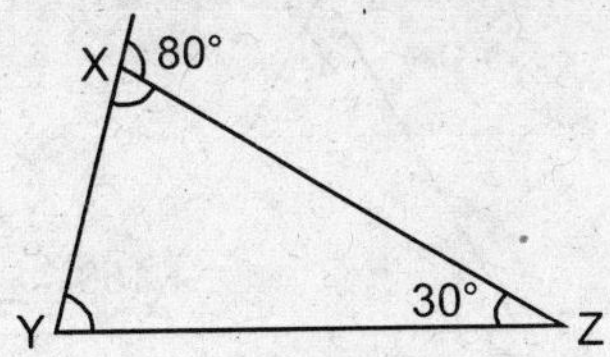

A. 50° B. 60°
C. 70° D. 75°

8. निम्नलिखित चित्र में यदि $\angle B = \angle C$ हो, तो AB और CD में क्या सम्बन्ध हैं?

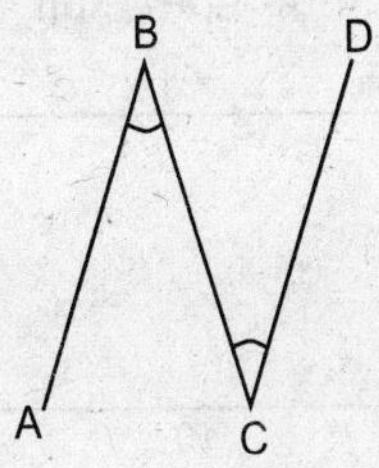

A. $AB = CD$ B. $AB \parallel CD$
C. $AB \neq CD$ D. $AB \neq CD$

9. दिए गए चित्र में $\angle ACD = 5x$ और $\angle BCD = x$, तो x का मान होगा :

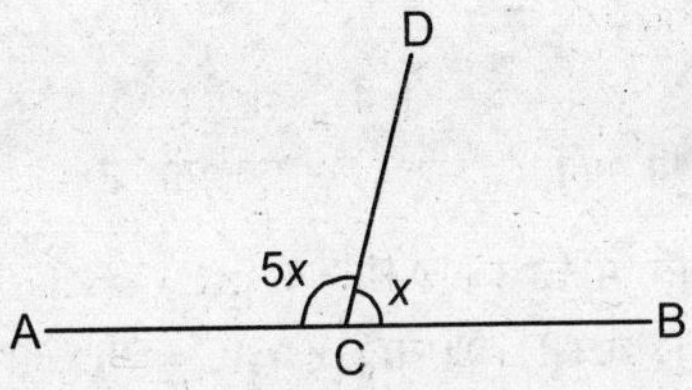

A. 60° B. 70°
C. 80° D. 30°

10. निम्नलिखित चित्र में $\angle ABC$ का मान होगा :

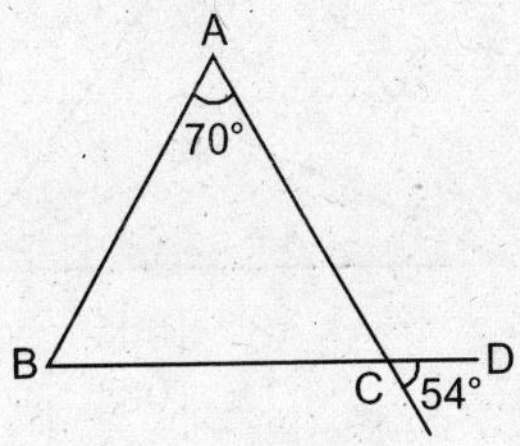

A. 75° B. 65°
C. 60° D. 56°

11. दिए गए चित्र से $\angle AEC + \angle DEB$ का मान होगा :

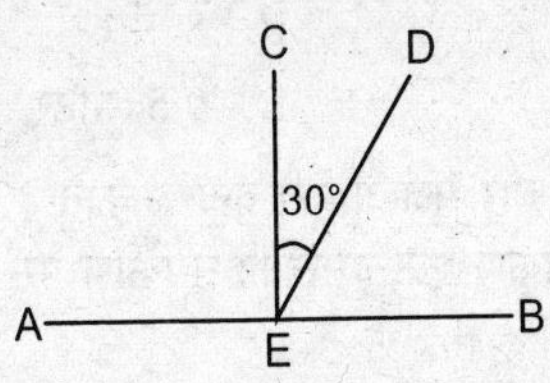

A. दो समकोण B. 160°
C. 150° D. 120°

12. निम्नांकित चित्र में $\angle x$ का मान है :

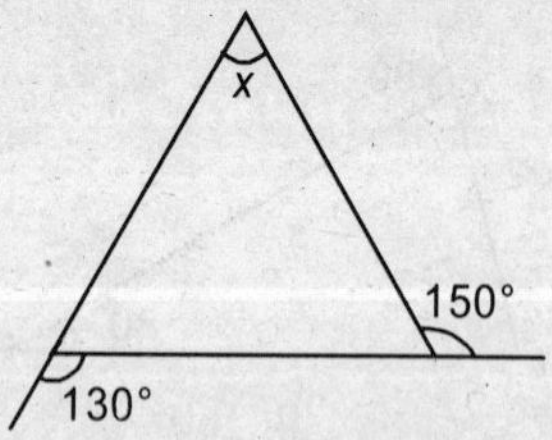

A. 100° B. 120°
C. 115° D. 125°

13. संलग्न चित्र में समान्तर चतुर्भुज की भुजाओं की नापें सेमी में दी हुई हैं, इनमें x व y का अन्तर होगा :

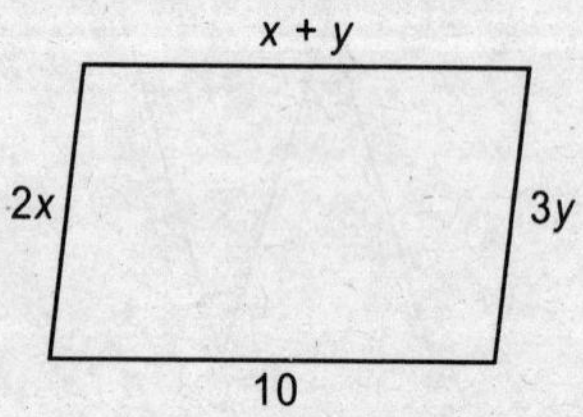

A. 8 सेंमी. B. 6 सेंमी.
C. 4 सेंमी. D. 2 सेंमी.

14. यदि एक त्रिभुज ABC में एक भुजा 2 सेंमी. दूसरी भुजा 4 सेंमी. और तीसरी भुजा 7 सेंमी. हो, तो इन मापों से कितने त्रिभुज बन सकते हैं?

A. एक B. दो
C. एक भी नहीं D. एक या दो

15. संलग्न चित्र में त्रिभुज ABC के $\angle B$ व $\angle C$ की अर्द्धक रेखाएँ क्रमशः BD व CD हैं। यदि $\angle ABC = 70°$ और $\angle ACB = 80°$ हो, तो $\angle BDC$ का मान है :

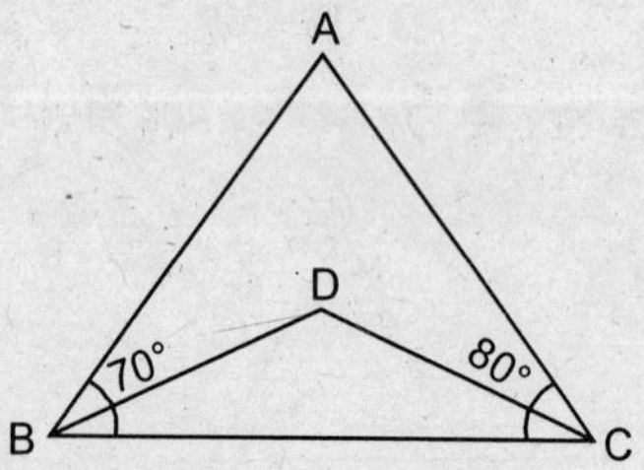

A. 95° B. 100°
C. 105° D. 108°

16. 10 मीटर लम्बी एक सीढ़ी एक दीवार के सहारे जमीन पर इस प्रकार टिकी है कि इसका निचला सिरा दीवार से 6 मीटर की दूरी पर है, सीढ़ी का ऊपरी सिरा जमीन से कितनी ऊँचाई पर है?

A. 7 मीटर B. 8 मीटर
C. 9 मीटर D. 9.5 मीटर

17. ABCD एक चार भुजाओं की बन्द आकृति है जिसमें $\angle ABC = 90°$ तथा इसके विकर्ण एक-दूसरे को समकोण पर समद्विभाजित करते हैं। तब ABCD है एक :

A. वर्ग B. समचतुर्भुज
C. आयत D. समलम्ब चतुर्भुज

18. एक घड़ी में मिनट की सुई 5 मिनट में कोण में घूमेगी :

A. 30° B. 40°
C. 45° D. 50°

19. $\frac{3}{5}$ समकोण के कोटिपूरक कोण का मान है :

A. 60° B. 55°
C. 50° D. 36°

20. किसी त्रिभुज में अधिक-से-अधिक कितने समकोण हो सकते हैं?

A. एक B. दो
C. एक भी नहीं D. एक या दो

21. समचतुर्भुज के विकर्ण परस्पर किस कोण पर काटते हैं?

A. अधिककोण B. समकोण
C. न्यूनकोण D. इनमें से कोई नहीं

22. यदि दो समान्तर रेखाओं को कोई तिर्यक रेखा काटे, तो एक ही ओर के दो अन्तःकोणों का योग कितना होगा?

A. तीन समकोण B. दो समकोण
C. एक समकोण D. चार समकोण

23. यदि किसी त्रिभुज की दो भुजाओं के मध्य बिन्दुओं को मिलाया जाए, तो मिलाने वाली रेखा आधार की कितनी गुनी होगी?

A. दो-तिहाई B. दोगुनी
C. तीन गुनी D. आधी

24. यदि किसी त्रिभुज की एक भुजा बढ़ा दी जाए, तो इस प्रकार बना बहिष्कोण त्रिभुज के कौन-से अन्तःकोणों के योग के बराबर होता है?

A. सामने के B. समीप के
C. सभी के D. इनमें से कोई नहीं

25. किसी एक बिन्दु पर बने सभी कोणों का योग कितना होता है?

A. 120° B. 180°
C. 360° D. कोई निश्चित नहीं

26. एक समचतुर्भुज के विकर्ण क्रमशः 16 सेंमी. और 12 सेंमी. हैं, तो उस चतुर्भुज की एक भुजा की लम्बाई होगी :

A. 12 सेंमी. B. 10 सेंमी.
C. 8 सेंमी. D. 5 सेंमी.

27. एक त्रिभुज की भुजाएँ क्रमशः 5 सेंमी., 12 सेंमी. तथा 13 सेंमी. हैं। बताओ बड़ी भुजा के सामने का कोण कितने अंश का है?

A. 60° B. 75°
C. 85° D. 90°

28. एक ABCD चतुर्भुज है, इसमें कोण A समकोण नहीं है। यदि इसके विकर्ण AC और BD एक-दूसरे को O बिन्दु पर काटते हैं तथा $AO^2 + BO^2 = AB^2$ हो, तो ABCD किस प्रकार का चतुर्भुज है?

A. समचतुर्भुज B. समलम्ब चतुर्भुज
C. आयत D. वर्ग

29. एक कोण 110° का है, इसका सम्पूरक कोण होगा :
A. 50° B. 60°
C. 70° D. 80°

30. समबाहु त्रिभुज के शीर्ष से आधार तक खींची गई रेखा माध्यिका आधार पर सदैव :
A. 60° का कोण बनाती है।
B. 90° का कोण बनाती है।
C. लम्ब होती है।
D. इनमें से कोई नहीं

31. त्रिभुज की किसी एक भुजा की लम्बाई अन्य दो भुजाओं के योग से :
A. बड़ी होती है B. छोटी होती है
C. निश्चित नहीं है D. बराबर होती है

32. यदि दो त्रिभुज सर्वांगसम हैं, तो उनके क्षेत्रफल में क्या सम्बन्ध हैं?
A. समान B. आधा
C. दोगुना D. असमान

33. जब दो कोण आपस में एक-दूसरे के कोटिपूरक कोण हैं तो उनका योग होगा :
A. 60° B. 90°
C. 180° D. 360°

34. यदि किसी त्रिभुज के दो कोण आपस में बराबर हों, तो त्रिभुज होगा :
A. समबाहु B. विषमबाहु
C. समद्विबाहु D. समकोण

35. किसी चतुर्भुज के विकर्ण आपस में बराबर हैं तथा उसकी चारों भुजाएँ आपस में बराबर नहीं हैं, वह चतुर्भुज है :
A. वर्ग B. समचतुर्भुज
C. आयत D. समलम्ब चतुर्भुज

36. किसी वर्ग के विकर्ण एक-दूसरे को निम्नांकित में से किस कोण पर काटते हैं?
A. 60° B. 30°
C. 90° D. 180°

37. किसी आयत ABCD के विकर्ण AC और BD में निम्नांकित में से कौन-सा सम्बन्ध सत्य है?
A. 2AC = BD B. AC = 2BD
C. AC = BD D. AC = 3BD

38. वह चतुर्भुज, जिसकी चारों भुजाएँ, परस्पर समान हों किन्तु कोई कोण समकोण न हो, निम्नलिखित में से क्या कहलाता है?
A. वर्ग B. समलम्ब चतुर्भुज
C. आयत D. समचतुर्भुज

39. यदि किसी समान्तर चतुर्भुज की सभी भुजाएँ बराबर हों तथा एक कोण समकोण हो, तो उस क्षेत्र को क्या कहते हैं?
A. वर्ग B. आयत
C. समलम्ब चतुर्भुज D. समचतुर्भुज

40. वर्ग के प्रत्येक कोण की माप निम्नांकित में से कौन-सी होगी?
A. 60° B. 180°
C. 90° D. 360°

41. निम्नलिखित आकृतियों में से किसके विकर्ण परस्पर लम्ब होते हैं?
A. समलम्ब चतुर्भुज B. समचतुर्भुज
C. आयत D. समान्तर चतुर्भुज

42. यदि आयत PQRS में, PQ = PS हो, तो वह कौन-सी ज्यामितीय आकृति हो जाएगी?
A. वर्ग B. समलम्ब चतुर्भुज
C. आयत D. इनमें से कोई नहीं

43. यदि चतुर्भुज EFGH में, EF ∥ HG एवं HE ∥ GF हो, तो वह कौन-सी ज्यामितीय आकृति हो जाएगी?
A. आयत B. समलम्ब चतुर्भुज
C. विषमबाहु चतुर्भुज D. इनमें से कोई नहीं

44. यदि समान्तर चतुर्भुज ABCD में, AB = AD हो, तो वह कौन-सी ज्यामितीय आकृति बन जाएगी?
A. आयत B. विषमबाहु चतुर्भुज
C. (A) और (B) दोनों D. समचतुर्भुज

45. यदि चतुर्भुज ABCD में, केवल AB ∥ DC हो, तो वह कौन-सी ज्यामितीय आकृति बनेगी?
A. आयत B. वर्ग
C. समलम्ब D. इनमें से कोई नहीं

46. यदि एक त्रिभुज के दो कोणों की माप 60° और 75° है, तो तीसरे कोण की माप होगी :
A. 45° B. 60°
C. 65° D. 70°

47. किसी समान्तर चतुर्भुज का एक कोण 55° है, तब समान्तर चतुर्भुज के शेष कोण क्रमशः हैं
A. 105°, 125°, 55°
B. 125°, 55°, 125°
C. 135°, 125°, 55°
D. 25°, 135°, 135°

48. यदि चतुर्भुज के कोणों के माप $(4x)°$, $5(x + 2)°$, $(7x – 20)°$ तथा $6(x + 3)°$ हो, तो x का मान ज्ञात कीजिए।
A. 16° B. 30°
C. 60° D. 32°

49. समान्तर चतुर्भुज की किसी भुजा पर बने कोण ∠A और ∠B में 40° का अन्तर है। ∠A का मान ज्ञात कीजिए।
A. 100° B. 80°
C. 110° D. 60°

50. किसी चतुर्भुज के तीन कोण क्रमशः 150°, 120° व 75° हैं, चौथे कोण की माप होगी :
A. 50° B. 60°
C. 70° D. 75°

उत्तरमाला

1	2	3	4	5	6	7	8	9	10
C	D	A	C	B	C	A	B	D	D
11	**12**	**13**	**14**	**15**	**16**	**17**	**18**	**19**	**20**
C	A	D	C	C	B	A	A	D	A
21	**22**	**23**	**24**	**25**	**26**	**27**	**28**	**29**	**30**
B	B	D	A	C	B	D	A	C	C
31	**32**	**33**	**34**	**35**	**36**	**37**	**38**	**39**	**40**
B	A	B	C	C	C	C	D	A	C
41	**42**	**43**	**44**	**45**	**46**	**47**	**48**	**49**	**50**
C	A	A	D	C	A	B	A	C	B

व्याख्यात्मक उत्तर

3. $\angle A = 180° - (50 + 62) = 68°$

4. $\angle x = 180° - 120° = 60°$

$\therefore$ यह कोण सम्पूरक कोण है।

5. $\angle AOD + \angle AOC = 180°$

$\therefore$ $\angle AOC = \angle BOC = 60°$ (शीर्षाभिमुख कोण)

9. $\angle 5x° + \angle x° = 180°$

$$\angle x° = \frac{180°}{6} = 30°$$

10. चित्र से, $\angle ACD = 180° - 54° = 126°$

तब $\angle A + \angle B = 126°$

$\because$ दो अन्तः कोणों का योग बाह्य कोण के बराबर होता है,

$70° + \angle B = 126°$

$\angle B = 126° - 70° = 56°$

11. चित्र से,

$\angle AEC + \angle CED + \angle DEB = 180°$

$\therefore \angle AEC + \angle DED + 180° - \angle CED$

$= 180° - 30° = 150°$

12. चित्र से,

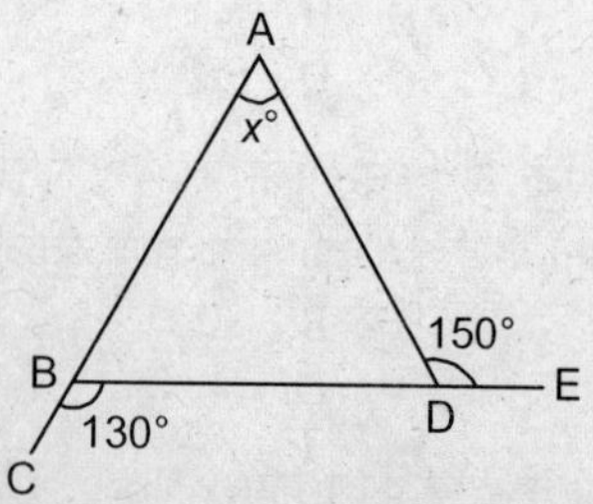

$\angle ADB = 180° - 150° = 30°$

तथा $\angle CBD = \angle BAD + \angle ADB$

$\therefore$ बाह्य कोण का मान अन्तः दो कोणों के योग के बराबर होता है।

$30° = x° + 30$

$\therefore$ $x = 130° - 30° = 100°$

13. चित्र से, $x + y = 10$

तथा $2x = 3y$

या, $x = \frac{3y}{2}$

तब, $\frac{3y}{2} + y = 10$

या, $3y + 2y = 20$

$\therefore$ $y = 4$ सेंमी.

तथा $x + y = 10$

$\Rightarrow$ $x = 10 - y$

$\Rightarrow$ $10 - 4 = 6$ सेमी.

अतः अभीष्ट अन्तर $= 6 - 4 = 2$ सेंमी.

15. रेखा BD एवम् CD, $\angle B$ तथा $\angle C$ की क्रमशः अर्द्धक हैं।

तब, $\angle DBC = \frac{70}{2} = 35°$

$\angle DCB = \frac{80}{2} = 40°$

$\therefore$ $\angle BDC = 180° - (40° + 35°)$

$= 180° - 75° = 105°$

16. चित्र से सीढ़ी की लम्बाई = 10 मीटर

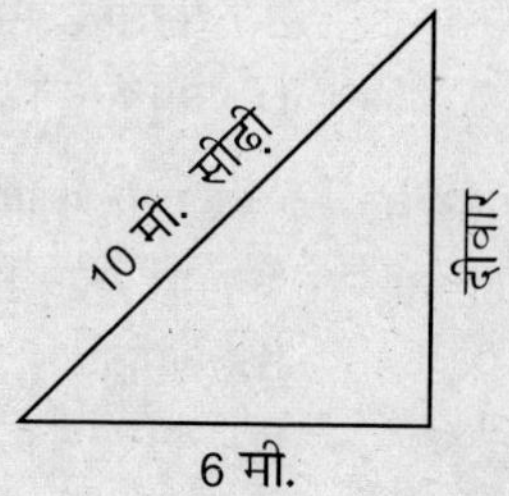

आधार = 6 मीटर

अतः दीवार की ऊँचाई (जहाँ तक सीढ़ी पहुँचती है)

$$= \sqrt{(10)^2 - (6)^2}$$

$$= \sqrt{100 - 36}$$

$$= \sqrt{64} = 8 \text{ मी.}$$

19. $\frac{3}{5}$ समकोण का कोटिपूरक कोण

$$= 90° - \frac{3}{5} \times 90°$$

$$= 90° - 54° = 36°$$

26. $\because$ समचतुर्भुज के विकर्ण परस्पर समकोण पर काटते हैं।

$\therefore$ समचतुर्भुज की एक भुजा की लम्बाई

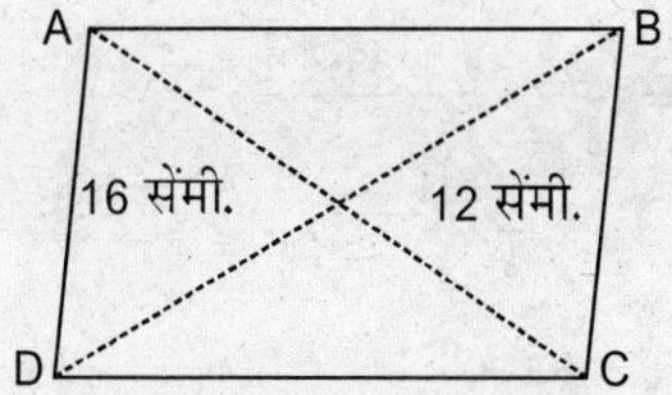

$$= \sqrt{\left(\frac{16}{2}\right)^2 + \left(\frac{12}{2}\right)^2}$$

$$= \sqrt{64 + 36} = \sqrt{100} = 10 \text{ सेंमी.}$$

46. $\because$ एक त्रिभुज के तीनों कोणों का योग = 180°

$60° + 75° +$ तीसरा कोण = 180°

तीसरा कोण $= 180° - (60° + 75°)$

$= 180° - 135° = 45°$

47. $\because$ समान्तर चतुर्भुज के संलग्न कोणों का योग = 180°

$$55° + \angle C = 180°$$

$$\angle C = 180° - 55° = 125°$$

$\therefore$ $\angle B = \angle D = 55°$

और $\angle A = \angle C = 125°$

48. $\therefore$ चतुर्भुज के चारों कोणों का योग = 360°

$$(4x)° + 5(x + 2)° + (7x - 20)° + 6(x + 3)° = 360°$$

$$4x + 5x + 10° + 7x - 20° + 6x + 18 = 360°$$

$$22x + 8° = 360°$$

$$22x = 360° - 8°$$

$$x = \frac{352°}{22°} = 16°$$

49. माना समान्तर चतुर्भुज में,

$\angle A = x$ और $\angle B = x - 40°$

$\because$ समान्तर चतुर्भुज के संलग्न कोणों का योग = 180°

$$x + x - 40 = 180$$

$$2x = 180° + 40°$$

$$x = \frac{220°}{2} = 110°$$

50. माना चौथे कोण की माप x है।

$\because$ चतुर्भुज के चारों कोणों का योग = 360°

$$105° + 120° + 75° + x = 360°$$

$$x = 360° - (105° + 120° + 75°)$$

$$= 360° - 300° = 60°$$

$\therefore$ चौथा कोण = 60°

❒❒❒❒❒

10

क्षेत्रमिति

Mensuration

PART-1

समतल आकृतियाँ (Plane Figures)

- यदि किसी आयत की आसन्न भुजाओं में एक को स्थिर रखकर, दूसरे को k गुना किया जाए, तो आयत का क्षेत्रफल भी k गुना हो जाएगा।
- यदि किसी आयत की आसन्न भुजाओं में से एक को स्थिर रखकर दूसरी भुजा को $k\%$ से बढ़ाया या घटाया जाए, तो क्षेत्रफल भी $k\%$ से क्रमशः बढ़ेगा या घटेगा।
- यदि एक वर्ग तथा आयत की परिमिति समान हो, तो वर्ग का क्षेत्रफल हमेशा अधिक होगा।
- दो वृत्तों की त्रिज्याओं में यदि $m : n$ का अनुपात हो, तो उसकी परिधियों का भी वही अनुपात $(m : n)$ होगा। वृत्तों की त्रिज्याओं में यदि $m : n$ का अनुपात हो, तो इसके क्षेत्रफलों का अनुपात $m^2 : n^2$ होगा।
- दो वृत्तों के क्षेत्रफल का अनुपात $m : n$ हो, तो उसकी त्रिज्याओं का अनुपात $\sqrt{m} : \sqrt{n}$ होगा।
- यदि दो वर्गों की भुजाओं या विकर्णों का अनुपात $m : n$ हो, तो उसके क्षेत्रफलों का अनुपात $m^2 : n^2$ होगा।
- यदि एक वर्ग की भुजा, समबाहु त्रिभुज की भुजा तथा वृत्त की त्रिज्या में से प्रत्येक को n से गुणा कर दिया जाए, तो उनके क्षेत्रफल n^2 गुना हो जाएगा।

आयत (Rectangle)

- परिमिति $= 2 \times$ (लम्बाई + चौड़ाई)
- क्षेत्रफल = लम्बाई $\times$ चौड़ाई
- विकर्ण $= \sqrt{(\text{ल०})^2 + (\text{चौ०})^2}$

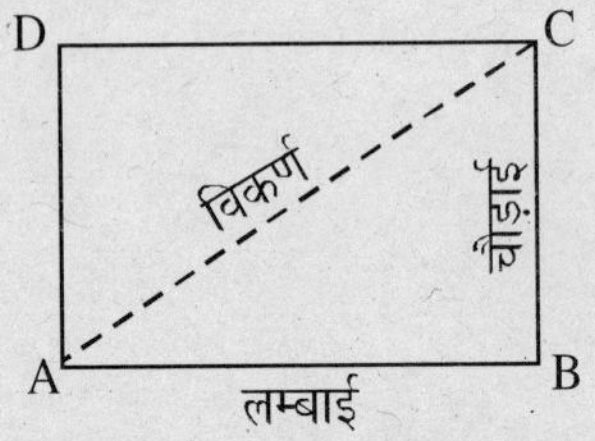

वर्ग (Square)

- क्षेत्रफल $= (\text{भुजा})^2 = \dfrac{(\text{विकर्ण})^2}{2}$
- परिमिति $= 4 \times$ भुजा $\Rightarrow$ भुजा $= \dfrac{\text{परिमिति}}{4}$
- भुजा $= \sqrt{\text{क्षेत्रफल}}$
- विकर्ण $= \sqrt{2} \times$ भुजा $= \sqrt{2 \times \text{क्षेत्रफल}}$

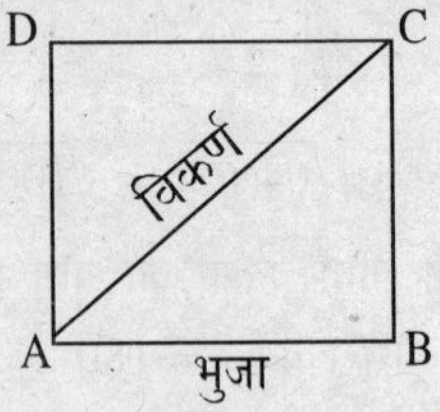

त्रिभुज (Trianlges)

- विषमबाहु त्रिभुज का क्षेत्रफल

$$= \sqrt{s(s-a)(s-b)(s-c)}$$

जहाँ $s = \dfrac{a+b+c}{2}$

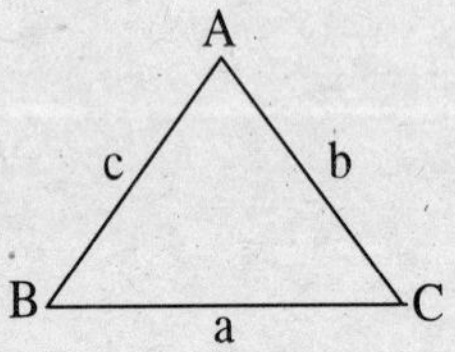

- समद्विबाहु त्रिभुज का क्षेत्रफल

$$= \sqrt{s(s-a)(s-b)^2}$$

जहाँ $s = \dfrac{a+2b}{2}$

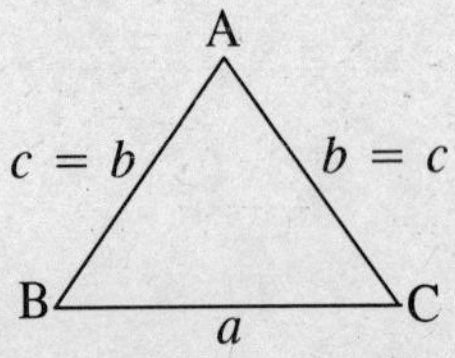

- समबाहु त्रिभुज का क्षेत्रफल

$$= \frac{\sqrt{3}}{4} \times \text{भुजा}^2$$

समबाहु त्रिभुज की ऊँचाई

$$= \frac{\sqrt{3}}{2} \times \text{भुजा}$$

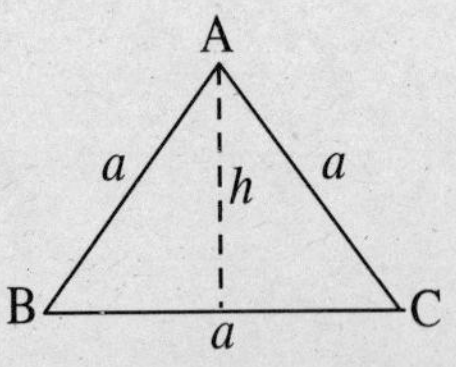

❖ समकोण त्रिभुज का क्षेत्रफल

$= \frac{1}{2} \times$ आधार $\times$ ऊँचाई

कर्ण^2 = लम्ब^2 + आधार^2

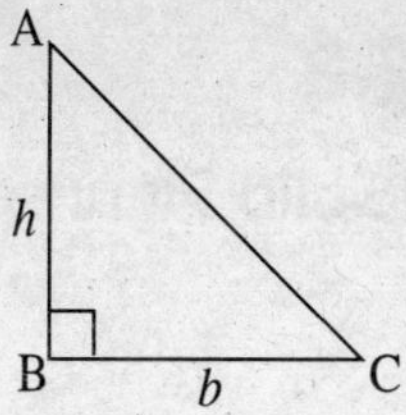

चतुर्भुज (Quadrilaterals)

❖ समानान्तर चतुर्भुज (Parallelogram) का क्षेत्रफल = आधार × ऊँचाई

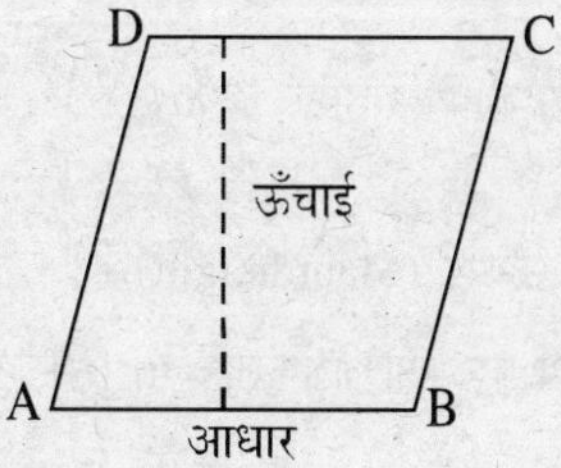

❖ समचतुर्भुज (Rhombus) का क्षेत्रफल

$= \frac{1}{2} \times$ पहला विकर्ण $\times$ दूसरा विकर्ण

$= \frac{1}{2} \times AC \times BD$

$= \frac{1}{2} \times d_1 \times d_2$

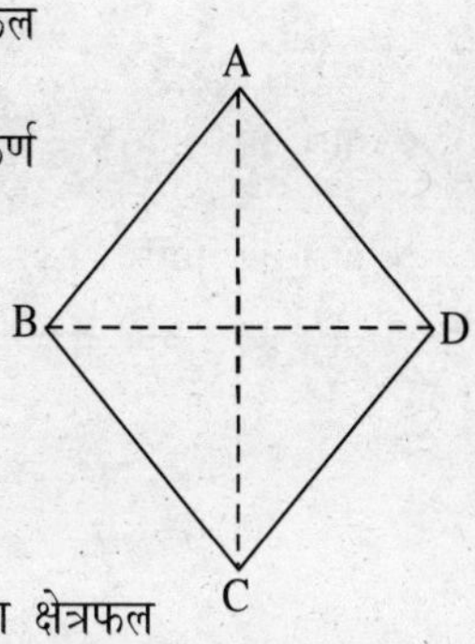

❖ समलम्ब चतुर्भुज (Trapezium) का क्षेत्रफल

$= \frac{1}{2} \times$ समानान्तर भुजाओं का योग $\times$ ऊँचाई

$= \frac{1}{2} \times (b_1 + b_2) \times h$

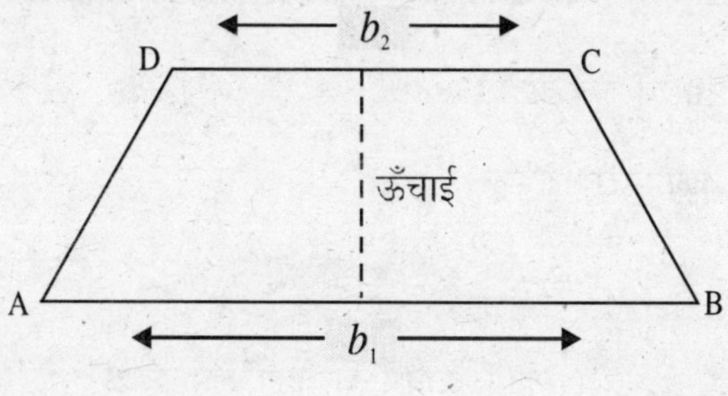

वृत्त (Circle)

❖ वृत्त का क्षेत्रफल $= \pi r^2$

❖ वृत्त की परिधि $= 2\pi r$

❖ वृत्त की त्रिज्या $= r$
तथा व्यास $= 2r$

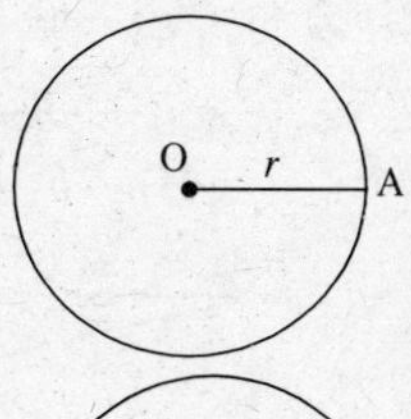

❖ वृत्तखण्ड या त्रिज्यखण्ड का क्षेत्रफल

$= \frac{\theta}{360} \times \pi r^2$

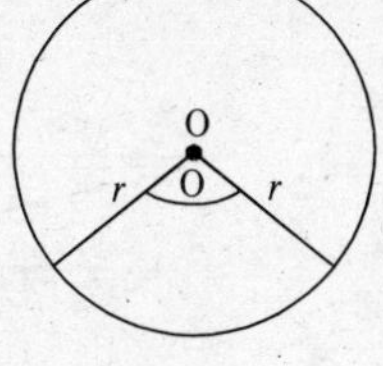

❖ अर्द्धवृत्त का क्षेत्रफल $= \frac{1}{2} \pi r^2$

❖ अर्द्धवृत्त का परिमाप $= \pi r + 2r$

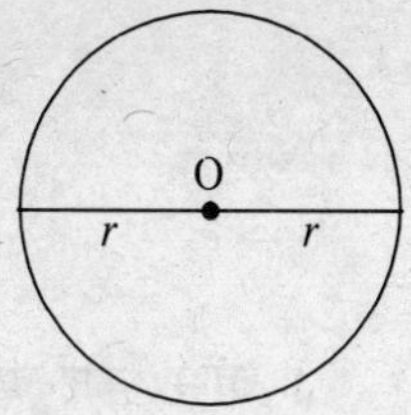

महत्वपूर्ण तथ्य एवं सूत्र

- यदि किसी आयत की लम्बाई तथा चौड़ाई में क्रमशः $x\%$ तथा $y\%$ की वृद्धि कर दी जाए तो उस आयत के क्षेत्रफल में $\left(x + y + \frac{xy}{100}\right)\%$ वृद्धि हो जाएगी।
- यदि किसी आयत की लम्बाई में $x\%$ वृद्धि तथा चौड़ाई में $y\%$ कमी कर दी जाए तो उस आयत के क्षेत्रफल में $\left(x - y - \frac{xy}{100}\right)\%$ वृद्धि या कमी हो जाएगी।
- यदि किसी आयत की लम्बाई में $x\%$ वृद्धि कर दी जाए तो उस आयत के क्षेत्रफल को मूल स्थिति में रखने के लिए उसकी चौड़ाई में $\left(\frac{100 \times x}{100 + x}\right)\%$ की कमी करनी पड़ेगी।
- यदि किसी आकृति के एक आयाम में $x\%$ की वृद्धि तथा दूसरे आयांम में $x\%$ की कमी हो तो उसके क्षेत्रफल में हमेशा कमी ही होगी और यह कमी $\frac{x^2}{100}\%$ होगी।
- यदि किसी वर्ग की भुजा में $x\%$ की वृद्धि कर दी जाए तो उस वर्ग के क्षेत्रफल में $\left(2x + \frac{x^2}{100}\right)\%$ की वृद्धि हो जाएगी।
- यदि किसी वर्ग की भुजा में $x\%$ की कमी कर दी जाए तो उसके क्षेत्रफल में $\left(2x - \frac{x^2}{100}\right)\%$ की कमी हो जाएगी।
- यदि किसी वृत्त की त्रिज्या में $x\%$ की वृद्धि कर दी जाए तो उसके क्षेत्रफल में $\left(2x + \frac{x^2}{100}\right)\%$ की वृद्धि हो जाएगी।
- यदि किसी वृत्त की त्रिज्या में $x\%$ की कमी कर दी जाए तो उसके क्षेत्रफल में $\left(2x - \frac{x^2}{100}\right)\%$ की कमी हो जाएगी।
- किसी x सेमी. भुजा वाले वर्ग के अन्दर बड़े से बड़े वृत्त का क्षेत्रफल $\left(\pi \times \frac{x^2}{4}\right)$ वर्ग सेमी. होगा।
- किसी x सेमी. त्रिज्या वाले वृत्त के अन्दर बने वर्ग का क्षेत्रफल $2x^2$ वर्ग सेमी. होगा।

PART-2
ठोस आकृतियाँ (Solid Figures)

❑ **ठोस:** कोई वस्तु जो स्थान घेरती है, भार रखती है तथा जिसका आकार निश्चित होता है, ठोस कहलाती है। इस प्रकार ठोस की तीन माप होती हैं–

1. लम्बाई
2. चौड़ाई
3. ऊँचाई (मोटाई)।

❑ **आयतन:** ठोस के द्वारा घिरी हुई जगह ठोस का आयतन कहलाती है।

❑ **घनाभ:** एक ठोस जो 6 आयताकार तलों द्वारा घिरा होता है, घनाभ कहलाता है।

❑ **घन:** एक ठोस जो 6 वर्गाकार तलों द्वारा घिरा होता है, घन कहलाता है।

पृष्ठीय क्षेत्रफल और आयतन (Surface area and Volume)

घन (Cube)

❖ घन का आयतन = a^3 = (भुजा)^3

❖ घन का वक्र पृष्ठीय क्षेत्रफल = $4a^2$

❖ घन का कुल पृष्ठीय क्षेत्रफल = $6a^2$

❖ घन का विकर्ण = $a\sqrt{3}$

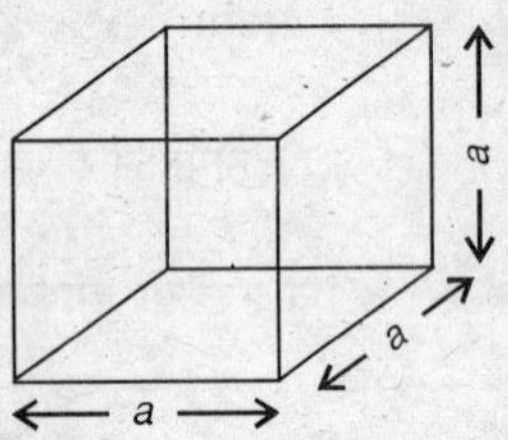

घनाभ (Cuboid)

❖ घनाभ का आयतन
= लम्बाई × चौड़ाई × ऊँचाई
= $l \times b \times h$

❖ घनाभ का पृष्ठीय क्षेत्रफल
= $2(l+b) \times h$

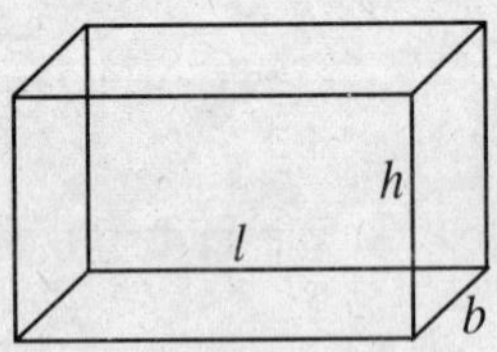

❖ घनाभ का कुल पृष्ठीय क्षेत्रफल = $2(lb + bh + hl)$

❖ घनाभ का विकर्ण = $\sqrt{l^2 + b^2 + h^2}$

बेलन (Cylinder)

❖ बेलन का आयतन = $\pi r^2 h$

❖ बेलन का वक्र पृष्ठ का क्षेत्रफल = $2\pi rh$

❖ बेलन का सम्पूर्ण पृष्ठ का क्षेत्रफल = $2\pi r(h+r)$

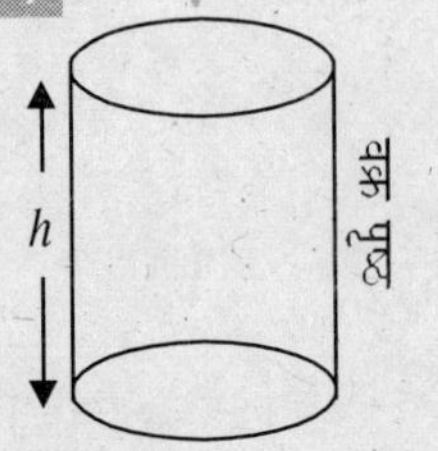

❖ बेलन का आयतन = आधार का क्षेत्रफल × ऊँचाई

शंकु (Cone)

❖ शंकु का आयतन = $\frac{1}{3}\pi r^2 h$

❖ शंकु का वक्र पृष्ठ का क्षेत्रफल = πrl
[$l^2 = r^2 + h^2$,
जहाँ l तिर्यक ऊँचाई (Slant height) है]

❖ शंकु का सम्पूर्ण पृष्ठ का क्षेत्रफल = $\pi r(l+r)$

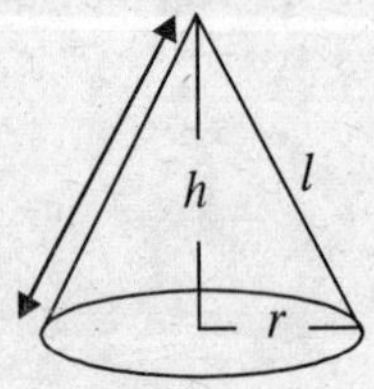

गोला (Sphere)

❖ गोले का आयतन = $\frac{4}{3}\pi r^3$

❖ गोले का पृष्ठीय क्षेत्रफल = $4\pi r^2$

❖ गोले का सम्पूर्ण पृष्ठ का क्षेत्रफल = $4\pi r^2$

अर्द्धगोला (Hemisphere)

❖ अर्द्ध गोले का आयतन = $\frac{2}{3}\pi r^3$

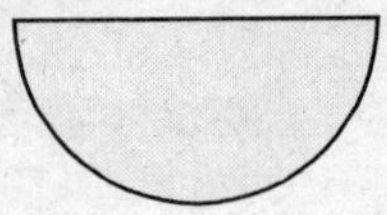

❖ अर्द्ध गोले का पृष्ठीय क्षेत्रफल = $2\pi r^2$

❖ अर्द्ध गोले का सम्पूर्ण पृष्ठ का क्षेत्रफल = $3\pi r^2$

खोखले गोले का आयतन **(Volume of Hollow Sphere)**

❖ खोखले गोले का आयतन = $\frac{4}{3}\pi\left(R^3 - r^3\right)$

❖ बाह्य पृष्ठीय क्षेत्रफल = $4\pi R^2$

प्रिज्म (Prism)

❖ प्रिज्म का आयतन = आधार का क्षेत्रफल × ऊँचाई

❖ प्रिज्म का पार्श्व पृष्ठीय क्षेत्रफल = आधार का परिमाप × ऊँचाई

❖ प्रिज्म का सम्पूर्ण पृष्ठीय क्षेत्रफल = पार्श्व पृष्ठीय क्षेत्रफल +2 (आधार का क्षेत्रफल)

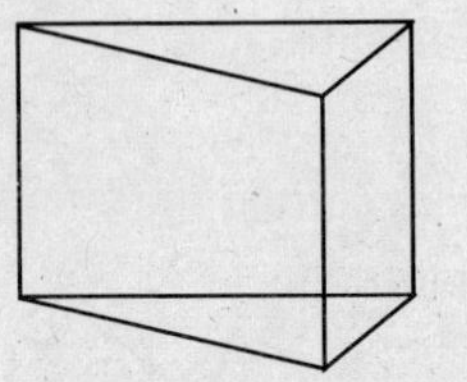

आधार त्रिभुजाकार

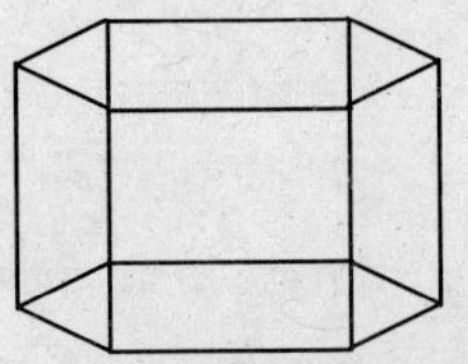

षट्भुजाकार आधार

पिरामिड (Pyramid)

❖ पिरामिड का आयतन = $\frac{1}{3}$ (आधार का क्षेत्रफल × ऊँचाई)

❖ पिरामिड का पार्श्व पृष्ठीय क्षेत्रफल

= $\frac{1}{2}$ × आधार का परिमाप × तिरछी ऊँचाई

❖ पिरामिड का कुल पृष्ठीय क्षेत्रफल = पार्श्व पृष्ठीय क्षेत्रफल + आधार का क्षेत्रफल

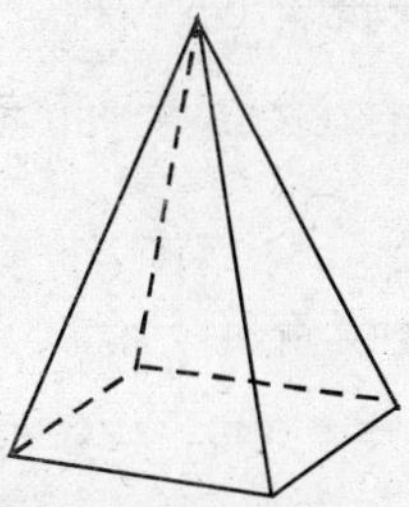

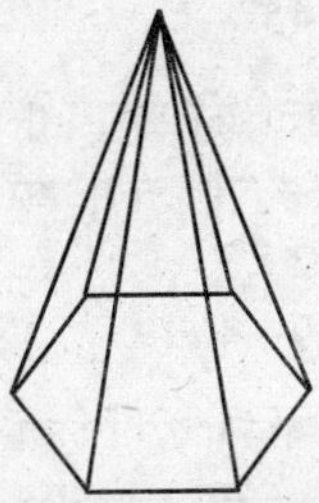

एक लम्ब वृत्तीय शंकु का छिन्नक (Frustum of a Right Circular Cone)

❖ छिन्नक का आयतन = $\frac{1}{3}\pi h(R^2 + Rr + r^2)$

❖ छिन्नक का वक्र पृष्ठीय क्षेत्रफल = $\pi(R + r)l$

❖ छिन्नक का कुल पृष्ठीय क्षेत्रफल = $\pi[(R + r)l + R^2 + r^2]$

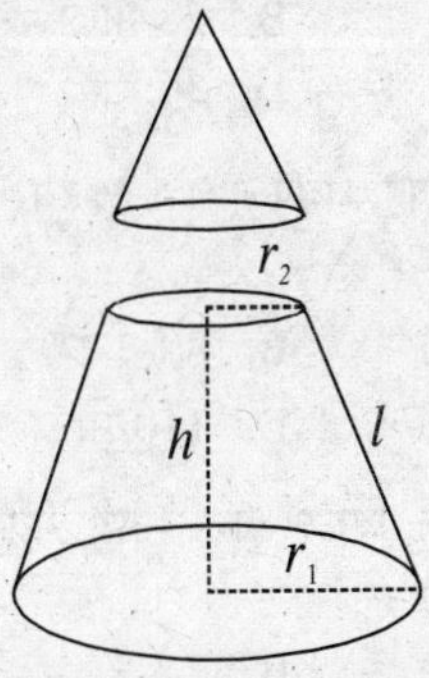

अभ्यास प्रश्न

1. एक वर्गाकार मैदान का परिमाप 580 मी. है, तो बताइये उस मैदान का क्षेत्रफल कितना होगा?

A. 21025 वर्ग मी. B. 20050 वर्ग मी.
C. 20075 वर्ग मी. D. 20060 वर्ग मी.

2. यदि किसी त्रिभुज का आधार 8 सेमी. तथा ऊँचाई 10 सेमी. हो, तो उस त्रिभुज का क्षेत्रफल कितना होगा?

A. 40 वर्ग सेमी. B. 35 वर्ग सेमी.
C. 42 वर्ग सेमी. D. 28 वर्ग सेमी.

3. एक आयताकार खेत का परिमाप 760 मी. है तथा इसकी लम्बाई व चौड़ाई में 11 : 8 का अनुपात है। तो बताइये आयताकार खेत का क्षेत्रफल क्या होगा?

A. 35200 वर्ग मी. B. 34700 वर्ग मी.
C. 35600 वर्ग मी. D. 45200 वर्ग मी.

4. उस वर्ग की एक भुजा की लम्बाई क्या होगी जिसका क्षेत्रफल क्रमशः 6.4 मी. लम्बे तथा 2.5 मी. चौड़े आयत के क्षेत्रफल के बराबर हो?

A. 8 मी. B. 5.4 मी.
C. 3.8 मी. D. 4 मी.

5. दो वर्गों के क्षेत्रफल में 225 वर्ग मी. का अन्तर है। यदि बड़े वर्ग की भुजा 25 मी. हो, तो छोटे वर्ग की भुजा कितनी होगी?

A. 18 मी. B. 21 मी.
C. 20 मीटर D. 22 मी.

6. एक वृत्त की परिधि तथा एक वर्ग का परिमाप बराबर है। तो बताइये उनके क्षेत्रफलों का अनुपात क्या होगा?

A. 14 : 11 B. 7 : 8
C. 14 : 13 D. 13 : 11

7. दो संकेन्द्रित (एक ही केन्द्र पर बने) वृत्तों का क्षेत्रफल क्रमशः 154 वर्ग सेमी. तथा 616 वर्ग सेमी. है। इस प्रकार दोनों वृत्तों के बीच जो घेरा बना हुआ है उस घेरे की चौड़ाई कितनी होगी?

A. 8 सेमी. B. 7 सेमी.
C. 10 सेमी. D. 5 सेमी.

8. एक घास का मैदान 24 मी. × 14 मी. है तथा इसके बाहर की ओर 1 मी. चौड़ा रास्ता है। यदि एक टाइल का क्षेत्रफल 20 × 20 वर्ग सेमी. हो, तो रास्ते पर लगने वाली टाइलों की संख्या क्या होगी?

A. 1900 B. 2100
C. 2000 D. 2050

9. एक कमरे की चार दीवारों का क्षेत्रफल 120 वर्ग मी. है तथा इसकी लम्बाई, चौड़ाई से दुगुनी है। यदि कमरे की ऊँचाई 4 मीटर हो, तो इसके फर्श का क्षेत्रफल क्या होगा?

A. 48 वर्ग मीटर B. 49 वर्ग मीटर
C. 50 वर्ग मीटर D. 52 वर्ग मीटर

10. एक आयत की लम्बाई में 5 मीटर कमी करने तथा चौड़ाई में 3 मीटर वृद्धि करने पर इसके क्षेत्रफल में 9 वर्ग मीटर की कमी हो जाती है। यदि आयत की लम्बाई तथा चौड़ाई में क्रमशः 3 मीटर तथा 2 मीटर की वृद्धि कर दें, तो इसके क्षेत्रफल में 67 वर्ग मीटर की वृद्धि हो जाती है। इस आयत की लम्बाई कितनी है?

A. 15 मीटर B. 16 मीटर
C. 17 मीटर D. 18 मीटर

11. एक आयताकार मैदान की भुजायें 3 : 4 के अनुपात में हैं। यदि इस मैदान का क्षेत्रफल 7500 वर्ग मीटर हो, तो इसके चारों ओर 25 पैसे प्रतिमीटर की दर से बाड़ लगाने का खर्च क्या होगा?

A. ₹ 55.50　　B. ₹ 67.50
C. ₹ 86.50　　D. ₹ 87.50

12. एक आयताकार कमरे की लम्बाई तथा चौड़ाई प्रत्येक में 1 मीटर की वृद्धि कर दें तो इसके फ़र्श के क्षेत्रफल में 21 वर्ग मीटर की वृद्धि हो जाती है। यदि लम्बाई में 1 मीटर की वृद्धि कर दें तथा चौड़ाई में 1 मीटर कमी कर दें, तो फर्श का क्षेत्रफल 5 मीटर कम हो जाता है। फर्श की परिमिति कितनी है?
A. 42 मीटर　　B. 28 मीटर
C. 35 मीटर　　D. 40 मीटर

13. एक वर्गाकार खेत का क्षेत्रफल 0.5 हेक्टेयर है। इसके विकर्ण की लम्बाई क्या होगी?
A. 75 मीटर　　B. 80 मीटर
C. 100 मीटर　　D. 110 मीटर

14. एक वर्ग तथा इसके विकर्ण पर बनाये गये वर्ग के क्षेत्रफलों का अनुपात क्या होगा?
A. 1 : 2　　B. 2 : 3
C. 3 : 4　　D. 4 : 5

15. यदि दो वर्गों के विकर्ण का अनुपात 2 : 5 हो, तो इनके क्षेत्रफलों का अनुपात क्या होगा?
A. $\sqrt{2}:\sqrt{5}$　　B. 2 : 5
C. 4 : 25　　D. इनमें से कोई नहीं

16. एक वर्गाकार खेत को ₹ 135 प्रति हेक्टेयर की दर से समतल करने का खर्च ₹ 1215 है। इस खेत के चारों ओर 75 पैसे प्रति मीटर की दर से बाड़ लगाने का खर्च क्या होगा?
A. ₹ 540　　B. ₹ 880
C. ₹ 900　　D. ₹ 920

17. एक वर्ग के क्षेत्रफल में 69% वृद्धि होने पर इसकी प्रत्येक भुजा में कितनी वृद्धि होगी?
A. 20%　　B. 30%
C. 25%　　D. 28%

18. एक आयत की लम्बाई में 50% वृद्धि कर देने के बाद इसकी चौड़ाई में कितने प्रतिशत कमी की जाये कि क्षेत्रफल अपरिवर्तित रहे?
A. 33.33%　　B. 37.5%
C. 50%　　D. 60%

19. एक समबाहु त्रिभुज का क्षेत्रफल $4\sqrt{3}$ वर्ग सेमी. है। इसकी परिमिति कितनी है?
A. 9 सेमी.　　B. 12 सेमी.
C. $4\sqrt{3}$ सेमी.　　D. $\frac{3\sqrt{3}}{4}$ सेमी.

20. एक समलम्ब चतुर्भुज की समान्तर भुजाओं का अनुपात 3 : 5 है तथा इनके बीच की दूरी 12 सेमी. है। यदि इस चतुर्भुज का क्षेत्रफल 384 वर्ग सेमी. हो, तो समान्तर भुजाओं में से छोटी भुजा की लम्बाई कितनी होगी?
A. 20 सेमी.　　B. 24 सेमी.
C. 22 सेमी.　　D. 25 सेमी.

21. एक समलम्ब चतुर्भुज का क्षेत्रफल 1440 वर्गमीटर है तथा इसकी समान्तर भुजाओं के बीच की दूरी 24 मीटर है। यदि समान्तर भुजाओं का अनुपात 5 : 3 हो, तो इन भुजाओं में से बड़ी भुजा की लम्बाई कितनी होगी?
A. 60 मीटर　　B. 65 मीटर
C. 75 मीटर　　D. 80 मीटर

22. किसी वृत्त की त्रिज्या में 30% कमी करने पर इसके क्षेत्रफल में कितने प्रतिशत की कमी आयेगी?
A. 30%　　B. 60%
C. 45%　　D. इनमें से कोई नहीं

23. दो वृत्तों की परिधियों का अनुपात 2 : 3 है। इन वृत्तों के क्षेत्रफलों का अनुपात क्या होगा?
A. 2 : 3　　B. 4 : 9
C. 9 : 4　　D. इनमें से कोई नहीं

24. एक पहिये की त्रिज्या 0.25 मीटर है। 11 किमी. दूरी तय करने में यह कितने चक्कर लगायेगा?
A. 8000　　B. 6000
C. 9000　　D. 7000

25. एक अर्द्ध-वृत्त के आकार की एक खिड़की का व्यास 63 सेमी. है। इसकी परिमिति कितनी है?
A. 152 सेमी.　　B. 162 सेमी.
C. 156 सेमी.　　D. 165 सेमी.

26. यदि किसी आयत की लम्बाई को 10% अधिक तथा उसकी चौड़ाई को 10% कम कर दिया जाए तो उसका क्षेत्रफल:
A. 1% कम हो जाएगा　　B. 1% अधिक हो जाएगा
C. 2% कम हो जाएगा　　D. अपरिवर्तित होगा

27. एक आयत की लम्बाई में 20% की कमी कर दी जाती है तथा चौड़ाई में 40% की वृद्धि कर दी जाती है तो बताओ उसके क्षेत्रफल पर क्या प्रभाव पड़ेगा?
A. 12% वृद्धि　　B. 12% कमी
C. 20% वृद्धि　　D. 30% कमी

28. एक आयत की लम्बाई 60% बढ़ाई गई है। उसकी चौड़ाई कितने प्रतिशत कम की जाए कि क्षेत्रफल उतना ही रहे?
A. $37\frac{1}{2}$　　B. 60
C. 75　　D. 120

29. एक वृत्ताकार वलय की भीतरी तथा बाहरी परिधि क्रमशः 44 सेमी., तथा 88 सेमी. हैं, तो वलय की मोटाई क्या है?
A. 5 सेमी.　　B. 6 सेमी.
C. 7 सेमी.　　D. 8 सेमी.

30. किसी घड़ी की मिनट की सुई की लम्बाई 7 सेमी. है तो 15 मिनट में मिनट की सुई द्वारा तय किए गये क्षेत्र का क्षेत्रफल क्या होगा?
A. 55 सेमी.^{2}　　B. 40 सेमी.^{2}
C. 38.5 सेमी.^{2}　　D. इनमें से कोई नहीं

31. सरकस का एक तंबू 22 मीटर की ऊँचाई तक बेलनाकार है तथा उसके बाद शंक्वाकार है। उसका व्यास 48 मीटर है तथा जमीन से तंबू के शीर्ष की ऊँचाई 32 मीटर है। उस तंबू को बनवाने में कितने कपड़े की आवश्यकता होगी?

A. 6225 वर्ग मी. B. 5280 वर्ग मी.
C. 4840 वर्ग मी. D. 4785 वर्ग मी.

32. धातु का एक बेलनाकार खोखला टुकड़ा है जिसका बाहरी व्यास 28 सेमी. और आन्तरिक व्यास 14 सेमी. है। इसका वजन 115.5 किलोग्राम है तथा इसका घनत्व 10 ग्राम प्रति घन सेमी. है। यदि इस टुकड़े को 5 भागों में बाँट दिया जाए, तो प्रत्येक भाग की लम्बाई क्या होगी?

A. 1 सेमी. B. 3 सेमी.
C. 4 सेमी. D. 5 सेमी.

33. एक लोहे का खम्भा जिसका ऊपरी भाग शंकुनुमा है और नीचे का भाग बेलनाकार है। बेलन की त्रिज्या 8 सेमी., ऊँचाई 240 सेमी. और शंकु की ऊँचाई 36 सेमी. है। यदि 1 घन सेमी. लोहे का भार 7.8 ग्राम हो, तो खम्भे का भार ज्ञात कीजिए।

A. 395.3664 किग्रा. B. 235.2324 किग्रा.
C. 365.3664 किग्रा. D. 275.2324 किग्रा.

34. एक अर्द्धगोलाकार बर्तन जिसका आन्तरिक व्यास 36 सेमी. है, में द्रव भरा हुआ है। इस द्रव को 3 सेमी. त्रिज्या और 6 सेमी. ऊँचाई वाली बेलनाकार बोतलों में खाली किया जाना है। बर्तन को पूरा खाली करने के लिए ऐसी कितनी बोतलों की आवश्यकता होगी?

A. 60 B. 50
C. 72 D. 82

35. एक शंकु के छिन्नक के आधारों का परिमाप 48 सेमी. और 36 सेमी. है। यदि छिन्नक की ऊँचाई 11 सेमी. है, तो आयतन ज्ञात कीजिए।

A. 1554 सेमी.^{3} B. 1264 सेमी.^{3}
C. 1624 सेमी.^{3} D. 1444 सेमी.^{3}

36. एक लम्ब वृत्तीय शंकु का आयतन 1232 सेमी.^{3} है, और उसकी ऊर्ध्वाधर ऊँचाई 24 सेमी. है। तदनुसार, वक्राकार पृष्ठ का क्षेत्रफल कितना है?

A. 154 सेमी.^{2} B. 550 सेमी.^{2}
C. 604 सेमी.^{2} D. 704 सेमी.^{2}

37. एक समबहुभुज के सभी आंतरिक कोणों का योग, उसके सभी बाह्य कोणों के योग का दुगुना है। तदनुसार, उस बहुभुज की भुजाएँ कितनी हैं?

A. 10 B. 8
C. 12 D. 6

38. एक लम्ब पिरामिड का आधार वर्गाकार है, आधार के विकर्ण की लम्बाई $24\sqrt{2}$ मी. है। यदि पिरामिड का आयतन 1728 घनमीटर है, तो इसकी ऊँचाई है :

A. 7 मी. B. 8 मी.
C. 9 मी. D. 10 मी.

39. एक लम्ब प्रिज्म का आधार 6 सेमी. भुजा वाला समबाहु त्रिभुज है। यदि प्रिज्म का आयतन $108\sqrt{3}$ घन सेमी. है, तो इसकी ऊँचाई है :

A. 9 सेमी. B. 10 सेमी.
C. 11 सेमी. D. 12 सेमी.

40. एक रोलर का व्यास 140 सेमी. तथा लम्बाई 4 मीटर है। यदि उसे एक मैदान पर चलाया जाए, तो 50 पूर्ण चक्कर में रोलर कितने (वर्गमीटर) मैदान पर चलेगा?

A. 884 B. 890
C. 880 D. 920

41. एक लोहे का बड़ा गोला, जिसको पिघलाकर तीन विभिन्न प्रकार के गोले बनाये जाते हैं जिसकी त्रिज्या क्रमशः 3 सेमी., 4 सेमी. तथा 5 सेमी. है। बड़े गोले का व्यास कितना होगा?

A. 6 सेमी. B. 8 सेमी.
C. 12 सेमी. D. 16 सेमी.

42. ढक्कन वाली एक घनाकार पानी की टंकी, जिसका प्रत्येक बाहरी किनारा 1.5 मी. लम्बा है। टंकी के बाहरी पृष्ठ पर, तली को छोड़ते हुए 25 सेमी. भुजा वाली वर्गाकार टाइलें (Tiles) लगाना है। यदि टाइलों की लागत ₹ 360 प्रति दर्जन है, तो उसे टाइल लगवाने में कितना व्यय करना पड़ेगा?

A. ₹ 5400 B. ₹ 5000
C. ₹ 4400 D. ₹ 4850

43. एक टैन्ट 3 मीटर ऊँचाई तक लम्बवृत्तीय बेलनाकार है। उसके बाद का ऊपरी हिस्सा शंक्वाकार है। यदि शंकु के शीर्ष की जमीन से ऊँचाई 13.5 मीटर और आधार की त्रिज्या 14 मीटर हो, तो ₹ 2 प्रति वर्गमीटर की दर से टैन्ट को अन्दर से पेन्ट करवाने का खर्च ज्ञात करें।

A. ₹ 2142 B. ₹ 2346
C. ₹ 1020 D. ₹ 2068

44. एक ठोस बेलन के वृत्तीय सिरों पर समान आधार के गोलार्द्ध चिपके हुए हैं। ठोस की सम्पूर्ण लम्बाई 19 सेमी. और व्यास 7 सेमी. है। सम्पूर्ण पृष्ठ का क्षेत्रफल ज्ञात कीजिए।

A. 312 सेमी.^{2} B. 418 सेमी.^{2}
C. 512 सेमी.^{2} D. 360 सेमी.^{2}

45. एक 6 सेमी. व्यास का गोला एक 12 सेमी. व्यास के बेलनाकार बर्तन में, जिसमें पानी है, डाला जाता है। पानी कितना ऊपर चढ़ जायेगा?

A. 1 सेमी. B. 2 सेमी.
C. 3 सेमी. D. 4 सेमी.

46. एक लम्ब वृत्तीय बेलन की ऊँचाई 10 सेमी. और व्यास 4.5 सेमी. । इसे पिघलाकर 1.5 सेमी. व्यास और 0.2 सेमी. मोटाई वाले कितने सिक्के बनाये जा सकते हैं?

A. 360 B. 450
C. 390 D. 480

47. एक बाल्टी एक शंकु के छिन्नक जैसी है जिसकी क्षमता 28.490 लीटर है। बाल्टी के ऊपरी आधार और निचली आधार की त्रिज्याएँ क्रमशः 28 सेमी. और 21 सेमी. हैं। बाल्टी की ऊँचाई ज्ञात कीजिए।

A. 12 सेमी. B. 13 सेमी.
C. 14 सेमी. D. 15 सेमी.

48. एक घन का पृष्ठ क्षेत्रफल 1014 वर्ग सेंमी. है। इसका आयतन कितना होगा?

A. 2197 घन सेंमी. B. 2297 घन सेंमी.
C. 2179 घन सेंमी. D. 2117 घन सेंमी.

49. यदि दो घनाकृतियों के आयतन में 8 : 1 का अनुपात हो, तो उनकी कोरों में क्या अनुपात होगा?

A. 1 : 2 B. 2 : 1
C. 4 : 1 D. 2 : 3

50. दो गोलों के पृष्ठ क्षेत्रफल में 9 : 16 का अनुपात है, तो बताइये उनके आयतनों में क्या अनुपात होगा?

A. 64 : 27 B. 27 : 64
C. 16 : 27 D. 11 : 27

51. एक कमरे की लं., चौ. व ऊँ. क्रमश: 12 मी., 9 मी. तथा 8 मी. है, तो बताइये उस छड़ की अधिक-से-अधिक लम्बाई क्या होगी जो कमरे में ठीक प्रकार रखी जो सके?

A. 17 मी. B. 18 मी.
C. 25 मी. D. 16 मी.

52. किसी लम्बवृत्तीय शंकु की त्रिज्या तथा ऊँचाई में 3 : 5 का अनुपात है। यदि शंकु का आयतन 120π घन मी. हो, तो उसकी तिरछी ऊँचाई कितनी होगी?

A. $3\sqrt{34}$ मी. B. $2\sqrt{28}$ मी.
C. $2\sqrt{44}$ मी. D. $2\sqrt{34}$ मी.

53. यदि किसी बेलन के आधार की परिधि 88 सेंमी. तथा ऊंचाई 42 सेंमी. हो, तो उस बेलन का आयतन कितना होगा?

A. 25872 घन सेंमी.
B. 28572 घन सेंमी.
C. 25870 घन सेंमी.
D. 22584 घन सेंमी.

54. एक आयताकार कागज के टुकडे की लम्बाई व चौड़ाई क्रमश: 30 सेंमी. तथा 20 सेंमी. है। यदि कागज को मोड़कर एक बेलन का वक्रपृष्ठ बनाया जाये, तो बेलन कितने तरीके से बनाया जा सकता है?

A. तीन तरीके से B. दो तरीके से
C. एक तरीके से D. चार तरीके से

55. किसी रोलर का व्यास 2.4 मी. तथा लम्बाई 1.68 मी. है। यदि किसी मैदान को समतल करने में रोलर को 1000 पूर्ण चक्कर लगाने पड़े, तो उस मैदान का क्षेत्रफल क्या होगा?

A. 12672 वर्ग मी. B. 12671 वर्ग मी.
C. 12762 वर्ग मी. D. 11768 वर्ग मी.

56. एक घन के किनारे की लम्बाई में 10% वृद्धि करने से घन के धरातल के क्षेत्रफल में कितने प्रतिशत वृद्धि हो जाएगी?

A. 21% B. 18%
C. 15% D. 20%

57. 14 मी. लम्बे तथा 4 मी. त्रिज्या वाले एक ठोस बेलन को पिघलाकर शंकु बनाया जाता है। यदि शंकु की त्रिज्या बेलन की त्रिज्या के बराबर हो, तो शंकु की ऊंचाई कितनी होगी?

A. 21 मी. B. 42 मी.
C. 48 मी. D. 54 मी.

58. तीन घन, जिनके किनारे क्रमश: 2 सेंमी., 3 सेंमी. तथा 4 सेंमी. हैं, को पिघलाकर एक नया घन बनाया जाता है। उस नए घन का किनारा कितना होगा?

A. $\sqrt{99}$ सेंमी. B. $3\sqrt{99}$ सेंमी.
C. $\sqrt[3]{99}$ सेंमी. D. 99 सेंमी.

59. एक शंक्वाकार मकबरे का व्यास तथा उसकी ढलवां ऊँचाई क्रमश: 28 मी. तथा 50 मी. है, तो बताइये 80 पैसे प्रति वर्ग मी. की दर से उसकी गोलाकर सतह पर सफेदी कराने का खर्च क्या होगा?

A. ₹ 1860 B. ₹ 1760
C. ₹ 1950 D. ₹ 1875

60. किसी घनाभ (Cuboid) की लम्बाई व चौड़ाई में क्रमश: 8 : 7 का अनुपात है। यदि घनाभ का आयतन 1120 घन सेमी तथा ऊंचाई 5 सेंमी. हो, तो घनाभ की चौडाई उसकी लम्बाई से कितनी कम होगी?

A. 4 सेंमी. B. 2 सेंमी.
C. 7 सेंमी. D. 5 सेंमी.

उत्तरमाला

1	2	3	4	5	6	7	8	9	10
A	A	A	D	C	A	B	C	C	C
11	12	13	14	15	16	17	18	19	20
D	D	C	A	C	C	B	A	B	B
21	22	23	24	25	26	27	28	29	30
C	D	B	D	B	A	A	A	C	C
31	32	33	34	35	36	37	38	39	40
B	D	A	C	A	B	D	C	D	C

41	42	43	44	45	46	47	48	49	50
C	A	D	B	A	B	D	A	B	B
51	**52**	**53**	**54**	**55**	**56**	**57**	**58**	**59**	**60**
A	D	A	B	A	A	B	C	B	B

व्याख्यात्मक उत्तर

1. $\because$ वर्गाकार मैदान का परिमाप = 4 × भुजा

प्रश्नानुसार, $\therefore$ 4 × भुजा = 580 $\Rightarrow$ भुजा = $\frac{580}{4}$ = 145 सेमी.

$\therefore$ क्षेत्रफल = $(\text{भुजा})^2 = (145)^2 = 21025$ वर्ग सेमी.

2. त्रिभुज का क्षेत्रफल = $\frac{1}{2}$ × आधार × ऊँचाई

= $\frac{1}{2} \times 8 \times 10 = 40$ वर्ग सेमी.।

3. माना कि आयताकार खेत की लम्बाई व चौड़ाई क्रमशः $11x$ मी. व $8x$ मी. है।

$\therefore$ खेत का परिमाप = $2(11x + 8x) = 2 \times 19x = 38x$ मी.

प्रश्नानुसार, आयताकार खेत का परिमाप = 760 मी. है।

$\therefore 38x = 760 \quad \Rightarrow x = \frac{760}{38} = 20$

$\therefore$ खेत की लम्बाई व चौड़ाई क्रमशः (11 × 20 = 220 मी.) व (8 × 20 = 160 मी.) होगी।

$\therefore$ आयताकार खेत का क्षेत्रफल = 220 × 160 = 35200 वर्ग मी.।

4. आयत का क्षेत्रफल = 6.4 × 2.5 = 16.00 वर्ग.मी.

प्रश्नानुसार,

वर्ग का क्षेत्रफल = आयत का क्षेत्रफल

$\therefore$ वर्ग का क्षेत्रफल = 16 वर्ग मी.

$\therefore$ वर्ग की भुजा = $\sqrt{16} = \sqrt{4 \times 4} = 4$ मी.।

5. माना कि छोटे वर्ग की भुजा x मी. है

चूँकि बड़े वर्ग का क्षेत्रफल = $(25)^2 = 625$ वर्ग मी.

तथा छोटे वर्ग का क्षेत्रफल = x^2 वर्ग मी.

प्रश्नानुसार, दोनों वर्गों के क्षेत्रफल में अन्तर = 225 वर्ग मी.

$\therefore 625 - x^2 = 225 \quad \Rightarrow x^2 = 625 - 225 = 400$

$\Rightarrow x = \sqrt{20 \times 20} = 20$ मी.

अतः छोटे वर्ग की भुजा 20 मी. होगी।

6. माना कि वृत्त की त्रिज्या R सेमी. तथा वर्ग की भुजा x सेमी. है।

$\therefore$ वृत्त की परिधि = $2\pi R$ सेमी. तथा वर्ग का परिमाप = $4x$ सेमी.

प्रश्नानुसार,

$2\pi R = 4x \Rightarrow R = \frac{2x}{\pi}$

$\therefore$ वृत्त तथा वर्ग के क्षेत्रफलों में अनुपात = $\pi R^2 : x^2$

$\Rightarrow \pi \times \left(\frac{2x}{\pi}\right)^2 : x^2 \Rightarrow \frac{4x^2}{\pi} : x^2$

$\Rightarrow 4 : \pi \quad \Rightarrow 4 : \frac{22}{7} \quad \Rightarrow 14 : 11$

7. माना कि बड़े वृत्त की त्रिज्या R सेमी. तथा छोटे वृत्त की त्रिज्या r सेमी. है।

$\therefore$ दोनों वृत्तों के बीच बने घेरे की चौड़ाई = $(R - r)$ सेमी.

$\therefore$ बड़े वृत्त का क्षेत्रफल = πR^2 वर्ग सेमी.

तथा छोटे वृत्त का क्षेत्रफल = πr^2 वर्ग सेमी.

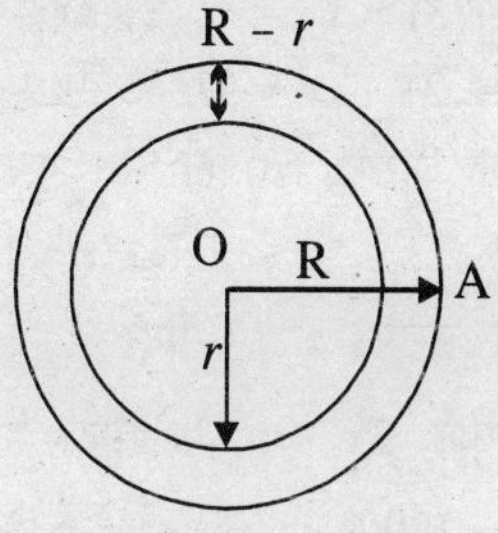

प्रश्नानुसार, $\pi R^2 = 616$ तथा $\pi r^2 = 154$

$\because \quad \pi R^2 = 616 \quad \Rightarrow R^2 = \frac{616}{\frac{22}{7}} = \frac{616 \times 7}{22}$

$\Rightarrow \quad R^2 = 196 \quad \Rightarrow R = 14$

तथा $\pi R^2 = 154 \quad \Rightarrow r^2 = \frac{154}{\frac{22}{7}} = \frac{154 \times 7}{22}$

$\Rightarrow \quad r^2 = 49 \quad \Rightarrow r = 7$

$\therefore$ दोनों वृत्तों के बीच में बने घेरे की चौड़ाई = 14 – 7 = 7 सेमी.

8. चूँकि मैदान का क्षेत्रफल = 24 × 14 = 336 वर्ग मी.

रास्ते सहित मैदान का क्षेत्रफल = 26 × 16 = 416 वर्ग मी.

$\therefore$ रास्ते का क्षेत्रफल = 416 – 336 = 80 वर्ग मी.

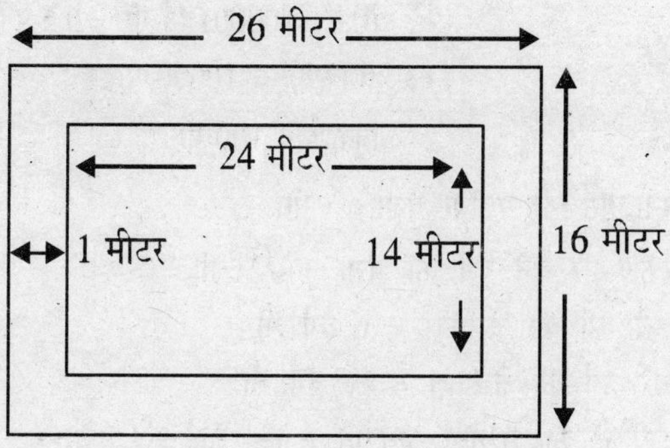

चूँकि एक टाइल का क्षेत्रफल = $\frac{20}{100} \times \frac{20}{100} = \frac{400}{10000} = .04$ वर्ग मी.

$\therefore$ रास्ते पर लगने वाली टाइलों की संख्या = $\frac{80}{.04} = 2000$

9. माना कमरे की लम्बाई $= x$ मीटर। तब चौड़ाई $= \left(\frac{x}{2}\right)$ मीटर

कमरे की चार दीवारों का क्षेत्रफल = 2 (लम्बाई + चौड़ाई) × ऊँचाई

$= \left[2\left(x+\frac{x}{2}\right)\times 4\right]$ वर्ग मी. $= (12x)$ वर्ग मी.

$\therefore 12x = 120 \quad \Leftrightarrow x = 10$

अतः लम्बाई = 10 मीटर तथा चौड़ाई = 5 मीटर

$\therefore$ फर्श का क्षेत्रफल = (10 × 5) वर्ग मी. = 50 वर्ग मीटर

10. माना आयत की लम्बाई $= x$ मीटर तथा चौड़ाई $= y$ मीटर

तब, आयत का क्षेत्रफल $= (xy)$ वर्ग मीटर

$\therefore (x-5)(y+3) = xy - 9 \quad \Leftrightarrow 3x - 5y = 6$

$(x+3)(y+2) - xy = 67 \quad \Leftrightarrow 2x + 3y = 61$

(i) को 3 से गुणा करके, (ii) को 5 से गुणा करके जोड़ने पर

$19x = 323 \quad \Leftrightarrow x = 17$

अतः आयत की लम्बाई = 17 मीटर

11. माना भुजायें क्रमशः $3x$ तथा $4x$ मीटर हैं।

तब, $3x \times 4x = 7500 \quad \Leftrightarrow x^2 = 625 \quad \Leftrightarrow x = 25$

अतः भुजाओं की लम्बाई 75 मी. तथा 100 मी. हैं।

$\therefore$ परिमिति = 2(75 + 100) मी. = 350 मी.

बाड़ लगाने का खर्च $= \left(350\times\frac{25}{100}\right) =$ ₹ 87.50

12. माना फर्श की लम्बाई $= x$ मीटर तथा चौड़ाई $= y$ मीटर

तब, क्षेत्रफल $= xy$ वर्ग मीटर

$\therefore (x+1)(y+1) - xy = 21 \quad \Leftrightarrow x + y = 20$

$xy - (x+1)(y-1) = 5 \quad \Leftrightarrow x - y = 4$

(i) तथा (ii) को हल करने पर, $x = 12$ तथा $y = 8$

फर्श की परिमिति = 2(12 + 8) मीटर = 40 मीटर

13. वर्ग का क्षेत्रफल $= \frac{1}{2} \times$ (विकर्ण)^2

$\Leftrightarrow$ (0.5 × 10000) वर्ग मी. = 0.5 × (विकर्ण)^2

$\Leftrightarrow$ (विकर्ण)^2 = 10000 मीटर

$\Leftrightarrow$ विकर्ण = 100 मीटर

14. माना वर्ग की प्रत्येक भुजा $= x$ मी.

विकर्ण पर बने वर्ग की भुजा $= \sqrt{2}x$ मी.

पहले वर्ग का क्षेत्रफल $= x^2$ वर्ग मी.,

दूसरे वर्ग का क्षेत्रफल $= 2x^2$ वर्ग मी.

क्षेत्रफलों का अभीष्ट अनुपात $= x^2 : 2x^2 = 1 : 2$

15. माना दिये गये वर्गों के विकर्ण $2x$ मी. तथा $5x$ मी. हैं।

तब, इन वर्गों के क्षेत्रफलों का अनुपात

$= \frac{1}{2}(2x)^2 : \frac{1}{2}(5x)^2 = 2x^2 : \frac{25}{2}x^2 = 4 : 25$

16. खेत का क्षेत्रफल $= \frac{\text{कुल खर्च}}{\text{दर}} = \left(\frac{1215}{135}\right)$ हैक्टेयर = 9 हैक्टेयर

= (9 × 10000) वर्ग मी.

खेत की प्रत्येक भुजा $= \sqrt{9\times 10000} = (3\times 100)$ मी. = 300 मीटर

खेत की परिमिति = (300 × 4) मीटर = 1200 मीटर

बाड़ लगाने का खर्च $= \left(1200\times\frac{75}{100}\right) =$ ₹ 900

17. माना प्रारम्भिक क्षेत्रफल = 100 वर्ग मीटर।

तब, प्रत्येक भुजा = 10 मीटर

नये वर्ग का क्षेत्रफल = 169 वर्ग मीटर

इस वर्ग की प्रत्येक भुजा $= \sqrt{169}$ मीटर = 13 मीटर

भुजा में वृद्धि% $= \left(\frac{3}{10}\times 100\right)\% = 30\%$

18. माना लम्बाई $= x$ इकाई तथा चौड़ाई $= y$ इकाई।

तब, क्षेत्रफल $= xy$ वर्ग इकाई

नई लम्बाई = (x का 150%) $= \left(x\times\frac{150}{100}\right)$ इकाई $= \frac{3x}{2}$ इकाई।

माना नई चौड़ाई $= z$ इकाई।

तब, $xy = \frac{3x}{2}\times z \quad \Leftrightarrow z = \frac{2y}{3}$

अतः चौड़ाई में कमी $= \left(y - \frac{2y}{3}\right) = \frac{y}{3}$

चौड़ाई में कमी% $= \left(\frac{y}{3}\times\frac{1}{y}\times 100\right)\% = 33\frac{1}{3}\% = 33.33\%$

19. माना प्रत्येक भुजा $= x$ सेमी.

तब, $\left(\frac{\sqrt{3}}{4}\times x^2\right) = 4\sqrt{3} \quad \Leftrightarrow x^2 = 16 \quad \Leftrightarrow x = 4$

$\therefore$ परिमिति = (3 × 4) सेमी. = 12 सेमी.

20. माना समान्तर भुजायें $3x$ तथा $5x$ हैं।

तब, $\frac{1}{2}\times(3x+5x)\times 12 = 382$

$\Leftrightarrow 48x = 384 \quad \Leftrightarrow x = \frac{384}{48} = 8$

अतः छोटी भुजा = 24 सेमी.

21. माना समान्तर भुजाओं की लम्बाई $5x$ तथा $3x$ हैं।

तब, $\frac{1}{2}\times(5x+3x)\times 24 = 1440$

$\Leftrightarrow 8x = 120 \quad \Leftrightarrow x = 15$

अतः बड़ी भुजा की लम्बाई = (5 × 15) मीटर = 75 मीटर

22. माना वृत्त की त्रिज्या = R, तब, क्षेत्रफल $= \frac{49\pi R^2}{100}$

नये वृत्त की त्रिज्या = (R का 70%) $= \frac{7R}{10}$

नया क्षेत्रफल = $\frac{49\pi R^2}{100}$

क्षेत्रफल में कमी = $\left(\pi R^2 - \frac{49\pi R^2}{100}\right) = \frac{51\pi R^2}{100}$

क्षेत्रफल में कमी % = $\left(\frac{51\pi R^2}{100} \times \frac{1}{\pi R^2} \times 100\right)\% = 51\%$

23. $\frac{2\pi R_1}{2\pi R_2} = \frac{2}{3} \Leftrightarrow \frac{R_1}{R_2} = \frac{2}{3}$

इन वृत्तों के क्षेत्रफलों का अनुपात = $\frac{\pi R_1^2}{\pi R_2^2} = \left(\frac{R_1}{R_2}\right)^2 = \left(\frac{2}{3}\right)^2 = \frac{4}{9}$

24. पहिये की परिधि = $2\pi R = \left(2 \times \frac{22}{7} \times \frac{25}{100}\right)$ मी. = $\frac{11}{7}$ मी.

11 किमी. दूरी तय करने में लगे चक्करों की संख्या

$= \left(11000 \times \frac{7}{11}\right) = 7000$

25. यहाँ अर्द्धव्यास, $R = \frac{63}{2}$ सेमी.

अर्द्धव्यास की परिमिति = $\pi R + 2R = (\pi + 2)R$

$= \left[\left(\frac{22}{7} + 2\right) \times \frac{63}{2}\right]$ सेमी.

$= \left(\frac{36}{7} \times \frac{63}{2}\right)$ सेमी. = 162 सेमी.

26. क्षेत्रफल पर प्रभाव = $\frac{(100 \pm A)(100 \pm B)}{100}$

$= \frac{110 \times 90}{100} = 99\% = 1\%$ कम

27. क्षेत्रफल पर प्रभाव = $\frac{(100 \pm A)(100 \pm B)}{100}$

$= \frac{80 \times 140}{100} = 112\% = 12\%$ वृद्धि

28. प्रतिशत कमी = $\frac{60}{100 + 60} \times 100$

$= \frac{60}{160} \times 100 = 37\frac{1}{2}$

29. बाहरी परिधि = 88

$2\pi r = 88$

$r = \frac{88}{2 \times 22} \times 7 = 14$ सेमी.

भीतरी परिधि = 44 सेमी.

$2\pi r = 44$

$r = \frac{44}{2 \times 22} \times 7 = 7$ सेमी.

तो वलय की मोटाई = 14 – 7 = 7 सेमी.

30. सुई (r) = 7 सेमी.

मिनट वाली सुई 15 मि. में कोण बनाएगी

$15 \times 6 = 90°$

त्रिज्य खण्ड का क्षेत्रफल = $\pi r^2 \frac{\theta}{360}$

$\frac{22}{7} \times 7 \times 7 \times \frac{90}{360} = 38.5$ सेमी.^{2}

31. प्रश्नानुसार,

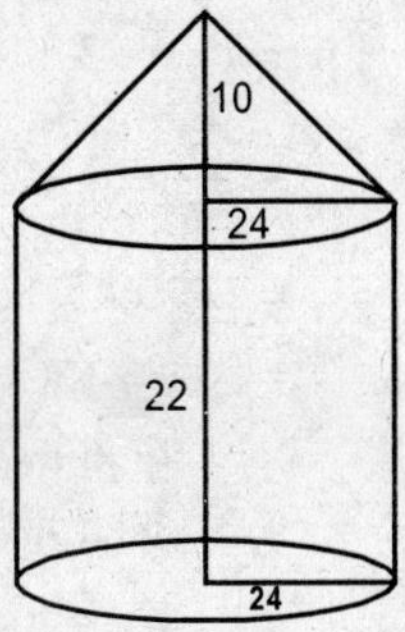

बेलनाकार भाग की ऊँचाई = 22 मीटर

तम्बू की त्रिज्या = $\frac{48}{2} = 24$ मीटर

शंक्वाकार भाग की ऊँचाई

$= 32 - 22 = 10$ मीटर

शंक्वाकार भाग की तिर्यक ऊँचाई

$= \sqrt{(24)^2 + (10)^2}$

$= \sqrt{576 + 100}$

$= \sqrt{676} = 26$ मीटर

अतः कपड़े का कुल क्षेत्रफल = बेलन का वक्रपृष्ठ का क्षेत्रफल + शंक्वाकार का वक्र पृष्ठ का क्षेत्रफल

$= 2\pi rh + \pi rl$

$= \pi r(2h + l)$

$= \frac{22}{7} \times 24(2 \times 22 + 26)$

$= \frac{22}{7} \times 24(44 + 26)$

$= \frac{22}{7} \times 24 \times 70 = 22 \times 24 \times 10$

= 5280 वर्ग मीटर

32. माना कि बेलनाकार खोखले टुकड़े की ऊँचाई या लम्बाई h है।

इसकी बाहरी त्रिज्या = $\frac{28}{2} = 14$ सेमी.

तथा इसकी भीतरी त्रिज्या = $\frac{14}{2} = 7$ सेमी.

बेलन का आयतन = $\pi (R^2 - r^2)h$

$= \frac{22}{7}[(R + r)(R - r)] \times h$

$= \frac{22}{7}[(14 + 7)(14 - 7)] \times h$

$= \frac{22}{7} \times 21 \times 7 \times h$

$= 462\, h$ घन सेमी.

इसका वजन = 462 h × 10 = 4620 h ग्राम

प्रश्नानुसार,

$$4620\,h = 115.5 \times 1000 \text{ ग्राम}$$

$$h = \frac{115.5\times1000}{4620} = \frac{11500}{4620} = 25 \text{ सेमी.}$$

अतः प्रत्येक टुकड़े की लम्बाई = $\frac{25}{5}$ = 5 सेमी.

33. खम्भे का कुल आयतन = बेलन का आयतन + शंकु का आयतन

खम्भे का कुल आयतन

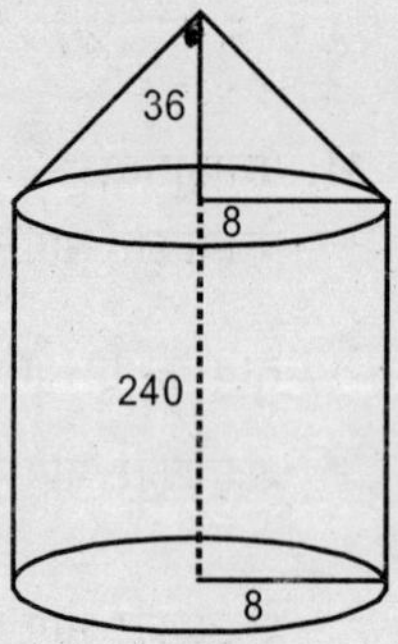

$= \pi\times8\times8\times240+\frac{\pi}{3}\times8\times8\times36$

$= \pi \times 64(240 + 12)$

$= \frac{22}{7}\times64\times252$

= 22 × 64 × 36 घन सेमी.

= 50688 घन सेमी.

∵ 1 घन सेमी. का भार = 7.8 ग्राम

∴ 50688 घन सेमी. का भार = 50688 × 7.8

= 395366.4 ग्राम

= 395.3664 किलोग्राम

34. अर्द्धगोलाकार बर्तन की त्रिज्या = 18 सेमी.

∴ बर्तन का आयतन = $\frac{2}{3}\pi r^3$

$= \frac{2}{3}\times\frac{22}{7}\times18\times18\times18$ घन सेमी.

बेलनाकार बोतल का आयतन = $\pi r^2 h$

$= \frac{22}{7}\times3\times3\times6$ घन सेमी.

∴ बोतलों की संख्या = $\frac{\text{बर्तन का आयतन}}{\text{1 बोतल का आयतन}}$

$$= \frac{\frac{2}{3}\times\frac{22}{7}\times18\times18\times18}{\frac{22}{7}\times3\times3\times6} = \frac{2\times18\times18\times18}{3\times3\times3\times6} = 72$$

अतः बर्तन को खाली करने के लिए 72 बोतलों की आवश्यकता होगी।

35. माना R और r छिन्नक के वृत्तीय सिरों की त्रिज्याएँ और h ऊँचाई है, तो

$2\pi R = 48$, $2\pi r = 36$ तथा $h = 11$ सेमी.

$R = \frac{48}{2\pi} = \frac{24}{\pi}$, $r = \frac{36}{2\pi} = \frac{18}{\pi}$

छिन्नक का आयतन = $\frac{1}{3}\pi h(R^2 + r^2 + Rr)$

$$= \frac{1}{3}\times\frac{22}{7}\times11\left(\frac{576}{\pi^2}+\frac{324}{\pi^2}+\frac{24}{\pi}\times\frac{18}{\pi}\right)$$

$$= \frac{1}{3}\times\frac{22}{7}\times11\left(\frac{576+324+432}{\pi^2}\right)$$

$$= \frac{11}{3}\times\frac{1332\times7}{22}$$

$$= \frac{1332\times7}{6} = 222\times7 = 1554 \text{ सेमी.}^3$$

36. शंकु का आयतन = 1232 सेमी.^{3}

$\Rightarrow \quad \frac{1}{3}\pi r^2 h = 1232$

$\Rightarrow \quad \frac{1}{3}\times\frac{22}{7}\times r^2\times24 = 1232$

$\Rightarrow \quad r^2 = \frac{3\times7\times1232}{22\times24} = 49$

$\Rightarrow \quad r = 7$ सेमी.

तिर्यक ऊँचाई = $\sqrt{r^2+h^2} = \sqrt{7^2+24^2}$

$= \sqrt{49+576} = \sqrt{625} = 25$ सेमी.

अभीष्ट क्षेत्रफल = $\pi rl = \frac{22}{7}\times7\times25 = 550$ वर्ग सेमी.

37. एक समबहुभुज के सभी आन्तरिक कोणों का योग = $(2n-4)\times90°$

उसके बाह्य कोणों का योग = 4 × समकोण = 4 × 90 = 360°

प्रश्नानुसार,

$= (2n-4)\times90° = 360°\times2 = 720°$

$\Rightarrow \quad 2n-4 = \frac{720}{90} = 8$

$\Rightarrow \quad 2n = 12$

$\Rightarrow \quad n = 6$

अतः बहुभुज की भुजाओं की संख्या = 6 होगी।

38. आधार का क्षेत्रफल = $\frac{1}{2}\times$ (विकर्ण)^2

$= \frac{1}{2}\times24\sqrt{2}\times24\sqrt{2}$

= 576 वर्ग मीटर

∴ पिरामिड का आयतन = $\frac{1}{3}\times$ ऊँचाई × आधार का क्षेत्रफल

$\Rightarrow \quad 1728 = \frac{1}{3}\times h\times576$

$\Rightarrow \quad h = \frac{1728\times3}{576} = 9$ मीटर

39. आधार का क्षेत्रफल = $\frac{\sqrt{3}}{4}\times$ भुजा^{2}

$= \frac{\sqrt{3}}{4}\times6\times6 = 9\sqrt{3}$ वर्ग सेमी.

$\therefore$ प्रिज्म का आयतन = आधार का क्षेत्रफल × ऊँचाई

$\Rightarrow \quad 108\sqrt{3} = 9\sqrt{3} \times h$

$\Rightarrow \quad h = \dfrac{108\sqrt{3}}{9\sqrt{3}} = 12$ सेमी.।

40. रोलर की त्रिज्या $= \dfrac{140}{2} = 70$ सेमी.

$= \dfrac{70}{100}$ मी. $= 0.7$ मी.

रोलर के वक्रपृष्ठ का क्षेत्रफल $= 2\pi rh$

$= 2 \times \dfrac{22}{7} \times .7 \times 4 = 17.6$ वर्ग मी.

$\because$ 1 चक्कर में रोलर 17.6 वर्गमीटर चलता है

$\therefore$ 50 चक्कर में रोलर 17.6 × 50 वर्गमीटर चलेगा

= 880 वर्गमीटर चलेगा।

41. माना कि बड़े गोले की त्रिज्या R सेमी. है।

बड़े गोले का आयतन = 3 छोटे गोले का आयतन

$\Rightarrow \quad \dfrac{4}{3}\pi R^3 = \dfrac{4}{3}\pi\left[(3)^3 + (4)^3 + (5)^3\right]$

$\Rightarrow \quad R^3 = 27 + 64 + 125 = 216$

$\Rightarrow \quad R^3 = (6)^3$

$\Rightarrow \quad R = 6$ सेमी.

अतः बड़े गोले का व्यास = 2 × 6 = 12 सेमी.।

42. प्रश्नानुसार,

पाँच बाहरी फलकों पर टाइलें लगवाना है।

घनाकार टंकी का एक किनारा = 1.5 मी.

$= \dfrac{15}{10} \times 100 = 150$ सेमी.

अतः टंकी का पृष्ठीय क्षेत्रफल = 5 × 150 × 150 सेमी.^{2}

एक टाइल का क्षेत्रफल = भुजा × भुजा = 25 × 25

= 625 सेमी.^{2}

अतः टाइलों की वांछित संख्या $= \dfrac{5 \times 150 \times 150}{25 \times 25} = 180$

अब 1 दर्जन या 12 टाइलों की लागत = ₹ 360

$\therefore$ 1 टाइल की लागत $= \dfrac{360}{12} =$ ₹ 30

अतः 180 टाइलों की लागत = 180 × 30 = ₹ 5400.

43. माना कि बेलन की त्रिज्या $r = 14$ मीटर तथा

ऊँचाई $h = 3$ मीटर

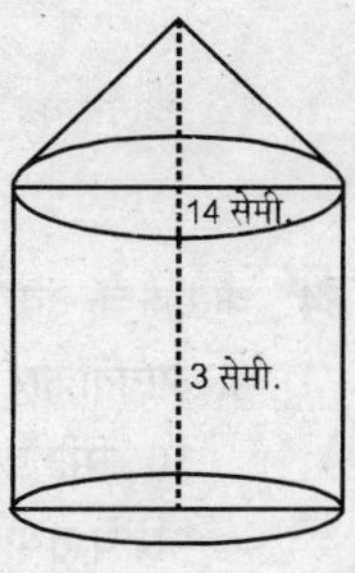

बेलन का वक्र पृष्ठ का क्षेत्रफल

$= 2\pi rh = 2 \times \dfrac{22}{7} \times 14 \times 3 = 264$ वर्ग मी.

शंकु की त्रिज्या $r_1 = 14$ मी.

शंकु की ऊँचाई $h_1 = (13.5 - 3) = 10.5$ मी.

तिर्यक ऊँचाई $l = \sqrt{(14)^2 + (10.5)^2}$

$= \sqrt{196 + 110.25} = \sqrt{306.25} = 17.5$ मी.

शंकु के वक्रपृष्ठ का क्षेत्रफल $= \pi r_1 l$

$= \dfrac{22}{7} \times 14 \times 17.5 = 770$ वर्ग मी.

अतः पेन्ट करवाने योग्य कुल क्षेत्रफल

= बेलन का वक्र पृष्ठ + शंकु का वक्र पृष्ठ

= 264 + 770 = 1034 वर्ग मीटर

$\therefore$ पेन्ट करवाने का खर्च = 1034 × 2 = ₹ 2068.

44. माना कि बेलन की त्रिज्या r सेमी. और ऊँचाई h सेमी.

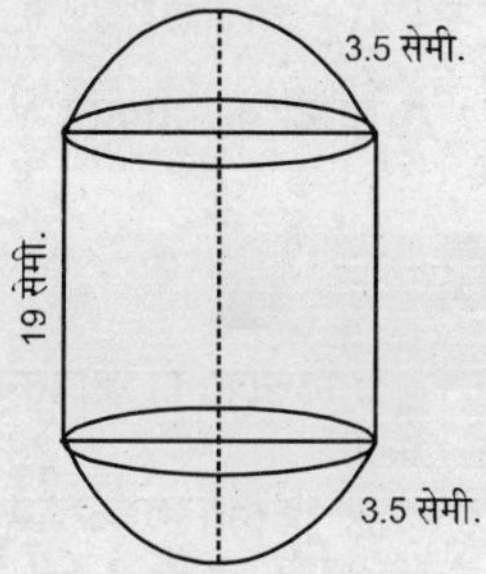

$\therefore r = \dfrac{7}{2}$ सेमी.,

$h = \left(19 - 2 \times \dfrac{7}{2}\right) = 12$ सेमी.

स्पष्टतः

गोलार्द्ध की त्रिज्या $= \dfrac{7}{2}$ सेमी.

पुनः ठोस का आयतन = बेलन का आयतन + दो गोलार्द्धों का आयतन

$= \left[\pi r^2 h + 2\left(\dfrac{2}{3}\pi r^3\right)\right] = \pi r^2\left[h + \dfrac{4r}{3}\right]$

$= \dfrac{22}{7} \times \left(\dfrac{7}{2}\right)^2 \times \left[12 + \dfrac{4}{3} \times \dfrac{7}{2}\right] = \dfrac{22}{7} \times \dfrac{7}{2} \times \dfrac{7}{2} \times \dfrac{50}{3}$

= 641.66 घन सेमी.

ठोस का सम्पूर्ण पृष्ठ = बेलन का वक्रपृष्ठ का क्षेत्रफल + दो गोलार्द्ध का पृष्ठीय क्षेत्रफल $= 2\pi rh + 2 \times 2\pi r^2$

$= 2\pi r(h + 2r)$

$= 2 \times \dfrac{22}{7} \times \dfrac{7}{2} \times \left[12 + 2 \times \dfrac{7}{2}\right]$

$= \left[2 \times \dfrac{22}{7} \times \dfrac{7}{2} \times 19\right] = 418$ वर्ग सेमी.

45. गोले की त्रिज्या = 3 सेमी.

गोले का आयतन $= \dfrac{4}{3}\pi(3)^3 = 36\,\pi$ घन सेमी.

बेलनाकार बर्तन की त्रिज्या = 6 सेमी.

माना कि बेलनाकार बर्तन में पानी का तल h सेमी. ऊँचाई वाले बर्तन का आयतन $= \pi \times 6^2 \times h$

$= 36\,\pi h$ घन सेमी.

प्रश्नानुसार,

$36\pi h = 36\pi$

$\Rightarrow \quad h = 1$ सेमी.

अतः पानी 1 सेमी. ऊपर चढ़ जायेगा।

46. स्पष्टतः प्रत्येक सिक्का 0.75 सेमी. त्रिज्या तथा 0.2 सेमी. ऊँचाई वाला एक बेलन है।

$\therefore$ सिक्के का आयतन = $[\pi \times (0.75)^2 \times 0.2]$ घन सेमी.

बेलन का आयतन = $[\pi \times (2.25)^2 \times 10]$ घन सेमी.

$\therefore$ सिक्कों की संख्या = $\dfrac{\text{बेलन का आयतन}}{\text{सिक्के का आयतन}}$

$$= \frac{\pi \times (2.25)^2 \times 10}{\pi \times (0.75)^2 \times 0.2}$$

$$= 3 \times 3 \times 50 = 450.$$

47. माना कि बाल्टी की ऊँचाई h सेमी. है।

प्रश्नानुसार, R = 28 सेमी.

r = 21 सेमी.

बाल्टी का आयतन V = 28.490 लीटर

= 28.490×1000 सेमी.^{3}

= 28490 सेमी.^{3}

$\because$ छिन्नक का आयतन = $\frac{1}{3}\pi h(R^2 + Rr + r^2)$

$$\Rightarrow 28490 = \frac{1}{3} \times \frac{22}{7} \times h(28^2 + 28 \times 21 + 21^2)$$

$$\Rightarrow 28490 = \frac{22}{21} \times h(784 + 588 + 441)$$

$$\Rightarrow 28490 = \frac{22}{21} \times h \times 1813$$

$\therefore h = \dfrac{28490 \times 21}{22 \times 1813}$ सेमी. = 15 सेमी.

अतः बाल्टी की ऊँचाई = 15 सेमी.

48. $\because$ घन का पृष्ठ क्षेत्रफल = $6 \times$ (भुजा)^2

$\therefore$ $6 \times$ (भुजा)^2 = 1014

$\Rightarrow$ (भुजा)^2 = $\dfrac{1014}{6} = 169$

$\therefore$ घन की भुजा = $\sqrt{169}$ = 13 सेंमी.

$\therefore$ घन का आयतन = (भुजा)^3

= $(13)^3$ सेंमी. = 2197 घन सेंमी.

49. माना दो घनों की भुजा क्रमशः a_1 व a_2 है।

$\therefore$ दोनों घनों का आयतन क्रमशः a_1^3 व a_2^3 होगा

प्रश्नानुसार, $a_1^3 : a_2^3 = 8 : 1$

$\therefore \dfrac{a_1^3}{a_2^3} = \dfrac{8}{1}$ $\quad \therefore \left(\dfrac{a_1}{a_2}\right)^3 = \left(\dfrac{2}{1}\right)^3 \Rightarrow a_1 : a_2 = 2 : 1$

अतः उनकी कोरों में 2 : 1 का अनुपात होगा।

50. माना कि दो गोलों की त्रिज्या क्रमशः r_1 व r_2 है

दोनों गोलों का पृष्ठ क्षेत्रफल क्रमशः $4\pi r_1^2$ व $4\pi r_2^2$

प्रश्नानुसार, $4\pi r_1^2 : 4\pi r_2^2 = 9 : 16 \Rightarrow r_1^2 : r_2^2 = 9 : 16$

$$\Rightarrow \frac{r_1^2}{r_2^2} = \frac{9}{16} \Rightarrow \left(\frac{r_1}{r_2}\right)^2 = \left(\frac{3}{4}\right)^2 \Rightarrow r_1 : r_2 = 3 : 4$$

$$\Rightarrow \left(\frac{r_1}{r_2}\right)^3 = \left(\frac{3}{4}\right)^3 \Rightarrow \frac{r_1^3}{r_2^3} = \frac{27}{64}$$

$\Rightarrow r_1^3 : r_2^3 = 27 : 64$

$\because$ उनके आयतनों का अनुपात = $\frac{4}{3}\pi r_1^3 : \frac{4}{3}\pi r_2^3$

$\Rightarrow r_1^3 : r_2^3 = 27 : 64$

51. $\because$ अधिक-से-अधिक लम्बाई की छड़ = घनाभ के विकर्ण की लम्बाई

= $\sqrt{(\text{लं.})^2 + (\text{चौ.})^2 + (\text{ऊं})^2}$

= $\sqrt{(12)^2 + (9)^2 + (8)^2}$

= $\sqrt{144 + 81 + 64} = \sqrt{289}$ = 17 मी.

अतः उस छड़ की अधिक-से-अधिक लम्बाई जो ठीक प्रकार से कमरे में रखी जा सके 17 मी. होगी।

52. माना कि लम्बवृत्तीय शंकु की त्रिज्या व ऊंचाई क्रमशः $3x$ मी. व $5x$ मी. है

$\therefore$ शंकु का आयतन = $\frac{1}{3}\pi r^2 h = \frac{1}{3}\pi \times (3x)^2 \times 5x$ घन मी.

प्रश्नानुसार, शंकु का आयतन = 120π घन मी. (दिया है)

$\therefore$ $\frac{1}{3}\pi \times 9x^2 \times 5x = 120\pi \Rightarrow x^3 = \dfrac{120 \times 3}{9 \times 5}$

$\Rightarrow x^3 = 8 \Rightarrow x^3 = (2)^3 \Rightarrow x = 2$ मी.

$\therefore$ लम्बवृत्तीय शंकु की त्रिज्या व ऊंचाई क्रमशः $3 \times 2 = 6$ मी. तथा $5 \times 2 = 10$ मी. होगी।

$\therefore$ तिर्यक ऊंचाई = $\sqrt{(\text{त्रिज्या})^2 + (\text{ऊँचाई})^2}$

= $\sqrt{(6)^2 + (10)^2}$

= $\sqrt{36 + 100} = \sqrt{136} = 2\sqrt{34}$ मी.।

53. माना कि बेलन के आधार की त्रिज्या = r सेंमी.

$\therefore$ बेलन के आधार की परिधि = $2\pi r$ सेंमी.

प्रश्नानुसार, $2\pi r = 88$

$$\Rightarrow r = \frac{88}{2\pi} = \frac{88}{2 \times \frac{22}{7}} = \frac{88 \times 7}{2 \times 22} = 14 \text{ सेंमी.}$$

$\therefore$ बेलन का आयतन = $\pi r^2 h = \frac{22}{7} \times (14)^2 \times 42$

= $22 \times 2 \times 14 \times 42 = 25872$ घन सेंमी.।

54. कागज के टुकड़े को दो तरीके से मोड़कर बेलन बनाया जा सकता है।

I. आयताकार कागज को इस प्रकार मोड़ा जाए ताकि उसकी लम्बाई 30 सेंमी. तथा चौड़ाई 20 सेंमी. बेलन की क्रमशः वृत्तीय आधार की परिधि तथा ऊंचाई हो।

II. पुन: आयताकार कागज को इस प्रकार से मोड़ा जाये ताकि उसकी लम्बाई 30 सेंमी. तथा चौड़ाई 20 सेंमी. बेलन की क्रमश: ऊंचाई व वृत्तीय आधार की परिधि हो।

55. $\because$ रोलर का व्यास = 2.4 मी. $\therefore$ रोलर की त्रिज्या = 1.2 मी.
तथा रोलर की लम्बाई (ऊंचाई) = 1.68 मी.

$\therefore$ रोलर की वक्रपृष्ठ $= 2\pi rh = 2 \times \frac{22}{7} \times 1.2 \times 1.68$

= 12.672 वर्ग मी.

$\therefore$ 1 चक्कर में रोलर मैदान पर चला = 12.672 वर्ग मी.

$\therefore$ 1000 चक्कर में मैदान पर चलेगा $= 12.672 \times 1000$

= 12672 वर्ग मी.

अर्थात् मैदान का क्षेत्रफल = 12672 वर्ग मी. होगा।

56. $\because$ घन के धरातल के क्षेत्रफल दो कोरों में 10% की वृद्धि होती है। अर्थात् $x\% = y\% = 10\%$ तथा प्रतिशत वृद्धि की स्थिति में x, y के मान (+) धनात्मक होंगे।

$\therefore$ घन के धरातल के क्षेत्रफल में प्रतिशत वृद्धि $= \left(x + y + \frac{xy}{100}\right)\%$

$$= \left(10+10+\frac{10\times10}{100}\right)\% = 21\%$$

57. $\because$ ठोस बेलन का आयतन $= \pi r^2 h = \pi r^2 \times 14$ घन मी.

प्रश्नानुसार,

शंकु की त्रिज्या = बेलन की त्रिज्या r मी = 4 मी.

चूंकि शंकु का आयतन = बेलन का आयतन

$\therefore$ $\frac{1}{3}\pi r^2 \times$ ऊंचाई $= \pi r^2 \times 14$

$\therefore$ ऊंचाई $= 14 \times 3 = 42$ मी.

अत: शंकु की ऊंचाई 42 मी. होगी।

58. $\because$ तीन घन के किनारे क्रमश: 2 सेंमी., 3 सेंमी. तथा 4 सेंमी. है।

$\therefore$ तीनों घनों के आयतन क्रमश: $(2)^3 = 8$ घन सेंमी., $(3)^3 = 27$ घन सेंमी. तथा $(4)^3 = 64$ घन सेंमी. होगी।

$\therefore$ नए घन का आयतन = तीनों घनों का आयतन

$\therefore$ नए घन का आयतन $= 8 + 27 + 64 = 99$ घन सेंमी.

$\therefore$ नए घन का किनारा $= \sqrt[3]{99}$ सेंमी.।

59. $\because$ शंकु के वक्रतल का क्षेत्रफल $= \pi rl$
(जहां r = शंकु की त्रिज्या, l = शंकु की ढलवां ऊंचाई)

$\therefore$ वक्रतल का क्षेत्रफल $= \frac{22}{7} \times \frac{28}{2} \times 50 = 2200$ वर्ग मी.

$\therefore$ 80 पैसे प्रति वर्ग मी. की दर से सफेदी कराने का खर्च

$= 2200 \times \frac{80}{100} =$ ₹ 1760 होगा।

60. माना कि घनाभ की लम्बाई व चौड़ाई क्रमश: $8x$ सेंमी. तथा $7x$ सेंमी. है।

$\therefore$ घनाभ का आयतन $= 8x \times 7x \times 5 = 280x^2$ घन सेंमी.

परन्तु घनाभ का आयतन = 1120 घन सेंमी. (दिया हुआ है)

$\therefore$ $280x^2 = 1120 \Rightarrow x^2 = \frac{1120}{280} = 4 = (2)^2$

$\Rightarrow x = 2$

$\therefore$ घनाभ की लम्बाई $= 8 \times 2 = 16$ सेंमी.

तथा घनाभ की चौड़ाई $= 7 \times 2 = 14$ सेंमी.

अत: स्पष्ट है कि घनाभ की चौड़ाई उसकी लम्बाई से 2 सेमी कम होगी।

❑❑❑❑❑

11 आंकड़ों का निर्वचन और सांख्यिकी
Data Interpretation and Statistics

परिभाषा (Definition)

तर्कसंगत मापदंड के अनुसार संख्यात्मक रूप से व्यक्त, निर्धारित अथवा पूर्वनिर्धारित उद्देश्य के लिए व्यवस्थित ढंग से संग्रहित और एक-दूसरे से संबंधित स्थितियों की विविधता से प्रभावित तथ्यों का संचय, सांख्यिकी कहलाता है।

आंकड़ों का संग्रह : कुछ विधियों (प्रयोगों) के सम्पादन द्वारा मूल स्रोत का संग्रह आंकड़ा कहलाता है।

अपरिष्कृत आंकड़ा (Raw Data) : मूल रूप में संग्रहीत आंकड़ा अपरिष्कृत आंकड़ा (Raw Data) या अवर्गीकृत आंकड़ा (Ungrouped Data) कहलाता है।

वर्ग-अंतराल (Class Interval) : वर्ग-अंतराल वह समूह होता है जिसमें अपरिष्कृत आंकड़ा सम्मिलित होता है।

वर्ग आमाप (Class Size) : किसी वर्ग की वास्तविक ऊपरी सीमा और वास्तविक निम्न सीमा, वर्ग अंतराल का आमाप कहलाती हैं।

वर्ग-चिह्न (Class Mark) : किसी वर्ग के वर्ग-चिह्न को निम्नलिखित रूप में परिभाषित किया जा सकता है।

$$\text{वर्ग-चिह्न} = \frac{\text{ऊपरी वर्ग सीमा + निम्न वर्ग सीमा}}{2}$$

विचर (Variate) : संख्याओं के दिए गए समूह से कोई भी मान ली जाने वाली राशि विचर कहलाती है।

विचर दो प्रकार के होते हैं:

(*i*) **असंतत विचर (Discrete Variate) :** यह वह विचर होता है जो सभी मानों को नहीं ले सकता है और एक मान तथा अन्य मानों के बीच असंतत अंतराल होता है।

(*ii*) **संतत विचर (Continuous Variate) :** यह वह विचर है जो नियत अंतराल में निहित मानों को ले सकता है।

बारंबारता (Frequency) : विचर के मानों की पुनरावृत्ति की संख्या उनकी बारंबारता कहलाती है।

बारंबारता बंटन (Frquency Distribution) : अवर्गीकृत आंकड़ों द्वारा तब तक किसी भी विषय-वस्तु को कोई स्पष्ट विचार नहीं दिया जा सकता जब तक ये व्यवस्थित ढंग से व्यवस्थित नहीं किए जाते हैं, इसलिए सर्वप्रथम हम अपरिष्कृत आंकड़ों को उनके माप के आरोही या अवरोही क्रम में व्यवस्थित करते हैं—

उदाहरण के लिए किसी कक्षा में 30 विद्यार्थियों द्वारा विज्ञान में प्राप्त अंकों को नीचे सारणीबद्ध किया गया है:

प्राप्तांक	*विद्यार्थियों की संख्या*
0-10	1
10-20	2
20-30	3
30-40	2
40-50	5
50-60	6
60-70	7
70-80	4
	30

परिसर (Range) : अपरिष्कृत आंकड़ों में अधिकतम और न्यूनतम प्रेक्षणों का अंतर परिसर कहलाता है।

संचयी बारंबारता (Cumulative Frequency) : विचर के किसी मान के संगत संचयी बारंबारता पूर्व की सभी बारंबारताओं सहित विचर-मान का योग है।

बारंबारता बंटन का आलेखी निरूपण : सांख्यिकी आंकड़े के आलेखों को खींचते समय विचर या वर्ग अंतराल के मानों को क्षैतिज रेखा x-अक्ष पर लिया जाता है और उनकी बारंबारताओं को y-अक्ष पर लिया जाता है।

आयत चित्र (Histogram)

यह ऐसा सांख्यिकीय ग्राफ है जिसमें आयताकार स्तंभों की ऊंचाई द्वारा यह निरूपित या प्रदर्शित किया जाता है कि किसी प्रतिदर्श या प्रयोग में किसी परिणाम विशेष का प्रत्येक वर्ग कितनी बार आ रहा है। उदाहरण : नीचे की सारणी में किसी शहर में (15-50) आयु-वर्ग के प्रौढ़ व्यक्तियों की संख्या प्रदर्शित की गई है।

आयु वर्ग	व्यक्तियों की संख्या
15-20	200
20-25	350
25-30	475
30-35	600
35-40	750
40-45	900
45-50	100

उपर्युक्त आंकड़ों का आयत-चित्र नीचे दिया गया है :

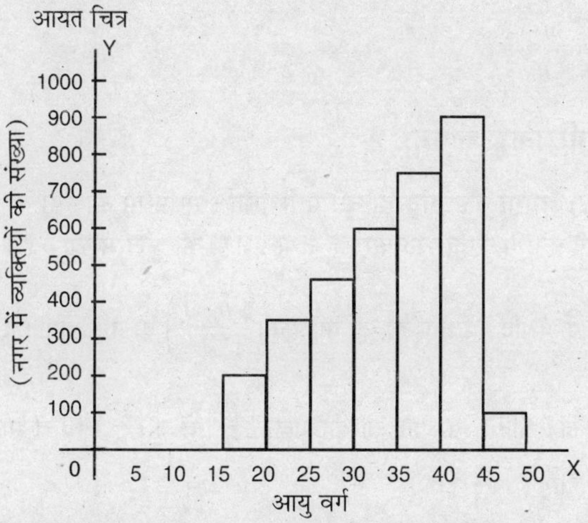

बारंबारता बहुभुज (Frequency Polygon)

समान वर्ग-अंतराल के आयत-चित्र में प्रत्येक दो क्रमागत आयतों की ऊपरी भुजाओं के मध्य बिंदुओं को एक रेखाखंड द्वारा मिलाने से प्राप्त आकृति को बारंबारता बहुभुज कहते हैं।

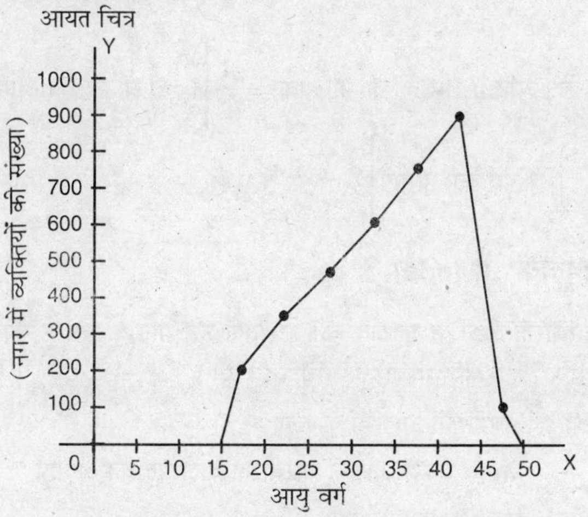

बारंबारता बहुभुज का क्षेत्रफल वही होता है जो उसके संगत आयत चित्र का है। उदाहरण : उपर्युक्त आंकड़ों का बारंबारता बहुभुज चित्र में दर्शाया गया है।

दंड चार्ट (Bar Chart)

यह आंकड़ों का एक ऐसा ग्राफीय निरूपण है जिसमें आंकड़ों के किसी समुच्चय में दी गई राशियों की समानुपाती लंबाइयों के दंड बने होते हैं। इसका प्रयोग तब किया जाता है जबकि किसी एक अक्ष का कोई सांख्यिकीय पैमाना नहीं हो सकता। उदाहरण के लिए यदि किसी अक्ष द्वारा यह निरूपित किया जाना हो कि मिश्रित बीजों के एक पैकेट से फूलों की अलग-अलग कितनी क्यारियां बनाई जा सकती हैं।

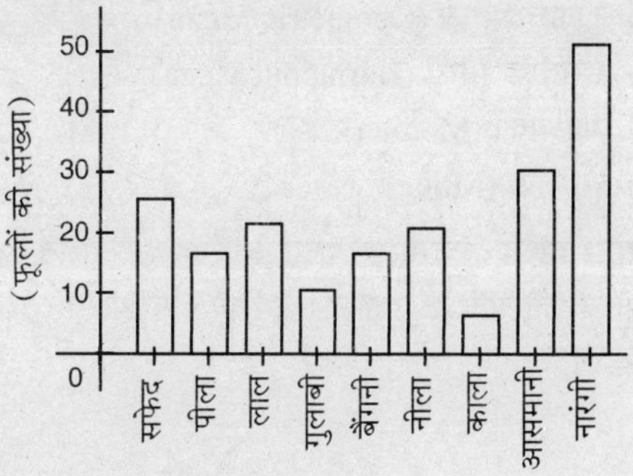

पाई चार्ट (Pie-chart)

इस प्रकार के आरेख में समानुपातों को किसी वृत्त के त्रिज्यखंडों (sectors) के रूप में प्रदर्शित किया जाता है। त्रिज्यखंडों के सापेक्षिक क्षेत्रफल विभिन्न अनुपातों को निरूपित करते हैं। उदाहरण : यदि 100 सैनिकों में से 25 सैनिक टैंक का, 30 सैनिक युद्धपोतों का, 40 सैनिक वायुयानों का और शेष सैनिक बंदूकों का प्रयोग करते हों तो उपर्युक्त आंकड़ों का पाई-चार्ट निम्नवत् होगा :

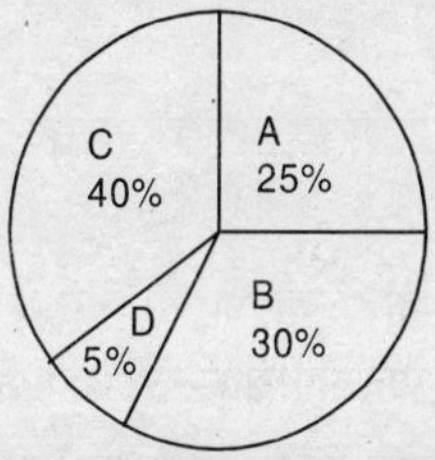

A टैंक का प्रयोग करने वाले सैनिक $= \dfrac{25 \times 360}{100} = 90°$

B युद्धपोतों का प्रयोग करने वाले सैनिक $= \dfrac{30 \times 360}{100} = 108°$

C वायुयानों का प्रयोग करने वाले सैनिक $= \dfrac{40 \times 360}{100} = 144°$

D बंदूकों का प्रयोग करने वाले सैनिक $= \dfrac{5 \times 360}{100} = 18°$

तोरण या संचयी बारंबारता वक्र (Ogive)

बिंदुओं को भुज के रूप में वर्ग-अंतरालों की ऊपरी सीमाओं और कोटि के रूप में संगत वर्ग अंतरालों की संचयी बारंबारता लेकर आलेखित किया जाता है। तोरण प्राप्त कराने के लिए निष्कोण वक्र द्वारा इन बिंदुओं को जोड़ा जाता है।

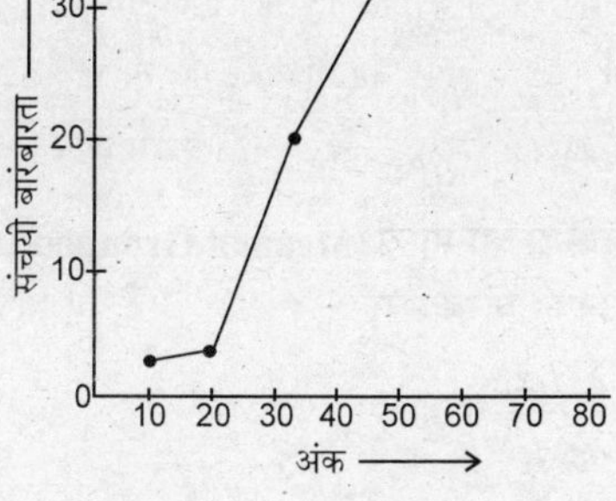

केन्द्रीय प्रवृत्ति की माप : औसत की पांच सामान्य माप निम्नलिखित हैं :

(*i*) समांतर माध्य (Arithmetic Mean)
(*ii*) गुणोत्तर माध्य (Geometric Mean)
(*iii*) हरात्मक माध्य (Harmonic Mean)
(*iv*) माध्यिका (Median)
(*v*) बहुलक (Mode)

(*i*) **समांतर माध्य :** किसी संख्याओं के समूह का औसत, इन संख्याओं का समांतर माध्य कहलाता है। उदाहरण के लिए n संख्याओं $x_1, x_2, x_3 ... x_n$, का समांतर माध्य,

$$x = \frac{x_1 + x_2 + x_3 + ... + x_n}{n} = \frac{\sum_{i=1}^{n} x_i}{n}$$

(*ii*) **गुणोत्तर माध्य :** अवर्गीकृत आंकड़ों के लिए गुणोत्तर माध्य निम्नलिखित है–

$$\text{G. M.} = (x_1 . x_2 . x_3 ....x_n)^{1/n}$$

(*iii*) **हरात्मक माध्य :** अवर्गीकृत आंकड़ों के लिए हरात्मक माध्य निम्नलिखित है–

$$\text{H. M.} = \frac{n}{\frac{1}{x_1} + \frac{1}{x_2} + \frac{1}{x_3} + ... + \frac{1}{x_n}}$$

(*iv*) **माध्यिका :** आंकड़ों को आरोही क्रम में व्यवस्थित किए जाने के बाद मध्यवर्ती प्रेक्षणों का मान माध्यिका कहलाता है।

(*v*) **बहुलक :** बहुलक किसी बारंबारता बंटन के लिए वह मान है जिसके विचर की बारंबारता अधिक है।

महत्वपूर्ण तथ्य एवं सूत्र

माध्य के कुछ अन्य परिणाम :

n संख्याओं $x_1, x_2, x_3 ....x_n$ का समांतर माध्य है

$$\bar{x} = \frac{x_1 + x_2 + x_3 + ... + x_n}{n} = \frac{\sum_{i=1}^{n} x_1}{n}$$

(*i*) यदि n प्रेक्षणों $x_1, x_2 ...... x_n$ का माध्य $\bar{x}$ है, तो

$$\sum_{i=1}^{n} (xi - \bar{x}) = 0$$

(*ii*) यदि $x_1, x_2, ...x_n$ का माध्य $\bar{x}$ है, तो
$(x_1 + k), (x_2 + k).......(x_n + k)$ का माध्य $(\bar{x} + k)$ होता है।

(*iii*) यदि $x_1, x_2, ...x_n$ का माध्य $\bar{x}$ है, तो
$(x_1 - k), (x_2 - k).......(x_n - k)$ का माध्य $(\bar{x} - k)$ होता है।

वर्गीकृत आंकड़ों का माध्य (Mean of Grouped Data) : यदि $x_1, x_2 ....x_k$ तथा उनकी बांरबारताएं $f_1, f_2 ......fk$ हैं, तो माध्य

$$\bar{x} = \frac{\sum f_i x_i}{\sum f_i} \text{ होता है}$$

भारित समांतर माध्य (Weighted Arithmetic Mean) : यदि $w_1, w_2 ...., w_n$ क्रमश: $x_1, x_2 ....x_n$ के लिए निर्धारित भार है, तो

$$\text{भारित समांतर माध्य} = \frac{w_1x_1 + w_2x_2 + ... + w_nx_n}{w_1 + w_2 + ... + w_n}$$

$$\text{या भारित समांतर माध्य} = \frac{\sum w_i x_i}{\sum w_i}$$

संयुक्त माध्य (Combinded Mean) : यदि $\bar{x}_1, \bar{x}_2$ उन दो श्रृंखलाओं के समांतर माध्य हैं जिनके पदों की संख्या क्रमशः n_1, n_2 है, तो संयुक्त माध्य

$$= \frac{n_1\bar{x} + n_2\bar{x}_2}{n_1 + n_2}$$

माध्यिका गणना

(*i*) **अवर्गीकृत आंकड़ों की माध्यिका :** सर्वप्रथम आंकड़ों को बढ़ते या घटते क्रम में व्यवस्थित करते हैं तथा प्रेक्षणों की कुल संख्या n है।

(क) यदि n विषम हो, तो माध्यिका $\left(\frac{n+1}{2}\right)$ वां मान होगी।

(ख) यदि n सम हो, तो माध्यिका $\left(\frac{n}{2}\right)$ वें व $\left(\frac{n}{2}+1\right)$ वें मान का औसत होगी।

(*ii*) **असंतत श्रेणी की माध्यिका (Median of Discrete Series) :** सर्वप्रथम पदों को आरोही क्रम में व्यवस्थित करते हैं, इसके पश्चात् संचयी बारंबारता सारणी तैयार करते हैं। माना कुल बारंबारता n है।

(क) यदि n विषम है, तो माध्यिका = $\left(\frac{n+1}{2}\right)$ वें पद का आमाप

(ख) यदि n सम है, तो माध्यिका = $\frac{1}{2}\left[\left(\frac{n}{2}\right)\right.$ वें पद का आमाप + $\left.\left(\frac{n}{2}+1\right)\text{ वें पद का आमाप}\right]$

बहुलक (Mode)

एक बारंबारता बंटन के बहुलक की परिभाषा उस मान के रूप में की जाती है, जिसके विचर की बारंबारता अधिकतम है।

(क) अवर्गीकृत आंकड़ों के लिए
Mo = सबसे अधिक बारंबारता वाले पद का आमाप

(ख) सतत् श्रृंखला के लिए

$$\text{Mo} = 1 + \left(\frac{f_f - m_1}{2f_m - f_1 - f_2}\right) \times i$$

प्रत्येक आंकड़े और बंटन के लिए बहुलक होना आवश्यक नहीं है।

माध्य, माध्यिका तथा बहुलक में मुलानुपाती सम्बन्ध

(*i*) बहुलक $= 3 \times$ माध्यिका $- 2 \times$ माध्य
(*ii*) माध्य – बहुलक $= 3$ (माध्य – माध्यिका)

अभ्यास प्रश्न

निर्देश (प्र.सं. 1 से 5): *निम्नलिखित ग्राफ को सावधानीपूर्वक अध्ययन कर प्रश्नों का उत्तर दीजिए।*

मोतियों का निर्यात करोड़ रुपयों में

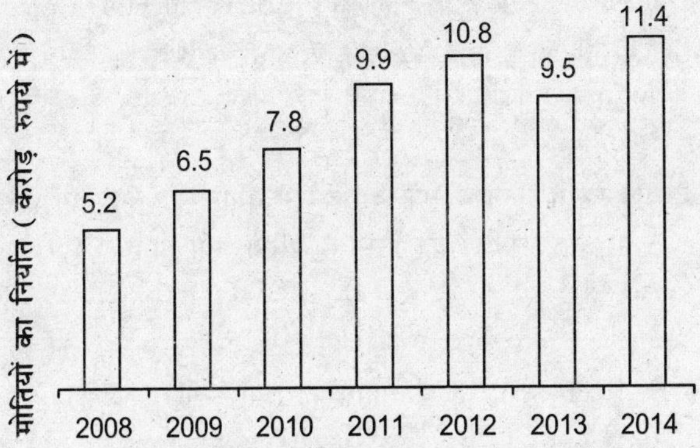

वर्ष

1. दिए गए वर्षों के मोतियों का औसत निर्यात (रुपये करोड़ में) था:

A. 8.7 B. 8.73
C. 9.73 D. 8.85

2. किस वर्ष उसके पिछले वर्ष की तुलना में मोतियों के निर्यात में प्रतिशत वृद्धि अधिकतम हुई थी?

A. 2009
B. 2014
C. 2012
D. 2011

3. दिए गये वर्षों में औसत निर्यात से कितने वर्ष का निर्यात अधिक था?

A. 2 B. 4
C. 5 D. 3

4. किस लगातार दो वर्षों का मोतियों का औसत निर्यात ₹ 9 करोड़ के करीब था?

A. 2009 तथा 2010
B. 2010 तथा 2011
C. 2011 तथा 2012
D. 2012 तथा 2013

5. 2013 से 2014 तक निर्यात में प्रतिशत वृद्धि क्या थी?

A. $16\frac{2}{3}\%$ B. 19%

C. 20% D. $33\frac{1}{3}\%$

निर्देश (6 एवं 7) : *निम्नलिखित वृत्तारेख में किसी एक वर्ष में 360 छात्रों की परीक्षा में उपलब्धि दिखाई गई है। वृत्तारेख का अध्ययन करें और प्रश्नों के उत्तर दें।*

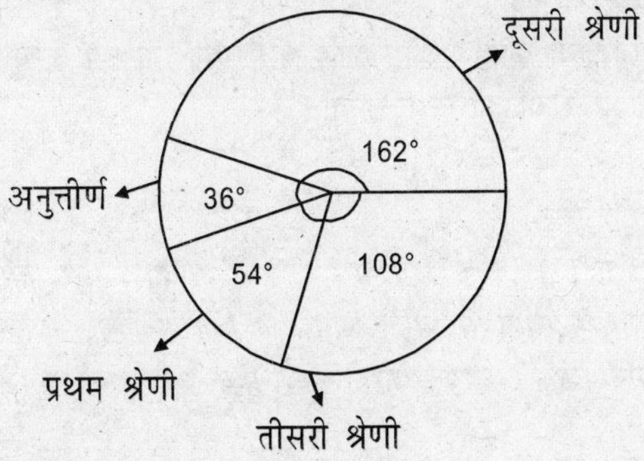

6. प्रथम श्रेणी में उत्तीर्ण छात्रों की संख्या है :

A. 45 B. 54
C. 64 D. 74

7. दूसरी श्रेणी में उत्तीर्ण छात्रों की संख्या प्रथम श्रेणी में उत्तीर्ण छात्रों की संख्या से कितनी अधिक है?

A. 111 B. 112
C. 109 D. 108

निर्देश (8 से 12) : *नीचे दिया गया पाई चार्ट किसी परिवार के विभिन्न मदों पर खर्च को दर्शाता है। इस पर आधारित दिए गए प्रश्नों के उत्तर दीजिए।*

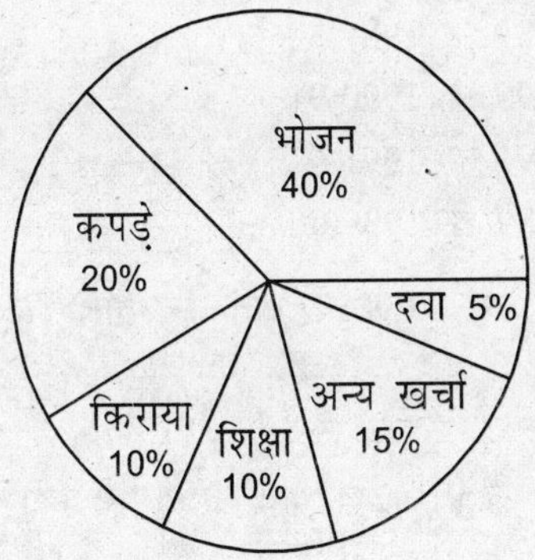

8. यदि शिक्षा पर ₹ 375 खर्च होते हैं, तो उतने ही रुपये निम्नलिखित में से किस पर खर्च होंगे?

A. दवा B. अन्य खर्च
C. किराया D. कपड़े

9. यदि भोजन पर खर्च ₹ 750 प्रति माहवार हो, तो शिक्षा पर वार्षिक व्यय कितने रुपये होगा?

A. ₹ 2150
B. ₹ 1022.50
C. ₹ 2250
D. ₹ 1400

10. यदि परिवार का कुल खर्च ₹4500 हो, तो उस परिवार का कपड़े पर कितना खर्च होता है?

A. ₹ 800 B. ₹ 900
C. ₹ 840 D. ₹ 950

11. इस चार्ट में अन्य खर्च पर व्यय द्वारा केन्द्रीय कोण कितना होगा?
A. 64° B. 54°
C. 36° D. 15°

12. किराये तथा कपड़े पर मिलाकर खर्च तथा दवा एवं अन्य खर्च पर मिलाकर खर्चों का क्या अनुपात है?
A. 2 : 3 B. 3 : 4
C. 3 : 5 D. 3 : 2

निर्देश (13 से 17) : *नीचे दिये गये ग्राफ में सरकार द्वारा क्रमिक वर्षों में अतिरिक्त कराधान से प्राप्त रुपयों का विवरण दिया गया है। ग्राफ का सावधानीपूर्वक अध्ययन करके नीचे दिये गये प्रश्नों के उत्तर दो।*

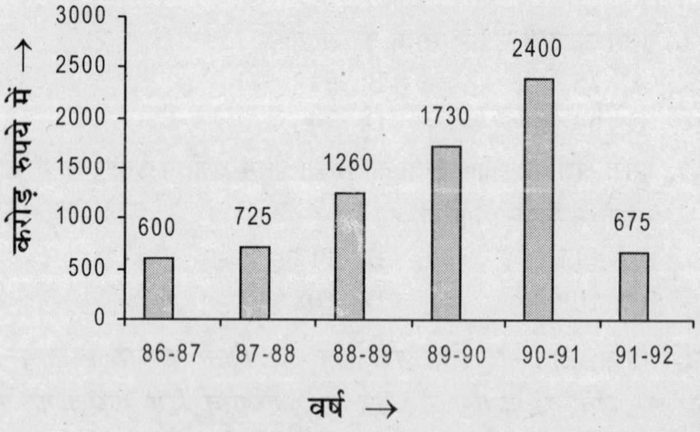

13. कराधान में सबसे अधिक वृद्धि किन-किन वर्षों के मध्य हुई है?
A. 1986-87 व 1987-88
B. 1989-90 व 1990-91
C. 1990-91 व 1991-92
D. 1988-89 व 1989-90

14. वर्ष 88-89 एवं 89-90 के बीच कुल वृद्धि कितने प्रतिशत है?
A. 37.3% B. 35.4%
C. 38.5% D. 36.6%

15. वर्ष 90-91 एवं 91-92 के बीच कराधान में कमी का प्रतिशत क्या है?
A. 71.8% B. 68.8%
C. 72.6% D. 75%

16. वर्ष 89-90 एवं 90-91 के बीच कराधान में कितनी वृद्धि हुई है?
A. ₹ 670 करोड़ B. ₹ 650 करोड़
C. ₹ 700 करोड़ D. ₹ 715 करोड़

17. सभी वर्षों में कुल कराधान का औसत कितना है?
A. ₹ 1233.7 करोड़
B. ₹ 1433.5 करोड़
C. ₹ 1231.7 करोड़
D. ₹ 1400 करोड़

18. निम्नलिखित बंटन में 3 की बारंबारता कितनी होगी?
3, 7, 0, 5, 3, 2, 3, 4, 3, 2, 7, 8, 3 व 3.
A. 6 B. 3
C. 2 D. 5

19. यदि किसी बंटन में एक वर्ग का मध्यमान 47 तथा वर्ग अन्तराल 5 हो, तो उस वर्ग की निम्नतम सीमा क्या होगी?
A. 44.5 B. 47.5
C. 52.5 D. 42.5

20. 9, 10, 14, 16, 18 की माध्यिका क्या होगी?
A. 10 B. 14
C. 16 D. 15

21. एक विद्यालय के 12 छात्रों ने गणित में 50 अंकों में से क्रमशः 25, 32, 35, 19, 23, 30, 16, 20, 22, 15, 13 तथा 27 अंक प्राप्त किए हों, तो प्राप्तांकों की माध्यिका कितनी होगी?
A. 17.5 B. 22.5
C. 21 D. 23

22. 3, 2, 3, 4, 5, 3, 3, 2, 1, 1 का बहुलक कितना होगा?
A. 4 B. 2
C. 3 D. 1

23. 1 से 20 तक की धन पूर्णांक संख्याओं का समान्तर माध्य कितना होगा?
A. 10.5 B. 12.5
C. 18.6 D. 11.5

24. एक परीक्षा में 8 छात्रों को गणित विषय में क्रमशः 40, 52, 65, 35, 36, 79, 81 व 39 अंक मिले हों, तो इसका परिसर क्या होगा?
A. 36 B. 46
C. 41 D. 49

25. 1, 1, 2, 2, 2, 3, 3, 3, 3, 4, 4, 4, 4, 4 का बहुलक क्या होगा?
A. 2 B. 3
C. 4 D. 1

उत्तरमाला

1	2	3	4	5	6	7	8	9	10
B	A	B	B	C	B	D	C	C	B
11	**12**	**13**	**14**	**15**	**16**	**17**	**18**	**19**	**20**
B	D	B	A	A	A	C	D	A	B
21	**22**	**23**	**24**	**25**					
B	C	A	B	C					

व्याख्यात्मक उत्तर

1. औसत

$$= \frac{5.2+6.5+7.8+9.9+10.8+9.5+11.4}{7}$$

$$= \frac{61.1}{7} = ₹\ 8.73 \text{ करोड़}$$

2. 2009 में प्रतिशत वृद्धि $= \frac{(6.5-5.2)}{5.2} \times 100$

$$= \frac{1.3}{5.2} \times 100 = 25\%$$

2011 में प्रतिशत वृद्धि $= \frac{(9.9-7.8)}{7.8} \times 100$

$$= \frac{2.1}{7.8} \times 100 = 9\%$$

2012 प्रतिशत वृद्धि $= \frac{(10.8-9.9)}{9.9} \times 100$

$$= \frac{.9}{9.9} \times 100 = 9\%$$

2014 में प्रतिशत वृद्धि $= \frac{(11.4-9.5)}{9.5} \times 100$

$$= \frac{1.9}{9.5} \times 100 = 20\%$$

3. 2011, 2012, 2013, 2014
चार वर्ष दिए गए वर्षों में औसत निर्यात से ज्यादा हैं।

4. 2010 तथा 2011 में मोतियों का औसत निर्यात

$$= \frac{7.8+9.9}{2} = \frac{17.7}{2} = 8.85$$

₹ 9 करोड़ के लगभग

5. 2013 से 2014 तक निर्यात में प्रतिशत वृद्धि

$$= \frac{(11.4-9.5)}{9.5} \times 100 = \frac{1.9}{9.5} \times 100$$

$$= \frac{19}{95} \times 100 = \frac{1}{5} \times 100 = 20\%$$

6. प्रथम श्रेणी में उत्तीर्ण छात्रों की संख्या $\frac{54}{360} \times 360 = 54$

7. प्रथम श्रेणी में उत्तीर्ण छात्रों की संख्या = 54
दूसरी श्रेणी में उत्तीर्ण छात्रों की संख्या

$$= \frac{162}{360} \times 360 = 162$$

अंतर = 162 – 54 = 108

8. ∵ केन्द्रीय कोण 36° शिक्षा तथा किराए के लिए एक ही है, अतः इन दोनों मदों पर खर्चा बराबर होगा। अर्थात् ₹ 375 किराए पर खर्च होंगे।

9. ∵ भोजन पर खर्च = ₹ 750

∵ कुल खर्च $= \frac{100 \times 750}{40} = ₹\ 1875$

∵ शिक्षा पर खर्च = 10%

∵ शिक्षा पर खर्च धनराशि $= 1875 \times \frac{10}{100} = ₹\ 187.50$

∵ शिक्षा पर वार्षिक खर्च = 187.50 × 12 = ₹ 2250.00.

10. ∵ कपड़े पर खर्च = 20%

∴ कपड़े पर कुल खर्च $= \frac{20}{100} \times 4500 = ₹\ 900.$

11. 15% के लिए केन्द्रीय कोण $= \frac{15}{100} \times 360° = 54°.$

12. किराये व कपड़े पर खर्चा = 10% + 20% = 30%
तथा दवा व अन्य मद का खर्च = 5% + 15% = 20%
∴ दोनों के बीच अनुपात = 30% : 20% = 3 : 2.

13. वर्ष 1989-90 एवं 90-91 के बीच सबसे अधिक वृद्धि ₹ 670 करोड़ की दर्ज की गई है।

14. कुल वृद्धि का प्रतिशत $= \frac{(1730-1260)}{1260} \times 100$

$$= \frac{470 \times 100}{1260} = 37.3\%.$$

15. वर्ष 90-91 एवं 91-92 के बीच कुल कमी का प्रतिशत

$$= \frac{(2400-675)}{2400} \times 100$$

$$= \frac{1725 \times 100}{2400} = 71.8\%.$$

16. वर्ष 89-90 एवं 90-91 के बीच कराधान में वृद्धि = 2400 – 1730 = ₹ 670 करोड़।

17. सभी वर्षों के कराधान का कुल औसत

$$= \frac{600+725+1260+1730+2400+675}{6}$$

$$= \frac{7390}{6} = ₹\ 1231.7 \text{ करोड़।}$$

18. चूँकि दिये गये बंटन में 3 सबसे अधिक 5 बार आया है।
∴ 3 की बारंबारता = 5 होगी।

19. माना कि बंटन वर्ग की निम्नतम व उच्चतम सीमा क्रमशः x_1 व x_2 है।

$\therefore$ मध्यमान $= \frac{x_1 + x_2}{2}$

$\therefore$ $47 = \frac{x_1 + x_1}{2}$

$\Rightarrow$ $x_1 + x_2 = 94$ ... (*i*)

तथा $x_2 - x_1 = 5$ (दिया हुआ है) ... (*ii*)

समीकरण (*i*) व (*ii*) से $2, x_1 = 94 - 5 = 89$

$\therefore$ $x_1 = \frac{89}{2} = 44.5$

अतः वर्ग की निम्नतम सीमा = 44.5 होगी।

20. $\because$ दी हुई संख्याओं को आरोही क्रम में लिखने पर श्रेणी 9, 10, 14, 16, 18

चूँकि श्रेणी में मध्य पद का मान = 14

$\therefore$ माध्यिका = 14 होगी।

21. $\because$ दिये गये प्राप्तांकों को आरोही क्रम में लिखने पर,
13, 15, 16, 19, 20, 22, 23, 25, 27, 30, 32 व 35

चूँकि इसमें 22 तथा 23 दो मध्य पद हैं।

$\therefore$ माध्यिका $= \frac{22+23}{2} = \frac{45}{2} = 22.5$.

22. $\because$ दिये गये आँकड़ों में 3 सबसे अधिक 4 बार आया है

$\therefore$ अभीष्ट बहुलक = 3 होगा।

23. $\because$ 1 से 20 तक की धन पूर्णांक संख्याएँ क्रमशः 1, 2, 3, 4, 5, ... 20 तक होंगी

$\therefore$ स. मा. $= \frac{1+2+3+...+20}{20}$

$= \frac{20 \times 21}{20 \times 2} = 10.5$

[$\because 1 + 2 + 3 + ... + n$ पदों का योग $= \frac{n(n+1)}{2}$]

24. परिसर = चर राशि का अधिकतम मान – चर राशि का न्यूनतम मान

$= 81 - 35 = 46.$

25. $\because$ 4 की बारंबारता सबसे अधिक 5 है।

$\therefore$ दिये गये आँकड़ों का बहुलक = 4 होगा।

❐❐❐❐❐

12 प्रायिकता

Probability

किसी घटना की निश्चितता या अनिश्चितता की माप को संख्याओं में निरूपित करना ही प्रायिकता या सम्भाविता कहलाती है।

यादृच्छिक प्रयोग (Random Experiment)

ऐसा प्रयोग जिसके परिणामों के बारे में कोई भविष्यवाणी न की जा सके वह यादृच्छिक प्रयोग कहलाता है।

जैसे: एक सिक्के को उछालना या पासे को फेंकना। वैसे प्रायिकता से जुड़े अधिकांश प्रश्न यादृच्छिक प्रयोगों पर आधारित होते हैं।

प्रतिदर्श समष्टि (Sample Space)

किसी प्रयोग के बार-बार किये जाने पर प्राप्त परिणामों के समुच्चय को प्रतिदर्श समष्टि या प्रायिकता समष्टि कहते हैं।

इसका प्रत्येक अवयव एक घटना (event) कहलाता है। इसे S से तथा इसके अवयवों की संख्या को $n(S)$ से दर्शाते हैं।

जैसे : एक सिक्के को फेंका जाए तो

$$S = (H, T)$$

$$\because \quad n(S) = 2$$

यदि प्रतिदर्श समष्टि S हो तो किसी घटना E की प्रायिकता

$$P(E) = \frac{n(E)}{n(S)}$$

या $\quad$ प्रायिकता $= \dfrac{\text{अनुकूल स्थिति}}{\text{कुल स्थिति}}$

यहाँ, $\quad n(E) =$ घटना है।

$n(S) =$ अवयवों की संख्या

यहाँ ध्यान रखना है कि E कोई घटना है। जैसे : एक पासे को फेंका जाए तो E किसी एक अंक आने की घटना है जबकि (S) उसमें कुल अवयव (6 अंक) हैं। ताश की गड्डी में इक्का, बादशाह, बेगम तथा गुलाम को चित्र वाला पत्ता कहा जाता है।

उदाहरण 1 : एक पासा फेंकने पर 5 आने की प्रायिकता क्या होगी?

हलः यहाँ $S = \{1, 2, 3, 4, 5, 6\}$

अतः $n(S) = 6$ तथा $E = \{5\}$

$$\therefore \quad P(E) = \frac{n(E)}{n(S)} = \frac{1}{6}$$

उदाहरण 2 : एक पासे को फेंकने पर 5 से कम अंक आने की प्रायिकता क्या है?

हलः यहाँ पर, $n(S) = 6,\ n(E) = 4$

$$\therefore \quad P(E) = \frac{n(E)}{n(S)} = \frac{4}{6} = \frac{2}{3}$$

उदाहरण 3 : ताश की एक गड्डी में से एक पत्ता यादृच्छिक निकाला जाता है तो हुक्म का पत्ता आने की क्या संभावना है?

हलः ताश में कुल पत्ते = 52

तथा हुक्म के पत्ते की संख्या = 13

$$\therefore \quad P(E) = \frac{n(E)}{n(S)} = \frac{13}{52} = \frac{1}{4}$$

उदाहरण 4 : एक थैले में 5 लाल, 4 सफेद एवं 3 काली गेंदें हैं तो एक लाल गेंद निकालने की प्रायिकता क्या होगी?

हलः कुल गेंद = 5 + 4 + 3 = 12

$$n(S) = {}^{12}C_1 = \frac{12!}{11!} = \frac{12 \times 11!}{11!} = 12$$

$$n(E) = {}^{5}C_1 = \frac{5\,!}{4\,!} = \frac{5 \times 4!}{4!} = 5$$

$$\therefore \quad P(E) = \frac{n(E)}{n(S)} = \frac{5}{12}$$

उदाहरण 5 : एक सिक्के की उछाल में शीर्ष आने की प्रायिकता क्या है?

हलः यहाँ पर, $n(E) = 1,\ n(S) = 2$

$$\therefore P(E) = \frac{n(E)}{n(S)} = \frac{1}{2}$$

अभ्यास प्रश्न

1. एक पासे को दो बार उछाला जाता है तो उस पर आने वाले अंकों का योग 7 आने की क्या सम्भावना है?

A. $\frac{1}{6}$ B. $\frac{1}{8}$

C. $\frac{2}{6}$ D. $\frac{2}{5}$

2. सीता 75% सत्य बोलती है जबकि गीता 80% सत्य बोलती है तो दोनों का विरोधाभास होने की प्रायिकता क्या है?

A. 32% B. 40%

C. 36% D. 35%

3. एक बक्से में 5 काली, 4 पीली तथा 3 नीली कलमें हैं। उसमें से 3 कलम को यादृच्छिक निकाला जाता है तो क्या सम्भावना है कि निकाली गई कलमें काले रंग की नहीं हैं?

A. $\frac{7}{44}$ B. $\frac{6}{33}$

C. $\frac{3}{44}$ D. $\frac{13}{220}$

4. एक पासे को फेंकने में यदि सम संख्या आती हो, तो उसके 2 से अधिक होने की क्या प्रायिकता है?

A. 1/3 B. 5/6

C. 2/3 D. 1/6

5. 15 बल्ब हैं जिनमें 5 दोषपूर्ण हैं इनमें से 3 बल्ब यादृच्छिक चुने जाते हैं तो केवल एक बल्ब दोषपूर्ण होने की प्रायिकता क्या होगी?

A. $\frac{30}{91}$ B. $\frac{45}{91}$

C. $\frac{65}{91}$ D. $\frac{33}{91}$

6. मनोज के पॉकेट में 4 दस रुपये, 5 पचास रुपये तथा 6 सौ रुपये के नोट हैं। यादृच्छिक रूप से यदि वह कोई भी दो नोट निकाले तो इस बात की क्या संभावना है कि दोनों नोट समान रुपये के निकलें?

A. $\frac{32}{105}$ B. $\frac{29}{105}$

C. $\frac{28}{105}$ D. $\frac{31}{105}$

7. किसी थैली में 2 लाल, 3 हरी और 2 नीली गेंदें हैं। 2 गेंदें यादृच्छिक रूप से निकाली जाती हैं। निकाली गई गेंदों में से किसी नीली गेंद के नहीं होने की प्रायिकता क्या है?

A. $\frac{5}{7}$ B. $\frac{10}{21}$

C. $\frac{2}{7}$ D. $\frac{11}{21}$

8. एक थैले में 3 सफेद तथा 2 काली गोलियाँ हैं। यादृच्छया एक सफेद गोली निकालने की प्रायिकता क्या होगी?

A. 5 B. 3

C. 5/3 D. 3/5

9. अक्षर B, G, I, N और R को पुनः व्यवस्थित किया जाए तो 'BRING' शब्द आने की क्या प्रायिकता होगी?

A. $\frac{1}{12}$ B. $\frac{1}{120}$

C. $\frac{1}{115}$ D. $\frac{1}{211}$

10. ZENITH इन्स्टीट्यूट में 6 गणित, 4 अंग्रेजी तथा 5 तर्कशक्ति के शिक्षक हैं। यादृच्छता के आधार पर किन्हीं चार शिक्षकों को चुनना है। कम-से-कम एक शिक्षक अंग्रेजी का चुना जाए, इसकी क्या सम्भावना है?

A. $\frac{71}{91}$ B. $\frac{1123}{1365}$

C. $\frac{69}{96}$ D. $\frac{69}{91}$

11. एक जोड़ी पासे फेंके जाते हैं। इसकी प्रायिकता ज्ञात कीजिए, जबकि उनका योग 8 या उससे बड़ा हो, अगर पहले पासे पर हमेशा 4 आता हो:

A. $\frac{3}{2}$ B. $\frac{1}{3}$

C. $\frac{1}{2}$ D. $\frac{5}{2}$

12. 3 छात्र बैंक पोस्ट ऑफिस प्रवेश परीक्षा में शामिल होते हैं। उनकी नियुक्ति की प्रायिकता क्रमशः $1/3$, $1/4$ तथा $1/5$ है। कम-से-कम दो छात्रों के नियुक्ति की प्रायिकता ज्ञात कीजिए:

A. $\frac{1}{6}$ B. $\frac{7}{15}$

C. $\frac{2}{15}$ D. $\frac{4}{15}$

13. जसप्रीत कौर 75% मामलों में सत्य बोलती है तथा प्रीति कौर 60% मामलों में सत्य बोलती है। दोनों का विरोधाभास होने की सम्भाविता ज्ञात कीजिए।

A. 25%
B. 32%
C. 45%
D. 44%

14. A के 15 वर्ष और अधिक जीवित रहने की सम्भावना $\frac{7}{8}$ है तथा B के 15 वर्ष और अधिक जीवित रहने की संभावना $\frac{9}{10}$ है। दोनों के 15 वर्ष बाद जीवित रहने की संभावना कितनी है?

A. $\frac{1}{5}$ B. $\frac{1}{20}$

C. $\frac{63}{80}$ D. $\frac{1}{15}$

15. तीन छात्रों को एक प्रश्न हल करने को कहा गया। इस प्रश्न को हल करने की इनकी प्रायिकता क्रमशः $\frac{1}{3}, \frac{2}{5}$ तथा $\frac{5}{12}$ है। इस प्रश्न के हल होने की प्रायिकता क्या है?

A. $\frac{1}{2}$ B. $\frac{1}{18}$

C. $\frac{2}{5}$ D. $\frac{23}{30}$

16. एक व्यक्ति तथा उसकी पत्नी एक ही पद की दो रिक्तियों के लिए साक्षात्कार देते हैं। व्यक्ति तथा उसकी पत्नी के चयनित होने की प्रायिकता क्रमशः $\frac{1}{7}$ तथा $\frac{1}{5}$ है। इन दोनों में से एक के चयनित होने की प्रायिकता क्या है?

A. $\frac{1}{5}$ B. $\frac{1}{7}$

C. $\frac{2}{7}$ D. $\frac{11}{35}$

17. 4 पुरुषों तथा 2 स्त्रियों में से दो सदस्यों की कमेटी बनानी है। क्या प्रायिकता है कि इस कमेटी में एक स्त्री हो?

A. $\frac{1}{3}$ B. $\frac{1}{4}$

C. $\frac{7}{15}$ D. $\frac{8}{15}$

18. यदि A तथा B दो स्वतंत्र घटनायें हों तथा P(A) = 0.15, P (A ∪ B) = 0.45 हो तो P(B) का मान क्या होगा?

A. $\frac{6}{13}$ B. $\frac{6}{17}$

C. $\frac{6}{19}$ D. $\frac{6}{23}$

19. एक ही प्रकार के तीन पांसे एक साथ फेंके जाते हैं। क्या प्रायिकता है कि तीनों पर एक ही संख्या आये?

A. $\frac{1}{6}$ B. $\frac{1}{18}$

C. $\frac{1}{36}$ D. $\frac{3}{28}$

20. एक व्यक्ति को 7 अंकों के फोन नम्बर के पहले चार अंक ठीक प्रकार से ज्ञात हैं परन्तु अन्त के तीन अंक याद नहीं हैं। पहले वह पहले चार अंक पूर्ण रूप से ठीक डायल करे, तो सही नम्बर डायल करने की प्रायिकता क्या है?

A. $\frac{1}{990}$ B. $\frac{1}{999}$

C. $\frac{1}{1000}$ D. $\frac{1}{1100}$

21. एक पासे को 6 बार फेंका जाता है। यदि एक विषम संख्या प्राप्त करना सफलता का सूचक हो, तो 5 बार सफलता प्राप्त करने की प्रायिकता क्या है?

A. $\frac{25}{36}$ B. $\frac{5}{6}$

C. $\frac{3}{32}$ D. $\frac{1}{10}$

22. 6 सिक्के एक साथ उछाले जाते हैं। कम-से-कम एक बार पट (Tail) आने की प्रायिकता क्या है?

A. $\frac{1}{12}$ B. $\frac{63}{64}$

C. $\frac{53}{54}$ D. $\frac{71}{72}$

23. एक डिब्बे में 100 पेंच हैं जिनमें से 10 दोषपूर्ण हैं। इनमें से तीन पेंच यादृच्छिक उठा लिये जाते हैं। तीनों पेचों के दोषरहित होने की प्रायिकता क्या है?

A. 70.65% B. 71.65%

C. 72.65% D. 74.65%

24. तीन पासे एक साथ फेंके जाते हैं। उन पर आने वाले अंकों का योग 17 या 18 होने की प्रायिकता है–

A. $\frac{1}{72}$ B. $\frac{1}{9}$

C. $\frac{1}{54}$ D. $\frac{1}{85}$

25. दो पासों को फेंका जाता है। दोनों संख्याओं का योग अभाज्य संख्या प्राप्त होने की प्रायिकता है–

A. $\frac{5}{12}$ B. $\frac{1}{6}$

C. $\frac{1}{2}$ D. $\frac{1}{3}$

उत्तरमाला

1	2	3	4	5	6	7	8	9	10
A	D	A	C	B	D	B	D	B	D
11	**12**	**13**	**14**	**15**	**16**	**17**	**18**	**19**	**20**
C	A	C	C	B	C	D	B	C	C
21	**22**	**23**	**24**	**25**					
C	B	C	C	A					

व्याख्यात्मक उत्तर

1. कुल स्थिति $n(S) = 6^2 = 36$

अंकों का योग 7 होने की संभावित स्थिति

$$(1, 6), (6, 1), (2, 5), (5, 2), (3, 4), (4, 3) = 6$$

तो $P(E) = \frac{n(E)}{n(S)} = \frac{6}{36} = \frac{1}{6}$

2. सीता 75% सत्य बोलती है तो झूठ = 25%

गीता 80% सत्य बोलती है तो झूठ = 20%

अतः दोनों की विरोधाभास होने की प्रायिकता

$$= 75\% \times 20\% + 80\% \times 25\%$$

$$= \frac{75}{100} \times \frac{20}{100} + \frac{80}{100} \times \frac{25}{100}$$

$$= \frac{3}{4} \times \frac{1}{5} + \frac{4}{5} \times \frac{1}{4}$$

$$= \frac{3}{20} + \frac{1}{5} = \frac{3+4}{20} = \frac{7}{20}$$

या $\frac{7}{20} \times 100 = 35\%$

3. कुल कलम = 5 + 4 + 3 =12

अर्थात् ${}^{12}C_3 = 220$

यदि 3 कलम, 4 पीली तथा 3 नीली यानि 7 कलमों से निकाली जाएं तो काले रंग की नहीं होगी।

$$n(E) = {}^7C_3 = 35$$

तो $P(E) = \frac{35}{220} = \frac{7}{44}$

4. पासे के ऊपर सम संख्या आने की कुल घटना = (2, 4, 6)

ऊपर सम संख्या 2 से अधिक की घटना = (4, 6)

तो $P(E) = \frac{n(E)}{n(S)} = \frac{2}{3}$

5. दोषयुक्त बल्ब = 10

केवल एक दोषपूर्ण बल्ब का चुनाव $= \frac{{}^5C_1 \times {}^{10}C_2}{{}^{15}C_3}$

$$= \frac{5 \times 10 \times 9 \times 3 \times 2}{2 \times 15 \times 14 \times 13}$$

$$= \frac{45}{91}$$

6. कुल नोटों की संख्या = (4 + 5 + 6) = 15

मनोज के पॉकेट में 15 नोटों में से 2 नोट निकालने के तरीकों की कुल संख्या

$$n(S) = {}^{15}C_2 = 105$$

15 नोटों में से निकाले गये दो नोट एक ही प्रकार के हों उसकी संख्या $n(E) = {}^4C_2 + {}^5C_2 + {}^6C_2 = 6 + 10 + 15 = 31$

अतः 15 नोटों में से खींचे गये दो नोट एक ही प्रकार के हों इसकी प्रायिकता $\frac{31}{105}$ होगी।

7. कुल गेंदों की संख्या = (2 + 3 + 2) = 7

$$n(S) = {}^7C_2$$

नीली गेंदों को छोड़कर शेष गेंदों की संख्या = (2 + 3) = 5

$$n(E) = {}^5C_2$$

$\therefore$ $P(E) = \frac{n(E)}{n(S)} = \frac{{}^5C_2}{{}^7C_2} = \frac{10}{21}$

8. कुल गोलियों की संख्या = (3 + 2) = 5

$$n(S) = {}^5C_1 = 5$$

$$n(E) = {}^3C_1 = 3$$

$\therefore$ $P(E) = \frac{n(E)}{n(S)} = \frac{3}{5}$

9. B, G, I, N और R से बनाए गये शब्दों की संख्या $n(S) = {}^5P_5$

$$= \underline{|5} = 120$$

$\therefore$ अभीष्ट प्रायिकता $= \frac{1}{120}$

10. 'ZENITH' इन्स्टीट्यूट में कुल शिक्षकों की संख्या = (6 + 4 + 5)

= 15

15 शिक्षकों में से 4 शिक्षकों को एक साथ चुनने के तरीकों की संख्या

$$n(S) = {}^{15}C_4 = 1365$$

15 शिक्षकों में से चुने गये 4 शिक्षकों में से एक English का हो, इनकी संख्या

$$n(E) = {}^{15}C_4 - {}^{11}C_4 = 1365 - 330 = 1035$$

अतः अभीष्ट प्रायिकता $= \frac{1035}{1365} = \frac{69}{91}$ होगी।

11. $\because$ पहले पासे पर 4 आता है।

$\therefore$ प्रतिदर्श समष्टि $S = \{(4, 1), (4, 2), (4, 3), (4, 4), (4, 5), (4, 6)\}$

$\therefore \qquad n(S) = 6$

इच्छित परिणाम $= \{(4, 4), (4, 5), (4, 6)\}$

$$n(E) = 3$$

$\therefore$ अभीष्ट प्रायिकता $= \frac{3}{6} = \frac{1}{2}$

12. अभीष्ट घटनाओं को हम विभिन्न चार तरीकों से दिखा सकते हैं :

(*i*) पहला छात्र नियुक्त नहीं होता है और दो छात्र नियुक्त होते हैं।

इसकी प्रायिकता $= \left(1-\frac{1}{3}\right) \times \frac{1}{4} \times \frac{1}{5} = \frac{1}{30}$

(*ii*) दूसरा छात्र नियुक्त नहीं होता है और बाकी दो नियुक्त होते हैं।

इसकी प्रायिकता $= \frac{1}{3}\left(1-\frac{1}{4}\right) \times \frac{1}{5} = \frac{1}{20}$

(*iii*) तीसरा छात्र नियुक्त नहीं होता है और बाकी दो नियुक्त होते हैं।

इसकी प्रायिकता $= \frac{1}{3} \times \frac{1}{4}\left(1-\frac{1}{5}\right) = \frac{1}{15}$

(*iv*) तीनों छात्रों की नियुक्ति की प्रायिकता $= \frac{1}{3} \times \frac{1}{4} \times \frac{1}{5} = \frac{1}{60}$

अतः अभीष्ट प्रायिकता $= \frac{1}{30} + \frac{1}{20} + \frac{1}{15} + \frac{1}{60}$

$$= \frac{2+3+4+1}{60} = \frac{10}{60} = \frac{1}{6}$$

13. दोनों की बातों में विरोधाभास होने की प्रायिकता

$$= 75\% \times 40\% + 60\% \times 25\%$$

$$= \frac{3}{4} \times \frac{2}{5} + \frac{3}{5} \times \frac{1}{4}$$

$$= \frac{3}{10} + \frac{3}{20} = \frac{6+3}{20} = \frac{9}{20}$$

$$= \frac{9}{20} \times 100 = 45\%$$

14. अभीष्ट प्रायिकता $= \frac{7}{8} \times \frac{9}{10} = \frac{63}{80}$

15. प्रश्न हल होने की प्रायिकता $= \frac{1}{3} \times \frac{2}{5} \times \frac{5}{12} = \frac{1}{18}$

16. $P(A) = \frac{1}{7} \Rightarrow P(\bar{A}) = \left(1-\frac{1}{7}\right) = \frac{6}{7}$

$P(B) = \frac{1}{5} \Rightarrow P(\bar{B}) = \left(1-\frac{1}{5}\right) = \frac{4}{5}$

$\therefore$ अभीष्ट प्रायिकता

$$= P(A\bar{B}) + P(\bar{A}B)$$

$$= P(A) \cdot P(\bar{B}) + P(\bar{A}) \cdot P(B)$$

$$= \frac{1}{7} \times \frac{4}{5} + \frac{6}{7} \times \frac{1}{5}$$

$$= \frac{4}{35} + \frac{6}{35} = \frac{10}{35} = \frac{2}{7}$$

17. अभीष्ट प्रायिकता $= \frac{{}^4C_1 \times {}^2C_1}{{}^6C_2} = \frac{4 \times 2}{15} = \frac{8}{15}$

18. $P(A \cup B) = P(A) + P(B) - P(A) \times P(B)$

$\Rightarrow 0.45 = 0.15 + x - 0.15 \times x$

$\Rightarrow 0.85\, x = 0.30$

$\Rightarrow x = \frac{0.30}{0.85} = \frac{30}{85} = \frac{6}{17}$

अतः $P(B) = \frac{6}{17}$

19. $n(S) = (6 \times 6 \times 6) = 216$

$E = \{(1, 1, 1), (2, 2, 2), (3, 3, 3), (4, 4, 4), (5, 5, 5), (6, 6, 6)\}$

$n(E) = 6$

$\Rightarrow P(E) = \frac{n(E)}{n(S)} = \frac{6}{216} = \frac{1}{36}$

20. अन्तिम तीन स्थानों को भरने के कुल तरीके

$$= 10 \times 10 \times 10 = 1000$$

अतः अभीष्ट प्रायिकता $= \frac{1}{1000}$

21. $P(S) = \frac{3}{6} = \frac{1}{2}, \; P(\bar{S}) = 1 - \frac{1}{2} = \frac{1}{2}$

पाँच बार सफलता प्राप्त करने की प्रायिकता

$$= P(SSSSS\bar{S}) + P(SSSS\bar{S}S) + P(SSS\bar{S}SS) + P(SS\bar{S}SSS) + P(S\bar{S}SSSS) + P(\bar{S}SSSSS)$$

$= \left(\frac{1}{2} \times \frac{1}{2} \times \frac{1}{2} \times \frac{1}{2} \times \frac{1}{2} \times \frac{1}{2}\right) + \ldots\ldots$ छः बार

$$= \left(\frac{1}{2}\right)^6 \times 6 = \frac{1}{2^6} \times 6 = \frac{3}{32}$$

22. 6 सिक्के उछाले जाने पर सभी संभावनाओं की संख्या = $2^6 = 64$
सभी सिक्के चित आने के तरीके = 1
कम-से-कम एक बार पट आने की प्रायिकता
= (1 – सभी चित आने की प्रायिकता)

$$= 1-\frac{1}{64}=\frac{63}{64}$$

23. 100 में से 3 पेंच चुनने के कुल तरीके = $^{100}C_3$

तीनों पेचों के दोष रहित होने के कुल तरीके = $^{90}C_3$

अभीष्ट प्रायिकता = $\frac{^{90}C_3}{^{100}C_3}$

$$= \frac{90\times 89\times 88}{3\times 2\times 1}\times\frac{3\times 2\times 1}{100\times 99\times 98}$$

$$= \frac{178}{245}\times 100 = 72.65\%$$

24. तीन पासे 6 × 6 × 6 = 216 प्रकार से फेंके जा सकते हैं।
योग 17 निम्न 3 प्रकार से प्राप्त किया जा सकता है
(5, 6, 6), (6, 5, 6), (6, 6, 5)
योग 18 निम्न 1 प्रकार से प्राप्त किया जा सकता है (6, 6, 6)
अतः 17 या 18 का अंकों का योग आने के तरीकों की संख्या = 4

$$\therefore \text{ अभीष्ट प्रायिकता } = \frac{4}{216}=\frac{1}{54}.$$

25. अभाज्य संख्याएँ {2, 3, 5, 7, 11} हैं।
दो पासों का योग 2, 3, 5, 7, तथा 11 आने के तरीकों की संख्या क्रमशः 1, 2, 4, 6, तथा 2 है।
अतः तरीकों की संख्या = 15
पासे उछालने के कुल तरीकों की संख्या = 6 × 6 = 36

$$\therefore \text{ अभीष्ट प्रायिकता } = \frac{15}{36}=\frac{5}{12}.$$

❑❑❑❑❑

विज्ञान

1

फसल उत्पादन और प्रबंधन, खाद्य संरक्षण

भूमि पर फसल एवं इसके उत्पादन से संबंधित क्रमबद्ध ज्ञान को कृषि विज्ञान (Agriculture Science) कहा जाता है। भूमि को जोतकर उस पर फसलों और पेड़-पौधों को उगाने के मानवीय प्रयत्न को कृषि कहा जाता है। पशुपालन को भी कृषि कहा जाता है।

जब एक ही किस्म के पौधे किसी स्थान पर बड़े पैमाने पर उगाए जाते हैं, तो इसे फसल कहते हैं। उदाहरण के लिए, गेहूँ की फसल का अर्थ है कि खेत में उगाए जाने वाले सभी पौधे गेहूँ के हैं।

सामान्यतः फसलों को दो वर्गों में बाँटा जा सकता है :

(*i*) **खरीफ फसल :** वह फसल जिन्हें वर्षा ऋतु में बोया जाता है, खरीफ फसल कहलाती है। भारत में वर्षा ऋतु सामान्यतः जून से सितम्बर तक होती है। धान, मक्का, सोयाबीन, मूँगफली, कपास इत्यादि खरीफ फसलें हैं।

(*ii*) **रबी फसल :** शीत ऋतु (अक्टूबर से मार्च तक) में उगाई जाने वाली फसलें रबी फसलें कहलाती हैं। गेहूँ, चना, मटर, सरसों तथा अलसी रबी फसल के उदाहरण हैं।

इसके अलावा, कई स्थानों पर दालें और सब्जियाँ ग्रीष्म ऋतु में उगाई जाती हैं।

आधारिक फसल पद्धतियाँ

फसल उगाने के लिए किसान को अनेक क्रियाकलाप सामाजिक अवधि में करने पड़ते हैं। ये क्रियाकलाप अथवा कार्य कृषि पद्धतियाँ निम्नलिखित हैं—

1. **मिट्टी तैयार करना :** फसल उगाने से पहले मिट्टी तैयार करना प्रथम चरण है। मिट्टी को पलटना तथा इसे पोला बनाना कृषि का अत्यंत महत्वपूर्ण कार्य है। पोली मिट्टी में गहराई से धँसी जड़ें भी सरलता से श्वसन कर सकती हैं। पोली मिट्टी, मिट्टी में रहने वाले केंचुओं और सूक्ष्मजीवों की वृद्धि करने में सहायता करती है। यह जीव किसानों के मित्र हैं क्योंकि यह मिट्टी को पलटकर पोला करते हैं तथा ह्यूमस बनाते हैं। अतः मिट्टी को उलटना-पलटना एवं पोला करना फसल उगाने के लिए अत्यंत महत्वपूर्ण है। मिट्टी को उलटने-पलटने एवं पोला करने की प्रक्रिया जुताई कहलाती है।

   कृषि औजार : अच्छी उपज के लिए बुआई से पहले मिट्टी को भुरभुरा करना आवश्यक होता है। यह कार्य अनेक औजारों से किया जाता है जो निम्नलिखित हैं:

   - **हल :** प्राचीन काल से ही हल का उपयोग जुताई, खाद/उर्वरक मिलाने, खरपतवार निकालने एवं मिट्टी खुरचने के लिए किया जाता रहा है। यह लकड़ी का बना होता है जिसे बैलों की जोड़ी अथवा अन्य पशुओं (घोड़े, ऊँट) की सहायता से खींचा जाता है। इसमें लोहे की मजबूत तिकोनी पत्ती होती है जिसे फाल कहते हैं। हल का मुख्य भाग लंबी लकड़ी का बना होता है जिसे हल-शैफ्ट कहते हैं। इसके एक सिरे पर हैंडल होता है तथा दूसरा सिरा जोत के डंडे से जुड़ा होता है जिसे बैलों की गर्दन के ऊपर रखा जाता है। एक जोड़ी बैल एवं एक आदमी इसे सरलता से चला सकता है।
   - **कुदाली :** यह एक सरल औजार है जिसका उपयोग खरपतवार निकालने एवं मिट्टी को पोला करने के लिए किया जाता है। इसमें लकड़ी अथवा लोहे की चौड़ी और मुड़ी प्लेट लगी होती है जो ब्लेड की तरह कार्य करती है। इसका दूसरा सिरा पशुओं द्वारा खींचा जाता है।
   - **कल्टीवेटर :** वर्तमान समय में जुताई ट्रैक्टर द्वारा संचालित कल्टीवेटर से की जाती है। इसके उपयोग से श्रम एवं समय दोनों की बचत होती है।

2. **बुआई :** बुआई फसल उत्पादन का सबसे महत्वपूर्ण चरण है। बोने से पहले अच्छी गुणवत्ता वाले साफ एवं स्वास्थ्य बीजों का चयन किया जाता है। बीज बोने के औजार निम्नलिखित हैं:

   - **परंपरागत औजार :** परंपरागत रूप से बीजों की बुआई में इस्तेमाल किया जाने वाला औजार कीप के आकार का होता है। बीजों को कीप से अंदर डालने पर यह दो या तीन नुकीले सीरे वाले पाइपों से गुजरते हैं। ये सिरे मिट्टी को भेदकर बीज को स्थापित कर देते हैं।
   - **सीड-ड्रिल :** वर्तमान समय में बुआई के लिए ट्रैक्टर द्वारा संचालित सीड-ड्रिल का उपयोग भी बृहद रूप में किया जा रहा है। इसके द्वारा बीजों में समान दूरी एवं गहराई बनी रहती है। यह सुनिश्चित करता है कि बुआई के बाद बीज मिट्टी द्वारा ढक जाए। सीड-ड्रिल द्वारा बुआई करने से समय एवं श्रम दोनों की बचत होती है।

3. **खाद एवं उर्वरक मिलाना :** वे पदार्थ जिन्हें मिट्टी में पोषक स्तर बनाए रखने के लिए मिलाया जाता है, उन्हें खाद एवं उर्वरक कहते हैं। मिट्टी फसल को खनिज पदार्थ प्रदान करती है। यह

पोषक पौधों की वृद्धि के लिए आवश्यक है। कुछ क्षेत्रों में किसान खेत में एक के बाद दूसरी फसल उगाता रहता है। खेत कभी भी खाली नहीं छोड़े जाते।

फसलों के लगातार उगाने से मिट्टी में कुछ पोषकों की कमी हो जाती है। इस क्षति को पूरा करने हेतु किसान खेतों में खाद देते हैं। यह प्रक्रम 'खाद देना' कहलाता है।

खाद एक कार्बनिक (जैविक) पदार्थ है जो कि पौधों या जंतु अपशिष्ट से प्राप्त होती है। किसान पादप एवं जंतु अपशिष्टों को गड्ढे में डालते जाते हैं तथा इसका अपघटन होने के लिए खुले में छोड़ देते हैं। अपघटन कुछ सूक्ष्म जीवों द्वारा होता है। अपघटित पदार्थ खाद के रूप में उपयोग किया जाता है।

उर्वरक एक रासायनिक पदार्थ हैं जो विशेष पोषकों से समृद्ध होते हैं। उर्वरक का उत्पादन फैक्ट्रियों में किया जाता है। उर्वरक के कुछ उदाहरण हैं : यूरिया, अमोनिया सल्फेट, सुपर फॉस्फेट, पोटाश, *NPK* (नाइट्रोजन, फॉस्फोरस, पोटैशियम)। इनके उपयोग से किसानों को गेहूँ, धान तथा मक्का जैसी फसलों की अच्छी उपज प्राप्त करने में सहायता मिलती है। परंतु उर्वरकों के अत्यधिक उपयोग से मिट्टी की उर्वरता में कमी आई है। यह जल प्रदूषण का स्रोत भी बन गया है। अतः मिट्टी की उर्वरता बनाए रखने के लिए हमें उर्वरकों के स्थान पर जैविक खाद का उपयोग करना चाहिए अथवा दो फसलों के बीच में खेत को कुछ समय के लिए बिना कुछ उगाए छोड़ देना चाहिए।

खाद के उपयोग से मिट्टी के गठन एवं जल अवशोषण क्षमता में भी वृद्धि होती है। इससे मिट्टी में सभी पोषकों की प्रतिपूर्ति हो जाती है। मिट्टी में पोषकों की प्रतिपूर्ति का अन्य तरीका फसल चक्रण है। यह एक फसल के बाद खेत में दूसरे किस्म की फसल एकांतर क्रम में उगा कर किया जा सकता है।

उर्वरक एवं खाद में अंतर

उर्वरक	*खाद*
1. उर्वरक एक मानव निर्मित लवण है।	खाद एक प्राकृतिक पदार्थ है जो गोबर एवं पौधों के अवशेष के विघटन से प्राप्त होता है।
2. उर्वरक का उत्पादन फैक्ट्रियों में होता है।	खाद खेतों में बनाई जाती है।
3. उर्वरक से मिट्टी को ह्यूमस प्राप्त नहीं होती।	खाद से मिट्टी को ह्यूमस प्रचुर मात्रा में प्राप्त होती है।
4. उर्वरक में पादप पोषक, जैसे कि नाइट्रोजन, फास्फोरस तथा पोटैशियम प्रचुरता में होते हैं।	खाद में पादप पोषक तुलनात्मक रूप से कम होता है।

4. **सिंचाई :** निश्चित अंतराल पर खेत में जल देना सिंचाई कहलाता है। पौधे के वृद्धि एवं परिवर्धन के लिए जल का विशेष महत्व है। पौधे की जड़ों द्वारा जल का अवशोषण होता है। जिसके साथ खनिजों और उर्वरकों का भी अवशोषण होता है। पौधों में लगभग 90% जल होता है। जल आवश्यक है क्योंकि बीजों का अंकुरण शुष्क स्थिति में नहीं हो सकता। जल में घुले हुए पोषक का स्थानांतरण पौधे के प्रत्येक भाग में होता है। यह फसल को पाले एवं गर्म हवा से रक्षा करता है। स्वस्थ्य फसल वृद्धि के लिए मिट्टी की नमी को बनाए रखने के लिए खेत में नियमित रूप से जल देना आवश्यक है।

- **सिंचाई के स्रोत :** कुएँ, जलकूप, तालाब/झील, नदियाँ, बाँध एवं नहर इत्यादि जल के स्रोत हैं।
- **सिंचाई के पारंपरिक तरीके :** कुओं, झीलों एवं नहरों में उपलब्ध जल को निकाल कर खेतों तक पहुँचाने के तरीके विभिन्न क्षेत्रों में भिन्न-भिन्न हैं। मवेशी अथवा मजदूर इन विधियों में इस्तेमाल किए जाते हैं। अतः यह सस्ते हैं, परंतु यह कम दक्ष हैं। सिंचाई के पारंपरिक तरीके निम्नलिखित हैं : (*i*) मोट (घिरनी), (*ii*) चेन पम्प, (*iii*) ढकेली, (*iv*) रहट।
- **सिंचाई की आधुनिक विधियाँ :** सिंचाई की आधुनिक विधियाँ निम्नलिखित हैं :

(*i*) **छिड़काव तंत्र (Sprinkler System):** इस विधि का उपयोग असमतल भूमि के लिए किया जाता है जहाँ पर जल कम मात्रा में उपलब्ध है। उर्ध्व पाइपों नलों के ऊपरी सिरों पर घूमने वाले नोजल लगे होते हैं। यह पाइप निश्चित दूरी पर मुख्य पाइप से जुड़े होते हैं। जब पम्प की सहायता से जल मुख्य पाइप में भेजा जाता है तो वह घूमते हुए नोजल से बाहर निकलता है।

(*ii*) **ड्रिप तंत्र (Drip System):** इस विधि में जल बूँद-बूँद करके सीधे पौधों की जड़ों में गिरता है। अतः इसे ड्रिप तंत्र कहते हैं। फलदार पौधों, बगीचों एवं वृक्षों को पानी देने का यह सर्वोत्तम तरीका है। इससे पौधे को बूँद-बूँद करके जल प्राप्त होता है। इस विधि में जल बिलकुल व्यर्थ नहीं होता है।

5. **खरपतवार से सुरक्षा :** खेत में कई अन्य अवांछित पौधे प्राकृतिक रूप से फसल के साथ उग जाते हैं। इन अवांछित पौधों को खरपतवार कहते हैं। खरपतवार हटाने की प्रक्रिया निराई कहलाती है। निराई आवश्यक है क्योंकि खरपतवार कटाई में भी बाधा डालते हैं तथा मनुष्य एवं पशुओं के लिए विषैले हो सकते हैं। खरपतवार को हटाने एवं उनकी वृद्धि को नियंत्रित करने के लिए किसान विभिन्न तरीके अपनाता है। खरपतवार हटाने का सर्वोत्तम समय उनमें पुष्पण एवं बीज बनने से पहले होता है। रसायनों के उपयोग से भी खरपतवार नियंत्रण किया जाता है, जिन्हें खरपतवारनाशी कहते हैं, जैसे, 2, 4-D। खेतों में इनका छिड़काव किया जाता है परंतु फसल को कोई हानी नहीं होती। खरपतवारनाशी को जल में आवश्यकतानुसार मिलाकर स्प्रेयर (फुहारा) की सहायता से खेत में छिड़काव किया जाता है।

6. **कटाई :** फसल की कटाई एक महत्वपूर्ण कार्य है। फसल पक जाने के बाद उसे काटना कटाई कहलाता है। कटाई के दौरान या तो पौधों को खींच कर उखाड़ लेते हैं अथवा उसे धरातल

के पास से काट लेते हैं। एक अनाज फसल को पकने में लगभग 3 से 4 महीने का समय लगता है।

हमारे देश में दराँती की सहायता से हाथ द्वारा कटाई की जाती है। अथवा हार्वेस्टर मशीन का उपयोग किया जाता है। काटीगई फसल से बीजों, दानों को भूसे से अलग करना होता है। इसे थ्रेशिंग कहते हैं। यह कार्य कॉम्बाइन मशीन द्वारा किया जाता है जो वास्तव में हार्वेस्टर और थ्रेशर का संयुक्त रूप है। छोटे खेत वाले किसान अनाज के दानों को फटक कर (विनोइंग) अलग करते हैं।

7. **भंडारण :** उत्पाद का भंडारण एक महत्वपूर्ण कार्य है। यदि फसल के दानों को अधिक समय तक रखना हो तो उन्हें नमी, कीट, चूहों एवं सूक्ष्मजीवों से सुरक्षित रखना होगा। भंडारण से पहले बीजों को धूप में अच्छी तरह सुखाया जाता है जिससे कीट पीड़कों, जीवाणु एवं कवक से सुरक्षा हो जाती है। किसान अपनी फसल उत्पाद का भंडारण जूट के बोरों, धातु के बड़े पात्र (Bins) में करते हैं। परंतु बीजों का बड़े पैमाने पर भंडारण **साइलो** और भंडार गृहों में किया जाता है।

जैव तकनीकी (Biotechnology)

जीवाणुओं, छोटे जन्तुओं तथा पादपों की सहायता से वस्तुओं के उत्पादन की प्रक्रिया जैव तकनीकि अथवा जैव प्रौद्योगिकी कहलाती है। जैव प्रौद्योगिकी पौध उत्पादों के लिए एक अस्त्र का काम करती हैं जिसमें एक ही जीन (Gene) का चुनाव करके इच्छित गुणों को प्राप्त कर एक पौधे से दूसरे पौधे में स्थानान्तरित कर दिया जाता है।

जैविक खेती के लक्ष्य

जैविक खेती दो लक्ष्य हैं–

1. प्रणाली को टिकाऊ बनाना।
2. जैविक खेती को पर्यावरण के प्रति संवेदनशील बनाना।

जैविक खेती के सिद्धान्त

जैविक खेती की सफलता तीन आधारभूत सिद्धान्तों पर आधारित होती हैं–

1. **अन्तनिर्भरता (Interdependency):** इनमें से सबसे महत्वपूर्ण है अन्तनिर्भरता, जैविक (ऑर्गेनिक) खेती में एक खेत को पारिस्थिकीयतंत्र (Ecosystem) के रूप में देखा जाता है और यह माना जाता है कि एक खेत पर किया गया परिवर्तन दूसरे खेत में प्रभाव अवश्य डालेगा।
2. **विविधता (Diversity):** ऑर्गेनिक खेती का दूसरा सिद्धान्त विविधता का है। जैविक खेती मृदा में पोषक तत्वों में सन्तुलन बनाए रखने के लिए किया जाता है। किसानों का फसलों व पशुधन के मध्य सन्तुलन बनाए रखने के लिए किसानों को खेतों के साथ-साथ पशुधन भी पालने चाहिए। फसलों व पशुधन में विविधता किसानों की आय में भी विविधता व लचीलापन लगाती है। दूसरी ओर पारिस्थितिकी तन्त्र में किसी कीट या खरपतवार या बीमारी को समस्या बनने से रोकता है।
3. **पुनःचक्र (Recycling):** जैविक खेती का तीसरा सिद्धान्त पुनःचक्र है, अर्थात् दोबारा से प्रयोग करना। इसमें पौधों व पशुओं के अवशेष पुनः प्रयोग में आ जाने के कारण खेतों के पोषक तत्वों को बनाए रखने में सहायक होते हैं।

विभिन्न जैविक तकनीकें

जैविक खादों का प्रयोग

जैव उर्वरक से तात्पर्य ऐसे सूक्ष्म जीव व जीवाणु से है जो पौधों के उपयोग के लिए पोषक तत्व उपलब्ध कराते हैं। आर्गेनिक खेती के अन्तर्गत आर्गेनिक खादों का प्रयोग किया जाता है। ये खादें पौधों के लिए पोषक तत्वों का स्रोत हैं। मृदा के भौतिक एवं रासायनिक गुणों पर भी इनका प्रभाव पड़ता है। जैव उर्वरक सूक्ष्म जीवाणुओं युक्त टीका है जिसके उपयोग से फसल उत्पादन में वृद्धि होती है। जैविक खेती में मुख्य जैविक खादें हैं–

1. **राइजोबियमः** इसका प्रयोग मुख्य रूप से अरहर, मूंग/उड़द, लोबिया, मसूर, मटर, मूंगफली, सोयाबीन, बरसीम इत्यादि में होता है। जैव उर्वरकों में राइजोबियम नाइट्रोजन यौगिकीकरण (Nitrogen Fixation) करने वाला एक महत्वपूर्ण जीव है। यह दलहनी पौधों की जड़ ग्रन्थियों में रहकर सहजीवी जीवनयापन करता है और पौधों को नाइट्रोजन प्रदान करता है। राइजोबियम जीवाणु खाद से भूमि के भौतिक और रासायनिक गुणों में सुधार होता है जिससे मृदा उर्वरता बढ़ती है और आगामी फसल की पैदावार भी अच्छी होती है।
2. **नील हरित काई (Blue Green Algae):** इसका प्रयोग मुख्य रूप से धान की फसल में होता है। इनकी वृद्धि धान के खेत में जहाँ पानी भरा रहता है, अच्छी प्रकार होती है। परीक्षणों से पता चला है कि धान में नीलरहित शैवाल का टीका लगाने (Inoculation) से धान की विभिन्न जातियों की उपज में वृद्धि होती है।

   नाइट्रोजन यौगिकीकरण के अतिरिक्त यह विटामिन वृद्धि को प्रोत्साहित करने वाले पदार्थों का स्राव करते हैं जो धान के पौधों की अच्छी वृद्धि के लिए लाभप्रद हैं।
3. **एजेटोबैक्टर :** इसका प्रयोग मुख्य रूप से गेहूँ, सरसों, कपास, सब्जियाँ उगाने में किया जाता है। यह कृषि में अपने योगदान के लिए सबसे अधिक महत्वपूर्ण और सर्वाधिक उपयोगी जीवाणु है। यह स्वतन्त्र रूप से जीवनयापन करते हुए वायुमण्डलीय नाइट्रोजन का यौगीकरण करता है। इसके प्रयोग से मृदा के भौतिक गुणों में सुधार होता है। ये जीवाणु भूमि और जड़ की सतह पर स्वतन्त्र रूप से रहकर ऑक्सीजन की उपस्थिति में वायुमण्डल नाइट्रोजन को स्थिरीकरण करते हैं।
4. **एजोस्पिरिलम :** इसका प्रयोग बाजरा, ज्वार, धान में किया जाता है। फसलों में इस जीवाणु का उपयोग अभी हाल में ही प्रारम्भ हुआ है। इसका प्रयोग जौ, जई, ज्वार, मोटे अनाज वाली फसलों में नाइट्रोजन उर्वरक का प्रयोग कम मात्रा में होने पर इस जीवाणु का विशेष महत्व है।
5. **एसीटोबैक्टर :** एसीटोबैक्टर नामक सूक्ष्म जीवाणु की खोज तथा अनुभव ब्राजील तथा क्यूबा के गन्ने के क्षेत्र से प्राप्त हुए हैं। यह जीवाणु सिरके में भी देखे जा सकते हैं।

इसके अतिरिक्त जैव उर्वरक के अन्तर्गत मुख्य तीन प्रकार की खादों का उपयोग किया जाता है, जो निम्नलिखित हैं–

1. **गोबर की खादः** गोबर की खाद फार्म पशुओं, गाय, घोड़ा कभी-कभी सुअरों के ठोस एवं द्रव मल-मूत्र का एक सड़ा हुआ मिश्रण है। जिसमें साधारणतया भूसा, बुरादा, छीलन अथवा अन्य कोई शोषक पदार्थ जो पशुओं के बाँधने के स्थान पर प्रयोग किया गया हो, आते हैं। गोबर की खाद पोषक तत्वों को पौधों के लिए धीरे-धीरे प्रदान करता है और इस खाद का प्रभाव कई वर्षों तक बना रहता है। गोबर की खाद में नाइट्रोजन, पोटाश व फॉस्फोरस के साथ-साथ अन्य आवश्यक तत्व भी पाए जाते हैं। यह खाद मृदा में कैल्शियम की मात्रा बढ़ाती है और इस प्रकार भौतिक गुणों को सुधारने में सहायक होती है।
2. **कम्पोस्टः** पौधों के अवशेष पदार्थों, पशुओं का बचा हुआ चारा, कूड़ा-करकट आदि पदार्थों के बैक्टीरिया तथा फफूंद (Fungi) द्वारा विशेष विच्छेदन से बना हुआ पदार्थ कम्पोस्ट कहलाता है। सड़ी हुई यह खाद प्रायः गहरे भूरे रंग की होती है। कम्पोस्ट को प्रयोग करने से भूमि की भौतिक, रासायनिक और जैविक गुणों पर अच्छा प्रभाव पड़ता है। सूक्ष्म जीवों (Micro-organism) की सक्रियता में वृद्धि होती है, फलतः नाइट्रीकरण, अमोनीकरण तथा नाइट्रोजन स्थरीकरण में वृद्धि होती है। कम्पोस्ट में मुख्य रूप से वर्मीकम्पोस्ट प्रमुख हैं।

   वर्मीकम्पोस्ट (Vermicompost) को वर्मीकल्चर (Vermiculture) भी कहा जाता है। यह मुख्यतः केंचुओं द्वारा तैयार होती है। केंचुए कार्बनिक निरर्थक पदार्थ को अपने शरीर के भार के दो से पाँच गुना तक ग्रहण करते हैं तथा उसमें से केवल 5-10 प्रतिशत अपनी शरीर की आवश्यकता के लिए प्रयोग करके शेष पदार्थ को अपचाहित पदार्थ के रूप में बाहर (Excrete) कर देते हैं जिसे वर्म कास्ट कहते हैं। अतः गोबर, सूखे हरे पत्ते, घास-फूस, धान का पुआल, डेयरी पदार्थ, कुक्कुट निरर्थक पदार्थ खाकर केंचुओं द्वारा प्राप्त मल से तैयार खाद ही वर्मीकम्पोस्ट कहलाती है। यह भूमि की उर्वरता, भौतिक दशा जैविक पदार्थों, लाभदायक जीवाणुओं में वृद्धि एवं सुधार करती है।
3. **हरी खाद (Green Manuring):** मृदा उर्वरता को बढ़ाने के लिए समुचित हरे पौधों को उसी खेत में उगाकर या कहीं से लाकर खेत में मिला देने की प्रक्रिया को हरी खाद कहते हैं। हरी खाद के प्रयोग से मृदा में कार्बनिक पदार्थ तथा नाइट्रोजन की मात्रा में वृद्धि होती है। हरी खाद के लिए प्रयोग होने वाली मुख्य फसलें उर्द, मूंग, ग्वार, लोबिया, नील और रबी फसलें, बरसीम, मसूर, मटर आदि हैं।

आहार संरक्षण (Food Preservation)

अनेक खाद्य पदार्थ, जैसे फल वर्ष में एक बार होते हैं। ज्यादातर फसलें वर्ष में एक बार लगाई जाती हैं। अतः ये सभी खाद्य पदार्थ एक विशेष मौसम में प्रचुर मात्रा में उपलब्ध होते हैं, जबकि अन्य मौसम में ये उपलब्ध नहीं होते। मानव जाति ने विभिन्न खाद्य पदार्थों को पूरे वर्ष उपलब्ध कराने के तरीके खोज निकाले हैं। इन सभी विधियों और तरीकों का मूल सिद्धांत एक ही है–खाद्य पदार्थों को सड़ने से बचाना, जिससे वे लम्बे समय तक प्रयोग में लाए जा सकें।

भोजन का सड़ना (Spoilage of Food)

भोजन सड़ने के निम्नलिखित कारण हैं–

1. **किण्वन की प्रक्रिया (Action of Enzymes):** खाद्य पदार्थ में ही उपलब्ध किण्वन भोजन में कुछ वांछित और कुछ अवांछित परिवर्तन लाते हैं। टमाटर का रंग हरे से लाल होना, फल का पकना, फल में मिठास आना इत्यादि कुछ वांछित परिवर्तनों के उदाहरण हैं। परन्तु किण्वन की यह प्रक्रिया फल के पकने के बाद भी चलती रहती है, जिससे फल अधिक पक जाता है और सड़ जाता है। भोजन में उपलब्ध अधिकतर एंजाइम 10°C-60°C में सक्रिय होते हैं और 80°C के ऊपर नष्ट हो जाते हैं।
2. **सूक्ष्म जीवाणुओं की प्रक्रिया (Action of Micro-organisms):** सूक्ष्म जीवाणु जैसे बैक्टीरिया, फफूंद व खमीर की प्रक्रिया से भोजन में वांछित व अवांछित दोनों तरह के परिवर्तन होते हैं। पाव रोटी को बनाने के लिए आटे का खमीरीकरण, दूध से दही का बनाना इत्यादि वांछित परिवर्तनों के कुछ उदाहरण हैं। खाद्य-पदार्थ में मौजूद शर्करा का एल्कोहल में परिवर्तन से खाद्य पदार्थ सड़ जाता है तथा यह अवांछनीय परिवर्तन का उदाहरण है। सूक्ष्मजीवियों की प्रतिक्रिया के लिए अनुकूल तापमान 25°C-40°C है तथा ये नमी मिलने पर और अधिक बढ़ते हैं। सूक्ष्मजीवियों द्वारा भोजन का संक्रमण रोकना कठिन है क्योंकि हवा व मिट्टी इन सूक्ष्मजीवियों से भरी है।

आहार संरक्षण के सिद्धांत (Principles of Food Preservation)

1. **सूक्ष्मजीवी को दूर रखना (Principle of Asepsis):** जहाँ तक संभव हो सूक्ष्मजीवाणुओं का भोजन में प्रवेश रोकना चाहिए। नमक, चीनी, तेल, सिरका का आहार संरक्षक के रूप में इस्तेमाल, डिब्बाबंद खाद्य पदार्थों में नाइट्रोजन गैस का माध्यम के रूप में प्रयोग इस सिद्धांत के प्रयोग के कुछ उदाहरण हैं।
2. **नमी को हटाना (Removal of Moisture):** सूक्ष्मजीवियों और एंजाइम को बढ़ोत्तरी और प्रक्रिया के लिए नमी की आवश्यकता होती है। नमी की मात्रा को काफी हद तक कम करने से सूक्ष्मजीवियों की बढ़ोत्तरी व एंजाइम की प्रक्रिया को बहुत कम कर सकते हैं। इस सिद्धांत को प्रयोग में लाने वाली विधि है–सब्जियाँ, फल, दूध, अनाज, दाल इत्यादि को सुखाना।
3. **सूक्ष्म जीवाणुओं को मारना तथा एंजाइम को खत्म करना (Killing of Micro-organism and Destruction of Enzymes):** सूक्ष्म जीवाणुओं व एंजाइम को नष्ट करके भी भोजन को संरक्षित किया जा सकता है। इस सिद्धांत को प्रयोग में लाने वाली विधियाँ हैं–उबालना, पाश्चुरीकरण आदि।
4. **सूक्ष्मजीवियों की वृद्धि व एंजाइम की प्रक्रिया को रोकना (Retarding the Growth of Micro-organisms and Activity of Enzymes):** सूक्ष्मजीवियों की वृद्धि को कम

ताप 1°C-6°C से कम कर सकते हैं तथा फ्रीजिंग तापमान 0°C से नीचे पर रोक सकते हैं। इस सिद्धांत को प्रयोग में लाने वाली विधियाँ हैं–रेफ्रीजरेशन, फ्रीजिंग, खाद्य संरक्षक का प्रयोग जैसे नमक, सिरका, चीनी व रासायनिक संरक्षक।

आहार संरक्षण के लाभ (Advantages of Preservation)

1. **उपलब्धताः** आहार संरक्षण से खाद्य पदार्थ पूरे वर्ष उपलब्ध रहते हैं।
2. **सस्ता आहारः** जिस मौसम में खाद्य पदार्थ प्रचुर मात्रा में उपलब्ध रहता है, वह सस्ता पड़ता है। उस समय उसे संरक्षित रखने से अन्य मौसम में प्रयोग किया जा सकता है।
3. **भोजन में विभिन्नताः** भोजन संरक्षित रखने से आहार में विभिन्नता आती है। जैसे–अचार, चटनी, पापड़ व शर्बत का उपयोग।
4. **प्राकृतिक आपदाओं के समय**–प्राकृतिक आपदाओं के समय डिब्बाबन्द खाद्य-पदार्थ व सूखे खाद्य पदार्थों को ले जाना व वितरण करना आसान होता है।
5. **ले जाने में सुविधाः** फसल के समय संरक्षित खाद्य पदार्थों को ले जाना आसान होता है। जैसे–अचार, चटनी, सूखे खाद्य पदार्थ, डिब्बाबन्द खाद्य पदार्थ इत्यादि।

आहार संरक्षण की विधियाँ (Advantages of Preservation)

1. **अधिक ताप द्वारा आहार संरक्षण (Food Preservation by Heat):** ताप द्वारा जीवाणुओं का नष्ट होना निर्भर करता है, ताप की तीव्रता व ताप के समय पर। ज्यादातर जीवाणु 60°C से अधिक ताप पर नष्ट हो जाते हैं।

   (*i*) **पाश्चुरीकरण (Pasteurization):** सभी खाद्य पदार्थों में दूध सबसे जल्दी खराब होने वाला खाद्य पदार्थ है। दूध का पाश्चुरीकरण करने से दूध में हानिकारक जीवाणु नष्ट हो जाते हैं। पाश्चुरीकरण दूध को रेफ्रीजरेटर में रखने से बिना उबाले इस्तेमाल किया जा सकता है। पाश्चुरीकरण से दूध में स्वरूप व खुशबू में कोई परिवर्तन नहीं होता। पाश्चुरीकरण निम्न दो विधियों द्वारा किया जा सकता है–

   (*a*) **कम ताप की विधि (Holding Method):** इस विधि में 63°C (145°F) तक गर्म करके दूध को 15 सेकेंड तक इसी तापमान पर रखा जाता है।

   (*b*) **अधिक ताप की विधि (High Temperature Method):** इस विधि में 72° (162°F) तक गर्म करके दूध को 15 सेकेंड तक इसी तापमान पर रखा जाता है।

   (*ii*) **उबालना (Boiling):** उबालने की प्रक्रिया से लगभग सभी जीवाणु नष्ट हो जाते हैं। घर पर पानी को 5 मिनट उबालने पर 100°C पानी सुरक्षित हो जाता है। उबालने से जीवाणु तो नष्ट हो जाते हैं, परन्तु जीवाणु द्वारा उत्पन्न विषाणु नष्ट नहीं होते।

   (*iii*) **डिब्बाबंद (Canning):** जिस खाद्य पदार्थ को डिब्बाबंद विधि द्वारा संरक्षित किया जाता है, उसकी गुणवत्ता अच्छी होनी चाहिए। इस विधि द्वारा खाद्य-पदार्थ संरक्षित करते समय यह आवश्यक है कि बोतल, डिब्बा, ढक्कन, उपकरण (जैसे पकड़, बोर्ड इत्यादि) पहले से ही जीवाणु रहित (Sterlized) हों। सॉस व फ्रूट जूस जैसे खाद्य-पदार्थों को जिन बोतलों में संरक्षित किया जाता है, उन्हें उबलते पानी साफ कर प्रयोग में लाना चाहिए। जैम और अचार जैसे खाद्य पदार्थों के लिए बोतल को गर्म पानी व साबुन से साफ कर धूप में बहुत अधिक गर्म होने तक रखना चाहिए। जैम या अचार को इन बोतलों में तैयार होते ही डाल देना चाहिए। अपने हाथ को भी हमेशा जीवाणुरहित रखने चाहिए। बोतल इत्यादि के किनारे को साफ करने के लिए इस्तेमाल कपड़ा भी साफ होना चाहिए। इस प्रकार की सावधानियों को ध्यान में रखते हुए, भोजन को सड़ने से बचाया जा सकता है।

2. **कम ताप द्वारा आहार संरक्षण (Preservation at Cold Temperature)**

   (*i*) **रेफ्रीजरेशन (Refrigeration):** रेफ्रीजरेशन इस सिद्धांत पर आधारित है कि कम ताप पर जीवाणु व एंजाइम की प्रक्रिया रूक जाती है या उसकी गति बहुत धीमी हो जाती है। इस प्रकार जल्द सड़ने वाले खाद्य पदार्थ जैसे दूध, पनीर, सब्जी व फल को अधिक समय तक रेफ्रीजरेटर में रख सकते हैं।

   रेफ्रीजरेटर का तापमान निर्धारित किया जाता है जो 6°C या इससे नीचे होता है। यदि खाद्य पदार्थ को खुला रखें, कम तापमान के कारण खाद्य पदार्थ में मौजूद नमी बर्फ की तह के रूप में सतह पर आ जाती है। अतः भोजन हमेशा ढककर रखना चाहए। ढककर रखने से भोजन रेफ्रीजरेटर में रखे अन्य खाद्य पदार्थ की खुशबू भी ग्रहण नहीं करता, उदाहरण के लिए खुले दूध व पानी में फल की खुशबू आ सकती है। फल व सब्जी जैसे पत्ता गोभी को अखबार में लपेट कर रखने से उन्हें लम्बे समय तक ताजा रखा जा सकता है। गर्म खाद्य पदार्थों को ठंडा करके ही रेफ्रीजरेटर में रखना चाहिए। व्यावसायिक कोल्ड स्टोरेज की सहायता से कई खाद्य पदार्थों को लम्बे समय तक रखा जाता है और ये पूरे साल देश को भांति-भांति के खाद्य पदार्थ मौसम बिन मौसम उपलब्ध कराते हैं।

   (*ii*) **फ्रीजिंग (Freezing):** फ्रीजिंग (तापमान 0°C) वाली तकनीक में जीवाणु की बढ़ोत्तरी व एंजाइम की प्रक्रिया बिल्कुल रूक जाती है। जमे हुए खाद्य पदार्थों में जीवाणु व एंजाइम निष्क्रिय अवस्था (Dormant Stage) में पड़े रहते हैं। अतः यह आवश्यक हो जाता है कि जब तक खाद्य पदार्थ को प्रयोग में न लाना हो, उसे फ्रीजर से बाहर नहीं निकालना चाहिए। जैसे ही फ्रीजर से भोजन

को बाहर निकालते हैं, वह गर्म होना शुरू हो जाता है और जीवाणु की बढ़ोत्तरी व एंजाइम की प्रक्रिया आरंभ हो जाती है। एक बार फ्रीज किया हुआ खाद्य पदार्थ, यदि कमरे के तापमान पर ले आए तो दोबारा फ्रीज नहीं करना चाहिए।

3. **सुखाकर आहार संरक्षण (Dehydration):** खाद्य पदार्थ की पौष्टिक गुणवत्ता को कम किए बिना भोजन की नमी को नष्ट करने की प्रक्रिया को सुखाना कहते हैं। यह एक प्राचीन विधि है। धूप में रखकर खाद्य पदार्थ की नमी बहुत कम हो जाती है जिससे बैक्टीरिया व फफूंदी की बढ़ोत्तरी रूक जाती है। फल जैसे कच्चा आम, किशमिश, आंवला, हर पत्ते, मसाले, कच्ची दालें इत्यादि को इस विधि द्वारा संरक्षित रखा जाता है। कभी-कभी खाद्य पदार्थों को हल्का-सा पकाकर भी सुखाया जाता है। ये खाद्य पदार्थ हैं पापड़, कन्दमूल, बैंगन, करेला इत्यादि। मीट व मछली में नमक डाला जाता है, जिससे नमी को बाहर निकालने में सहायता मिलती है। व्यावसायिक तौर पर सुखाए हुएं खाद्य पदार्थों में 4 से 5 प्रतिशत से अधिक नमी नहीं होती। सूखे हुए खाद्य पदार्थ हल्के होते हैं, कम जगह घेरते हैं व आसानी से उन्हें स्थानांतरित किया जा सकता है।

4. **संरक्षक पदार्थों के प्रयोग द्वारा आहार संरक्षण (Food Preservation by the use of Preservatives):** रासायनिक पदार्थों के अतिरिक्त घरेलू नमक, चीनी, नींबू, सिरका, तेल, मसाले इत्यादि संरक्षक के रूप में इस्तेमाल किए जाते हैं।

जैम, जैली व मुरब्बे में अधिक सांद्रता में चीनी का प्रयोग होता है। चीनी की मौजूदगी के कारण जीवाणुओं को नमी नहीं मिलती और भोजन सड़ने से बच जाता है। यदि ऐसे खाद्य पदार्थ को ढंग से जीवाणुरहित (Sterlize) नहीं किया गया हो, तो सतह पर फफूंदी आ सकती है।

अचार इत्यादि में नमक का प्रयोग होता है। आंवला, खट्टे फल, आम व सब्जियों को संरक्षित रखने में नमक के गाढ़े घोल का प्रयोग होता है। इस प्रकार जीवाणुओं को अपनी बढ़ोत्तरी के लिए नमी नहीं मिलती, क्योंकि बैक्टीरिया के अन्दर नमक की सांद्रता से बाहर के घोल में नमक की सांद्रता बहुत अधिक होती है और बैक्टीरिया से ही पानी बाहर निकल जाता है। आम इत्यादि को जब नमक के घोल में रखा जाता है, तब वे भी सिकुड़ जाते हैं।

अचार इत्यादि में तेल का प्रयोग भी होता है। यदि भोजन के ऊपर तेल की सतह हो तो वायु से जीवाणु आहार के संपर्क में नहीं आते और उन्हें संरक्षित रखा जा सकता है। कुछ साबुत फलों जैसे नींबू पर तेल की परत चढ़ाई जाती है जिससे नींबू को लम्बे समय तक ताजा रख सकें।

रासायनिक संरक्षक पदार्थः सोडियम बेंजोएट, सल्फर डाईआक्साइड जैसे रासायनिक पदार्थ सावधानी से प्रयोग में लाने चाहिए। क्योंकि यदि आहार में इनकी मात्रा 0.1% से अधिक हो, तो वह शरीर के लिए हानिकारक होती है। सल्फर डाईऑक्साइड फलों को सुखाते समय कालापन कम करने के लिए प्रयोग में लाया जाता है।

वस्तुनिष्ठ प्रश्न

1. भारत में सबसे ज्यादा कौन-सी मिट्टी पायी जाती है?
A. लाल मिट्टी B. काली मिट्टी
C. लैटराइट मिट्टी D. एल्यूवियल मिट्टी

2. मूँगफली की खेती के लिए कौन-सी मिट्टी उपयुक्त होती है?
A. काली मिट्टी B. लाल मिट्टी
C. लैटराइट मिट्टी D. जलोढ़ मिट्टी

3. कपास की खेती के लिए कौन-सी मिट्टी उपयुक्त होती है?
A. काली मिट्टी B. लाल मिट्टी
C. लैटराइट मिट्टी D. जलोढ़ मिट्टी

4. काली मिट्टी का काला रंग किसकी उपस्थिति के कारण होता है?
A. कार्बनिक पदार्थ
B. ह्यूमस
C. टिटेनिफेरस मैग्नेटाइट एवं ह्यूमस
D. गोबर की खाद

5. किस मिट्टी में अधिक समय तक आर्द्रता बनाए रखने की क्षमता होती है?
A. लाल मिट्टी B. काली मिट्टी
C. जलोढ़ मिट्टी D. लैटराइट मिट्टी

6. किस मिट्टी का स्थानीय नाम रेगुड़ (Regur) है?
A. लाल मिट्टी B. काली मिट्टी
C. जलोढ़ मिट्टी D. लैटराइट मिट्टी

7. किस मिट्टी में कृषि के लिए सिंचाई की आवश्यकता नहीं पड़ती है?
A. काली मिट्टी B. लाल मिट्टी
C. जलोढ़ मिट्टी D. लैटराइट मिट्टी

8. भारत के समस्त स्थल भाग के कितने प्रतिशत भाग पर जलोढ़ मिट्टी का विस्तार पाया जाता है?
A. 2.4% B. 24%
C. 32% D. 42%

9. पुरानी जलोढ़ मिट्टी किस नाम से जानी जाती है?
A. खादर B. बांगर
C. भावर D. रेह

10. नूतन जलोढ़ मिट्टी किस नाम से जानी जाती है?
A. खादर B. बांगर
C. भावर D. रेह

11. खरीफ की फसल कब बोई जाती है?
A. जून-जुलाई में B. अक्टूबर-नवम्बर में
C. मार्च-अप्रैल में D. नवम्बर-दिसम्बर में

12. रबी की फसल कब बोई जाती है?
A. मार्च-अप्रैल में B. जून-जुलाई में
C. अक्टूबर-नवम्बर में D. नवम्बर-दिसम्बर में

13. निम्नलिखित में से कौन रबी की फसल नहीं है?
A. गेहूँ B. जौ
C. मसूर D. मूँगफली

14. निम्नलिखित में से कौन खरीफ की फसल है?
A. जौ B. मसूर
C. सरसों D. बाजरा

15. निम्नलिखित में से कौन रबी की फसल है?
A. धान B. गेहूँ
C. ज्वार D. बाजरा

16. गेहूँ बोने का उपयुक्त मौसम कौन-सा होता है?
A. अक्टूबर-नवम्बर B. नवम्बर-दिसम्बर
C. जनवरी-फरवरी D. मार्च-अप्रैल

17. मक्का में कौन-सी प्रोटीन पायी जाती है?
A. ग्लूटीन B. जीन
C. हार्डीन D. ग्लाइसीन

18. सबसे ज्यादा प्रोटीन किसमें पायी जाती है?
A. मक्का B. सोयाबीन
C. अरहर D. मूँगफली

19. सोयाबीन में प्रोटीन की प्रतिशतता होती है :
A. 30% B. 42%
C. 50% D. 60%

20. चने के दाल में कितने प्रतिशत प्रोटीन होती है?
A. 17% B. 21%
C. 25% D. 30%

21. कपास के रेशे पौधे के किस भाग से प्राप्त किए जाते हैं?
A. जड़ B. तना
C. फल D. पत्ती

22. 'कुफरी चमत्कार' किस फलस की प्रमुख प्रजाति है?
A. आलू B. कपास
C. सोयाबीन D. शकरकन्द

23. निम्नलिखित में से कौन कीट-आकर्षक फसल है?
A. भिण्डी B. पालक
C. सनई D. सूर्यमुखी

24. ट्रिटीकेल्स (Triticales) की उत्पत्ति स्थान है?
A. भारत B. स्वीडन
C. कनाडा D. चीन

25. 'अंगूर लता' किस फसल की प्रजाति है?
A. अंगूर B. टमाटर
C. सेब D. बैंगन

26. ग्लाइसिन मैक्स *(Glycine max)* किस फसल का वानस्पतिक नाम है?
A. सेम B. बाकला
C. सोयाबीन D. मटर

27. फ्लोरीकल्चर (Floriculture) के अन्तर्गत किसका अध्ययन किया जाता है?
A. फलों का B. फूलों का
C. शाक-सब्जियों का D. वनों का

28. पोमोलॉजी (Pomology) के अंतर्गत किसका अध्ययन किया जाता है?
A. फलों का B. फूलों का
C. शाक-सब्जियों का D. वनों का

29. पादप रोगों का सबसे अधिक उत्तरदायी कारक कौन-सा है?
A. फफूँदी B. जीवाणु
C. विषाणु D. प्रोटोजोआ

30. 'टिक्का' (Tikka) रोग किस फसल से सम्बन्धित है?
A. सरसों B. धान
C. बाजरा D. मूँगफली

31. धान का प्रसिद्ध 'खैरा' रोग का कारण हैः
A. फफूँदी B. जीवाणु
C. विषाणु D. जस्ता की कमी

32. फसलों पर आक्रमण करने की कीट की प्रायः कौन-सी अवस्था अधिक हानि पहुँचाती है?
A. अण्डा B. प्यूपा
C. केटरपिलर D. इमेगो

33. 'रेड रॉट' (Red Rot) रोग किस फसल से सम्बन्धित है?
A. केला B. गन्ना
C. कपास D. मूँगफली

34. निम्नलिखित में कौन-सा रोग गेहूँ की फसल से संबंधित है?
A. रस्ट B. हरित बाली
C. टिक्का D. खैरा

35. गेहूँ का काला किट रोग किसके कारण होता है?
A. फफूँदी B. जीवाणु
C. विषाणु D. एक्टिनोमाइसीज

36. निम्नलिखित रोगों में से कौन-सा रोग फफूँदी से नहीं होता है?
A. डैम्पिंग ऑफ B. झुलसा रोग
C. उकठा रोग D. मोजैक रोग

37. गन्ना का लाल सड़न रोग किसके कारण होता है?
A. जीवाणु B. विषाणु
C. फफूँदी D. कीट

38. हाइड्रोपोनिक्स (Hydroponics) क्या है?
A. बिना मृदा के पौधों की खेती
B. बिना मृदा के वनों की खेती
C. बिना मृदा के शाक-सब्जियों की खेती
D. बिना मृदा के फूलों की खेती

39. ट्रक फार्मिंग (Truck Farming) क्या है?
A. व्यापारिक स्तर पर सब्जियों की कृषि
B. व्यापारिक स्तर पर फलों की कृषि
C. व्यापारिक स्तर पर फूलों की कृषि
D. भारी संख्या में ट्रक संचालन करना

40. पकने पर टमाटर का रंग किसकी उपस्थिति के कारण लाल हो जाता है?
A. बीटानिन B. लाइकोपिन
C. कैरोटिन D. जैन्थोफिल

41. दलहनी पौधों की जड़ों में कौन-सा जीवाणु निवास करता है?
A. एजोटोबैक्टर B. एनारोबिक
C. राइजोबियम D. क्लॉस्ट्रीडियम

42. कृषि में 'हरित क्रांति' (Green Revolution) के जन्मदाता कौन हैं?
A. बी.एल. चोपड़ा B. एम.एस. स्वामीनाथन
C. नॉरमन ई. बोरलॉग D. एस.एन. विनोग्रेडस्काई

43. भारत में हरित क्रांति के जन्मदाता कौन हैं?
A. बी.एल. चोपड़ा B. एम.एस. स्वामीनाथन
C. वर्गीज कुरियन D. अमृता पटेल

44. भारत में सबसे अधिक सिंचाई किस विधि से होती है?
A. नहर B. कुआँ व नलकूप
C. तालाब D. ड्रिप

45. दलहनी फसलों को नाइट्रोजन उर्वरक कम क्यों दिया जाता है?
A. क्योंकि ये नाइट्रोजन का कम प्रयोग करती है
B. क्योंकि इनकी आवश्यकता के लिए पर्याप्त नाइट्रोजन मृदा में होता है
C. क्योंकि इनकी जड़ें स्वयं नाइट्रोजन का स्थिरीकरण कर लेती हैं
D. इनमें कोई नहीं

46. यूरिया में नाइट्रोजन किस रूप में होता है?
A. नाइट्रेट B. नाइट्राइट
C. एमाइड D. अमोनियम

47. यूरिया में कितना प्रतिशत नाइट्रोजन होता है?
A. 45% B. 46%
C. 47% D. 48%

48. क्षारीय मृदाओं में सुधार लाने के लिए उपयुक्त रसायन है:
A. जिप्सम B. गंधक
C. पायराइट्स D. चूना पत्थर

49. पौधे नाइट्रोजन किस रूप में ग्रहण करते हैं?
A. नाइट्रेट B. नाइट्राइट
C. अमोनिया D. एमाइड

50. नाइट्रोजन स्थिरीकरण में लेग्हीमोग्लोबिन (Leghaemoglobin) का क्या कार्य है?
A. ऑक्सीजन का अवशोषण
B. जीवाणुओं का पोषण
C. जड़ों को लाल रखना
D. प्रकाश का अवशोषण

51. लेग्हीमोग्लोबीन में कौन-सा तत्व पाया जाता है?
A. आयरन B. मैग्नीशियम
C. कोबाल्ट D. मोलिब्डेनम

52. निम्नलिखित में कौन परिसंरक्षण (Preservation) के काम नहीं आता है?
A. एसीटिक अम्ल
B. सोडियम बेंजोएट
C. पोटेशियम मेटाबाइसल्फेट
D. हाइड्रोक्लोरिक अम्ल

53. खाद्य बीजों का भंडारण करने के लिए नमी की मात्रा होनी चाहिए:
A. 14% से कम B. 15% से 18%
C. 19% से 24% D. 25%

54. निम्नलिखित में से कौन मृदा सुधारक है?
A. अमोनियम सल्फेट B. रॉक फॉस्फेट
C. जिप्सम D. डी.ए.पी.

55. मटर में 'मार्श' रोग (Marsh Disease) का कारण है:
A. जस्ता की कमी B. मैंगनीज की कमी
C. मॉलिब्डेनम की कमी D. कॉपर की कमी

56. 2, 4–D है, एक–
A. कीटनाशी B. फफूँदनाशी
C. शाकनाशी D. जीवाणुनाशी

57. अधिकतर पौधे नाइट्रोजन को किस रूप में प्राप्त करते हैं?
A. फॉस्फोरस B. पोटाश
C. नाइट्रेट D. नाइट्रिक एसिड

58. रॉक फॉस्फेट है:
A. जल विलेय उर्वरक
B. साइट्रेट विलेय उर्वरक
C. जल अविलेय, फॉस्फोरक उर्वरक
D. इनमें से कोई नहीं

59. अमीनो-नाइट्रोजनयुक्त नाइट्रोजन उर्वरक है:
A. अमोनियम सल्फेट
B. यूरिया
C. अमोनियम सल्फेट नाइट्रेट
D. कैल्शियम अमोनियम नाइट्रेट

60. जिप्समयुक्त फॉस्फेटिक उवर्रक है:
A. डाइअमोनियम फॉस्फेट B. यूरिया फॉस्फेट
C. नाइट्रोफॉस्फेट D. सिंगल सुपर फॉस्फेट

61. नाइट्रोजन की सबसे अधिक मात्रा पायी जाती है:
A. गोबर की खाद B. वर्मी कम्पोस्ट
C. बायो गैस खाद D. मुर्गी की खाद

62. राइजोबियम सूक्ष्म-जीवाणु (Micro-organism) जड़ों की गाँठों में पाए जाते हैं:
A. अन्न वाली फसलों की
B. दलहनी फसलों की
C. तिलहनी फसलों की
D. रेशे वाली फसलों की

63. निम्न में कौन-सा पोषक तत्त्व पौधों को भूमि खाद से प्राप्त होते हैं?
A. कार्बन B. ऑक्सीजन
C. नाइट्रोजन D. हाइड्रोजन

64. वे पोषक तत्त्व जिनकी अल्प मात्रा पौधों के लिए आवश्यक होती है, कहलाते हैं:
A. प्राथमिक तत्त्व B. द्वितीयक तत्त्व
C. सूक्ष्म तत्त्व D. इनमें से कोई नहीं

65. नाइट्रोजन किस रुप में पौधों को उपलब्ध होता है?
A. मोनोफॉस्फेट B. अमोनिया
C. हाइड्रॉक्साइड D. इनमें से कोई नहीं

66. समोच्च (Contour) के साथ आवंटित सिड़ी में पानी देने को कहते हैं:
A. सिड़ीदार सिंचाई B. समोच्च सिंचाई
C. नियंत्रित सिंचाई D. बेसिन सिंचाई

67. फसल की उपज में प्रति यूनिट पानी, जो फसल के वाष्पन-वाष्पोत्सर्जन में इस्तेमाल होता है, माना जाता है:
A. जल वितरण क्षमता के रूप में
B. जल उपभोग क्षमता के रूप में
C. जल प्रयोग क्षमता के रूप में
D. कनवेएन्स क्षमता के रूप में

68. समोच्च मेंड़बन्दी (Contour bunding) एवं सिड़ीदार (Terracing) साधन हैं:
A. शस्य साधन B. यांत्रिक साधन
C. जैविक साधन D. इनमें से कोई कोई

69. मृदा में नमी की अवस्था जिस पर पौधे मुर्झाना (Wilt) शुरू कर दें, उसे कहते हैं:
A. नमीधारण क्षमता (Field Capacity)
B. मुर्झान बिन्दु (Wilting Point)
C. आर्द्रताग्राही गुणांक (Hygroscopic Coefficient)
D. इनमें से कोई नहीं

70. जलमग्न मृदा में नाइट्रोजन प्रायः किस रूप में पाया जाता है?
A. नाइट्रेट B. अमोनिया
C. नाइट्राइट D. ऐमाइड

उत्तरमाला

1	2	3	4	5	6	7	8	9	10
D	A	C	C	B	B	A	B	B	A
11	**12**	**13**	**14**	**15**	**16**	**17**	**18**	**19**	**20**
A	C	D	D	B	A	B	B	B	B
21	**22**	**23**	**24**	**25**	**26**	**27**	**28**	**29**	**30**
C	A	A	B	B	C	B	A	A	D
31	**32**	**33**	**34**	**35**	**36**	**37**	**38**	**39**	**40**
D	C	B	A	A	D	C	A	A	B
41	**42**	**43**	**44**	**45**	**46**	**47**	**48**	**49**	**50**
C	C	B	B	C	C	B	C	A	A
51	**52**	**53**	**54**	**55**	**56**	**57**	**58**	**59**	**60**
A	D	A	C	B	B	C	C	D	D
61	**62**	**63**	**64**	**65**	**66**	**67**	**68**	**69**	**70**
D	B	C	C	B	B	B	B	B	B

★ ★ ★

2

संश्लेषित रेशे; धातु एवं अधातु; कोयला एवं पेट्रोलियम, जीवाश्म ईंधन

संश्लेषित रेशे और प्लास्टिक

पोशाक जिन्हें हम पहनते हैं, कपड़े (Fabric) से निर्मित होते हैं। कपड़े प्राकृतिक अथवा कृत्रिम स्रोतों से प्राप्त रेशों (Fibres) से बनाये जाते हैं। प्राकृतिक रेशे, जैसे—कपास, ऊन, रेशम आदि पौधों अथवा जंतुओं से प्राप्त होते हैं। दूसरी ओर संश्लेषित रेशे मनुष्यों द्वारा बनाए जाते हैं। इसलिए ये **संश्लेषित** अथवा **मानव निर्मित** रेशे कहलाते हैं।

एक संश्लेषित रेशा भी छोटी इकाइयों को जोड़कर बनायी गई एक शृंखला है। प्रत्येक छोटी इकाई वास्तव में एक रासायनिक पदार्थ है। इस प्रकार की अनेक छोटी इकाइयाँ मिलकर एक बड़ी एकल इकाई बनाते हैं जो **बहुलक** (अंग्रेजी में पॉलीमर) कहलाती हैं। 'पालीमर' शब्द ग्रीक भाषा के दो शब्दों (Poly तथा Mer) से मिलकर बना है। 'पॉली' का अर्थ अनेक तथा 'मर' का अर्थ भाग अथवा इकाई है। अतः एक पॉलीमर या बहुलक बहुत सी इकाइयों के दोहराने से बनता है।

संश्लेषित रेशों के प्रकार

रेयॉन

रेयॉन की खोज चीन में हुई थी और इसे लम्बे समय तक कड़ी सुरक्षा में गोपनीय रखा गया। रेशम रेशे से प्राप्त कपड़ा बहुत महँगा होता है। रेशम को कृत्रिम रूप से बनाने के प्रयास किए गए। उन्नीसवीं शताब्दी के अन्तिम छोर पर वैज्ञानिकों को रेशम समान गुणों वाले रेशे प्राप्त करने में सफलता प्राप्त हुई। इस प्रकार का रेशा काष्ठ लुगदी के रासायनिक उपचार से प्राप्त किया गया। यह रेशा रेयॉन अथवा कृत्रिम रेशम कहलाया।

यद्यपि रेयॉन प्राकृतिक स्रोत काष्ठ लुगदी से प्राप्त किया जाता है, यह एक मानव निर्मित रेशा है। यह रेशम से सस्ता होता है परन्तु इसे रेशम रेशों के समान बुना जा सकता है। इसे रंगों की कई किस्मों में रँगा जा सकता है।

नाइलॉन

नाइलॉन एक अन्य मानव-निर्मित रेशा है। इसे 1931 में बिना किसी प्राकृतिक कच्चे माल (पौधे या जंतु से प्राप्त) का उपयोग किए बनाया गया। इसका निर्माण कोयले, जल और वायु से किया गया। यह प्रथम पूर्ण रूप से संश्लेषित रेशा था।

नाइलॉन रेशा प्रबल, प्रत्यास्थ और हलका था। यह चमकीला और धुलने में सुगम था। अतः यह कपड़ों के निर्माण हेतु बहुत प्रचलित हुआ।

हम नाइलॉन से निर्मित कई वस्तुओं को उपयोग में लाते हैं, जैसे—जुराबें, रस्से, तम्बू, दाँत साफ करने का ब्रुश, कारों की सीट के पट्टे, स्लीपिंग बैग (शयन थैला), परदे आदि। नाइलॉन का उपयोग पैराशूट और चट्टानों पर चढ़ने हेतु रस्सों के निर्माण में भी किया जाता है। एक नाइलॉन का तार, इस्पात के तार से अधिक प्रबल होता है।

पॉलिएस्टर

पॉलिएस्टर एक अन्य संश्लेषित रेशा है। इस रेशे से बने कपड़े में आसानी से सिलवटें नहीं पड़तीं। यह सपाट रहता है और सरलतापूर्वक धुल जाता है। अतः यह वस्त्र सामग्री हेतु पर्याप्त उपयोगी पदार्थ है। आपने लोगों को सुन्दर पॉलिएस्टर कमीजें और अन्य परिधान पहने अवश्य देखा होगा। टेरीलीन एक लोकप्रिय पॉलिएस्टर है।

पेट (PET) (पॉली एथीलीन टरथेलेट) एक बहुत सुपरिचित प्रकार का पॉलिएस्टर है। इसका उपयोग बोतलें, बर्तन, फिल्म, तार और अन्य बहुत से उपयोगी उत्पादों के निर्माण हेतु किया जाता है।

प्लास्टिक

संश्लेषित रेशे की तरह प्लास्टिक भी एक बहुलक है। सभी प्लास्टिकों में इकाइयों की व्यवस्था एक ही प्रकार की नहीं होती। कुछ में यह रेखीय होती है तो अन्य में यह तिर्यकबद्ध (क्रॉसबद्ध) होती है।

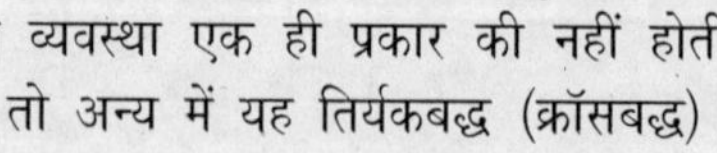

चित्र (*a*) : *रेखीय*

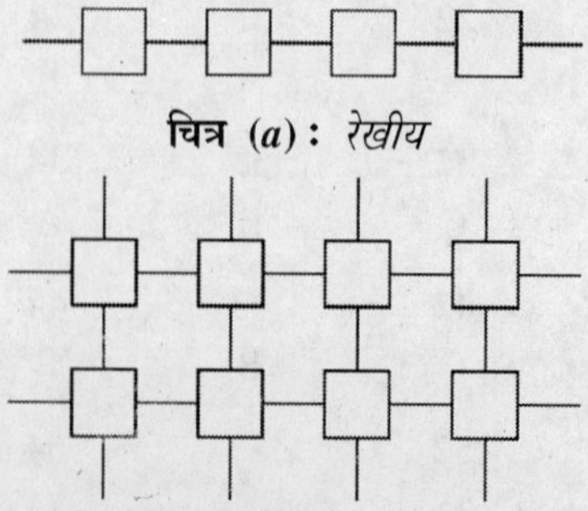

चित्र (*b*) : *क्रॉसबद्ध व्यवस्थाएँ*

प्लास्टिक की वस्तुएँ सभी सम्भव आकारों तथा साइजों में उपलब्ध हैं क्योंकि प्लास्टिक आसानी से साँचे में ढाला जा सकता है अर्थात् इसे कोई भी आकार दिया जा सकता है। प्लास्टिक का पुनःचक्रण हो सकता

है, इसे पुनः प्रयुक्त किया जा सकता है, इसे रँगा और पिघलाया जा सकता है, इसे बेलकर चद्दरों में बदला जा सकता है अथवा इसकी तारें बनाई जा सकती हैं।

ऐसा प्लास्टिक जो गर्म करने पर आसानी से विकृत हो जाता है और सरलतापूर्वक मुड़ जाता है, थर्मोप्लास्टिक कहलाता है। पॉलिथीन और पीवीसी (PVC) थर्मोप्लास्टिक के कुछ उदाहरण हैं। इनका उपयोग खिलौने, कंघियाँ और विभिन्न प्रकार के पात्रों के बड़े पैमाने पर निर्माण हेतु किया जाता है।

दूसरी ओर, कुछ प्लास्टिक ऐसे हैं जिन्हें एक बार साँचे में ढाल दिया जाता है तो इन्हें ऊष्मा देकर नर्म नहीं किया जा सकता। ये थर्मोसेटिंग प्लास्टिक कहलाते हैं। दो उदाहरण हैं—बैकेलाइट और मेलामाइन। बैकेलाइट ऊष्मा और विद्युत का कुचालक है। यह बिजली के स्विच, विभिन्न बर्तनों के हत्थे आदि बनाने में काम आता है। मेलामाइन एक बहुउपयोगी पदार्थ है। यह आग का प्रतिरोधक है तथा अन्य प्लास्टिक की अपेक्षा ऊष्मा को सहने की अधिक क्षमता रखता है। यह फर्श की टाइलें, रसोई के बर्तन और कपड़े बनाने के उपयोग में लिया जाता है जो आग का प्रतिरोध करते हैं।

विकल्प पदार्थ-प्लास्टिक

प्लास्टिक के अभिलाक्षणिक गुण निम्नलिखित हैं:

(*a*) **प्लास्टिक अनभिक्रियाशील है :** आप जानते हैं कि लोहे जैसी धातुओं को जब नमी और वायु में खुला छोड़ दिया जाता है तो उनमें जंग लग जाता है। परन्तु प्लास्टिक जल और वायु से अभिक्रिया नहीं करते। उनका संक्षारण आसानी से नहीं होता। इसलिए इनका उपयोग बहुत से रसायनों सहित, विभिन्न प्रकार के पदार्थों के संचयन हेतु किया जाता है।

(*b*) **प्लास्टिक हलका, प्रबल और चिरस्थायी है :** प्लास्टिक सामान्यतः धातुओं की अपेक्षा सस्ते होते हैं। ये उद्योगों और घरेलू कार्यों में व्यापक रूप से उपयोग में लिए जाते हैं।

(*c*) **प्लास्टिक कुचालक हैं :** प्लास्टिक ऊष्मा और विद्युत के कुचालक हैं। इसलिए बिजली के तार प्लास्टिक से ढके रहते हैं और खाना बनाने वाले पात्रों के हत्थे इसके बने होते हैं।

महत्वपूर्ण तथ्य

- प्लास्टिक का स्वास्थ्य—देखभाल उद्योग में व्यापक उपयोग होता है। इनके उपयोगों के कुछ उदाहरण हैं—दवा की गोलियों/टिकियों को पैक करने हेतु, घावों को सीने हेतु धागे, सिरिंज, चिकित्सकों के दस्ताने और विविध प्रकार के चिकित्सकीय यंत्र।
- माइक्रोवेव ओवन में भोजन पकाने हेतु विशिष्ट प्लास्टिक पात्र उपयोग में लिए जाते हैं।
- टेफ्लॉन एक विशिष्ट प्लास्टिक है जिस पर तेल और जल चिपकता नहीं है। यह भोजन पकाने के पात्रों पर न चिपकने वाली परत लगाने के काम आता है।
- **अग्निसह प्लास्टिक :** आग बुझाने वाले कर्मचारियों के परिधानों पर मेलामाइन प्लास्टिक की परत चढ़ी होती है जो उसे अग्निरोधक बनाती है।

प्लास्टिक और पर्यावरण

पदार्थ जो प्राकृतिक प्रक्रिया, जैसे जीवाणु की क्रिया, द्वारा अपघटित हो जाता है, जैव निम्नीकरणीय कहलाता है। पदार्थ जो प्राकृतिक प्रक्रियाओं द्वारा सरलता से विघटित नहीं होता, जैव अनिम्नीकरणीय कहलाता है।

प्लास्टिक अपघटित होने में कई वर्ष ले लेता है, यह पर्यावरण हितैषी नहीं है। यह पर्यावरण प्रदूषण का कारण बनता है। इसके अतिरिक्त जब इस संश्लेषित पदार्थ को जलाया जाता है तो पूर्णतया जलने में लम्बा समय लेता है। इस प्रक्रम में यह भारी मात्रा में विषैली धूम्र उत्सर्जित कर पर्यावरण प्रदूषित करता है। यथासंभव प्लास्टिक के उपयोग से बचिए। कपास या जूट के बने थैलों का प्रयोग कीजिए।

धातु और अधातु

धातुओं और अधातुओं के भौतिक गुण

तत्वों को दो श्रेणियों में बाँटा जा सकता है—धातुएँ और अधातुएँ। दोनों के भौतिक व रासायनिक गुणधर्म में अंतर है। धातुओं और अधातुओं के भौतिक गुणधर्मों के अंतर निम्न सारणी में दिए गए हैं।

सारणी

गुणधर्म	धातु	अधातु
आघातवर्ध्यता और तन्यता	धातु आघातवर्ध्य होते हैं। इनको पीट कर पतली चादर बनाई जा सकती है। ये तन्य भी होते हैं और तारों के रूप में खींचा जा सकता है। (अपवाद : Na, Bi)	अधातु न तो आघातवर्ध्य होते हैं और न तन्य। उदाहरण के लिए—लकड़ी और कोयला
धात्विक चमक	सभी धातुओं में धात्विक चमक होती है।	इनमें धात्विक चमक नहीं होती है।
कठोरता	धातु आमतौर पर कठोर होते हैं।	अधातु धातु की अपेक्षाकृत नर्म होते हैं।
भौतिक अवस्था	ये सामान्य ताप पर ठोस और तरल अवस्था में होते हैं।	अधातु ठोस, द्रव या गैस किसी भी अवस्था में हो सकते हैं।
ध्वनिक (सोनोरस)	धातु चोट मारने पर एक विशिष्ट ध्वनि उत्पन्न करते हैं। उदाहरणार्थ—स्कूल की घंटी।	अधातु ध्वनि उत्पन्न नहीं करते हैं।
घनत्व	इनका घनत्व उच्च होता है।	इनका घनत्व कम होता है।
वैद्युत चालकता	ये विद्युत के सुचालक होते हैं।	ये विद्युत के कुचालक होते हैं।

महत्वपूर्ण तथ्य

- पारा एक अकेला धातु और ब्रोमीन एक अकेला अधातु है जो साधारण तापमान पर द्रव अवस्था में पाये जाते हैं।
- ग्रेफाइट और आयोडीन हालांकि अधातु हैं परन्तु इनमें धात्विक चमक होती है।
- सोडियम धातु मोम की तरह नर्म होता है इसे चाकू से काटा जा सकता है।
- गैलियम धातु हथेली पर रखने से पिघल जाता है।
- सोना और चांदी अत्यधिक आघातवर्धनीय और तन्य होते हैं।
- हीरा तांबे की अपेक्षा उत्तम ऊष्माचालक है परन्तु विद्युत कुचालक है।
- अधातु ग्रेफाइट विद्युत सुचालक है परन्तु ऊष्मा कुचालक है।
- सोना, चांदी, प्लेटिनम और कॉपर स्वतंत्र अवस्था में होते हैं क्योंकि दूसरे धातुओं की अपेक्षा ये कम क्रियाशील होते हैं।

धातुओं और अधातुओं के रासायनिक गुणधर्म

धातु की प्रकृति धन विद्युती होती है। उनके संयोजी कोश में 1, 2 या 3 इलेक्ट्रॉन होते हैं और ये धनावेशित धनायन बनाने के लिए आसानी से अपने इलेक्ट्रॉन दे देते हैं। अपना संयोजी कोश का इलेक्ट्रॉन खोने के पश्चात् ये धनायन स्थिर होकर उत्कृष्ट गैस का विन्यास प्राप्त करते हैं।

$$\underset{2,\,8,\,1}{Na\,(g)} \longrightarrow \underset{2,\,8}{Na^+\,(g)} + e^-$$

विद्युत अपघटन के समय वह कैथोड पर विमुक्त होते हैं। दूसरी ओर अधातु ऋण विद्युती प्रकृति के होते हैं। इनके संयोजी कोश में आमतौर पर 5, 6 या 7 इलेक्ट्रॉन होते हैं। इनकी प्रकृति इलेक्ट्रॉन प्राप्त करके ऋणायन बनाने की होती है।

$$\underset{2,\,8,\,7}{Cl(g) + e^-} \longrightarrow \underset{2,\,8,\,8}{Cl^-(g)}$$

धातुओं के रासायनिक गुण

1. धातुओं की ऑक्सीजन के साथ अभिक्रिया

अधिकांश धातु ऑक्सीजन से क्रिया करके ऑक्साइड बनाते हैं। यह क्रिया गर्म किए बिना भी हो सकती है। जैसा कि सोडियम, कैल्शियम और पोटैशियम। परन्तु कुछ धातु गर्म करने के पश्चात् ही ऑक्सीजन से क्रिया करके ऑक्साइड बनाते हैं।

$$4Na(s) + O_2(g) \longrightarrow 2Na_2O(s)$$
$$2Mg(s) + O_2(g) \longrightarrow 2MgO(s)$$
$$4Al(s) + 3O_2(g) \longrightarrow 2Al_2O_3(s)$$

धातुओं के ऑक्साइड प्रायः क्षारकीय होते हैं। ये पानी के साथ क्रिया करके क्षार देते हैं। उदाहरणार्थ, Na_2O, CaO, MgO, K_2O आदि।

$$Na_2O(s) + H_2O(l) \longrightarrow 2NaOH(aq)$$
$$CaO(s) + H_2O(l) \longrightarrow Ca(OH)_2(aq)$$

एल्यूमिनियम (Al_2O_3), जिंक (ZnO), टिन (SnO) और फैरिक (Fe_2O_3) के सभी ऑक्साइड अम्लों व क्षारकों दोनों से अभिक्रिया करते हैं, अतः यह प्रकृति से उभयधर्मी है।

$$Al_2O_3(s) + 6HCl(aq) \longrightarrow 2AlCl_3(aq) + 3H_2O(l)$$
$$Al_2O_3(s) + 2NaOH(aq) \longrightarrow 2NaAlO_2(aq) + H_2O(l)$$

2. धातुओं की अम्लों के साथ अभिक्रिया

अधिकांश धातुएँ साधारण अम्लों जैसे तनु HCl व तनु H_2SO_4 में घुलकर हाइड्रोजन गैस बनाती है। Mg रिबन व तनु HCl में अभिक्रिया इस प्रकार होती है।

$$Mg(s) + 2HCl(aq) \longrightarrow MgCl_2(aq) + H_2(g)$$
$$Zn(s) + H_2SO_4(aq) \longrightarrow ZnSO_4(aq) + H_2$$

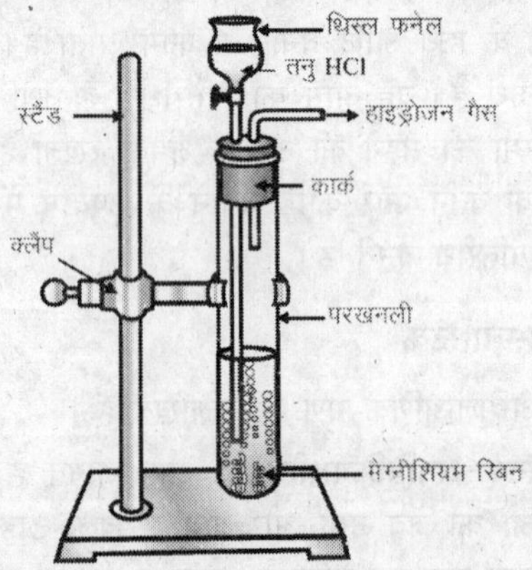

चित्र : *तनु HCl के साथ मैग्नीशियम रिबन की अभिक्रिया*

3. धातुओं की जल के साथ अभिक्रिया

बहुत धातुएँ पानी के साथ अभिक्रिया करके हाइड्रोक्साइड बनाती हैं। हाइड्रोक्साइड की प्रकृति क्षारक होती है। सोडियम और पोटेशियम ठंडे पानी से क्रिया करते हैं।

$$2Na(s) + 2H_2O(l) \longrightarrow 2NaOH(aq) + H_2(g)$$
$$2K(s) + 2H_2O(l) \longrightarrow 2KOH(aq) + H_2(g)$$

मैग्नीशियम गर्म पानी से क्रिया करता है।

$$Mg(s) + 2H_2O(l) \longrightarrow Mg(OH)_2(aq) + H_2(g)$$

धातु Al या Fe गर्म पानी अथवा भाप के साथ क्रिया करके धातु ऑक्साइड बनाते हैं।

$$2Al(s) + \underset{\text{(भाप)}}{3H_2O(g)} \longrightarrow Al_2O_3(s) + 3H_2(g)$$
$$Fe(s) + \underset{\text{(भाप)}}{4H_2O(g)} \longrightarrow Fe_3O_4(s) + 4H_2(g)$$

4. धातुओं की आम क्षारकों के साथ अभिक्रिया

धातु Sn और Zn आम क्षारकों के साथ क्रिया करते हैं।

$$Sn(s) + 2NaOH(aq) + H_2O(l) \longrightarrow \underset{\text{(सोडियम स्टेनेट)}}{Na_2SnO_3} + 2H_2$$
$$Zn(s) + 2NaOH(aq) \longrightarrow \underset{\text{(सोडियम जिंकेट)}}{Na_2ZnO_2} + H_2$$

संक्षारण

जैसा कि आप जानते हैं कि धातु हवा के साथ क्रिया करके ऑक्साइड बनाते हैं। धातुओं की ऑक्साइड बनाने की प्रवृत्ति उसके भौतिक व रासायनिक गुणों को क्षति पहुँचाती है। घर में कीलों पर जंग, बगीचे की जाली या गेट पर लगा जंग। ये लोहे के ऑक्सीकरण से होता है। पुराने तांबे के सिक्कों पर जमी हरी परत का कारण है ऑक्सीकरण जिससे कॉपर ऑक्साइड बनता है जो अंत में ऑक्सीकरण के द्वारा सतह पर कॉपर कार्बोनेट में बदल जाता है। धातुओं के इस प्रकार के ऑक्सीकरण की प्रक्रिया को संक्षारण कहते हैं। संक्षारण के कारण धातु की सतह हवा और नमी के संपर्क में आने से नष्ट हो जाती है। आमतौर पर संक्षारण शब्द का उपयोग धातुओं के ऑक्सीकरण के लिए होता है परन्तु लोहे के संक्षारण के लिए विशेष रूप से जंग लगना कहा जाता है।

जंग लगने के समय निम्न रासायनिक क्रिया होती है। लोहे की ऑक्सीजन के साथ क्रिया के समय एक भूरा चूर्ण जंग बनता है। यह रासायनिक दृष्टि से जलीय फैरिक ऑक्साइड है।

$$4Fe(s) + xH_2O + 3O_2 \longrightarrow \underset{\text{(भूरा जंग)}}{2Fe_2O_3.xH_2O}$$

लोहे में जंग लगने के लिए दो स्थितियाँ आवश्यक है।

(*i*) नमी, (*ii*) ऑक्सीजन

संक्षारण के निवारण की विधियाँ

संक्षारण के निवारण के लिए कुछ महत्वपूर्ण विधियाँ इस प्रकार हैं–

1. **पेंट करनाः** यह लोहे को जंग से बचाने का सबसे सामान्य तरीका है। लोहे के गेट इत्यादि को जंग से बचाने के लिए उसे पेंट करते हैं। पेंट से जंग का निवारण होता है।
2. **तेल या ग्रीस लगानाः** लोहे की चीजों पर तेल अथवा ग्रीस की परत लगाने से उनका जंग से बचाव होता है। वाहनों के और मशीनों के कल पुर्जों को जंग से बचाने के लिए उन पर तेल या ग्रीस लगाया जाता है। इससे उनमें जंग का लगना बंद हो जाता है और मशीन का जीवनकाल बढ़ जाता है।
3. **गैल्वनीकरणः** इस विधि में लोहे धातु की बनी चीजों पर जस्ते की परत चढ़ाई जाती है। इस प्रक्रिया को गैल्वनीकरण कहते हैं। लोहे की गैल्वनीकृत चादरों, जो बक्से और छत को ढकने के लिए प्रयुक्त होती हैं, को बनाने के लिए इस विधि का प्रयोग बड़े पैमाने पर किया जाता है।
4. **मिश्रधातु बनानाः** विभिन्न धातुओं के गुणों को सुधारने के लिए यह एक उत्तम विधि है। इस विधि में एक विशेष धातु को एक दूसरी धातु अथवा अधातु के साथ एक निश्चित अनुपात में मिलाया जाता है, जिससे कि उसकी संक्षारण से बचाव की क्षमता, ताकत, कठोरता, चमक और तन्य शक्ति आदि गुण बढ़ जाते हैं। उदाहरण के लिए लोहा धातु का प्रयोग जंग लगने के कारण बर्तन बनाने के लिए नहीं किया जा सकता है। लेकिन इसको निकेल और क्रोमियम धातु के साथ मिलाने पर स्टेनलैस स्टील बनता है। यह अत्यन्त उपयोगी हो जाता है।

धातुओं की प्रतिक्रिया क्षमता और धातुओं की सक्रियता श्रेणी

जब लोहे को $CuSO_4$ के विलयन में रखते हैं तो ये विलयन से Cu को विस्थापित करता है।

$$Fe(s) + CuSO_4(aq) \longrightarrow FeSO_4(aq) + Cu(s)$$

दूसरी ओर यदि हम चांदी को $CuSO_4$ के विलयन में डालें तो कोई क्रिया नहीं होती है क्योंकि चांदी कॉपर के मुकाबले में कम सक्रिय है।

$$Ag(s) + CuSO_4(aq) \longrightarrow \text{अभिक्रिया नहीं}$$

सामान्य तौर पर एक अधिक सक्रिय धातु कम क्रियाशील धातुओं को उनके यौगिक में मौजूद लवणों के विलयन में से विस्थापित करता है।

$$Cu(s) + 2AgNO_3(aq) \longrightarrow 2Ag(s) + Cu(NO_3)_2(aq)$$

इस क्रिया में हम कहेंगे कि लोहा कॉपर से अधिक सक्रिय है। यदि हम विभिन्न धातुओं के विलयन लें और उस विलयन में दूसरी धातु डालें तो हम उस विशेष धातु की सक्रियता की तुलना दूसरे धातुओं के साथ कर सकते हैं। धातुओं की उनकी सक्रियता के घटते क्रम के अनुसार व्यवस्था को सक्रियता श्रेणी कहते हैं इसको विद्युत रासायनिक श्रेणी भी कहा जाता है। इस श्रेणी का कुछ भाग नीचे दिया गया है।

K — सबसे सक्रिय धातु
Na
Ca
Mg
Al
Zn — घटती हुई सक्रियता ↓
Fe
Pb
H
Cu
Hg
Ag
Au — सबसे कम सक्रिय धातु

धातुओं के स्रोत

कुछ धातु लवण समुद्र में भी उपस्थित होते हैं। ये लवण भी 6 धातुओं के स्रोत हैं जैसे कि सोडियम, मैग्नीशियम इत्यादि। पृथ्वी पट्टिका के वे घटक जिनमें ये धातुएँ या इनके यौगिक होते हैं खनिज कहलाते हैं। कुछ स्थानों पर खनिजों में विशेष धातुओं की उच्च प्रतिशत होती है और धातुओं का इनसे लाभपूर्वक निष्कर्षण किया जा सकता है। ऐसे खनिजों को अयस्क कहते हैं। पृथ्वी से लिए गए अयस्कों में बहुत-सी अशुद्धियाँ जैसे कि बालू और अन्य अइच्छित पदार्थ होते हैं। वास्तव में इन अयस्कों में धातु यौगिकों के रूप में होती है। अब अयस्कों और यौगिकों से शुद्ध धातु प्राप्त करने को धातुकर्मीय कहते हैं। अयस्कों से धातुओं के निष्कर्षण में बहुत से पदों का इस्तेमाल होता है जिनको निम्नलिखित चार्ट में दिया गया है।

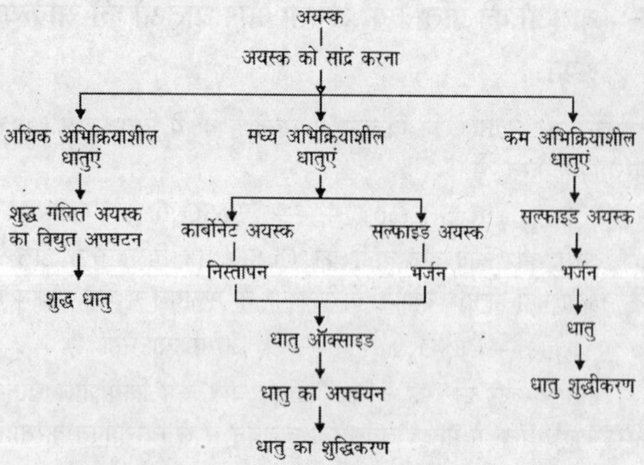

क्रियाशील श्रेणी समझने के बाद आप धातुओं को व्यापक रूप से निम्न तीन श्रेणियों में समझ सकते हैं:

(*i*) क्रियाशील श्रेणी का नीचे का भाग क्रियाशील धातु।

(*ii*) क्रियाशील श्रेणी का मध्य भाग (मध्य क्रियाशील धातु)

(*iii*) क्रियाशील श्रेणी का ऊपरी भाग (अधिक क्रियाशील धातु)

क्रियाशील श्रेणी के नीचे के भाग में धातुएँ बहुत कम क्रियाशील होती हैं। उदाहरण के लिए मरकरी का HgS से आसानी से निष्कर्षण किया जा सकता है।

$$2HgS + 3O_2(g) \xrightarrow{\text{गर्म}} 2HgO(s) + 2SO_2(g)$$

HgO को पुनः गर्म करने पर यह मरकरी और ऑक्सीजन में वियोजित हो जाता है।

$$2HgO(s) \xrightarrow{\text{गर्म}} 2Hg(l) + O_2(g)$$

क्रियाशील श्रेणी के तली में धातुएँ जैसे कि Hg, Au इत्यादि इनसे भी कम क्रियाशील होती हैं और स्वतंत्र रूप में पाई जाती हैं। संदेह नहीं है कि इनमें से कुछ संयुक्त रूप में भी मिलती है।

क्रियाशील श्रेणी के मध्य में धातुएँ जैसे कि लोहा, जिंक, लेड इत्यादि संयंत्री क्रियाशील होते हैं। ये प्रकृति में सामान्यतया सल्फाइड या कार्बोनेट के रूप में उपस्थित होते हैं। अपचयन से पहले इन अयस्कों को ऑक्साइड में परिवर्तित किया जाता है जिससे कि ये आसानी से अपचय हो सकें।

उदाहरण के लिए जिंक के लिए निम्नलिखित अभिक्रिया हम पाते हैं–

(*i*) भर्जन $2ZnS(s) + 3O_2(g) \xrightarrow{\text{गर्म}} 2ZnO(g) + 2SO_2(g)$

(*ii*) निस्तापन $ZnCO_3(s) \xrightarrow{\text{गर्म}} ZnO(s) + CO_2(g)$

कार्बन का प्रयोग करके धातु ऑक्साइडों को अपचयित करते हैं।

$$ZnO(s) + C(s) \longrightarrow Zn(s) + CO(g)$$

यहाँ पर ZnO का जिंक में अपचयन हो जाता है। धातुओं के इनके यौगिकों से प्राप्त करना अपचयन प्रक्रम होता है। धातु ऑक्साइडों के अपचयन के लिए हम विस्थापन अभिक्रिया का भी प्रयोग करते हैं। उदाहरण के लिए,

$$Fe_2O_3(s) + 2Al(s) \longrightarrow 2Fe(l) + Al_2O_3(s)$$

इस प्रकार की अभिक्रिया को थर्माइट प्रक्रम भी कहते हैं और यह रेल ट्रेक और भारी मशीनरी के वेल्डिंग के लिए महत्वपूर्ण होती है।

क्रियाशील श्रेणी के ऊपरी भाग में अधिक क्रियाशील होती है। ये धातुएँ ऑक्सीजन से अधिक लगाव रखते हैं और इसलिए कार्बन से अपचयन नहीं कर सकते हैं। इन धातुओं (जैसे कि Na, K, Mg) को इनके गलित लवणों का वैद्युत अपघटन के प्रक्रम से प्राप्त किया जा सकता है। Al को इसके ऑक्साइड (Al_2O_3) के वैद्युत अपघटन के द्वारा प्राप्त करते हैं। सोडियम गलित लवण NaCl के वैद्युत अपघटन से प्राप्त होता है।

कैथोड पर $Na^+(l) + e^- \longrightarrow Na(s)$

एनोड पर $2Cl^-(l) \longrightarrow Cl_2(g) + 2e^-$

अधातुओं की रासायनिक अभिक्रिया

अधातुओं का ऑक्सीजन, जल और सामान्य अम्ल और क्षारों के साथ क्रियाः अधातु ऑक्सीजन के साथ गर्म करने पर या जलाने पर अपने ऑक्साइड बनाते हैं :

$$S(s) + O_2(g) \longrightarrow SO_2(g)$$
$$C(s) + O_2(g) \longrightarrow CO_2(g)$$
$$2H_2(g) + O_2(g) \longrightarrow 2H_2O(l)$$

बहुत से अधातु एक से ऑक्साइड बनाते हैं।

ऑक्सीजन की सीमित आपूर्ति में कार्बन को जलाने से CO बनती है। यह एक उदासीन ऑक्साइड है। हवा की प्रचुर मात्रा में आपूर्ति होने पर यह CO_2 बनाती है जो अम्लीय प्रकृति की है।

$$C(g) + O_2(g) \longrightarrow CO_2$$
$$2C(g) + O_2(g) \longrightarrow CO$$

नाइट्रोजन ऑक्सीजन से अभिक्रिया करके ऑक्साइड की श्रेणी बनाती है।

(*i*) नाइट्रस ऑक्साइड या लाफिंग गैस N_2O (उदासीन)

(*ii*) नाइट्रिक ऑक्साइड NO (उदासीन)

(*iii*) डाइनाइट्रोजन ट्राइऑक्साइड N_2O_3 (अम्लीय)

(*iv*) नाइट्रोजन डाइऑक्साइड NO_2 (अम्लीय)

(*v*) डाइनाइट्रोजन टेट्राक्साइड N_2O_4 (अम्लीय)

(*vi*) डाइनाइट्रोजन पेंटॉक्साइड N_2O_5 (अम्लीय)

अधातुओं के ऑक्साइड की प्रकृति

आमतौर पर अधातु के ऑक्साइड प्रकृति से अम्लीय होते हैं या पानी में घुलने पर यह अम्ल बनाते हैं।

कार्बन डाइऑक्साइड पानी में घुलकर कार्बोनिक अम्ल बनाता है।

$$CO_2(g) + H_2O(l) \longrightarrow \underset{\text{(कार्बोनिक अम्ल)}}{H_2CO_3(aq)}$$

सल्फर ट्राइऑक्साइड पानी में घुलकर सल्फ्यूरिक अम्ल बनाता है

$$SO_3(g) + H_2O(l) \longrightarrow H_2SO_4(l)$$

डाइनाइट्रोजन पेंटॉक्साइड पानी में घुलकर नाइट्रिक अम्ल बनाता है।

$$N_2O_5(g) + H_2O(l) \longrightarrow 2HNO_3(l)$$

अपनी अम्लीय प्रकृति के कारण, बहुत से अधातुओं के ऑक्साइड क्षारों के साथ सीधी क्रिया करके लवण बनाते हैं:

$$SO_2 + 2NaOH \longrightarrow Na_2SO_3 + H_2O$$
$$SO_3 + 2NaOH \longrightarrow Na_2SO_4 + H_2O$$
$$CO_2 + 2NaOH \longrightarrow Na_2CO_3 + H_2O$$

महत्वपूर्ण तथ्य

हैलोजन (F, Cl, Br, I) भी अधातु हैं और ये धातुओं से क्रिया करके हैलाइडस बनाते हैं। उदाहरण के लिए – NaCl, NaBr, KCl, KBr, KI। इन हैलाइडों का महत्वपूर्ण स्रोत समुद्र है। हैलोजनों के हैलाइड इनके लवणों की अपेक्षा अधिक महत्वपूर्ण होते हैं। NaCl का उपयोग, जो कि समुद्र से प्राप्त होता है, बहुत से महत्वपूर्ण रसायनों के निर्माण में होता है।

धातुओं और अधातुओं के कुछ महत्वपूर्ण उपयोगः धातुओं और अधातुओं को उनके गुणों के आधार पर बहुत उपयोग में लाया जाता है।

धातुओं के उपयोग

(*i*) बहुत से धातु जैसे कि लोहा, कॉपर और एल्यूमिनियम पात्र बनाने के लिए प्रयोग में आते हैं।

(*ii*) धातुएँ जैसे कि कॉपर, एल्यूमिनियम, लोहा और स्टेनलैस स्टील बर्तन और तवा बनाने में प्रयोग किए जाते हैं।

(*iii*) तन्य धातुएँ जैसे कि कॉपर और एल्यूमिनियम बिजली के तार बनाने में प्रयोग होते हैं। स्टील की बनी रस्सी क्रेन से भारी सामान उठाने और पुल बनाने में प्रयोग होती है।

(*iv*) लोहा और स्टील मशीन बनाने में प्रयोग होता है।

(*v*) जिंक, लेड, पारा, लिथियम सैल और बैटरी बनाने में प्रयोग होता है।

(*vi*) आघातवर्धनीय धातुएँ जैसे कि लोहा और एल्यूमिनियम से चादरें बनाई जाती हैं जो विभिन्न निर्माण कार्य के प्रयोजन में उपयोग में लायी जाती हैं।

(*vii*) सोना, चांदी और प्लेटिनम धातु अपनी चमक, आघातवर्धनीयता और निष्क्रिय स्वभाव के कारण गहने बनाने के लिए प्रयोग में आते हैं।

(*viii*) विभिन्न धातुओं के और धातु और अधातुओं के मिश्रधातु विभिन्न उद्देश्यों के लिए प्रयोग में आते हैं। उदाहरण के लिए–स्टेनलैस स्टील बर्तन बनाने के लिए।

अधातुओं के उपयोग

(*i*) हाइड्रोजन से अमोनिया गैस का उत्पादन किया जाता है जिससे बाद में यूरिया और उर्वरक का उत्पादन किया जाता है।

(*ii*) हाइड्रोजन बहुत से औद्योगिक ईंधन जैसे वाटर गैस ($CO + H_2$) और कोल गैस ($H_2 + CH_4$) का घटक है।

(*iii*) सिलिकॉन ट्रांजिस्टर, कम्प्यूटर के चिप्स और फोटो वोल्टेक सेल बनाने में प्रयोग होता है।

(*iv*) सिलिकॉन के प्रयोग से स्टील उद्योग में स्टील का विजारण करके उच्च श्रेणी का संक्षारक रोधी स्टेनलैस स्टील बनाया जाता है।

(*v*) फॉस्फोरस का सबसे अधिक प्रयोग फास्फोरिक अम्ल H_3PO_4 बनाने में किया जाता है। इससे पोटाश उर्वरक का उत्पादन होता है।

(*vi*) सफेद फॉस्फोरस (P_4O_{10}) का प्रयोग माचिस उद्योग में किया जाता है।

(*vii*) अपमार्जक में मैले कपड़ों से गंदगी हटाने के लिए फॉस्फोरस मिलाया जाता है।

(*viii*) कृषि में सल्फर का प्रयोग कीट और फफूँद नियंत्रण के लिए किया जाता है।

(*ix*) गन पावडर के निर्माण में सल्फर का प्रयोग होता है। यह सल्फर, चारकोल और पोटैशियम नाइट्रेट का पक्का मिश्रण है।

(*x*) सल्फर को अधिकतर सल्फ्यूरिक अम्ल में बदल लेते हैं। यह रसायनों का राजा कहलाता है और विभिन्न प्रकार के रसायन बनाने में इसका प्रयोग किया जाता है।

कोयला और पेट्रोलियम

प्रकृति में विभिन्न संसाधनों की उपलब्धता की दृष्टि से, प्राकृतिक संसाधनों को व्यापक रूप से दो वर्गों में बाँटा जा सकता हैः

अक्षय प्राकृतिक संसाधनः ये संसाधन प्रकृति में असीमित मात्रा में उपस्थित हैं और मानवीय क्रियाकलापों से समाप्त होने वाले नहीं है। उदाहरण हैं–सूर्य का प्रकाश, वायु आदि।

समाप्त होने वाले प्राकृतिक संसाधनः प्रकृति में इन स्रोतों की मात्रा सीमित है। ये मानवीय क्रियाकलापों द्वारा समाप्त हो सकते हैं। इन संसाधनों के उदाहरण हैं–वन, वन्यजीव, खनिज, कोयला, पेट्रोलियम, प्राकृतिक गैस आदि।

कोयला

खाना पकाने हेतु उपयोग आने वाले ईंधनों में कोयला एक है। पहले इसका उपयोग रेल इंजनों को चलाने के लिए भाप बनाने में होता था। इसका उपयोग तापीय शक्ति संयंत्रों में विद्युत उत्पन्न करते हेतु भी किया जाता है। कोयले का उपयोग विभिन्न उद्योगों में ईंधन के रूप में भी किया जाता है।

लगभग 300 मिलियन वर्ष पूर्व पृथ्वी पर निचले जलीय क्षेत्रों में घने वन थे। बाढ़ जैसे प्राकृतिक प्रक्रमों के कारण, ये वन मृदा के नीचे दब गए। उनके ऊपर अधिक मृदा जम जाने के कारण वे संपीडित हो गए। जैसे-जैसे वे गहरे होते गए उनका ताप भी बढ़ता गया। उच्च दाब और उच्च ताप पर, पृथ्वी के भीतर मृत पेड़-पौधे धीरे-धीरे कोयले में परिवर्तित हो गए। कोयले में मुख्य रूप से कार्बन होता है। मृत वनस्पति के, धीमे प्रक्रम द्वारा कोयले में परिवर्तन को कार्बनीकरण कहते हैं। क्योंकि यह वनस्पति के अवशेषों से बना है, अतः कोयले को जीवाश्म ईंधन भी कहते हैं।

वायु में गर्म करने पर कोयला जलता है और मुख्य रूप से कार्बन डाइऑक्साइड गैस उत्पन्न करता है। उद्योग में कोयले के प्रक्रमण द्वारा कुछ उपयोगी उत्पाद किए जाते हैं, जैसे–कोक, कोलतार और कोयला गैस।

कोकः यह एक कठोर, सरंध्र और काला पदार्थ है। यह कार्बन का लगभग शुद्ध रूप है। कोक का उपयोग इस्पात के औद्योगिक निर्माण और बहुत से धातुओं के निष्कर्षण में किया जाता है।

कोलतारः यह एक अप्रिय गंध वाला काला गाढ़ा द्रव होता है। यह लगभग 200 पदार्थों का मिश्रण होता है। कोलतार से प्राप्त उत्पादों का उपयोग प्रारम्भिक पदार्थों के रूप में दैनिक जीवन में काम आने वाले विभिन्न पदार्थों के औद्योगिक निर्माण में तथा उद्योगों, जैसे—संश्लेषित रंग, औषधि, विस्फोटक, सुगंध, प्लास्टिक, पेंट, फोटोग्राफिक सामग्री, छत-निर्माण सामग्री आदि में होता है। मॉथ और अन्य कीटों को भगाने हेतु प्रयोग में लाई जाने वाली नैफ्थलीन की गोलियाँ भी कोलतार से प्राप्त की जाती हैं।

कोयला-गैसः कोयले के प्रक्रमण द्वारा कोक बनाते समय कोयला-गैस प्राप्त होती है। यह कोयला प्रक्रमण संयंत्रों के निकट स्थापित बहुत से उद्योगों में ईंधन के रूप में उपयोग की जाती है।

पेट्रोलियम

ईंधन के रूप में पेट्रोल का उपयोग हलके स्वचालित वाहनों, जैसे—मोटर साइकिलों/स्कूटरों और कारों में होता है। भारी मोटर वाहनों जैसे ट्रकों और ट्रैक्टरों को चलाने के लिए डीजल काम आता है। ये ईंधन प्राकृतिक स्रोत से प्राप्त होते हैं जिसे पेट्रोलियम कहते हैं। पेट्रोलियम शब्द की उत्पत्ति पेट्रा (चट्टान) एवं ओलियम (तेल) से हुई है क्योंकि ये जमीन के नीचे की चट्टानों के मध्य से निकाला जाता है।

पेट्रोलियम का निर्माण समुद्र में रहने वाले जीवों से हुआ। जब ये जीव मृत हुए, इनके शरीर समुद्र के पेंदे में जाकर जम गए और फिर रेत तथा मिट्टी की तहों द्वारा ढक गए। लाखों वर्षों में, वायु की अनुपस्थिति, उच्च ताप और उच्च दाब ने मृत जीवों को पेट्रोलियम और प्राकृतिक गैस में परिवर्तित कर दिया।

विश्व का पहला तेल का कुआँ, पेनसिलवेनिया, अमेरिका में 1859 में प्रवेधित (ड्रिल) किया गया था। आठ वर्ष बाद, 1867 में असम के माकुम नामक स्थान पर तेल का पता चला। भारत में तेल असम, गुजरात, बॉम्बे हाई और गोदावरी तथा कृष्णा नदियों के बेसिन में पाया जाता है।

पेट्रोलियम का परिष्करणः पेट्रोलियम गहरे रंग का तेलीय द्रव है। इसकी गंध अप्रिय होती है। यह विभिन्न संघटकों, जैसे—पेट्रोलियम गैस, पेट्रोल, डीजल, स्नेहक तेल, पैराफिन, मोम आदि का मिश्रण होता है। पेट्रोलियम के विभिन्न संघटकों/प्रभाजों को पृथक करने का प्रक्रम परिष्करण कहलाता है। यह कार्य पेट्रोलियम परिष्करणी में सम्पादित किया जाता है।

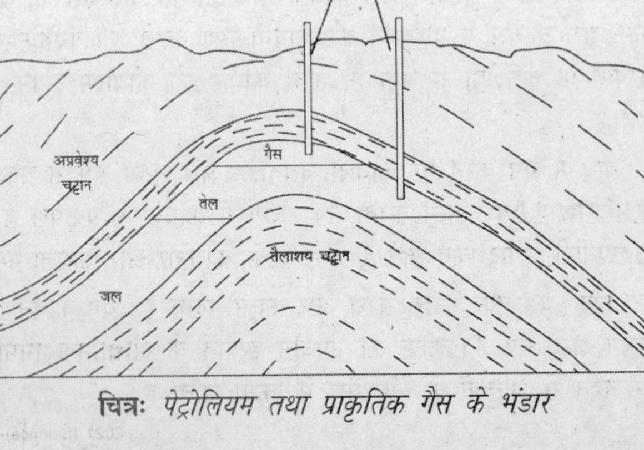

चित्रः *पेट्रोलियम तथा प्राकृतिक गैस के भंडार*

प्राकृतिक गैस

प्राकृतिक गैस एक बहुत महत्वपूर्ण जीवाश्म ईंधन है, क्योंकि इसका परिवहन पाइपों द्वारा सरलतापूर्वक हो जाता है। प्राकृतिक गैस को उच्च दाब पर संपीडित प्राकृतिक गैस (CNG) के रूप में भंडारित किया जाता है। सीएनजी का उपयोग ऊर्जा उत्पादन हेतु किया जाता है। अब इसका उपयोग परिवहन वाहनों में ईंधन के रूप में किया जा रहा है क्योंकि यह कम प्रदूषणकारी है। यह एक स्वच्छ ईंधन है।

सीएनजी का अधिक लाभ यह है कि इसे घरों और कारखानों में सीधा जलाया जा सकता है, जहाँ इसकी आपूर्ति पाइपों के माध्यम से की जा सकती है। पाइपलाइनों का ऐसा जाल बड़ोदरा (गुजरात), दिल्ली के कुछ भागों और अन्य स्थानों पर उपलब्ध है।

पेट्रोलियम के विभिन्न संघटक और उनके उपयोग

क्र. सं.	पेट्रोलियम के संघटक	उपयोग
1.	द्रवित पेट्रोलियम गैस (LPG)	घरों और उद्योगों में ईंधन के रूप में
2.	पेट्रोल	मोटर ईंधन, शुष्क धुलाई के लिए विलायक
3.	मिट्टी का तेल	स्टोव, लैम्प और जेट वायुयान के लिए ईंधन
4.	डीजल	भारी मोटर वाहनों और विद्युत जनित्रों के लिए ईंधन
5.	स्नेहक तेल	स्नेहन
6.	पैराफिन मोम	मरहम, मोमबत्ती, वैसलीन आदि में
7.	बिटुमेन	पेंट एवं सड़क निर्माण में

प्राकृतिक गैस का उपयोग प्रारम्भिक पदार्थ के रूप में बहुत से रसायनों और उर्वरकों के औद्योगिक निर्माण में किया जाता है। भारत में प्राकृतिक गैस के विशाल भंडार हैं। हमारे देश में प्राकृतिक गैस त्रिपुरा, राजस्थान, महाराष्ट्र और कृष्णा गोदावरी डेल्टा में पायी जाती है।

दहन और ज्वाला

दहनः रासायनिक प्रक्रम जिसमें पदार्थ ऑक्सीजन से अभिक्रिया कर उष्मा देता है, दहन कहलाता है। जिस पदार्थ का दहन होता है, वह दाह्य कहलाता है। इसे ईंधन भी कहते हैं। ईंधन ठोस, द्रव या गैस हो सकता है। कभी-कभी दहन के समय ज्वाला के रूप में अथवा एक लौ के रूप में प्रकाश भी उत्पन्न होता है।

ज्वलन-तापः वह न्यूनतम ताप जिस पर कोई पदार्थ जलने लगता है, उसका ज्वलन-ताप कहलाता है। जिन पदार्थों का ज्वलन-ताप बहुत कम होता है और जो ज्वाला के साथ सरलतापूर्वक आग पकड़ लेते हैं, ज्वलनशील पदार्थ कहलाते हैं। ज्वलनशील पदार्थों के उदाहरण हैं—पेट्रोल, एल्कोहल, द्रवित, पेट्रोलियम गैस (LPG) आदि।

दहन के प्रकार

(*i*) **तीव्र दहन**—दहन क्रिया में जब पदार्थ तेजी से तब तक जलता रहता है, जब तक दहनशीलता सामग्री उपलब्ध रहती है, 'त्वरित

दहन' कहलाती है। ये पदार्थ या तत्व ऊष्मा और प्रकाश दोनों उत्पन्न करते हैं। उदाहरण–कागज, पेट्रोल, ईंधन गैस।

(*ii*) **विस्फोट**–यह दहन का ऐसा प्रकार है, जिसमें पदार्थ या तत्व के जलने से बहुत अधिक मात्रा में गैस उत्पन्न होती है तथा साथ ही, ऊष्मा, प्रकाश और ध्वनि भी उत्पन्न होते हैं। उदाहरण–पटाखों का जलना।

(*iii*) **स्वतःदहन**–जब सामान्य परिस्थितियों के अंतर्गत कमरे के तापमान पर वायु में पदार्थ जलने लगता है, तब इसे 'तत्क्षण' दहन कहा जाता है। इन तत्वों या पदार्थों में न्यूनतम ज्वलनशील तापमान होता है। उदाहरण–सफेदा (व्हाइट फॉस्फोरस)

ऊष्मीय मान

1 किग्रा ईंधन द्वारा छोड़ी गई तापमात्रा के रूप में परिभाषित किया जाता है, जब यह पूर्ण रूप से जलता है। यह 1 किग्रा किलो जूल में अभिव्यक्त की जाती है। आदर्श ईंधन की विशेषताएँ इस प्रकार हैं–

(*i*) उच्च ऊष्मीय मान,

(*ii*) न्यून ज्वलन तापमान,

(*iii*) बहुत कम आपत्तिजनक द्वि-उत्पादों का बनना।

ईंधन का नाम	कैलोरिक मान (किग्रा)
कोयला	34000
लकड़ी	17000-22000
मिट्टी का तेल	50000
पेट्रोल	45000
एल.पी.जी.	50000
हाइड्रोजन	150000

जब ईंधन जलता है, तब पहले यह वाष्प अवस्था में बदलता है तथा इसके बाद, ऑक्सीजन के साथ अभिक्रिया होती है। जब ठोस या तरल पदार्थ दहन होने पर वाष्पीकृत हो जाता है, तब लौ उत्पन्न होती है। जैसे–मोमबत्ती, मिट्टी का तेल, कपूर आदि।

कुछ ईंधन वाष्पीकृत हुए बिना जलने लगते हैं। वाष्पीकृत न होने वाले पदार्थ या तत्व से जलते समय लौ नहीं निकलती। जैसे–कोयला।

ज्वलनशील पदार्थः जिन पदार्थों का ज्वलन-ताप बहुत कम होता है और जो ज्वाला के साथ सरलतापूर्वक आग पकड़ लेते हैं, ज्वलनशील पदार्थ कहलाते हैं। ज्वलनशील पदार्थ के उदाहरण हैं–पेट्रोल, एल्कोहल, द्रवित पेट्रोलियम गैस (LPG) आदि।

वस्तुनिष्ठ प्रश्न

1. सोडियम धातु का संग्रह निम्नलिखित में डुबोकर किया जाता हैः

A. केरोसिन B. हवा में C. जल में D. अमोनिया में

2. आजकल सड़क की रोशनी में पीले लैम्प बहुतायत से प्रयुक्त हो रहे हैं। इन लैम्पों में से निम्नलिखित में से किसका उपयोग करते हैं?

A. सोडियम B. नियॉन C. हाइड्रोजन D. नाइट्रोजन

3. साधारण नमक में रासायनिक यौगिक होते हैंः

A. पोटैशियम नाइट्रेट B. अमोनियम क्लोराइड C. कैल्शियम कार्बोनेट D. सोडियम क्लोराइड

4. निम्न लवणों में से सागरीय जल की लवणता में किसका अधिक योगदान है?

A. कैल्शियम सल्फेट B. मैग्नीशियम क्लोराइड C. सोडियम क्लोराइड D. हाइड्रोजन

5. फोटोग्राफी में स्थायीकर के रूप में प्रयुक्त होने वाला तत्व हैः

A. सोडियम सल्फेट B. सोडियम थायोसल्फेट C. अमोनिया परसल्फेट D. बोरेक्स

6. मिल्क ऑफ मैग्नेशिया एक निलंबन है?

A. मैग्नीशियम सल्फेट का
B. मैग्नीशियम कार्बोनेट का
C. मैग्नीशियम हाइड्राक्साइड का
D. मैग्नीशियम क्लोराइड का

7. क्लोरोफिल अणु में निम्नलिखित में क्या मौजूद होता है?

A. Mn B. Mg C. Fe D. K

8. कॉस्मेटिक पाउडर किससे तैयार किया जाता है?

A. एस्बेस्टस B. टाल्का C. जिप्सम D. सर्पेंटाइन

9. बॉक्साइट किसका अयस्क है?

A. सीसा B. एल्यूमिनियम C. जिंक D. कॉपर

10. एल्यूमिनियम के संबंध में कौन-सा कथन सही नहीं है?

A. एल्यूमिनियम हाइड्राक्साइड प्रकृति से एम्फाटरीक होता है
B. एल्यूमिनियम प्रकृति में स्वतंत्र अवस्था में रहता है
C. नाइट्रिक अम्ल एल्यूमिनियम पर कोई प्रभाव नहीं डालता है
D. गर्म सांद्र गंधकाम्ल एल्यूमिनियम के साथ SO_2 देता है

11. प्लास्टर ऑफ पेरिस का रासायनिक नाम हैः

A. कैल्शियम सल्फेट
B. जलयोजित कैल्शियम कार्बोनेट
C. कैल्शियम हाइड्रेट
D. कैल्शियम सल्फेट हेमिहाइड्रेट

12. अग्निशमन वस्त्र किससे बनाए जाते हैं?

A. अभ्रक B. एस्बेस्टस C. टेल्क D. स्टीएटाइड

13. एस्बेस्टस किससे बनती है?
A. कैल्शियम और मैग्नेशियम
B. ताँबा, जिंक और मैंग्नीज
C. सीसा और लोहा
D. कैल्शियम और जिंक

14. ब्लीचिंग पाउडर निम्नलिखित में से किसे गुजारकर तैयार किया जाता है?
A. बुझे चूने पर से क्लोरीन
B. बुझे चूने पर से ऑक्सीजन
C. बुझे चूने पर से CO_2
D. बिना बुझे चूने पर से क्लोरीन

15. निम्नलिखित में से कौन लोहे का एक अयस्क है?
A. हेमाटाइट B. बॉक्साइट
C. सिनेबार D. चूना पत्थर

16. निम्नलिखित में से किस खनिज द्वारा लोहा प्राप्त किया जाता है?
A. चूने का पत्थर B. पिच ब्लैंड
C. मोनजाइट रेत D. हेमाटाइट

17. पृथ्वी के गर्भ में दूसरा सबसे ज्यादा पायी जाने वाली धातु कौन-सी है?
A. लोहा B. एल्यूमिनियम
C. ताँबा D. जस्ता

18. जंग लगने पर लोहे का भार:
A. बढ़ता है B. घटता है
C. कोई परिवर्तन नहीं होता D. परिवर्तित होता है

19. जंगरहित लोहा बनाने में महत्वपूर्ण धातु है:
A. एल्यूमिनियम B. कार्बन
C. क्रोमियम D. टिन

20. स्टेनलेस स्टील तैयार करने के लिए लोहे के साथ कौन-सी महत्वपूर्ण धातु उपयोग में लायी जाती है?
A. एल्यूमिनियम B. क्रोमियम
C. टिन D. कार्बन

21. सर्वप्रथम मानव ने निम्न धातु का उपयोग किया:
A. सोना B. चाँदी
C. ताँबा D. लोहा

22. पेयजल में कॉपर का अधिकतम अनुतम सान्द्रण है:
A. 0.01 B. 0.05
C. 1.0 D. 2.0

23. वायु में थोड़ी देर रखने से किसी धातु के ऊपर हरे रंग की बेसिक कार्बोनेट की परत जम जाती है। वह धातु है:
A. ताँबा B. चाँदी
C. निकेल D. जस्ता

24. नीला थोथा है:
A. कॉपर सल्फेट B. कैल्शियम सल्फेट
C. आयरन सल्फेट D. सोडियम सल्फेट

25. जंग से बचाने के लिए लोहे से बनी पानी के पाइपों पर जस्ते की परत चढ़ाने को क्या कहते हैं?
A. जस्ते की परत चढ़ाना B. मिश्रधातु बनाना
C. वल्कनीकरण D. यशदिकरण

26. निम्नलिखित में से कौन-सा एक धातु है?
A. क्लोरीन B. जिंक
C. नियॉन D. आयोडिन

27. निम्नलिखित में से विद्युत का सबसे अच्छा चालक कौन-सा है?
A. एल्यूमिनियम B. ताँबा
C. चाँदी D. सोना

28. चाँदी के बर्तन कुछ अवधि के बाद काले क्यों पड़ जाते हैं?
A. चाँदी पर नाइट्रेट का लेप बन जाने के कारण
B. चाँदी पर सल्फाइट का लेप बन जाने के कारण
C. चाँदी पर क्लोराइड का लेप बन जाने के कारण
D. चाँदी पर ऑक्साइड का लेप बन जाने के कारण

29. निम्नलिखित में से कौन-सी धातु सर्वाधिक भारी है?
A. चाँदी B. ताँबा
C. सोना D. सीसा

30. मीनामाता रोग किस कारण से होता है?
A. पारा B. सीसा
C. कैडमियम D. जस्ता

31. निम्न में से कौन सामान्य ताप पर द्रव है?
A. सीसा B. पारा
C. निकेल D. टिन

32. निम्नलिखित में से मिश्रधातु में से किसे अमलगम कहते हैं?
A. जस्ता-ताँबा B. ताँबा-टिन
C. पारा-जस्ता D. सीसा-जस्ता

33. किसी अमलगम का एक घटक सदा होता है?
A. आयरन B. कॉपर
C. जिंक D. मरकरी

34. कैडमियम प्रदूषण किससे सम्बद्ध है?
A. मीनामाता रोग B. ब्लेक फुट रोग
C. डिस्लेक्सिया D. इटाई-इटाई

35. आवर्त सारणी में निम्नलिखित में से कौन-सी सबसे भारी होती है?
A. Os B. Pt
C. Pb D. W

36. एक रेडियोधर्मी तत्व जिसके भारत वर्ष में भंडार पाए जाते हैं?
A. प्लूटोनियम B. रेडियम
C. थोरीयम D. यूरेनियम

37. निम्न में से कौन सीमेंट का मुख्य घटक है?
A. जिप्सम B. चूना पत्थर
C. राख D. उपर्युक्त में से कोई नहीं

38. निम्न में से किस धातु को प्राप्त करने हेतु बॉक्साइट अयस्क हैं?
A. लोहा B. चाँदी
C. ताँबा D. एल्यूमिनियम

39. कलपक्कम के फास्ट ब्रीडर टेस्ट रिएक्टर में प्रयुक्त ईंधन है:
A. समृद्ध यूरेनियम B. थोरीयम
C. प्लूटोनियम D. टंगस्टन

40. माणिक्य और नीलम रासायनिक रूप से किस नाम से जाने जाते हैं?
A. सिलिकन हाइड्रॉक्साइड B. एल्यूमिनियम ऑक्साइड
C. लेड टेट्राक्साइड D. बोरोन नाइट्राइड

41. निम्नलिखित में से किस एक में रजत नहीं होता है?
A. हार्न सिल्वर B. जर्मन सिल्वर
C. रूबी सिल्वर D. लूनर कास्टिक

42. फिटकरी गंदे पानी को किस प्रक्रिया द्वारा स्वच्छ करती है?
A. अवशोषण B. अविशोषण
C. स्कंदन D. अपोहन

43. बर्तन बनाने में प्रयुक्त जर्मन सिल्वर एक एलॉय है :
A. कॉपर, सिल्वर और निकेल का
B. कॉपर, जिंक और निकेल का
C. कॉपर, निकेल और एल्यूमिनियम का
D. उपर्युक्त में से कोई नहीं

44. निम्न में से कौन-सा युगल विस्थापन अभिक्रिया प्रदर्शित करता है?
A. NaCl विलयन एवं कॉपर धातु
B. $MgCl_2$ विलयन एवं एल्यूमिनियम धातु
C. $FeSO_4$ विलयन एवं सिल्वर धातु
D. $AgNO_3$ विलयन एवं कॉपर धातु

45. लोहे के फ्राइंग पैन (Frying Pan) को जंग से बचाने के लिए निम्न में से कौन-सी विधि उपयुक्त है?
A. ग्रीज लगाकर B. पेंट लगाकर
C. जिंक की परत चढ़ाकर D. उपर्युक्त सभी

46. कोई धातु ऑक्सीजन के साथ अभिक्रिया कर उच्च गलनांक वाला यौगिक निर्मित करती है। यह यौगिक जल में विलेय है। यह तत्व क्या हो सकता है?
A. कैल्सियम B. कार्बन
C. सिलिकन D. लोहा

47. निम्नलिखित में से कौन जीवाश्म ईंधन है?
A. एल्कोहल B. ईथर
C. वाटर गैस D. प्राकृतिक गैस

48. बायोगैस का मुख्य घटक है :
A. हाइड्रोजन B. मिथेन
C. ब्यूटेन D. एसिटिलीन

49. एक बायो-गैस संयंत्र में निम्न में से कौन-सी प्रक्रिया होती है?
A. किण्वन B. अपचयन
C. हाइड्रोजनीकरण D. बहुलीकरण

50. इंडेन गैस (LPG) मिश्रण है?
A. ब्यूटेन एवं हाइड्रोजन का B. ब्यूटेन एवं ऑक्सीजन का
C. ब्यूटेन एवं प्रोपेन का D. मिथेन एवं ऑक्सीजन का

51. स्वचालित वाहनों में प्रदूषण नियंत्रण हेतु प्रयुक्त CNG में मुख्यतः उपस्थित है:
A. CH_4 B. CO_2
C. N_2 D. H_3

52. बेकेलाइट प्राप्त होता है:
A. एथिलीन के बहुलीकरण से
B. फीनॉल तथा फॉर्मेल्डिहाइड की अभिक्रिया से
C. यूरिया तथा फॉर्मेल्डिहाइड की अभिक्रिया से
D. इनमें से कोई नहीं

53. 'रेयॉन' रेशे तैयार किए जाते हैं:
A. सेलूलोस से B. बेकेलाइट से
C. यूरिया से D. इनमें से कोई नहीं

54. टेफ्लॉन निम्न का बहुलक है:
A. एथिलीन B. स्टाइरीन
C. ब्यूटाडाइन D. टेट्राफ्लोरो एथीन

55. संश्लेषित रेशा होता है:
A. रेयॉन B. रेशम
C. सेलुलोस D. ऊन

56. 'आरलोन' बहुलक है:
A. ब्यूटाडाइन का B. ऐक्रिलो नाइट्राइल का
C. एथिलीन का D. वाइनिल क्लोराइड का

57. निम्नलिखित में से कौन नायलॉन के निर्माण में प्रयुक्त होता है?
A. ब्यूटाडाइन B. एडिपिक अम्ल
C. एथिलीन D. इनमें से कोई नहीं

58. निम्नलिखित में से किसके निर्माण में फिनॉल का उपयोग किया जाता है?
A. पॉलीस्टाइरीन B. बेकेलाइट
C. पॉली सैकेराइड D. पॉली क्लोरोडाइन

59. योगात्मक बहुलक का निम्न में से कौन उदाहरण नहीं है?
A. टेरीलीन B. पॉलीथीन
C. पॉलीस्टाइरीन D. निओप्रीन

60. निम्न में से कौन सह-बहुलक है?
A. बेकेलाइट B. टेफ्लॉन
C. पॉलीथीन D. इनमें से कोई नहीं

61. संश्लेषित बहुलक निम्न में से कौन नहीं है?
A. पॉलीथीन B. सैलोफेन
C. पी.वी.सी. D. नायलॉन

62. प्राकृतिक रूप से पाया जाने वाला बहुलक निम्न में से कौन है?
A. प्रोटीन B. सेलुलोस
C. रबड़ D. उपरोक्त सभी

63. पॉलीथीन निम्न में से किसके बहुलीकरण से प्राप्त होता है?
A. एथिलीन B. ब्यूटाडाइन
C. आइसोप्रीन D. प्रोपीलीन

64. निम्न में से कौन क्लोरोइथिलीन के बहुलीकरण से प्राप्त होता है?
A. पॉलीथीन B. नायलॉन
C. पी.वी.सी. D. टेफ्लॉन

65. पॉलीथीन, नायलॉन एवं टेरीलीन सभी उदाहरण हैं–
A. संघनन बहुलक का B. निओप्रीन का
C. थर्मोप्लास्टिक का D. इनमें से कोई नहीं

66. वह बहुलीकरण जिसमें दो या अधिक रासायनिक रूप से भिन्न मोनोमर भाग लेते हैं, कहलाता है–
A. योगात्मक बहुलीकरण B. सह-बहुलीकरण
C. श्रृंखला बहुलीकरण D. इनमें से कोई नहीं

67. प्राकृतिक रबड़ निम्नलिखित में से किसका बहुलक होता है?
A. आइसोप्रीन B. निओप्रीन
C. इथाइलीन D. आइसो ब्यूटेन

68. निम्नलिखित में से कौन-सा कथन थर्मोप्लास्टिक के रूप में सत्य है?
A. ये रेखीय बहुलक के उदाहरण हैं
B. ये मुलायम या गर्म करने पर पिघलने वाले होते हैं
C. ये बहुलक ऐच्छिक आकार में ढाले जा सकते हैं
D. उपरोक्त सभी सत्य हैं

69. निम्नलिखित में से कौन पॉलीएमाइड कहलाता है?
A. रेयॉन B. नायलॉन
C. टेरीलीन D. ओरलॉन

70. निओप्रीन निम्नलिखित में से किसका बहुलक है?
A. क्लोरोप्रीन का B. आइसोप्रीन का
C. स्टाइरीन का D. ब्यूटाडाइन का

71. निम्न में से कौन थर्मोसेटिंग बहुलक का उदाहरण है?
A. पॉलीथीन B. निओप्रीन
C. पी.वी.सी. D. बेकेलाइट

72. चट्टानों की आयु ज्ञात करने के लिए रेडियोएक्टिव आयु अंकन में किस समस्थानिक का उपयोग किया जाता है?
A. यूरेनियम का B. प्लूटोनियम का
C. थोरियम का D. कार्बन का

73. प्राकृतिक गैस में मुख्यतः रहता है :
A. मिथेन B. इथेन
C. प्रोपेन D. ब्यूटेन

74. एल.पी.जी. (LPG) में कौन-सी गैस मुख्य होती है?
A. मिथेन B. CO_2
C. ब्यूटेन D. SO_2

75. निम्न में से किस एक का ईंधन मान अधिकतम होता है?
A. हाइड्रोजन B. चारकोल
C. प्राकृतिक गैस D. गैसोलिन

76. कोयले की विभिन्न किस्मों में से किसमें कार्बन की प्रतिशत मात्रा सबसे अधिक होती है?
A. पीट B. लिग्नाइट
C. बिटुमिनस D. एन्थ्रासाइट

77. भूरा कोयला (Brown Coal) किस नाम से जाना जाता है?
A. पीट B. लिग्नाइट
C. बिटुमिनस D. एन्थ्रासाइट

78. सबसे भारी धातु है :
A. चाँदी B. सोना
C. पारा D. ओस्मियम

79. सबसे हल्की धातु है :
A. मैग्नीशियम B. एल्यूमिनियम
C. प्लेटिनम D. लिथियम

80. सोडियम का लेटिन नाम है :
A. कैलियम B. नेट्रियम
C. स्टिबियम D. क्यूप्रम

81. सोना का लेटिन नाम है :
A. क्यूप्रम B. ओरम
C. अर्जेन्टम D. फेरम

82. अयस्क से चुम्बकीय अशुद्धियों को दूर करने के लिए प्रयुक्त की जाने वाली विधि है :
A. गुरुत्व पृथक्करण विधि B. चुम्बकीय पृथक्करण विधि
C. फेन प्लवन विधि D. निक्षालन विधि

83. पारे का प्रमुख अयस्क है :
A. सिनेबार B. पाइराइट
C. बॉक्साइट D. पाइरोलुसाइट

84. लोहे का निष्कर्षण किस अयस्क से होता है?
A. बॉक्साइट B. सिनेबार
C. कैलेमाइन D. हेमेटाइट

85. एल्यूमिनियम धातु का निष्कर्षण किस अयस्क से होता है?
A. मैग्नेटाइट B. बॉक्साइट
C. डोलोमाइट D. चूना प्रस्तर

86. गैलना निम्न में से किस धातु का अयस्क है?
A. चाँदी का B. सीसा का
C. पारा का D. एल्यूमिनियम का

87. मोनाजाइट किसका अयस्क है?
A. जर्कोनियम B. थोरियम
C. टाइटेनियम D. लोहा

88. एल्यूमिनियम के सम्बन्ध में निम्नलिखित में से कौन-सा कथन सही नहीं है?
A. एल्यूमिनियम हाइड्रॉक्साइड प्रकृति से एम्फाटरिक होता है।
B. एल्यूमिनियम प्रकृति में स्वतंत्र अवस्था में रहता है।
C. नाइट्रिक अम्ल एल्यूमिनियम पर कोई प्रभाव नहीं डालता है।
D. गर्म सान्द्र गन्धकाम्ल एल्यूमिनियम के साथ SO_2 देता है।

89. चूना पत्थर (Lime Stone) का रासायनिक नाम हैः
A. कैल्सियम क्लोराइड B. कैल्सियम ऑक्साइड
C. कैल्सियम कार्बोनेट D. कैल्सियम सल्फेट

90. निम्नलिखित में से किस खनिज द्वारा लोहा प्राप्त किया जाता है?
A. चूने का पत्थर B. पिच ब्लैंड
C. मोनाजाइट रेत D. हेमाटाइट

91. इस्पात या आयरन की वस्तु में जिंक की पतली परत के लेपन का नाम क्या है?
A. तप्त निमज्जन करना B. कलई करना
C. यशद लेपन D. विद्युत लेपन

92. निम्नलिखित में से कौन-सी धातु सर्वाधिक भारी है?
A. चाँदी B. ताँबा
C. सोना D. सीसा

93. निम्नांकित में कौन कठोरतम धातु है?
A. सोना B. लोहा
C. प्लेटिनम D. सीसा

94. निम्नलिखित में से कौन-सी धातु रोशनी के बल्बों में फिलामेन्ट के रूप में प्रयुक्त होती है?
A. लोहा B. मॉलिब्डेनम
C. चाँदी D. टंगस्टन

95. विद्युत बल्ब का तन्तु बना होता है :
A. एल्यूमिनियम B. चाँदी
C. लोहा D. टंगस्टन

96. कोयले के निम्नलिखित प्रकारों में से किस एक में शेष प्रकारों की अपेक्षा अधिक प्रतिशत अंश कार्बन का होता है?
A. बिटुमिनस B. लिग्नाइट
C. पीट D. एन्थ्रासाइट

97. सामान्य किस्म का कोयला है :
A. एन्थ्रासाइट B. लिग्नाइट
C. बिटुमिनस D. पीट

98. वाहनों से निकलने वाली प्रदूषित गैस मुख्यतः है :
A. कार्बन डाइऑक्साइड B. कार्बन मोनोऑक्साइड
C. सल्फर डाइऑक्साइड D. हाइड्रोकार्बन

99. प्राकृतिक रबड़ एक बहुलक है :
A. इथिलीन का B. ऐसीटिलीन का
C. विनाइल क्लोराइड का D. आइसोप्रीन का

100. निम्नलिखित में से कौन प्राकृतिक बहुलक नहीं है?
A. ऊन B. रेशम
C. चमड़ा D. नाइलोन

उत्तरमाला

1	2	3	4	5	6	7	8	9	10
A	A	D	D	B	C	B	B	B	B
11	**12**	**13**	**14**	**15**	**16**	**17**	**18**	**19**	**20**
D	B	A	A	A	D	A	A	C	B
21	**22**	**23**	**24**	**25**	**26**	**27**	**28**	**29**	**30**
C	B	A	A	D	B	C	B	C	A
31	**32**	**33**	**34**	**35**	**36**	**37**	**38**	**39**	**40**
B	C	D	D	A	C	B	D	A	B
41	**42**	**43**	**44**	**45**	**46**	**47**	**48**	**49**	**50**
B	C	B	D	C	A	D	B	A	C
51	**52**	**53**	**54**	**55**	**56**	**57**	**58**	**59**	**60**
A	B	A	D	A	B	B	B	A	A
61	**62**	**63**	**64**	**65**	**66**	**67**	**68**	**69**	**70**
B	D	A	C	C	B	A	D	B	A
71	**72**	**73**	**74**	**75**	**76**	**77**	**78**	**79**	**80**
D	A	A	C	A	D	B	D	D	B
81	**82**	**83**	**84**	**85**	**86**	**87**	**88**	**89**	**90**
B	B	A	D	B	B	B	B	C	D
91	**92**	**93**	**94**	**95**	**96**	**97**	**98**	**99**	**100**
C	C	C	D	D	D	C	B	D	D

★ ★ ★

3

सजीव एवं निर्जीव; कोशिका संरचना एवं कार्य; वनस्पति एवं पशु संरक्षण

कोशिका

- जीव विज्ञान की वह शाखा जिसके अन्तर्गत कोशिका का अध्ययन किया जाता है उसे सायटोलॉजी (Cytology) कहते हैं।
- एन्टोनवान लिवेनहॉक ने पहली बार कोशिका को देखा व इसका वर्णन किया था।
- राबर्ट्र ब्राउन ने बाद में केंद्रक की खोज की। सूक्ष्मदर्शी की खोज व बाद में इनके सुधार के बाद इलेक्ट्रॉन द्वारा कोशिका की विस्तृत संरचना का अध्ययन संभव हो सका।

कोशिकीय जीवधारी (1) स्वतंत्र अस्तित्व यापन व (2) जीवन के सभी आवश्यक कार्य करने में सक्षम होते हैं। कोशिका के बिना किसी भी स्वतंत्र जीव का अस्तित्व नहीं हो सकता। इस कारण जीव के लिए कोशिका ही मूलभूत से संरचनात्मक व क्रियात्मक इकाई होती है।

सभी जीव कोशिका या कोशिका समूह से बने होते हैं। कोशिकाएं आकार व आकृति तथा क्रियाएं/कार्य की दृष्टि से भिन्न होती हैं। झिल्लीयुक्त केंद्रक व अन्य अंगकों की उपस्थिति या अनुपस्थिति के आधार पर कोशिका या जीव को प्रोकैरियोटिक या यूकैरियोटिक नाम से जानते हैं।

एक प्रारूपी यूकैरियोटिक कोशिका, केंद्रक व कोशिकाद्रव्य से बना होता है। पादप कोशिकाओं में कोशिका झिल्ली के बाहर कोशिका भित्ति पाई जाती हैं। जीवद्रव्यकला चयनित पारगम्य होती है और बहुत सारे अणुओं के परिवहन में भाग लेती है। अंतः झिल्लिकातंत्र के अंतर्गत अंतर्द्रव्यी जालिका, गॉल्जीकाय, लयनकाय व रसधानी होती है। सभी कोशिकीय अंगक विभिन्न एवं विशिष्ट प्रकार के कार्य करते हैं। पादक कोशिका में हरितलवक प्रकाश संश्लेषण के लिए आवश्यक प्रकाशीय ऊर्जा को संचित रखने का कार्य करते हैं। तारककाय व तारककेंद्र पक्ष्माभ व कशाभिका आधारीयकाय बनाता है जो गति में सहायक है। जंतु कोशिकाओं में तारककेंद्र कोशिका विभाजन के दौरान तर्कु उपकरण बनाते हैं। केंद्रक में केंद्रिक व क्रोमोटीन का तंत्र मिलता है। यह अंगकों के कार्य को ही नियंत्रित नहीं करता, बल्कि आनुवंशिकी में प्रमुख भूमिका अदा करता है। अतः कोशिका जीवन की संरचनात्मक व क्रियात्मक इकाई होती है।

कोशिका सिद्धांत (Cell Theory)

मैल्थीयस स्लाइडेन (1838) जर्मनी के वनस्पति वैज्ञानिक ने बहुत सारे पौधों के अध्ययन के बाद पाया कि ये पौधे विभिन्न प्रकार की कोशिकाओं से मिलकर बने होते हैं, जो पौधों में ऊतकों का निर्माण करते हैं। लगभग इसी समय 1839 में एक ब्रिटिश प्राणि वैज्ञानिक थियोडोर श्वान ने विभिन्न जंतु कोशिकाओं के अध्ययन के बाद पाया कि कोशिकाओं के बाहर एक पतली पर्त मिलती है जिसे आजकल 'जीवद्रव्यझिल्ली' कहते हैं। इस वैज्ञानिक ने पादप ऊतकों के अध्ययन के बाद पाया कि पादप कोशिकाओं में कोशिका भित्ति मिलती है जो इसकी विशेषता है। उपरोक्त आधार पर श्वान ने अपनी परिकल्पना रखते हुए बताया कि प्राणियों और वनस्पतियों का शरीर कोशिकाओं और उनके उत्पाद से मिलकर बना है।

स्लाइडेन व श्वान ने संयुक्त रूप से कोशिका सिद्धांत को प्रतिपादित किया। यद्यपि इनका सिद्धांत यह बताने में असफल रहा कि नई कोशिकाओं का निर्माण कैसे होता है। पहली बार रडोल्फ बिर्चो (1855) ने स्पष्ट किया कि कोशिका विभाजित होती है और नई कोशिकोंओं का निर्माण पूर्व स्थित कोशिकाओं के विभाजन से होता है (ओमनिस सेलुल-इ सेलुला)। इन्होंने स्लाइडेन व श्वान की कल्पना को रूपांतरित कर नई कोशिका सिद्धांत को प्रतिपादित किया।

जो निम्नवत है–

- सभी जीव कोशिका व कोशिका उत्पाद से बने होते हैं।
- सभी कोशिकाएं पूर्व स्थित कोशिकाओं से निर्मित होती हैं।

कोशिका–जीव की संरचनात्मक और कार्यात्मक इकाई

सूक्ष्मदर्शी (माइक्रोस्कोप) का आविष्कार कोशिकाओं की खोज में सहायक बना। कोशिका की खोज रॉबर्ट हुक ने 1665 में की। उन्होंने अपने साधारण सूक्ष्मदर्शी द्वारा कॉर्क (लकड़ी से बना कांच की शीशी का ढक्कन) के एक बारीक टुकड़े का निरीक्षण किया, जिसमें उन्हें मधुमक्खी के छत्ते के समान कई खाने/खण्ड नजर आए। उन्होंने इन खानों/खण्डों को कोशिकाओं का नाम दिया।

प्रोकेरियॉटिक और यूकेरियॉटिक कोशिका

सभी कोशिकाओं के तीन मूल भाग होते हैं:

- कोशिका भित्ति जो कोशिका की सीमाएं तय करती हैं और इसे आकार देती हैं।

- डी.एन.ए. जो केन्द्रक में पाया जाता है।
- कोशिका के अन्दर पाया जाने वाला द्रव साइटोप्लाज्म।

कोशिका का डी.एन.ए. साइटोप्लाज्म में स्थित हो या फिर केन्द्रक/नाभिकीय झिल्ली से घिरा हो तो कोशिकाएं प्रोकेरियॉटिक या यूकेरियॉटिक कहलाती हैं।

(*i*) प्रोकेरियॉटिक कोशिका, एवं (*ii*) यूकेरियोटिक कोशिका।

(*i*) **प्रोकेरियॉटिक कोशिकाः** इन कोशिकाओं में सुव्यवस्थित केन्द्रक नहीं होता है। आनुवांशिक पदार्थ के रूप में डी.एन.ए. का एकल अणु साइटोप्लाज्म में पाया जाता है। इनमें न केवल केन्द्रक झिल्ली अनुपस्थित होती है बल्कि कोशिकांग जैसे माइटोकाण्ड्रिया, लाइसोसोम, एण्डोप्लाज्मिक रेटिकुलम, क्लोरोप्लास्ट, केन्द्रक आदि भी प्रोकेरियॉटिक कोशिकाओं में नहीं पाए जाते। उदाहरणतः बैक्टीरिया एवं नीले-हरे शैवाल (ब्लू ग्रीन एल्गी)।

(*ii*) **यूकेरियॉटिक कोशिकाः** इन कोशिकाओं में डी.एन.ए. नाभिकीय/केन्द्रक भित्ति के अन्दर होता है जो कि केन्द्रक बनाता है। आनुवांशिक पदार्थ दो या अधिक डी.एन.ए. अणुओं द्वारा निर्मित होता है, जो कि कोशिका के अविभाजन की स्थिति में क्रोमेटिन फाइबर के नेटवर्क के रूप में मौजूद रहता है। भित्ति से घिरे अंग जैसे कि माइटोकॉण्ड्रिया, एंडोप्लाज्मिक रेटिकुलम, लाइसोसोम, क्लारोप्लास्ट, केन्द्रक आदि साइटोप्लाज्म के अन्दर उपस्थित होते हैं। उदाहरणतः पौधों की कोशिकाएँ, कवक, प्रोटोजोआ एवं जन्तु।

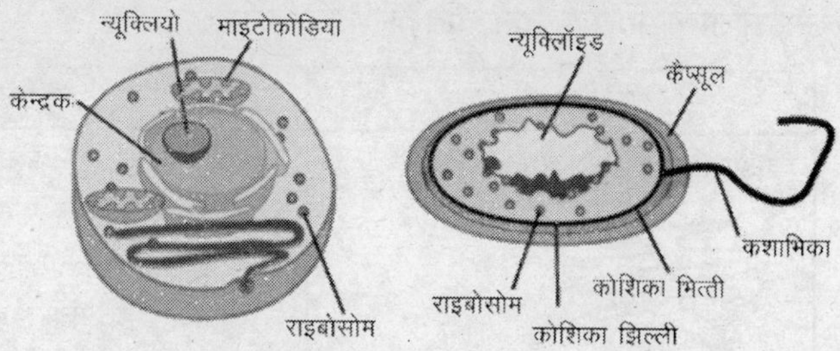

प्रारूपी यूकेरियॉटिक कोशिका की संरचना

एक बहुकोशीय प्राणी के शरीर में कोशिकाएँ आकार, आकृति एवं कार्य में भिन्न होती हैं, परन्तु इनमें तीन मूल भाग होते हैं—कोशिका झिल्ली (सेल मेम्बरेन), साइटोप्लाज्म एवं केन्द्रक। एक पादप कोशिका और एक जन्तु कोशिका को सामान्य विस्तृत संरचना निम्न चित्र में दी गई हैं।

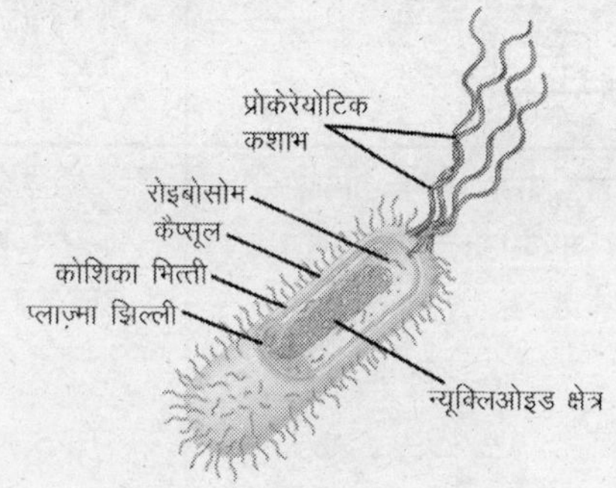

चित्र : *यूकेरियॉटिक कोशिका*

जन्तु कोशिका और पादप कोशिका में समान भाग

मूल भाग	मुख्य लक्षण	कार्य
कोशिका झिल्ली या प्लाज्मा झिल्ली 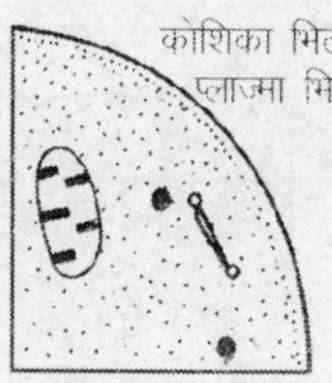 	• एक महीन बारीक झिल्ली जिससे कोशिका घिरे रहती है। • जन्तु कोशिका में सबसे बाहरी पर्त का निर्माण एवं पादप कोशिका में कोशिका भित्ति की निर्माण करती है। • चयनात्मक रूप से पारगम्य।	• चयनात्मक रूप से पारगम्भ्य, इसीलिए केवल चयनित पदार्थों को कोशिका के अन्दर या बाहर जाने देती है। • घाव से कोशिका की रक्षा करती है। • कोशिका के आकार को।
साइटोप्लाज्म 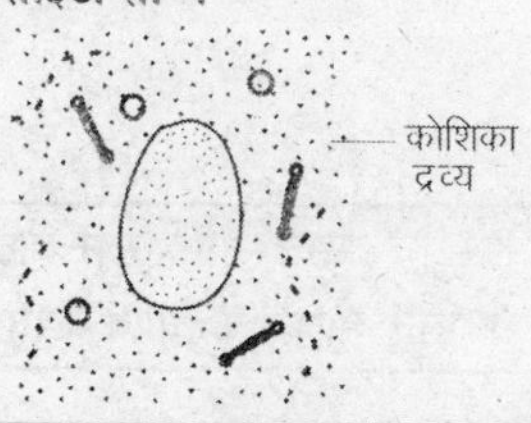 	• पारभारी (ट्रांस्ल्यूसेंट), समरूप, कोलायडीय, अर्ध तरल जो कि प्लाज्मा झिल्ली एवं केन्द्रक के बीच की जगह भरता है। • इसमें कोशिका के अंगक उपस्थित होते हैं।	• कोशिका के भीतर पदार्थों के निर्माण एवं वितरण में मदद और विभिन्न कोशिका अंगकों के बीच पदार्थों का आदान-प्रदान।
केन्द्रक (न्यूक्लियस) 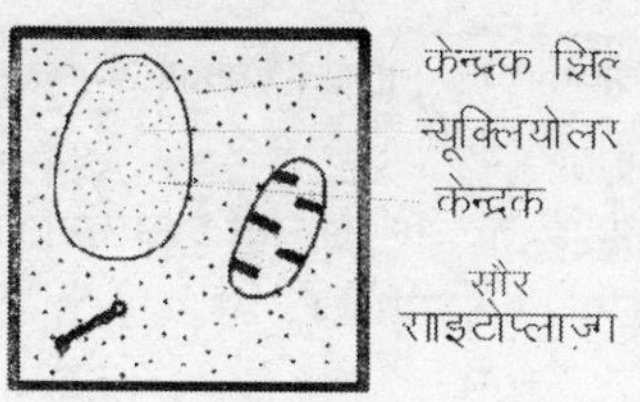 	• लघु, साइटोप्लाज्म में या उसके केन्द्र के निकट स्थित। • केन्द्रकीय झिल्ली से घिरा • क्रोमोसोम का नेटवर्क क्रोमेटिन भीतर उपस्थित • केन्द्रक के भीतर एक या अधिक गोलाकार केन्द्रिकाएं (न्यूक्लिओलाई) होते हैं।	• कोशिका के सभी प्रक्रियाओं का समन्वयन करना। • एन.ए. या जैनेटिक पदार्थ का संग्रहण।

साइटोप्लाज्म में पाए जाने वाले कोशिका अंगक

मूल भाग	मुख्य लक्षण	कार्य
एंडोप्लज्मिक रेटिकुलम (ER) 	• साइटोप्लाज्म में फैला हुआ दोहरी झिल्ली वाला अनियमित प्रकार का जाल। • एंडोएलाज्मिक रेटिकुलम पर राइबोसोम उपस्थित हो सकते हैं।	• कोशिका को दृढ़ता प्रदान करता है। • कोशिका में विभिन्न प्रोटीन एवं वसा के संश्लेषण एवं कोशिका के बाहर उनके परिवहन में मदद करता है।
राइबोसोम 	• कणिकाओं के रूप में साइटोप्लाज्म में मुक्त रूप से छितरे होते हैं या एंडोप्लाज्मिक रेटिकुलम पर चिपके हुए होते हैं।	• प्रोटीन संश्लेषण के लिए स्थान देते हैं।
माइटोकॉण्ड्रिया 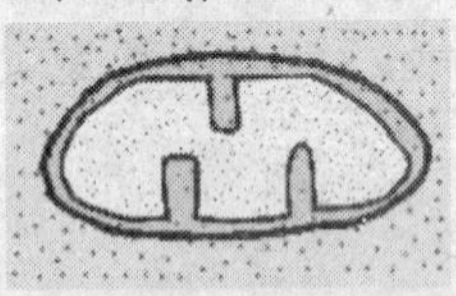	• सूक्ष्म अण्डाकार या छड़ के आकार के दानेदार पिण्ड होते हैं जो साइटोप्लाज्म में बिखरे रहते हैं।	• कोशिकीय श्वसन सम्पन्न करते हैं। • कोशिका का पावर हाउस कहलाते हैं क्योंकि श्वसन के दौरान इनसे ऊर्जा निकलती है और संग्रहित होती है।
गॉल्जी पिंड बॉडी (जिन्हें गॉल्जी उपकरण अथवा गॉल्जी सम्मिश्रण भी कहते हैं 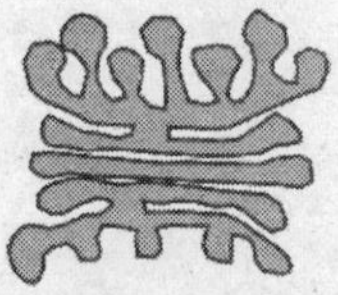	• चपटे कोश या छोटी वाहिकाओं के गुच्छों के रूप में सामान्यतः केन्द्रक के समीप स्थित होते हैं। पादप कोशिकाओं में ऐसी ही संरचनाओं को डिक्टिओसोम कहते हैं।	• विभिन्न स्रावों जैसे एन्जाइम, हॉर्मोन आदि का उत्पादन एवं भंडारण करते हैं।
लाइसोसोम 	• लाइसोसोम छोटी वाहिकाओं या कोश होते हैं जिनमें पाचक एंजाइम भरे होते हैं, जो कोशिका के घिसे-पिटे अंगकों को नष्ट करके उन्हें पचा डालते हैं।	• क्षतिग्रस्त कोशिकाओं और उनके भागों को शीघ्र नष्ट कर उनके पाचन में मदद करते हैं। तभी ये आत्मघाती थैले कहे जाते हैं। ये कोशिका के मलबे को साफ कर डालते हैं।

अंगकों के अतिरिक्त कुछ अन्य भाग : रिक्तिकाएं और कणिकाएं कोशिका के निर्जीव भाग होते हैं।

मूल भाग	मुख्य लक्षण	कार्य
रिक्तिकाएँ (वेक्यूल्स) 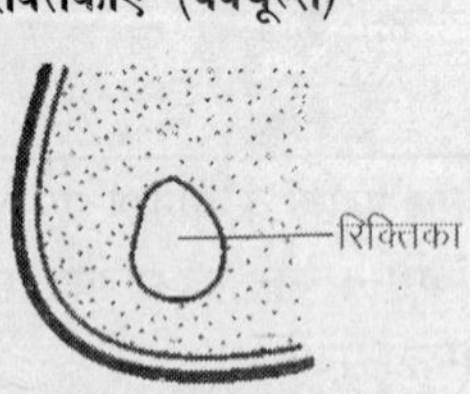	• ये झिल्ली से घिरे हुए तरल पदार्थ के रूप में होती हैं। • पादप कोशिकाओं में बड़े आकार की रिक्तिकाएँ होती हैं जबकि जन्तु कोशिकाओं में अपेक्षाकृत छोटी और कम संख्या में होती हैं।	• जल और अन्य पदार्थों के भंडारण में मदद करती है।
कणिकाएँ	• ये छोटे-छोटे कणों, क्रिस्टलों अथवा बुंदिकाओं के रूप में होते हैं।	• कणिकाओं में स्टार्च वसा, आदि भरा होता है जो कोशिका के लिए भोजन का कार्य करता है।

केवल पादप कोशिकाओं में पाए जाने वाले भाग

भाग का नाम एवं संरचना	मुख्य लक्षण	कार्य
कोशिका भित्ति (केवल पादप कोशिका) 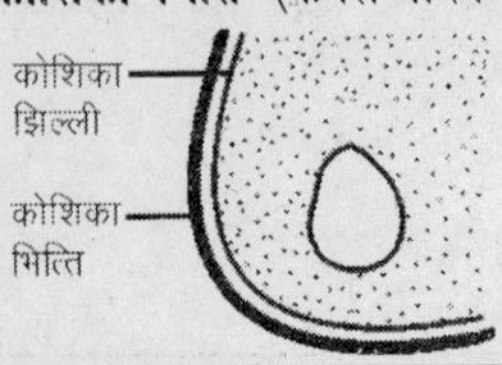	• एक पादप कोशिका का बाहरी, कठोर, सुरक्षात्मक, अर्ध-पारदर्शी आवरण जो सेलुलोज से बना होता है।	• कोशिका को एक निश्चित आकार और कठोरता देती है। • प्लाज्मा झिल्ली और आन्तरिक संरचनाओं को सुरक्षा प्रदान करती है।

भाग का नाम एवं संरचना	मुख्य लक्षण	कार्य
प्लास्टिड 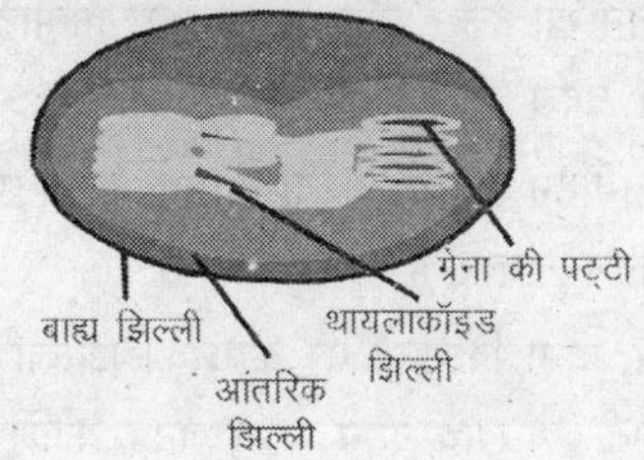	• प्लास्टिड तीन प्रकार के होते हैं—क्लोरोप्लास्ट, क्रोमोप्लास्ट और ल्यूकोप्लास्ट। • क्लोरोप्लास्ट हरे होते हैं। इनमें प्रकाश संश्लेषित वर्णक पदार्थ (पिगमैंट)–क्लोरोफिल एवं कैरोटिनॉइड्स पाए जाते हैं। • क्रोमोप्लास्ट में पीले, नारंगी या लाल रंग के वर्णक पदार्थ पाए जाते हैं। • ल्यूकोप्लास्ट रंगहीन प्लास्टिड होते हैं।	• क्लोरोप्लास्ट प्रकाश संश्लेषण में मदद करते हैं। • क्रोमोप्लास्ट फूलों एवं फलों को रंग प्रदान करते हैं। • ल्यूकोप्लास्ट भोजन के भंडारण में मदद करते हैं।

केवल जन्तु कोशिका में पाए जाने वाले भाग

भाग का नाम एवं संरचना	मुख्य लक्षण	कार्य
सेंट्रोसोम 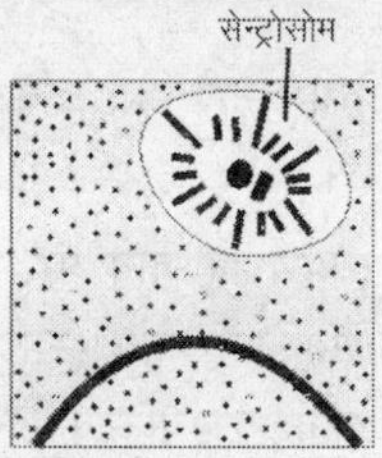	• दो छोटी कणिकाओं के रूप में होते हैं जिन्हें सेन्ट्रियोल कहते हैं।	• केन्द्रक के ऊपर पाए जाने वाले छोटे पिण्ड।

पादप और जन्तु कोशिका में अन्तर

पादप कोशिका और जन्तु कोशिका के बीच अन्तरों को निम्न तालिका में दिया गया हैः

लक्षण	पादप कोशिका	जन्तु कोशिका
आकार एवं आकृति	आकृति में बड़ी एवं आकार में आयताकार	अपेक्षाकृत छोटी आकृति एवं आकार में अण्डाकार
कोशिका भित्ति	कोशिका भित्ति सेलुलोज की बनी होती है।	कोशिका भित्ति अनुपस्थित
रिक्ताएँ	रिक्तिकाएँ बड़ी होती हैं। एक विकसित पादप कोशिका में, सामान्यतः एक एकल बड़ी केन्द्रीय रिक्तिका उपस्थित होती है।	रिक्तिकाएं अधिकांश अनुपस्थित होती हैं या यदि होती हैं तो आकार में छोटी एवं छितरी हुई होती हैं।
गॉल्जी पिण्ड बॉडी	पादप कोशिका में गॉल्जी पिण्ड बिखरे हुए होते हैं और डिक्टिओसोम कहलाते हैं।	गॉल्जी पिण्ड पूर्णतः विकसित और केन्द्रक के निकट स्थित होते हैं।
सेन्ट्रोसोम	सेन्ट्रोसोम एवं सेन्ट्रियोल अनुपस्थित होते हैं।	सेन्ट्रोसोम एवं सेन्ट्रियोल उपस्थित होते हैं।
प्लास्टिडलवक	उपस्थित	अनुपस्थित
आरक्षित भोजन का भण्डारण	आरक्षित भोजन स्टार्च या तेल के रूप में भण्डारित रहता है।	आरक्षित भोजन ग्लाइकोजन के रूप में भण्डारित रहता है।

कोशिका विभाजन—नई कोशिकाओं का निर्माण

कोशिका विभाजन में विभाजित होने वाली कोशिका को जनक कोशिका (Parent Cell) कहा जाता है। जनक कोशिका अनेक संतति कोशिकाओं (Daughter Cells) में विभाजित हो जाती है और इस प्रक्रिया को 'कोशिका चक्र' कहा जाता है।

कोशिका विभाजन दो प्रकार से होता हैः

(क) **समसूत्री विभाजन (माइटोसिस)**–समसूत्री विभाजन में एक कोशिका दो एक समान संतति कोशिकाओं को उत्पन्न करती है। समसूत्री विभाजन वृद्धि एवं अंगों की टूट-फूट की मरम्मत के लिए आवश्यक है।

(ख) **अर्ध-सूत्री विभाजन (मियोसिस)**–इस कोशिका विभाजन में लिंग कोशिकाओं का निर्माण होता है जोकि मादा में अण्डा एवं नर में शुक्राणु बनाती हैं।

समसूत्री विभाजन (माइटोसिस)

दोनों कोशिका विभाजन के मुख्य चरण जन्तु एवं पादप कोशिकाओं में समान होते हैं।

(*i*) समसूत्री विभाजन के दौरान होने वाली घटनाओं का क्रम

कोशिका विभाजन के प्रत्येक चरण निम्नलिखित हैं जिन्हें चित्रों के माध्यम से समझा जा सकता है:

- केन्द्रक के भीतर गुणसूत्री पदार्थ/क्रोमोसोमल मैटीरियल (क्रोमैटिन नेटवर्क) संघनित होकर गुणसूत्र (B) (क्रोमोसोम) बना देता है।
- केन्द्रिका झिल्ली विलुप्त हो जाती है।
- सेन्ट्रोसोम (जंतु कोशिकाओं में) दो बराबर भागों में बंट जाता है, जिन्हें सेन्ट्रिओल कहते हैं। इनमें से प्रत्येक दो विपरीत दिशाओं में चला जाता है और तर्कु (स्पिण्डिल) का स्थान बनाता है, जिनसे साइटोप्लाज्म का निर्माण होता है। (C)
- सेन्ट्रिओल के बीच में तंतुओं का तर्कु (स्पिण्डल ऑफ फाइबर्स) दिखाई देता है।
- प्रत्येक गुणसूत्र (क्रोमोसोम) दो क्रोमैटिड से बना होता है, जिनको सेंट्रोमियर थामे रखता है। गुणसूत्र तर्कु के मध्य में या विषुवत रेखा पर व्यवस्थित होते हैं। (C)

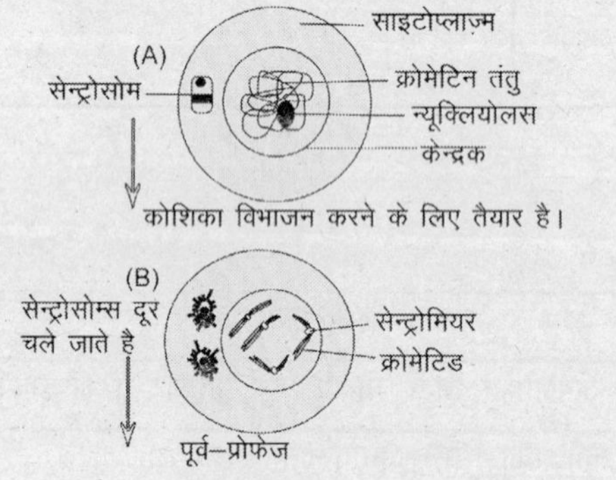

चित्र : *समसूत्री विभाजन की अवस्थाएं*

- सेंट्रोमियर टूटता है। अब प्रत्येक गुणसूत्र के क्रोमेटिड अपना सेंट्रोमियर पा जाते हैं और क्रोमिटिड अब गुणसूत्र कहलाते हैं जो एक-दूसरे से पृथक हो जाते हैं और इसके पश्चात् ये तर्कु के विपरीत ध्रुवों पर पहुँच जाते हैं। (D)
- गुणसूत्र अपनी पहचान खो देते हैं और दो ध्रुवों पर क्रोमेटिन धागों के नेटवर्क में बदल जाते हैं।
- ध्रुवों पर निर्मित क्रोमेटिन पदार्थ के दोनों नए गुच्छों पर केन्द्रकीय झिल्ली बनने लगती है।
- कोशिका के मध्य में, दोनों दिशाओं पर कोशिका झिल्ली में खांच दिखाई देने लगती है। खाँच गहरी होकर जनक कोशिका को पूरी तरह से विभाजित करके दो नई संतति कोशिकाएं बना देती है।

(*ii*) पादप कोशिका एवं जन्तु कोशिका में होने वाले समसूत्री विभाजन में दो मुख्य अंतर

- पादप कोशिका में सेन्ट्रोसोम नहीं होते लेकिन साइटोप्लाज्म में तर्कु निर्माण होता है।
- समसूत्री विभाजन के सम्पूर्ण हो जाने पर, पादप कोशिका का साइटोप्लाज्म संकीर्णित नहीं होता (खाँच नहीं बनती)। इसके स्थान पर, एक कोशिका पट्टिका अथवा एक नई कोशिका भित्ति तर्कु के बीच साइटोप्लाज्म में बन जाती है। यह भित्ति दोनों ओर बढ़कर मूल कोशिका को दो संतति कोशिकाओं में बाँट देती है।

(*iii*) समसूत्री विभाजन का महत्व

- संतति कोशिकाएं जनक कोशिकाओं से समान संख्या में गुणसूत्र ग्रहण करती हैं। अन्य शब्दों में–समसूत्री विभाजन एक बराबरी वाला विभाजन है, जिसमें कि दो संतति कोशिकाएं एक-दूसरे के एवं अपनी जनक कोशिका के समतुल्य होती हैं।
- समसूत्री विभाजन घाव भरने एवं टूट-फूट के दौरान नष्ट हुई कोशिका को बदलने में मदद करते हैं।
- ये एकल कोशिका जीवों जैसे अमीबा में अलैंगिक प्रजनन का तरीका है।

अर्धसूत्री विभाजन (मियोसिस)

अर्धसूत्री विभाजन लैंगिक प्रजनन के लिए आवश्यक है। जानवरों में अर्धसूत्री विभाजन जननांगों में होता है जैसे वृषण और अण्डाशय, जो कि अण्डे और शुक्राणु उत्पन्न करते हैं, और फूलों वाले पौधों में यह होता है जिसमें परागकोश एवं अंडाशय क्रमशः परागकण और अंडाणु उत्पन्न करते हैं।

अर्धसूत्री विभाजन की अवस्थाएँ–मुख्य रूप से अर्धसूत्री विभाजन दो चरणों या अवस्थाओं में होता है जिसे निम्न चित्र के माध्यम से देखा जा सकता है।

चरण I : चरण I में दो कोशिकाएँ बनती हैं जिनमें से प्रत्येक कोशिका में गुणसूत्रों की संख्या आधी होती है। इस तरह यह एक घटने वाला (Reduction) विभाजन है।

चरण II : दूसरा विभाजन समसूत्री विभाजन के समान है और अंत में चार कोशिकाएं उत्पन्न करता है, इनमें से प्रत्येक में गुणसूत्रों की संख्या जनक कोशिका की तुलना में गुणसूत्रों से आधी होती है।

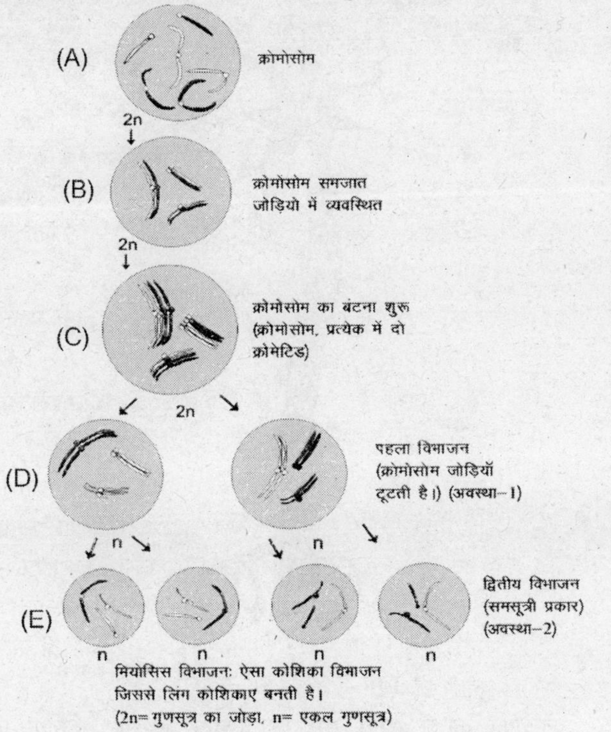

चित्र : *अर्धसूत्री विभाजन कोशिका विभाजन जिसमें कि अण्डों/शुक्राणुओं का निर्माण*

अर्धसूत्री विभाजन के दौरान घटनाओं का क्रम-प्रथम अर्धसूत्री विभाजन

- क्रोमेटिन तंतु संघनित होकर गुणसूत्र बना देते हैं।
- गुणसूत्र संगत (अथवा समजात) जोड़ियों में व्यवस्थित हो जाते हैं। संगत जोड़ी का अर्थ है एक गुणसूत्र माता से प्राप्त होने वाला और दूसरा अनुरूपी गुणसूत्र पिता से प्राप्त होने वाला। एक जोड़े के दोनों गुणसूत्रों में समान जीन होते हैं, लेकिन यह आवश्यक नहीं कि समान एलील्स हों।
- ऐसी जोड़ी का प्रत्येक गुणसूत्र दो क्रोमेटिड से बना होता है, कोशिका विभाजन आरम्भ होने से पूर्व गुणसूत्रों का द्विगुणन हो जाता है। इस प्रकार प्रत्येक जोड़ों के क्रोमोसोम में चार क्रोमेटिड समूह में होते हैं।
- केन्द्रकीय झिल्ली लुप्त हो जाती है, समजात गुणसूत्र अलग-अलग हो जाते हैं और एक-दूसरे से दूर हटने लगते हैं। इस प्रकार जोड़ियां टूट जाती हैं।
- साइटोप्लाज्म दो कोशिकाओं में बंट जाता है, जिनमें से प्रत्येक कोशिका में अब गुणसूत्रों की मूल संख्या की आधी संख्या रह जाती है। इस समय, प्रत्येक गुणसूत्रों में क्रोमैटिड अब तक बने रहते हैं। क्योंकि सेंट्रोमियर विभाजित नहीं होता।
- अर्धसूत्री विभाजन II के अंत में, चार कोशिकाएं बनती हैं, प्रत्येक में जनक कोशिका की अर्ध संख्या में गुणसूत्र होते हैं।

ऊतक (Tissues)

समान आकार एवं आकृति की कोशिकाओं का समूह, जिनका कार्य भी समान होता है और जिनकी उत्पत्ति भी समान होती है, ऊतक कहलाता है।

पौधे अपने संपूर्ण जीवन में नए ऊतक उत्पन्न करने में समर्थ हैं। जन्तु कुछ अवस्थाओं के अन्तर्गत कुछ ऊतकों को बदल सकते हैं। हृदय की माँसपेशियाँ एवं तंत्रिका ऊतक के क्षतिग्रस्त हो जाने पर उनका पुनः निर्माण संभव नहीं है।

पादप ऊतक

पादप ऊतक दो प्रकार के होते हैं–

1. मेरिस्टेमेटिक (विभण्योतक) ऊतक एवं
2. स्थायी ऊतक।

1. मेरिस्टेमेटिक ऊतक (Meristematic Tissue): यह ऊतक पौधे के वृद्धिमान बिंदुओं पर, जैसे कि जड़ों, तनों और शाखाओं के शीर्षों पर पाया जाता है। मेरिस्टमेटिक ऊतक की प्रमुख विशिष्टताएँ इस प्रकार हैं–

- जीवित कोशिकाओं का समूह, अन्तर कोशिकीय स्थान के बगैर सघन रूप में व्यवस्थित।
- पतली भित्ति वाले और गोलाकार, अण्डाकार, बहुभुजीय या आयताकार आकृति वाले हो सकते हैं।
- कोशिकाएँ छोटे आकार की होती हैं और उनमें बड़े केन्द्रक विद्यमान होते हैं।
- अनिश्चित विभाजन में समर्थ और पौधे में नई कोशिकाएँ जोड़ती हैं।
- ये सामान्यतः जड़ एवं प्ररोह के शीर्ष (खुले सिरों) पर पाए जाते हैं।

2. स्थायी ऊतक (Permanent Tissue): यह ऐसी कोशिकाओं का बना होता है, जिनकी विभाजित होने की क्षमता समाप्त हो चुकी होती है। उनके कार्य के अनुसार, स्थायी ऊतक तीन प्रकार के होते हैं–

(*i*) **संरक्षी ऊतक**–यह ऊतक मोटी भित्तियों की कोशिकाओं से बना होता है और पत्तियों, तनों, जड़ों आदि की सतह पर पाया जाता है।

(*ii*) **आलंबी ऊतक**–यह पौधे के विभिन्न भागों को सहारा देता है। इस ऊतक में आलुओं के भीतरी भाग में भरी हुई कोशिकाएं शामिल हैं, जिनके भीतर भोजन संचित रहता है। यह पत्तियों के डंठल में पाया जाता है।

(*iii*) **संवाहक ऊतक**–इसे संवहनी ऊतक भी कहते हैं। यह तरल पदार्थों को पौधों में ऊपर नीचे आने-जाने का मार्ग प्रदान करता है। यह दो प्रकार का होता है–जाइलम (Xylem) और फ्लोएम (Phloem)। जाइलम तने में अधिक केन्द्र की ओर स्थित होता है। इसमें होकर मिट्टी से अवशोषित जल और खनिज पदार्थ पौधे में ऊपर की तरफ जाते हैं। फ्लोएम जाइलम के बाहर की तरफ स्थित

होता है और पत्तियों द्वारा संश्लेषित भोजन (शर्करा) के नीचे और ऊपर की ओर संवाहित करता है ताकि भोजन अन्य सभी क्षेत्रों में पहुँच जाए।

जन्तु ऊतक (Animal Tissue)

जन्तु ऊतकों को चार प्रमुख श्रेणियों में समूहबद्ध किया जाता है– एपिथीलियमी, योजी, पेशीय और तंत्रिकीय ऊतक।

1. एपिथीलियमी ऊतक

- कोशिकाओं की पतली संरक्षी परत (अथवा परतें)।
- सामान्यतः शरीर की बाहरी सतह पर, आंतरिक अंगों की सतह पर और शरीर की गुहाओं के अस्तर के रूप में पाया जाता है।
- एपिथीलियमी ऊतक के तीन विशिष्ट प्रकार होते हैं–शल्काकार, घनाकार एवं स्तंभाकार एपिथीलियम।

2. पेशीय ऊतक

पेशीय ऊतक, लम्बी, संकीर्ण कोशिकाओं से बनते हैं जो पेशी तन्तु कहलाते हैं। पेशी तन्तु पेशी कोशिकाएँ हैं। इन्हें इनके लम्बे तंतु के आकार के कारण यह नाम दिया गया है। पेशियाँ शरीर के अंगों में गति लाती है और जीवधारियों को गतिशील बनाती हैं।

पेशीय ऊतक के प्रकार–मनुष्यों में तीन प्रकार की पेशियाँ पाई जाती हैं–(अ) रेखित, (ब) अरेखित, (स) हृदपेशियाँ।

3. संयोजी ऊतक

संयोजी ऊतक, जैसा कि नाम से पता चलता है, अंगों को जोड़ता है। मुख्यतः संयोजी ऊतक में अघाती (मैट्रिक्स), योजी ऊतक कोशिकाएँ और संयोजी ऊतक तंतु होते हैं। संयोजी ऊतक के उदाहरण हैं–एरियोलर ऊतक वसा (एडिपोज) ऊतक, उपस्थि, अस्थि और रक्त।

संयोजी ऊतक के कार्य–

- ये विभिन्न संरचनाओं को एक-दूसरे से जोड़ते हैं, जैसे कंडराए अस्थि को पेशी से जोड़ती हैं, स्नायु अस्थि से जुड़े होते हैं।
- सहायक फ्रेमवर्क बनाती हैं, जैसे शरीर में उपास्थि एवं अस्थि।
- वसा संयोजी ऊतक–वसा के भंडारण में सहायक हैं। ये वृक्कों, अंडाशयों एवं नेत्रगोलकों के चारों ओर धक्का रोधी कुशन बनाते हैं।
- रक्त भी एक संयोजी ऊतक है।

संयोजी ऊतकों के प्रकार–(1) रेशेमय/तंतुमय ऊतक, (2) उपस्थि, (3) अस्थि, (4) तरल संयोजी ऊतक।

4. तंत्रिकीय ऊतक

तंत्रिका कोशिकाओं या न्यूरॉन से बने होते हैं। तंत्रिका तंतुओं का एक गुच्छा या तंत्रिका कोशिकाओं का तंत्रिकाक्ष (एक्जॉन) तंत्रिकाएँ बनाता हैं। एक तंत्रिका कोशिका या न्यूरॉन तंत्रिका तंत्र की संरचनात्मक एक कार्यात्मक इकाई है। एक विशिष्ट तंत्रिका कोशिका में निम्नांकित भाग होते हैं–

- कोशिका काय या साइटॉन
- द्रुमवर्ध (डेनड्रॉन्स) एवं (डेनड्राइट्स)
- तंत्रिकाक्ष (एक्सॉन)

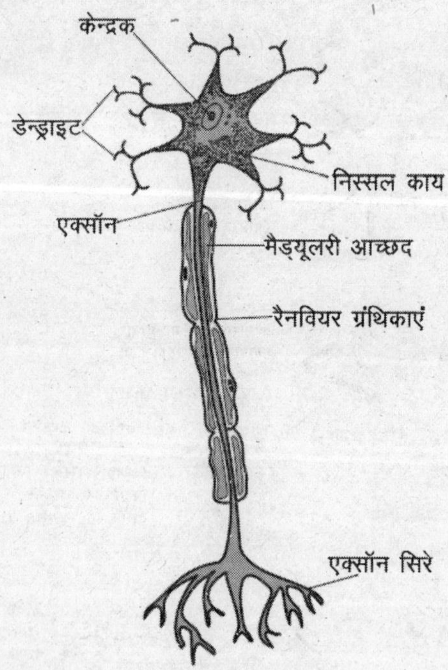

चित्र : *तंत्रिकीय ऊतक*

कोशिका काय अथवा साइटॉन में एक विशिष्ट केन्द्रक एवं साइटोप्लाज्म होते हैं। कोशिका अंगक जैसे माइटोकॉण्ड्रिया, गॉल्जी बॉडी आदि भी साइटोप्लाज्म में उपस्थित रहते हैं।

कोशिका में बहुत से धागे सदृश विस्तार निकले रहते हैं जो द्रुमवर्ध (डेन्ड्रान्स) कहलाते हैं। इनमें से एक विस्तार बहुत लम्बा होता है जो तंत्रिकाक्ष (एक्जॉन) कहलाता है। तंत्रिकाक्ष मज्जा आच्छद (माइलिन शीथ या मेड्यूलरी शीथ) से ढका हो सकता है या ढका नहीं भी हो सकता। इस आच्छद में बीच-बीच में अंतराल होते हैं जिन्हें रैनवियर नोड (Node of Ranvier) कहते हैं।

एक तंत्रिका कोशिका के सिरे पर स्थित तंत्रिकक्ष एवं अन्य तंत्रिका कोशिका के कोशिका काय या साइटॉन के बीच के स्थान को साइनैप्स (Synapse) कहते हैं।

स्टेम सैल प्रौद्योगिकी

स्टेम सैल (मातृ कोशिकाएँ) हमारे शरीर की अविभाज्य (अविशिष्टीकृत) कोशिकाएँ हैं जिनमें समसूत्री विभाजन की क्षमता होती है और उन्हें विशेषीकृत कोशिका के प्रकारों में पृथक किया जाता है एवं अधिक स्टेम सैल उत्पादित करने के लिए पुनः विभाजित किया जाता है। स्टेम सैल भ्रूण, गर्भ नाल एवं वयस्कों के अस्थि मज्जा से प्राप्त की जा सकती है।

सैल के प्रभावी उपयोगी निम्नांकित हैं–

- क्षतिग्रस्त ऊतकों के प्रतिस्थापन में
- मानव विकास के अध्ययन में
- नई औषधियों की जाँच में
- जीन चिकित्सा पद्धति के तरीकों में

वनस्पति एवं पशु संरक्षण–वन्यजीव अभयारण्य एवं राष्ट्रीय उद्यान

विश्व संरक्षण संघ (The World Conservation Union, IUCN) (पूर्व में 'प्रकृति एवं प्राकृतिक संसाधनों के संरक्षण के लिए अन्तर्राष्ट्रीय संघ' के रूप में जाना जाता था) ने स्पीशीजों की संरक्षण स्थिति के अनुसार आठ रेड लिस्ट श्रेणियों की पहचान की है। इन श्रेणियों को निम्न तालिका में परिभाषित किया गया है।

IUCN संकट ग्रस्त श्रेणियाँ

- **विलुप्त**–एक टेक्सॉन विलुप्त है जब संदेह करने के लिए कोई कारण ही नहीं बचता कि अंतिम सदस्य की भी मृत्यु हो चुकी है।
- **जंगल में विलुप्त होना**–एक टेक्सॉन जंगल में विलुप्त है जब तब थकाने वाला सर्वे करने पर जाना जाता है एवं/या फिर संभावित वास स्थान में एक सदस्य की भी गिनती रिकॉर्ड नहीं कर पाते हैं।
- **क्रांतिक रूप से संकटापन्न**–एक टेक्सॉन संकटापन्न होता है जब वह जल्दी ही भविष्य में जंगल के विलुप्त होने की सबसे अधिक संभावना का सामना कर रहा होता है।
- **संकटापन्न**–एक टेक्सॉन संकटापन्न होता है जब वह क्रांतिक रूप से संकटापन्न नहीं है लेकिन वह जल्दी ही भविष्य में जंगल में तेजी से विलुप्त होने के कगार की बहुत अधिक संभावना है।
- **सुभेद्र्य**–एक टेक्सॉन सुभेद्य है जबकि वह क्रांतिक रूप से संकटापन्न या संकटापन्न नहीं है परन्तु इसके मध्यक्रम भविष्य में तेजी से विलुप्त होने की संभावना काफी है।
- **कम संभावित**–एक टेक्सॉन कम संभावित खतरे में है जब वह मापा जा सके एवं क्रांतिक रूप से संकटापन्न, संकटापन्न या सुभेद्य मानने के मानदंडों पर खरा नहीं उतरता है।
- **अपर्याप्त डाटा**–एक टेक्सॉन का डाटा अपर्याप्त है जब पर्याप्त सूचना के अभाव के कारण परोक्ष या अपरोक्ष रूप से उसकी विलोपन की संभावना के बारे में कुछ कहा नहीं जा सकता है।
- **मूल्यांकन नहीं किया जा सके**–एक टेक्सॉन का मूल्यांकन नहीं किया जा सकता है जब ऊपर दिए गए मानदंडों के विरुद्ध मूल्यांकन करना संभव नहीं होता है।

विलोपन्मुखी स्पीशीजों की स्थिति

IUCN रेड लिस्ट इस उद्देश्य के लिए सूचना का विश्वसनीय स्रोत है। 2000 रेड लिस्ट नवीनतम उपलब्ध सूची है। इसमें स्पीशीजों के विलोपन के खतरे के मूल्यांकन के लिए विश्व के सभी क्षेत्रों एवं सभी स्पीशीजों के लिए नियत मापदंडों का उपयोग किया जाता है। 2000 रेड लिस्ट में 18000 से अधिक स्पीशीजों के आकलन का समावेश है। इनमें से 11000 स्पीशीजें संकट ग्रस्त हैं। (5485 जन्तु तथा 5611 पादप)। इनमें से 1939 गम्भीर रूप से संकटापन्न (925 जन्तु तथा 1014 पादप) रेड लिस्ट के अनुसार भारत में 44 पादप स्पीशीजें गम्भीर रूप से संकटग्रस्त हैं। 113 संकट ग्रस्त तथा 87 सुभेद्य (असुरक्षित) हैं। जन्तुओं में 18 गम्भीर रूप से संकटापन्न, 54 संकटापन्न तथा 143 अतिसंवेदनशील हैं। इन पादपों एवं जन्तुओं के कुछ उदाहरण निम्नलिखित हैं–

भारत में संकटापन्न स्पीशीजों के उदाहरण

श्रेणी	पादप स्पीशीजें	जन्तु स्पीशीजें
गम्भीर रूप से संकटापन्न	*बेरबेरिस नीलगीरियनसिस*	सस सल्वेनियस (पिग्मी होग)
संकटापन्न	*वेन्टिनक्टा निकोवारिका*	एल्यूरस फुलगेन्स (रेड पांडा)
सुभेद्य	*क्यूप्रेसस केशमीरियान*	एंटीलोप सर्वीकापरा (ब्लेक बक)

जैव विविधता का संरक्षण

संरक्षण प्राकृतिक संसाधनों का योजनाबद्ध प्रबंधन है ताकि प्राकृतिक संतुलन एवं जैव विविधता को बनाए रखा जा सके। इसमें प्राकृतिक संसाधनों का विवेकपूर्ण उपयोग भी शामिल है जिसके अन्तर्गत संसाधनों का उपयोग इस प्रकार किया जाए कि वर्तमान पीढ़ी की आवश्यकताओं की पूर्ति हो सके तथा भविष्य की पीढ़ियों के लिए भी पर्याप्त हो। जैव विविधता का संरक्षण निम्नलिखित के लिए महत्वपूर्ण है–

- प्रजाति की अनुवंशिक विविधता को नष्ट होने से रोकना,
- स्पीशीजों को विलुप्त होने से बचाना, तथा
- पारितंत्र को नष्ट तथा अवक्रमित होने से बचाना।

संरक्षण कार्यनीतियाँ

संरक्षण के प्रयासों को निम्नलिखित दो श्रेणियों में बांटा गया है–

निजस्थानिक (निज स्थानीय) संरक्षण–इस प्रकार के संरक्षण के अन्तर्गत पौधों एवं प्राणियों को उनके प्राकृतिक वास स्थान अथवा सुरक्षित क्षेत्रों में संरक्षित किया जाता है। संरक्षित क्षेत्र भूमि या समुद्र के वे क्षेत्र हैं जो संरक्षण के लिए समर्पित हैं तथा जैव विविधता को बनाए रखते हैं।

परस्थानिक (परस्थानीय) संरक्षण–पादपों एवं प्राणियों का उनके पर्यावास के बाहर संरक्षण। इसमें वानस्पतिक उद्यान, चिड़ियाघर, जीन बैंक, बीज बैंक, ऊतक संवर्धन तथा क्रायोप्रिजर्वेशन सम्मिलित हैं।

निजस्थानिक विधियाँ

पर्यावास का संरक्षण : स्पीशीजों के संरक्षण की मुख्य रणनीति सम्बन्धित पारितंत्रों में पर्यावास का संरक्षण है। वर्तमान में भारत में 104 राष्ट्रीय, 551 वन्यजीव अभ्यारण्य, 18 जैव मंडल रिजर्व, 50 टाइगर रिजर्व तथा 32 एलिफेंट रिजर्व हैं जो 16.50 मिलियन हेक्टेयर या देश के भौगोलिक क्षेत्र के 5.02% भाग पर फैले हुए हैं। भारत सरकार के पर्यावरण एवं वन मंत्रालय ने गहन संरक्षण एवं प्रबंधन के उद्देश्य से 21 आर्द्र भूमियों, 30 मैंग्रोव क्षेत्रों एवं 4 मूंगा चट्टानों (कोरल रीफ) की पहचान की है।

वन्यजीव अभयारण्य एवं राष्ट्रीय उद्यान

भारत वनस्पतियों और जीव-जन्तुओं के मामले में अत्यंत समृद्ध है। हालांकि लगातार बढ़ती जनसंख्या, तीव्र औद्योगिकीकरण और वाणिज्यिक गतिविधियों के कारण वनों पर जबर्दस्त दबाव पड़ा है। सरकार ने वनस्पतियों और जीव-जन्तुओं की अनेक प्रजातियों की संख्या में आई तीव्र गिरावट को रोकने के लिए अनेकों कदम उठाए हैं। इन उपायों में कुछेक प्राकृतिक वासों को राष्ट्रीय पार्क और अभयारण्य घोषित करना शामिल है। इस समय, संरक्षित क्षेत्र में 104 राष्ट्रीय उद्यान, 551 अभयारण्य, 87 संरक्षण रिजर्व तथा 127 सामुदायिक रिजर्वस हैं।

इनमें से कुछ महत्वपूर्ण उद्यानों और अभयारण्यों का वर्णन निम्नवत् है–

- **असम :** काजीरंगा राष्ट्रीय उद्यान (एक सींग वाले गैंडों के लिए विख्यात); मानस अभयारण्य
- **झारखंड :** हजारीबाग राष्ट्रीय उद्यान, पलामू संरक्षित क्षेत्र
- **गुजरात :** बलवादर राष्ट्रीय उद्यान, भावनगर; मेरिन राष्ट्रीय उद्यान, कच्छ की खाड़ी; गिर वन
- **हिमाचल प्रदेश :** रोहला राष्ट्रीय उद्यान; मोतीचूर अभयारण्य
- **जम्मू और कश्मीर :** डचीगाम अभयारण्य
- **कर्नाटक :** बांदीपुर राष्ट्रीय उद्यान, बनारघेटा राष्ट्रीय उद्यान, बेंगलुरु; नागोरहोल राष्ट्रीय उद्यान, कुर्ग; रंगनथिटो पक्षी अभयारण्य
- **मध्य प्रदेश :** कान्हा राष्ट्रीय उद्यान; बांधवगढ़ राष्ट्रीय उद्यान, शाहोल; शिवपुरी राष्ट्रीय उद्यान
- **केरल :** इराविकुलम राजमलय राष्ट्रीय उद्यान; इडुकी; पेरियार गेम सेन्चुरी
- **महाराष्ट्र :** तलोबा राष्ट्रीय उद्यान, चंद्रापुर; पंच राष्ट्रीय उद्यान, नागपुर; बोरीबली राष्ट्रीय उद्यान, मुम्बई; नौगाँव राष्ट्रीय उद्यान, बांद्रा; मेलघाट राष्ट्रीय उद्यान
- **मणिपुर :** रेबुल लामजाओ राष्ट्रीय उद्यान
- **ओडिशा :** सिमलीपाल
- **राजस्थान :** सरिस्का अभयारण्य; घाना पक्षी अभयारण्य, भरतपुर
- **सिक्किम :** कंचनजंघा राष्ट्रीय उद्यान, गंगटोक
- **तमिलनाडु :** वेदांगथंगल पक्षी अभयारण्य; गुइन्दी राष्ट्रीय पार्क, चेन्नई; मुदुमलाई अभयारण्य, कालाकाड-मुण्डेन थुराई रिजर्व
- **उत्तर प्रदेश :** चंद्रप्रभा अभयारण्य; दुधवा राष्ट्रीय उद्यान, लखीमपुर
- **पश्चिम बंगाल :** जलदापारा अभयारण्य; सुंदरवन
- **उत्तराखंड :** कार्बेट उद्यान; नैनीताल

एक 'राष्ट्रीय उद्यान' अपेक्षाकृत एक बड़ा क्षेत्र होता है जिसे राष्ट्रीय सरकार जनता के लिए आरक्षित करती है ताकि वह प्रकृति के खूबसूरत जीव-जंतुओं को नजदीक से देखने का आनंद उठा सकें।

वन्य जीव अभयारण्य एक ऐसा स्थल होता है जहाँ जीव-जन्तुओं और वनस्पतियों को उनकी प्राकृतिक अवस्था में संरक्षण प्रदान किया जाता है। यहाँ वन लगाने की इजाजत होती है। इसके अलावा क्षेत्र के मूल निवासियों या जनजातीय लोगों को वहाँ बसने की अनुमति भी दी जाती है।

एक 'गेम सेंचुरी' वह स्थल होता है जहाँ जंगली पशुओं और पक्षियों को संरक्षण प्रदान किया जाता है।

बॉयोस्फियर रिजर्व्स

ये बहुउद्देशीय संरक्षित क्षेत्र होते हैं जहाँ प्रतिनिधिमूलक पारिस्थितिकीय तंत्र की आनुवंशिक विविधता का संरक्षण किया जाता है। इन आरक्षित क्षेत्रों की स्थापना का मूल उद्देश्य पौधों, पशुओं और सूक्ष्म जीवों की विविधता और अखंडता का संरक्षण करना; पारिस्थितिकी संरक्षण पर अनुसंधान को प्रोत्साहित करना तथा शिक्षा, जागरूकता और प्रशिक्षण के लिए सुविधाएँ उपलब्ध कराना है। अब तक 18 बॉयोस्फियर रिजर्व स्थापित किए जा चुके हैं–1. नीलगिरि, 2. नंदादेवी, 3. नाकरेक, 4. ग्रेट निकोबार, 5. मन्नार की खाड़ी, 6. मानस, 7. सुंदरवन, 8. सिमलीपाल, 9. पचमढ़ी, 10. अचानकमार-अमरकंटक, 11. अगस्तमलाई, 12. डिब्रू-सैखोवा, 13. दिहांग-दिबांग, 14. कंचनजंघा, 15. कच्छ का रण, 16. कोल्ड डेजर्ट, 17. शेषचलम पहाड़ियाँ तथा 18. पन्ना।

पारिस्थितिकीय तंत्र का परिरक्षण

वनों और झरनों के अलावा भारत में नम भूमि, मैनग्रूव पारिस्थितिकी तंत्र और प्रवाल भित्तियों की संपदा भी मौजूद है। इनका संरक्षण भी उतना ही महत्वपूर्ण है। नम भूमि वाले पारिस्थितिकीय तंत्र विभिन्न भौगोलिक क्षेत्रों में वितरित हैं जिनका विस्तार लद्दाख के ठंडे शुष्क क्षेत्र से लेकर दक्षिणी प्रायद्वीप के नम और आर्द्र क्षेत्रों तक है। मैनग्रूब्स लवण-सह्य वन आधारित पारिस्थितिकी तंत्र हैं जो मुख्यतः विश्व के उपोष्ण कटिबंधीय अंतर-तटीय क्षेत्रों में पाए जाते हैं। वे तट रेखा को स्थिर और नियमित बनाते हैं और समुद्र की ओर से अतिक्रमण के खिलाफ सुरक्षा कवच का कार्य करते हैं। मैनग्रूब्स रक्षित एस्चुअरी, टाइडल क्रीक, बैकवाटर, लवणीय दलदल और कीचड़ वाले चौरस स्थानों पर पाए जाते हैं जो कुल मिलाकर 6,740 वर्ग किमी. का क्षेत्र घेरे हुए हैं। गहन संरक्षण और प्रबंधन उद्देश्यों के लिए अब तक कई मैनग्रूब्स क्षेत्रों की पहचान की जा चुकी है, जिसमें पश्चिम बंगाल में सुंदरवन, आंध्र प्रदेश में गोदावरी डेल्टा और गुजरात में कच्छ की खाड़ी शामिल हैं। प्राथमिकता के आधार पर प्रबंधन के लिए 22 गीली भूमियों की पहचान की गई है। प्रवाल भित्तियों में से चार के परिरक्षण उद्देश्यों के लिए पहचान की गई है, ये हैं : मन्नार की खाड़ी, अंडमान और निकोबार द्वीप समूह, लक्षद्वीप और कच्छ की खाड़ी।

वन

नवीकरणीय संसाधन वन हमारे प्राकृतिक संतुलन का महत्वपूर्ण घटक हैं और हमारे आर्थिक विकास में इनका महत्वपूर्ण योगदान है। देश में 708,273 वर्ग किलोमीटर क्षेत्र वन के रूप में अधिसूचित है जो कुल भौगोलिक क्षेत्र का लगभग 21.54 प्रतिशत है। इनमें से सघन वन 98,158 वर्ग किमी, औसत घने वन 308,318 वर्ग किमी और खुले वन 301,797 वर्ग किमी क्षेत्र में फैले हैं। भारत में लाखों लोग अपनी आजीविका के लिए वनों पर निर्भर हैं। चुनौतियों का सामना करने के लिए भारत सरकार लगातार वन नीतियाँ बनाती रही है।

प्रोजेक्ट टाइगर–स्पीशीज संरक्षण में एक सफलता

बाघ जो कभी भारतीय वनों में बड़ी संख्या में पाये जाते थे, शिकारियों की भेंट चढ़ रहे हैं। परिणामस्वरूप देश में बाघों की आबादी 40,000 से घटकर 1970 में 1200 रह गई। इसीलिए 1973 में प्रोजेक्ट टाइगर शुरू किया गया जिसका उद्देश्य इस प्रजाति का संरक्षण एवं इसे विलुप्त होने से बचाना है। 2007 में 40 से भी अधिक प्रोजेक्ट टाइगर वन्य जीव आरक्षित क्षेत्र थे जो 37,761 वर्ग किमी. क्षेत्र में फैले हुए थे। प्रोजेक्ट टाइगर की सहायता से इन बाघों की संख्या 12,00 (1970 में) से बढ़कर 1990 में 3500 तक हो गई। यद्यपि 2018 में अखिल भारतीय बाघ अनुमान रिपोर्ट से पता चला है कि बाघों की संख्या घटकर 2967 रह गई है। बाघों का शिकार करने तथा राष्ट्रीय स्तर पर बाघों के उत्पादों के व्यापार पर पूर्णतया प्रतिबन्ध लगा दिया गया है। बाघों के पर्यावासों में सुधार तथा अवैध शिकार को रोकने के उद्देश्य से प्रत्येक टाइगर रिजर्व के लिए व्यापक प्रबंधन योजनाएँ तैयार की गई हैं।

प्रोजेक्ट एलिफेंट

प्रोजेक्ट एलिफेंट फरवरी 1992 में शुरू किया गया था, जिसका उद्देश्य था कि हाथियों की आबादी को उनके पर्यावासों में लम्बे समय तक जीवित रहने को सुनिश्चित बनाने के लिए राज्यों की सहायता करना।

मगरमच्छ प्रजनन एवं प्रबंधन परियोजना

यह परियोजना मगरमच्छों की तीन संकटापन्न प्रजातियों अलवणजलीय मगरमच्छों, लवणीय जलीय मगरमच्छों एवं दुर्लभ घड़ियालों को बचाने के लिए 1976 में एफएओ-यूएनडीपी (FAO-UNDP) के साथ शुरू की गई थी। प्रोजेक्ट के अन्तर्गत मगरमच्छों के पर्यावास का सर्वेक्षण किया गया तथा इन्हें अभयारण्य एवं राष्ट्रीय उद्यान घोषित करके इनके संरक्षण में सहायता की गई। बंदी प्रजनन (Capture Breeding) पुनः परिचय या प्रोग्राम के पुनः संग्रहण के अंतर्गत जंगल से अण्डों को सावधानीपूर्वक एकत्र करना शामिल था। तीनों स्पीशीजों के हजारों मगरमच्छों को सोलह केन्द्रों पर पाला गया तथा इनमें से अनेक मगरमच्छों को जंगल में छोड़ दिया गया। मगरमच्छों को संरक्षित करने के लिए ग्यारह अभयारण्य घोषित किए गए हैं जिनमें मध्य प्रदेश का राष्ट्रीय चम्बल अभयारण्य भी सम्मिलित है।

परस्थानिक संरक्षण

(*i*) **वनस्पतिक उद्यान, चिड़ियाघर आदिः** निज स्थानिक संरक्षण प्रयासों के पूरक के तौर पर पर-स्थानिक संरक्षण, विभिन्न एजेंसियों द्वारा स्थापित वनस्पतिक उद्यान, चिड़ियाघर, औषधीय पादप पार्क आदि के माध्यम से किया जा रहा है। हावड़ा का भारतीय वनस्पतिक उद्यान 200 वर्ष से भी अधिक पुराना है। अन्य महत्वपूर्ण वनस्पतिक उद्यान ऊटी, बंगलोर तथा लखनऊ में स्थित है। भारतीय गणराज्य का नवीनतम वनस्पतिक उद्यान दिल्ली के समीप नोएडा में अप्रैल 2002 में स्थापित किया गया है। इस उद्यान के मुख्य उद्देश्य हैं–

- प्रमुख संकटग्रस्त पादप स्पीशीजों का परस्थानिक संरक्षण एवं प्रवर्धन करना।
- संरक्षण, अनुसंधान एवं प्रशिक्षण के लिए उत्कृष्टता के केन्द्र के रूप में कार्य करना।
- शिक्षा के माध्यम से पादप विविधता एवं संरक्षण की आवश्यकता के प्रति जनता में जागरूकता पैदा करना।

(*ii*) **जीन बैंकः** आनुवंशिक संसाधनों का परस्थानिक संग्रहण एवं संरक्षण जीन बैंकों एवं बीज बैंकों द्वारा किया जाता है। राष्ट्रीय पादप आनुवंशिक संसाधन ब्यूरो (The National Bureau of Plant Genetic Resources, NBPGR), नई दिल्ली फसल के पौधों के जंगली संबंधित स्पीशीजों तथा उगाई जाने वाली किस्मों के बीजों को संरक्षित रखता है, करनाल (हरियाणा) में राष्ट्रीय पशु आनुवंशिक पदार्थ का रखरखाव करता है तथा राष्ट्रीय मत्स्य आनुवंशिक संसाधन ब्यूरो (The National Bureau of Fish Genetic Resources), लखनऊ मछलियों के लिए है।

(*iii*) **क्रायोप्रिजर्वेशन (Cryopreservation):** हिमकारी संरक्षण विशेष रूप से कायिक संवर्धित फसलों के संरक्षण के लिए लाभदायक है। क्रायोप्रिजर्वेशन के अन्तर्गत पदार्थ को द्रव नाइट्रोजन में अत्यंत निम्न तापमान (–196°C) पर रखा जाता है तथा सभी उपापचयी प्रक्रियाओं एवं क्रियाकलापों को आवश्यक रूप से निलंबित रखा जाता है।

(*iv*) **आण्विक स्तर पर संरक्षण (DNA स्तर पर):** उपरोक्त के अतिरिक्त, आण्विक स्तर पर जर्मप्लाज्म संरक्षण अब संभव है तथा इसने अपनी ओर ध्यान आकर्षित किया है। क्लोन डीएनए तथा डीएनए युक्त पदार्थ अपनी मूल अवस्था में आनुवंशिक संरक्षण के लिए उपयोग किए जा सकते हैं। इसके अलावा जीन बैंकों में संग्रहित मूल्यवान जीनोटाइप दर्शाने वाला अलाभकारी पदार्थ डीएनए लाइब्रेरी के स्रोतों के रूप में उपयोग किया जा सकता है, जहाँ से उपयुक्त जीन या जीनों के संयोजन को पुनः प्राप्त किया जा सकता है।

कानूनी उपाय

बाजार में बाघ की हड्डियों, गैंडें के सींगों, फर, हाथी दांत, खाल, कस्तूरी, मोर के पंख इत्यादि की मांग के कारण वन्य जीवों की हत्या की जाती है। वन्य जीव संरक्षण अधिनियम (1972) में अवैध शिकार एवं व्यापार को रोकने के लिए जुर्माना एवं दंड का प्रावधान है। भारत ने वन्य पादप एवं जन्तुओं की संकटापन्न स्पीशीजों के अंतर्राष्ट्रीय व्यापार समझौते (Convention on International Trade in Endangered Species of Wild Fauna and Flora, CITES) पर हस्ताक्षर किए हैं। समझौता 1 जुलाई, 1975 से लागू है। इसके साथ-साथ भारत ने जैविक विविधता समझौते (Convention on Biological Diversity, CBD) पर भी हस्ताक्षर किए हैं। यह हस्ताक्षर 29 दिसम्बर, 1993 को पृथ्वी सम्मेलन के दौरान रियो डी जेनेरो में किए गए थे। इस समझौते के तीन मुख्य उद्देश्य हैं–

1. जैवविविधता का संरक्षण।
2. जैवविविधता का सतत पोषणीय उपयोग।
3. आनुवंशिक संसाधनों के उपयोग से होने वाले लाभों का स्वस्थ एवं समान बंटवारा।

CITES (सीआइटीईएस) एवं CBD (सीबीडी) अन्तर्राष्ट्रीय पहल है। भारत सरकार ने भी 2002 में जैविक विविधता अधिनियम पास किया है।

वस्तुनिष्ठ प्रश्न

1. गुणसूत्र के ऊपर उपस्थित रचना होती है:
A. सेण्ट्रोमीयर B. सेण्ट्रोसोम
C. गोल्जीकाय D. केन्द्रक

2. हाइड्रोलिटिक एन्जाइम्स वाले कोशिका अंगक होते हैं:
A. मीसोसोम्स B. लाइसोसोम्स
C. माइक्रोसोम्स D. राइबोसोम्स

3. प्रोटीन संश्लेषण होता है सतह परः
A. केन्द्रक की B. माइटोकॉण्ड्रिया की
C. राइबोसोम की D. डी एन ए की

4. सेण्ट्रोसोम का कार्य है:
A. प्रोटीन संश्लेषण के केन्द्र को बढ़ाना
B. कोशिका विभाजन का प्रारम्भ
C. कोशिका विभाजन का रुकना
D. इनमें से कोई नहीं

5. वायवीय ऑक्सीकरण (श्वसन) को दिशा देने वाले एन्जाइम्स, ATP संश्लेषण एवं कोशिका का ऊर्जा गृह कहलाने वाले केन्द्र होते हैं:
A. गोल्जी उपकरण B. माइक्रोसोम्स
C. माइटोकॉण्ड्रिया D. लाइसोसोम्स

6. डी ऑक्सीराइबोज शर्करा एवं एक फॉस्फेट ग्रुप के साथ-साथ एक नाइट्रोजनी क्षार बनाता है:
A. न्यूक्लियोटाइड B. अमीनो अम्ल
C. पौलीपेप्टाइड D. न्यूक्लियोसाइड

7. जीव कला की संरचना को बताने वाला आधुनिक वाद है:
A. इकाई कला वाद B. राबर्टसन का मॉडल
C. तरल मौजेक वाद D. कैसकेड वाद

8. प्राणी शरीर में एन्जाइम्स पाए जाते हैं:
A. वृक्कीय कोशिकाओं में B. यकृत कोशिकाओं में
C. मस्तिष्क कोशिकाओं में D. सभी कोशिकाओं में

9. कप्पा कण (Kappa Particles) सम्बन्धित होते हैं:
A. पैरामीशियम से B. युग्लीना से
C. केन्द्रक से D. जीव कला से

10. ए. टी. पी. होता है:
A. एक प्रोटीन
B. एक हारमोन
C. एक अणु जिसमें उच्च ऊर्जा फास्फेट बॉण्ड होता है
D. एक एन्जाइम जो ऑक्सीकरण का कारण बनता है

11. प्राणी कोशिका एवं पादप कोशिका के बीच मुख्य अन्तर होता है:
A. श्वसन में B. पोषण में
C. वृद्धि में D. गति में

12. केन्द्रक रहित प्राणि कोशिका में कमी होगी:
A. सेण्ट्रिओल्स की B. राइबोसोम्स की
C. गुणसूत्रों की D. उपरोक्त सभी की

13. कौन-सा मॉडल चयनात्मक पारगम्यता का वर्णन करता है?
A. इकाई कलावाद B. तरल मोजैक मॉडल
C. सैण्डविच मॉडल D. वर्णन वाद

14. कोशिका कला बनती हैं:
A. फास्फोलिपिड एवं प्रोटीन्स से
B. फॉस्फोप्रोटीन्स से
C. प्रोटीन से दोहरे स्तर से
D. ग्लाइको प्रोटीन्स से

15. कार्टिकल क्रिया कहाँ पर होगी?
A. अण्डों के कोशिका द्रव्य में
B. अण्डों के केन्द्रक में
C. शुक्राणु के केन्द्रक में
D. शुक्राणु के कोशिका द्रव्य में

16. कोशिका में इलेक्ट्रॉन तन्त्र वाले अंगक होते हैं:
A. सेण्ट्रिओल B. माटोकॉण्ड्रिया
C. लाइसोसोम्स D. केन्द्रक

17. केन्द्रिका (Nucleolus) में निर्माण होता है:
A. माइटोकॉण्ड्रिया B. राइबोसोम्स
C. गुणसूत्र D. गोल्जी उपकरण

18. पैतृक लक्षण ले जाए जाते हैं:
A. गुणसूत्रों द्वारा B. राइबोसोम्स द्वारा
C. वर्णी लवकों द्वारा D. उपरोक्त सभी

19. इलेक्ट्रॉन सूक्ष्मदर्शी के वर्णानुसार गोल्जी काम्पलेक्स सम्मिलित होता है:
A. केवल प्रोटीन्स के जमाव में
B. लाइपोप्रोटीन कणों के जमाव में
C. प्राथमिक लाइसोसोम्स के निर्माण में
D. राइबोसोम्स के परिवर्तन में

20. निम्न में से कौन-सा कोशिका के भागों एवं कोशिकाओं में विदेशी कणों के विखण्डन हेतु उत्तरदायी है?
A. लाइसोसोम्स B. सेण्ट्रोसोम्स
C. गॉल्जीकाय D. राइबोसोम्स

21. DNA के AGCT नाइट्रोजन क्षार के समक्ष RNA में बेसों का क्रम होगा:
A. TCGA B. UCGA
C. TGCA D. UCAG

22. गोलाकार व एक रज्जुकी DNA पाया जाता है:
A. माइटोकाण्ड्रिया में B. $\phi \times 17.4$
C. सुकेन्द्रीय कोशिका में D. केन्द्रक में

23. सबसे छोटी जीवित कोशिका है:
A. PPLO B. जीवाणु
C. वाइरस D. अमीबा

24. DNA की द्विरज्जुकी संरचना की पुष्टि की:
A. वाटसन व क्रिक ने
B. मैक्कलोड व मैक कार्थी ने
C. हार्शी व चेज ने
D. बॉवेरी ने

25. विभाजित सेण्ट्रोमीयर सहित क्रोमेटिड कहलाएँगे:
A. सिस्टर क्रोमेटिड B. समजात गुणसूत्र
C. बाइवैलेण्ट D. टेट्रावैलेण्ट

26. एण्डोसाइटोसिस में सम्मिलित है:
A. फेगोसाइटोसिस B. पिनोसाइटोसिस
C. उपर्युक्त दोनों D. उपर्युक्त में से कोई नहीं

27. एक कोशिका की केन्द्रिका को नष्ट करने पर होगा:
A. कोशिका विभाजन को प्रेरित करेगा
B. कोशिका की मृत्यु हो जाएगी
C. कोशिका में जीन उत्परिवर्तन प्रेरित होगा
D. कोशिका विभाजन रुक जाएगा

28. निम्न में से कौन-सा बड़ा गुणसूत्र है?
A. X गुणसूत्र B. पोलीटीन गुणसूत्र
C. मल्टी बैण्डेड गुणसूत्र D. लैम्ब ब्रश गुणसूत्र

29. कोशिका में वृहद अणु (Macromolecules) प्रवेश करते हैं:
A. विसरण द्वारा
B. एण्डोसायटोसिस द्वारा
C. विसरण (Facilitated diffusion) द्वारा
D. एक्सोसायटोसिस द्वारा

30. प्लाज्मा कला के तरल मोजेइक मॉडल का वर्णन किया गया था:
A. वसाओं के समुद्र में प्रोटीन के आइसबर्ग
B. प्रोटीन के समुद्र में वसा के आइसबर्ग
C. वसाओं के समुद्र में प्रोटीन तथा कार्बोहाइड्रेट के आइसबर्ग
D. वसाओं तथा ओलीगोसैकेराइड्स के समुद्र में प्रोटीन आइसबर्ग

31. माइटोकॉण्ड्रिया बहुतायत में बनेंगे जहाँ:
A. शरीर में सर्वाधिक सक्रियता होती है
B. शरीर में सबसे कम सक्रियता होती है
C. शरीर में औसत सक्रियता होती है
D. शरीर में घाव की प्रक्रिया होती है

32. सेण्ट्रोमियर (centromere) है:
A. गुणसूत्र का मध्य भाग
B. गुणसूत्र का न रंगा जा सकने वाला भाग
C. गुणसूत्र का भाग नहीं है
D. गुणसूत्र का फैला हुआ भाग

33. इलेक्ट्रॉन सूक्ष्मदर्शी द्वारा अध्ययन से पता लगा है कि प्लाज्मा कला बनी होती है:
A. एक पर्त की B. दो पर्तो की
C. तीन पर्तो की D. चार पर्तो की

34. एक राइबोसोम बना होता है:
A. एक अकेली बड़ी इकाई का
B. कुछ ग्रेन्युलर इकाइयों का
C. बराबर आकार की दो अर्ध गोलाकार इकाइयों का
D. विभिन्न आकार की दो अर्ध गोलाकार इकाइयों का

35. ग्लाइकोजन कण पाए जाते हैं:
A. सभी जन्तु व पादप कोशिकाओं में
B. केवल जन्तु कोशिकाओं में
C. केवल यकृत व पेशी कोशिकाओं में
D. केवल कुछ पादप कोशिकाओं में

36. सर्वप्रथम किसने सूक्ष्मदर्शी में कोशिका को देखा?
A. राबर्ट हुक ने
B. टी. श्वान ने
C. एस. पी. ल्यूवेनहाक ने
D. एस. आई. श्लीडान ने

37. गुणसूत्रों पर जीन्स स्थित होते हैं:
A. सर्पिल क्रम में B. चक्रीय क्रम में
C. वृत्ताकार क्रम में D. पंक्तिबद्ध क्रम में

38. ड्रोसोफिला की लार ग्रंथियों में निम्न में से कौन से गुणसूत्र पाये जाते हैं?
A. हैटरोक्रोमैटिक B. पौलीटीन
C. लैम्पब्रुश D. साधारण

39. स्तनियों में लाल रुधिराणुओं में केन्द्रक की अनुपस्थिति बनाती है:
A. एलिप्टीकल B. गोल
C. द्विअवतल D. द्विउत्तल

40. सेण्ट्रोसोम होता है:
A. पादप तथा जन्तु कोशिका की एक कोशिकाद्रव्यी संरचना
B. प्राणि कोशिका की कोशिकाद्रव्यी संरचना
C. पादप कोशिका की एक कोशिकाद्रव्यी संरचना
D. उपरोक्त सभी

41. आनुवंशिक सूचना का वाहक होता है:
A. डी एन ए (DNA)
B. न्यूक्लिओ प्रोटीन्स
C. एम आर एन ए (*m*RNA)
D. टी आर एन ए (*t*RNA)

42. निम्न में से गॉल्जीकाय से बनता है:
A. राइबोसोम B. अंतर्द्रव्यी जालिका
C. लाइसोसोम D. गुणसूत्र

43. लाइसोसोम्स भण्डार गृह होते हैं:

A. वसाओं के

B. ए. टी. पी. के

C. जल अपघटनीय एन्जाइम्स के

D. ग्लाइकोप्रोटीन के

44. सूत्री कोशिका विभाजन के अन्तर्गत किस अवस्था में गुणसूत्र विपरीत ध्रुवों पर गति करते हैं?

A. एनाफेज B. टीलीफेज

C. मेटाफेज D. प्रोफेज

45. हरित लवकों में पर्णहरिम पाया जाता है:

A. बाह्य कला B. अन्तः कला

C. थायलेकॉएड D. स्ट्रोमा

46. भारत के निम्नलिखित क्षेत्रों पर विचार कीजिए:

1. पश्चिमी घाट
2. अरावली
3. पूर्वी हिमाचल श्रेणियाँ

उपर्युक्त में से कौन-सा/से जैव-विविधता का/के प्रमुख स्थल है/हैं?

A. केवल 1 B. केवल 1 और 3

C. केवल 2 और 3 D. 1, 2 और 3

47. जैव-विविधता शब्द का इस्तेमाल सर्वप्रथम किस वैज्ञानिक ने किया?

A. ओडम B. इ.ओ. विल्सन

C. टेन्सले D. कार्ल मोबियस

48. जीवमण्डल (Biosphere) आरक्षित परिरक्षण क्षेत्र है:

A. घासस्थल (Grasslands)

B. कृषि उत्पादन के

C. वायुमण्डलीय सन्तुलन (Atomospheric Balance) के

D. आनुवंशिक विभिन्नता (Genetic Diversity) के

49. भारत का प्रथम तितली उद्यान (Butterfly Park) कहाँ पर स्थित है?

A. बन्नरघट्टा जैविकी उद्यान, बंगलुरु

B. काजीरंगा राष्ट्रीय उद्यान

C. राष्ट्रीय पशु उद्यान, कोलकाता

D. उपर्युक्त में से कोई नहीं

50. भारत में प्रोजेक्ट टाइगर प्रारम्भ किया गया था:

A. 1970 में B. 1973 में

C. 1981 में D. 1984 में

51. झील पर्यावरण में जीवीय अनुक्रमण (Biotic Succession) के साथ-साथ पादपों एवं जन्तुओं की संख्या एवं विविधता:

A. बढ़ती है

B. घटती है

C. न घटती है न बढ़ती है

D. पहले घटती है और फिर बढ़ती है

52. भारत में जैव-विविधता (Bio-diversity) 'ताप स्थल' (Hotspot) हैं:

A. पश्चिमी हिमालय व पूर्वी घाट

B. पूर्वी हिमालय व शान्त घाटी

C. पश्चिमी हिमालय व सुन्दर वन

D. पूर्वी हिमालय व पश्चिमी घाट

53. निम्नलिखित राज्यों में से उस राज्य को चुनिए, जिसमें सर्वाधिक संख्या में वन्य-जीव अभयारण्य (नेशनल पार्क और अभयारण्य) हैं:

A. उत्तर प्रदेश B. राजस्थान

C. मध्य प्रदेश D. पश्चिम बंगाल

54. सूर्य में ऊर्जा का निरन्तर सृजन किस कारण होता है?

A. नाभिकीय संलयन B. नाभिकीय विखण्डन

C. रेडियो सक्रियता D. कृत्रिम रेडियो सक्रियता

55. राष्ट्रीय नदी संरक्षण निदेशालय, भारत सरकार में किस मन्त्रालय के अन्तर्गत है?

A. कृषि मन्त्रालय

B. पृथ्वी विज्ञान मंत्रालय

C. पर्यावरण एवं वन मंत्रालय

D. जल संसाधन मन्त्रालय

56. निम्नलिखित में से कौन पारिस्थितिक तन्त्र (Ecosystem) का अजीवीय तत्व (Abiotic Element) है?

A. शैलीय लवण (Rock Salt)

B. लाइकेन (Lichen)

C. दीमक (Termite)

D. शैवाल (Algae)

57. बक्सा बाघ परियोजना (Baxa Tiger Project) भारत के किस राज्य में स्थित है?

A. पश्चिम बंगाल B. राजस्थान

C. गुजरात D. मध्य प्रदेश

58. गिर के शेरों को रखे जाने हेतु किस राष्ट्रीय पार्क/अभयारण्य का चयन किया गया है?

A. पालपुर कूनों B. पेंच

C. बांधवगढ़ D. कान्हा

59. पौधों को संकटाग्रस्त तब कहा जाता है जब:

A. वह विलुप्त हो गया हो

B. अब वह उपयोगी नहीं रहा हो

C. जिस आवास में उगता है वह नहीं बदला हो

D. उसकी संख्या क्रांतिक सीमा से कम रह गयी हो

60. वानस्पतिक उद्यानों (Botanical Gardens) में उगाये जाने वाले दुर्लभ पौधें की सूची दी गयी है:

A. लाल आंकड़े की पुस्तक में

B. हरी पुस्तक में

C. ब्रिटिश फ्लांवरिंग प्लान्टस् में
D. उपरोक्त सभी में

61. लाल आंकड़े की पुस्तक (Red Data Book):
A. संकट ग्रस्त पौधों के लिए
B. विलुप्त पौधों के लिये
C. विलुप्त पौधे और प्राणियों के लिये
D. संकट ग्रस्त प्राणियों के लिये

62. वन उन्मूलन किसके अवसर कम करता है?
A. मृदा की सतह के अपरदन के
B. बवंडर के
C. वर्षा के
D. बारंबार भूस्खलन के

63. वन उन्मूलन साधारणतः करता है:
A. अधिक मृदा अपरदन
B. मृदा को अधिक उपजाऊ बनाता है
C. अधिकाधिक वर्षा
D. उपरोक्त में से कोई नहीं

64. हिमालय की श्रेणी में कौन प्राचीनतम है?
A. वृहत् हिमालय श्रेणी B. निम्न हिमालय श्रेणी
C. धौलाधार श्रेणी D. शिवालिक श्रेणी

65. वर्तमान जिम कार्बेट नेशनल पार्क, जिसकी स्थापना 1936 में हुई है, का पूर्ववर्ती नाम था:
A. गढ़वाल नेशनल पार्क B. हैली नेशनल पार्क
C. रामगंगा नेशनल पार्क D. हैप्पी नेशनल पार्क

66. गिर के शेरों को रखे जाने हेतु किस राष्ट्रीय पार्क/अभयारण्य का चयन किया गया है?
A. पेंच B. कान्हा
C. बांधवगढ़ D. पालपुर कूनों

67. भारत में एनिमल वेलफेयर बोर्ड का मुख्यालय कहाँ स्थित है?
A. अहमदाबाद B. हैदराबाद
C. कोलकाता D. चेन्नई

68. निम्नलिखित में से कौन-सा एक उत्तराखण्ड में जैव-विविधता (Bio-diversity) के ह्रास का कारण नहीं है?
A. सड़कों का विस्तार B. नगरीकरण
C. कृषि का विस्तार D. बंजर भूमि का वनीकरण

69. गुजरात की कच्छ की रण में पाई जाने वाली दुर्लभ जाति निम्नलिखित में से कौन-सी है?
A. जंगली भैंस B. जंगली गधा
C. कस्तुरी मृग D. चित्तीदार मृग

70. किसी प्रजाति को विलुप्त माना जा सकता है जब वह अपने प्राकृतिक आवास में नहीं देखी गई हो:
A. 15 वर्ष से B. 25 वर्ष से
C. 40 वर्ष से D. 50 वर्ष से

71. वन्य पौधे वे होते हैं:
A. प्राकृतिक आवासों में उगते है
B. विकास की दृष्टिकोण से अग्रगत हैं
C. उगाये जाते हैं
D. वनों में उगते हैं

72. बायोस्फीयर रिजर्व की अभिकल्पना किसके द्वारा की गई?
A. जुलाजिकल सर्वे ऑफ इण्डिया द्वारा
B. बॉटनिकल सर्वे ऑफ इण्डिया द्वारा
C. यूनेस्को (UNESCO) द्वारा
D. भारत सरकार द्वारा

73. बाघ आरक्षित क्षेत्र और उसके प्रदेश के सही संबंध को पहचानिए?
A. कार्बेट-मध्य प्रदेश B. पालामाऊ-उड़ीसा
C. मानस-असोम D. बान्दीपुर-तमिलनाडु

74. पौधे को संकटग्रस्त तब कहा जाता है जब:
A. वह विलुप्त हो गया हो
B. जिस आवास में उगता हो वह नहीं बदलता हो
C. उसकी संख्या क्रांतिक सीमा से कम रह गयी हो
D. उपरोक्त में से कोई नहीं

75. राष्ट्रीय पादप आनुवंशिक संसाधन ब्यूरो, स्थित है?
A. नागपुर B. नई दिल्ली
C. मुम्बई D. पुणे

76. उष्णकटिबंधीय वानस्पतिक उद्यान और अनुसंधान संस्थान, अवस्थित है:
A. तिरूवअनन्तपुरम् B. कुनुर
C. हैदराबाद D. कटक

77. जैव-विविधता को अत्यधिक खतरा किससे है?
A. भंगुर, पारिस्थतिक तंत्र, यथा-मैनग्रोव और आर्द्र भूमियाँ
B. हिमालय की दुर्गम निवास भूमियाँ
C. प्राकृतिक निवास, भूमियों और वनस्पतियों का विनाश एवं झूम खेती
D. उपरोक्त किसी से नहीं

78. समुदाय से अर्थ है:
A. समान जाति के जीवों का समूह
B. समान समष्टि के जीवों का समूह
C. विभिन्न जातियों की समष्टियों का समूह
D. मानव-जाति का एक स्थान पर समूह

79. समुदाय में जैविक-विविधता को कहते हैं:
A. अल्फा-विविधता B. बीटा-विविधता
C. गामा-विविधता D. उपरोक्त सभी

80. आनुवंशिक विविधता है:
A. व्यक्ति या जीव में उपस्थित भिन्न जीन
B. जाति में उपस्थिति भिन्न जीन
C. जनसंख्या में उपस्थित भिन्न जीन
D. इनमें से कोई नहीं

उत्तरमाला

1	2	3	4	5	6	7	8	9	10
A	B	C	B	C	A	C	D	A	C
11	**12**	**13**	**14**	**15**	**16**	**17**	**18**	**19**	**20**
B	A	B	A	A	B	B	A	C	A
21	**22**	**23**	**24**	**25**	**26**	**27**	**28**	**29**	**30**
B	B	B	A	A	A	A	D	B	A
31	**32**	**33**	**34**	**35**	**36**	**37**	**38**	**39**	**40**
A	A	C	D	B	A	D	B	C	B
41	**42**	**43**	**44**	**45**	**46**	**47**	**48**	**49**	**50**
A	C	C	A	C	B	B	D	A	B
51	**52**	**53**	**54**	**55**	**56**	**57**	**58**	**59**	**60**
A	D	C	A	C	A	A	A	D	B
61	**62**	**63**	**64**	**65**	**66**	**67**	**68**	**69**	**70**
A	C	A	A	A	D	D	D	B	C
71	**72**	**73**	**74**	**75**	**76**	**77**	**78**	**79**	**80**
A	A	C	C	B	A	C	C	A	B

★★★

4

प्रजनन : अलैंगिक एवं लैंगिक जनन; किशोरावस्था की ओर

प्रजनन

जनन द्वारा कोई जीव (वनस्पति या प्राणी) अपने ही सदृश किसी दूसरे जीव को जन्म देकर अपनी जाति की वृद्धि करता है। जन्म देने की इस क्रिया को जनन कहते हैं। जनन जीवितों की विशेषता है। जीव की उत्पत्ति किसी पूर्ववर्ती जीवित जीव से ही होती है। निर्जीव पिंड से सजीव की उत्पत्ति नहीं देखी गई है। संभवतः विषाणु इसके अपवाद है। जनन के दो उद्देश्य होते हैं—एक व्यक्ति-विशेष का संरक्षण और दूसरा जाति की शृंखला बनाए रखना। दोनों का आधार पोषण है। पोषण से ही संरक्षण, वृद्धि और जनन होते हैं।

जनन दो प्रकार से हो सकता है–

- अलैंगिक जनन (Asexual)
- लैंगिक जनन (Sexual)

अलैंगिक जनन

कुछ जीवों जैसे बैक्टीरिया, प्रोटोजोआ एवं कुछ शैवालों में जनन अनेक प्रकार से एकल जीव द्वारा होता है। पौधों में अलैंगिक जनन कायिक जनन द्वारा होता है। कुछ जंतु जैसे स्पंज तथा हाइड्रा अलैंगिक व लैंगिक दोनों प्रकार से जनन करते हैं।

(*i*) निम्नतर जीवों में अलैंगिक जनन

अलैंगिक जनन अनेक प्रकार का होता है–

(क) द्विविभाजन (Binary Fusion): एक कोशिका विभाजित होकर दो संतति बनाती है और अपना अस्तित्व खो देती है। जैसे कि अमीबा और बैक्टीरिया में होता है। (चित्र 1)

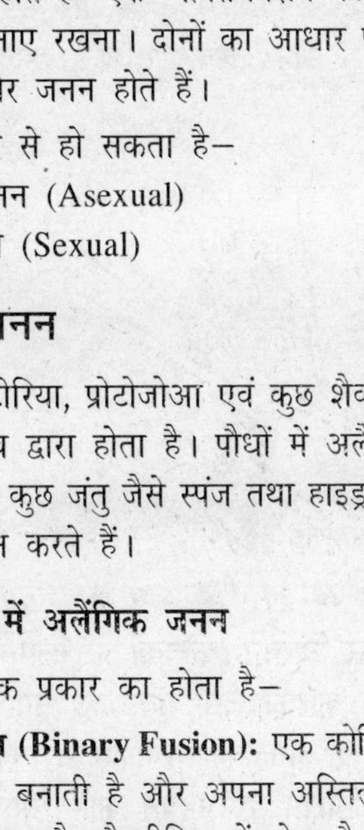

चित्र 1 : *अमीबा में द्विविभाजन*

(ख) मुकुलन (Budding): मुकुलन में मातृकोशिका (जनक) के शरीर से एक मुकुल बनता है और जनक से जुड़ा रहता है। जनक का केन्द्रक लंबा होकर दो में विभाजित हो जाता है जिसमें से एक भाग मुकुल में चला जाता है। उदाहरणः यीस्ट (चित्र 2)

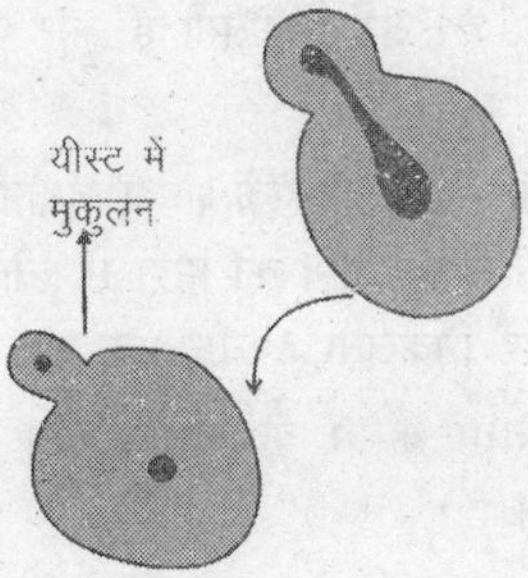

चित्र 2 : *यीस्ट में मुकुलन*

बहुकोशिकीय जीव जैसे स्पंज तथा हाइड्रा में शरीर के किसी भाग से एक मुकुल निकलती है, बड़ी होती है और जब इसके शरीर का पूर्ण निर्माण हो जाता है तब यह मुकुल, जनक के शरीर से, अलग हो जाता है। (चित्र 3)

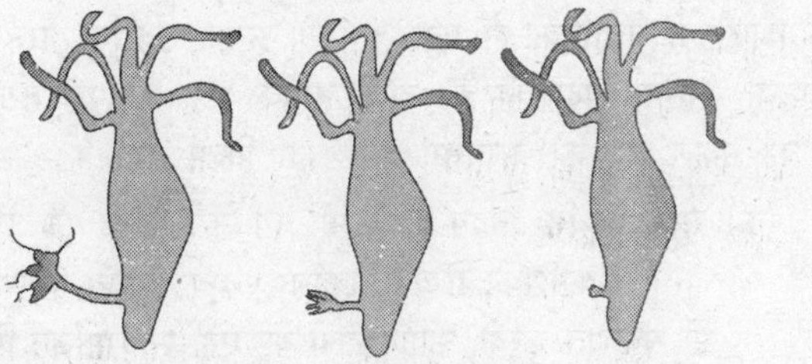

चित्र 3 : *हाइड्रा में मुकुलन*

(ग) बीजाणु का निर्माण (Spare Formation): शैवाल जैसे क्लैमाइडोमोनास का कोशिका द्रव्य तथा केन्द्रक विभाजित होकर चार से आठ बीजाणु बना देते हैं। फफूँद, मांस तथा फर्न में भी जनन हेतु बीजाणु बनते हैं। बीजाणु वे एकल कोशिकाएँ होते हैं जो जनक पौधे से निकलकर नई सन्तति में विकसित हो जाते हैं। (चित्र 4)

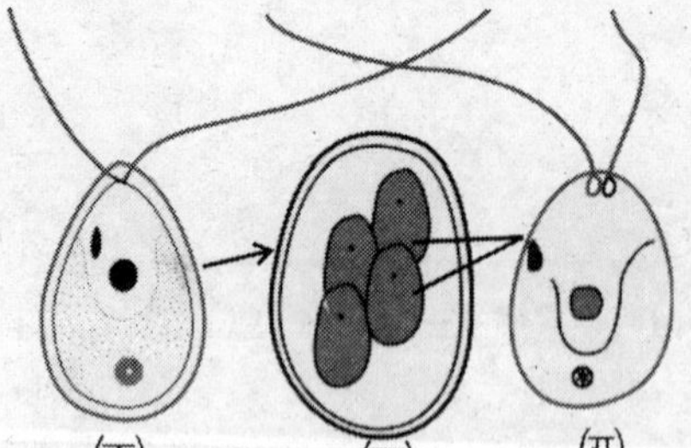

चित्र 4 : *क्लैमाइडोमोनास के बीजाणु*

(*ii*) पौधों में अलैंगिक जनन

कायिक जननः प्रकृति में, नए पौधों का जन्म किसी पौधे के कायिक अंगों जैसे जड़, तना (स्तम्भ) या पत्तियों द्वारा हो सकता है। इस प्रकार के अलैंगिक जनन को कायिक जनन कहते हैं।

(*iii*) पौधों में कृत्रिम कायिक जनन

पौधों में कृत्रिम कायिक जनन निम्नलिखित विधियों द्वारा किया जाता है जो इस प्रकार हैं:

(क) कटिंग–एक शाखा काट ली जाती है और उसे मिट्टी में लगा दिया जाता है। जड़ें निकलती हैं और फलस्वरूप नया पौधा बन जाता है।

(ख) दाब लगाकर–पौधे की एक शाखा जमीन की ओर झुका दिया जाता है और एक भाग को मिट्टी में दबा दिया जाता है। इस भाग में जड़ें निकलती हैं और एक नया पौधा बन जाता है।

(ग) (*a*) तने तथा कलम के निचले भाग में एक तिरछा कट लगाते हैं।

(*b*) पौधे का प्ररोह के एक कलम की तरह काट कर प्रयोग करते हैं। तने में एक क्षैतिज काट लगाते हैं और कलम को स्टॉक में धंसा देते हैं और टेप से बांध देते हैं।

(*c*) कुछ समय बाद में दोनों जोड़ मिल जाते हैं।

(*iv*) अलैंगिक जनन की अन्य विधियाँ

प्रयोगशाला में वैज्ञानिकों ने एक जीव से ऊतक संवर्धन द्वारा पौधे की व्यष्टियाँ (संतति) पैदा की है। डॉली नामक भेड़, जो पूरी तरह अपनी माँ की नकल थी, को क्लोनिंग द्वारा पैदा किया गया है।

(क) सूक्ष्म प्रवर्धनः पादप के किसी अंग जैसे गाजर की जड़ अथवा पत्तों से कोशिकाओं को निकालकर एक पर्याप्त पोषण माध्यम से संवर्धित करके, कोशिकाओं का एक अविभाजित पिंड प्राप्त किया जा सकता है जिसे कैलस कहते हैं। कैलस (Callus) नये पादपों को जन्म देता है। ऊतक संवर्धन द्वारा नए पौधे बनाना सूक्ष्म प्रवर्धन कहलाता है।

(ख) क्लोनिंग (Cloning): किसी समरूप कोशिका या किसी अन्य जीवित भाग अथवा संपूर्ण जीव को कृत्रिम रूप से उत्पन्न करने की प्रक्रिया क्लोनिंग कहलाती है। किसी जंतु की सफलतापूर्वक क्लोनिंग सर्वप्रथम इयान विलमट और उनके सहयोगियों ने एडिनबर्ग, स्कॉटलैंड के रोजलिन इंस्टीट्यूट में की। उन्होंने एक भेड़ का क्लोन किया जिसका नाम डॉली रखा गया। डॉली का जन्म 5 जुलाई, 1996 को हुआ था। यह क्लोन किये जाने वाला पहला स्तनधारी था।

लैंगिक जनन

(*i*) **पौधों में लैंगिक जननः** पौधों में लैंगिक जनन निम्न प्रकार से होता है–

पुष्पी पौधों का जनन अंग फूल होता है (चित्र 5)। पुंकेसर (स्टेमेन) जो कि पराग बनाता है पुष्प का नर भाग होता है। परागकणों में नर युग्मक होता है। एक फूल में कई पुंकेसर हो सकते हैं। प्रत्येक पुंकेसर के दो भाग होते हैं। ऊपरी भाग परागकोष (एंथर) कहलाता है जिसके भीतर परागकण होते हैं। यह निचले भाग पुंतन्तु (फिलामेन्ट) के ऊपर स्थित होता है। स्त्रीकेसर (जायांग) मादा भाग होता है जिसका निचला भाग अंडाशय होता है जिसमें अण्डप या मादा युग्मक होते हैं। स्त्रीकेसर के तीन भाग होते हैं–वर्तिकाग्र, वर्तिका, अंडाशय। अधिकांश पौधों में पुष्प में नर तथा मादा दोनों जनन अंग होते हैं। इन्हें उभयलिंगी कहते हैं। कुछ पौधों में नर पुष्प होते हैं जिनमें केवल पुंकेसर होता है और कुछ पौधों में केवल मादा पुष्प होते हैं जिनमें केवल स्त्रीकेसर होता है। इन्हें एकलिंगी पौधे कहते हैं।

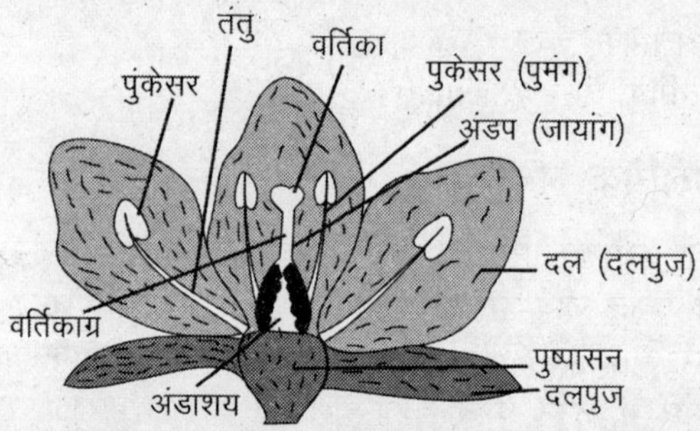

चित्र 5 : *एक प्रारूपिक पुष्प की अनुप्रस्थ काट*

(*ii*) **परागण और निषेचनः** केन्द्रकों के संलग्न हेतु परागकण तथा अंड अनेक कारकों जैसे वायु, जल एवं कीट द्वारा एक-दूसरे के पास लाए जाते हैं। परागकोष से निकलकर परागकण का पुष्प के वर्तिकाग्र पर पहुँचने को परागण कहते हैं। यह दो प्रकार का होता है। स्वपरागण जब किसी फूल के परागकण उसी फूल के वर्तिकाग्र पर पहुँचते हैं एवं अण्ड को निषेचित करते हैं तो यह स्वपरागण होता है।

परपरागण में एक फूल के परागकण अपनी ही स्पीशीज के दूसरे पौधे के फूल के वर्तिकाग्र पर पहुँचते हैं और उस फूल के अण्ड को निषेचित करते हैं। वायु, जल एवं कीट जैसे कारक परागकणों को एक फूल से दूसरे फूल तक पहुँचने में सहायता करते हैं।

परागकण तथा अण्ड के केन्द्रकों के निषेचन अथवा संलयन के लिए परागकण ऊपर बताए गए कारकों में से किसी भी एक कारक द्वारा जायांग के वर्तिकाग्र पर पहुँचता है। प्रत्येक परागकण एक पराग नलिका बनाता है। यह पराग नलिका वर्तिका के भीतर बढ़ती जाती है और

परागकण का केन्द्रक बीजाण्ड में पहुँच जाता है। निषेचित बीजाण्ड बीजों में परिवर्तित हो जाता है जो पादपकों के रूप में अंकुरित होकर नये पौधों को बनाने में सक्षम होते हैं।

जंतुओं में लैंगिक जनन

कुछ जंतु जैसे स्पंज व हाइड्रा अलैंगिक विधियों से जनन कर सकते हैं। हालांकि वे लैंगिक जनन भी कर सकते हैं। सभी जंतुओं में मादा अण्ड (अण्डाणु) तथा नर शुक्राणु का संलयन होता है और युग्मज (जाइगोट) बनता है जो कि भ्रूण के रूप में एक पूर्ण-विकसित संतति बन जाता है। अण्डे के भीतर विकास आंशिक या पूर्ण हो सकता है। ऐसे जन्तु जो अण्डे देते हैं जैसे मछली, मेंढक, सरीसृप (सांप/छिपकली) एवं पक्षी अण्डज या ओविपेरस कहलाते हैं। स्तनधारियों जैसे बिल्ली, कुत्ता, गाय एवं मनुष्यों में बच्चा माँ के गर्भ में विकास करता है, इन्हें जरायुज या विविपेरस कहते हैं।

फीताकृमि तथा केंचुए में नर तथा मादा दोनों जनन अंग एक ही जीव में होते हैं, इन्हें उभयलिंगी (हर्माफ्रोडाइट) कहते हैं। बाकी दूसरे जंतुओं में लिंग अलग-अलग जीव में होते हैं। नर में नर जनन अंग जैसे वृषण आदि तथा मादा में अंडाशय आदि होते हैं। मानव भी जंतु जगत में आते हैं। स्तनधारी होने के कारण ये जरायुज या विविपेरस हैं।

मनुष्यों में जनन

मानव एकलिंगी (Unisexual) जन्तु है। इसमें अण्डे का निषेचन (Fertilization) फैलोपिएन नली में तथा भ्रूणीय विकास (Embryonic Development) गर्भाशय में होता है। ये जरायुज (Viviparous) होते हैं, अर्थात् सीधे शिशु को जन्म देते हैं। मनुष्य में जनन अंग मादा में 12 से 13 वर्ष की आयु में तथा नर में 15 से 18 वर्ष की आयु में प्रायः क्रियाशील हो जाते हैं। जनन अंग भी कुछ हार्मोन स्रावित करते हैं, जो शरीर में परिवर्तन लाते हैं। ऐसे परिवर्तन मादा में प्रायः वक्ष तथा जनन अंगों पर बाल उगने तथा नर में दाढ़ी तथा मूँछ आने से परिलक्षित होता है। मनुष्य में नर तथा मादा प्रजनन अंग पूर्णतया अलग-अलग होते हैं।

नर जनन अंग

नर जनन अंगों में एक जोड़ा वृषण, दो शुक्राणु नलिका तथा एक शिश्न (लिंग) होते हैं (चित्र 6)। वृषण नर युग्मक उत्पन्न करते हैं जिन्हें शुक्राणु कहते हैं। वृषण लाखों शुक्राणु उत्पन्न करते हैं। शुक्राणु यद्यपि बहुत सूक्ष्म होते हैं, पर प्रत्येक में एक सिर, एक मध्य भाग एवं एक पूँछ होती है। (चित्र 7)

मादा जनन अंग

मादा जननांगों में एक जोड़ी अंडाशय, अंडवाहिनी (डिंब वाहिनी) तथा गर्भाशय होता है (चित्र 8)। अंडाशय मादा युग्मक उत्पन्न करते हैं जिसे अंडाणु (डिंब) कहते हैं (चित्र 9)। मानव (स्त्रियों) में प्रति मास दोनों अंडाशयों में से किसी एक अंडाशय से एक विकसित अंडाणु अथवा डिंब का निर्मोचन अंडवाहिनी में होता है। गर्भाशय वह भाग है जहाँ शिशु का विकास होता है। शुक्राणु की तरह अंडाणु भी एकल कोशिका है।

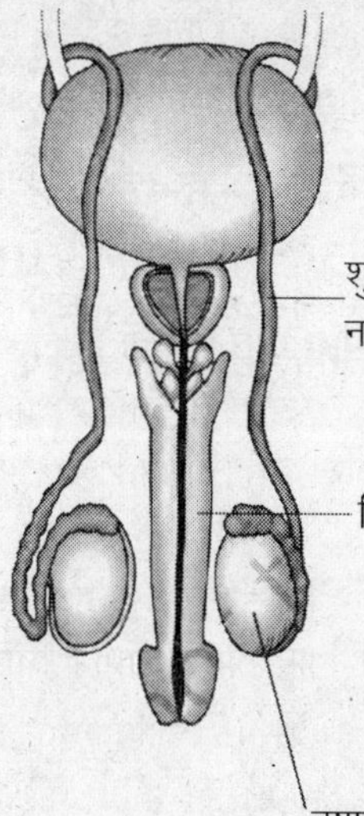

चित्र 6 : *मानव में नर जननांग*

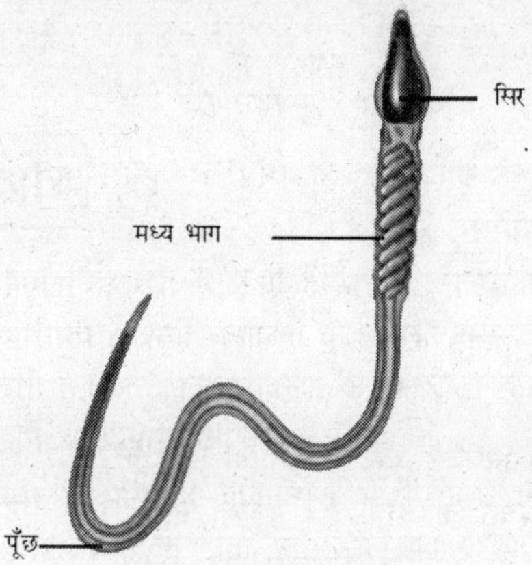

चित्र 7 : *मानव शुक्राणु*

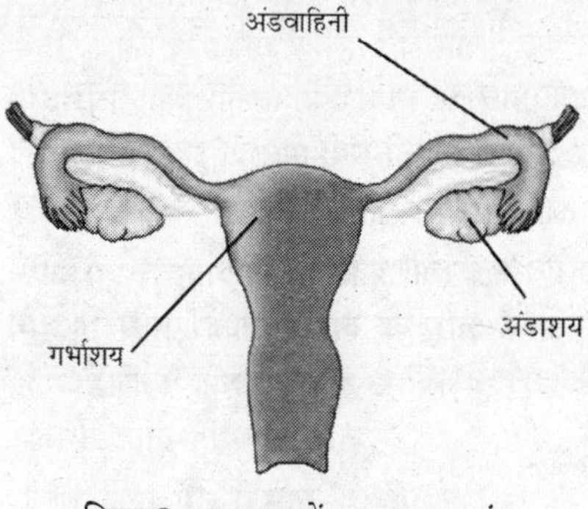

चित्र 8 : *मानव में मादा जननांग*

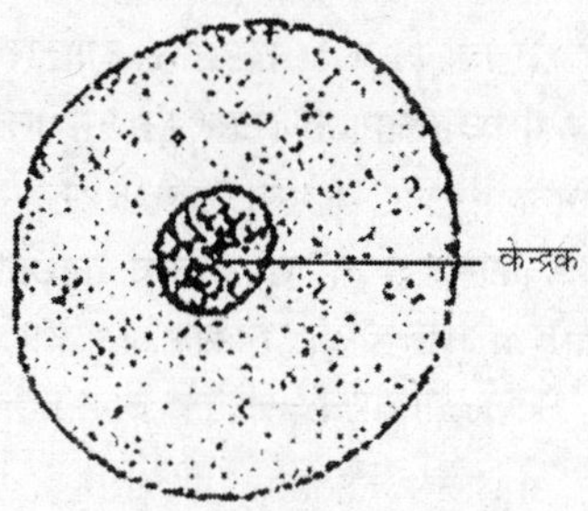

चित्र 9 : *मानव अंडाणु*

निषेचन

जनन प्रक्रम का पहला चरण शुक्राणु और अंडाणु का संलयन है। जब शुक्राणु, अंडाणु के संपर्क में आते हैं तो इनमें से एक शुक्राणु अंडाणु के साथ संलयित हो जाता है। शुक्राणु और अंडाणु का यह संलयन निषेचन कहलाता है (चित्र 10)। निषेचन के समय शुक्राणु और अंडाणु संलयित होकर एक हो जाते हैं। निषेचन के परिणामस्वरूप युग्मनज का निर्माण होता है।

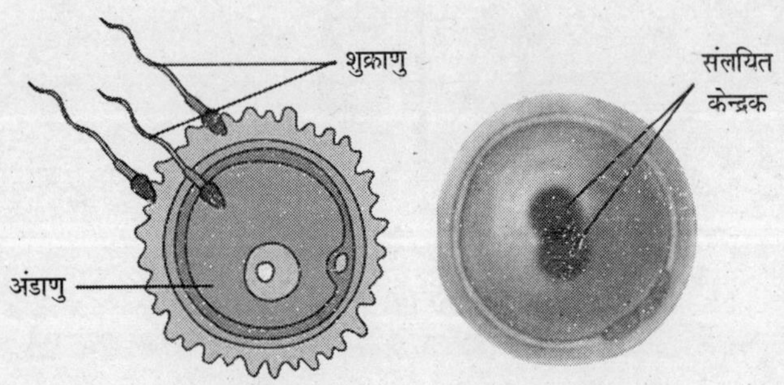

चित्र 10 : *निषेचन एवं युग्मनज*

निषेचन के प्रक्रम में स्त्री (माँ) के अंडाणु और नर (पिता) के शुक्राणु का संयोजन होता है। अतः नयी संतति में कुछ लक्षण अपनी माता से तथा कुछ लक्षण अपने पिता से वंशानुगत होते हैं।

निषेचन मुख्यतः दो प्रकार के होते हैं—आंतरिक निषेचन एवं बाह्य निषेचन।

आंतरिक निषेचन—वह निषेचन जो मादा के शरीर के अंदर होता है आंतरिक निषेचन कहलाता है। मनुष्य, गाय, कुत्ते तथा मुर्गी इत्यादि अनेक जंतुओं में आंतरिक निषेचन होता है।

बाह्य निषेचन—अनेक जंतुओं में निषेचन की क्रिया मादा जंतु के शरीर के बाहर होती है। इन जंतुओं में निषेचन जल में होता है।

मादा मेंढक जैसे ही अंडे देती है, नर मेंढक उस पर शुक्राणु छोड़ देता है। प्रत्येक शुक्राणु अपनी लंबी पूँछ की सहायता से जल में इधर-उधर तैरते रहते हैं। शुक्राणु अंडकोशिका के संपर्क में आते हैं जिसके फलस्वरूप निषेचन होता है। इस प्रकार का निषेचन जिसमें नर एवं मादा युग्मक का संलयन मादा के शरीर के बाहर होता है, बाह्य निषेचन कहलाता है। यह मछली, स्टारफिश जैसे जलीय प्राणियों में होता है।

भ्रूण का परिवर्धन

निषेचन के परिणामस्वरूप युग्मनज बनता है जो विकसित होकर भ्रूण में परिवर्धित होता है (चित्र 11(a))। युग्मनज लगातार विभाजित होकर कोशिकाओं के गोले में बदल जाता है (चित्र 11(*b*))। तत्पश्चात् कोशिकाएँ समूहीकृत होने लगती हैं तथा विभिन्न ऊतकों और अंगों में परिवर्धित हो जाती हैं। इस विकसित होती हुई संरचना को भ्रूण कहते हैं। भ्रूण गर्भाशय की दीवार में रोपित होकर विकसित होता रहता है (चित्र 11(*c*))। गर्भाशय में भ्रूण का निरन्तर विकास होता रहता है। धीरे-धीरे विभिन्न शारीरिक अंग जैसे कि हाथ, पैर, सिर, आँखें, कान इत्यादि विकसित हो जाते हैं। भ्रूण की वह अवस्था जिसमें सभी शारीरिक भागों की पहचान हो सके गर्भ कहलाता है। जब गर्भ का विकास पूरा हो जाता है तो माँ नवजात शिशु को जन्म देती है।

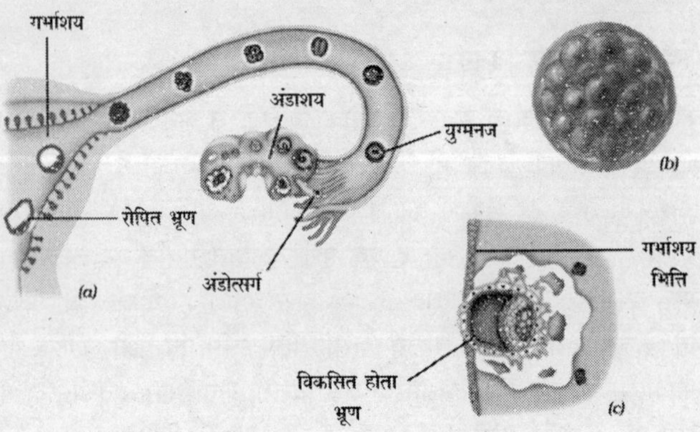

चित्र 11 : (*a*) *युग्मनज का बनना तथा युग्मनज से भ्रूण का विकास,*
(*b*)*कोशिकाओं का पिंड (आवर्धित),*
(*c*)*भ्रूण का गर्भाशय में रोपण (आवर्धित)*

जरायुज एवं अंडप्रजक जंतु

जैसा कि हम जानते हैं कि कुछ जंतु विकसित शिशु को जन्म देते हैं, जबकि कुछ जंतु अंडे देते हैं जो बाद में शिशु में विकसित होते हैं। वह जंतु जो सीधे ही शिशु को जन्म देते हैं जरायुज जंतु कहलाते हैं। वे जंतु जो अंडे देते हैं अंडप्रजक जंतु कहलाते हैं।

गर्भनिरोध की सामान्य विधियाँ

विधि	कार्य
अस्थायी विधियाँ	
नर में कंडोम/ मादा में डायफ्राम	शुक्राणुओं को अंडे से मिलने से रोकने का यांत्रिक अवरोध
अंतःगर्भाशयी युक्ति (IUCD) उदाहरण के लिए कॉपर टी	भ्रूण के रोपण को रोकने के लिए इसे स्त्री के शरीर में गर्भाशय में डाल दिया जाता है।
खाने वाली गोलियाँ	गोलियाँ अंडोत्सर्ग को बाधित करती हैं तथा अंडाशय से अंडे को निकलने से रोकती है। फलस्वरूप निषेचन नहीं होता। इन्हें प्रशिक्षित चिकित्सक की देख-रेख में खाना शुरू करना चाहिए।
स्थायी विधियाँ	
नर में शुक्रवाहिका-छेदन (वेसेक्टोमी) एवं मादा में नालोच्छेदन (ट्यूबेक्टोमी)	यह शल्य चिकित्सकीय विधि है, जिसके द्वारा शुक्रवाहिकाओं (नर) को काटकर उनके कटे सिरों को बांध दिया जाता है। (जिनमें शुक्राणु जाते हैं) तथा मादा में निषेचन को रोकने के लिए अण्डवाहिनियों को काटकर उनके सिरों को बांध दिया जाता है।

जनन वाहिनी संक्रमण तथा यौन संचारित रोग

जनन वाहिनी संक्रमण (RTIs) का तात्पर्य जनन अंगों के संक्रमण से है। ये बीमारियाँ यौन आरोग्य (सफाई) की कमी से होती है। मुख्यतः जनन वाहिनी संक्रमण लैंगिक संपर्क द्वारा एक व्यक्ति से दूसरे में संचारित होते हैं और इसलिए इन्हें यौन संचारित रोग (STDs) कहते हैं।

यौन संचारित रोग (STDs)

ये संक्रमण संभोग अथवा लैंगिक त्वचा के संपर्क में आने से फैल सकते है। गोनोरिया (सूजाक), सिफलिस (उपदंश), हरपीज क्लैमाइडिया, मस्से तथा कैन्क्रॉइड कुछ सामान्य यौन संचारित रोग हैं। लैंगिक संपर्क द्वारा मानव प्रतिरक्षा न्यूनता विषाणु (HIV) भी संचारित हो सकता है।

यौन संचारित रोगों के लक्षण इस प्रकार हैं :

- जननांगों या गुदा में खुजली या सूजन।
- मूत्राजनन क्षेत्रों में छाले, घाव, पिंड या दाने।
- मादा में योनि से तथा नर में शिश्न से रंगीन स्त्राव होना जो दुर्गंधयुक्त भी हो सकता है।
- मूत्रोत्सर्ग में दर्द होना।
- स्त्रियाँ कमर के निचले भाग तथा उदर में दर्द की शिकायत भी कर सकती हैं।

एच.आइ.वी. (HIV) (एड्स)

मानव प्रतिरक्षा न्यूनता विषाणु द्वारा अर्जित प्रतिरक्षान्यूनता (AIDS) संलक्षण होता है। एच.आई.वी. एक रेट्रोवाइरस है जिसका आनुवंशिक पदार्थ आर.एन.ए. (RNA) है। यह प्रतिरक्षा-तंत्र की अतिआवश्यक कोशिकाओं को नष्ट करके शरीर को अनेक संक्रमणकारी कारकों के आक्रमण के लिए उपयुक्त बना देता है। यह टी-लिम्फोसाइट्स को संक्रमित कर हजारों विषाणु बना देता है।

एच.आई.वी. ग्रस्त व्यक्ति 10 से 15 वर्ष तक भी अलाक्षणिक रह सकता है। धीरे-धीरे प्रतिरक्षा तंत्र की टी-सहायक कोशिकाओं की संख्या इतनी घट जाती है कि ग्रसित व्यक्ति अन्य बीमारियों के प्रति अपनी रोग प्रतिरोधक क्षमता खो देता है। यह स्थिति एड्स के पूर्ण संक्रमण की है।

किशोरावस्था की ओर

किशोरावस्था एवं यौवनारम्भ

वृद्धि एक प्राकृतिक प्रक्रम है। जीवन काल की वह अवधि जब शरीर में ऐसे परिवर्तन होते हैं जिसके परिणामस्वरूप जनन परिपक्वता आती है, किशोरावस्था (Adolescence) कहलाती है। किशोरावस्था लगभग 11 वर्ष की आयु से प्रारम्भ होकर 18 अथवा 19 वर्ष की आयु तक रहती है। यह अवधि क्योंकि अंग्रेजी के "teens" (Thirteen से Eighteen या Nineteen वर्ष की आयु) तक होती है, किशोरों को 'टीनेजर्स' (Teenagers) भी कहा जाता है। लड़कियों में यह अवस्था लड़कों की अपेक्षा एक या दो वर्ष पूर्व प्रारम्भ हो जाती है। किशोरावस्था की अवधि व्यक्तियों में भिन्न-भिन्न होती है।

किशोरावस्था के दौरान मनुष्य के शरीर में अनेक परिवर्तन आते हैं। यह परिवर्तन यौवनारम्भ का संकेत हैं। इनमें से सबसे महत्वपूर्ण परिवर्तन है, लड़के एवं लड़कियों की जनन क्षमता का विकास। किशोर की जनन परिपक्वता के साथ ही यौवनारम्भ समाप्त हो जाता है।

यौवनारम्भ में होने वाले परिवर्तन

- **लंबाई में वृद्धि**–लंबाई में एकाएक वृद्धि यौवनारम्भ के दौरान होने वाला सबसे अधिक दृष्टिगोचर परिवर्तन है। इस समय शरीर की लंबी अस्थियों की, अर्थात् हाथ एवं पैरों की अस्थियों (हड्डियों) की, लंबाई में वृद्धि होती है और व्यक्ति लंबा हो जाता है।

  प्रारंभ में लड़कियाँ लड़कों की अपेक्षा अधिक तीव्रता से बढ़ती हैं। परन्तु लगभग 18 वर्ष की आयु तक दोनों अपनी अधिकतम लंबाई प्राप्त कर लेते हैं। अलग-अलग व्यक्तियों की लंबाई में वृद्धि की दर भी भिन्न-भिन्न होती है। कुछ यौवनारम्भ में तीव्र गति से बढ़ते हैं तथा बाद में यह गति धीमी हो जाती है, जबकि कुछ धीरे-धीरे वृद्धि करते हैं। वृद्धि के कारण लड़कों में शारीरिक पेशियाँ लड़कियों की अपेक्षा सुस्पष्ट एवं गठी दिखाई देती हैं। अतः किशोरावस्था के दौरान लड़कों एवं लड़कियों में होने वाले परिवर्तन अलग-अलग हैं।
- **स्वर में परिवर्तन**–यौवनारम्भ में स्वरयंत्र अथवा लैरिन्क्स में वृद्धि का प्रारंभ होता है। लड़कों का स्वरयंत्र विकसित होकर अपेक्षाकृत बड़ा हो जाता है। लड़कों में बढ़ता हुआ 'स्वरयंत्र' गले के सामने की ओर सुस्पष्ट उभरे भाग के रूप में दिखाई देता है जिसे ऐडॅम्स ऐपॅल (कंठमणि) कहते हैं। लड़कियों में 'स्वरयंत्र' अपेक्षाकृत छोटा होता है अतः बाहर से सामान्यतः दिखाई नहीं देता। सामान्यतः लड़कियों का स्वर उच्चतारत्व वाला होता है जबकि लड़कों का स्वर गहरा होता है।
- **स्वेद एवं तैलग्रंथियों की क्रियाशीलता में वृद्धि**–किशोरावस्था में स्वेद एवं तैलग्रंथियों का स्राव बढ़ जाता है। इन ग्रंथियों की अधिक क्रियाशीलता के कारण कुछ व्यक्तियों के चेहरे पर फुंसियाँ और मुँहासे आदि हो जाते हैं।
- **जनन अंगों का विकास**–यौवनारम्भ में नर जननांग, जैसे कि वृषण एवं शिश्न, पूर्णतः विकसित हो जाते हैं। वृषण से शुक्राणुओं का उत्पादन भी प्रारंभ हो जाता है। लड़कियों में अंडाशय साइज में वृद्धि हो जाती है तथा अंड परिपक्व होने लगते हैं। अंडाशय से अंडाणुओं का निर्मोचन भी प्रारंभ हो जाता है।
- **मानसिक, बौद्धिक एवं संवेदनात्मक परिपक्वता प्राप्त होना**–किशोरावस्था व्यक्ति के सोचने के ढंग में परिवर्तन की अवधि भी है। पहले की अपेक्षा किशोर अधिक स्वतंत्र एवं अपने प्रति अधिक सचेत होता है। उनमें बौद्धिक विकास भी होता है तथा वे सोचने-विचारने में काफी समय लेते हैं।

गौण लैंगिक लक्षण

युवावस्था में लड़कियों में स्तनों का विकास होने लगता है तथा लड़कों के चेहरे पर बाल उगने लगते हैं अर्थात् दाढ़ी-मूँछ आने लगती है। ये लक्षण क्योंकि लड़कियों को लड़कों से पहचानने में सहायता करते हैं अतः इन्हें गौण लैंगिक लक्षण कहते हैं। लड़कों के सीने पर भी बाल आ जाते हैं। लड़कों एवं लड़कियों दोनों में ही बगल एवं जाँघ के ऊपरी भाग अथवा प्यूबिक क्षेत्र में भी बाल आ जाते हैं।

किशोरावस्था में होने वाले परिवर्तन हार्मोन द्वारा नियंत्रित होते हैं। हार्मोन रासायनिक पदार्थ हैं। यह अंतःस्रावी ग्रंथियों अथवा अंतःस्रावी तंत्र द्वारा स्रावित किए जाते हैं। यौवनारम्भ के साथ ही वृषण पौरुष हार्मोन अथवा टेस्टोस्टेरॉन का स्रवण प्रारम्भ कर देता है। उदाहरण के लिए चेहरे पर बालों का आना। लड़कियों में यौवनारम्भ के साथ ही अंडाशय स्त्री हार्मोन अथवा एस्ट्रोजन उत्पादित करना प्रारम्भ कर देता है जिससे स्तन विकसित हो जाते हैं। दुग्धस्रावी ग्रंथियाँ अथवा दुग्ध ग्रंथियाँ स्तन के अंदर विकसित होती हैं। इन हार्मोनों के उत्पादन का नियंत्रण एक अन्य हार्मोन द्वारा किया जाता है जो पीयूष ग्रंथि अथवा पिट्यूटरी ग्रंथि द्वारा स्रावित किया जाता है।

जनन प्रकार्य प्रारम्भ करने में हार्मोन की भूमिका

अंतःस्रावी ग्रंथियाँ हार्मोन रुधिरप्रवाह में स्रावित करती हैं जिससे वह शरीर के विशिष्ट भाग अथवा लक्ष्य-स्थल तक पहुँच सकें। लक्ष्य-स्थल हार्मोन के प्रति अनुक्रिया करता है। हमारे शरीर में अनेक अंतःस्रावी ग्रंथियाँ हैं। वृषण एवं अंडाशय लैंगिक हार्मोन स्रावित करते हैं। यह हार्मोन गौण लैंगिक लक्षणों के लिए उत्तरदायी हैं। पीयूष ग्रंथि अनेक हार्मोन स्रावित करती है। उनमें से एक हार्मोन अंडाशय में अंडाणु एवं वृषण में शुक्राणु के परिपक्व होने को नियंत्रित करता है।

मानव में जनन-काल की अवधि

स्त्रियों में जननावस्था का प्रारम्भ यौवनारम्भ (10 से 12 वर्ष की आयु) से हो जाता है तथा सामान्यतः 45 से 50 वर्ष की आयु तक चलता रहता है। यौवनारम्भ पर अंडाणु परिपक्व होने लगते हैं। अंडाशयों में एक अंडाणु परिपक्व होता है तथा लगभग 28 से 30 दिनों के अंतराल पर किसी एक अंडाशय द्वारा निर्मोचित होता है। इस अवधि में गर्भाशय की दीवार मोटी हो जाती है जिससे वह अंडाणु के निषेचन के पश्चात् युग्मनज को ग्रहण कर सके। जिसके फलस्वरूप गर्भधारण होता है। यदि अंडाणु का निषेचन नहीं हो पाता तब उस स्थिति में अंडाणु तथा गर्भाशय का मोटा स्तर उसकी रुधिर वाहिकाओं सहित निस्तारित हो जाता है। इससे स्त्रियों में रक्तस्राव होता है जिसे ऋतुस्राव अथवा रजोधर्म कहते हैं। ऋतुस्राव लगभग 28 से 30 दिन में एक बार होता है। पहला ऋतुस्राव यौवनारम्भ में होता है जिसे रजोदर्शन कहते हैं। लगभग 45 से 50 वर्ष की आयु में ऋतुस्राव होना रुक जाता है। ऋतुस्राव के रुक जाने को रजोनिवृत्ति कहते हैं।

संतति का लिंग-निर्धारण

निषेचित अंडाणु अथवा युग्मनज में, जन्म लेने वाले शिशु के लिंग निर्धारण का संदेश होता है। यह संदेश निषेचित अंडाणु में धागे-सी संरचना अर्थात गुणसूत्रों में निहित होता है। गुणसूत्र प्रत्येक कोशिका के केंद्रक में उपस्थित होते हैं। सभी मनुष्यों की कोशिकाओं के केन्द्रक में 23 जोड़े गुणसूत्र पाए जाते हैं। इनमें से 2 गुणसूत्र (1 जोड़ी) लिंग-सूत्र हैं जिन्हें X एवं Y कहते हैं। स्त्री में दो X गुणसूत्र होते हैं जबकि पुरुष में एक X तथा एक Y गुणसूत्र होता है। युग्मक (अंडाणु तथा शुक्राणु) में गुणसूत्रों का एक जोड़ा होता है। अनिषेचित अंडाणु में सदा एक X गुणसूत्र होता है। परन्तु शुक्राणु दो प्रकार के होते हैं जिनमें एक प्रकार में X गुणसूत्र एवं दूसरे प्रकार में Y गुणसूत्र होता है।

जब X गुणसूत्र वाला शुक्राणु अंडाणु को निषेचित करता है तो युग्मनज़ में दो X गुणसूत्र होंगे तथा वह मादा शिशु में विकसित होगा। यदि अंडाणु को निषेचित करने वाले शुक्राणु में Y गुणसूत्र है तो युग्मनज नर शिशु में विकसित होगा।

वस्तुनिष्ठ प्रश्न

1. निम्नलिखित में से कौन-सा युग्म सही है?
- A. स्त्रियों का गर्भाशय गोल होता है
- B. स्त्रियों में ऋतुस्राव 45-50 वर्ष के बाद नहीं होता है
- C. स्त्रियों में ऋतुस्राव आजीवन होता है
- D. स्त्रियों की डिम्ब वाहिनी से टेस्टोस्टेरॉन हॉर्मोन निकलता है

2. निम्नलिखित में से किसका परीक्षण एम्नियोसेन्टेसिस (Amniocentesis) द्वारा किया जाता है?
- A. गर्भ में पल रहे शिशु की पहचान के लिए
- B. अमीनो अम्लों के परीक्षण के लिए
- C. मस्तिष्क की जाँच के लिए
- D. रक्त परीक्षण के लिए

3. निम्नलिखित में से किस कारण समान जुड़वा बच्चे पैदा होते हैं?
- A. जब एक निषेचित अंडे का दो भागों में विभाजन हो तथा दोनों भाग अलग हो जाएं
- B. जब एक शुक्राणु दो अण्डाणुओं का निषेचन करता है
- C. जब दो अण्डाणु एक शुक्राणुओं का निषेचन करे
- D. जब बिना निषेचन के भ्रूण बनता है

4. गर्भवती स्त्रियों में सामान्य ब्लड ग्रुप की जाँच के अलावा रक्त के एक और तत्व की जाँच की जाती है, जो बहुत आवश्यक है। इसे कहा जाता है–
- A. Rh कारक जाँच
- B. लुकोसाइट जाँच
- C. एरिथ्रोसाइट जाँच
- D. लिम्फोसाइट जाँच

5. गर्भाशय में विकसित हो रहे भ्रूण को निम्नलिखित में से किस संरचना द्वारा पोषक तत्त्व मिलता है?
A. फैलोपियन ट्यूब द्वारा
B. गर्भाशय द्वारा
C. प्लेसेन्टा द्वारा
D. उपरोक्त में से किसी के भी द्वारा नहीं

6. भ्रूण विज्ञान को आगे बढ़ाने वाले वैज्ञानिक हैं–
A. टी. सदाशिवन B. पी. महेश्वरी
C. एम. स्वामीनाथन D. रामदास

7. लड़का पैदा होगा, जब–
A. बच्चे में XXYY गुणसूत्र हों
B. बच्चे में YY गुणसूत्र हों
C. बच्चे में XX गुणसूत्र हों
D. बच्चे में XY गुणसूत्र हों

8. निम्नलिखित में से किसमें बिना निषेचन के प्रजनन की शक्ति होती है?
A. मकड़ी में
B. मधुमक्खी में
C. कौवे में
D. उपरोक्त में से किसी में भी नहीं

9. लिंगी जनन, में अलिंगी जनन की स्थापनापन्नता को कहा जाता है–
A. अपोमिक्सिस
B. एम्फिमिक्सिस
C. एमीस्पोरी
D. उपरोक्त में से किसी में भी नहीं

10. भ्रूण निम्नलिखित में से किसके द्वारा चारों ओर से घिरा रहता है?
A. योक द्वारा
B. एमन्योटिक द्रव द्वारा
C. A और B दोनों के द्वारा
D. उपरोक्त में से किसी के द्वारा नहीं

11. मनुष्य में गर्भ काल होता है लगभग–
A. 10 सप्ताह B. 7 महीने
C. 9 महीने D. 25 सप्ताह

12. ब्लास्टोसिल के निर्माण से मानव भ्रूण निम्नलिखित में से क्या बन जाता है?
A. गैस्ट्रुला B. ब्लैस्टुला
C. न्यूरूला D. मौरूला

13. स्तनधारियों में अण्डों का निषेचन कहाँ पर होता है?
A. प्रघाण में B. योनि में
C. गर्भाशय में D. फैलोपियन नलिका में

14. ग्रैफियन फॉलिकिलिस पाई जाती है–
A. स्तनधारी के अण्डाशय में B. स्तनधारी के वृषण में
C. मेढक के अण्डाशय में D. स्तनधारी के थाइरॉयड में

15. मुख के द्वारा ली जाने वाली गर्भ-निरोधक दवा निम्नलिखित में से किसका निषेध करती है?
A. अण्डोत्सर्जन का
B. निषेचन का
C. गर्भाधारण का
D. शुक्राणुओं के गर्भाशय में प्रवेश का

16. 'ऑटोसोम' (Autosome) क्या है?
A. लिंगी गुणसूत्र को छोड़ कर अन्य गुणसूत्र
B. लिंग गुणसूत्र
C. एक्रोमैटिक
D. उपरोक्त में से कोई भी नहीं

17. निम्नलिखित में से कौन हीमोफिलिया रोग का कारण है?
A. एक X गुणसूत्र की कमी के कारण
B. कैल्शियम पदार्थ की कमी के कारण
C. प्लाज्मा थ्रोम्बिन की कमी के कारण
D. एन्टी-हीमोफिलिक ग्लोबूलिन की कमी के कारण

18. उन गुणसूत्रों को क्या कहते हैं जो लिंग का निर्धारण करते हैं?
A. X तथा Y B. सीमेटिक
C. डी.एन.ए. D. इनमें से कोई नहीं

19. जीन पूल होता है–
A. एक स्थान की सभी जातियों के सदस्यों के विभिन्न जीन
B. किसी व्यक्ति विशेष की जीनिक रचना
C. एक वंश के जीन
D. कृत्रिम रूप से संश्लेषित जीन का पूल

20. जीनोम (Genome) है–
A. एक गुणसूत्र के जीनों की कुल संख्या
B. एक लक्षण की अभिव्यक्ति के लिए आवश्यक जीनों की कुल संख्या
C. लिंग निर्धारण करने वाले गुणसूत्रों की संख्या
D. एक जाति के गुणसूत्रों की अगुणित संख्या

21. मनुष्यों में लिंग सहलग्न लक्षणों की वंशागति मुख्यतः होती है–
A. X-गुणसूत्र से
B. Y-गुणसूत्र से
C. ऑटोसोम से
D. इनमें से कोई भी नहीं

22. गर्भ में बच्चे का लिंग निर्धारण (Sex determination) निम्नलिखित में से किस आधार पर होता है?
A. पिता के गुणसूत्रों (Chromosomes) के द्वारा
B. माता के गुणसूत्रों के द्वारा
C. माता-पिता दोनों के गुणसूत्रों द्वारा
D. माता-पिता के रक्त ग्रुप द्वारा

23. एक पीढ़ी से दूसरी पीढ़ी में आनुवंशिक गुण ले जाए जाते हैं–
A. साइटोप्लाज्म द्वारा B. प्रोटोप्लाज्म द्वारा
C. क्रोमोसोम द्वारा D. केन्द्रक द्रव्य द्वारा

24. जीवविज्ञान की वह शाखा जिसमें आनुवंशिकी द्वारा मनुष्य जाति का सुधार किया जाता है, उसका नाम है–
A. यूजेनिक्स B. यूफेनिक्स
C. आनुवंशिकी D. पारिस्थितिकी

25. यदि एक हीमोफिलिक पुरुष और एक सामान्य स्त्री का विवाह हो तो सन्तान होगी–
A. सभी लड़के हीमोफिलिक
B. सभी संतानें सामान्य
C. सभी लड़कियाँ हीमोफिलिक
D. सभी संतानें हीमोफिलिक

26. डाउन सिन्ड्रोम में क्रोमोसोम की संख्या होती है–
A. 23वें जोड़े में एक कम यानि कुल 45
B. 21वें जोड़े में एक अधिक यानि कुल 47
C. 17वें जोड़े में एक अधिक यानि कुल 47
D. इनमें से कोई नहीं

27. किसी व्यक्ति के रुधिर वर्ग का निर्धारण होता है–
A. लाल रुधिर कोशिकाओं के आकार से
B. लाल तथा श्वेत रुधिर कोशिकाओं की संख्या से
C. व्यक्ति के जीनी संगठन से
D. हीमोग्लोबिन की प्रकृति से

28. जीन म्यूटेशन उत्पन्न होता है–
A. प्रजनन के कारण
B. सहलग्नता के कारण
C. डी.एन.ए. में जीनों के क्रम में परिवर्तन के कारण
D. इनमें से कोई नहीं

29. जब दो भिन्न विभेद (Strain) के युग्मक संलयन करते हैं तो प्रजनन की इस विधि को कहेंगे–
A. लैंगिक प्रजनन B. अलैंगिक प्रजनन
C. कायिक प्रजनन D. इनमें से कोई नहीं

30. जीवाणुओं में कायिक प्रजनन होता है–
A. द्विविखण्डन द्वारा B. संकरण द्वारा
C. संलयन द्वारा D. खण्डन द्वारा

31. युग्मक जनन में भाग लेने वाली संरचनाएँ हैं–
A. नर युग्मक B. मादा युग्मक
C. ये दोनों D. नर या मादा युग्मक

32. शल्क कन्द (Bulb) का उदाहरण है–
A. अदरक B. दूब घास
C. प्याज D. आलू

33. आलू में कायिक प्रजनन में भाग लेने वाली संरचना है–
A. अपस्थानिक जड़ें
B. तने की कक्षस्थ कलिका
C. अंकुरणशील आँख कलिका
D. वायवीय तना

34. केंचुआ प्राणी है–
A. एकलिंगी B. द्विलिंगी
C. अलिंगी D. नपुंसक

35. जैमा (Gemma) द्वारा प्रजनन होता है–
A. उच्च श्रेणी के पौधों में B. निम्न श्रेणी के जन्तुओं में
C. कुछ ब्रायोफाइटा में D. स्तनियों में

36. कलिका रोपण उदाहरण है–
A. कायिक जनन का B. ऊतक संवर्धन का
C. लैंगिक जनन का D. प्रकीर्णन का

37. उच्च श्रेणी के पौधों में अर्द्ध-सूत्रण किस समय होता है?
A. युग्मक बनते समय B. निषेचन के समय
C. भ्रूणोद्भवन के समय D. बीज में

38. पेनिसीलियम नामक कवक में अलैंगिक जनन मुख्य रूप से किस संरचना के द्वारा होता है?
A. मुकुलन B. विखंडन
C. कोनिडिया D. जेम्यूलस

39. प्रकन्द का एक उदाहरण है–
A. लहसुन B. अरबी
C. अदरक D. प्याज

40. गैमीट निर्माण को कहते हैं–
A. गैमीटोजेनेसिस B. सायटोकायनेसिस
C. स्पोरोजेनेसिस D. मियोसायट

41. मनुष्य के शुक्राणु में गुणसूत्रों की संख्या होगी–
A. 46 B. 23
C. 62 D. 11

42. निषेचन क्या है?
A. अंडा तथा नर न्यूक्लियस का संयोजन
B. अंडा तथा सेकण्डरी न्यूक्लियस का संयोजन
C. अंडा तथा सिनरजीड का संयोजन
D. इनमें से कोई नहीं

43. निम्न में से कौन उभयलिंगाश्रयी पादप नहीं है?
A. पपीता B. सरसों
C. मक्का D. गुड़हल

44. गेहूँ षट्गुणित होता है जिसमें कुल गुणसूत्र संख्या 42 होती है तो इसके किसी युग्मक में गुणसूत्र होंगे–
A. 14 B. 28
C. 42 D. 7

45. बिना निषेचन के फल का विकास क्या कहलाता है?
A. पार्थीनोकार्पी B. पार्थेनोजेनेसिस
C. एपोमिक्सिस D. इनमें से कोई नहीं

46. पत्तियों द्वारा कायिक जनन होता है–
A. ब्रायोफिल्लम B. लिल्ली
C. बिगेनिया D. उपर्युक्त सभी

47. बाह्य निषेचन के उदाहरण हैं–
A. छिपकली B. मनुष्य
C. मेंढक D. घोड़ा

48. भूमिगत तनों द्वारा कायिक प्रवर्धन किसमें होता है?
A. दूबघास B. आलू
C. आम D. स्ट्रॉबेरी

49. मुकुलन द्वारा अलैंगिक प्रजनन होता है–
A. हाइड्रा B. अमीबा
C. मेंढक D. प्लाज्मोडिम

50. द्विखण्डन विधि द्वारा अलैंगिक प्रजनन होता है–
A. अमीबा B. स्पंजा
C. हाइड्रा D. इनमें से कोई नहीं

51. भ्रूणपोष में कितने क्रोमोसोम्स होते हैं?
A. n B. $2n$
C. $3n$ D. A एवं C दोनों

52. वायु परागित पुष्प सामान्यतः होते हैं–
A. आकर्षक B. छोटे
C. रंगहीन D. A एवं C दोनों

53. भ्रूणकोष की किस कोशिका से होकर पराग नलिका प्रवेश करती है?
A. अण्डकोशिका से
B. चिरलग्न सहायक कोशिका से
C. उपह्रासित सहायक कोशिका से
D. केन्द्रीय कोशिका से

54. इनमें से कौन नर युग्मक से संयोजन कर भ्रूणपोष बनाता है?
A. अनिषेचित अण्ड B. सहायक कोशिका
C. एंटीपोडल्स D. द्वितीयक केन्द्रक

55. इंटोनोफिली नामक परागण किसके द्वारा होता है?
A. चिड़िया B. चमगादड़
C. हवा D. कीट

56. पुष्पीय पौधों में बहुयुग्मक जनन की क्रिया कहाँ होती है?
A. परागण में B. परागकोश में
C. वर्तिकाग्र में D. परागनलिका में

57. जब परागण पक्षियों द्वारा होता है तब वह कहलाता है–
A. एंटोमोफिली B. ओर्निथोफिली
C. हाइड्रोफिली D. एनेमोफिली

58. पुष्पों में दोनों पुमंग व जायांग उपस्थित होने पर कहलाते हैं–
A. अपूर्ण B. उत्कृष्ट
C. सम्पूर्ण D. मोनोक्लैमाइडी

59. नारियल में खाने योग्य भाग होता है–
A. बाह्य फलभित्ति B. मध्य फलभित्ति
C. अंतः फलभित्ति D. भ्रूणपोष

60. फूलों में कीटों द्वारा परागण कहलाता है–
A. एण्टोमोफिली B. ओर्निथोफिली
C. एनिमोफिली D. भ्रूणपोष

61. सेब में खाने योग्य भाग होता है–
A. अंतः फलभित्ति B. मध्य फलभित्ति
C. भ्रूणपोष D. पुष्पासन

62. निम्न में से किसे मादा युग्मकोद्भिद कहते हैं?
A. भ्रूण B. डिम्ब
C. भ्रूणकोष D. एण्टीपोडल कोशिका

63. नवाशीन (1898) ने द्वि-निषेचन को सबसे पहले किसमें खोजा था?
A. लिलिवम तथा फ्राइटिलेरिया
B. आम तथा गन्ना
C. पपीता तथा मटर
D. सरसों तथा अमलतास

64. भ्रूणपोष, पेरीस्पर्म तथा कारंकल (Caruncle) युक्त बीज का उदाहरण है–
A. कॉफी B. लिल्ली
C. कैस्टर D. कपास

65. घोंघे (Snails) और स्लग (Slag) द्वारा परागण कहलाता है–
A. ओर्निथोफिलस B. कोरोप्टेरोफिलस
C. मेलेकोफिलस D. एन्टोमोफिलस

66. आवृतबीजी में त्रिगुणित ऊतक (Tissue) का उदाहरण है–
A. भ्रूण B. भ्रूणपोष
C. प्रतिव्यासांत कोशिकाएँ D. सिनरगिड

67. निम्न में उभयलिंगाश्रयी (Monoceious) पौधा है–
A. मार्केन्शिया B. पाइनस
C. साइकस D. पपीता

68. द्वि-निषेचन (Double Fertilization) क्रिया होती है–
A. शैवाल में B. ब्रायोफाइटा में
C. आवृतबीजी पौधों में D. अनावृतबीजी पौधों में

69. फलों के बीज परिवर्तित स्वरूप हैं–
A. दलपुंज के B. वर्तिका के
C. अण्डाशय भित्ति के D. बीजाण्ड के

70. मनुष्य में निषेचित अण्डों में गुणसूत्रों की संख्या है–
A. 46 B. 8
C. 23 D. 50

71. सर्टोली कोशिका पायी जाती है–
A. वृषण में B. वृक्क में
C. अण्डाशय में D. यकृत में

72. स्तनपायी जीवों में नर हॉर्मोन की उत्पत्ति कहाँ होती है?
A. यकृत में B. अण्डकोष में
C. वृक्क में D. फेफड़ों में

73. पुरुष की एक अतिरिक्त जनन ग्रन्थि है–
A. प्रोस्टेट ग्रन्थि B. शुक्राशय
C. काउपर ग्रन्थि D. ये सभी

74. मनुष्य में शुक्राणु (Sperm) का संग्रहण एवं पोषण किसमें होता है?
A. वृषण B. वासा इफरेंसिया
C. एपिडिडाइमिस D. स्परमैटिक कोड

75. निम्नलिखित में कौन-सा प्राथमिक जनन अंग है?
A. प्रोस्टेट B. वृषण
C. पेनिस D. सर्वोत्तम

76. अण्डे का जीवन-काल है–
A. 8 घंटे B. 12 घंटे
C. 24 घंटे D. 48 घंटे

77. मादा में कौन-सी ग्रंथि प्रोस्टेट के समजात होती है?
A. दुग्ध ग्रंथि B. पेरिनियल ग्रंथि
C. काउपर ग्रंथि D. पारायुरिथ्रल ग्रंथि

78. अंडाशय से निकलने पर मानव अण्डे में निहित होते हैं–
A. Y गुणसूत्र B. XX गुणसूत्र
C. X गुणसूत्र D. XY गुणसूत्र

79. मादा (Female) में निषेचित अण्डे (Fertilize eggs) का प्रतिस्थापन गर्भाशय में कब होता है?
A. निषेचन के सात दिन बाद
B. निषेचन के तीन सप्ताह बाद
C. निषेचन के एक महीने बाद
D. निषेचन के दो महीने बाद

80. एक्रोसोम का निर्माण करता है–
A. केन्द्रक B. गॉल्जीकाय
C. माइटोकॉण्ड्रिया D. सेण्ट्रिओल

81. दिए गए स्टेम कोशिकाओं (Stem cells) में नाभिरज्जू (Unbilical cord) में पायी जाती हैं–
A. भ्रूणीय स्टेम कोशिकाएँ
B. प्रौढ़ स्टेम कोशिकाएँ
C. रज्जुरक्त स्टेम कोशिकाएँ
D. ये सभी

82. अण्ड में योक की मात्रा तथा वितरण से प्रभावित होता है–
A. युग्मनज का निर्माण
B. विखण्डन का प्रकार
C. उत्पन्न ब्लास्टोमीयर्स की संख्या
D. निषेचन

83. निम्न में से कौन-सा हॉर्मोन रोपित ब्लास्टोसिस्ट के द्वारा स्रावित होता है जो अण्डाशय के कॉर्प सल्यूटियम पर क्रिया करता है तथा एस्ट्रोजन तथा प्रोजेस्टेरॉन के उत्पादन को प्रेरित करता है?
A. एस्ट्रोजन B. HCG
C. प्रोजेस्टेरॉन D. ऑक्सीटोसिन

84. स्तनधारी के शुक्राणु के मध्य भाग में क्या पाया जाता है?
A. केन्द्रक B. रसधानी
C. माइटोकॉण्ड्रिया D. सेण्ट्रीओल

85. जर्महिल (Germhill or cumulus oophorous) ढँकती है–
A. अण्डाशय B. भ्रूण
C. अण्डाणु D. ये सभी

86. सेमाइनल प्लाज्मा में अत्यधिक मात्रा में होता है–
A. फ्रक्टोज तथा कैल्सियम किन्तु विकर अनुपस्थित
B. ग्लूकोज तथा कुछ विकर किन्तु कैल्सियम अनुपस्थित
C. फ्रक्टोज तथा कुछ विकर किन्तु कैल्सियम की कमी
D. फ्रक्टोज, कैल्सियम तथा कुछ विकर

87. आर्तव चक्र के समय सम्पन्न घटनाओं का सही मिलान है–
A. क्रम प्रसरण अवस्था–मायटोमीट्रियस का तीव्रता से पुनरुद्भवन तथा ग्राफियन पुटिका का परिपक्वन
B. कार्पस ल्यूटियम का विकास–स्रावी अवस्था तथा प्रोजेस्टेरॉन के स्रावण में वृद्धि
C. ऋतुस्राव–मायोमीट्रियम का विघटन तथा अण्ड का निषेचित नहीं होना
D. अण्डोत्सर्ग–LH तथा FSH का उच्च स्तर और प्रोजेस्टेरॉन के स्रावण में कमी

88. सरटोली कोशिकाओं द्वारा स्रावित हॉर्मोन्स हैं–
A. ABP B. प्रोजेस्ट्रॉन
C. टेस्टोस्टिरॉन D. इस्ट्रोजन

89. अण्डाशय द्वारा स्रावित हॉर्मोन्स हैं–
A. LH B. प्रोजेस्ट्रॉन
C. टेस्टोस्टिरॉन D. FSH

90. स्तनधारी में अपरापोषिका (Allantois) का क्या कार्य नहीं है?
A. श्वसन B. उत्सर्जन
C. पोषण D. आघातों से रक्षा

91. निम्नलिखित में से मानव अपरा का स्रावित पदार्थ है?
A. प्रोलेक्टिन B. टेस्टोस्टिरॉन
C. प्रोजेस्ट्रोजन D. HCG

92. रजोधर्म के बारे में निम्नलिखित में से कौन-सा कथन गलत है?
A. रजोधर्म के दौरान रक्त नष्ट होता है
B. रज आसानी से थक्का बन जाता है
C. स्त्री में रजोनिवृत्ति पर गोनैडोट्रॉपिक हॉर्मोनों में विशेष रूप से आकस्मिक वृद्धि हो जाती है
D. रजोधर्म के आरम्भ होने को 'रजोदर्शन' कहते हैं

93. रज चक्र पाया जाता है–
A. घोड़े में B. मछली में
C. मादा मनुष्य में D. मेंढक में

94. नर के गैर जोड़ीदार जनन अंग हैं–
A. शिश्न B. एपीडिडाइमिस
C. वृषण D. शुक्र नलिका

95. मादा जनन तन्त्र से सम्बन्धित ग्रन्थियाँ नहीं हैं–
A. बर्थोलिन ग्रन्थि
B. पेरीनियल ग्रन्थियाँ
C. प्रोस्टेट ग्रन्थि
D. दुग्ध ग्रन्थियाँ

96. बहुमद चक्र पाया जाता है–
A. घोड़ा में
B. मादा मनुष्य में
C. बन्दर में
D. लंगूर में

97. भ्रूण (Embryo) किसमें मिलता है?
A. फूल
B. पर्ण
C. बीज
D. कली

98. निम्न में से कौन-सा जीव मुकुलन को दर्शाता है?
A. खमीर
B. हाइड्रा
C. स्पंज
D. उपरोक्त सभी

99. अलैंगिक प्रजनन का सामान्य तरीका है–
A. पुनर्जनन
B. मुकुलन
C. आद्य कोशिका
D. जेम्युलेशन

100. एक व्यक्ति जो नर और मादा दोनों के यौन गुणों को दर्शाता है?
A. मध्यलिंगी
B. उभयलिंगी
C. द्विलिंगी
D. स्त्री-पुरुषकाय

उत्तरमाला

1	**2**	**3**	**4**	**5**	**6**	**7**	**8**	**9**	**10**
B	A	A	A	C	B	D	B	A	B
11	**12**	**13**	**14**	**15**	**16**	**17**	**18**	**19**	**20**
C	B	D	A	A	A	D	A	A	D
21	**22**	**23**	**24**	**25**	**26**	**27**	**28**	**29**	**30**
A	C	C	A	B	B	C	C	A	A
31	**32**	**33**	**34**	**35**	**36**	**37**	**38**	**39**	**40**
C	C	C	B	C	A	A	C	C	A
41	**42**	**43**	**44**	**45**	**46**	**47**	**48**	**49**	**50**
B	C	A	D	A	A	C	B	A	A
51	**52**	**53**	**54**	**55**	**56**	**57**	**58**	**59**	**60**
D	C	C	D	D	A	B	D	D	A
61	**62**	**63**	**64**	**65**	**66**	**67**	**68**	**69**	**70**
D	C	A	C	C	B	B	C	D	A
71	**72**	**73**	**74**	**75**	**76**	**77**	**78**	**79**	**80**
A	B	D	C	B	C	D	C	A	B
81	**82**	**83**	**84**	**85**	**86**	**87**	**88**	**89**	**90**
C	B	B	C	C	D	B	A	B	D
91	**92**	**93**	**94**	**95**	**96**	**97**	**98**	**99**	**100**
D	B	C	A	C	A	C	D	B	D

★★★

5

बल—घर्षण बल; गुरुत्वाकर्षण बल; प्रतिबल एवं दबाव

एक धक्का या खिंचाव बल कहलाता है। या, किसी वस्तु पर लगने वाले धक्के या खिंचाव को बल कहते हैं। या, आकर्षण या अभिकर्षण (खींचना) या अपकर्षण (धक्का देना) बल कहलाता है।

बल की व्याख्या

एक वस्तु जो यदि विराम अवस्था में है तो उसे गतिशील बनाने के लिए या कोई वस्तु जो गति की अवस्था में है, को विराम अवस्था में लाने के लिए या तो उसे धक्का दिया जाता है या उसे खींचा जाता है। इसी तरह यदि एक स्प्रिंग या रबर बैंड को खींचा जाता है तो उसका आकार बदल जाता है या यदि एक बैलून को दबाया जाता है, अर्थात् धक्का दिया जाता है, तो उसका आकार बदला जाता है।

स्पष्ट है कि किसी वस्तु की स्थिति परिवर्तन या आकार परिवर्तन के लिए या तो उसे धक्का दिया जाता है या खींचा जाता है, अर्थात् बल लगाया जाता है। अर्थात् यह धक्का देना या खींचना ही बल है। बल एक भाववाचक संज्ञा है। अर्थात् बल को देखा या सूँघा या स्पर्श नहीं किया जा सकता है, बल्कि केवल महसूस किया जा सकता है।

बल एक सदिश राशि (Vector quantity) है।

बल के लिए आवश्यक घटक

बल के निम्नांकित घटक आवश्यक हैं—दो वस्तुएँ—एक जिस पर बल लगाया जाता है, तथा दूसरी ओर जिसके द्वारा बल लगाया जाता है। तथा दोनों वस्तुओं में अन्योन्य क्रिया (Interaction)। अतः बल के तीन घटक आवश्यक हैं दो वस्तुएँ तथा उनमें सम्पर्क। किसी एक की अनुपस्थिति में बल नहीं लगेगा।

बल के प्रकार

बल को दो प्रकार में विभक्त किया जा सकता है—संतुलित बल तथा असंतुलित बल।

संतुलित बल—ऐसा बल जो किसी पिंड पर विपरीत दिशाओं में समान रूप से लग रहा हो, संतुलित बल कहलाता है। संतुलित बल किसी पिंड, जो विराम अवस्था में है, को गतिमान नहीं करता, वस्तु की अवस्था में परिवर्तन नहीं करता है।

असंतुलित बल—बल जो किसी वस्तु पर विपरीत दिशाओं में असमान रूप से लग रहा हो, वह असंतुलित बल कहलाता है। असंतुलित बल की स्थिति में वस्तु अधिक बल वाली दिशा में गतिमान होने लगता है।

उदाहरण—मान लिया कि फर्श या जमीन पर रखे एक लकड़ी के बक्से को कुछ लोग धकेलते हैं, अर्थात् खिसकाने के लिए बल लगाते हैं। इस स्थिति में बक्से पर दो बल लगते हैं; एक वह बल जो लोग उसे खिसकाने के लिए लगाते हैं तथा दूसरा वह जो फर्श तथा बक्से के बीच बक्से को खिसकाने के विपरीत दिशा में लग रहा है। यदि खिसकाने की दिशा में लगाया जाने वाला बल उसकी विपरीत दिशा में लगने वाले बल से ज्यादा है, तो बक्सा खिसकता है या खिसकने लगता है अर्थात् यह असंतुलित बल है। और यदि बक्से को खिसकाने की दिशा में लगाया जाने वाला बल उसकी विपरीत दिशा में लगने वाले बल से कम है, तो बक्सा नहीं खिसकता है। यहाँ भी यह असंतुलित बल है। अर्थात् किसी भी वस्तु पर असंतुलित बल लगाने की स्थिति में, वस्तु उस तरफ गतिमान हो जाती है जिस दिशा में बल अधिक है।

गैलीलियो तथा गति का नियम

वस्तुओं की किसी आनत तल पर गति को देखकर गैलीलियो ने यह निष्कर्ष निकाला कि जब तक कोई बाह्य बल कार्य नहीं करता, वस्तुएँ एक निश्चित गति से चलती हैं। अतः असंतुलित बल के शून्य होने की स्थिति में एक गतिशील वस्तु निरंतर गतिमान रहेंगी। परंतु वास्तविक अवस्था में शून्य असंतुलित बाह्य बल प्राप्त करना कठिन है। ऐसा गति की विपरीत दिशा में लगने वाले घर्षण बल के कारण होता है। इस प्रकार व्यवहार में गोली कुछ दूर चलने के बाद रुक जाती है।

न्यूटन के गति के नियम

न्यूटन ने बल एवं गति के बारे में गैलीलियो के विचारों से प्रभावित होकर, गति के तीन मौलिक नियमों को प्रस्तुत किया। ये नियम किसी वस्तु की गति को वर्णित करते हैं। इन नियमों को न्यूटन के गति के नियमों के नाम से जाना जाता है।

न्यूटन का गति का प्रथम नियम

प्रत्येक वस्तु अपनी स्थिर अवस्था या सरल रेखा में एकसमान गति की अवस्था में बनी रहती है जब तक कि उस पर कोई बाहरी बल कार्यरत न हो। इसे गति का प्रथम नियम या न्यूटन का गति का प्रथम नियम कहा जाता है। अर्थात् सभी वस्तुएँ अपनी अवस्था में परिवर्तन का विरोध करती हैं। इसका अर्थ है, यदि कोई विराम अवस्था में है, तो वह

विराम अवस्था में ही रहना चाहती है, तथा अपनी विराम अवस्था में परिवर्तन का विरोध करती है। उसी तरह यदि कोई वस्तु गति की अवस्था में है, तो वह गति की अवस्था में ही रहना चाहती है। गुणात्मक रूप में किसी वस्तु के विरामावस्था में रहने या समान वेग से गतिशील रहने की प्रवृत्ति को जड़त्व (Inertia) कहते हैं। इसी कारण से गति के पहले नियम को जड़त्व का नियम (Law of Inertia) भी कहते हैं।

बस, कार आदि में सीट सुरक्षा बेल्ट का उपयोग

किसी चलती हुई गाड़ी में सीट तथा उस पर बैठे लोग सभी गति की अवस्था में होते हैं, परंतु सीट के सापेक्ष हम विरामावस्था में रहते हैं। सीट के सापेक्ष हम तब तक विरामावस्था में रहते हैं जब तक कि मोटरगाड़ी को रोकने के लिए ब्रेक न लगाई जाए। ब्रेक लगाए जाने पर गाड़ी के साथ सीट भी विरामावस्था में आ जाती है, परंतु हमारा शरीर जड़त्व के कारण गतिज अवस्था में ही बने रहने की प्रवृत्ति रखता है। अचानक ब्रेक लगने पर हम सीट के आगे पैनल से टकराकर घायल भी हो सकते हैं। इस तरह की दुर्घटनाओं से बचने के लिए सुरक्षा बेल्ट का उपयोग किया जाता है। सुरक्षा बेल्ट हमारे आगे बढ़ने की गति को धीमा करती है, तथा घायल होने से बचाती है।

बस के अचानक चल पड़ने से हम पीछे की ओर क्यों गिर जाते हैं?

एक स्थिर बस में बस की फर्श के साथ हमारा पूरा शरीर भी विरामावस्था में रहता है। बस के अचानक चल पड़ने अर्थात् गति में आ जाने से हमारा पैर, जो बस के फर्श के सम्पर्क में रहता है गति में आ जाता है, परंतु शरीर का ऊपरी भाग जड़त्व के कारण इस गति का विरोध करता है तथा स्थिर ही रहना चाहता है। यही कारण है कि बस के अचानक चल पड़ने तथा सतर्क नहीं रहने की स्थिति में हम पीछे की ओर गिर जाते हैं या झुक जाते हैं।

मोटरकार के तीव्र गति के साथ तीक्ष्ण मोड़ पर मुड़ने पर हम एक ओर क्यों झुक जाते हैं?

जब एक मोटरकार या कोई गाड़ी एक सरल रेखीय गति में होती है, तो उसमें सवार व्यक्ति का शरीर भी एक सरल रेखीय गति में होता है। इस स्थिति में, जड़त्व के नियम के अनुसार, गाड़ी में सवार तथा गाड़ी दोनों एक सरल रेखीय गति को बनाए रखना चाहते हैं। किसी तीक्ष्ण मोड़ पर मोटरकार की दिशा को बदलने के लिए इंजन द्वारा एक असंतुलित बल लगाया जाता है, जिसके कारण दिशा बदलने के क्रम में संतुलन बनाए रखने हेतु मोटरगाड़ी केन्द्र की ओर झुक जाती है, परंतु मोटरगाड़ी में सवार व्यक्ति का शरीर एक सरल रेखीय गति को बनाए रखना चाहता है। अतः तीक्ष्ण मोड़ पर मोटरगाड़ी के तीव्र गति के साथ मुड़ने के समय उस पर सवार व्यक्ति का शरीर जड़त्व के कारण सीट पर एक ओर (केन्द्र के दूसरी ओर) झुक जाता है।

जड़त्व तथा द्रव्यमान (Inertia and Mass)

किसी भी वस्तु का एक प्राकृतिक गुण, जो उसकी (वस्तु की) विराम या गति की अवस्था में परिवर्तन का विरोध करता है। एक भारी वस्तु का जड़त्व अधिक होता है, अर्थात् वस्तु का जड़त्व उसके भार का समानुपाती होता है। अर्थात् भार बढ़ने के साथ जड़त्व बढ़ता है तथा भार घटने के साथ किसी वस्तु का जड़त्व कम होता है। किसी वस्तु का द्रव्यमान उसके जड़त्व की माप है। अर्थात् वस्तु का द्रव्यमान बढ़ने पर जड़त्व बढ़ता है तथा द्रव्यमान घटने पर जड़त्व कम होता है।

संवेग (Momentum)

किसी वस्तु के वेग तथा द्रव्यमान के गुणनफल को संवेग (Momentum) कहते हैं। संवेग नामक इस राशि को न्यूटन ने प्रस्तुत किया था। संवेग को प्रायः p से दर्शाया जाता है।

अर्थात् $p = mv$ जहाँ, p = संवेग, m = द्रव्यमान तथा v = वेग

संवेग में परिमाण और दिशा दोनों होते हैं। संवेग की दिशा वही होती है जो वेग की दिशा होती है।

संवेग का एस आई मात्रक–द्रव्यमान का एस आई मात्रक kg (किलोग्राम) होता है तथा वेग का एस आई मात्रक m/s (मीटर/सेकेंड) होता है।

अब चूँकि, $p = \text{mv}$ अतः $p = \text{kg. ms}^{-1}$

अतः p (संवेग) का एस आई मात्रक = kg . ms^{-1} (किलोग्राम मीटर/सेकेंड) है।

चूँकि किसी असंतुलित बल के प्रयोग से उस वस्तु के वेग में परिवर्तन होता है, इसलिए यह कहा जा सकता है कि बल ही संवेग को परिवर्तित करता है।

गति का द्वितीय नियम

किसी वस्तु के संवेग में परिवर्तन की दर उस पर लगने वाले असंतुलित बल की दिशा में बल के समानुपाती होती है। इसे गति का द्वितीय नियम कहा जाता है। चूँकि न्यूटन ने इस गति नियम को दिया था अतः इसे न्यूटन के गति का द्वितीय नियम भी कहा जाता है।

गति के द्वितीय नियम की गणितीय गणना–मान लिया कि एक वस्तु जिसका द्रव्यमान m है, प्रारंभिक वेग u से सीधी रेखा में चल रही है। पुनः मान लिया कि t समय तक F बल लगाने पर उस वस्तु का वेग v हो जाता है।

चूँकि संवेग (Momentum) = द्रव्यमान × वेग,

अतः दिए गए वस्तु का प्रारंभिक संवेग (Initial momentum),

$p_1 = mu$

तथा दिए गए वस्तु का अंतिम संवेग (Final momentum),

$p_2 = mv$

अतः संवेग में परिवर्तन $= p_2 - p_1$

$= mv - mu = m\,(v - u)$

अतः संवेग में परिवर्तन की दर $= \dfrac{m(v-u)}{t}$

अब चूँकि न्यूटन की गति के द्वितीय नियम के अनुसार संवेग में परिवर्तन की दर उस पर लगने वाले असंतुलित बल के समानुपाती होती है। अब चूँकि लगाया जाने वाला असंतुलित बल F है,

अतः $F \propto \dfrac{m(v-u)}{t}$

$\Rightarrow F \propto m\,.\,a$

$\Rightarrow F \propto k\,.\,m\,.\,a \qquad ...(i)$

जहाँ $a = \dfrac{v-u}{t}$ वेग में परिवर्तन की दर अर्थात् त्वरण है तथा k एक आनुपातिक स्थिरांक है।

यह न्यूटन के गति का द्वितीय नियम का गणितीय सूत्र है।

द्रव्यमान (m) का एस आई (SI) मात्रक kg होता है तथा त्वरण (a) का एस आई (SI) मात्रक m s^{-2} होता है।

अब बल का मात्रक इस प्रकार लिया जाता है कि स्थिरांक k का मान एक हो जाता है। अर्थात् इकाई बल को उस मात्रा के रूप में परिभाषित करते हैं, 1 kg द्रव्यमान वाली किसी वस्तु में 1 ms^{-2} का त्वरण उत्पन्न करती है।

अर्थात् 1 इकाई बल $= k(1 \text{ kg}) \times (1 \text{ ms}^{-2})$

इस प्रकार k (स्थिरांक) का मान एक हो जाता है। अतः समीकरण (i) से,

$$F = m\,a \qquad ...(ii)$$

बल (F) का एस आई (SI) मात्रक–यहाँ बल = द्रव्यमान × त्वरण

चूँकि द्रव्यमान (m) का एस आई (SI) मात्रक kg होता है तथा त्वरण (a) का एसआई (SI) मात्रक m s–2 होता है।

अतः बल (F) = kg . ms^{-2}

अर्थात् बल का एस आई मात्रक (SI Unit) kg ms^{-2} है। इसे न्यूटन भी कहते हैं तथा N द्वारा निरूपित किया जाता है। न्यूटन की गति के द्वितीय नियम से हमें किसी वस्तु पर लगने वाले बल को मापने की विधि मिलती है। बल को उस वस्तु में उत्पन्न त्वरण तथा वस्तु के द्रव्यमान के गुणनफल से प्राप्त किया जाता है।

दैनिक जीवन में गति के द्वितीय नियम का प्रयोग

क्रिकेट मैच के दौरान एक क्षेत्ररक्षक तेजी से आती हुई बॉल को पकड़ते समय हाथ को पीछे क्यों खींचता है?

क्रिकेट मैच के दौरान तेजी से आती हुई बॉल का संवेग काफी अधिक होता है। हाथ से पकड़कर बॉल को रोका जाता है अर्थात् बॉल का संवेग शून्य किया जाता है। तेजी से आती हुई बॉल को रोकते समय क्षेत्ररक्षक हाथ को पीछे खींचता है। हाथ को पीछे खींचकर क्षेत्ररक्षक गेंद के वेग को शून्य करने में अधिक समय लगाता है। इस प्रकार गेंद में संवेग परिवर्तन की दर कम हो जाती है और तेज गति से आ रही गेंद का प्रभाव हाथ पर कम पड़ता है। अगर गेंद को अचानक रोका जाता है तो तीव्र गति से आ रही गेंद का वेग बहुत कम समय में शून्य हो जाता है अर्थात् गेंद के संवेग में परिवर्तन की दर अधिक होगी जिसके कारण कैच को पकड़ने में क्षेत्ररक्षक को अधिक बल लगाना होगा जिससे हाथ में चोट लगने के कारण खिलाड़ी घायल हो सकता है।

ऊँची कूद वाले खिलाड़ियों को कुशन या बालू पर क्यों कूदना होता है?

ऊँची कूद में जमीन से टकराते समय खिलाड़ी के छलांग लगाने के बाद गिरने के समय को बढ़ाने के लिए कुशन या बालू रखा जाता है। कुशन या बालू पर कूदने या गिरने पर संवेग परिवर्तन की दर को शून्य होने में लगा समय बढ़ जाता है जिससे खिलाड़ी को कोई चोट नहीं लगती है तथा खिलाड़ी घायल नहीं होता है। यदि ऊँची कूद में खिलाड़ी कड़े सतह पर कूदता है तो संवेग परिवर्तन की दर अचानक से शून्य हो जाती है, जिससे खिलाड़ी चोट लगने के कारण घायल हो सकता है। अतः चोट लगने तथा घायल होने से बचाने के लिए ऊँची कूद में खिलाड़ियों को कुशन या बालू पर कूदना होता है।

कराटे का एक खिलाड़ी हाथ से मारकर एक ही झटके में बर्फ की एक सिल्ली को कैसे तोड़ देता है?

कराटे का एक खिलाड़ी हाथ को काफी गति से बर्फ की सिल्ली पर मारता है। बर्फ की सतह के कठोर होने के कारण हाथ के संवेग परिवर्तन की दर अचानक से शून्य हो जाती है। चूँकि गति के द्वितीय नियम के अनुसार, किसी वस्तु के संवेग परिवर्तन की दर उस पर लगने वाले असंतुलित बल की दिशा में बल के समानुपाती होती है, अतः कराटे खिलाड़ी के हाथ का बल संवेग परिवर्तन की दर अचानक शून्य होने के कारण से बर्फ की सिल्ली पर लगता है, जिससे बर्फ की सिल्ली टूट जाती है। कराटे का खिलाड़ी हाथ के संवेग परिवर्तन की दर बर्फ की सिल्ली पर मारते समय बिना घायल हुए अचानक से शून्य करने में माहिर होता है। इसी कारण एक कराटे का निपुण खिलाड़ी हाथ के एक ही प्रहार से बर्फ की सिल्ली को आसानी से बिना घायल हुए तोड़ देता है।

गति के द्वितीय नियम के गणितीय सूत्र से गति के प्रथम नियम को गणितीय रूप से प्राप्त किया जाना–

गति के द्वितीय नियम से हम जानते हैं कि–

$$F = ma \qquad ....(i)$$

जहाँ, F = बल, m = वस्तु का द्रव्यमान तथा a = वेग में परिवर्तन की दर है।

$$\text{या, } F = \frac{m(v-u)}{t} \qquad \left[\text{चूँकि } a = \frac{v-u}{t}\right]$$

$$\text{या, } Ft = mv - mu \qquad ....(ii)$$

[जहाँ u = प्रारंभिक वेग तथा v = अंतिम वेग है।]

अर्थात् जब F = 0, हो तो किसी भी समय t पर, $v = u$ होगा।

अर्थात् वस्तु समान वेग u से चलती रहेगी। यदि u शून्य है तो v भी शून्य होगा। अर्थात् वस्तु विरामावस्था में ही रहेगी। समीकरण (i) गति के द्वितीय नियम तथा समीकरण (ii) गति के प्रथम नियम का गणितीय सूत्र है।

गति का तृतीय नियम

न्यूटन के गति के तृतीय नियम के अनुसार, प्रत्येक क्रिया के बराबर और विपरीत प्रतिक्रिया होती है।

गति के तृतीय नियम की व्याख्या

गति के तीसरे नियम के अनुसार, जब एक वस्तु दूसरी वस्तु पर बल लगाती है तब दूसरी वस्तु द्वारा भी पहली वस्तु पर तात्क्षणिक बल लगाया जाता है। ये दोनों बल परिणाम में सदैव समान लेकिन दिशा में विपरीत होते हैं। इसका अर्थ यह है कि बल सदैव युगल रूप में होते हैं। ये बल कभी एक वस्तु पर कार्य नहीं करते बल्कि दो अलग-अलग वस्तुओं पर कार्य करते हैं।

दूसरे शब्दों में, किसी एकल बल का अस्तित्व नहीं होता है बल्कि ये सदैव युगल रूप में होते हैं। इन दोनों विरोधी बलों को क्रिया तथा प्रतिक्रिया बल कहा जाता है।

उदाहरण–

1. जब एक फुटबॉल को पैर से किक मारा जाता है, अर्थात् बल लगाया जाता है तो पैर में भी चोट लगती है। ऐसा इसलिए होता है कि फुटबॉल पर पैर से जितना बल लगाया जाता है,

फुटबॉल द्वारा भी पैर से लगाए गए बल की विपरीत दिशा में अर्थात् पैर पर बल लगाया जाता है, इसी कारण नंगे पैर से फुटबॉल को किक करने पर पैर में चोट लगती है। ऐसा न्यूटन की गति के तृतीय नियम के कारण होता है।

2. दीवार या किसी कठोर वस्तु पर हाथ से प्रहार करने पर हाथ में भी चोट लगती है। ऐसा दीवार या उस वस्तु जिस पर हाथों से प्रहार किया जाता है, के द्वारा बल लगाने की विपरीत दिशा में समान बल को लगाने के कारण होता है।
3. फुटबॉल के खेल में प्रायः गेंद को तेज गति से किक मारने के क्रम में खिलाड़ी आपस में टकरा जाते हैं। इस क्रम में दोनों खिलाड़ी एक-दूसरे पर बल लगाते हैं और दोनों ही खिलाड़ी चोटिल हो जाते हैं।
4. चलने के लिए हम पैर से जमीन को पीछे की ओर धक्का देते हैं, जिसके परिणामस्वरूप जमीन भी हमें आगे की ओर धक्का देता है और हम आगे बढ़ जाते हैं। अर्थात् हम पैर से जमीन पर पीछे की ओर बल लगाते हैं, और गति के तृतीय नियम के कारण जमीन हम पर आगे की ओर बल लगाती है और हम आगे बढ़ जाते हैं। यह प्रक्रिया लगातार दोहराने के कारण हम चलने लगते हैं।

क्रिया और प्रतिक्रिया बल द्वारा उत्पन्न त्वरण

क्रिया और प्रतिक्रिया बल मान में हमेशा समान होते हैं फिर भी ये बल एक समान परिमाण के त्वरण उत्पन्न नहीं कर सकते। ऐसा प्रत्येक बल द्वारा अलग-अलग द्रव्यमान की वस्तुओं पर कार्य करने के कारण होता है।

उदाहरण–

1. बंदूक से गोली छोड़ने की अवस्था में, बंदूक द्वारा गोली पर आगे की ओर बल निरूपित होता है। गोली भी बंदूक पर एकसमान परंतु विपरीत दिशा में प्रतिक्रिया बल लगाती है।

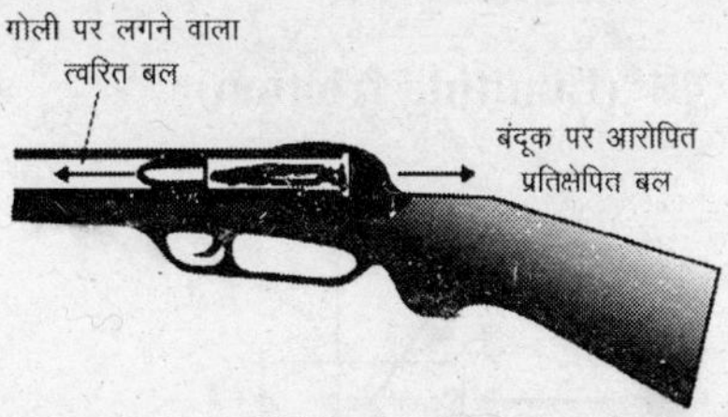

चूँकि बंदूक का द्रव्यमान गोली के द्रव्यमान से बहुत अधिक होता है, इसलिए बंदूक का त्वरण गोली के त्वरण से काफी कम होता है।

2. एक नाविक द्वारा नाव से आगे की ओर कूदने की स्थिति में नाव पीछे की ओर जाने लगती है। ऐसा नाविक के आगे की ओर कूदने के लिए लगाए गए बल के परिणामस्वरूप प्रतिक्रिया बल नाव को पीछे धकेलता है।

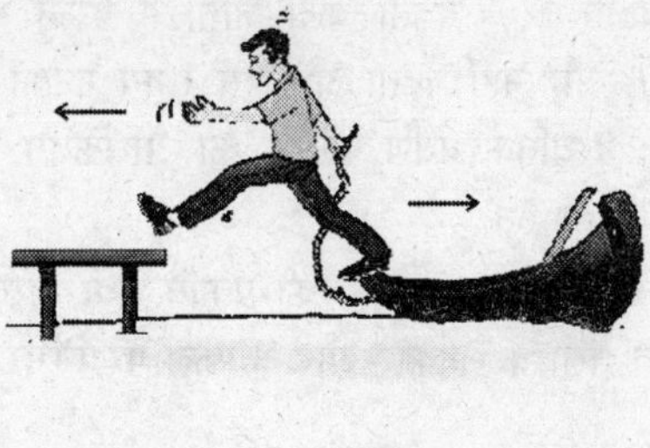

चूँकि नाविक तथा नाव के द्रव्यमान में अंतर होता है, अतः नाव तथा नाविक का त्वरण अलग-अलग होता है। अर्थात् नाव तथा नाविक की गति एक समान नहीं होती है।

संवेग संरक्षण का नियम

संवेग संरक्षण के नियम के अनुसार दो वस्तुओं का कुल संवेग टकराने की प्रक्रिया में अपरिवर्तनीय या संरक्षित रहता है।

दूसरे शब्दों में दो वस्तुओं के संवेग का योग टकराने के पहले और टकराने के बाद बराबर रहता है, जबकि उन पर कोई असंतुलित बल कार्य न कर रहा हो। इसे संवेग संरक्षण का नियम कहते हैं।

संवेग संरक्षण का गणितीय सूत्र

माना कि दो वस्तुएँ A तथा B एक ही सरल रेखीय दिशा में अलग-अलग वेग से गति कर रही हैं।

माना कि वस्तु A का द्रव्यमान = m_A तथा वस्तु B का द्रव्यमान = m_B

माना कि वस्तु A की गति u_A तथा B की गति u_B है तथा $u_A > u_B$ है।

मान लिया कि वस्तु A वस्तु B से टकरा जाती है।

मान लिया कि टक्कर का समय = t है।

मान लिया कि टक्कर के समय वस्तु A वस्तु B पर F_{AB} बल लगाती है तथा वस्तु B वस्तु A पर F_{BA} बल लगाती है।

मान लिया कि टकराने के बाद A का वेग V_A तथा B का वेग V_B हो जाता है।

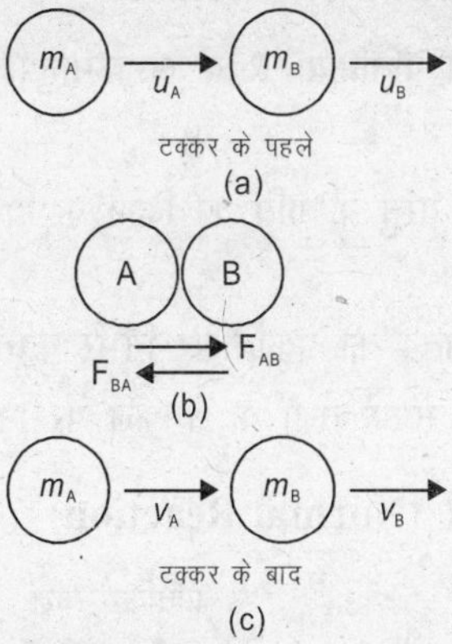

चूँकि संवेग = द्रव्यमान × वेग

अतः वस्तु A का टकराने से पहले संवेग = $m_A u_A$

तथ वस्तु A का टकराने के बाद संवेग = $m_A v_A$

अतः संवेग परिवर्तन की दर, $F_{AB} = m_A \dfrac{v_A - u_A}{t}$ ...(*i*)

उसी तरह वस्तु B का टकराने से पहले संवेग = $m_B u_B$

तथा वस्तु B का टकराने के बाद संवेग = $m_B v_B$

अतः संवेग परिवर्तन की दर, $F_{BA} = m_B \dfrac{v_B - u_B}{t}$ ...(*ii*)

अब न्यूटन के गति के तीसरे नियम के अनुसार, वस्तु A के द्वारा वस्तु B पर लगाया गया बल F_{AB} तथा वस्तु B के द्वारा वस्तु A पर लगाया गया बल F_{BA} एक-दूसरे के बराबर और विपरीत होगा।

अतः $F_{BA} = -F_{BA}$

अतः समीकरण (*i*) तथा (*ii*) से,

$$m_A \frac{v_A - u_A}{t} = -m_B \frac{v_B - u_B}{t}$$

$$\Rightarrow \quad m_A v_A - m_A u_A = -m_B v_B + m_B u_B$$

$$\Rightarrow \quad m_A u_A + m_B u_B = m_A v_A + m_B v_B \quad ...(iii)$$

टकराने से पहले वस्तु A तथा B का कुल संवेग ($m_A u_A + m_B u_B$) तथा टकराने के बाद कुल संवेग ($m_A v_A + m_B v_B$) हैं।

उपरोक्त प्राप्त समीकरण (*iii*) से हम पाते हैं कि जब वस्तुओं पर कोई बाहरी बल कार्य नहीं कर रहा हो तो दोनों वस्तुओं का कुल संवेग बदलता नहीं है अर्थात् कुल संवेग संरक्षित रहता है।

घर्षण बल (Friction)

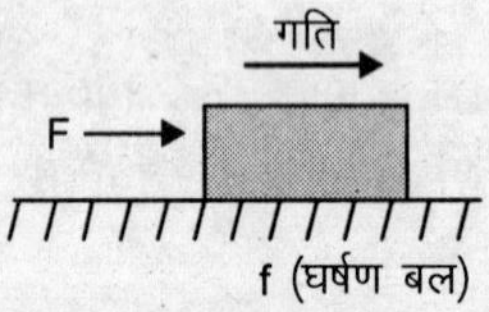

जब कोई वस्तु किसी सतह पर फिसलती है तो स्पर्शी तलों के मध्य एक विरोधी बल कार्य करने लगता है जो गति के विपरीत दिशा में कार्य करता है। इसी विरोधी बल को घर्षण बल (Friction) कहते हैं। दूसरे शब्दों में कहें तो घर्षण बल (Friction) वह विरोधी बल है जो दो सतहों के बीच होने वाली गति का विरोध करता है।

घर्षण के नियम (Laws of Friction)

घर्षण बल अभिलम्ब प्रतिक्रिया R के अनुक्रमानुपाती होता है।

$$f \propto R$$

- घर्षण बल वस्तु के गति की दिशा के विपरीत दिशा में कार्य करता है।
- यह बल सतह की प्रकृति पर निर्भर करता है।
- घर्षण बल संपर्क तलों के क्षेत्रफल पर निर्भर नहीं करता है।

अभिलम्ब प्रतिक्रिया (Normal Reaction)

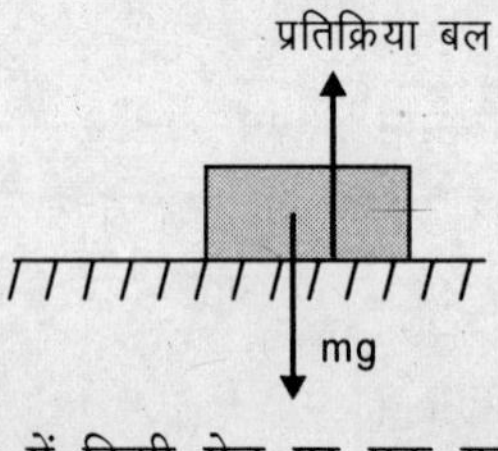

माना कि ऊपर चित्र में किसी मेज पर एक गुटका रखा है, जो कि विरामावस्था में है तो उस समय उस पर दो बल कार्य कर रहा है।

1. पहला इसके भार के कारण mg जो कि इसके गुरुत्व केंद्र से ऊर्ध्वाधर नीचे की ओर कार्य कर रहा है।
2. दूसरा मेज द्वारा ठीक ऊर्ध्वाधर ऊपर की ओर गुटके पर आरोपित हो रहा है, जिसे प्रतिक्रिया बल (P) कहते हैं। यह बल गुटके के गुरुत्व केंद्र से गुजरता है।

- p = mg के कारण ही गुटका मेज पर संतुलन की स्थिति में है।

घर्षण गुणांक (Coefficient of friction)

घर्षण बल तथा अभिलम्ब प्रतिक्रिया बल के अनुपात को घर्षण गुणांक कहते हैं।

घर्षण गुणांक (μ) = घर्षण बल/अभिलम्ब प्रतिक्रिया बल

$\mu = F/R$

- घर्षण गुणांक मात्रकहीन तथा विमाहीन राशि है।
- इसका मान 0 से 1 के बीच ही होता है।

स्थैतिक घर्षण बल (Static Friction)

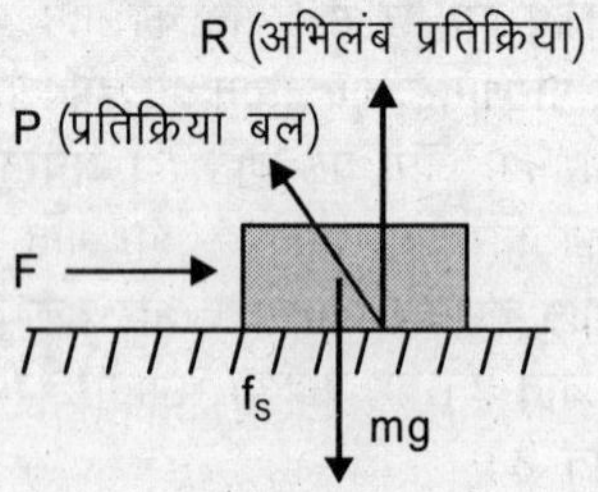

अब एक गुटके पर एक छोटा-सा क्षैतिज बल (F) बायीं ओर लगता है तो गुटका चलता नहीं परन्तु प्रतिक्रिया बल कुछ बायीं ओर झुक जाता है। इस बल को दो घटकों (लम्बवत तथा क्षैतिज घटक) में वियोजित करने पर जो क्षैतिज घटक प्राप्त होता है, उसको स्थैतिक घर्षण बल f_s (static friction) कहते हैं।

f_s, F को संतुलित करता है और F के विपरीत दिशा में कार्य करता है। गुटका संतुलन में F = *fs* के कारण रहता है। वियोजन प्राप्त लम्बवत घटक गुटके पर अभिलम्ब प्रतिक्रिया (R) है जो कि गुटके के भार को संतुलित (R = mg) करता है।

सीमांत घर्षण बल (Limiting friction)

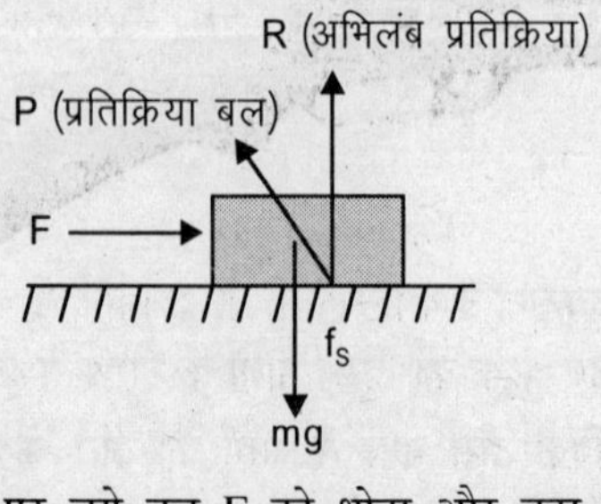

अब यदि गुटके पर लगे बल F को थोड़ा और बढ़ा दें तो भी गुटका चलता नहीं परन्तु P थोड़ा और झुक जाता है जिससे ये पता चलता है कि f_s फिर से F के बराबर हो गया जिससे गुटका आगे नहीं बढ़ा। जैसे-जैसे F बढ़ाते हैं f_s बढ़ता चला जाता है परन्तु एक समय ऐसा आता है जब f_s और नहीं बढ़ता और इस समय गुटका चलने वाला ही होता है। अतः "स्थैतिक घर्षण बल f_s का अधिकतम मान ही सीमांत घर्षण बल कहलाता है।"

इस बल का मान संपर्क तलों की प्रकृति तथा खुरदरेपन पर निर्भर करता है, परन्तु तलों के आकार और क्षेत्रफल पर निर्भर नहीं करता है।

गतिक घर्षण बल (Kinetic Friction)

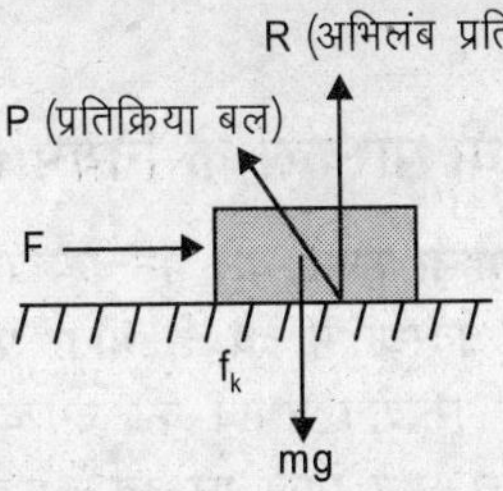

अब जरा-सा भी बल (F) बढ़ाने से गुटका चल पड़ेगा और जब एक बार गुटका चल पड़ा तो दोनों तलों के बीच एक-दूसरा घर्षण बल कार्य करने लगता है, इस घर्षण बल को गतिक घर्षण बल f_k कहते हैं। इस बल का मान सीमांत स्थैतिक घर्षण बल से कम होता है।

लोटनी घर्षण बल (Rolling Friction)

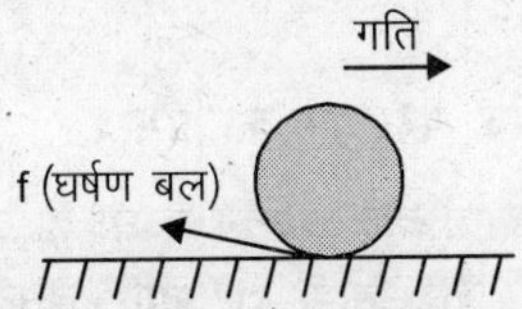

कोई बेलनाकार या गोलाकार वस्तु किसी सतह पर लुढ़कती है तो सतह और वस्तु के बीच जो घर्षण बल लगता है, उसे लोटनी घर्षण बल (Roling friction) कहते हैं।

लोटनी घर्षण बल का मान फिसलन घर्षण बल की अपेक्षा कम होता है।

सीमांत घर्षण बल > स्थैतिक घर्षण बल > गतिक घर्षण बल > लोटनी घर्षण बल

घर्षण बल से लाभ और हानि

1. घर्षण बल से लाभ यह है कि हम घर्षण के कारण ही पृथ्वी पर बिना फिसले चल सकते हैं।
2. सभी वाहनों में ब्रेक घर्षण बल के कारण ही लगता है।
3. घर्षण बल के कारण ही हम बोर्ड पर लिख सकते हैं।
4. इस बल से हानि यह है कि घर्षण के कारण ही मशीनों में ऊर्जा के कुछ भाग की हानि और मशीनों में टूट-फूट होती है।

घर्षण को कम करना

1. मशीनों में स्नेहक (तेल या ग्रीस) का प्रयोग करके।
2. बॉल बेयरिंग आदि का प्रयोग करके घर्षण को कम किया जा सकता है।
3. गतिक घर्षण बल की अपेक्षा लोटनी घर्षण बल का प्रयोग करके।
4. साबुन का घोल तथा पाउडर का प्रयोग करके।

गुरुत्वाकर्षण बल (Gravitation force)

गुरुत्वाकर्षण एक कमजोर अथवा क्षीण मौलिक बल है, जो ब्रह्मांड में प्रत्येक कण या पिण्ड के बीच उनके द्रव्यमान के कारण लगता है। इसे न्यूटन ने अपनी पुस्तक प्रिंसीपिया (Principia) में प्रकाशित किया था।

न्यूटन का गुरुत्वाकर्षण का नियम (Newton's Law of Gravitation) : ब्रह्मांड में किन्हीं दो पिंडों के मध्य कार्य करने वाला आकर्षण बल उनके द्रव्यमानों के गुणनफल के समानुपाती (Directly Proportional) तथा उनके मध्य के दूरी की वर्ग के व्युत्क्रमानुपाती (Inversely Proportional) होता है।

माना कि m_1 एवं m_2 द्रव्यमान के दो पिंड एक-दूसरे से r दूरी पर स्थित है, तो न्यूटन के नियमानुसार उनके बीच लगने वाला आकर्षण बल F होगा–

$$f \propto m_1 m_2 \text{ और } F \propto \frac{1}{r^2}$$

या, $F = G\frac{m_1 m_2}{r^2}$, जहाँ G एक नियतांक है।

G को सार्वत्रिक गुरुत्वाकर्षण नियतांक (Universal Gravitational Constant) कहते हैं, जिसका मान 6.67×10^{-11} Nm^2/kg^2 होता है।

गुरुत्व (Gravity) : न्यूटन के गुरुत्वाकर्षण के नियम में गुरुत्वाकर्षण वह आकर्षण बल है, जो किन्हीं दो वस्तुओं के बीच कार्य करता है। यदि इन वस्तुओं में एक वस्तु पृथ्वी हो, तो गुरुत्वाकर्षण को गुरुत्व कहते हैं। अतः गुरुत्व वह आकर्षण बल है जिससे पृथ्वी किसी वस्तु को अपने केन्द्र की ओर खींचती है। अतः गुरुत्व गुरुत्वाकर्षण का एक उदाहरण है। गुरुत्व बल के कारण ही पृथ्वी की सतह से मुक्त रूप से फेंकी गई वस्तु वापस पृथ्वी की सतह पर आकर गिरती है।

गुरुत्वीय त्वरण (Acceleration Due to Gravity) : जब कोई वस्तु ऊपर से मुक्त रूप से छोड़ी जाती है, तो वह गुरुत्व बल के कारण पृथ्वी की ओर गिरने लगती है और जैसे-जैसे वस्तु पृथ्वी के सतह के निकट आती जाती है, उसका वेग बढ़ता जाता है। अतः उसके वेग में त्वरण उत्पन्न हो जाता है। इसी त्वरण को गुरुत्वीय त्वरण (Acceleration due to gravity) कहते हैं। यदि किसी वस्तु का द्रव्यमान m हो, तो इस पर कार्य करने वाला गुरुत्वीय बल mg (वस्तु का भार) के बराबर होगा। अतः गुरुत्वीय त्वरण उस बल के बराबर होता है, जिस बल से पृथ्वी एकांक द्रव्यमान वाली वस्तु को अपने केन्द्र की ओर आकर्षित करती है। यह वस्तु के रूप, आकार, द्रव्यमान इत्यादि पर निर्भर नहीं करता। इसे g से प्रदर्शित करते हैं। इसका मात्रक 'मीटर/सेकेंड^2' अथवा 'न्यूटन/किग्रा' है।

दाब (Pressure)

किसी सतह की प्रति इकाई क्षेत्रफल पर कार्य कर रहा बल दाब कहलाता है। अर्थात् दाब = बल/क्षेत्रफल $\left(P = \frac{F}{A}\right)$। अतः क्षेत्रफल जितना बड़ा होगा दाब उतना ही कम होगा और क्षेत्रफल जितना कम होगा दाब उतना ही अधिक होगा। दाब का SI मात्रक न्यूटन/(मीटर)^2 (N/m^2) है, जिसे अब पास्कल (Pascal–Pa) कहते हैं। यह मात्रक द्रवों का विस्तृत अध्ययन करने वाले वैज्ञानिक ब्लासी पास्कल के सम्मान में रखा गया है। दाब एक अदिश राशि (Scalar quantity) है।

द्रवों में दाब : द्रव पदार्थों का दाब उनके भार के कारण होता है। द्रव के अणु विभिन्न दिशाओं में अनियमित गति करते रहते हैं। इस

कारण द्रव के अणु परस्पर तथा बर्तन की दीवारों से टकराते रहते हैं, जिसके कारण बर्तन की दीवार एवं तली एक बल का अनुभव करती हैं। प्रति इकाई क्षेत्रफल पर लगने वाले इसी बल को द्रव का दाब कहते हैं।

द्रव में दाब की गणना : द्रव के अंदर किसी बिन्दु पर द्रव के कारण दाब द्रव की सतह से उस बिन्दु की गहराई (h), द्रव के घनत्व (d), तथा गुरुत्वीय त्वरण (g) के गुणनफल के बराबर होता है, अर्थात्, दाब (P) = $h \times d \times g$।

द्रव का दाब बर्तन, जिसमें वह रखा जाता है, उसकी आकार या आकृति पर निर्भर नहीं करता है। यदि द्रव के स्वतंत्र तल पर लगने वाले बल में वायुमंडलीय दाब को भी सम्मिलित कर लिया जाए, तो द्रव में कुल दाब = वायुमंडलीय दाब + ($h \times d \times g$)।

द्रवों में दाब संबंधी नियम

1. द्रव के भीतर किसी बिन्दु पर दाब स्वतंत्र तल से बिन्दु की गहराई के समानुपाती (Proportional) होता है। अर्थात् गहराई बढ़ने से द्रव का दाब बढ़ता है, क्योंकि गहराई के बढ़ने से ऊपर के द्रव का भार बढ़ता जाता है।
2. स्थिर द्रव के भीतर किसी बिन्दु पर दाब प्रत्येक दिशा में बराबर होता है, अर्थात् एक ही गहराई पर, सभी दिशाओं में समान दाब लगता है।
3. स्थिर द्रव में एक ही क्षैतिज तल (Horizontal level) में स्थित सभी बिन्दुओं पर दाब समान होता है। अर्थात् द्रव पात्र में द्रव का दाब सिर्फ उसकी ऊर्ध्वाधर (Vertical) गहराई पर निर्भर करता है, यह नली के आकार या चौड़ाई पर निर्भर नहीं करता है।
4. किसी बिन्दु पर द्रव का दाब द्रव के घनत्व पर निर्भर करता है।

द्रव-दाब संबंधी पास्कल के नियम (Pascal's Law)

पास्कल के नियम का पहला कथन–यदि गुरुत्वीय प्रभाव को नगण्य माना जाए, तो संतुलन की अवस्था में द्रव के भीतर प्रत्येक बिन्दु पर दाब समान होता है। यदि गुरुत्वीय प्रभाव को नगण्य न माना जाए, तो समान गहराई पर स्थित सभी बिन्दु पर द्रव का दाब समान होता है।

पास्कल के नियम का दूसरा कथन–किसी बर्तन में बन्द द्रव के किसी भाग पर आरोपित बल, द्रव द्वारा सभी दिशाओं में समान परिमाण में संचारित कर दिया जाता है।

पास्कल के नियम के आधार पर कई द्रवचालित यंत्र (Hydraulic Machines) बनाए गए हैं, जैसे–हाइड्रोलिक ब्रेक, हाइड्रोलिक लिफ्ट, हाइड्रोलिक प्रेस इत्यादि।

गलनांक एवं क्वथनांक पर दाब का प्रभाव

गर्म करने पर जिन पदार्थों का आयतन बढ़ता है, दाब बढ़ाने पर उनका गलनांक बढ़ जाता है, जैसे–मोम, घी आदि। इसके विपरीत गर्म करने पर जिन पदार्थों का आयतन घटता है, दाब बढ़ाने पर उनका गलनांक कम हो जाता है, जैसे–बर्फ, बिस्मथ, ढलवां लोहा आदि।

सभी द्रवों का क्वथनांक उनकी खुली सतह पर दाब बढ़ाने से बढ़ जाता है। जैसे–साधारण वायुमंडलीय दाब पर पानी का क्वथनांक 100°C होता है, परन्तु यदि दाब को दो गुना कर दिया जाए, तो पानी का क्वथनांक लगभग 125°C हो जाता है।

वस्तुनिष्ठ प्रश्न

1. एक 10 किग्रा. द्रव्यमान वाली वस्तु पर 5s के लिए एक नियत बल लगाया जाता है। यह बल वस्तु के वेग को 3 m/s से बढ़ाकर 8 m/s कर देता है। तो लगाए गए बल की मात्रा ज्ञात करें। यदि इस बल को वस्तु पर 15s के लिए लगाया जाए, तो वस्तु का वेग क्या हो जाएगा?

A. 15 m/sec B. 10 m/sec
C. 18 m/sec D. 20 m/sec

2. एक 1000 किग्रा. की वस्तु जो 2 m/s की रफ्तार से चल रही है पर 20s तक कितना बल लगाया जाए कि उसकी गति 10 m/s हो जाएगी?

A. 50 N B. 4000 N
C. 80 N D. 420 N

3. एक वस्तु जो 10 m/s की रफ्तार से चल रही है पर 20s तक कितना बल लगाया जाए कि उसकी गति बढ़कर 20 m/s हो जाए यदि वस्तु का द्रव्यमान 200 किग्रा. है?

A. 100 N B. 120 N
C. 150 N D. 200 N

4. एक वस्तु जिसका द्रव्यमान 100 किग्रा. है, की गति को 10 m/s से बढ़ाकर 30 m/s करने के लिए 50 N का बल कितने समय तक लगाने की आवश्यकता होगी?

A. 20 sec B. 40 sec
C. 30 sec D. 50 sec

5. एक 1000 किग्रा. की वस्तु जो कि 20 m/s की रफ्तार से चल रही है, पर 20 N का बल 50 s तक लगाने पर इसकी गति क्या हो जाएगी?

A. 20 m/sec B. 25 m/sec
C. 21 m/sec D. 10 m/sec

6. एक 50 ग्रा. द्रव्यमान की गोली 4 किग्रा. द्रव्यमान की राइफल से 35 ms^{-1} के प्रारंभिक वेग से छोड़ी जाती है।

A. –0.44 m/sec B. –50 m/sec
C. 0.2 m/sec D. 2 m/sec

7. 100 ग्रा. और 200 ग्रा. द्रव्यमान की दो वस्तुएँ एक ही रेखा के अनुदिश एक ही दिशा में क्रमशः 2 ms^{-1} और 1 ms^{-1} के वेग से गति कर रही हैं। दोनों वस्तुएँ टकरा जाती हैं। टक्कर के पश्चात प्रथम वस्तु का वेग 1.67 ms^{-1} हो जाता है, तो दूसरी वस्तु का वेग ज्ञात करें।

A. 1.165 m/sec B. 1.50 m/sec
C. 2 m/sec D. 3.50 m/sec

8. पानी में तैरना न्यूटन के किस गति नियम के कारण संभव होता है?
A. प्रथम नियम B. द्वितीय नियम
C. तृतीय नियम D. उपरोक्त सभी

9. कुएँ से पानी खींचते समय रस्सी के टूट जाने से व्यक्ति पीछे की ओर क्यों गिर पड़ता है?
A. न्यूटन के प्रथम गति नियम के कारण
B. न्यूटन के द्वितीय गति नियम के कारण
C. न्यूटन के तृतीय गति नियम के कारण
D. इनमें से कोई नहीं

10. पदार्थ के संवेग और वेग के अनुपात से कौन-सी भौतिक राशि प्राप्त की जाती है?
A. वेग B. त्वरण
C. द्रव्यमान D. बल

11. शून्य में स्वतंत्र रूप से गिरने वाली वस्तुओं की/का :
A. समान गति होती है B. समान वेग होता है
C. समान त्वरण होता है D. समान बल होता है

12. जब 2 किग्रा. वाले द्रव्यमान पर 5 N का बल लगाया जाता है, तो उत्पन्न होने वाला त्वरण होगा :
A. $2.5\ m/s^2$ B. 2.5 m/s
C. 25 m/s D. $25\ m/s^2$

13. "किसी भी स्थिर या गतिशील वस्तु की स्थिति और दिशा में तब तक कोई परिवर्तन नहीं होता जब तक उस पर कोई बाह्य बल सक्रिय न हो।" यह है–
A. न्यूटन का गति विषयक प्रथम नियम
B. न्यूटन का गति विषयक द्वितीय नियम
C. न्यूटन का गति विषयक तृतीय नियम
D. गैलीलियो का गति विषयक नियम

14. रॉकेट .... के सिद्धान्त पर कार्य करता है।
A. ऊर्जा संरक्षण B. बर्नोली प्रमेय
C. एवेगाड्रो परिकल्पना D. संवेग संरक्षण

15. अश्व यदि एकाएक चलना प्रारम्भ कर दे तो अश्वारोही के गिरने की आशंका का कारण है :
A. जड़त्व आघूर्ण B. द्रव्यमान का संरक्षण नियम
C. विश्राम जड़त्व D. गति का तीसरा नियम

16. क्रिकेट का खिलाड़ी तेजी से आती हुई बॉल को क्यों अपने हाथ को पीछे खींचकर पकड़ता है?
A. बॉल विश्राम की स्थिति में आ सकती है
B. बॉल त्वरित स्थिति में रह सकती है
C. हो सकता है कि उसे कम बल लगाने की आवश्यकता हो
D. हो सकता है कि उसे अधिक बल लगाने की आवश्यकता हो

17. बल का गुणनफल है :
A. द्रव्यमान और वेग का B. द्रव्यमान और त्वरण का
C. भार और वेग का D. भार और त्वरण का

18. शरीर का वजन :
A. पृथ्वी की सतह पर सभी जगह एक समान होता है
B. ध्रुवों पर अधिकतम होता है
C. विषुवत् रेखा पर अधिकतम होता है
D. मैदानों की तुलना में पहाड़ियों पर अधिक होता है

19. किसी मनुष्य का भार पृथ्वी पर यदि 600 N है तब चन्द्रमा पर उसका भार कितना होगा?
A. 6000 N B. 60 N
C. 1000 N D. 100 N

20. पृथ्वी की सतह पर किसी का भार 29.4 न्यूटन है, उसका द्रव्यमान कितना है?
A. 2 किग्रा. B. 3 किग्रा.
C. 4 किग्रा. D. 29.4 किग्रा.

21. एक अंतरिक्ष यात्री पृथ्वी तल की तुलना में चन्द्र तल पर अधिक ऊँची छलांग लगा सकता है, क्योंकि :
A. वह चन्द्रमा पर भारहीन होता है
B. चन्द्रमा पर कोई वातावरण नहीं है
C. चन्द्र तल पर गुरुत्वाकर्षण बल पृथ्वी तल की तुलना में अत्यल्प है
D. चन्द्रमा पृथ्वी से छोटा है

22. 1 किलोग्राम राशि का वजन है :
A. 1 N B. 10 N
C. 9.8 N D. 9 N

23. जड़त्व आघूर्ण व कोणीय त्वरण का गुणनफल होता है :
A. बल B. टॉर्क
C. कार्य D. कोणीय संवेग

24. जल के आयतन में क्या परिवर्तन होगा यदि तापमान 9°C से गिराकर 3°C कर दिया जाता है?
A. आयतन में कोई परिवर्तन नहीं होगा
B. आयतन पहले बढ़ेगा और बाद में घटेगा
C. आयतन पहले घटेगा और बाद में बढ़ेगा
D. पानी जम जाएगा

25. एक बीकर में पानी पर बर्फ तैर रही है। जब बर्फ पूर्णतः पिघल जाएगी तो बीकर में पानी का तल :
A. बढ़ेगा B. घटेगा
C. उतना ही रहेगा D. पहले बढ़ेगा बाद में घटेगा

26. जब किसी बोतल में पानी भरा जाता है और उसे जमने दिया जाता है तो बोतल टूट जाती है, क्योंकि–
A. पानी जमने पर फैलता है
B. बोतल हिमांक पर सिकुड़ती है
C. बोतल के बाहर का तापक्रम अन्दर से ज्यादा होता है
D. पानी गर्म करने पर फैलता है

27. सड़क पर चलने की अपेक्षा बर्फ पर चलना कठिन है, क्योंकि :
A. बर्फ सड़क से सख्त होती है
B. सड़क बर्फ से सख्त होती है

C. जब हम अपने पैर से धक्का देते हैं तो बर्फ कोई प्रतिक्रिया व्यक्त नहीं करती
D. बर्फ में सड़क की अपेक्षा घर्षण कम होता है

28. एक नदी में चलता हुआ जहाज समुद्र में आता है तब जहाज :
A. का स्तर पहले जितना होगा
B. थोड़ा ऊपर होगा
C. थोड़ा नीचे आएगा
D. ऊपर या नीचे होगा जो उसमें पड़े हुए भार पर निर्भर करता है

29. लोहे की कील पारे में क्यों तैरती है, जबकि यह पानी में डूब जाती है?
A. लोहे की पारे से रासायनिक क्रिया की प्रवृत्ति पानी की तुलना में कम होने के कारण
B. लोहे का भार पानी से अधिक है तथा पारे से कम
C. लोहे का घनत्व पानी से अधिक है तथा पारे से कम
D. पारा पानी से भारी है

30. पानी का घनत्व अधिकतम होता है :
A. 100°C पर B. 4°C पर
C. 0°C पर D. –4°C पर

31. वस्तु की मात्रा बदलने पर अपरिवर्तित रहेगा :
A. आयतन B. भार
C. द्रव्यमान D. घनत्व

32. समुद्र में प्लवन करते आइसबर्ग का कितना भाग समुद्र की सतह से ऊपर रहता है?
A. $\frac{1}{9}$ B. $\frac{1}{10}$
C. $\frac{1}{6}$ D. $\frac{1}{4}$

33. बर्फ के दो टुकड़ों को आपस में दबाने पर टुकड़े आपस में चिपक जाते हैं, क्योंकि :
A. दाब अधिक होने से बर्फ का गलनांक घट जाता है
B. दाब अधिक होने से बर्फ का गलनांक बढ़ जाता है
C. दाब अधिक होने से बर्फ का गलनांक पहले घटता है फिर बढ़ता है
D. दाब व गलनांक में कोई संबंध नहीं है

34. हवाई जहाज से यात्रा करते समय पेन से स्याही निकलने लगती है :
A. वायुदाब में कमी के कारण
B. वायुदाब में वृद्धि के कारण
C. स्याही के आयतन में वृद्धि के कारण
D. अत्यधिक भार के कारण

35. ऊँचाई की जगहों पर पानी 100°C के नीचे के तापमान पर क्यों उबलता है?
A. क्योंकि वायुमंडलीय दाब कम हो जाता है, अतः उबलने का बिन्दु नीचे आ जाता है
B. क्योंकि गुरुत्वाकर्षण कम होता है
C. पर्वतों पर भारी हवाओं के कारण
D. उपर्युक्त में से कोई सही नहीं है

36. साबुन के बुलबुले के अन्दर का दाब :
A. वायुमंडलीय दाब से अधिक होता है
B. वायुमंडलीय दाब से कम होता है
C. वायुमंडलीय दाब के बराबर होता है
D. वायुमंडलीय दाब का आधा होता है

37. वायुदाब मापी की रीडिंग में अचानक गिरावट इस बात का संकेत है कि मौसम :
A. स्थिर तथा शांत होगा B. वर्षायुक्त होगा
C. ठंडा होगा D. तूफानी होगा

38. प्रेशर कुकर में सब्जियाँ जल्दी पकायी जा सकती हैं, क्योंकि :
A. सब्जियों को पानी की अपेक्षा भाप शीघ्र उबाल सकती है
B. दाब बढ़ जाने से क्वथनांक बढ़ जाता है
C. उच्च दाब क्वथनांक को कम करता है
D. इनमें से कोई नहीं

39. चाभी भरी घड़ी में कौन-सी ऊर्जा होती है?
A. गतिज ऊर्जा B. स्थितिज ऊर्जा
C. यांत्रिक ऊर्जा D. संचित ऊर्जा

40. जब हम रबड़ के गद्दे वाले सीट पर बैठते हैं या गद्दे पर लेटते हैं तो उसका आकार परिवर्तित हो जाता है। ऐसे पदार्थ में पाया जाता है?
A. गतिज ऊर्जा B. स्थितिज ऊर्जा
C. संचित ऊर्जा D. विखण्डन ऊर्जा

उत्तरमाला

1	2	3	4	5	6	7	8	9	10
C	B	A	B	C	A	A	C	C	C
11	**12**	**13**	**14**	**15**	**16**	**17**	**18**	**19**	**20**
C	A	A	D	C	A	B	B	D	B
21	**22**	**23**	**24**	**25**	**26**	**27**	**28**	**29**	**30**
C	C	B	C	C	A	D	B	C	B
31	**32**	**33**	**34**	**35**	**36**	**37**	**38**	**39**	**40**
D	B	C	A	A	A	A	B	B	B

★ ★ ★

6

प्रकाश एवं ध्वनि

प्रकाश (Light)

हमारी दृष्टि की अनुभूति जिस बाह्य भौतिक कारण के द्वारा होती है, उसे हम प्रकाश कहते हैं। अतः प्रकाश एक प्रकार का साधन है, जिसके सहारे आँख वाले लोग किसी वस्तु को देखते हैं। जब किसी वस्तु पर प्रकाश पड़ता है, तब उस वस्तु से प्रकाश टकराकर देखने वाले की आँख पर पड़ता है, जिससे व्यक्ति उस वस्तु को देख लेता है। वास्तव में प्रकाश एक प्रकार की ऊर्जा है, जो विद्युत चुम्बकीय तरंगों के रूप में संचरित होती है।

प्रकाश की दोहरी प्रकृति

तरंग या कण (Dual nature of light–wave or particle) : आज प्रकाश को कुछ घटनाओं में तरंग और कुछ में कण माना जाता है। कुछ घटनाओं में उसकी तरंग प्रकृति प्रबल होती है (कण प्रकृति दबी रहती है) और कुछ में प्रकाश की कण प्रकृति स्पष्टतः उभरकर जाती है और तरंग प्रकृति दबी रहती है। इसी को प्रकाश की दोहरी प्रकृति कहते हैं।

प्रकाश की चाल (Speed of light)

सर्वप्रथम रोमर नामक वैज्ञानिक ने बृहस्पति ग्रह के उपग्रहों की गति को देखकर प्रकाश का वेग ज्ञात किया था। उसने बृहस्पति ग्रह के एक उपग्रह में लगने वाले दो ग्रहणों के बीच की अवधि को मापकर प्रकाश की चाल ज्ञात किया था। प्रकाश का वेग सबसे अधिक निर्वात में होता है। निर्वात् में प्रकाश की चाल का सर्वाधिक स्वीकृत मान 1,86,310 मील प्रति सेकेण्ड या 2,99,776 किलोमीटर प्रति सेकेण्ड या 3×10^8 मीटर प्रति सेकेण्ड है। किसी पदार्थ में प्रकाश की चाल निर्वात् से कम होती है। निर्वात की तुलना में हवा में प्रकाश की चाल 0.03 प्रतिशत कम, पानी में 25 प्रतिशत कम तथा काँच में 35% कम होती है।

विभिन्न माध्यमों में प्रकाश की चाल

माध्यम	प्रकाश की चाल (मी./से.)
निर्वात्	3×10^8
काँच	2×10^8
पानी	2.25×10^8
रॉक साल्ट	1.96×10^8
तारपीन का तेल	2.04×10^8
नाइलॉन	1.96×10^8

प्रकाश को सूर्य से पृथ्वी तक आने में औसतन 499 से. (अर्थात् 8 मिनट 19 से.) का समय लगता है। इसी प्रकार चन्द्रमा से परावर्तित प्रकाश को पृथ्वी तक आने में 1.28 से. का समय लगता है।

प्रकाश का सरल रेखीय गमन (Rectilinear Propagation of Light) : समांग माध्यमों (घनत्व हर भाग में बराबर) में प्रकाश की किरणें सरल रेखाओं में चलती हैं। इसे प्रकाश का सरल रेखीय गमन कहते हैं। विभिन्न प्रकार का छायाओं का बनना, सूर्यग्रहण, चन्द्रग्रहण तथा सूची-छिद्र कैमरा में उल्टे चित्र का बनना भी प्रकाश की किरणों के सरल रेखीय गमन के कारण ही संभव होते हैं।

प्रकाश का परावर्तन (Reflection of Light)

प्रकाश के चिकने पृष्ठ से टकराकर वापस लौटने की घटना को प्रकाश का परावर्तन कहते हैं।

परावर्तन के नियम (Law of Reflection): परावर्तन के दो नियम हैं–

(*i*) आपतन कोण (Angle of Incidence) परावर्तन कोण (Angle of Reflection) के बराबर होता है।

अर्थात् $\angle AON = \angle NOB$

$\angle i = \angle r$

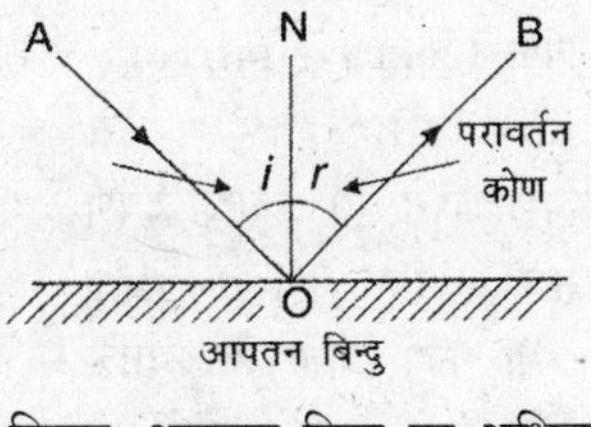

(*ii*) आपतित किरण, आपतन बिन्दु पर अभिलम्ब तथा परावर्तित किरण एक ही समतल में होते हैं।

समतल दर्पण (Plane mirror)

समतल दर्पण का परावर्तक सतह समतल होता है। इसमें शीशे के एक ओर धातु की पतली परत चढ़ी होती है और क्षय को रोकने के लिए लेप किया जाता है। शीशे के पीछे चाँदी की परत या पारे की परत परावर्तक सतह का कार्य करती है।

समतल दर्पण में प्रतिबिम्ब की स्थिति–समतल दर्पण में किसी वस्तु का प्रतिबिम्ब दर्पण के पीछे उतनी ही दूरी पर बनती है, जितनी दूरी पर वस्तु दर्पण के आगे रखी होती है। यह प्रतिबिम्ब काल्पनिक, वस्तु के बराबर एवं पार्श्व उल्टा (lateral inverse) बनता है।

समतल दर्पण से संबंधित कुछ विशेष तथ्य

(*i*) यदि कोई व्यक्ति v चाल से दर्पण की ओर चलता है, तो उसे दर्पण में अपना प्रतिबिम्ब $2v$ चाल से अपनी ओर आता प्रतीत होता है।

(*ii*) किसी वस्तु की समतल दर्पण में पूर्ण प्रतिबिम्ब देखने के लिए दर्पण की लम्बाई वस्तु की लम्बाई की कम-से-कम आधी होनी चाहिए।

(*iii*) यदि आपतित किरण को नियत रखते हुए दर्पण को $\theta°$ कोण से घुमा दिया जाए, तो परावर्तित किरण $2\theta°$ कोण से घूम जाती है।

(*iv*) यदि दो समतल दर्पण $\theta°$ कोण पर झुके हों, तो उनके द्वारा उनके मध्य में रखी वस्तु के बनाए गए कुल प्रतिबिम्बों की संख्या $\frac{360°}{\theta°}-1$ होती है। यदि यह पूर्णांक नहीं है, तो इसे अगला पूर्णांक मान लिया जाता है। इस प्रकार समकोण पर झुके दो दर्पणों के बीच रखे वस्तु के तीन प्रतिबिम्ब बनते हैं और दो समानान्तर दर्पणों के बीच रखे वस्तु के अनन्त प्रतिबिम्ब बनते हैं।

समतल दर्पण के उपयोग–समतल दर्पण का उपयोग बहुरूपदर्शी (Kaleidoscope), परिदर्शी (Periscope), आईना (Looking glass) आदि में करते हैं।

गोलीय दर्पण (Spherical Mirror)

किसी गोलाकार तल से बनाए गए दर्पण को गोलीय दर्पण कहते हैं। गोलीय खंड के एक तल पर पारे की कलई एवं रेड ऑक्साइड का लेप किया जाता है तथा दूसरा तल परावर्तक की तरह कार्य करता है। गोलीय दर्पण मुख्यतः दो प्रकार के होते हैं–

(*i*) **अवतल दर्पण (concave mirror)**–जिस गोलीय दर्पण का परावर्तक तल धंसा रहता है, उसे अवतल दर्पण कहते हैं। अवतल दर्पण को अपसारी दर्पण (Diversging Mirror) भी कहा जाता है क्योंकि यह अनंत से आने वाली किरणों को फैलाती है।

अवतल दर्पण

(*ii*) **उत्तल दर्पण (convex mirror)**–जिस गोलीय दर्पण का परावर्तक सतह उभरा रहता है, उसे उत्तल दर्पण कहा जाता है। उत्तल दर्पण को अभिसारी दर्पण (Converging Mirror) भी कहा जाता है क्योंकि यह अनंत से आने वाली किरणों को सिकोड़ती हैं।

उत्तल दर्पण

अवतल एवं उत्तल दोनों ही दर्पण किसी गोले के कटे भाग होते हैं अतः उस गोले का केन्द्र दर्पण का वक्रता केन्द्र (Centre of curvature) कहलाता है। दर्पण का मध्य बिन्दु ध्रुव (Pole) कहलाता है। दर्पण के वक्रता केन्द्र एवं ध्रुव को मिलाने वाली रेखा दर्पण की प्रधान अक्ष रेखा (Principle axis) कहलाती है। वक्रता केन्द्र एवं ध्रुव को मिलाने वाली सरल रेखा के मध्य बिन्दु को दर्पण का फोकस (Focus) कहते हैं।

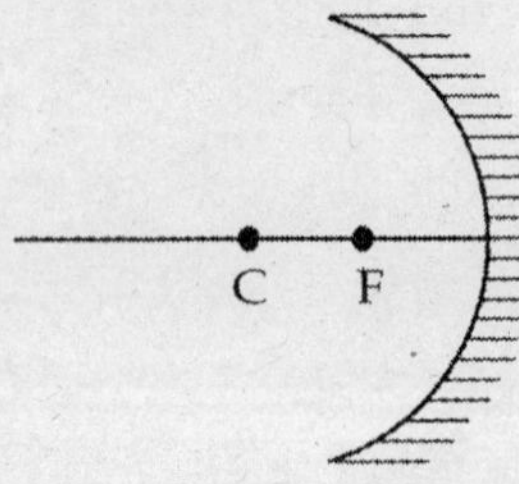

$$\text{फोकस दूरी} = \frac{\text{वक्रता त्रिज्या}}{2}$$

गोलीय दर्पणों की फोकस दूरी का सूत्र–उत्तल एवं अवतल दोनों ही दर्पणों की फोकस दूरी निम्नलिखित सूत्र से ज्ञात की जाती है–

$\frac{1}{v}+\frac{1}{u}=\frac{1}{f}$ जहाँ u = वस्तु की दर्पण से दूरी,

v = प्रतिबिम्ब की दर्पण से दूरी, f = दर्पण की फोकस दूरी

आवर्धन (Magnification): प्रतिबिम्ब की लम्बाई और वस्तु की लम्बाई के अनुपात को आवर्धन कहते हैं और इसे m से प्रदर्शित करते हैं।

$$\text{अर्थात्}-\ m = \frac{\text{प्रतिबिंब की लम्बाई}}{\text{वस्तु की लम्बाई}} = \frac{\text{प्रतिबिंब की दूरी } (v)}{\text{वस्तु की दूरी } (u)}$$

उत्तल दर्पण से बने प्रतिबिम्ब–उत्तल दर्पण में किसी वस्तु का प्रतिबिम्ब सदैव दर्पण के पीछे, उसके ध्रुव और फोकस के बीच, वस्तु से छोटा, सीधा एवं आभासी बनता है। यदि किसी वस्तु की उत्तल दर्पण से दूरी बढ़ाया जाए, तो दर्पण से बने आभासी एवं सीधे प्रतिबिम्ब का आकार छोटा होता जाता है तथा उसकी स्थिति दर्पण के पीछे ध्रुव से फोकस की ओर खिसकती जाती है।

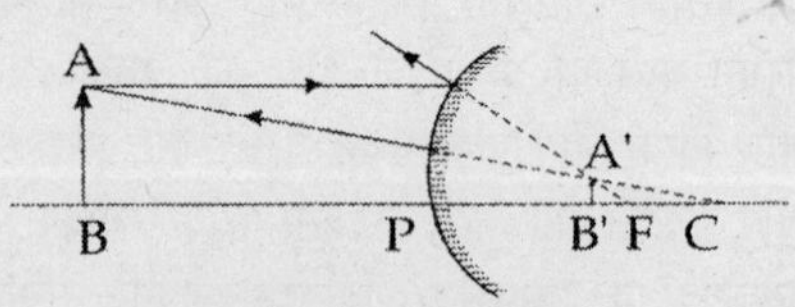

उत्तल दर्पण से बने प्रतिबिम्ब

उत्तल दर्पण के उपयोग–उत्तल दर्पण द्वारा काफी बड़े क्षेत्र की वस्तुओं का प्रतिबिम्ब एक छोटे-से क्षेत्र में बन जाता है। इस प्रकार उत्तल दर्पण का दृष्टि क्षेत्र (Field-View) अधिक होता है। इसीलिए इसे ट्रक-चालकों या मोटरकारों में चालक के बगल में पृष्ठ-दृश्य दर्पण (Rear-view Mirror) लगाया जाता है। सड़क में लगे परावर्तक लैम्पों में उत्तल दर्पण का प्रयोग किया जाता है, विस्तार-क्षेत्र अधिक होने के कारण ये प्रकाश को अधिक क्षेत्र में फैलाते हैं।

अवतल दर्पण के उपयोग–

(*i*) बड़ी फोकस दूरी वाला अवतल दर्पण दाढ़ी बनाने में काम आता है।

(*ii*) आँख, कान एवं नाक के डॉक्टर के द्वारा उपयोग में लाया जाने वाला दर्पण।

(*iii*) गाड़ी के हेडलाइट (Head-light) एवं सर्चलाइट (Search-light) में।

(*iv*) सोलर कुकर (Solar Cooker) में।

प्रकाश का अपवर्तन (Refraction of Light)

प्रकाश का अपवर्तन (Refraction of Light): जब प्रकाश की किरणें एक पारदर्शी माध्यम से दूसरे पारदर्शी माध्यम में प्रवेश करती हैं, तो दोनों माध्यमों को अलग करने वाले तल पर अभिलम्बवत् आपाती होने पर बिना मुड़े सीधे निकल जाती हैं, परन्तु तिरछी आपाती होने पर वे अपनी मूल दिशा से विचलित हो जाती हैं। इस घटना को प्रकाश का अपवर्तन कहते हैं।

जब प्रकाश की कोई किरण विरल माध्यम (rarer medium) से सघन माध्यम (denser medium) (जैसे हवा से पानी) में प्रवेश करती है, तो वह दोनों माध्यमों के पृष्ठ पर खींचे गए अभिलंब की ओर झुक जाती है चित्र (*a*) तथा जब किरण सघन माध्यम से विरल माध्यम में प्रवेश करती है, तो वह अभिलंब से दूर हट जाती है, चित्र (*b*) लेकिन जो किरण अभिलंब के समांतर प्रवेश करती है, उनके पथ में कोई परिवर्तन नहीं होता व बिना झुके सीधी निकल जाती है।

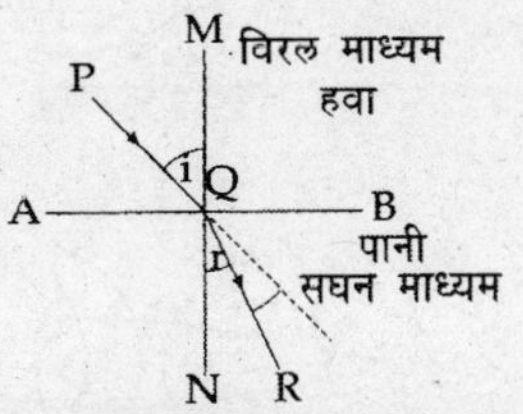

चित्र (a)

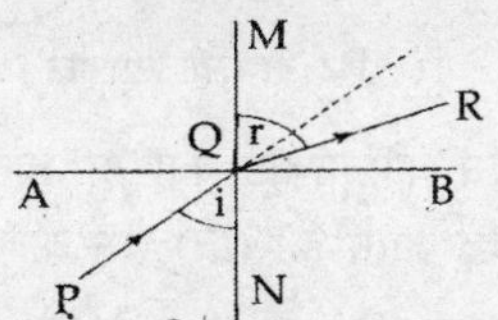

चित्र (b)

अपवर्तन के नियम–अपवर्तन के दो नियम हैं–

(*i*) आपतित किरण (Incident Ray), अभिलंब (Normal) तथा अपवर्तित किरण (Refracted Ray) तीनों एक ही समतल में स्थित होते हैं।

(*ii*) किन्हीं दो माध्यमों के लिए आपतन कोण की ज्या (sine) तथा अपवर्तन कोण की ज्या (sine) का अनुपात एक नियतांक होता है।

i.e., $\frac{\sin i}{\sin r} = \mu$ (नियतांक)

इस नियतांक को पहले माध्यम के सापेक्ष दूसरे माध्यम का अवर्तनांक (Refracting Index–R.I.) कहते हैं। इसे नियम को स्नेल का नियम (Snell's Law) भी कहते हैं। यदि पहले माध्यम को 1 से तथा दूसरे माध्यम को 2 से प्रदर्शित किया जाए, तो अपवर्तनांक को ${}_1\mu_2$ से प्रदर्शित किया जाता है। इस प्रकार–

$$\frac{\sin i}{\sin r} = {}_1\mu_2$$

प्रकाश के अपवर्तन के कारण घटने वाली घटनाएँ

(*i*) रात्रि के साथ तारों का टिमटिमाना (Twinkling of Stars): वायुमंडल में वायु की विभिन्न घनत्व वाली विभिन्न परतें पायी जाती हैं। जब तारों से प्रकाश चलता है, तो उसका विभिन्न परतों में लगातार अपवर्तन होता रहता है। चूँकि वायु की परतें स्थिर नहीं होतीं, इसलिए हमें यह महसूस होता है कि तारे भिन्न-भिन्न समयान्तरालों में भिन्न-भिन्न स्थितियों में है। अर्थात् तारे हमें टिमटिमाते हुए प्रतीत होते हैं।

(*ii*) पानी से भरे किसी बर्तन की तली में पड़ा हुआ सिक्का ऊपर उठा हुआ दिखाई पड़ता है–इसका कारण यह है कि जब हम बर्तन में पानी डालते हैं, तो अपवर्तन के कारण सिक्का कुछ ऊपर उठा हुआ प्रतीत होता है तथा हमें दिखाई देने लगता है।

(*iii*) जल के अन्दर पड़ी हुई मछली वास्तविक गहराई से कुछ ऊपर उठी हुई दिखाई पड़ती है।

(*iv*) द्रव में अंशतः डुबी हुई सीधी छड़ टेढ़ी दिखाई पड़ती है।

(*v*) सूर्योदय के कुछ समय पहले एवं सूर्यास्त के कुछ समय बाद तक सूर्य क्षितिज के नीचे होने पर भी हमें दिखाई देता है।

मानव नेत्र (Human Eye)

आँख शरीर का एक महत्वपूर्ण अंग है, जिसकी सहायता से हम वस्तुओं को देखते हैं। आँख एक कैमरे की भाँति कार्य करती है। आँख बाहर से एक कठोर व अपारदर्शी श्वेत झिल्ली से ढकी रहती है, जिसे दृढ़ पटल (sclerotic) कहते हैं।

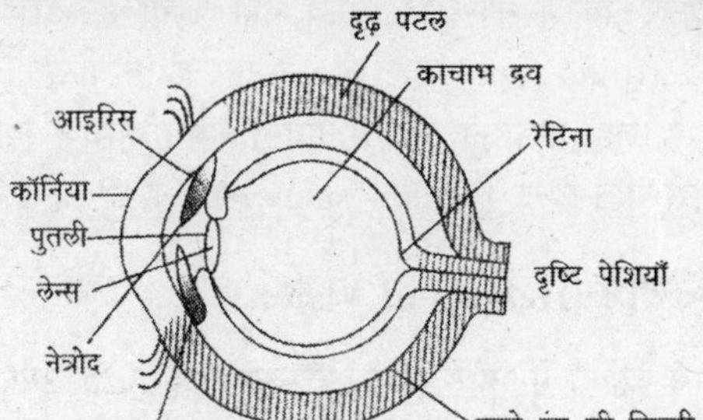

मानव नेत्र

दृढ़ पटल के सामने वाला भाग कुछ उभरा हुआ रहता है, जिसे कॉर्निया (Cornea) कहते हैं। नेत्रदान में इसे ही दान किया जाता है। आँख में प्रकाश कॉर्निया से होकर ही प्रवेश करता है। कॉर्निया के पीछे एक रंगीन अपारदर्शी झिल्ली का पर्दा होता है, जिसे परितारिका या आइरिस (Iris) कहते हैं। आइरिश के बीच में एक छेद होता है, जिसे आँख की पुतली (Pupil) अथवा नेत्र तारा कहते हैं। आइरिश का कार्य आँख में जाने वाले प्रकाश की मात्रा को नियंत्रित करना होता है। अधिक प्रकाश में यह स्वतः सिकुड़कर छोटा हो जाता है तथा अंधेरे या कम प्रकाश में स्वतः फैल जाता है। पुतली के पीछे नेत्र लेंस (Eye Lens) होता है। इस लेंस के पिछले भाग की वक्रता त्रिज्याएँ छोटी तथा अगले भाग की बड़ी होती हैं। यह कई परतों का बना होता है, जिसके अपवर्तनांक बाहर से अन्दर की ओर बढ़ते जाते हैं तथा माध्य अपवर्तनांक

लगभग 1.44 होता है। लेंस अपने स्थान पर मांसपेशियों के बीच टिका रहता है तथा उसमें अपनी फोकस दूरी को बदलने की क्षमता होती है।

कॉर्निया और आँख के लेंस के बीच में एक नमकीन पारदर्शी द्रव भरा रहता है, जिसे नेत्रोद या जलीय द्रव (Aqueous Humour) कहते हैं। इसका अपवर्तनांक 1.336 होता है। आँख के लेंस के पीछे एक अन्य पारदर्शी द्रव होता है, जिसे काचाभ द्रव (Vitreous Humour) कहते हैं।

इसका अपवर्तनांक भी 1.336 होता है। दृढ़ पटल के नीचे काले रंग की एक झिल्ली होती है, जिसे रक्तक पटल (Choroid) कहते हैं। यह प्रकाश को शोषित करके प्रकाश के आन्तरिक परावर्तन को रोकती है। इस झिल्ली के नीचे आँख के सबसे भीतर एक पारदर्शी झिल्ली होती है, जिसे दृष्टि पटल या रेटिना (Retina) कहते हैं। यह दृष्टि शिराओं या तंत्रिकाओं (Optic Nerves) की एक फिल्म होती है। ये शिराएँ वस्तुओं के प्रतिबिम्बों के रूप, रंग और आकार का ज्ञान मस्तिष्क तक पहुँचाती हैं।

किसी वस्तु से चलने वाली प्रकाश किरणें कॉर्निया तथा नेत्रोद से गुजरने के बाद लेंस पर आपतित होती हैं तथा इससे अपवर्तित होकर काचाभ द्रव से होती हुई रेटिना पर पड़ती हैं। रेटिना पर वस्तु का प्रतिबिम्ब उल्टा एवं वास्तविक बनता है। प्रतिबिम्ब बनने का संदेश दृष्टि तंत्रिकाओं द्वारा मस्तिष्क तक पहुँचता है व वस्तु हमें दिखाई देने लगती है। यद्यपि रेटिना पर बना प्रतिबिम्ब उल्टा होता है, लेकिन अनुभव के आधार पर यह हमें सीधा दिखाई देता है।

जिस स्थान पर दृष्टि शिरा रेटिना को छेदकर मस्तिष्क में जाती है, उस स्थान पर प्रकाश का कोई प्रभाव नहीं पड़ता है। इस स्थान को अन्ध बिन्दु (Blind spot) कहते हैं। रेटिना के बीचोंबीच एक पीला भाग होता है, जहाँ पर बना हुआ प्रतिबिम्ब सबसे अधिक स्पष्ट दिखाई देता है। इसे पीत-बिन्दु (Yellow spot) कहते हैं।

दृष्टिदोष (Defects of Vision)

एक सामान्य व्यक्ति में स्पष्ट दृष्टि की न्यूनतम दूरी 25 सेमी. होती है। वह 25 सेमी. से लेकर अनन्त पर स्थित वस्तु को अपनी रेटिना पर फोकस कर सकता है। लेकिन उम्र बढ़ने या अन्य कारणों से आँख की यह क्षमता समाप्त हो जाती है। इसका कारण आँख के लेंस में उत्पन्न गड़बड़ी होती है, इससे कई प्रकार के दृष्टि-दोष उत्पन्न होते हैं।

दृष्टिदोष के प्रकार

1. **निकट दृष्टि दोष (Myopia or, Short Sightedness):** इस रोग से ग्रसित व्यक्ति नजदीक की वस्तु को देख लेता है, परन्तु दूर स्थित वस्तु को नहीं देख पाता है।

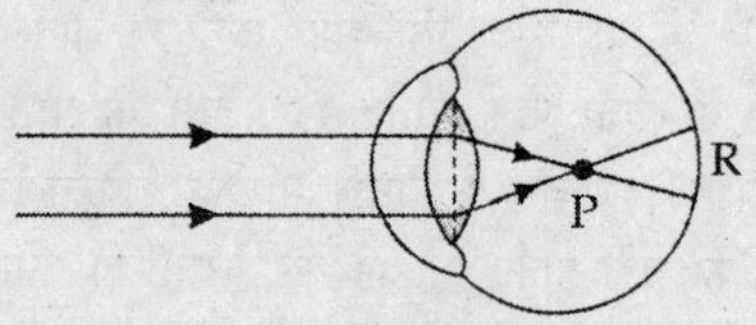

निकट दृष्टि दोष

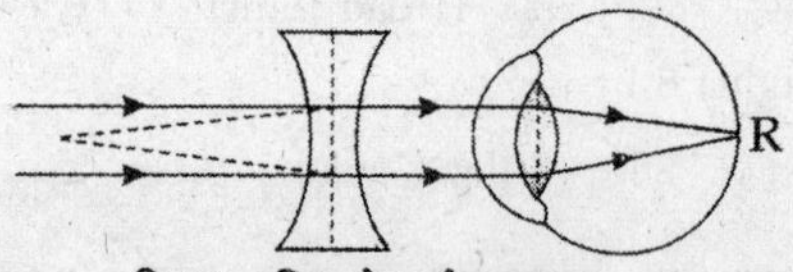

निकट दृष्टि दोष के उपचार

कारण–(*i*) लेंस की गोलाई बढ़ जाती है। (*ii*) लेंस की फोकस दूरी घट जाती है। (*iii*) लेंस की क्षमता बढ़ जाती है। इस कारण वस्तु का प्रतिबिम्ब रेटिना पर न बनकर रेटिना के आगे बन जाता है।

रोग का निवारण–निकट दृष्टि दोष के निवारण के लिए उपयुक्त फोकस दूरी के अवतल लेंस का प्रयोग किया जाता है।

2. **दूर दृष्टि दोष (Hypermetropia or Long Sightedness):** इस रोग से ग्रसित व्यक्ति को दूर की वस्तु दिखलाई पड़ती है, निकट की वस्तु दिखलाई नहीं पड़ती है।

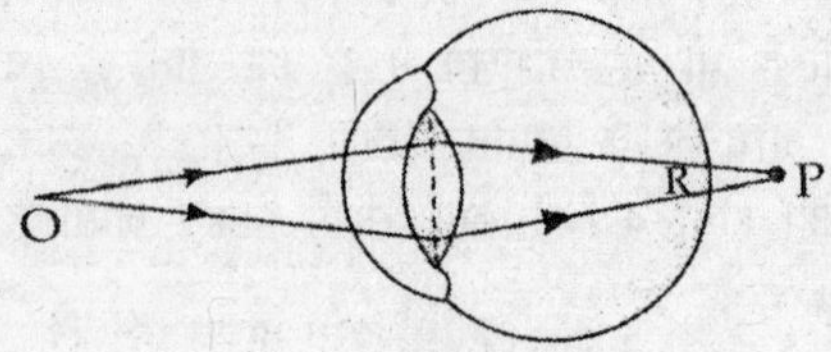

दूर दृष्टि दोष

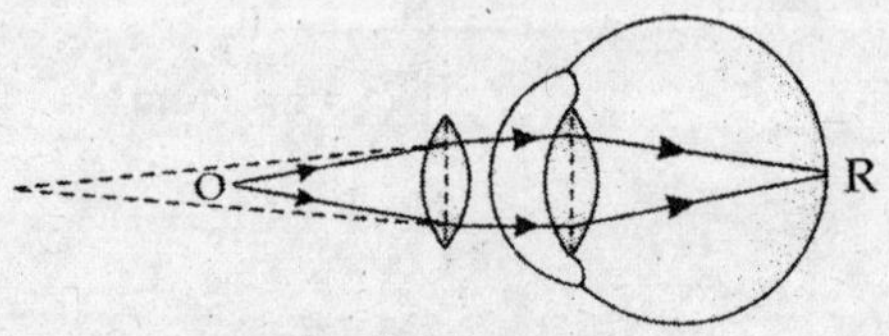

दूर दृष्टि दोष के उपचार

कारण–(*i*) लेंस की गोलाई कम हो जाती है। (*ii*) लेंस की फोकस दूरी बढ़ जाती है। (*iii*) लेंस की क्षमता घट जाती है। इस रोग में निकट की वस्तु का प्रतिबिम्ब रेटिना के पीछे बनता है।

रोग का निवारण–इस दोष के निवारण के लिए उपयुक्त फोकस दूरी के उत्तल लेंस का प्रयोग किया जाता है।

3. **जरा दृष्टि दोष (Presbyopia):** वृद्धावस्था के कारण आँख की सामंजस्य क्षमता घट जाती है या समाप्त हो जाती है, जिसके कारण व्यक्ति न तो दूर की वस्तु और न निकट की ही वस्तु देख पाता है।

   रोग का निवारण–इस रोग के निवारण के लिए द्विफोकसी लेंस (Bifocal Lens) का उपयोग किया जाता है।

4. **दृष्टि वैषम्य या अबिन्दुकता (Astigmatism):** इसमें नेत्र क्षैतिज दिशा में तो ठीक देख पाता है, परन्तु उर्ध्व दिशा में नहीं देख पाता है। इसके निवारण हेतु बेलनाकार लेंस (Cylindrical Lens) का प्रयोग किया जाता है।

5. **वर्णांधता (Colour Blindness):** कुछ व्यक्तियों की आँखों में सभी रंगों को देखने की क्षमता नहीं होती। इसे वर्णांधता कहते हैं। वर्णांधता कई प्रकार और स्तर की होती है। यह रेटिना की

शंक्वाकार कोशिकाओं के विभिन्न दोषों पर निर्भर करता है। वर्णांधता आनुवांशिक बीमारी होती है, इसका इलाज नहीं किया जां सकता है। इस बीमारी से ग्रसित व्यक्ति को हरे एवं लाल रंग की पहचान नहीं होती है।

6. **दृष्टि निर्बंध (Persistence of vision):** किसी वस्तु का ifr fcEc jsVuk ij 1/10 सेकेण्ड तक रहता है। अतः यदि वस्तु को आँख के सामने से हटा दिया जाए तो वस्तु 1/10 सेकेण्ड तक दिखाई देती रहेगी। दृष्टि का यह विशेष गुण दृष्टि निर्बंध कहलाता है। चलचित्र इसी सिद्धांत पर बनाया जाता है। दृष्टि निर्बंध के कारण ही उल्काएँ आकाश में लम्बी रेखा जैसी दिखाई पड़ते हैं। तेजी से चलते हुए बिजली के पंखे भी इसी कारण अस्पष्ट दिखाई पड़ते हैं।

ध्वनि तरंगें

ध्वनि तरंगें अनुदैर्ध्य तरंगें होती हैं। इसकी उत्पत्ति वस्तुओं में कम्पन होने से होती है, लेकिन सब प्रकार का कम्पन ध्वनि उत्पन्न नहीं करता। जिन तरंगों की आवृत्ति लगभग 20 कम्पन प्रति सेकेण्ड से 20,000 कम्पन प्रति सेकेण्ड के बीच होती है, उनकी अनुभूति हमें अपने कानों द्वारा होती है और उन्हें हम सुन सकते हैं। जिन यांत्रिक तरंगों की आवृत्ति इस सीमा से कम या अधिक होती है उसके लिए हमारे कान सुग्राही नहीं हैं और हमें उनसे ध्वनि की अनुभूति नहीं होती है। अतः ध्वनि शब्द का प्रयोग केवल उन्हीं तरंगों के लिए किया जाता है, जिनकी अनुभूति हमें अपने कानों द्वारा होती है। भिन्न-भिन्न मनुष्यों के लिए ध्वनि तरंगों की आवृत्ति परिसर (Range of frequency) अलग-अलग हो सकती है।

ध्वनि तरंगों का आवृत्ति परिसर (Frequency Range of Sound Waves)

अवश्रव्य तरंग (Infrasonic Waves): 20 Hz से नीचे की आवृत्ति वाली ध्वनि तरंगों को अवश्रव्य तरंगें कहते हैं। इसे मनुष्य के कान सुन नहीं सकते हैं। इस प्रकार की तरंगों को बहुत बड़े आकार के स्रोतों से उत्पन्न किया जा सकता है।

श्रव्य तरंगें (Audible Waves): 20 Hz से 20,000 Hz के बीच की आवृत्ति वाली तरंगों को श्रव्य तरंगें कहते हैं। इन तरंगों को मनुष्य के कान सुन सकते हैं।

पराश्रव्य तरंगें (Ultrasonic Waves): 20,000 Hz से ऊपर की तरंगों को पराश्रव्य तरंगें कहते हैं। मनुष्य के कान इसे नहीं सुन सकते हैं। परन्तु कुछ जानवर जैसे–कुत्ता, बिल्ली, चमगादड़ आदि इसे सुन सकते हैं। इन तरंगों को गाल्टन की सीटी के द्वारा तथा दाब-वैद्युत प्रभाव की विधि द्वारा क्वार्ट्ज़ के क्रिस्टल के कम्पनों से उत्पन्न करते हैं। इन तरंगों की आवृत्ति बहुत ऊँची होने के कारण इसमें बहुत अधिक ऊर्जा होती है। साथ ही इनकी तरंगदैर्ध्य छोटी होने के कारण इन्हें एक पतले किरण-पुंज के रूप में बहुत दूर तक भेजा जा सकता है।

पराश्रव्य तरंगों के उपयोग–

(*i*) संकेत भेजने में,
(*ii*) समुद्र की गहराई का पता लगाने में
(*iii*) कीमती कपड़ों, वायुयान तथा घड़ियों के पुर्जों को साफ करने में
(*iv*) कल-कारखानों की चिमनियों से कालिख हटाने में
(*v*) दूध के अन्दर हानिकारक जीवाणुओं को नष्ट करने में
(*vi*) गठिया रोग के उपचार एवं मस्तिष्क के ट्यूमर का पता लगाने में, आदि।

ध्वनि की चाल (Speed of Sound)

विभिन्न माध्यमों में ध्वनि की चाल भिन्न-भिन्न होती है। किसी माध्यम में ध्वनि की चाल मुख्यतः माध्यम की प्रत्यास्थता (E) तथा घनत्व (d) पर निर्भर करती है।

ध्वनि की चाल पर विभिन्न भौतिक राशियों का प्रभाव

- **दाब का प्रभाव (Effect of Pressure):** ताप समान होने पर गैस में ध्वनि की चाल पर दाब का कोई प्रभाव नहीं पड़ता है।
- **ताप का प्रभाव (Effect of Temperature):** माध्यम का ताप बढ़ने पर उसमें ध्वनि की चाल बढ़ जाती है। वायु में 1°C ताप बढ़ने पर ध्वनि की चाल 0.61 मी./से. बढ़ जाती है।
- **आर्द्रता का प्रभाव (Effect of Humidity):** नमीयुक्त वायु का घनत्व, शुष्क वायु के घनत्व से कम होता है, अतः आर्द्र वायु में ध्वनि की चाल बढ़ जाती है। यही कारण है कि बरसात के मौसम में सीटी की आवाज बहुत दूर तक सुनाई देती है।
- **माध्यम के वेग का प्रभाव (Effect of Velocity of Medium):** माध्यम के वेग की दिशा में ध्वनि की चाल बढ़ जाती है तथा इसके विपरीत दिशा में घट जाती है।

ध्वनि के लक्षण (Characteristics of Sound)

ध्वनियों के मुख्यतः तीन लक्षण होते हैं–

(*i*) तीव्रता (Intensity/Loudness)

तीव्रता ध्वनि का वह लक्षण है, जिससे ध्वनि धीमी/मन्द (Feeble) अथवा तीव्र/प्रबल (Loud) सुनाई देती है। ध्वनि की तीव्रता एक भौतिक राशि है, जिसे शुद्धता से नापा जा सकता है। माध्यम के किसी बिन्दु पर ध्वनि की तीव्रता, उस बिन्दु पर एकांक क्षेत्रफल से प्रति सेकेण्ड तल के लम्बवत् गुजरने वाली ऊर्जा के बराबर होती है। इसका SI मात्रक माइक्रोवाट/मी.^{2} (= 10^{-6} जूल/सेकेण्ड मी.^{2}) तथा प्रयोगात्मक मात्रक बेल (Bel) है। बेल के दसवें भाग को डेसीबेल (Decibel-dB) कहते हैं।

ध्वनि की तीव्रता (*i*) ध्वनि स्रोत की शक्ति पर, (*ii*) श्रोता तथा स्रोत के बीच की दूरी पर तथा (*iii*) छत, फर्श और दीवारों पर होने वाले परिवर्तनों पर निर्भर करती है। यदि ध्वनि स्रोत को बिन्दु स्रोत माना जाए तथा अवशोषण और परावर्तनों को नगण्य मान लिया जाए, तो ध्वनि की तीव्रता स्रोत से दूरी के वर्ग के व्युत्क्रमानुपाती (Inversely Proportional) होती है। इसके अतिरिक्त, ध्वनि की तीव्रता आयाम के वर्ग के अनुक्रमानुपाती, आवृत्ति के वर्ग के अनुक्रमानुपाती तथा माध्यम के घनत्व के अनुक्रमानुपाती होती है। बड़े आकार की वस्तु से उत्पन्न ध्वनि का आयाम बड़ा होता है। इसके कारण बड़े आकार की वस्तु से उत्पन्न ध्वनि की तीव्रता अधिक होती है। यही कारण है कि स्वरित्र द्विभुज (Tunning fork) की ध्वनि हमें घंटे की ध्वनि से धीमी सुनाई पड़ती है। वायु यदि ध्वनि की चाल की दिशा में बह रही है, तो ध्वनि की चाल एवं तीव्रता दोनों बढ़ जाती है।

ध्वनि के स्रोत	तीव्रता (dB में)
साधारण बातचीत	30-40
जोर से बातचीत	50-60
ट्रक, ट्रैक्टर	90-100
आरकेस्ट्रा	100
विद्युत् मोटर	110
मोटर साइकिल	110
साइरन	110-120
जेट विमान	140-150
मशीनगन	170
मिसाइल	180

विश्व स्वास्थ्य संगठन (W.H.O.) के अनुसार 45 डेसीबल ध्वनि मानव के लिए सर्वोत्तम होती है। W.H.O. ने 75 डेसीबल से ऊपर की ध्वनि को मानव स्वास्थ्य के लिए हानिकारक माना है। यों तो एक साधारण मानव ज्यादा से ज्यादा 130 डेसीबल तक तीव्रता वाली ध्वनि सुन सकता है, लेकिन 85 डेसीबल से अधिक ध्वनि में व्यक्ति बहरा हो सकता है और 150 डेसीबल की ध्वनि तो व्यक्ति को पागल बना सकता है।

(*ii*) तारत्व (Pitch)

तारत्व, ध्वनि का वह लक्षण है, जिसके कारण ध्वनि को मोटा (Grave) या तीक्ष्ण (Shrill) कहा जाता है। तारत्व आवृत्ति (Amplitude) पर निर्भर करता है। जैसे-जैसे ध्वनि की आवृत्ति बढ़ती जाती है, वैसे-वैसे ध्वनि का तारत्व बढ़ता जाता है तथा ध्वनि तीक्ष्ण अथवा पतली होती जाती है। बच्चों एवं स्त्रियों की पतली आवाज तारत्व अधिक होने के कारण ही होती है। पुरुषों की मोटी आवाज तारत्व कम होने के कारण होती है। चिड़ियों की आवाज, मच्छरों की भनभनाहट, अधिक तारत्व की ध्वनियों के उदाहरण हैं। ध्वनि के तारत्व का ध्वनि की तीव्रता से कोई संबंध नहीं होता है। अधिक प्रबल ध्वनि का तारत्व कम अथवा अधिक कुछ भी हो सकता है। जैसे–शेर की दहाड़ एक तीव्र (प्रबल) ध्वनि है, लेकिन इसका तारत्व बहुत ही कम होता है, जबकि मच्छर की भनभनाहट एक धीमी ध्वनि है लेकिन इसका तारत्व शेर की दहाड़ से अधिक होता है।

(*iii*) गुणता (Quality)

ध्वनि का वह लक्षण जिसके कारण समान तीव्रता तथा समान तारत्व की ध्वनियों में अन्तर प्रतीत होता है, गुणता कहलाता है। गुणता अधिस्वर (Overtones) पर निर्भर करता है। समान तीव्रता तथा समान तारत्व की ध्वनियों में अन्तर प्रतीत होने का कारण यह है कि उन ध्वनियों में मूल स्वरक (tone) के साथ-साथ विभिन्न संख्या में संनादी (Harmonics) उपस्थित रहते हैं। कोई स्वर (tone) एक ही आवृत्ति का नहीं होता है। उसमें ऐसे भी स्वरक मिले होते हैं, जिनकी आवृत्तियाँ विभिन्न होती हैं। जिस आवृत्ति के स्वरक की प्रधानता रहती है, उसे मूल स्वरक (fundamental tone) कहते हैं। बाकी स्वरकों को संनादी स्वरक (Harmonic tones) कहते हैं, इनकी आवृत्तियाँ मूल स्वरक की दुगुनी, तिगुनी आदि होती हैं। इन संनादी स्वरकों की मात्रा की विभिन्नता के कारण स्वर का रूप बदल जाता है। इनकी संख्या तथा आपेक्षिक तीव्रता विभिन्न ध्वनियों में भिन्न-भिन्न होती है। अतः ध्वनि की गुणता संनादी स्वरों की संख्या, क्रम तथा आपेक्षिक तीव्रता पर निर्भर करती है। गुणता के भिन्नता के कारण ही हम अपने परिचितों की आवाज सुनकर पहचान लेते हैं। इसी की भिन्नता के कारण हम दो वाद्ययंत्रों से उत्पन्न समान तीव्रता एवं समान आवृत्ति की ध्वनियों को स्पष्ट रूप से पहचान लेते हैं।

वस्तुनिष्ठ प्रश्न

1. प्रकाश के विद्युत चुम्बकीय स्वरूप की खोज किसने की थी?

A. स्नेल B. न्यूटन

C. मैक्सवेल D. यंग

2. प्रकाश विकिरण की प्रकृति होती है :

A. तरंग के समान

B. कण के समान

C. तरंग एवं कण दोनों के समान

D. तरंग एवं कण के समान नहीं

3. प्रकाश में ध्रुवण की घटना से यह सिद्ध होता है कि प्रकाश तरंगें :

A. तीक्ष्ण B. प्रगामी

C. अनुप्रस्थ D. अनुदैर्घ्य

4. सूर्य की रोशनी को पृथ्वी तक पहुँचने में समय लगता है :

A. 10 मिनट 3.3 सेकंड

B. 6 मिनट 5.5 सेकंड

C. 8 मिनट 16.6 सेकंड

D. 9 मिनट 8.8 सेकंड

5. माध्यम के तापमान में वृद्धि के साथ प्रकाश की गति :
A. बढ़ती है B. घटती है
C. अपरिवर्तित रहती है D. सहसा गिर जाती है

6. चंद्रग्रहण घटित होता है :
A. अमावस्या के दिन
B. पूर्णिमा के दिन
C. अर्द्धचन्द्र के दिन
D. अमावस्या एवं पूर्णिमा के दिन

7. एक काटा हुआ हीरा क्यों जगमगाता है?
A. इसकी आण्विक संरचना के कारण
B. प्रकाश के शोषण के कारण
C. पूर्ण आंतरिक परावर्तन के कारण
D. कुछ अन्य निहित गुण के कारण

8. पानी में डुबोई एक छड़ी किस कारण मुड़ी हुई प्रतीत होती है?
A. प्रकाश का परावर्तन B. प्रकाश का विवर्तन
C. प्रकाश का अपवर्तन D. प्रकाश का प्रकीर्णन

9. मृगतृष्णा उदाहरण है :
A. अपवर्तन का B. पूर्ण आंतरिक परावर्तन का
C. प्रकीर्णन का D. विवर्तन का

10. एक तालाब के तल पर रखा हुआ एक पत्थर उच्च बिन्दु पर रखा हुआ प्रतीत होता है जहाँ यह वास्तव में है, किसके कारण :
A. प्रकाश का परावर्तन B. प्रकाश का विवर्तन
C. प्रकाश का बिखराव D. प्रकाश का अपवर्तन

11. किस परिघटना के कारण आकाश नीला दिखाई पड़ता है?
A. अपवर्तन B. परावर्तन
C. प्रकीर्णन D. विक्षेपण

12. वातावरण में प्रकाश का विसरण निम्नलिखित की वजह से होता है?
A. कार्बन डाईऑक्साइड B. धूल कण
C. हीलियम D. इनमें से कोई नहीं

13. चंद्र सतह पर एक प्रेक्षक को दिन के समय आकाश दिखाई देगा?
A. हल्का पीला B. नीला
C. नारंगी D. काला

14. इंद्रधनुष में किस रंग का विक्षेपण अधिक होता है?
A. बैंगनी B. पीला
C. लाल D. नीला

15. पेरीस्कोप बनाने में निम्नलिखित में से कौन-सा एक प्रयुक्त होता है?
A. अवतल लेंस B. अवतल दर्पण
C. समतल दर्पण D. इनमें से कोई नहीं

16. साबुन के पतले झाग में चमकदार रंगों का बनना किस परिघटना का परिणाम है?
A. बहुलित परावर्तन और व्यतिकरण
B. बहुलित अपवर्तन और परिक्षेपण
C. अपवर्तन और परिक्षेपण
D. ध्रुवण और व्यतिकरण

17. पिछली साइड के ट्रैफिक को देखने के लिए ऑटोमोबाइल के किस प्रकार के दर्पण का उपयोग किया जाता है?
A. अवतल B. समतल-उत्तल
C. समतल D. उत्तल

18. एक दंत चिकित्सक द्वारा रोगी के दांतों की जांच के लिए प्रयुक्त होने वाला दर्पण है?
A. अवतल B. उत्तल
C. समतल D. बेलनाकार

19. वाहनों के अग्रदीपों में किस प्रकार के दर्पण का प्रयोग होता है?
A. समतल दर्पण B. उत्तल दर्पण
C. अवतल दर्पण D. परावलयिक दर्पण

20. मानव आँख की रेटिना पर कैसा प्रतिबिंब बनता है?
A. वास्तविक तथा उल्टा B. वास्तविक तथा सीधा
C. आभासी तथा उल्टा D. आभासी तथा सीधा

21. जब कोई वस्तु दो समांतर समतल दर्पणों के बीच रखी जाती है तो बने हुए प्रतिबिंबों की संख्या होगी?
A. 2 B. 1
C. 6 D. अनंत

22. हम पृथ्वी के पृष्ठ पर सूर्य का प्रकाश प्राप्त करते हैं, ये प्रकाश के किस प्रकार के किरण पुंज हैं?
A. अपसारी B. बेतरतीब
C. समांतर D. अभिसारी

23. डायोप्टर किसकी इकाई है?
A. लेंस की क्षमता की
B. लेंस की फोकस दूरी की
C. प्रकाश की तीव्रता की
D. ध्वनि की तीव्रता की

24. तीन मूल रंग हैं :
A. हरा, पीला, लाल B. नीला, पीला, लाल
C. नीला, लाल, हरा D. नीला, पीला, हरा

25. श्रव्य परिसेर में ध्वनि तरंगों की आवृत्ति क्या होती है?
A. 20 Hz से 20,000 Hz
B. 0.5 Hz से 5 Hz
C. 1 Hz से 10 Hz
D. 20,000 Hz से 40,000 Hz

26. सूर्य की किरणों में कितने रंग होते हैं?
A. 5 B. 6
C. 7 D. 8

27. फोटोग्राफी में मुख्य रंग कितने होते हैं?
A. लाल, नीला, पीला B. पीला, नीला, हरा
C. लाल, नीला, हरा D. नीला, पीला, हरा

28. जब प्रकाश के लाल, नीला व हरा रंगों को समान अनुपात में मिलाया जाता है, तो परिणामी रंग होगा?

A. मेजेंटा B. सफेद
C. काला D. श्याम

29. कैमरे में किस प्रकार का लेंस उपयोग में लाया जाता है?

A. उत्तल B. अवतल
C. वर्तुलाकार D. समान मोटाई का

30. निकट दृष्टि दोष से पीड़ित व्यक्ति के चश्मे में प्रयोग किया जाता है?

A. उत्तल लेंस B. अवतल लेंस
C. समतल लेंस D. समतल-अवतल

31. मायोपिया से क्या आशय है?

A. दूर दृष्टि दोष B. निकट दृष्टि दोष
C. वर्णांधता D. रतौंधी

32. ल्यूमेन इकाई है :

A. ज्योति फ्लक्स का B. ज्योति तीव्रता का
C. प्रदीप्ति घनत्व का D. चमक का

33. दूरबीन का आविष्कार किया था?

A. गैलीलियो ने B. गुटिनबर्ग ने
C. एडिसन ने D. बेल ने

34. अवतल लेंस प्रयुक्त होता है?

A. मोतियाबिंद के निवारण में
B. दीर्घ दृष्टि दोष के निवारण में
C. निकट दृष्टि दोष के निवारण में
D. दूर दृष्टि दोष के निवारण में

35. प्रकाशिक तन्तु संचार के संकेत किस रूप में प्रवाहित होते हैं?

A. प्रकाश तरंग B. रेडियो तरंग
C. सूक्ष्म तरंग D. विद्युत तरंग

36. निम्नलिखित में से किसमें उच्चतम ऊर्जा होती है?

A. नीला प्रकाश B. हरा प्रकाश
C. लाल प्रकाश D. पीला प्रकाश

37. किसी तारे के रंग से पता चलता है उसके :

A. भार का B. ताप का
C. आकार का D. दूरी का

38. फोटॉन किसकी मूलभूत यूनिट/मात्रा है?

A. प्रकाश B. गुरुत्वाकर्षण
C. विद्युत D. चुम्बकत्व

39. एक तालाब के किनारे एक मछुआरा मछली को भाले से मारने की कोशिश कर रहा है। उसे निशाना कैसे लगाना चाहिए?

A. जहाँ मछली दिखाई दे, उसके ऊपर
B. सीधे मछली पर
C. जहाँ मछली दिखाई दे, उसके नीचे
D. पानी की ऊपरी सतह पर

40. प्रकाश की गति किसके बीच से जाते हुए न्यूनतम होती है?

A. काँच B. निर्वात
C. जल D. वायु

41. जब हम जल के नीचे सुराही भरने के लिए रखते हैं तो जैसे-जैसे सुराही भरती जाती है वैसे-वैसे हमें विशेष प्रकार की ध्वनि सुनाई देती है। इसका कारण है :

A. विवर्तन B. व्यतिकरण
C. अनुनाद D. परावर्तन

42. निम्नलिखित में से किस एक प्रकार की तरंग का प्रयोग रात्रि दृष्टि उपकरण में किया जाता है?

A. रेडियो तरंग B. सूक्ष्म तरंग
C. अवरक्त तरंग D. इनमें से कोई नहीं

43. रेडियो का समस्वरण स्टेशन उदाहरण है :

A. परावर्तन B. अनुनाद
C. व्यतिकरण D. अपवर्तन

44. ध्वनि के स्रोत व परावर्ती सतह के बीच न्यूनतम दूरी कितनी होनी चाहिए, जिससे कि प्रतिध्वनि स्पष्ट रूप से सुनाई दे सके?

A. 10 मीटर B. 17 मीटर
C. 24 मीटर D. 30 मीटर

45. ध्वनि के किस लक्षण के कारण कोई ध्वनि मोटी (Grave) या पतली (Shrill) होती है?

A. तीव्रता (Intensity) B. तारत्व (Pitch)
C. गुणता (Quality) D. इनमें से कोई नहीं

46. अनुरणन काल तथा हॉल के आयतन के बीच सम्बन्ध का प्रतिपादन किया है :

A. डॉप्लर ने B. न्यूटन ने
C. सेबिन ने D. लाप्लास ने

47. एक स्त्री की आवाज का पुरुष की आवाज से अधिक तीक्ष्ण होने का कारण है :

A. उच्चतर आवृत्ति B. निम्नतर आवृत्ति
C. उच्चतम आयाम D. कमजोर वाक तन्तु

48. जब किसी स्थान पर दो लाउडस्पीकर साथ-साथ बजते हैं, तो किसी स्थान-विशेष पर बैठ श्रोता को इनकी ध्वनि नहीं सुनाई देती है। इसका कारण है :

A. परावर्तन B. व्यतिकरण
C. अपवर्तन D. अनुनाद

49. विश्व स्वास्थ्य संगठन के अनुसार कितने डेसीबल की ध्वनि मानव के लिए सर्वोत्तम होती है?

A. 30 dB B. 100 dB
C. 60 dB D. 45 dB

50. स्टेथेस्कोप ध्वनि के किस सिद्धान्त पर कार्य करता है?

A. परावर्तन B. अपवर्तन
C. विवर्तन D. ध्रुवण

51. ध्वनि तरंगें किसके कारण प्रतिध्वनि उत्पन्न करती हैं?

A. अपवर्तन B. विवर्तन
C. परावर्तन D. इनमें से कोई नहीं

52. लगभग 20°C के ताप पर किस माध्यम में ध्वनि की गति अधिकतम होगी?

A. हवा B. ग्रेनाइट
C. पानी D. लोहा

53. कीड़ों तथा हानि पहुँचाने वाले तत्वों को घरों से दूर भगाने के लिए प्रयोग में लाया जाता है :

A. अल्ट्रासोनिक तरंग B. रेडियो तरंग
C. इन्फ्रारेड तरंग D. सबसोनिक तरंग

54. हम रेडियो की घुंडी घुमाकर विभिन्न स्टेशनों के कार्यक्रम सुनते हैं। यह सम्भव है :

A. अनुनाद के कारण B. विस्पन्दन के कारण
C. व्यतिकरण के कारण D. विवर्तन के कारण

55. वस्तु के वेग तथा उसी माध्यम में एवं उन्हीं परिस्थितियों में ध्वनि के वेग के अनुपात को कहते हैं :

A. स्थायित्व संख्या B. लैप्लास संख्या
C. ऑक्टेन संख्या D. मैक संख्या

56. ध्वनि के वेग का मान सबसे कम होता है :

A. ठोस में B. द्रव में
C. गैस में D. पारा में

57. ध्वनि का वेग अधिकतम होता है :

A. जल में B. वायु में
C. पारा में D. लोहा में

58. जब ध्वनि तरंगें चलती हैं, तो अपने साथ ले जाती हैं?

A. द्रव्यमान B. ध्वनि
C. ऊर्जा D. विभवान्तर

59. सबसे अधिक तीव्रता की ध्वनि उत्पन्न करता है :

A. बन्दर B. गोरिल्ला
C. चिम्पैन्जी D. बाघ

59. ध्वनि तरंगों की प्रकृति होती है:

A. अनुप्रस्थ B. अनुदैर्ध्य
C. अप्रगामी D. विद्युत चुम्बकीय

उत्तरमाला

1	2	3	4	5	6	7	8	9	10
C	C	C	C	C	B	C	C	B	D
11	12	13	14	15	16	17	18	19	20
C	B	D	A	C	A	D	A	C	A
21	22	23	24	25	26	27	28	29	30
D	A	A	C	A	C	A	B	A	B
31	32	33	34	35	36	37	38	39	40
B	A	A	C	A	C	B	A	C	A
41	42	43	44	45	46	47	48	49	50
C	C	B	B	B	C	A	B	D	A
51	52	53	54	55	56	57	58	59	60
C	D	A	A	D	C	D	C	D	B

★ ★ ★

7

विद्युत धारा का रासायनिक प्रभाव

शुद्ध जल विद्युत का कुचालक होता है, लेकिन जब जल में किसी धातु के लवण, अम्ल अथवा क्षार घुले रहते हैं, तो ऐसा घोल विद्युत का सुचालक हो जाता है। ऐसे घोल जिससे विद्युत धारा गुजर सकती है, विद्युत अपघट्य (Electrolyte) कहलाता है। जब किसी लवण, अम्ल अथवा क्षार घुले जलीय घोल में विद्युत धारा प्रवाहित की जाती है, तो उसका विद्युत अपघटन (Electrolysis) होता है, अर्थात् उस विलियन का धनात्मक व ऋणात्मक आयनों में अपघटन (Decomposition) हो जाता है। इस घटना को विद्युत धारा का रासायनिक प्रभाव कहते हैं।

जिस उपकरण में घोल का विद्युत अपघटन होता है, उसे वोल्टामीटर (Voltameter) कहते हैं। धातु के दो चालक, जो वोल्टामीटर में धारा के प्रवेश (Entrance) और निर्गमन (Exit) के लिए लगे रहते हैं, इलेक्ट्रोड (Electrode) कहलाते हैं। जिस इलेक्ट्रोड होकर धारा वोल्टामीटर में प्रवेश करती है, उसे एनोड (Anode) तथा जिससे होकर धारा बाहर निकलती है, उसे कैथोड (Cathode) कहते हैं।

अर्थात् वोल्टामीटर के धन इलेक्ट्रोड को एनोड व ऋण इलेक्ट्रोड को कैथोड कहते हैं। जब विद्युत अपघट्य में धारा प्रवाहित की जाती है, तो धनायन (Cation) कैथोड की ओर तथा ऋणायन (Anion) एनोड की ओर चलने लगते हैं और उन पर जाकर जमा हो जाते हैं।

संचायक सेल या द्वितीयक सेल (Accumulator or Secondary Cell)

संचायक सेल में विद्युत ऊर्जा को रासायनिक ऊर्जा के रूप में जमा किया जाता है और जब सेल को किसी परिपथ से जोड़ दिया जाता है, तब सेल के भीतर एकत्रित रासायनिक ऊर्जा विद्युत ऊर्जा में धीरे-धीरे परिवर्तित होने लगती है। संचायक सेल दो प्रकार के होते हैं–

(*i*) सीसा संचायक सेल (Lead accumulator)

(*ii*) क्षारीय संचायक सेल (Alkaline accumulator)

सीसा संचायक सेल (Lead Accumulator Cell)

इसमें सीसे की दो पट्टिकाएँ होती हैं। पट्टिकाएँ तनु गंधकाम्ल में डुबी रहती हैं। विद्युत धारा प्रवाहित करने यानी आवेशन करने पर पानी का विघटन होता है, जिसके कारण हाइड्रोजन कैथोड पर और ऑक्सीजन एनोड पर जमा होता है। ऑक्सीजन ऐनोड पर के सीसे से मिलकर लेड पेरॉक्साइड बनता है, जो गहरे भूरे रंग का होता है। कुछ देर तक धारा बहने के बाद धारा बन्द कर दी जाती है। इस समय सेल आवेशित हो जाता है एवं इसका विभवान्तर 2 वोल्ट मिलता है। जब सेल को चालक से जोड़ते हैं, तो बाहरी परिपथ में धारा एनोड से कैथोड की ओर बहती है। इस प्रकार की धारा बहने से हाइड्रोजन लेड पेरॉक्साइड वाली पट्टिका की ओर जाता है और लेड पेरॉक्साइड को लेड मोनोक्साइड (PbO) में परिवर्तित कर देता है, जो गंधकाम्ल से मिलकर लेड सल्फेट तथा जल बनता है। जल के निर्माण से तनु गंधकाम्ल का विशिष्ट घनत्व घट जाता है, जिससे सेल अनावेशित हो जाती है।

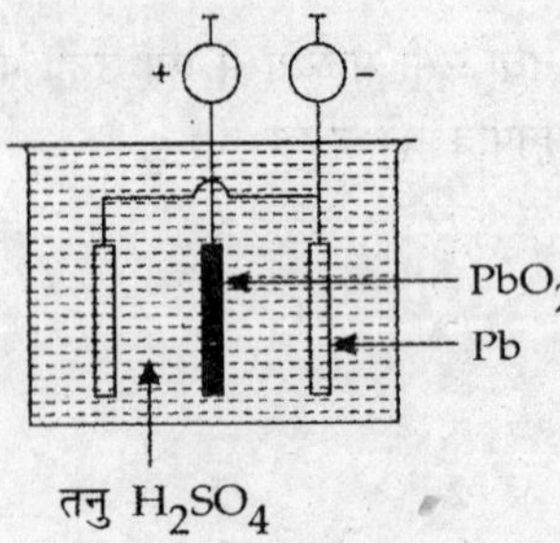

चित्र : *सीसा संचायक सेल*

पूर्णरूपेण आवेशित रहने पर सेल का वि.वा. बल 2.2 वोल्ट तथा अनावेशित रहने पर इसका वि.वा. बल 1.8 वोल्ट हो जाता है। सेल के अनावेशन की स्थिति को सल्फेटिंग कहते हैं। सल्फेटिंग की स्थिति सेल से अत्यधिक धारा निकालने पर तथा सेल को अनावेशित दशा में बहुत समय तक रहने पर उत्पन्न होती है।

क्षारीय संचायक सेल (Alkaline Accumulator Cell)

इस सेल को एडिसन या निफे (Ni-Fe) सेल भी कहते हैं। इस सेल में काँच के बर्तन में पोटाशियम हाइड्रॉक्साइड का गाढ़ा (Concentrated) घोल रहता है। इस सेल का एनोड इस्पात का जालीदार फ्रेम होता है, जिसमें निकेल हाइड्रॉक्साइड तथा निकेल के छीलन (Filings) एकान्तर क्रम से तहों (layers) में जमे रहते हैं। दूसरा प्लेट रंध्रयुक्त (Porus) इस्पात का होता है, जिसमें लौह ऑक्साइड (Iron-oxide) का बारीक चूर्ण भरा रहता है। यह प्लेट कैथोड का काम करता है।

सेल का आवेशन (Charging of Cell)

जब सेल को आवेशित करने के लिए इसमें बाहरी स्रोत से विद्युत धारा प्रवाहित की जाती है, तो विद्युत अपघटन से पोटाशियम के आयन (K^+) कैथोड पर तथा हाइड्रोक्सिल आयन (OH^-) एनोड पर एकत्रित होते हैं (आवेशन के दौरान)।

इस तरह सेल द्रवित हो जाता है और विपरीतात्मक वि.वा. बल प्रभावशाली और स्थायी हो जाता है। अब इस सेल को किसी विद्युतीय परिपथ में रखा जाता है, तो इससे धारा बहती है तथा इसके एनोड तथा कैथोड पर क्रमशः K^+ एवं OH^- मुक्त होते हैं (अनावेशन के दौरान)।

पूर्णरूपेण आवेशित होने पर इस सेल का विद्युत वाहक बल 1.35 वोल्ट तथा अनावेशित होने पर इसका वि.वा. बल 0.9 वोल्ट हो जाता है। इस सेल का आन्तरिक प्रतिरोध 0.1 ओम होता है।

सेल की दक्षता (Efficiency of a Cell)

किसी सेल की दक्षता सेल द्वारा किए गए लाभदायक कार्य उसी सेल के द्वारा किए गए कुल कार्य का अनुपात है।

i.e., $$\text{सेल की दक्षता} = \frac{\text{सेल द्वारा किए गए लाभदायक कार्य}}{\text{उसी सेल द्वारा किए गए कुल कार्य}}$$

अगर किसी सेल का वि.वा. बल E तथा बन्द परिपथ में ध्रुवों के बीच का विभवान्तर V हो, तो–

$$\text{सेल की दक्षता} = \frac{V}{E}$$

विद्युत अपघटन के उपयोग (Applications of Electrolysis)

(*i*) **धातु का निष्कर्षण (Extraction of metals):** एलुमिनियम, सोडियम, कैल्शियम, मैग्नीशियम आदि धातु विद्युत-अपघटन से प्राप्त होते हैं। इन्हीं धातुओं का इलेक्ट्रोड बना रहता है और जब इस धातु के नमक वाले घोल से विद्युत की धारा प्रवाहित की जाती है, तो शुद्ध धातु कैथोड पर एकत्रित हो जाता है।

(*ii*) **विद्युत-अपघटन से विश्लेषण (Analysis by Electrolysis):** विद्युत-अपघटन के सिद्धान्त से कुछ यौगिकों (Some Compounds) को विश्लेषित किया जाता है। इस विधि से HCl, HCN आदि के बनावट (Composition) का पता लगाया जाता है।

(*iii*) **विद्युत-लेपन या कलई करना (Electro-Plating):** विद्युत-अपघटन के सिद्धान्त से किसी धातु की पतली परत (Layer) किसी दूसरी धातु पर चढ़ाई जाती है। जिस धातु पर परत चढ़ाना रहता है, उसका कैथोड और जिस धातु का परत चढ़ाना रहता है उसका ऐनोड बनाया जाता है।

इन दोनों को विद्युत-अपघटन के द्रव में रखकर एक विद्युतीय सेल (Electrolytic Cell) तैयार किया जाता है। इस सेल से जब विद्युत की धारा प्रवाहित की जाती है, तो ऐनोड वाले धातु से धातु घोल में घुलकर कैथोड वाले धातु पर जमा होता जाता है और इस तरह से कुछ देर के बाद इस धातु की कैथोड वाले धातु पर एक पतली परत जम जाती है। इस क्रिया के लिए प्रायः सोना, चाँदी, तांबा, निकेल और क्रोमियम धातु लिया जाता है।

(*iv*) **विद्युतीय-मुद्रण (Electro-typing):** आजकल बड़े-बड़े प्रेसों में अच्छी तरह काम करने के लिए टाइप बनाकर ताँबे के वोल्टामीटर में कैथोड की जगह पर रख दिया जाता है। ऐसा करने से इस पर ताँबे की एक परत जम जाती है। इससे छपाई अच्छी होती है।

(*v*) **विद्युतीय संचक (Electrolytic Condenser):** ऐसे संचक में एलुमिनियम के दो इलेक्ट्रोड रहते हैं। इसमें बोरिक एसिड, ग्लिसरिन और अमोनिया जल का मिश्रण विद्युत-अपघटन द्रव के रूप में रहता है। जब इस तरह द्रव से होकर विद्युत-धारा प्रवाहित की जाती है तब एनोड पर एलुमिनियम हाइड्रॉक्साइड की परत बन जाती है। यह परत दोनों प्लेटों के बीच पराविद्युत (Di-electric) का कार्य करती है।

(*vi*) **धातुओं का शुद्धीकरण (Purification of Metals):** इसके लिए अशुद्ध धातु का एनोड और शुद्ध धातु का कैथोड बनाया जाता है। अशुद्ध धातु का घोल के रूप में विद्युत-अपघटन द्रव बनाया जाता है। जब इस अशुद्ध धातु के घोल से होकर धारा प्रवाहित की जाती है, तो इसमें से शुद्ध धातु निकलकर कैथोड वाले शुद्ध धातु पर जमा होता है। इस तरह से ताँबा का शुद्धीकरण 99.99% तक किया जाता है।

वस्तुनिष्ठ प्रश्न

1. किसी आवेशित चालक का सम्पूर्ण आवेश उसके :
A. आन्तरिक पृष्ठ पर रहता है
B. बाहरी पृष्ठ पर रहता है
C. कुछ आन्तरिक पृष्ठ पर व कुछ बाहरी पृष्ठ पर रहता है
D. सभी सत्य हैं

2. वस्तुओं का आवेशन किसके स्थानान्तरण के फलस्वरूप होता है?
A. इलेक्ट्रॉन B. पोजिट्रॉन
C. प्रोटॉन D. न्यूट्रॉन

3. आप कार में जा रहे हैं। यदि आसमान से बिजली गिरने वाली हो तो सुरक्षित रहने के लिए :
A. कार की खिड़कियाँ बन्द कर लेंगे
B. कार की खिड़कियाँ खोल देंगे
C. कार से उतरकर नीचे बैठ जाएँगे
D. कार के ऊपर बैठ जाएँगे

4. दो स्थिर आवेशों के बीच लगने वाला बल उनकी मात्राओं के गुणनफल के अनुक्रमानुपाती तथा उनकी बीच की दूरी के वर्ग के व्युत्क्रमानुपाती होता है।'' यह नियम है–

A. ओम का नियम B. किरचॉफ का नियम
C. कूलॉम का नियम D. फैराडे का नियम

5. किसी विद्युत परिपथ में इकाई धन आवेश को एक बिन्दु से दूसरे बिन्दु तक ले जाने में किए गए कार्य द्वारा मापा जाता है, उन बिन्दुओं के बीच के :
A. प्रतिरोध को
B. विभवान्तर को
C. धारा को
D. विद्युत धारा की प्रबलता को

6. निम्न में से कौन-सा पदार्थ विद्युत का सबसे अच्छा चालक है?
A. चाँदी B. ताँबा
C. सोना D. अभ्रक

7. अतिचालक का लक्षण है :
A. उच्च पारगम्यता B. निम्न पारगम्यता
C. शून्य पारगम्यता D. अनन्त पारगम्यता

8. अधातुएँ विद्युत की कुचालक होती हैं क्योंकि :
A. उनमें मुक्त इलेक्ट्रॉन नहीं होते हैं।
B. उनके परमाणु हल्के होते हैं।
C. उनका गलनांक ऊँचा होता है।
D. उपर्युक्त सभी

9. ताँबा मुख्य रूप से विद्युत चालन के लिए प्रयोग किया जाता है क्योंकि :
A. इसका गलनांक अधिक होता है।
B. यह सस्ता होता है।
C. यह बहुत टिकाऊ होता है।
D. इसकी विद्युत प्रतिरोधकता निम्न होती है।

10. आपस में जुड़ी दो आवेशित वस्तुओं के बीच विद्युत धारा नहीं बहती यदि वे होती हैं :
A. समान आवेश पर B. समान धारिता पर
C. समान विभव पर D. समान प्रतिरोध पर

11. प्रत्यावर्ती धारा को दिष्ट धारा में परिवर्तित किया जाता है :
A. डायनेमो द्वारा B. ट्रान्सफॉर्मर द्वारा
C. रेक्टिफायर द्वारा D. मोटर द्वारा

12. विद्युत फिटिंग्स में एक तार को भू-सम्पर्कित किया जाता है। इसका कारण है :
A. यदि लघु पथन (Short Circuit) हो जाए तो धारा भूमि में चली जाएगी।
B. इससे विद्युत का क्षय नहीं होता है।
C. यह विद्युत परिपथ को पूर्ण करता है।
D. इससे विद्युत का उच्चावचन (Fluctuation) दूर हो जाता है।

13. विभवान्तर का मात्रक होता है :
A. एम्पियर B. वोल्ट
C. कूलॉम D. ओम

14. एक आदर्श वोल्ट मीटर का प्रतिरोध होता है :
A. शून्य B. एक
C. 1 से कम D. अनन्त

15. प्रतिरोध (Resistance) का मात्रक है :
A. एम्पियर B. कूलॉम
C. हेनरी D. ओम

16. घरों में लगे पंखे, बल्ब आदि लगे होते हैं :
A. श्रेणी क्रम में B. मिश्रित क्रम में
C. समानान्तर क्रम में D. किसी भी क्रम में

17. "किसी चालक के सिरों के बीच विभवान्तर उसमें बहने वाली धारा के समानुपाती होता है।" यह नियम है :
A. कूलॉम का नियम B. फैराडे का नियम
C. जूल का नियम D. ओम का नियम

18. विशिष्ट प्रतिरोध का SI मात्रक है :
A. ओम B. ओम-मीटर
C. ओम/मीटर D. ओम/मीटर^2

19. यदि 3 ओम और 6 ओम के प्रतिरोध समानान्तर क्रम में जोड़े जाएं, तो सम्पूर्ण प्रतिरोध होगा :
A. 9 ओम B. 3 ओम
C. 2 ओम D. 18 ओम

20. एक शुष्क सेल में कौन-सी ऊर्जा पाई जाती है?
A. यांत्रिक B. विद्युत
C. रासायनिक D. विद्युत चुम्बकीय

21. एक समान शुष्क सेल में विद्युत अपघट्य होता है :
A. जिंक B. गंधक का अम्ल
C. अमोनियम क्लोराइड D. मैंगनीज डाइऑक्साइड

22. एक कार बैटरी में प्रयुक्त विद्युत अपघट्य होता है :
A. हाइड्रोक्लोरिक अम्ल B. सल्फ्यूरिक अम्ल
C. नाइट्रिक अम्ल D. आसुत जल

23. वोल्टीय सेल (Voltaic Cell) के आविष्कारक हैं :
A. बेंजामिन फ्रेंकलिन B. थॉमस एडीसन
C. एलिजाण्ड्रो वोल्टा D. किरचॉफ

24. शुष्क सेल है :
A. प्राथमिक सेल B. द्वितीयक सेल
C. तृतीयक सेल D. चतुर्थक सेल

25. लोहे के ऊपर जिंक की परत चढ़ाने को क्या कहते हैं?
A. गैल्वेनाइजेशन B. इलेक्ट्रोप्लेटिंग
C. आयनन D. इनमें से कोई नहीं

26. वैद्युत अपघटन सम्बन्धी नियम किसने प्रतिपादित किए हैं?
A. ओम B. फैराडे
C. एडीसन D. वोल्टा

27. सामान्य वैद्युत उपकरणों के लिए फ्यूज तार में निम्नलिखित गुण होने चाहिए :

1. मोटा तार
2. पतला तार
3. निम्न गलनांक मिश्र धातु
4. उच्च गलनांक मिश्र धातु

A. 1 और 3 B. 1 और 4
C. 2 और 3 D. 2 और 4

28. आमतौर पर सुरक्षा फ्यूज लगाने के लिए प्रयोग होने वाली तार किस पदार्थ की बनी होती है?

A. टिन
B. सीसा
C. निकिल
D. टिन और सीसे की एक मिश्र धातु

29. बिजली के बल्ब का फिलामेन्ट किस तत्व से बना होता है?

A. कॉपर B. आयरन
C. लेड D. टंगस्टन

30. विद्युत हीटर का एलीमेन्ट (Element) निम्नलिखित में से किस धातु का बना होता है?

A. नाइक्रेम B. तांबा
C. एल्युमिनियम D. उपर्युक्त में से कोई नहीं

31. यदि 100 वाट वाले 10 बल्ब प्रतिदिन 1 घंटा जलते हैं, तो प्रतिदिन विद्युत ऊर्जा के उपयोग का मान होगा :

A. 1 यूनिट B. 100 KWh
C. 10 यूनिट D. 10 KWh

32. तड़ित चालक का आविष्कार किसने किया?

A. ग्राहम बेल B. लॉर्ड लिस्टर
C. बेंजामिन फ्रेंकलिन D. आइन्स्टीन

33. निम्न में से कौन विद्युत अचुम्बकीय है?

A. निकिल B. कोबाल्ट
C. क्रोमियम D. ताँबा

34. निम्न में से कौन प्रतिचुम्बकीय (Diamagnetic) है?

A. लोहा B. बिस्मथ
C. निकिल D. कोबाल्ट

35. विद्युत धारा का चुम्बकीय प्रभाव सर्वप्रथम अवलोकित किया गया :

A. हेनरी द्वारा B. ओरस्टेड द्वारा
C. फैराडे द्वारा D. वोल्टा द्वारा

36. किसी विलयन का pH मान 6 है। इस विलयन में हाइड्रोजन आयन का सान्द्रण होगा :

A. 10^{-6} M B. 10^{-10} M
C. 10^{10} M D. 10^{6} M

37. किसी विलयन में हाइड्रोजन आयनों का सान्द्रण 10^{-4} है, तो उसमें हाइड्रॉक्सिल आयनों का सान्द्रण होगा :

A. 10^{-4} B. 10^{-14}
C. 10^{-10} D. 10^{4}

38. क्षारीय विलयन के pH का मान होता है सदा ही :

A. 7 से कम B. 7 से अधिक
C. 7 के बराबर D. इनमें से कोई नहीं

39. अम्लीय विलयन के pH का मान होता है सदा ही :

A. 7 से कम B. 7 से अधिक
C. 7 के बराबर D. इनमें से कोई नहीं

40. शुद्ध जल का pH होता है :

A. 6.4 B. 6.6
C. 7.0 D. 7.4

41. साधारण विलयनों में pH का मान होता है :

A. 0 से 7 B. 7 से 14
C. 0 से 12 D. 0 से 14

42. वैद्युत अपघटन के लिए प्रयुक्त पात्र कहलाता है :

A. अमीटर B. वोल्टमीटर
C. वोल्टामीटर D. कैलोरीमीटर

43. वैद्युत अपघटन में ऑक्सीकरण (Oxidation) होता है :

A. कैथोड पर
B. एनोड पर
C. कैथोड व एनोड दोनों पर
D. किसी पर नहीं

44. वैद्युत अपघटन में अवकरण (Reduction) होता है :

A. कैथोड पर
B. एनोड पर
C. कैथोड व एनोड दोनों पर
D. किसी पर नहीं

45. जस्तीकृत लोहा की बाहरी सतह पर किसकी पतली तह चढ़ी रहती है?

A. क्रोमियम B. जस्ता
C. ऐलुमिनियम D. निकेल

46. निम्नलिखित में से किस धातु को वायु में छोड़ देने पर उसका संक्षारण (Corrosion) नहीं होता है?

A. लोहा B. ताँबा
C. सोना D. सिल्वर

47. गैल्वेनिक सेल में परिवर्तित होती है :

A. विद्युत ऊर्जा रासायनिक ऊर्जा में
B. रासायनिक ऊर्जा विद्युत ऊर्जा में
C. प्रकाश ऊर्जा विद्युत ऊर्जा में
D. विद्युत ऊर्जा प्रकाश ऊर्जा में

48. ऊष्माक्षेपी प्रतिक्रिया में :

A. ऊष्मा का अवशोषण होता है

B. ऊष्मा मुक्त होती है

C. ऊष्मा परिवर्तन नहीं होता है

D. ताप स्थिर रहता है

49. ऊष्माशोषी प्रतिक्रिया में :

A. ऊष्मा का अवशोषण होता है

B. ऊष्मा मुक्त होती है

C. ऊष्मा परिवर्तन नहीं होता है

D. ताप स्थिर रहता है

50. वे रासायनिक प्रतिक्रियाएँ जो एक ही दिशा में (बाएँ से दाएँ) होती हैं, कहलाती हैं:

A. उत्क्रमणीय प्रतिक्रिया

B. अनुत्क्रमणीय प्रतिक्रिया

C. ऊष्माशोषी प्रतिक्रिया

D. ऊष्माक्षेपी प्रतिक्रिया

उत्तरमाला

1	2	3	4	5	6	7	8	9	10
B	A	A	C	B	A	A	A	B	C
11	**12**	**13**	**14**	**15**	**16**	**17**	**18**	**19**	**20**
C	A	B	D	D	C	D	B	C	C
21	**22**	**23**	**24**	**25**	**26**	**27**	**28**	**29**	**30**
C	B	C	A	A	B	C	D	D	A
31	**32**	**33**	**34**	**35**	**36**	**37**	**38**	**39**	**40**
A	C	C	B	B	A	C	B	A	C
41	**42**	**43**	**44**	**45**	**46**	**47**	**48**	**49**	**50**
D	C	B	A	B	C	B	B	A	B

★ ★ ★

8

प्राकृतिक घटना—भूकम्प, तड़ित, जल एवं वायु प्रदूषण

भूकम्प (Earthquakes)

भूकम्प भूपृष्ठ पर होने वाला आकस्मिक कम्पन है जो भूगर्भ में चट्टानों के लचीलेपन या समस्थिति के कारण होने वाले समायोजन का परिणाम होता है। यह प्राकृतिक व मानवीय दोनों ही कारणों से हो सकता है। प्राकृतिक कारणों में ज्वालामुखी क्रिया, विवर्तनिक अस्थिरता, संतुलन स्थापना के प्रयास, वलन व भ्रंशन, प्लूटोनिक घटनाएँ व भूगर्भिक गैसों का फैलाव, आदि शामिल किए जाते हैं। रीड के 'प्रत्यास्थ-पुनश्चलन सिद्धांत' के अनुसार प्रत्येक चट्टान में तनाव सहने की एक क्षमता होती है। उसके बाद यदि तनाव बल और अधिक हो जाए तो चट्टान टूट जाता है तथा टूटा हुआ भाग पुनः अपने स्थान पर वापस आ जाता है। इस प्रकार चट्टान में भ्रंशन की घटनाएँ होती हैं एवं भूकम्प आते हैं।

कृत्रिम या मानव निर्मित भूकम्प मानवीय क्रियाओं की वैज्ञानिकता के परिणाम होते हैं। इस संदर्भ में विवर्तनिक रूप से अस्थिर प्रदेशों में सड़कों, बाँधों, विशाल जलाशयों, आदि के निर्माण का उदाहरण लिया जा सकता है। इसके अतिरिक्त आणविक परीक्षण भी भूकम्प के लिए उत्तरदायी हैं।

भूकम्प आने के पहले वायुमंडल में 'रेडॉन' गैसों की मात्रा में वृद्धि हो जाती है। अतः इस गैस की मात्रा में वृद्धि का होना उस प्रदेश विशेष में भूकम्प आने का संकेत होता है। जिस जगह से भूकम्पीय तरंगें उत्पन्न होती हैं उसे 'भूकम्प मूल' (Focus) कहते हैं तथा जहाँ सबसे पहले भूकम्पीय लहरों का अनुभव किया जाता है उसे भूकम्प केन्द्र (Epicentre) कहते हैं।

भूकम्प मूल की गहराई के आधार पर भूकम्पों को 3 वर्गों में रखा जाता है—

(*i*) सामान्य भूकम्प (0-50 km)

(*ii*) मध्यवर्ती भूकम्प (50-250 km)

(*iii*) गहरे या पातालीय भूकम्प (250-700 km)

भूकम्प के इस दौरान जो ऊर्जा भूकम्प मूल से निकलती है, उसे 'प्रत्यास्थ ऊर्जा' कहते हैं। भूकम्प के दौरान कई प्रकार की भूकम्पीय तरंगें (Seismic waves) उत्पन्न होती हैं, जिन्हें 3 श्रेणियों में रखा जा सकता है—

(*i*) **प्राथमिक अथवा अनुदैर्घ्य तरंगें (Primary or Longitudinal waves):** इन्हें 'P' तरंगें भी कहा जाता है। तीनों लहरों में सर्वाधिक तीव्र गति इसी की होती है।

(*ii*) **अनुप्रस्थ अथवा गौण तरंगें (Secondary or Transverse waves):** इन्हें 'S' तरंगें भी कहा जाता है। 'P' तरंगों की तुलना में इसकी गति कम होती है।

(*iii*) **धरातलीय तरंगें (Surface or Long period waves):** इन्हें 'L' तरंगें भी कहा जाता है। ये पृथ्वी के ऊपरी भाग को ही प्रभावित करती है। ये अत्यधिक प्रभावशाली तरंगें हैं एवं सबसे लंबा मार्ग तय करती है। इनकी गति काफी धीमी होती है एवं सबसे देर में पहुँचती है, परंतु इनका प्रभाव सबसे विनाशकारी होता है। 'P' और 'S' लहरें युग्म में चलती हैं।

जिन संवेदनशील यंत्रों द्वारा भूकम्पीय तरंगों की तीव्रता मापी जाती है उन्हें 'भूकम्प लेखी' या 'सीस्मोग्राफ' (Seismograph) कहते हैं, इसके तीन स्केल हैं—

(*i*) **रॉसी-फेरल स्केल**—इसके मापक 1 से 11 रखे गए थे।

(*ii*) **मरकेली स्केल**—यह अनुभव प्रधान स्केल है। इसके 12 मापक हैं।

(*iii*) **रिक्टर स्केल (Richter Scale):** यह गणितीय मापक है, जिसकी तीव्रता 0 से 9 तक होती है और रिक्टर स्केल पर प्रत्येक अगली इकाई पिछली इकाई की तुलना में 10 गुना अधिक तीव्रता रखता है।

विश्व में भूकम्प की कुछ विस्तृत पेटियाँ

(*i*) **प्रशांत महासागरीय तटीय पेटी**—इस पेटी में विश्व के 63% भूकम्प आते हैं। इस क्षेत्र में चिली, कैलिफोर्निया, अलास्का, जापान, फिलीपींस, न्यूजीलैंड आदि आते हैं।

(*ii*) **मध्य महाद्वीपीय पेटी**—इस पेटी में विश्व के 21% भूकम्प आते हैं। भारत का भूकम्पीय क्षेत्र इसी पेटी के अंतर्गत आता है।

(*iii*) **मध्य अटलांटिक पेटी**—इस पेटी में सर्वाधिक भूकम्प भूमध्य रेखा के आसपास आते हैं।

(*iv*) **अन्य क्षेत्र**—इसमें पूर्वी अफ्रीका की लंबी भूभ्रंश घाटी, अदन की खाड़ी से अरब सागर तक का क्षेत्र तथा हिन्द महासागर की भूकम्पीय पेटी सम्मिलित की जाती है।

तड़ित/आकाशीय बिजली (Lightning)

विद्युत के तार ढीले हो जाने पर विद्युत खम्भों पर चिंगारियाँ उत्पन्न होती हैं। यह परिघटना उस समय बहुत अधिक हो जाती है, जब पवन के चलने पर तार हिलते-डुलते हैं। सॉकेट में प्लग के ढीले होने पर भी चिंगारियाँ निकलती हैं। तड़ित भी एक विशाल स्तर की विद्युत चिंगारी ही है। प्राचीन काल में लोग इन चिंगारियों का कारण नहीं समझते थे। अतः वे तड़ित से डरते थे और सोचते थे कि उन पर भगवान के क्रोध के कारण यह हुआ है। अब वास्तव में हम यह जानते हैं कि बादलों में आवेश के एकत्रित होने से तड़ित पैदा होती है। 600 ई.पू. से भी पहले प्राचीन यूनानी यह जानते थे कि जब ऐम्बर (एक प्रकार की राल) को फर से रगड़ते हैं तो यह बालों जैसी हलकी वस्तुओं को आकर्षित कर लेता है। जब हम ऊनी अथवा पॉलिएस्टर के वस्त्रों को उतारते हैं तो हमारे बाल खड़े हो जाते हैं। यदि हम अँधेरे में इन वस्त्रों को उतारते हैं तो हम चट-चट ध्वनि के साथ चिंगारी तक देख सकते हैं। सन् 1752 में अमेरिकी वैज्ञानिक बेंजामिन फ्रेंकलिन ने यह दर्शाया कि तड़ित तथा हमारे वस्त्रों में उत्पन्न चिंगारी वास्तव में एक ही परिघटना है। परन्तु इस तथ्य को साकार होने में 200 वर्ष लगे।

रगड़ द्वारा आवेशन

जब प्लास्टिक की रिफिल को पॉलीथिन के साथ रगड़ते हैं तो यह कुछ विद्युत आवेश अर्जित कर लेता है। इसी प्रकार जब प्लास्टिक की कंघी को सूखे बालों से रगड़ते हैं तब यह भी कुछ विद्युत आवेश अर्जित कर लेती है। इन वस्तुओं को आवेशित वस्तुएँ कहते हैं। रिफिल तथा प्लास्टिक की कंघी को आवेशित करने की प्रक्रिया में पॉलिथीन तथा बाल भी आवेशित हो जाते हैं।

आवेशों के प्रकार तथा इनकी अन्योन्य क्रिया

आवेश दो प्रकार के होते हैं–धनात्मक और ऋणात्मक आवेश। सजातीय (एक ही प्रकार के) आवेश एक-दूसरे को प्रतिकर्षित करते हैं जबकि विजातीय (भिन्न प्रकार के) आवेश एक-दूसरे को आकर्षित करते हैं।

मान्यता के अनुसार रेशम से रगड़ने पर काँच की छड़ द्वारा अर्जित आवेश को धनावेश कहते हैं। अन्य प्रकार के आवेश को ऋणावेश कहते हैं। यह देखा गया है कि जब आवेशित काँच की छड़ को पॉलिथीन से रगड़े गए आवेशित प्लास्टिक स्ट्रॉ के निकट लाते हैं तो दोनों केबीच आकर्षण होता है। रगड़ने पर उत्पन्न विद्युत आवेश स्थैतिक होते हैं। वे स्वयं गति नहीं करते। जब आवेश गति करते हैं तो विद्युत धारा बनती है। परिपथ में प्रवाहित होने वाली वह विद्युत धारा जिसमें बल्ब चमकता है अथवा तार गरम हो जाता है, और कुछ नहीं वरन आवेशों का प्रवाह ही है।

आवेश का स्थानान्तरण

विद्युत आवेश को किसी आवेशित वस्तु से अन्य वस्तु में धात्विक चालक द्वारा भेजा जा सकता है। किसी आवेशित वस्तु से आवेश को पृथ्वी में भेजने की प्रक्रिया को भूसम्पर्कण कहते हैं। विद्युत धारा के किसी भी कारण से लीक होने से उत्पन्न विद्युत आघात से हमें बचाने के लिए भवनों में भूसम्पर्कण की व्यवस्था की जाती है।

तड़ित

गरज वाले तूफानों के बनते समय वायु की धाराएँ ऊपर की ओर जाती हैं जबकि जल की बूँदें नीचे की ओर आती हैं। इन प्रबल गतियों के कारण आवेशों का पृथकन होता है। एक प्रक्रिया द्वारा बादलों के ऊपरी किनारों के निकट धनावेश एकत्र हो जाते हैं तथा ऋणावेश बादलों के निचले किनारे पर संचित हो जाते हैं। धरती के निकट भी धनावेश का संचय होता है। जब संचित आवेशों का परिमाण अत्यधिक हो जाता है तो वायु जो विद्युत की हीन चालक है, आवेश के प्रवाह को नहीं रोक पाती। ऋणात्मक तथा धनात्मक आवेश मिलते हैं और प्रकाश की चमकीली धारियाँ तथा ध्वनि उत्पन्न होती है। इसे हम तड़ित के रूप में देखते हैं। इस प्रक्रिया को विद्युत विसर्जन कहते हैं।

विद्युत विसर्जन की प्रक्रिया दो अथवा अधिक बादलों के बीच, अथवा बादलों तथा पृथ्वी के बीच हो सकती है। तड़ित के गिरने पर जीवन तथा सम्पत्ति की हानि होती है, अतः हमें अपने बचाव के लिए उपाय करने आवश्यक हैं।

तड़ित से सुरक्षा

तड़ित एवं झंझा (गरज वाले तूफान) के समय कोई भी खुला स्थान सुरक्षित नहीं होता।

- गरज सुनना किसी सुरक्षित स्थान पर तुरन्त पहुँचने कीचेतावनी है।
- अन्तिम गर्जन सुनने के बाद सुरक्षित स्थान से बाहर आने से पहले कुछ देर प्रतीक्षा कीजिए।

सुरक्षित स्थान का पता लगाना–कोई मकान अथवा भवन सुरक्षित स्थान है। यदि आप किसी कार अथवा बस द्वारा यात्रा कर रहे हैं तो वाहन की खिड़कियाँ व दरवाजे बंद होने पर आप उसके भीतर सुरक्षित हैं।

तड़ित झंझा के समय क्या करें, क्या न करें

बाहर खुले में–खुले वाहन, जैसे मोटर साइकिल, ट्रैक्टर, निर्माणकार्य हेतु मशीनें, खुली कार सुरक्षित नहीं हैं। खुले मैदान, ऊँचे वृक्ष, पार्कों में शरण स्थल, ऊँचे स्थान तड़ित से हमारी सुरक्षा नहीं करते। तड़ित झंझा के समय छाता लेकर नहीं चलना चाहिए। यदि वन में हैं तो छोटे वृक्ष के नीचे शरण लेना चाहिए। यदि आप किसी ऐसे खुले क्षेत्र में हैं, जहाँ कोई शरण स्थल नहीं है तो सभी वृक्षों से काफी दूरी पर खड़े रहें।

चित्रः *तड़ित के समय सुरक्षित स्थिति*

जमीन पर न लेटें, बल्कि जमीन पर सिमटकर नीचे बैठें। अपने हाथों को घुटनों पर तथा सिर को हाथों के बीच रखें। इस स्थिति में आप आघात के लिए लघुतम लक्ष्य बन जाएँगे।

घर के भीतर–तड़ित टेलीफोन के तारों, विद्युत तारों तथा धातु के पाइपों पर आघात कर सकती है। तड़ित झंझा के समय हमें इन्हें छूना नहीं चाहिए। ऐसे समय में मोबाइल फोन अथवा बिना डोरी वाले फोन का उपयोग सुरक्षित है।

कम्प्यूटर, टी.वी. आदि जैसे विद्युत उपकरणों के प्लगों को सॉकेट से निकाल देना चाहिए। विद्युत बल्बों/ट्यूबलाइटों को जलाए रखा जा सकता है। इनसे कोई हानि नहीं होती।

तड़ित चालक

तड़ित चालक एक ऐसी युक्ति है जिसका उपयोग भवनों को तड़ित के प्रभाव से बचाने के लिए किया जाता है। किसी भवन के निर्माण के समय उसकी दीवारों में, उस भवन की ऊँचाई से अधिक लम्बाई की धातु की छड़ स्थापित कर दी जाती है। इस छड़ का एक सिरा वायु में खुला रखा जाता है तथा दूसरे सिरे को जमीन में काफी गहराई तक दबा देते हैं। धातु की छड़ विद्युत आवेश के जमीन तक पहुँचने के लिए एक सरल पथ प्रदान करती है। भवन निर्माण में उपयोग होने वाले धातु के स्तम्भ, विद्युत तार तथा जल-पाइप भी कुछ सीमा तक हमारा बचाव करते हैं।

पर्यावरण-प्रदूषण

पर्यावरण-प्रदूषण हमारे परिवेश में अवांछनीय परिवर्तन (जो पौधों, जंतुओं तथा मनुष्यों पर हानिकारक प्रभाव डालते हैं) का परिणाम है। वह पदार्थ, जो प्रदूषण उत्पन्न करता है, 'प्रदूषक' कहलाता है। प्रदूषक ठोस, द्रव अथवा गैसीय पदार्थ हो सकता है, जो प्राकृतिक घटनाओं के कारण उत्पन्न होता है। हम जानते हैं कि एक औसत मनुष्य को भोजन की तुलना में लगभग 12-15 गुना अधिक वायु की आवश्यकता होती है। अतः भोजन में प्रदूषक की अति अल्प मात्रा वायु में उपस्थित समान मात्रा की तुलना में महत्वपूर्ण है। प्रदूषक को निम्नीकृत किया जा सकता है। उदाहरणार्थ–सब्जियों के त्याज्य भाग प्राकृतिक विधियों द्वारा निम्नीकृत एवं अपघटित हो जाते हैं। इसके विपरीत कुछ प्रदूषक, जो धीरे-धीरे निम्नीकृत होते हैं, कई दशकों तक पर्यावरण में अपरिवर्तित रूप में बने रहते हैं। उदाहरणार्थ–डाइक्लोरोडाइफिनाइल ट्राइक्लोरो एथेन (डी.डी.टी.), प्लास्टिक-निर्मित अनेक पदार्थ, भारी धातुएँ, अनेक रसायन तथा नाभिकीय अपशिष्ट आदि यदि एक बार पर्यावरण में निर्गमित हो जाते हैं, तो इन्हें पृथक् करना कठिन होता है। ये प्रदूषक प्राकृतिक विधियों द्वारा निम्नीकृत नहीं होते हैं तथा जीवित प्राणियों के लिए हानिकारक होते हैं। पर्यावरणीय प्रदूषण में प्रदूषक विभिन्न स्रोतों से उत्पन्न होते हैं तथा वायु या जल या मनुष्य द्वारा अथवा मृदा में गाड़ने पर अभिगमित होते हैं।

वायुमंडलीय प्रदूषण

वायुमंडल, जो पृथ्वी को चारों ओर से घेरे हुए हैं, की मोटाई हर ऊँचाई पर समान नहीं होती है। इसमें वायु की विभिन्न संकेंद्री परत अथवा क्षेत्र होते हैं तथा प्रत्येक परत का घनत्व भिन्न-भिन्न होता है। वायुमंडल का सबसे निचला क्षेत्र, जिसमें मनुष्य तथा अन्य प्राणी रहते हैं, को 'क्षोभमंडल' (Troposphere) कहते हैं। यह समुद्र-तल से 10 किमी. की ऊँचाई तक होता है। इसके ऊपर (समुद्र-तल से 10 से 50 किमी. के मध्य) समतापमंडल (Stratosphere) होता है। क्षोभमंडल धूलकणों से युक्त क्षेत्र है, जिसमें वायु, अधिक जलवाष्प तथा बादल उपस्थित होते हैं। इस क्षेत्र में वायु के तीव्र प्रवाह एवं बादल का निर्माण होता है, जबकि समतापमंडल में डाइनाइट्रोजन, डाइऑक्सीजन, ओजोन तथा सूक्ष्म मात्रा में जलवाष्प होता है।

वायुमंडलीय प्रदूषण में मुख्यतः क्षोभमंडल तथा समतापमंडलीय प्रदूषण का अध्ययन किया जाता है। सूर्य की हानिकारक पराबैंगनी किरणों के 99.5% भाग को समतापमंडल में उपस्थित ओजोन पृथ्वी की सतह पर पहुँचने से रोकता है तथा इसके प्रभाव से मानव तथा अन्य जीवों की रक्षा करता है।

क्षोभमंडलीय प्रदूषण

वायु में उपस्थित अवांछनीय ठोस अथवा गैस कणों के कारण क्षोभमंडलीय प्रदूषण होता है। क्षोभमंडल में निम्नलिखित मुख्यतः गैसीय तथा कणिकीय प्रदूषक उपस्थित होते हैं–

1. **गैसीय वायुप्रदूषक**–ये सल्फर, नाइट्रोजन तथा कार्बन के ऑक्साइड, हाइड्रोजन सल्फाइड, हाइड्रोकार्बन, ओजोन तथा अन्य ऑक्सीकारक हैं।
2. **कणिकीय प्रदूषक**–ये धूल, धूम्र, कोहरा, फुहारा (स्प्रे), धुआँ आदि हैं।

गैसीय वायु प्रदूषक

(क) सल्फर के ऑक्साइड

जीवाश्म ईंधन के दहन के परिणामस्वरूप सल्फर के ऑक्साइड उत्पन्न होते हैं। इसमें प्रमुख स्पीशीज सल्फर डाइऑक्साइड है। यह एक गैस है तथा मनुष्य एवं जंतुओं के लिए विषैली है। ऐसा प्रतीत होता है कि सल्फर डाइऑक्साइड की सूक्ष्म सांद्रता मनुष्य में विभिन्न श्वसन-रोगों (जैसे–अस्थमा, श्वसनी शोध (Bronchities), ऐम्फाइसीमा आदि) का कारण होती है। सल्फर डाइऑक्साइड के कारण आँखों में जलन होती है, जिससे आँखें लाल हो जाती हैं तथा आँसू आने लगते हैं। SO_2 की उच्च सांद्रता फूलों की कलियों में कड़ापन उत्पन्न करती है, जिससे ये पौधों से शीघ्र गिर जाती हैं।

(ख) नाइट्रोजन के ऑक्साइड

वायु के प्रमुख अवयव डाइनाइट्रोजन तथा डाइऑक्सीजन हैं। सामान्य ताप पर ये गैसें आपस में अभिक्रिया नहीं करती हैं, परंतु उच्च उन्नतांश

पर जब बिजली चमकती है, तब ये आपस में प्रतिक्रिया करके नाइट्रोजन के ऑक्साइड बनाती हैं। किसी स्वचालित इंजन में (उच्च ताप पर) जब जीवाश्म ईंधन का दहन होता है, तब डाइनाइट्रोजन तथा डाइऑक्सीजन मिलकर नाइट्रिक ऑक्साइड NO तथा नाइट्रोजन डाइऑक्साइड NO_2 की पर्याप्त मात्रा देती हैं। जब समतापमंडल में नाइट्रिक ऑक्साइड NO ओजोन से प्रतिक्रिया करती है, तब नाइट्रोजन डाइऑक्साइड (NO_2) के निर्माण की दर बढ़ जाती है।

यातायात तथा सघन स्थानों पर उत्पन्न तीक्ष्ण लाल धूम्र नाइट्रोजन ऑक्साइड के कारण होता है। NO_2 की अधिक सांद्रता होने पर पौधों की पत्तियाँ गिर जाती हैं तथा प्रकाश-संश्लेषण की दर कम हो जाती है। नाइट्रोजन डाइऑक्साइड से फेफड़ों में उत्तेजना उत्पन्न होती है, जिससे बच्चों में प्रचंड श्वसन-रोग उत्पन्न हो जाते हैं। यह जीव ऊतकों के लिए विषैली भी है। नाइट्रोजन डाइऑक्साइड विभिन्न वस्त्र-रेशों तथा धातुओं के लिए भी हानिकारक है।

(ग) हाइड्रोकार्बन

हाइड्रोकार्बन केवल कार्बन तथा हाइड्रोजन के बने होते हैं। स्वचालित वाहनों में ईंधन के अपूर्ण दहन के कारण ये उत्पन्न होते हैं। अधिकांश हाइड्रोकार्बन कैंसरजन्य होते हैं, अर्थात् इसके कारण कैंसर होता है। यह पौधों में काल-प्रभावण, ऊतकों के निम्नीकरण तथा पत्तियों, फूलों एवं टहनियों में छाया द्वारा हानि पहुँचाते हैं।

(घ) कार्बन के ऑक्साइड

(i) **कार्बन मोनोऑक्साइड**–कार्बन मोनोऑक्साइड गंभीर वायु-प्रदूषकों में से एक है। यह रंगहीन तथा गंधहीन है। यह श्वसनीय प्राणियों के लिए हानिकारक है। इसमें विभिन्न अंगों तथा ऊतकों के लिए दी जाने वाली ऑक्सीजन के प्रवाह को रोकने की सामर्थ्य होती है। यह कार्बन के अपूर्ण दहन के फलस्वरूप उत्पन्न होती है। इसकी सर्वाधिक मात्रा मोटरवाहनों से निकलने वाले धुएँ से उत्पन्न होती है। इसके अन्य स्रोत कोयला, ईंधन-लकड़ी, पेट्रोल का अपूर्ण दहन है।

यह हीमोग्लोबिन के साथ ऑक्सीजन की अपेक्षा अधिक प्रबलता से संयुक्त हो जाती है तथा कार्बोक्सीहीमोग्लोबिन बनाती है, जो ऑक्सीजन-होमोग्लोबिन से लगभग 300 गुना अधिक स्थायी संकुल है। जब रक्त में कार्बोक्सीहीमोग्लोबिन की मात्रा 3-4 प्रतिशत तक पहुँच जाती है, तब रक्त में ऑक्सीजन ले जाने की क्षमता काफी कम हो जाती है। ऑक्सीजन की इस न्यूनता से सिरदर्द, नेत्रदृष्टि की क्षीणता, तंत्रकीय आवेग में न्यूनता, हृदयवाहिका में तंत्र अव्यवस्था आदि की विसंगतियाँ हो जाती हैं। यही कारण है कि लोगों को धूम्रपान नहीं करने की सलाह दी जाती है। गर्भवती महिलाओं के रक्त में कार्बन मोनोऑक्साइड (CO) की बढ़ी मात्रा कालपूर्व जन्म, स्वतः गर्भपात एवं बच्चों में विरूपता का कारण है। यह इतनी विषैली है कि 1300 पी.पी.एम. की सांद्रता आधे घंटे में प्राणघातक हो जाती है।

(ii) **कार्बन डाइऑक्साइड**–श्वसन, जीवाश्म ईंधन का दहन, सीमेन्ट निर्माण में काम आने वाले चूना-पत्थर आदि से वायुमंडल में कार्बन डाइऑक्साइड (CO_2) निर्गमित होती है। कार्बन डाइऑक्साइड गैस केवल क्षोभमंडल में होती है। सामान्यतः वायुमंडल में इसकी मात्रा आयतन के अनुसार 0.03% होती है। जीवाश्म ईंधन के अधिक प्रयोग से वायुमंडल में कार्बन डाइऑक्साइड की अधिक मात्रा निर्गमित होती है। कार्बन डाइऑक्साइड की अधिकता हरित पौधों द्वारा कम कर दी जाती है, जिससे वायुमंडल में CO_2 की यथेष्ट मात्रा बनी रहती है। वातावरण में CO_2 की मात्रा बनाए रखना आवश्यक होता है। हरे पौधों में प्रकाश-संश्लेषण के लिए CO_2 की आवश्यकता होती है। फलतः ऑक्सीजन मुक्त होती है। इसलिए संतुलित चक्र बना रहता है। जैसा हम जानते हैं, वनों के कटने तथा जीवाश्म ईंधन के अधिक दहन के कारण वायुमंडल में CO_2 की मात्रा बढ़ गई है तथा पर्यावरण-संतुलन बिगड़ गया है। कार्बन डाइऑक्साइड की यही बढ़ी हुई मात्रा भूमंडलीय तापवृद्धि के लिए उत्तरदायी है।

भूमंडलीय तापवृद्धि एवं हरितगृह प्रभाव (Global Warming and Greenhouse Effect)

सौर ऊर्जा का 75% भाग पृथ्वी की सतह द्वारा अवशोषित कर लिया जाता है, जिससे इसके ताप में वृद्धि होती है। शेष ऊष्मा वायुमंडल में पुनः विकिरित हो जाती है। ऊष्मा का कुछ भाग वायुमंडल में उपस्थित गैसों (जैसे–कार्बन डाइऑक्साइड, ओजोन, क्लोरोफ्लोरो कार्बन यौगिकों तथा जलवाष्प) द्वारा प्रग्रहित कर लिया जाता है, जिससे वायुमंडल के ताप में वृद्धि होती है। यही भूमंडलीय तापवृद्धि का कारण है।

कार्बन डाइऑक्साइड के अतिरिक्त अन्य हरितगृह गैसें, मिथेन (CH_4), जलवाष्प, नाइट्रसऑक्साइड (N_2O), क्लोरो-फ्लोरो कार्बन तथा ओजोन हैं। ऑक्सीजन की अनुपस्थिति में जब वनस्पतियों को जलाया अथवा सड़ाया जाता है, तब मिथेन (CH_4) उत्पन्न होती है। धान के खेतों, कोयले की खानों, दलदली क्षेत्रों तथा जीवाश्म ईंधनों द्वारा अधिक मात्रा में मेथैन उत्पन्न होती है। क्लोरोफ्लोरो कार्बन मनुष्य द्वारा निर्मित रसायन है, जो वायुप्रशीतक आदि में काम आता है। क्लोरोफ्लोरो कार्बन भी ओजोन परत को हानि पहुँचा रहे हैं। नाइट्रस ऑक्साइड (N_2O) वातावरण में प्रांकृतिक रूप से उत्पन्न होता है, परंतु पिछले कुछ वर्षों से जीवाश्म ईंधन एवं उर्वरकों के अधिक प्रयोग से इसकी मात्रा में उल्लेखनीय वृद्धि हुई है। यदि इसी प्रकार तापवृद्धि का क्रम बना रहा, तो ध्रुवों पर स्थित हिमनदों के पिघलने की दर अधिक होगी, जिससे समुद्र के जल-स्तर में वृद्धि के फलस्वरूप पृथ्वी के निचले स्थानों में जल भर जाएगा। भूमंडलीय तापवृद्धि के कारण बहुत से संक्रामक रोगों, जैसे–डेंगू, मलेरिया, पीत-ज्वर, निद्रा रोग आदि में वृद्धि होती है।

अम्ल वर्षा (Acid Rain)

हम जानते हैं कि वायुमंडल में उपस्थित CO_2 द्वारा जल से की गई अभिक्रिया के फलस्वरूप उत्पन्न H^+ आयन के कारण वर्षा जल की pH सामान्यतः 5.6 होती है। जब वर्षा की pH मान 5.6 से कम हो जाती है, तो इसे 'अम्ल वर्षा' कहते हैं। अम्ल वर्षा मानवीय क्रियाकलापों का उपोत्पाद होती है, जो वातावरण में नाइट्रोजन तथा सल्फर के ऑक्साइड

निर्गमित करती है। SO_2 तथा NO_2 ऑक्सीकरण के पश्चात् जल के साथ अभिक्रिया करके अम्ल वर्षा में प्रमुख योगदान देते हैं।

अम्ल वर्षा कृषि, पेड़-पौधों आदि के लिए हानिकारक होती है, क्योंकि यह इनकी वृद्धि के लिए आवश्यक पोषक तत्वों को घोलकर पृथक् कर देती है। यह मनुष्यों तथा जानवरों में श्वसन-अवरोध उत्पन्न करती है। जब यह सतही जल के साथ बहकर नदी एवं झीलों तक पहुँचती है, तो जलीय परिस्थितियों के पौधों एवं जंतुओं के जीवन को प्रभावित करती है। अम्ल वर्षा के कारण जल के पाइपों का संक्षारण होता है, जिससे आयरन, लेड, कॉपर, आदि धातुएँ घुलकर पेयजल में पहुँच जाती हैं। अम्ल वर्षा पत्थर एवं धातुओं से बनी संरचनाओं, भवनों आदि को नष्ट करती है।

कणिकीय प्रदूषक

कणिकीय पदार्थ वायु में निलंबित सूक्ष्म ठोस कण अथवा द्रवीय बूँद होते हैं। यह मोटरवाहनों के उत्सर्जन, अग्नि के धूम्र, धूलकण तथा उद्योगों की राख होते हैं। वायुमंडल में कणिकाएँ जीवित तथा अजीवित—दोनों प्रकार की हो सकती हैं। जीवित कणिकाओं में जीवाणु, कवक, फफूंद, शैवाल आदि सम्मिलित हैं। हवा में पाए जाने वाले कुछ कवक मनुष्य में एलर्जी उत्पन्न करते हैं। ये पौधों के रोग भी उत्पन्न कर सकते हैं।

कणिकाओं को उनकी प्रकृति एवं आकार के आधार पर इस प्रकार वर्गीकृत किया जा सकता है—

(*i*) धूम कणिकाओं में ठोस एवं ठोस-द्रव कणों के मिश्रण होते हैं, जो कार्बनिक द्रव्य के दहन के दौरान उत्पन्न होते हैं। जैसे—सिगरेट का धुआँ, जीवाश्म ईंधन के दहन से प्राप्त धूम्र, गंदी का ढेर, सूखी पत्तियाँ, तेल-धूम्र आदि।

(*ii*) धूल में बारीक छोटे कण होते हैं, जो ठोस पदार्थों के पीसने, कुचलने एवं आरोपण से बनते हैं। ब्लास्ट से प्राप्त बालू, लकड़ी के कार्य से प्राप्त लकड़ी का बुरादा, कोयले का बुरादा, कारखानों से उड़ने वाली राख एवं सीमेन्ट, धुएँ के गुबार आदि इस प्रकार के उत्सर्जन के कुछ प्रारूपिक उदाहरण हैं।

(*iii*) फैले हुए द्रव-कणों एवं वाष्प के हवा में संघनन से कोहरा उत्पन्न होता है। उदाहरणार्थ—सल्फ्यूरिक अम्ल का कोहरा तथा शाकनाशी एवं कीटनाशी, जो अपने लक्ष्य से भटककर हवा में गमन करते हैं एवं कोहरा बनाते हैं।

(*iv*) धूम्र साधारणतया वाष्पों के ऊर्ध्वपातन, आसवन, क्वथन एवं अन्य रासायनिक अभिक्रियाओं के दौरान संघनन के कारण बनते हैं। प्रायः कार्बनिक विलायक-धातुएँ एवं धात्विक ऑक्साइड धूम्र-कणों का निर्माण करते हैं।

कणिक प्रदूषकों का प्रभाव मुख्यतया उनके कणों के आकार पर निर्भर करता है। हवा में ले जाए जानेवाले कण, जैसे—धूल, धूम, कोहरा आदि मानवीय स्वास्थ्य के लिए हानिकारक हैं। 5 माइक्रोन से बड़े कणिक प्रदूषक नासिकाद्वार में जमा हो जाते हैं, जबकि लगभग 1.0 माइक्रोन के कण फेफड़ों में आसानी से प्रवेश कर जाते हैं।

वाहनों द्वारा उत्सर्जित लेड एक मुख्य वायु-प्रदूषक है। लेडयुक्त पेट्रोल भारतीय शहरों में वायुधारित लेड-उत्सर्जन का मुख्य स्रोत है। अधिकतर शहरों में लेडविहीन (सीसारहित) पेट्रोल का उपयोग करके इस समस्या पर काबू पाया जा सकता है। लाल रक्त कोशिकाओं के विकसित एवं परिपक्व होने में लेड बाधा उत्पन्न करता है।

जल-प्रदूषण

जीवन के लिए जल अनिवार्य है। हम जल को साधारणतया शुद्ध मानते हैं, परंतु हमें जल की गुणवत्ता सुनिश्चित करनी चाहिए। जल का प्रदूषण मानवीय क्रियाकलापों से शुरू होता है। विभिन्न प्रक्रमों के माध्यम से प्रदूषण सतह या भौम जल तक आता है। प्रदूषण के सुज्ञात स्रोत या स्थानों को 'बिंदु-स्रोत' कहा जाता है। उदाहरण के लिए—नगरपालिका पाइप या औद्योगिक अपशिष्ट विसर्जन पाइप, जहाँ से प्रदूषक जल-स्रोत में प्रवेश करते हैं। प्रदूषण के अबिंदु स्रोत वे हैं, जहाँ पर प्रदूषण का स्रोत आसानी से पहचाना न जा सके। उदाहरणार्थ—कृषि-अपशिष्ट (खेतों, जानवरों एवं कृषि-भूमि से), अम्लवर्षा, तीव्र जल-निकासी (गलियों, उद्यानों, लॉन) आदि।

जल-प्रदूषण के कारण

(*i*) **रोगजनक**—सबसे ज्यादा गंभीर जल-प्रदूषक रोगों के कारकों को 'रोगजनक' कहा जाता है। रोगजनकों में जीवाणु एवं अन्य जीव हैं, जो घरेलू सीवेज एवं पशु-अपशिष्ट द्वारा जल में प्रवेश करते हैं। मानव-अपशिष्ट में *एशरिकिओ कोली, स्ट्रेप्टोकॉकस फेकेलिस* आदि जीवाणु होते हैं, जो जठरांत्र बीमारियों के कारण होते हैं।

(*ii*) **कार्बनिक अपशिष्ट**—अन्य मुख्य जल-प्रदूषक कार्बनिक पदार्थ (जैसे—पत्तियाँ, घास, कूड़ा-कर्कट आदि) हैं। वे जल को प्रदूषित करते हैं। जल में पादप प्लवकों की अधिक बढ़ोतरी भी जल-प्रदूषक का एक कारण है।

बैक्टीरिया की वृहत् संख्या जल में कार्बनिक पदार्थों का अपघटन करती है। यह जल में विलेय ऑक्सीजन का उपभोग करती है। जल-विलयन में घुलित ऑक्सीजन सीमित होती है। ठंडे जल में घुलित ऑक्सीजन की सांद्रता 10 पीपीएम तक हो सकती है, जबकि वायु में यह करीब 2,00,000 पीपीएम है। यही कारण है कि जल में कार्बनिक पदार्थ के अपघटित होने की थोड़ी-सी मात्रा भी इसमें ऑक्सीजन का क्षय कर सकती है। जल में घुलित ऑक्सीजन जलीय जीवन के लिए बहुत महत्वपूर्ण है। यदि जल में घुलित ऑक्सीजन की सांद्रता 6 पीपीएम से नीचे हो जाए, तो मछलियों का विकास रुक जाता है। जल में ऑक्सीजन या तो वातावरण या कई जलीय पौधों द्वारा दिन में प्रकाश-संश्लेषण प्रक्रम से पहुँचती है। रात में प्रकाश-संश्लेषण रुक जाता है, परंतु पौधे श्वसन करते रहते हैं, जिससे जल में घुलित ऑक्सीजन कम हो जाती है। घुलित ऑक्सीजन सूक्ष्म जीवाणुओं द्वारा कार्बनिक यौगिकों के ऑक्सीकरण में भी उपयोग में ली जाती है।

यदि जल में बहुत अधिक कार्बनिक पदार्थ मिलाए जाएँ, तो उपलब्ध सारी ऑक्सीजन उपभोगित हो जाएगी। इसका परिणाम ऑक्सीजन-आश्रित जलीय जीवन की मृत्यु है। इस प्रकार अवायु जीवाणु, जिन्हें ऑक्सीजन की आवश्यकता नहीं होती है, कार्बनिक

अपशिष्ट का विखंडन आरंभ कर देते हैं एवं इससे दूषित गंध वाले रसायन उत्पन्न होते हैं, जो मानव-स्वास्थ्य के लिए हानिकारक हैं। वायु (ऑक्सीजन की आवश्यकता वाले) जीवाणु इन कार्बनिक अपशिष्टों का विघटन करके जल को ऑक्सीजनरहित कर देते हैं।

अतः जल के एक नमूने के निश्चित आयतन में उपस्थित कार्बनिक पदार्थ को विखंडित करने के लिए जीवाणु द्वारा आवश्यक ऑक्सीजन को 'जैवरासायनिक ऑक्सीजन माँग' (BOD) कहा जाता है। अतः जल में BOD की मात्रा कार्बनिक पदार्थ को जैवीय रूप में विखंडित करने के लिए आवश्यक ऑक्सीजन की मात्रा होगी। स्वच्छ जल की BOD का मान 5 पीपीएम से कम होता है जबकि अत्यधिक प्रदूषित जल में यह 17 पीपीएम या इससे अधिक होता है।

रासायनिक प्रदूषक

हम जानते हैं कि जल एक अच्छा विलायक है। जल में विलेय अकार्बनिक रसायन, जिनमें भारी धातु (जैसे—केडमियम, मर्करी, निकेल आदि शामिल हैं) महत्वपूर्ण प्रदूषकों में आते हैं। ये सभी धातुएँ हमारे लिए हानिकारक हैं, क्योंकि हमारा शरीर इन्हें विसर्जित नहीं कर सकता है। समय के साथ इनकी मात्रा स्वीकार्य सीमा से ऊपर चली जाती है। तब ये प्रदूषक धातुओं, वृक्कों, केंद्रीय तंत्रिका-तंत्र, लीवर आदि को नुकसान पहुँचाते हैं। खदानों के सीवेज से प्राप्त अम्ल (जैसे—सल्फ्यूरिक अम्ल एवं विभिन्न स्रोतों से प्राप्त लवण, जिनमें ठंडे मौसम में हिम एवं बर्फ को पिघलाने वाले लवण—सोडियम एवं कैल्सियम क्लोराइड शामिल हैं) जल में विलेय प्रदूषक हैं।

प्रदूषित जल में पाए जाने वाले अन्य समूह कार्बनिक रसायन हैं। पेट्रोलियम उत्पाद (जैसे—समुद्रों में बड़े तेल-बहाव जल के कई स्रोतों को प्रदूषित करते हैं) दूसरे गंभीर प्रभाव वाले कार्बनिक यौगिकों में कीटनाशक हैं, जो स्प्रे द्वारा बहकर भूमि के नीचे आते हैं। विभिन्न प्रकार के औद्योगिक रसायन, जैसे—पॉलीक्लोरीनेटेड बाइफिनायल (PCB_s), जो विलायक के रूप में प्रयुक्त होते हैं, अपमार्जक एवं उर्वरक भी जल-प्रदूषकों की श्रेणी में सम्मिलित हैं। PCB_s संभावित कैंसरजन्य हैं। आजकल उपलब्ध अधिकांश अपमार्जक जैव अपघटनीय हैं। फिर भी इनका उपयोग अन्य समस्याएँ उत्पन्न करता है। अपघटित करने वाले जीवाणु इन अपमार्जकों से भोजन प्राप्त करके तेजी से बढ़ते हैं। बढ़ोतरी करने में वे जल में उपस्थित समस्त ऑक्सीजन का उपयोग कर सकते हैं। ऑक्सीजन की कमी के कारण जलीय जीवन के अन्य रूप (जैसे—मछलियाँ एवं पौधे) मर सकते हैं। उर्वरकों में फॉस्फेट योगज के रूप में होते हैं। जल में फॉस्फेट का योग शैवाल की बढ़ोतरी को सहयोग करता है। शैवाल की यह प्रचुर बढ़ोतरी जलीय सतह को ढक लेती है तथा जल में ऑक्सीजन की सान्द्रता बहुत कम हो जाती है, फलतः अवायुविक परिस्थिति उत्पन्न होने से दुर्गंध युक्त सड़न पैदा होती है एवं जलीय जन्तुओं के मृत्यु का कारण बनती है। इस प्रकार यह पुष्पकुंजग्रस्त जल अन्य जीवों की वृद्धि को रोकता है। जल-निकायों में पौष्टिक अभिवृद्धि फलस्वरूप ऑक्सीजन की कमी के कारण सुपोषण (Eutrophication) कहते हैं।

वस्तुनिष्ठ प्रश्न

1. वायु विभिन्न गैसों का मिश्रण होती है। इनमें से एक गैस वायु का 21% भाग है और मानव के जीवित रहने के लिए आवश्यक है। यह गैस है—

A. नाइट्रोजन B. ऑक्सीजन
C. ओजोन D. आर्गन

2. निम्नलिखित में से कौन-सा वायु प्रदूषण का स्रोत नहीं है?

A. मोटर वाहनों के निर्वातक B. जलाऊ लकड़ी का जलना
C. पवनचक्की D. विद्युत स्रोत

3. बूझो वायु प्रदूषण कम करने में योगदान करना चाहता है। वह अपने विद्यालय जाने के लिए किस वाहन का उपयोग करे?

A. कार B. स्कूल बस
C. ऑटो रिक्शा D. स्कूटर

4. निम्नलिखित में से कौन-सा तरीका जल संरक्षण के लिए नहीं है?

A. प्रतिस्थापन B. कम उपयोग
C. पुनः उपयोग D. पुनः चक्रण

5. आगरा में ताजमहल को अधिकतम प्रभावित करने वाले प्रदूषण का प्रकार है :

A. वायु प्रदूषण B. जल प्रदूषण
C. मृदा प्रदूषण D. शोर प्रदूषण

6. पेट्रोल और डीजल जैसे ईंधनों का अपूर्ण दहन होता है :

A. नाइट्रोजन ऑक्साइड B. सल्फर डाइऑक्साइड
C. कार्बन मोनोक्साइड D. कार्बन डाइऑक्साइड

7. संगमरमर के संक्षारण का कारण है :

A. धुएँ के कण B. सी.एफ.सी.
C. कोहरा D. अम्ल वर्षा

8. पेयजल वह जल है जो :

A. नदी से प्राप्त होता है।
B. झील से प्राप्त होता है।
C. शुद्ध और पीने योग्य होता है।
D. केवल कपड़े धोने के काम आता है।

9. निम्नलिखित में से कौन-सा प्रक्रम आपको हर प्रकार की अशुद्धियों से मुक्त जल देगा?

A. क्लोरीन की टिकियाएँ मिलाना
B. आसवन
C. उबालना
D. छानना

10. एक तालाब में स्वच्छ जल है। निम्नलिखित में से कौन-सी गतिविधि जल को सबसे कम प्रदूषित करेगी?

A. तालाब में कपड़े धोना
B. तालाब में जानवरों का नहाना
C. तालाब में मोटर वाहनों को धोना
D. तालाब में तैरना

11. वृक्ष हमारे पर्यावरण का प्रदूषण कम करने में मदद करते हैं। प्रति वर्ष जुलाई के महीने में लोगों द्वारा लाखों पेड़ लगाए जाते हैं। यह अवसर कहलाता है :
A. वन संरक्षण दिवस B. वृक्षारोपण माह
C. वन महोत्सव D. वन्यजीव सप्ताह

12. निम्नलिखित में से कौन-सी ग्रीनहाउस गैस नहीं है?
A. नाइट्रोजन गैस B. जल वाष्प
C. मीथेन गैस D. कार्बन डाइऑक्साइड

13. प्राथमिक (P) भूकंपीय तरंगें _____ से गुजर सकती हैं।
A. ठोस, गैस और तरल पदार्थ B. क्रस्ट और कोर केवल
C. केवल तरल पदार्थ D. केवल गैसें

14. द्वितीयक (S) भूकंपीय तरंगें ______ से गुजर सकती हैं।
A. क्रस्ट और कोर केवल B. केवल ठोस
C. केवल तरल पदार्थ D. ठोस, गैस और तरल पदार्थ

15. धरातलीय (L) भूकंपीय तरंगें _____ से गुजर सकती हैं।
A. केवल भूकंप B. केवल सतह
C. केवल कोर D. केवल मेंटल

16. भूकंपीय तरंगें 3 प्रकार की होती हैं : ____, ____ और ___।
A. Q, S और R B. A, B और C
C. P, S और L D. P, L और X

17. वायुमंडल का सबसे निचला क्षेत्र, जिसमें मनुष्य तथा अन्य प्राणी रहते हैं, को ________ कहते हैं।
A. क्षोभमंडल B. समतापमंडल
C. आयनमंडल D. उपर्युक्त कोई नहीं

18. निम्न भूकंपीय तरंगों में से सबसे धीमी होती है।
A. S तरंग B. P तरंग
C. L तरंग D. उपर्युक्त सभी

19. P-Waves को ____, _____ तरंगें भी कहा जाता है।
A. पूर्व-पश्चिम B. अगल-बगल
C. पुश-पुल D. उत्तर-दक्षिण

20. भूकंपीय तरंगों में से, ____ लहरें मनुष्यों के लिए सबसे अधिक हानिकारक हैं।
A. S B. R
C. Q D. L

21. भूकंप के केंद्र को खोजने के लिए, कम-से-कम ____ भूकंपीय स्टेशनों की आवश्यकता होती है।
A. 5 B. 1
C. 3 D. 4

22. भूकंप के केंद्र के सबसे नजदीकी भूकंपीय स्टेशन P-Waves को _______ रिकॉर्ड करेगा।
A. द्वितीयक B. तृतीयक
C. प्रथम D. चतुर्थ

23. भूकंप _____ स्केल का उपयोग करके मापा जाता है।
A. भूकंप B. रिक्टर
C. भूकंपीय D. चिली

24. "उत्तरी पाकिस्तान में 2005 में आया भूकंप _____ तीव्रता का एक क्षणिक भूकंप था, जिसमें 75,000 से अधिक लोग मारे गए और लगभग 3 मिलियन बेघर हो गए।"
A. 7.0 B. 6.7
C. 7.6 D. 9.6

25. एक भूकंप के लिए "नुकसान का एक बड़ा कारण" करने में सक्षम माना जाता है, यह _____ होना चाहिए।
A. > 7.0 B. > 9.0
C. < 9.0 D. $= 7.0$

26. एक सुनामी तब बनता है जब भूकंप का केंद्र _____ तल पर होता है।
A. समुद्रीय B. ज्वालामुखी
C. रेगिस्तान D. अभिसरण

27. रिंग ऑफ फायर स्थित है :
A. एज्टेक प्लेट के आसपास
B. सैन एंड्रियास के फॉल्ट के आसपास
C. अटलांटिक प्लेट के आसपास
D. प्रशांत प्लेट के आसपास

28. अमेरिका के कुछ राज्यों को उनकी सक्रिय भूकंपीय गतिविधि के कारण इन्हें 'द रिंग ऑफ फायर' कहा जाता है। ये ज्ञात 4 अमेरिकी राज्य हैं :
A. कैलिफोर्निया, न्यूयॉर्क, वाशिंगटन और प्यूर्टो रिको
B. अलास्का, कैलिफोर्निया, ओरेगन और मैक्सिको
C. कैलिफोर्निया, ओरेगन, वाशिंगटन और अलास्का
D. न्यूयॉर्क, फ्लोरिडा, टेक्सास और मिशिगन

29. कैलिफोर्निया की कौन-सी विशेषता इसके भूकंपों के लिए जिम्मेदार है?
A. रिंग ऑफ फायर B. सैन एंड्रिया की फॉल्ट
C. मध्य अटलांटिक रिज D. सर्कम-पैसिफिक रिज

30. जल की स्थायी कठोरता का कारण है :
A. कैल्सियम तथा मैग्नीशियम के कार्बोनेट्स
B. कैल्सियम तथा मैग्नीशियम के बाइकार्बोनेट्स
C. कैल्सियम तथा मैग्नीशियम के क्लोराइड तथा सल्फेट
D. उपर्युक्त में से कोई नहीं

31. भारी जल एक प्रकार का :
A. शीतलक है B. मन्दक है
C. अयस्क है D. ईंधन है

32. सभी जैव यौगिकों का अनिवार्य मूल तत्व है :
A. नाइट्रोजन B. ऑक्सीजन
C. कार्बन D. गंधक

33. निम्नलिखित में से किसमें कार्बन नहीं है?
A. हीरा B. ग्रेफाइट
C. कोयला D. इनमें से कोई नहीं

34. निम्न में से सबसे सख्त कौन है?
A. हीरा B. ग्लास
C. क्वार्ट्ज D. प्लेटिनम

35. पेन्सिल का लेड है :
A. ग्रेफाइट B. चारकोल
C. लैम्प ब्लैक D. कोयला

36. कोयले के निम्नलिखित प्रकारों में से किस एक में शेष प्रकारों की अपेक्षा अधिक प्रतिशत अंश कार्बन का होता है?
A. बिटुमिनस B. लिग्नाइट
C. पीट D. एन्थ्रासाइट

37. सामान्य किस्म का कोयला है :
A. एन्थ्रासाइट B. लिग्नाइट
C. बिटुमिनस D. पीट

38. वाहनों से निकलने वाली प्रदूषित गैस मुख्यतः है :
A. कार्बन डाइऑक्साइड B. कार्बन मोनो ऑक्साइड
C. मार्श गैस D. नाइट्रोजन ऑक्साइड

39. निम्नलिखित में से कौन-सी गैस वायु को सबसे अधिक प्रदूषित करता है?
A. कार्बन डाइऑक्साइड B. कार्बन मोनो ऑक्साइड
C. सल्फर डाइऑक्साइड D. हाइड्रोकार्बन

40. प्रकाश-संश्लेषण में पौधों द्वारा निम्न में से कौन-सी गैस उपयोग की जाती है?
A. अमोनिया B. CO_2
C. क्लोरीन D. सल्फर डाइऑक्साइड

41. शुष्क बर्फ है :
A. ठोस पानी B. ठोस CO_2
C. निर्जल बर्फ D. ठोस H_2O_2

42. क्वार्ट्ज (Quartz) किससे बनता है?
A. कैल्सियम सल्फेट से B. कैल्सियम सिलिकेट से
C. सोडियम सल्फेट से D. सोडियम सिलिकेट से

43. डॉक्टरों द्वारा एनस्थीसिया के रूप में प्रयोग होने वाली हास्य गैस (Laughing gas) है :
A. नाइट्रोजन B. नाइट्रोजन ऑक्साइड
C. नाइट्रस ऑक्साइड D. नाइट्रोजन डाइऑक्साइड

44. जल में आसानी से घुलनशील है :
A. कार्बन B. नाइट्रोजन
C. अमोनिया D. आयोडीन

45. घरेलू प्रशीतित्र में सामान्यतः कौन-सा प्रशीतक प्रयोग में लाते हैं?
A. नियॉन B. अमोनिया
C. नाइट्रोजन D. फ्रिऑन

46. अश्रु गैस (Tear gas) है :
A. अमोनिया B. क्लोरीन
C. हाइड्रोजन क्लोराइड D. हाइड्रोजन सल्फाइड

47. भू-पपड़ी में सर्वाधिक पाया जाने वाला तत्व है :
A. ऑक्सीजन B. नाइट्रोजन
C. मैंगनीज D. सिलिकॉन

48. निम्नलिखित में से कौन-सा एक अनुचुम्बकीय है?
A. लोहा B. हाइड्रोजन
C. ऑक्सीजन D. नाइट्रोजन

49. ऑक्सीजन और ओजोन हैं :
A. ऐलोट्रोप्स B. आइसोटोप्स
C. आइसोमर्स D. आइसोबार्स

50. निम्नलिखित में से कौन-सी गैस पायरोगैलोल के क्षारीय विलयन में से गुजरने पर बादामी घोल बनाती है?
A. ऑक्सीजन B. नाइट्रोजन
C. हाइड्रोजन D. कार्बन डाइऑक्साइड

उत्तरमाला

1	2	3	4	5	6	7	8	9	10
A	C	B	A	B	C	D	C	B	D
11	**12**	**13**	**14**	**15**	**16**	**17**	**18**	**19**	**20**
B	A	A	B	B	C	A	C	C	D
21	**22**	**23**	**24**	**25**	**26**	**27**	**28**	**29**	**30**
C	C	B	C	A	A	D	C	B	C
31	**32**	**33**	**34**	**35**	**36**	**37**	**38**	**39**	**40**
B	C	D	A	A	D	C	B	B	B
41	**42**	**43**	**44**	**45**	**46**	**47**	**48**	**49**	**50**
B	B	C	C	B	B	A	C	A	A

★ ★ ★

9

सौर परिवार, तारे एवं धूमकेतु

किसी स्वच्छ अंधेरी रात्रि में आकाश की ओर दृष्टि डालने पर समस्त आकाश में बिंदुओं के समान असंख्य तारे दिखाई देंगे जिनमें कुछ बहुत चमकीले और कुछ अपेक्षाकृत मंद होंगे।

चन्द्रमा

रात्रि के आकाश में सबसे अधिक प्रदीप्त पिंड चन्द्रमा है। तारे, ग्रह, चन्द्रमा तथा आकाश के बहुत से अन्य पिंड खगोलीय पिंड कहलाते हैं। खगोलीय पिंडों और उनसे संबंधित परिघटनाओं के अध्ययन को खगोलिकी कहा जाता है। प्राचीन भारत में हमारे पूर्वजों ने आकाश का सुव्यवस्थित रूप में अध्ययन किया। उस काल में खगोलिकी का उनका ज्ञान उन्नत था। सूर्य, तारों, चंद्रमा और ग्रहों की गति के सम्बन्ध में उनका ज्ञान सही कैलेंडर और पंचांग सृजित करने में सहायक रहा है। इनसे लोगों को अपनी दिनचर्या बनाने में सहायता मिली। कैलेंडर और पंचांगों से लोगों को फसलों के चुनाव और उनके बुवाई के समय के लिए जलवायु और वर्षा के पैटर्न की समझ में बढ़ोत्तरी हुई तथा इस प्रकार से मौसम और पर्वों की तिथियाँ भी निश्चित हुई।

उस दिन को जब चन्द्रमा की पूर्ण चक्रिका दिखाई देती है, पूर्णिमा कहते हैं। इसके पश्चात् प्रत्येक रात्रि को चन्द्रमा का चमकीला भाग घटता चला जाता है। पंद्रहवें दिन चन्द्रमा दिखाई नहीं पड़ता। इस दिन को अमावस्या कहते हैं। अगले दिन, चन्द्रमा का एक छोटा भाग आकाश में दिखाई देता है। इसे बालचन्द्र कहते हैं। इसके पश्चात फिर प्रतिदिन चन्द्रमा बड़ा होता जाता है। पंद्रहवें दिन एक बार फिर से हम चन्द्रमा का पूरा दृश्य देखते हैं।

पूरे माह तक दिखाई देने वाली चन्द्रमा को प्रदीप्त भाग की विभिन्न आकृतियों को चन्द्रमा की कलाएँ कहते हैं। चन्द्रमा की कलाओं की हमारे सामाजिक जीवन में महत्वपूर्ण भूमिका है। भारत में लगभग सभी पर्वों को चन्द्रमा की कलाओं के अनुसार मनाया जाता है। उदाहरण के लिए, दीवाली को अमावस्या पर मनाया जाता है; बुध पूर्णिमा और गुरु नानक जयंती पूर्णिमा पर मनाई जाती हैं; महाशिवरात्रि को कृष्ण पक्ष की त्रयोदशी को मनाया जाता है; बालचंद्र (शुक्ल पक्ष की प्रथमा) के दर्शन के अगले दिन ईद-उल-फितर मनाई जाती है आदि।

एक पूर्णिमा से दूसरी पूर्णिमा तक की अवधि 29 दिन से कुछ अधिक होती है। बहुत से कैलेण्डरों में इस अवधि को एक माह कहते हैं।

चन्द्रमा इसलिए दिखाई देता है क्योंकि यह अपने पर पड़ने वाले सूर्य के प्रकाश को हमारी ओर परावर्तित कर देता है। इसीलिए, हम चन्द्रमा के उसी भाग को देख पाते हैं जिस भाग से सूर्य का परावर्तित प्रकाश हम तक पहुँचता है।

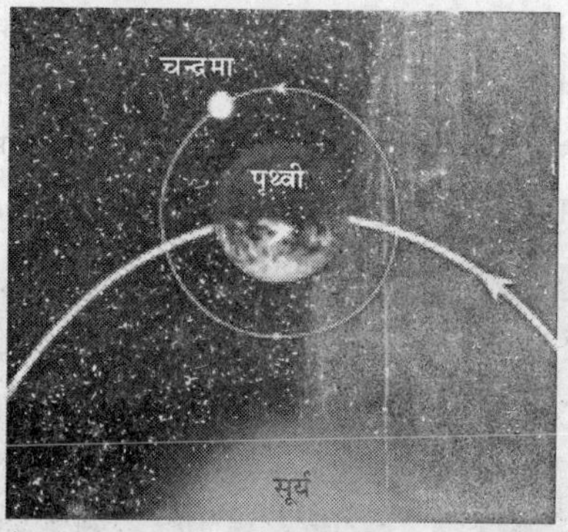

चित्रः *पृथ्वी चंद्रमा के साथ सूर्य की परिक्रमा करते हुए*

चन्द्रमा पृथ्वी की परिक्रमा करता है। पृथ्वी चन्द्रमा सहित सूर्य की परिक्रमा करती है। बालचन्द्र के पश्चात् पृथ्वी से देखने पर प्रतिदिन चन्द्रमा के प्रदीप्त भाग में वृद्धि होती जाती है। पूर्णिमा के पश्चात् पृथ्वी से देखने पर चन्द्रमा का सूर्य द्वारा प्रदीप्त भाग प्रतिदिन आकार में घटता जाता है। चन्द्रमा पृथ्वी की एक परिक्रमा पूरी करने में अपने अक्ष पर एक घूर्णन पूरा करता है।

चन्द्रमा का पृष्ठ

कवियों तथा कहानीकारों के लिए चन्द्रमा एक चित्ताकर्षक पिंड है। परन्तु जब अन्तरिक्ष यात्रियों ने चन्द्रमा पर कदम रखे तो उन्होंने चन्द्रमा के पृष्ठ को धूल भरा तथा निर्जन पाया। उस पर विभिन्न आमापों के गर्त हैं। इस पर बहुत से खड़ी ढाल वाले ऊँचे पर्वत भी हैं। इनमें से कुछ पर्वत तो ऊँचाई में पृथ्वी के सर्वाधिक ऊँचाई के पर्वतों के समान हैं।

चन्द्रमा पर न तो वायुमंडल है और न ही जल। इस तरह चन्द्रमा पर किसी प्रकार के जीवन की संभावना नहीं हो सकती है। चन्द्रमा पर हम कोई ध्वनि भी नहीं सुन सकते हैं क्योंकि ध्वनि के गमन के लिए वहाँ कोई माध्यम नहीं है।

21 जुलाई, 1969 को अमेरिका के अन्तरिक्षयात्री नील आर्मस्ट्रांग ने सबसे पहले चन्द्रमा पर अपने कदम रखे। उनके बाद एडविन चन्द्रमा पर उतरे।

तारे

आकाश में असंख्य तारे हैं। वास्तव में, तारे अपना प्रकाश उत्सर्जित करते हैं। सूर्य भी एक तारा है।

तारे सूर्य की तुलना में लाखों गुना अधिक दूर हैं। इसीलिए तारे हमें बिन्दु जैसे प्रतीत होते हैं। सूर्य पृथ्वी से लगभग 150,000,000 किलोमीटर (15 करोड़ किलोमीटर) दूर है। सूर्य के पश्चात् दूसरा निकटतम तारा प्राक्सिमा सेन्टॉरी है। इसकी दूरी पृथ्वी से लगभग 40,000,000,000,000 किमी. है। कुछ तारे तो इससे भी कहीं अधिक दूर हैं। इतनी अधिक दूरियों को लंबाई के अन्य मात्रक प्रकाश वर्ष में व्यक्त करते हैं। यह प्रकाश द्वारा एक वर्ष में चली गई दूरी है। प्रकाश की चाल 300,000 किलोमीटर प्रति सेकंड है।

वास्तव में, दिन के समय भी आकाश में तारे होते हैं। तथापि, उस समय सूर्य के तीव्र प्रकाश के कारण वे हमें दिखाई नहीं देते। तारे पूर्व से पश्चिम की ओर गति करते प्रतीत होते हैं। कोई तारा जो सूर्यास्त होते ही पूर्व में उदय होता है। सामान्यतः सूर्योदय से पहले ही पश्चिम में अस्त होता है।

पृथ्वी के अपने अक्ष पर पश्चिम से पूर्व दिशा में घूर्णन करने के कारण सूर्य पूर्व में उदय होता है तथा पश्चिम में अस्त होता है।

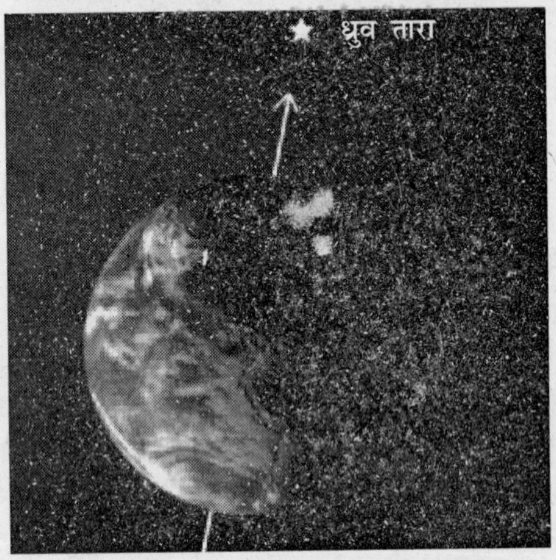

चित्रः *ध्रुव तारा पृथ्वी के घूर्णन अक्ष के निकट स्थित है*

वास्तव में ध्रुव तारा एक ऐसा ही तारा है जो पृथ्वी के अक्ष की दिशा में स्थित है। यह गति करता प्रतीत नहीं होता।

तारामंडल

सर्वविख्यात तारामंडलों में से एक विख्यात तारामंडल सप्तर्षि है। इस तारामण्डल को 'बिग डिपर', 'ग्रेट बीयर' अथवा अर्समेजर भी कहते हैं। इस तारामण्डल में सात सुस्पष्ट तारे होते हैं। यह बड़ी कलछी अथवा प्रश्नचिह्न जैसा प्रतीत होता है। इस कलछी की हत्थी में तीन तथा कटोरी में चार तारे होते हैं। सभी प्राचीन संस्कृतियों में, विभिन्न नक्षत्रों के सम्बन्ध में दिलचस्प पौराणिक कथाएँ प्रचलित हैं।

(a) ग्रेट बियर (b) ओरॉयन (c) कैसियोपिया (d) लिओ मेजर

चित्रः *रात्रि के आकाश में कुछ तारामंडल*

सप्तर्षि

सप्तर्षि, सात प्रसिद्ध प्राचीन भारतीय संतों या ऋषियों के नामों से संबद्ध है, जैसा कि नीचे दिए गए चित्र में दर्शाया गया है। प्राचीन पौराणिक कथाओं के अनुसार, सप्तर्षि नक्षत्र वेदों के शाश्वत ज्ञान को इंगित करते हैं।

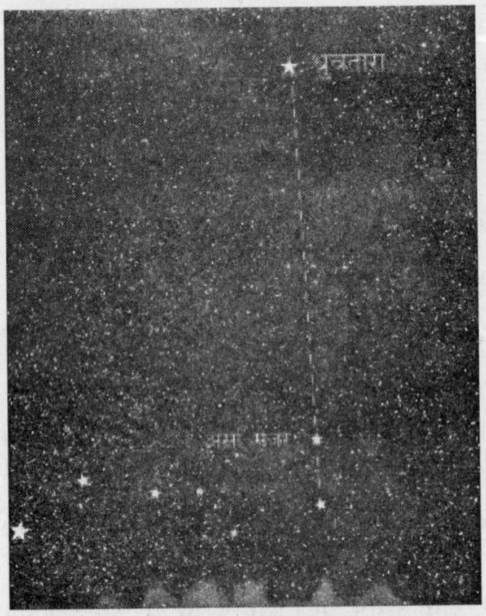

चित्रः *ध्रुव तारे की स्थिति ज्ञात करना*

वास्तव में सभी तारे ध्रुव तारे की परिक्रमा करते प्रतीत होते हैं। ध्रुव तारा दक्षिणी गोलार्ध से नहीं दिखाई देता। सप्तर्षि जैसे उत्तरी गोलार्ध के कुछ तारामंडल भी दक्षिणी गोलार्ध के कुछ स्थानों से नहीं दिखाई देते।

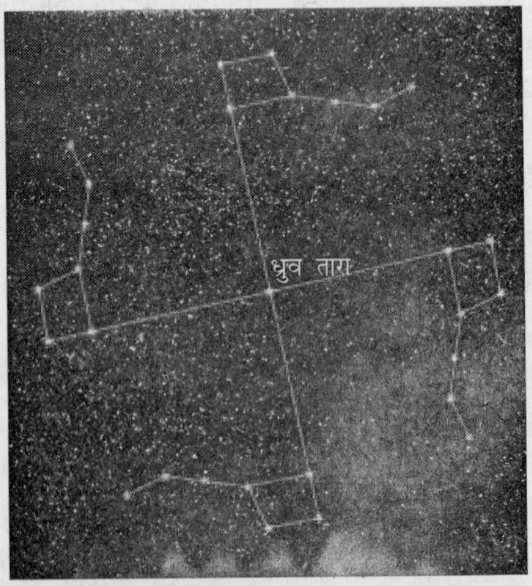

चित्रः *सप्तर्षि ध्रुव तारे की परिक्रमा करता है*

ओरॉयन एक अन्य विख्यात तारामण्डल है जिसे हम सर्दियों में मध्यरात्रि में देख सकते हैं। यह आकाश में सर्वाधिक भव्य तारामण्डलों में गिना जाता है। इसमें भी सात अथवा आठ चमकीले तारे हैं। ओरॉयन को शिकारी भी कहते हैं। इसके तीन मध्य के तारे शिकारी की बेल्ट (पेटी) को निरूपित करते हैं। चार चमकीले तारे चतुर्भुज के रूप में व्यवस्थित दिखाई देते हैं।

आकाश में सबसे अधिक चमकीला तारा, सीरियस (लुब्धक), ओरॉयन के निकट दिखाई देता है।

उत्तरी आकाश में एक अन्य प्रमुख तारामण्डल कैसियोपिया है। यह सर्दियों में रात्रि के प्रथम प्रहर में दिखाई देता है। यह अंग्रेजी के अक्षर W अथवा M के बिगड़े (विकृत) रूप जैसा दिखाई देता है।

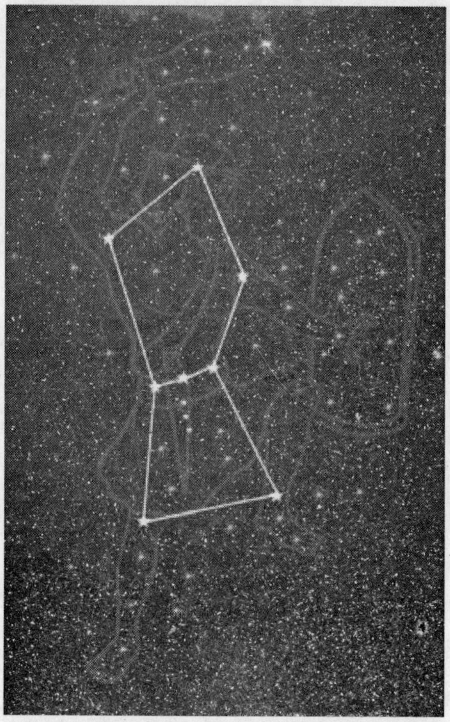

किसी तारामण्डल में केवल 5-10 तारे ही नहीं होते। इसमें बहुत सारे तारे होते हैं। तथापि, हम अपनी नंगी आँखों से किसी तारामंडल के केवल चमकीले तारों को ही देख पाते हैं। जिन तारों से मिलकर कोई तारामण्डल बनता है, वे सब हमसे समान दूरी पर नहीं हैं। वे आकाश में केवल एक ही दृश्य रेखा में हैं।

सौर परिवार

सूर्य तथा इसकी परिक्रमा करने वाले खगोलीय पिंडों से मिलकर सौर परिवार बना है। इस परिवार में बहुत से पिंड हैं, जैसे–ग्रह, धूमकेतु, क्षुद्रग्रह तथा उल्काएँ। सूर्य तथा इन पिंडों के बीच गुरुत्वाकर्षण बल के कारण ये पिंड सूर्य की परिक्रमा करते रहते हैं।

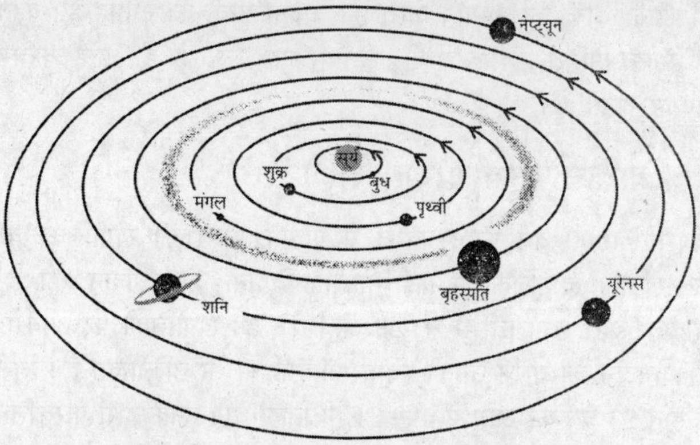

चित्रः *सौर परिवार (पैमाने के अनुसार नहीं है)*

पृथ्वी भी सूर्य की परिक्रमा करती है। यह सौर परिवार की एक सदस्य है। यह एक ग्रह है। इसके अतिरिक्त सात अन्य ग्रह हैं जो सूर्य की परिक्रमा करते रहते हैं। सूर्य से दूरी के अनुसार इनके क्रम इस प्रकार हैंः बुध, शुक्र, पृथ्वी, मंगल, बृहस्पति, शनि, यूरेनस तथा नेप्ट्यून।

सन् 2006 तक सौर परिवार में नौ ग्रह थे। प्लूटो सौर परिवार का सूर्य से दूरतम ग्रह था। सन् 2006 में अन्तर्राष्ट्रीय खगोलीय संघ ने ग्रह की नई परिभाषा को अपनाया जिसके अनुसार प्लूटो, ग्रहों की श्रेणी में नहीं आता। अब यह सौर परिवार का ग्रह नहीं है।

सूर्य

सूर्य हमसे निकटतम तारा है। यह निरंतर विशाल मात्रा में ऊष्मा तथा प्रकाश उत्सर्जित कर रहा है। पृथ्वी की लगभग समस्त ऊर्जा का स्रोत सूर्य है। वास्तव में, सभी ग्रहों की ऊष्मा तथा प्रकाश की ऊर्जा का प्रमुख स्रोत सूर्य ही है।

ग्रह

ग्रह तारों की भांति प्रतीत होते हैं परन्तु ग्रहों में अपना प्रकाश नहीं होता। वे केवल अपने ऊपर पड़ने वाले सूर्य के प्रकाश को परावर्तित करते हैं। ग्रहों तथा तारों में अन्तर करने की सरलतम विधि यह है कि तारे टिमटिमाते हैं जबकि ग्रह ऐसा नहीं करते। तारों के सापेक्ष सभी ग्रहों की स्थिति भी बदलती रहती है।

प्रत्येक ग्रह एक निश्चित पथ पर सूर्य की परिक्रमा करता है। इस पथ को कक्षा कहते हैं। किसी भी ग्रह द्वारा सूर्य की एक परिक्रमा पूरी करने में लगे समय को उस ग्रह का परिक्रमण काल भी कहते हैं। ग्रहों की सूर्य से दूरी बढ़ने पर उनके परिक्रमण काल में भी वृद्धि हो जाती है। सूर्य की परिक्रमा करने के साथ-साथ ग्रह लट्टू की भांति अपने अक्ष पर घूर्णन गति भी करते हैं। किसी ग्रह द्वारा एक घूर्णन पूरा करने में लगने वाले समय को उसका घूर्णन काल भी कहते हैं।

कुछ ग्रहों के ज्ञात उपग्रह (चन्द्रमा) हैं जो उनकी परिक्रमा करते हैं। किसी खगोलीय पिंड की परिक्रमा करने वाले अन्य खगोलीय पिंड को पहले खगोलीय पिंड का उपग्रह कहते हैं।

पृथ्वी को सूर्य का उपग्रह कहा जा सकता है, यद्यपि, सामान्यतः हम इसे सूर्य का ग्रह कहते हैं। ग्रहों की परिक्रमा करने वाले पिंडों के लिए

ही उपग्रह शब्द का उपयोग करते हैं। चन्द्रमा पृथ्वी का उपग्रह है। बहुत से मानव-निर्मित उपग्रह पृथ्वी की परिक्रमा कर रहे हैं। इन्हें कृत्रिम उपग्रह कहते हैं।

प्राचीन भारत में खगोलिकी

लगभग 4000 वर्ष पुराने ऋग्वेद में प्राचीन भारत की खगोलिकी का उल्लेख है। खगोलिकी में कई भारतीय विद्वानों का योगदान रहा है। मुख्यतः ज्ञात खगोलज्ञों में से एक आर्यभट्ट हैं। खगोलिकी पर आर्यभट्ट के योगदान का वर्णन उनकी रचना 'आर्यभट्टिया' में उल्लिखित है। जिसे उन्होंने 23 वर्ष की आयु में 499 CE में लिखा था। उनके द्वारा परिकलित पृथ्वी के व्यास का मान वर्तमान में ज्ञात मान के निकट है। 'पृथ्वी अचल है' के प्रचलित मान्यता के विपरीत आर्यभट्ट ने सुझाया कि पृथ्वी गोल है तथा यह अपने अक्ष पर घूर्णन करती है। पृथ्वी के नक्षत्र काल के लिए उनका अनुमानित मान 23 घंटे, 56 मिनट और 4.1 सेकण्ड वर्तमान में ज्ञात मान के बहुत निकट है। चन्द्रमा तथा ग्रह, सूर्य के प्रकाश के परावर्तन द्वारा चमकते प्रतीत होते हैं—ऐसा भी उन्होंने प्रतिपादित किया था। उन्होंने चन्द्र तथा सूर्य ग्रहणों की भी वैज्ञानिक व्याख्या दी। जब पृथ्वी की छाया चन्द्रमा पर पड़ती है तो चन्द्रग्रहण की परिघटना होती है और जब चन्द्रमा की छाया पृथ्वी पर पड़ती है तो सूर्यग्रहण की परिघटना होती है। आर्यभट्ट के अनुसार पृथ्वी और चन्द्रमा के बीच की दूरी का मान वर्तमान में ज्ञात दूरी के बहुत करीब है।

बुध

बुध ग्रह सूर्य से निकटतम ग्रह है। यह हमारे सौर परिवार का लघुतम ग्रह है। क्योंकि बुध सूर्य के अत्यधिक निकट है, अतः अधिकांश समय तक सूर्य की चकाचौंध में छिपा रहने के कारण इसका प्रेक्षण करना अत्यंत कठिन है। तथापि, सूर्योदय से तुरन्त पूर्व अथवा सूर्यास्त के तुरंत पश्चात् इसे क्षितिज पर देखा जा सकता है। बुध का अपना कोई उपग्रह नहीं है।

शुक्र

ग्रहों में शुक्र पृथ्वी का निकटतम पड़ोसी है। रात्रि के आकाश में यह सबसे अधिक चमकीला ग्रह है। कभी-कभी शुक्र पूर्वी आकाश में सूर्योदय से पूर्व दिखाई देता है। कभी-कभी सूर्यास्त के तुरन्त पश्चात यह पश्चिमी आकाश में दिखाई देता है। इसीलिए इसे प्रायः प्रभात तारा (प्रातः तारा) अथवा सांध्य तारा कहते हैं, यद्यपि यह तारा नहीं है। शुक्र का अपना कोई उपग्रह (चन्द्रमा) नहीं है। इसकी अपने अक्ष पर घूर्णन गति कुछ असाधारण है। यह पूर्व से पश्चिम की ओर घूर्णन करता है जबकि पृथ्वी पश्चिम से पूर्व की ओर गति करती है।

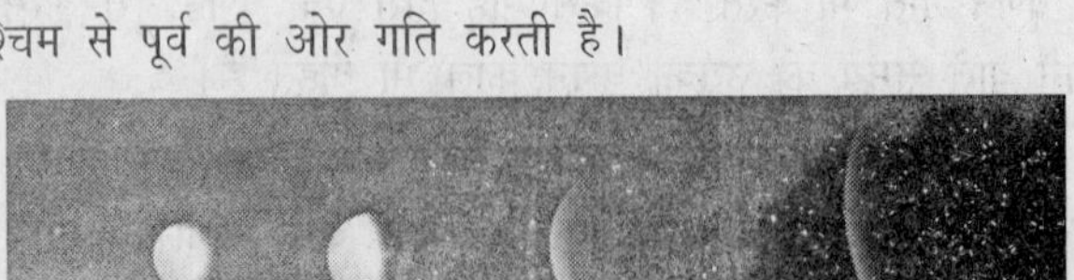

चित्रः *शुक्र की कलाएँ*

पृथ्वी

पृथ्वी ही सौर परिवार का एकमात्र ऐसा ग्रह है जिस पर जीवन का अस्तित्व ज्ञात है। पृथ्वी पर जीवन विद्यमान होने तथा उसकी निरंतरता बनाए रखने के लिए कुछ विशिष्ट पर्यावरणीय अवस्थाएँ उत्तरदायी हैं। इनमें पृथ्वी की सूर्य से उचित दूरी होना भी सम्मिलित है ताकि पृथ्वी पर सही ताप परिसर, जल की उपस्थिति, उपयुक्त वायुमंडल तथा ओज़ोन का आवरण बना रह सके। अन्तरिक्ष से देखने पर पृथ्वी के पृष्ठ पर जल तथा भूमि से प्रकाश के परावर्तित होने के कारण वह नीली-हरी प्रतीत होती है। पृथ्वी का घूर्णन अक्ष इसकी कक्षा के तल के लम्बवत् नहीं है। इसका अपने अक्ष पर झुकाव पृथ्वी पर ऋतु-परिवर्तन के लिए उत्तरदायी है। पृथ्वी का केवल एक ही उपग्रह (चन्द्रमा) है।

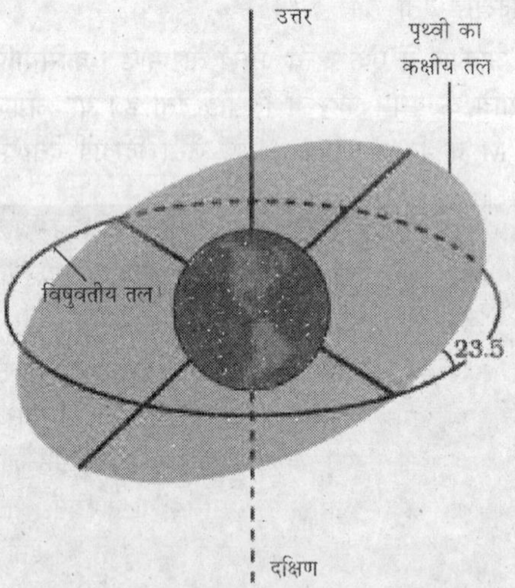

चित्रः *पृथ्वी झुके अक्ष पर घूर्णन करती है*

विषुवत् वृत्त के तल को पृथ्वी का विषुवतीय तल कहते हैं। वह तल जिसमें पृथ्वी सूर्य की परिक्रमा करती है उसे पृथ्वी का कक्षीय तल कहते हैं। ये दोनों तल एक दूसरे से 23.5° के कोण पर झुके हैं। इसका यह तात्पर्य है कि पृथ्वी का अक्ष अपने कक्षीय तल से 66.5° के कोण पर झुका है।

मंगल

अगला ग्रह जो पृथ्वी की कक्षा के बाहर का पहला ग्रह है, वह मंगल है। यह हल्का रक्ताभ प्रतीत होता है इसीलिए इस ग्रह को लाल ग्रह भी कहते हैं। मंगल के दो छोटे प्राकृतिक उपग्रह हैं।

मंगलयान—भारतीय अंतरिक्ष अनुसंधान संगठन (इसरो) ने भारत का पहला मंगल कक्षित्र (ऑर्बिटर) मिशन-मंगलयान, 5 नवम्बर, 2013 को प्रक्षेपित किया। यह 24 सितम्बर, 2014 को मंगल की कक्षा में सफलतापूर्वक पहुँच गया। इस प्रकार भारत अपने प्रथम प्रयास में ही इस कार्य को करने वाला विश्व में पहला देश बना।

बृहस्पति

बृहस्पति सौर परिवार का सबसे बड़ा ग्रह है। यह ग्रह इतना बड़ा है कि लगभग 1300 पृथ्वियाँ इस विशाल ग्रह के भीतर रखी जा सकती हैं। परन्तु, बृहस्पति का द्रव्यमान पृथ्वी के द्रव्यमान का लगभग 318 गुना है। यह अपने अक्ष पर अत्यधिक तीव्र गति से घूर्णन करता है।

बृहस्पति के बहुत से प्राकृतिक उपग्रह हैं। इसके चारों ओर धुँधले वलय भी हैं। आकाश में अत्यधिक चमकीला प्रतीत होने के कारण हम इसे आसानी से पहचान सकते हैं। यदि हम इसका प्रेक्षण दूरबीन की सहायता से करें तो हम इसके चार बड़े चन्द्रमा भी देख सकते हैं।

शनि

बृहस्पति के परे शनि है जो रंग में पीला-सा प्रतीत होता है। इस ग्रह के रमणीय वलय इसे सौर परिवार में अद्वितीय बनाते हैं। यह वलय नंगी आँखों से दिखाई नहीं देते। हम छोटे दूरदर्शक द्वारा इनका प्रेक्षण कर सकते हैं। शनि के भी बहुत से प्राकृतिक उपग्रह हैं। शनि के बारे में एक रोचक बात यह है कि सभी ग्रहों में यह सबसे कम सघन है। इसका घनत्व जल के घनत्व से भी कम है।

यूरेनस तथा नेप्ट्यून

ये सौर परिवार के बाह्यतम ग्रह हैं। इन्हें केवल बड़े दूरदर्शकों की सहायता से ही देखा जा सकता है। शुक्र की भाँति यूरेनस भी पूर्व से पश्चिम दिशा में घूर्णन करता है। इसकी विलक्षण विशेषता इसका अत्यधिक झुका घूर्णन अक्ष है। इसके परिणामस्वरूप यह कक्षीय गति करते समय अपने पृष्ठ पर लुढ़कता सा प्रतीत होता है।

सौर परिवार के प्रथम चार ग्रह—बुध, शुक्र, पृथ्वी तथा मंगल अन्य चार ग्रहों की तुलना में सूर्य के अत्यन्त निकट हैं। इन्हें आन्तरिक ग्रह कहते हैं। आन्तरिक ग्रहों के बहुत कम चन्द्रमा होते हैं। वे ग्रह जो मंगल की कक्षा से बाहर हैं, जैसे—बृहस्पति, शनि, यूरेनस तथा नेप्ट्यून, आन्तरिक ग्रहों की तुलना में कहीं अधिक दूर हैं। इन्हें बाह्य ग्रह कहते हैं। इनके चारों ओर वलय-निकाय हैं। बाह्य ग्रहों के अधिक संख्या में चन्द्रमा होते हैं।

सौर परिवार के कुछ अन्य सदस्य

ग्रहों के अतिरिक्त सूर्य की परिक्रमा करने वाले कुछ अन्य पिंड भी हैं। ये भी सौर परिवार के सदस्य हैं।

क्षुद्रग्रह

मंगल तथा बृहस्पति की कक्षाओं के बीच काफी बड़ा अंतराल है। इस अंतराल को बहुत सारे ऐसे छोटे-छोटे पिंडों ने घेर रखा है जो सूर्य की परिक्रमा करते हैं। इन्हें क्षुद्रग्रह कहते हैं। क्षुद्रग्रहों को केवल बड़े दूरदर्शकों द्वारा ही देखा जा सकता है।

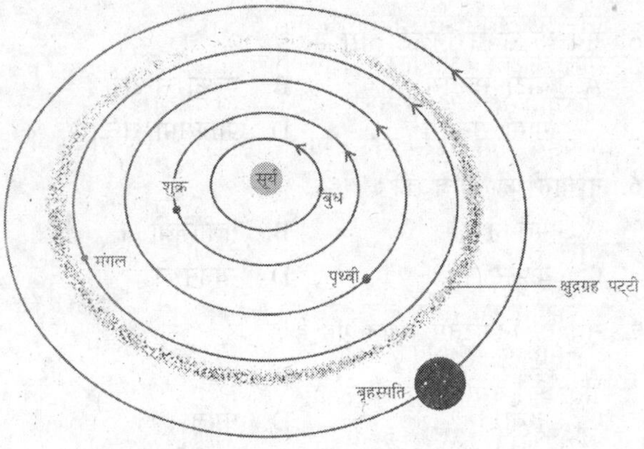

धूमकेतु

धूमकेतु भी हमारे सौर परिवार के सदस्य हैं। ये अत्यन्त परवलीय कक्षाओं में सूर्य की परिक्रमा करते हैं। परन्तु, इनका सूर्य का परिक्रमण काल सामान्यतः काफी अधिक होता है। सामान्यतः धूमकेतु चमकीले सिर तथा लम्बी पूँछ वाले होते हैं। जैसे-जैसे कोई धूमकेतु सूर्य के समीप आता जाता है इसकी पूँछ आकार में बढ़ती जाती है। किसी धूमकेतु की पूँछ सदैव ही सूर्य से परे होती है। ऐसे बहुत से धूमकेतु ज्ञात हैं जो समय-समय पर एक निश्चित काल-अंतराल पर दृष्टिगोचर होते हैं। हैलेका धूमकेतु एक ऐसा ही धूमकेतु है जो लगभग हर 76 वर्ष के अंतराल में दिखाई देता है। इसे सन् 1986 में पिछली बार देखा गया था।

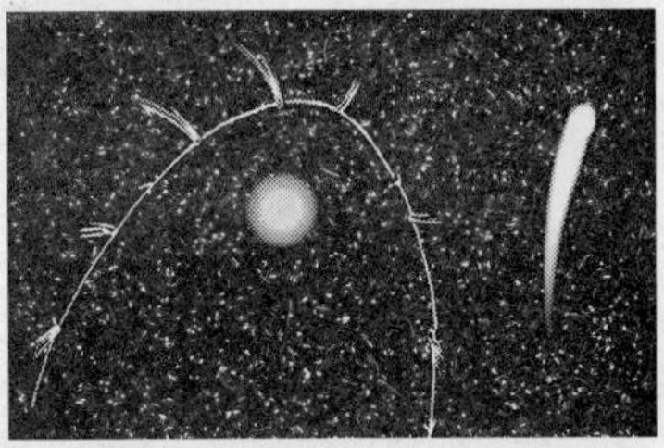

चित्रः *धूमकेतु की विभिन्न स्थितियाँ*

धूमकेतुओं के विषय में अंधविश्वास—कुछ व्यक्ति ऐसा सोचते हैं कि धूमकेतु घोर विपत्तियों, जैसे—युद्ध, महामारी, बाढ़ आदि के दूत (संदेशवाहक) हैं। परन्तु ये सब मिथक (कल्पित मान्यताएँ) तथा अंधविश्वास है। धूमकेतु का दृष्टिगोचर होना एक प्राकृतिक परिघटना है। इनसे भयभीत होने का कोई औचित्य नहीं है।

उल्काएँ तथा उल्कापिंड

रात्रि के समय जब आकाश साफ हो तथा चन्द्रमा भी न दिखाई दे रहा हो तो हम कभी-कभी आकाश में प्रकाश की एक चमकीली धारी-सी देख सकते हैं। इसे शूटिंग स्टार-सा टूटता तारा कहते हैं यद्यपि यह तारा नहीं है। इन्हें हल्का कहते हैं। उल्का सामान्यतः छोटे पिंड होते हैं जो यदा-कदा पृथ्वी के वायुमण्डल में प्रवेश कर जाते हैं। उस समय इनकी अति उच्च चाल होती है। वायुमण्डलीय घर्षण के कारण ये तप्त होकर जल उठते हैं और चमक के साथ शीघ्र ही वाष्पित हो जाते हैं। यही कारण है कि प्रकाश की चमकीली धारी अति अल्प समय के लिए ही दृष्टिगोचर होती है।

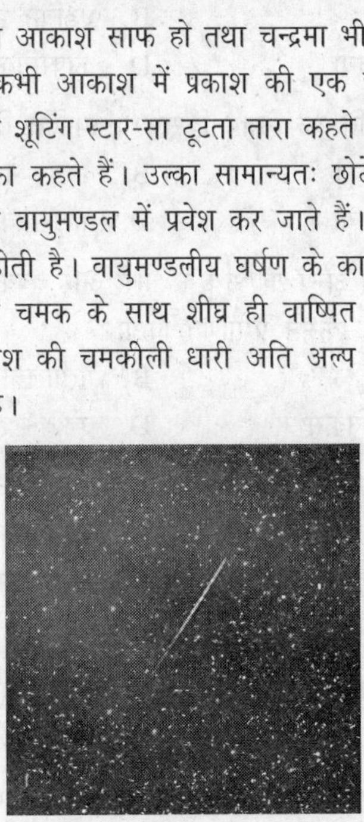

चित्रः *रात्रि के आकाश में उल्का*

कुछ उल्का आकार में इतनी बड़ी होती हैं कि पूर्णतः वाष्पित होने से पूर्व ही वे पृथ्वी पर पहुँच जाती हैं। वह पिंड जो पृथ्वी पर पहुँचता

है उसे उल्का पिंड कहते हैं। उल्का पिंड वैज्ञानिकों को उस पदार्थ की प्रकृति की खोज करने में सहायता करते हैं जिससे सौर परिवार बना है।

उल्कावृष्टि—जब पृथ्वी किसी धूमकेतु की पूँछ को पार करती है तो उल्काओं के झुंड दिखाई देते हैं। इन्हें उल्कावृष्टि कहते हैं। कुछ उल्कावृष्टि नियमित समय अंतराल पर हर वर्ष होती हैं।

कृत्रिम उपग्रह

हम जानते हैं कि ऐसे बहुत से कृत्रिम उपग्रह हैं जो पृथ्वी की परिक्रमा कर रहे हैं। कृत्रिम उपग्रह मानव-निर्मित हैं। इनका प्रमोचन पृथ्वी से किया गया है। ये पृथ्वी के प्राकृतिक उपग्रह अर्थात् चन्द्रमा की तुलना में कहीं अधिक निकट रहकर पृथ्वी की परिक्रमा करते हैं।

भारत ने बहुत से कृत्रिम उपग्रहों का निर्माण तथा प्रमोचन किया है। आर्यभट्ट भारत का प्रथम उपग्रह था। कुछ अन्य भारतीय उपग्रह इनसैट (INSAT), आई.आर.एस. (IRS), कल्पना-I, EDUSAT आदि हैं। कृत्रिम उपग्रहों के बहुत से व्यावहारिक अनुप्रयोग हैं। इनका उपयोग मौसम की भविष्यवाणी, रेडियो तथा टेलीविजन संकेतों के प्रेषण में किया जाता है। इनका उपयोग दूरसंचार तथा सुदूर संवेदन के लिए भी होता है।

वस्तुनिष्ठ प्रश्नोत्तर

1. रडार का उपयोग किसलिए किया जाता है?
A. सौर विकिरण का पता लगाने के लिए
B. जहाजों वायुयानों आदि को ढूँढना एवं मार्ग निर्देश करने के लिए
C. ग्रहों को देखने के लिए
D. भूकम्पों की तीव्रता का पता करने के लिए

2. त्रिविमीय चित्र निम्न में से किसके द्वारा लिया जाता है?
A. होलोग्राफी B. फोटोग्राफी
C. फोटोक्रोमेटिक D. रेडियोग्राफी

3. ब्रह्मांड प्रसारित हो रहा है। यह प्रमाण सर्वप्रथम किसने दिया?
A. न्यूटन B. एडविन हब्बल
C. गैलीलियो D. कॉपरनिकस

4. ग्रहों की गति का नियम किसने प्रतिपादित किया?
A. न्यूटन ने B. केप्लर ने
C. गैलीलियो ने D. कॉपरनिकस ने

5. ''पृथ्वी तथा अन्य ग्रह सूर्य के चारों ओर चक्कर लगाते हैं।'' यह सबसे पहले किसने प्रमाणित किया?
A. अरस्तू ने B. गैलीलियो ने
C. कॉपरनिकस ने D. एडविन हब्बल ने

6. ब्रह्मांड में सबसे अधिक मात्रा में कौन-सा तत्व पाया जाता है?
A. हाइड्रोजन B. नाइट्रोजन
C. हीलियम D. ऑक्सीजन

7. तारों व सूर्य की ऊर्जा का स्रोत है :
A. नाभिकीय संलयन B. नाभिकीय विखण्डन
C. विद्युत् चुम्बकीय प्रेरण D. विद्युत् बल

8. तारों व आकाशगंगा का व्यास मापने के लिए प्रयुक्त उपकरण है :
A. फोटोमीटर B. बैरोमीटर
C. विस्कोमीटर D. इन्टरफेरोमीटर

9. दो ग्रह जिनके कोई उपग्रह नहीं हैं :
A. पृथ्वी व बृहस्पति B. बुध व शुक्र
C. बुध व मंगल D. शुक्र व मंगल

10. किस ग्रह के सबसे अधिक उपग्रह हैं?
A. शनि B. बृहस्पति
C. मंगल D. नेप्च्यून

11. निम्न में से किस ग्रह को 'मॉर्निंग स्टार' (Morning Star) के नाम से जाना जाता है?
A. बुध B. शुक्र
C. मंगल D. शनि

12. कौन-सा ग्रह सूर्य के चारों ओर 88 दिन में एक चक्कर लगाता है?
A. बुध B. शुक्र
C. मंगल D. शनि

13. निम्न में से किस ग्रह का घनत्व पानी से कम है तथा पानी में डाल देने पर वह तैरने लगेगा :
A. बुध B. शुक्र
C. शनि D. मंगल

14. सूर्य की सतह का ताप होता है :
A. 6000 K B. 7000 K
C. 2000 K D. 600 K

15. सूर्य के सबसे निकट तारा है :
A. बीटा सेन्टोरी B. एल्फा सेन्टोरी
C. गामा सेन्टोरी D. प्रोक्सिमा सेन्टोरी

16. नेप्च्यून की खोज की :
A. गैले ने B. गैलीलियो ने
C. कैप्लर ने D. न्यूटन ने

17. सूर्य के निकटतम स्थित ग्रह है :
A. बुध B. शुक्र
C. पृथ्वी D. मंगल

18. सौरमंडल का सबसे छोटा ग्रह है :
A. बुध B. शुक्र
C. पृथ्वी D. मंगल

19. सौरमंडल का सबसे बड़ा ग्रह है :
A. शनि B. बृहस्पति
C. नेप्च्यून D. यूरेनस

20. निम्नलिखित में से कौन-सा एक तारा पृथ्वी के सर्वाधिक समीप है?
A. ध्रुवतारा B. धूमकेतु
C. सूर्य D. लुब्धक

21. मंगल और बृहस्पति कक्षाओं के बीच सूर्य के चारों ओर परिक्रमा करने वाले शैल के छोटे टुकड़ों के समूह को क्या कहते हैं?
A. उल्का B. धूमकेतु
C. उल्का पिण्ड D. क्षुद्र ग्रह

22. 'हैली' का धूमकेतु सूर्य की परिक्रमा करता है :
A. 40 वर्षों में B. 46 वर्षों में
C. 60 वर्षों में D. 76 वर्षों में

23. मनुष्य ने पहली बार किस वर्ष चाँद पर कदम रखा?
A. 1963 ई. B. 1965 ई.
C. 1969 ई. D. 1972 ई.

24. अंतरिक्ष यात्री को आकाश का रंग दिखाई देता है :
A. नीला B. लाल
C. सफेद D. काला

25. 'लाल ग्रह' (Red Planet) के नाम से जाना जाता है :
A. बुध B. शुक्र
C. मंगल D. शनि

26. पृथ्वी सूर्य का एक चक्कर कितने समय में पूरा करती है?
A. 360 दिन B. 364 दिन
C. 365.25 दिन D. 24 घंटे

27. पेरिस स्थित अंतर्राष्ट्रीय खगोलीय संघ (IAU) के माइनर प्लेनेट सेंटर ने प्लूटो को कौन-सा नया नाम दिया है?
A. 134340 B. 238380
C. इरिस D. निक्स

28. अन्तर्राष्ट्रीय खगोलीय संघ द्वारा आकाशीय पिण्ड जेना 2003 यू. की 313 नया नाम क्या दिया गया है?
A. सायरस B. इरिस
C. ग्रैविली D. डायसनोमिया

29. जेना 2003 यू बी 313 का पता किसने एवं कब लगाया था?
A. माइकल ब्राउन, 2005 B. माइकल ब्राउन, 2004
C. माइक हैसन, 2002 D. बॉब ब्रायन, 2001

30. ब्लैक होल (Black Hole) के बारे में सर्वप्रथम जानकारी किसने दी?
A. कॉपरनिकस B. हरमान बॉण्डी
C. रदरफोर्ड D. एस. चन्द्रशेखर

31. आकाशीय पिण्डों का अध्ययन करने वाले भौतिक विज्ञान की शाखा को कहते हैं :
A. एस्ट्रोफिजिक्स B. एस्ट्रोनॉमी
C. एस्ट्रॉनाटिक्स D. एस्ट्रॉलॉजी

32. पृथ्वी की आयु ज्ञात करने में प्रयोग करते हैं :
A. कार्बन डेटिंग B. जर्मेनियम डेटिंग
C. यूरेनियम डेटिंग D. इनमें से कोई नहीं

33. पूर्ण सूर्यग्रहण का अधिकतम समय होता है :
A. 600 सेकेण्ड B. 500 सेकेण्ड
C. 460 सेकेण्ड D. 250 सेकेण्ड

34. एक प्रकाश वर्ष निम्न में से किसके बराबर होता है?
A. 13×10^{10} किलोमीटर B. 9.46×10^{12} किलोमीटर
C. 9.46×10^{6} किलोमीटर D. 5×10^{7} किलोमीटर

35. भारत का पहला उपग्रह आर्यभट्ट छोड़ा गया था :
A. 1972 में B. 1974 में
C. 1975 में D. 1970 में

36. ग्रह कैसे चमकते हैं?
A. वे स्वयं प्रकाश का उत्सर्जन करते हैं
B. वे निकटवर्ती तारा से प्रकाशित होते हैं
C. सूर्य से जो प्रकाश उन तक पहुँचता है उसे वे परावर्तित करते हैं
D. वे पृथ्वी से पहुँचने वाले प्रकाश को परावर्तित करते हैं

37. तारे और ग्रह में क्या अंतर होता है?
A. तारा गर्म और ग्रह ठंडा होता है
B. दोनों में केवल आकार का अंतर होता है
C. तारे खोखले होते हैं और ग्रह ठोस होते हैं
D. तारे अपने प्रकाश से चमकते हैं लेकिन ग्रहों का अपना प्रकाश नहीं होता

38. सबसे पहले किस जीव को अंतरिक्ष में भेजा गया था?
A. मनुष्य B. चूहा
C. बंदर D. कुत्ता

39. ज्वार आने का क्या कारण है?
A. सूर्य एवं चन्द्रमा का गुरुत्वाकर्षण खिंचाव
B. भूकम्प
C. समुद्री प्रक्षोभ
D. इनमें से कोई नहीं

40. पुच्छल तारा क्या होता है?
A. मृतप्राय सितारा B. उल्का
C. गैस एवं धूल का पिण्ड D. इनमें से कोई नहीं

41. शुक्र ग्रह का एक विशेष लक्षण क्या है?
A. वह पूर्व से पश्चिम दिशा में घूर्णन करता है

B. घूर्णन की गति बहुत तेज होती है
C. वहाँ पर वायुमंडल होता है
D. इनमें से कोई नहीं

42. 'पृथ्वी सम्पूर्ण रूप से गोलीय है' यह कथन दिया था :
A. प्रोटेनी ने B. आर्यभट्ट ने
C. पाइथागोरस ने D. कॉपरनिकस ने

43. असंख्य चट्टानें जो मंगल तथा बृहस्पति की कक्षाओं के मध्य हैं, कहलाती हैं :
A. पुच्छल तारे B. क्षुद्रग्रह (asteroids)
C. उल्का D. उल्का पिण्ड

44. दिए गए ग्रहों का उनकी सूर्य से बढ़ती हुई दूरियों का सही क्रम है :
A. बुध, शुक्र, मंगल, शनि, बृहस्पति
B. शुक्र, बुध, मंगल, शनि, बृहस्पति
C. बुध, शुक्र, मंगल, बृहस्पति, शनि
D. शुक्र, बुध, बृहस्पति, मंगल, शनि

45. टेलीविजन स्टेशन अपने क्षेत्रीय कार्यक्रम दूरस्थ स्थानों तक नहीं भेज सकते क्योंकि इनके :
A. सिगनल विद्युत-चुम्बकीय होते हैं
B. सिगनल विद्युत-चुम्बकीय नहीं होते हैं
C. सिगनल अधिक आयाम के होते हैं
D. सिगनल रेडियो तरंगों की तरह आयन मण्डल से परावर्तित नहीं होते हैं

46. अलबीडो (Albedo) है :
A. खगोलीय पिण्ड की अवशोषण क्षमता
B. खगोलीय पिण्ड की पारगमन क्षमता
C. खगोलीय पिण्ड की अपवर्तन क्षमता
D. खगोलीय पिण्ड की परावर्तन क्षमता

47. शुक्र अन्य तारों की अपेक्षा अधिक चमकीला होता है। इसका कारण है :
A. यह दूसरे ग्रहों से बड़ा है
B. इसका घनत्व अन्य ग्रहों की अपेक्षा अधिक होता है
C. यह अन्य ग्रहों की तुलना में पृथ्वी के अधिक समीप है
D. इसकी सतह पर घटित नाभिकीय संलयन

48. वायु में उपस्थित कार्बन डाइऑक्साइड का अंश बढ़ने के कारण वायुमंडल का गर्म होना कहलाता है :
A. ग्रीनहाउस प्रभाव B. तापीय प्रभाव
C. ऊष्मा गतिकी D. बैंगनी हाउस प्रभाव

49. ब्लैक होल (Black Hole) है एक :
A. सम्पीड़ित तारा जिसमें अति तीव्र गुरुत्वाकर्षण खिंचाव होता है
B. कम सतही ताप वाला तारा
C. बिना किसी वायुमण्डल की उपस्थिति वाला तारा
D. स्पन्दनकारी तारा

50. मौसम में परिवर्तन का कारण है :
A. पृथ्वी के अपने घूर्णन अक्ष पर झुके होने के कारण
B. पृथ्वी के परिक्रमण की चाल में परिवर्तन होने के कारण
C. सूर्य से प्राप्त ऊर्जा की मात्रा में अन्तर के कारण
D. इनमें से कोई नहीं

उत्तरमाला

1	2	3	4	5	6	7	8	9	10
B	A	B	B	C	A	A	D	B	A
11	**12**	**13**	**14**	**15**	**16**	**17**	**18**	**19**	**20**
B	A	C	A	D	A	A	A	B	C
21	**22**	**23**	**24**	**25**	**26**	**27**	**28**	**29**	**30**
D	D	C	D	C	C	A	B	A	D
31	**32**	**33**	**34**	**35**	**36**	**37**	**38**	**39**	**40**
A	C	C	B	C	C	D	D	A	C
41	**42**	**43**	**44**	**45**	**46**	**47**	**48**	**49**	**50**
A	B	B	C	D	D	C	A	A	A

★★★

सामाजिक विज्ञान

- इतिहास
- लोकतांत्रिक राजनीति
- भूगोल
- अर्थशास्त्र

इतिहास

प्राचीन भारत

सिंधु घाटी सभ्यता

सिंधु सभ्यता की खोज का श्रेय रायबहादुर दयाराम साहनी को दिया जाता है, जिन्होंने तत्कालीन पुरातत्व सर्वेक्षण विभाग के महानिदेशक सर जॉन मार्शल के निर्देशन में 1921 ई. में इस स्थल की खुदाई करवाई। 1922 ई. में राखलदास बनर्जी के नेतृत्व में एक अन्य प्रमुख स्थल मोहनजोदड़ो की खोज हुई। इस नवीनतम स्थल के प्रकाश में आने के बाद यह मान लिया गया कि यह सभ्यता संभवतः सिंधु नदी की घाटी तक ही सीमित है, अतः इसका नाम **'सिंधु घाटी की सभ्यता'** रखा गया।

इस सभ्यता के लिए साधारणतः तीन नामों का प्रयोग होता है–'सिंधु घाटी की सभ्यता, 'सिंधु-सभ्यता और 'हड़प्पा सभ्यता'। इन तीनों शब्दों का एक ही अर्थ है। इनमें से प्रत्येक शब्द की एक विशिष्ट पृष्ठभूमि है। कालांतर में अनुसंधान से जब यह प्रमाणित हो गया कि यह सभ्यता स्वयं सिंधु घाटी की सीमाओं के पार दूर-दूर तक फैली हुई है (यथा–राजस्थान, हरियाणा, पूर्वी पंजाब और गुजरात आदि) तब इस सभ्यता के सही-सही भौगोलिक विस्तार का संकेत देने के लिए 'सिन्धु घाटी की सभ्यता' शब्दावली अपर्याप्त सिद्ध हुई। अतः इसके लिए **'हड़प्पा सभ्यता'** जैसे गैर-भौगोलिक शब्द के प्रयोग का निर्णय किया गया। पुरातात्विक साहित्य में साधारणतः किसी अज्ञात संस्कृति का नामकरण उस स्थल के नाम पर कर दिया जाता है जहां पहले-पहल उसे पहचाना जाता है। इस सभ्यता का नामकरण 'हड़प्पा सभ्यता' इसी प्रचलित प्रथा का अनुसरण है।

नगर योजना

हड़प्पा सभ्यता की सर्वाधिक महत्त्वपूर्ण विशेषता थी–इसकी नगर योजना प्रणाली। इस सभ्यता के महत्त्वपूर्ण स्थलों के नगर निर्माण में समरूपता थी। नगरों के भवनों के बारे में विशिष्ट बात यह थी कि ये जाल की तरह विन्यस्त थे। यहां के प्राप्त नगरों के अवशेषों से पूर्व और पश्चिम दिशा में दो टीले मिले हैं। पूर्व दिशा में स्थित टीले पर नगर या फिर आवास क्षेत्र के साक्ष्य मिलते हैं जबकि पश्चिम के टीले पर गढ़ी अथवा दुर्ग (Citadel) के साक्ष्य मिले हैं। लोथल एवं सूरकोतड़ा के दुर्ग और नगर क्षेत्र दोनों एक ही रक्षा प्राचीर से घिरे हैं।

यहाँ प्राप्त मकानों के अवशेष से स्पष्ट होता है कि प्रत्येक मकान के बीच में एक आंगन होता था। आंगन के चारो ओर चार-पांच कमरे, रसोईघर एवं स्नानागार के साथ बने होते थे। स्नानागार गली की ओर बने होते थे। घरों के दरवाजे एवं खिड़कियाँ सड़क की ओर न खुलकर पिछवाड़े की ओर खुलती थी। भवन निर्माण में प्रयुक्त ईंटों का आकार तीन प्रकार का था। ईंटों के निर्माण का निश्चित अनुपात 4 : 2 : 1 था। यहां पर मिले भवन अलंकरण रहित हैं, केवल कालीबंगा में फर्श के निर्माण में अलंकृत ईंट का प्रयोग किया गया है। इस सभ्यता में सड़कों का जाल नगर को कई भागों में विभाजित करता था। सड़कें पूर्व से पश्चिम एवं उत्तर से दक्षिण की ओर जाती हुई एक-दूसरे को समकोण पर काटती थीं। सड़कों का निर्माण मिट्टी से किया गया था। सड़कों के दोनों ओर नालियों का निर्माण पक्की ईंटों द्वारा किया गया था और इन नालियों में थोड़ी-थोड़ी दूर पर 'मेन होल' बनाए गए थे।

वैदिक सभ्यता

आर्यों के आगमन के साथ ही भारत में एक नए युग की शुरुआत हुई। वेद उनका पुरातन साहित्य था पर ये कब अस्तित्व में आए इसकी ठीक-ठीक व्याख्या नहीं की गई है। आर्य शहर में नहीं रहते थे। उनके धर्म में मूर्तियों के लिए स्थान नहीं था। इंद्र, वरुण, सूर्य

और अग्नि उनके प्रमुख देवता थे। आर्य जिस क्षेत्र में रहते थे, वह पूर्वी अफगानिस्तान से लेकर गंगा की ऊपरी घाटियों तक फैला था। इस क्षेत्र के सर्वप्रमुख भाग को सप्त सिंधु कहा जाता है, जहां सात नदियां मौजूद थीं। शेष क्षेत्रों में श्याम वर्ण तथा सपाट नाक वाली प्रजाति 'वसयूस' का निवास था।

उस समय का समाज राजनीतिक और सामाजिक रूप से पितृ सत्तात्मक था। प्रशासन की सबसे लघु इकाई गांव थे। राजा भूमि का मालिक था और उसके पास असीमित शक्तियां होती थीं। राजा का पद वंशानुगत था, हालांकि वेदों में अपवाद स्वरूप राजाओं को निर्वाचित करने के उदाहरण भी मौजूद हैं। राजा विलासपूर्ण जीवन व्यतीत करता था और अपने भोग-विलास और सुख-ऐश्वर्य की एवज में वह नागरिकों और अपने भू-प्रदेश की सुरक्षा करता था। वह प्रशासन का प्रबंध करता था तथा लोगों से नियम-कानूनों का पालन करवाता था। राजा को सलाह देने के लिए सभा और समिति जैसे निकाय मौजूद होते थे। समिति लोकप्रिय सभा थी जबकि सभा में कुछ चुनिंदा लोग शामिल होते थे।

चूंकि परिवार पितृसत्तात्मक थे, अतः लोगों को लड़के की इच्छा रहती थी। लड़कियों की अक्सर उपेक्षा की जाती थी। कुछ लोग एक से अधिक पत्नियां रखते थे, परंतु महिलाओं को एक से अधिक पति रखने की अनुमति नहीं थी। विधवाओं को पुनर्विवाह की अनुमति दी जाती थी। हालांकि महिलाओं का सम्मान किया जाता था, फिर भी उन्हें समर्थन और सहायता के लिए पुरुष संबंधियों पर निर्भर रहना पड़ता था।

वैदिक युग के लोग मनोरंजन प्रिय थे और आमोद-प्रमोद में समय व्यतीत करते थे। उत्तेजना जगाने वाले पेय जैसे सोम या सुरा का सेवन किया जाता था। रेसिंग, शिकार करना और युद्ध, नृत्य उनकी प्रिय अवकाशकालीन गतिविधियां थीं। इसके अलावा नृत्य, संगीत और पांसे का खेल भी काफी लोकप्रिय था।

व्यवसाय के संबंध में नियम अत्यन्त सख्त थे। तीन उच्च जातियों को जीवन के चार आश्रमों ब्रह्मचर्य, गृहस्थ, संन्यास और वानप्रस्थ का अनिवार्य रूप से पालन करना पड़ता था।

ग्राम समुदाय का मुख्य व्यवसाय कृषि था। मवेशियों और अन्य घरेलू पशुओं का प्रजनन कराया जाता था। गाय, बैल, घोड़े, कुत्ता, बकरी और भेड़ घरेलू पशु थे। व्यापार और वाणिज्य का इस काल में काफी महत्त्व था; हालांकि मुद्रा का प्रचलन नहीं था पर वस्तु के बदले वस्तु का कारोबार किया जाता था। परिवहन के लिए रथों का इस्तेमाल किया जाता था। उन्हें समुद्रों में नौवहन का भी ज्ञान था।

वैदिक युग के आरंभिक दिनों में बर्तनकला का काफी विकास हुआ। आर्यों के पुराकालीन साहित्य मौखिक रूप से प्रसारित किए गए, जिससे संकेत मिलता है कि उन्हें लिपि का ज्ञान नहीं था। लोगों ने इस काल में वास्तुशिल्प, मूर्तिकला, विज्ञान और खगोल विज्ञान में काफी प्रगति की।

जैसे-जैसे समय गुजरता गया, आर्य अधिक इलाकों पर कब्जा करते गए और उनके साम्राज्य की सीमाओं का पूर्व और दक्षिण की ओर विस्तार हुआ। राजागण अपने विषयों के महारथी समझे जाते थे और राजनीतिक, आर्थिक और न्यायिक शक्तियों पर उनका एकाधिकार था।

ब्राह्मणों को समाज में विशिष्ट दर्जा प्राप्त था। जाति संरचना काफी स्पष्ट थी और समाज में संसाधनों के बंटवारे में इसकी अहम् भूमिका थी। वैदिक युग के अंत तक प्रमुख राजवंश और रजवाड़ों का उदय हो गया था। इस काल में कृषि लोगों का मुख्य व्यवसाय बना रहा। लेकिन कृषि और पशुपालन में काफी प्रगति हुई। कुछ नए अनाज जैसे गेहूं और चावल उगाए जाने लगे। हल जैसे कृषि उपकरणों में काफी सुधार किया गया। व्यापार और उद्योग के क्षेत्र में प्रगति हुई और व्यापारियों का एक नया वर्ग 'वाणिजा' अस्तित्व में आया तथा अनेक कौशल-प्रवीण लोग सामने आए।

आर्यों की धार्मिक पुस्तकों से पता चलता है कि उनकी संस्कृति काफी विकसित थी। इनमें से सबसे प्रमुख पुस्तकें चार वेद हैं—क्रमशः ऋग्वेद, यजुर्वेद, सामवेद और अथर्ववेद। उपनिषद् दर्शन की पुस्तकें दो महाकाव्य—रामायण और महाभारत, 18 पुराण, 6 शास्त्र और मनुस्मृति भी उनकी पुस्तकें हैं। ऋग्वेद में विभिन्न देवी-देवताओं की स्तुति से संबंधित मंत्र हैं जिसमें मौलिक और लौकिक सुखों के लिए उनका धन्यवाद ज्ञापित किया गया है। सामवेद का स्वतंत्र महत्त्व उतना अधिक नहीं है क्योंकि अधिकांश मंत्र ऋग्वेद से लिए गए हैं और उन्हें त्याग और बलिदान के संदर्भ में सजाया गया है। यह संगीत का प्रेरक तत्व है। यजुर्वेद गद्यरूप में है और इसमें बलिदान संबंधी प्रार्थनाएं हैं। अथर्ववेद में जादू की चर्चा की गई है तथा उन वनस्पतियों की स्तुति की गई है जिनसे रोगों का निदान होता है। पुराण में प्राथमिक सृजन, द्वितीयक सृजन, देवताओं की वंशावली, मनु का शासन और विभिन्न रजवाड़ों के इतिहास की चर्चा है।

महाजनपद काल

बुद्ध के समय 16 बड़े राज्यों का उल्लेख मिलता है, जिन्हें महाजनपद कहा जाता है। छठी शताब्दी ई. पू. के ये राज्य अधिकतर विंध्य के उत्तर में थे और पश्चिमोत्तर सीमाप्रांत से बिहार तक फैले हुए थे। **सोलह महाजनपदों में अश्मक ही एक ऐसा जनपद था जो दक्षिण भारत में गोदावरी नदी के किनारे स्थित था।**

इन महाजनपदों का उल्लेख बौद्ध ग्रंथ **अंगुतर निकाय** में मिलता है। जैन ग्रंथ **भगवती सूत्र** में भी इन महाजनपदों का उल्लेख कुछ नामांतर के साथ मिलता है। सोलह महाजनपदों में मगध, कोशल, वत्स और अवंति संभवतः अधिक शक्तिशाली थे।

महाजनपद	राजधानी
1. अंग	चम्पा
2. मगध	गिरिव्रज (राजगृह)
3. काशी	वाराणसी
4. कोशल	श्रावस्ती/अयोध्या
5. वज्जि	विदेह एवं मिथिला
6. मल्ल	कुशावती (कुशीनगर)
7. चेदि	शक्तिमती
8. वत्स	कौशाम्बी
9. कुरु	इन्द्रप्रस्थ

महाजनपद	राजधानी
10. पांचाल	उत्तर पांचाल-अहिच्छत्र दक्षिण पांचाल-काम्पिल्य
11. मत्स्य	विराट नगर
12. शूरसेन	मथुरा
13. अश्मक	पोतन या पोटली
14. अवन्ति	उत्तरी अवन्ति-उज्जयिनी दक्षिणी अवन्ति-महिष्मती
15. गांधार	तक्षशिला
16. कम्बोज	हाटक

मगध का उदय

छठी शताब्दी ई. पू. में मगध एक छोटा-सा राज्य था लेकिन यहाँ की प्राकृतिक दशा, भौगोलिक कारण तथा यहां के योग्य एवं महत्त्वाकांक्षी राजाओं ने मगध को एक साम्राज्य के रूप में परिवर्तित कर दिया। इस राज्य के उत्थान में अनेक वंश के राजाओं का योगदान था। प्राचीन भारत में जिस साम्राज्यवाद का विकास हो रहा था उस ओर मगध ने सबसे पहले कदम बढ़ाया। इस बात की पुष्टि सभी प्राचीन ब्राह्मण तथा जैन स्त्रोतों से भी होती है।

मगध के चारों ओर प्राकृतिक सुरक्षा के साधन थे और निकटवर्ती जंगलों में पाई जाने वाली गजसेना से उसे पर्याप्त बल मिला। इसके साथ ही मगध के आस-पास पाई गई लोहे की खानों से भांति-भांति के अस्त्र-शस्त्र बनाकर आर्य जातियों को जंगलों को साफ करने में सहायता मिली और नए उद्योग-धंधों को बढ़ावा मिला। गंगा नदी के पास होने के कारण व्यापारिक सुविधाएं बढ़ी और आर्थिक दृष्टि से मगध का महत्त्व बहुत बढ़ गया।

हर्यक वंश

मगध के हिरयण्क वंश (हर्यक वंश) के शासक बिम्बिसार के शासनकाल में मगध ने खूब उन्नति की। वह बुद्ध का समकालीन था। उसके द्वारा विजय और विस्तार की शुरू की गई नीति अशोक की कलिंग विजय के साथ समाप्त हुई। बिम्बिसार ने वैवाहिक संबंधों से भी अपनी स्थिति को मजबूत किया। उसने तीन विवाह किए। विभिन्न राजकुलों से वैवाहिक संबंधों के कारण बिम्बिसार को बड़ी राजनैतिक प्रतिष्ठा मिली और इस प्रकार मगध राज्य को पश्चिम और उत्तर की ओर फैलाने का मार्ग प्रशस्त हो गया।

मगध की असली शत्रुता अवंति से थी, जिसकी राजधानी उज्जैन में थी। इसके राजा चंडप्रद्योत महासेन की बिम्बिसार से लड़ाई हुई थी, किन्तु दोनों अंत में दोस्त बन गए। गंधार से भी बिम्बिसार के राजनयिक संबंध थे। इस प्रकार विजय और कूटनीति से बिम्बिसार ने मगध को ई.पू. छठी सदी में सबसे अधिक शक्तिशाली राज्य बना दिया। मगध की पहली राजधानी राजगीर में थी, उस समय इसे गिरिव्रज कहते थे। यह स्थल पांच पहाड़ियों से घिरा हुआ था और उनके खुले भागों को पत्थरों की दीवारों से चारों ओर से घेर दिया गया था। इस तरह राजगीर एक अभेध्य दुर्ग हो गया था।

बिम्बिसार के उत्तराधिकारी अजातशत्रु (492–460 ई.पू.) ने अपने शासनकाल में विस्तार की आक्रामक नीति से काम लिया। उसके शासनकाल में मगध का वैभव अपने चरमोत्कर्ष पर पहुंच गया था। अजातशत्रु ने अनेक समकालीन राज्यों को पराजित किया और उन्हें मगध साम्राज्य में मिला लिया। अजातशत्रु को वैशाली को नष्ट करने में लगभग सोलह वर्ष का लंबा समय लगा। इस प्रकार काशी जिसे वह पहले ही विजित कर चुका था, और अब वैशाली को जीतने के बाद उसका साम्राज्य और विस्तृत हो गया। अजातशत्रु की तुलना में अवंति का शासक अधिक शक्तिशाली था। अवंति के राजाओं ने कौशांबी के वत्सों को हराया था और अब वे मगध पर हमला करने की धमकी दे रहे थे। इसी खतरे का सामना करने के लिए अजातशत्रु ने राजगीर की किलेबंदी की। किलेबंदी की दीवारों के अवशेष आज भी देखने को मिलते हैं। परंतु अजातशत्रु के जीवनकाल में अवंति को मगध पर हमला करने का अवसर नहीं मिला।

अजातशत्रु के बाद उदयिन् (460–440 ई.पू.) मगध की गद्दी पर बैठा। उसके शासन की महत्त्वपूर्ण घटना यह है कि उसने पटना में गंगा और सोन के संगम पर एक किला बनवाया। इसका मुख्य कारण पटना का मगध साम्राज्य के केंद्र में अवस्थित होना था। एक नए नगर के रूप में पाटलिपुत्र की स्थापना उदयिन् की ही देन है। उदयिन् का उदयभद्र के रूप में भी उल्लेख मिलता है। उदयिन् के बाद यह राजवंश दुर्बल हो गया और सत्ता शिशुनाग वंश के हाथों में चली गई।

शिशुनाग वंश

शिशुनाग वंश (412-365 ई.पू.) के शासक शिशुनाग की सर्वाधिक महत्त्वपूर्ण सफलता थी अवंति की शक्ति को तोड़ना।

शिशुनाग ने अवंति और वत्सराज को जीतकर मगध साम्राज्य का विस्तार उत्तरी भारत में मालवा से बंगाल तक कर दिया। शिशुनाग ने वैशाली को अपनी राजधानी बनाया। शिशुनाग के बाद इस वंश का अगला शासक कालाशोक या काकवर्ण हुआ। इसने वैशाली के स्थान पर पुनः पाटलिपुत्र को अपनी राजधानी बनाया। इसके समय में वैशाली में द्वितीय बौद्ध संगीति का आयोजन हुआ। इसकी मृत्यु के उपरांत इसके उत्तराधिकारियों ने लगभग 22 वर्ष तक शासन किया। शिशुनागों के बाद मगध पर नंद वंश का शासन शुरू हुआ।

नंद वंश

नंद वंशीय शासक मगध के सबसे शक्तिशाली शासक सिद्ध हुए। इनका शासन इतना शक्तिशाली था कि सिकंदर भी इनके साम्राज्य की ओर बढ़ने की हिम्मत न कर सका। महापद्मनंद संभवतः शूद्र जाति का था। पुरणों में उसे 'सर्वक्षत्रान्तक (सभी क्षत्रियों का नाश करने वाला)' और 'द्वितीय परशुराम' कहा गया है। नंद वंश के सबसे शक्तिशाली शासक महापद्मनंद ने कलिंग को जीत कर मगध की शक्ति को बढ़ाया। विजय स्मारक के रूप में वह कलिंग से जिन की मूर्ति उठा लाया था। इस वंश का अंतिम शासक घनानंद था जिसे चंद्रगुप्त मौर्य ने चाणक्य के सहयोग से अपदस्थ कर मगध पर अपना शासन स्थापित किया।

जैन एवं बौद्ध धर्म

जैन धर्म

जैन शब्द 'जिन' से बना है जिसका अर्थ है-विजेता अर्थात् जिसने इंद्रियों को जीत लिया है। भगवतीसूत्र, कल्पसूत्र तथा परिशिष्ट पर्वण नामक ग्रंथ में प्रारंभिक जैन धर्म का इतिहास मिलता है। जैन धर्म में तीर्थंकर का अर्थ संसार सागर से पार कराने के लिए औरों को मार्ग बताने वाला होता है। जैन धर्म में कुल 24 तीर्थंकरों के होने की बात कही गई है। ऋषभदेव को जैन धर्म के संस्थापक, प्रवर्तक एवं पहले तीर्थंकर के रूप में जाना जाता है। दो जैन तीर्थंकरों पार्श्वनाथ एवं वर्धमान के अतिरिक्त परंपरा में उल्लिखित शेष सभी तीर्थंकर पौराणिक हैं। पार्श्वनाथ जैन धर्म के 23वें एवं प्रथम ऐतिहासिक तीर्थंकर थे। इन्हें जैन धर्म को सुनियोजित और सुव्यवस्थित कर उसके ज्ञान एवं दर्शन के तत्त्व को वास्तविक प्रवर्तन का श्रेय प्राप्त है। इनके अनुयायियों को निर्ग्रंथ कहा गया है। पार्श्वनाथ ने 4 महाव्रतों का प्रतिपादन किया था, जो इस प्रकार थे–**अहिंसा, सत्य, अपरिग्रह** एवं **अस्तेय**। इनमें सर्वाधिक महत्त्व इन्होंने अहिंसा पर दिया। पार्श्वनाथ ने कायाक्लेश एवं तपश्चर्या से ही मोक्ष प्राप्ति की बात कही। इन्होंने भिक्षुओं को सफेद वस्त्र पहनने की सलाह दी। **पार्श्वनाथ** के **समर्थकों में केशि** प्रमुख थे।

महावीर स्वामी जैन धर्म के वास्तविक संस्थापक एवं 24वें तीर्थंकर थे। इनके बचपन का नाम वर्धमान था। वे वर्ण के क्षत्रिय एवं जाति के ज्ञातृक/शातृक थे। महावीर स्वामी 23वें तीर्थंकर पार्श्वनाथ के शिष्य थे। कैवल्य (ज्ञान) प्राप्त हो जाने के बाद महावीर स्वामी को **'केवलिन' 'जिन' (विजेता), 'अर्हत' (पूज्य/योग्य) एवं निर्ग्रन्थ (बंधन रहित)** जैसी उपाधियां मिली। **बौद्ध साहित्य में महावीर स्वामी को निगंठनाथ पुत्र कहा गया है।** जैन ग्रंथ आचारांग सूत्र में महावीर स्वामी की तपस्या तथा कायाक्लेश का वर्णन मिलता है। अपने पूर्वगामी तीर्थंकर पार्श्वनाथ द्वारा दिए गए 4 महाव्रतों में महावीर ने पांचवा व्रत **ब्रह्मचर्य** जोड़ा।

पंचमहाव्रत

1. **अहिंसाः** सभी प्रकार की मानसिक, वाचिक एवं कायिक हिंसा से बचने की बात कही गई है। यह जैन धर्म का सर्वाधिक महत्त्वपूर्ण व्रत है।
2. **सत्य व अमृषाः** इसमें सदा सत्य एवं मधुर बोलने की बात कही गई है।
3. **अपरिग्रहः** इसमें सब प्रकार के सम्पत्ति अर्जन से भिक्षुओं को बचने की बात कही गई है।
4. **अस्तेयः** इसमें अनुमति के बिना किसी दूसरे की संपत्ति ग्रहण करने से बचने की बात कही गई है।
5. **ब्रह्मचर्यः** इसमें भिक्षुओं को पूर्ण ब्रह्मचर्य व्रत का पालन करने की बात कही गई है। गृहस्थ जीवन व्यतीत करने वाले जैनियों के लिए उपर्युक्त व्रतों की कठोरता में कमी करके उसे **'अणुव्रत'** नाम दिया गया।

- जैन धर्म में पूर्व जन्म के कर्मफल को समाप्त करने एवं इस जन्म के कर्मफल से बचने के लिए **त्रिरत्नों** के पालन की बात कही गई है। ये त्रिरत्न हैं-

1. **सम्यक श्रद्धाः** सत् में विश्वास।
2. **सम्यक् ज्ञानः** शंका विहीन तथा वास्तविक ज्ञान।
3. **सम्यक् आचरणः** बाह्य जगत के विषयों के प्रति सम दुःख-सुख भाव से उदासीनता ही सम्यक् आचरण हैं।

बौद्ध धर्म

बौद्ध धर्म के प्रवर्तक बुद्ध या सिद्धार्थ का जन्म कपिलवस्तु के लुंबनी नामक ग्राम में शाक्य क्षत्रिय कुल में 563 ई. पू. में हुआ था। इनके पिता शुद्धोधन शाक्य गण के मुखिया थे, माता महामाया कोलियवंशीय थीं। बुद्ध के जन्म के कुछ दिन बाद ही इनकी माता महामाया का देहांत हो गया और इनका पालन-पोषण मौसी प्रजापति गौतमी द्वारा किया गया। 16 वर्ष की अवस्था में सिद्धार्थ का विवाह शाक्य कुल की कन्या यशोधरा से हुआ, जिसके अन्य नाम बिम्बा, गोपा तथा भद्रकच्छा/भद्रकच्छना भी हैं। सिद्धार्थ से यशोधरा को एक पुत्र उत्पन्न हुआ जिसका नाम **'राहुल'** था। सांसारिक दुःखों से दुखी होकर सिद्धार्थ ने 29 वर्ष की अवस्था में गृह त्याग दिया। सिद्धार्थ के गृह त्याग की घटना को बौद्ध ग्रंथों में

'महाभिनिष्क्रमण' कहा गया है। गृह त्याग के बाद सिद्धार्थ सर्वप्रथम सांख्य दर्शन के आचार्य अलारकलाम के वैशाली के नजदीक स्थित आश्रम गए। यहां से सिद्धार्थ पुनः **उरुवेला (बोधगया)** चले गए। उरुवेला में सिद्धार्थ ने बिना अन्न-जल ग्रहण किए 6 वर्ष तक कठिन तपस्या की जिसके बाद 35 वर्ष की आयु में वैशाख पूर्णिमा की रात पीपल के वृक्ष के नीचे उन्हें ज्ञान प्राप्त हुआ। ज्ञान प्राप्ति के बाद सिद्धार्थ को **'बुद्ध'** के रूप में जाना जाने लगा। बुद्ध का एक अन्य नाम **'तथागत'** भी मिलता है जिसका अर्थ है–सत्य है ज्ञान जिसका। महात्मा बुद्ध को शाक्य मुनि के रूप में भी वर्णित किया गया है। बुद्ध के प्रथम शिष्य दो बंजारे- तपस्यु और मिल्लक थे।

उरुवेला से बुद्ध सारनाथ आए एवं यहाँ पर उन्होंने पाँच ब्राह्मण संन्यासियों को अपना **प्रथम उपदेश** दिया, जिसे बौद्ध ग्रंथों में **धर्म चक्र प्रवर्तन** के नाम से जाना जाता है। **सारनाथ में बुद्ध ने इन 5 संन्यासियों के साथ बौद्ध संघ की स्थापना की।** प्रथम पांच शिष्यों के अतिरिक्त अनेक वैश्यों के साथ बनारस (वाराणसी) का यश नामक धनी व्यापारी भी बौद्ध होकर संघ का सदस्य बना। बुद्ध ने संघ के सदस्यों को विभिन्न क्षेत्रों में जाकर धर्म प्रचार करने का आदेश दिया। स्वयं बुद्ध ने भी इसके बाद आजीवन धर्म का प्रचार किया।

महात्मा बुद्ध ने अपने जीवन के अंतिम समय में **'पावा'** में चुंद नामक सुनार के घर भोजन किया। इस कारण वे उदर विकार से पीड़ित हुए। इसी अवस्था में कुशीनगर आए और 483 ई.पू. में 80 वर्ष की अवस्था में इनकी मृत्यु हुई। **उनकी मृत्यु को बौद्ध ग्रंथों में महापरिनिर्वाण की संज्ञा दी गई है।** बुद्ध की मृत्यु के बाद इनके शरीर के अवशेषों को आठ भागों में बांटकर उस पर आठ स्तूपों का निर्माण कराया गया।

बौद्ध धर्म के अंतर्गत् सभी दुःख का कारण मूलरूप से तृष्णा (लालसा या पिपासा) को माना गया है। बौद्ध धर्म का मूलाधार **'चार आर्य सत्य'** हैं। इस धर्म के सारे सिद्धांत तथा बाद में विकसित विभिन्न दार्शनिक मतवादों के ये ही आधार हैं। ये चार आर्य सत्य हैं– **दुःख, दुःख समुदाय, दुःख निरोध तथा दुःख निरोध गामिनी-प्रतिपदा (दुःख निवारक मार्ग)।** बुद्ध ने सांसारिक दुःखों से मुक्ति हेतु अष्टांगिक मार्ग की बात कही। ये साधन हैं- 1. सम्यक् दृष्टि, 2. सम्यक् संकल्प, 3. संम्यक् वाणी, 4. सम्यक् कर्मांत, 5. सम्यक् आजीव, 6. सम्यक् व्यायाम, 7. सम्यक् स्मृति और 8. सम्यक् समाधि। बुद्ध के अनुसार इन अष्टांगिक मार्गों के पालन करने के उपरांत मनुष्य की भव-तृष्णा नष्ट हो जाती है और उसे निर्वाण प्राप्त हो जाता है। इस तरह अष्टांगिक मार्ग दुःख निवारक मार्ग (दुःख निरोध-गामिनी प्रतिपदा) है। बुद्ध ने अष्टांगिक मार्ग के अंतर्गत् अधिक सुखपूर्ण जीवन व्यतीत करना या अधिक काया-क्लेश में संलग्न होना-दोनों को वर्जित किया है। उन्होंने इस संबंध में **मध्यम प्रतिपदा (मार्ग)** का उपदेश दिया है।

मौर्य साम्राज्य

मौर्य वंश की स्थापना, चंद्रगुप्त मौर्य ने चाणक्य की सहायता से अंतिम नंदवंशीय शासक घनानंद को पराजित कर 322 ई. पू. में की। मौर्य राजवंश के विषय में जानकारी के प्रमुख स्त्रोत हैं- ब्राह्मण साहित्य, बौद्ध साहित्य, जैन साहित्य, विदेशी यात्रियों के विवरण एवं पुरातत्त्व आदि। अशोक के शिलालेखों की कुल संख्या 14 है जो विभिन्न स्थानों से प्राप्त हुए हैं। इन्हें वृहद् शिलालेख भी कहा जाता है। सर्वप्रथम 1837 में जेम्स प्रिंसेप ने इन्हें पढ़ने में सफलता प्राप्त की।

क्र.स.	शिलालेख	खोज का वर्ष	लिपि
1.	शहबाजगढ़ी (पाकिस्तान)	1836	खरोष्ठी
2.	मानसेहरा (पाकिस्तान)	1889	खरोष्ठी
3.	गिरनार (गुजरात)	1822	ब्राह्मी
4.	धौली (उड़ीसा)	1837	ब्राह्मी
5.	कालसी (उत्तराखण्ड)	1837	ब्राह्मी
6.	जौगढ़ (उड़ीसा)	1850	ब्राह्मी
7.	सोपारा (महाराष्ट्र)	1882	ब्राह्मी
8.	एर्रगुडी (आंध्र प्रदेश)	1916	ब्राह्मी

नोटः *धौली एवं जौगढ़ के शिलालेखों को **'पृथक कलिंग प्रज्ञापान** अथवा **'पृथक कलिंग शिलालेख'** कहा जाता है। इनसे कलिंग राज्य के प्रति अशोक के शासन की नीति की जानकारी मिलती है।*

अशोक के अभिलेख खरोष्ठी और ब्राह्मी नामक दो लिपियों में प्राप्त होते हैं। खरोष्ठी लिपि उर्दू की भांति दाएं से बाएं लिखी जाती थी। अशोक के अधिकांश अभिलेख ब्राह्मी लिपि में हैं जबकि उसकी भाषा प्राकृत है। **ब्राह्मी लिपि** ही भारत की **सबसे प्राचीन लिपि** है। यह बाएं से दाएं लिखी जाती थी। मानसेहरा एवं शहबाजगढ़ी (दोनों पाकिस्तान में स्थित हैं) के शिलालेख **खरोष्ठी लिपि** में हैं। कंधार एवं तक्षशिला के शिलालेख **द्विभाषी** है जो ग्रीक एवं आरमाइक लिपि में हैं। कंधार के पास **''शार-ए-कुना''** नामक स्थान से ग्रीक तथा आरमाइक में लिखा गया द्विभाषी अभिलेख मिला है।

चन्द्रगुप्त मौर्य

चंद्रगुप्त मौर्य (322-298 ई.पू.) भारतीय इतिहास में पहला महान सम्राट था। ग्रीक साहित्य में उसे **सैंड्रोकोट्स** के नाम से जाना जाता है। सर्वप्रथम विलियम जोन्स ने **सैंड्रोकोट्स** की पहचान चंद्रगुप्त मौर्य के रूप में की। चंद्रगुप्त मौर्य ने अपने गुरु विष्णुगुप्त अथवा चाणक्य की सहायता से नंद वंश के अंतिम शासक घनानंद को हराकर मौर्य साम्राज्य की स्थापना की। मगध के राजसिंहासन पर बैठकर चंद्रगुप्त ने एक ऐसे साम्राज्य की नींव डाली जो पूरे भारत में फैला था।

चंद्रगुप्त मौर्य ने उत्तर-पश्चिमी भारत को सिकंदर के उत्तराधिकारियों से मुक्त कर, नंदों का उन्मूलन कर, सेल्यूकस

को पराजित कर संधि के लिए बाध्य कर जिस साम्राज्य की स्थापना की उसकी सीमाएं उत्तर-पश्चिम में ईरान सीमा से लेकर दक्षिण में वर्तमान उत्तरी कर्नाटक एवं पूर्व में मगध से लेकर पश्चिम में सोपारा तथा सौराष्ट्र तक विस्तृत थी। प्लूटार्क और जस्टिन का कथन है कि चंद्रगुप्त मौर्य ने छः लाख की सेना लेकर संपूर्ण भारतवर्ष को रौंद डाला तथा उस पर अपना अधिकार कर लिया।

अशोक

अशोक पहला भारतीय राजा हुआ जिसने अपने अभिलेखों के सहारे सीधे अपनी प्रजा को संबोधित किया। उसके अभिलेख भारत में प्राकृत भाषा के सबसे पुराने निदर्श प्रस्तुत करते हैं। ये अभिलेख शिलाओं पर, पत्थर के पॉलिशदार शीर्षयुक्त स्तंभों पर, गुहाओं में और एक मामले में मिट्टी के कटोरे पर भी खुदे हुए हैं। इन अभिलेखों में राजा के आदेश सूचित किए गए हैं। प्राकृत में रचित अशोक के ये अभिलेख साम्राज्य के अधिकांश भागों में ब्राह्मी लिपि में लिखित हैं। किन्तु पश्चिमोत्तर भाग में ये खरोष्ठी और आरमाइक लिपियों में हैं और अफगानिस्तान में इनकी भाषा और लिपि आरमाइक और यूनानी दोनों है।

इन अभिलेखों से अशोक के जीवनवृत, उसकी आंतरिक और परराष्ट्रीय/अंतर्राष्ट्रीय नीति तथा उसके राज्य के विस्तार की जानकारी मिलती है। अशोक की गृह एवं विदेश नीति बौद्ध धर्म के आदर्श से प्रेरित है। गद्दी संभालने के बाद उसने केवल एक युद्ध किया जो कलिंग युद्ध के नाम से प्रसिद्ध है। इस युद्ध में हुए जानमाल की अपार क्षति ने अशोक को द्रवित कर दिया। अतः उसने दूसरे राज्यों पर भौतिक विजय पाने की नीति छोड़कर सांस्कृतिक विजय पाने की नीति अपनाई।

कलिंग युद्ध के परिणामस्वरूप अशोक बौद्ध हो गया। परंपरा बताती है कि वह बौद्ध भिक्षु हो गया। बौद्धों को अपार दान दिया और बौद्ध धर्म-स्थानों की यात्रा की। उसकी इस यात्रा का संकेत अभिलेखों में आए **धर्मयात्रा** शब्द से भी मिलता है। अशोक ने लोगों को **'जियो और जीने दो'** का पाठ पढ़ाया। उसने जीवों के प्रति दया और बांधवों के प्रति सद्व्यवहार की सीख दी। उसके उपदेशों का उद्देश्य सहिष्णुता के आधार पर तत्कालीन समाज-व्यवस्था को बनाए रखना था। इस तरह वह शांतिवादी नीति की ओर अग्रसर हुआ।

शुंग वंश

मौर्य साम्राज्य को पुष्यमित्र शुंग ने अंतिम रूप से 185 ई.पू. में नष्ट कर दिया। वह अंतिम मौर्य शासक वृहद्रथ का सेनापति था। सूत्रों के अनुसार उसने लोगों के सामने वृहद्रथ को मार डाला और बलपूर्वक पाटलिपुत्र का राजसिंहासन हड़प लिया। शुंग वंश द्वारा पाटलिपुत्र और मध्य भारत में शासन किया गया। इन्होंने (शुंग वंश) ब्राह्मणमार्गीय जीवन-पद्धति का पुनरारंभ दिखाने के लिए कई वैदिक यज्ञ किए।

सुदूर प्रदेश से संबंध

इंडो-ग्रीक

206 ई.पू. में भारत पर प्रथम ग्रीक आक्रमण डेमेट्रियस के वंश के द्वारा किया गया। डेमेट्रियस ने "साकल" को अपनी राजधानी बनाया एवम् उसने भारतीयों की उपाधियाँ धारण की। उसने यूनानी और खरोष्ठी लिपि में अपने सिक्के चलाए। पुनः यूक्रेटाइड्स भी बैक्ट्रिया विजय के पश्चात् भारत की ओर बढ़ा और भारत के कुछ क्षेत्र को जीतकर 'तक्षशिला' को अपनी राजधानी बनाया। इस प्रकार भारत में यवन साम्राज्य दो कुलों–डेमेट्रियस और यूक्रेटाइटस में बंट गया।

डेमेट्रियस वंश का सबसे प्रसिद्ध शासक मिनान्डर था। पेरिप्लस के अनुसार मिनान्डर के सिक्के भड़ोच के बाजार में काफी मात्रा में प्रचलित थे। मिनान्डर और बौद्ध भिक्षु नागसेन के बीच हुई संवाद 'मिलिन्दपन्हो' में संकलित है। मिनान्डर अकेला ग्रीक शासक था जिसने विद्वानों को संरक्षण प्रदान किया। इन्डो-ग्रीक शासकों के सिक्के उनकी वंशावली की जानकारी देते हैं।

इण्डो-ग्रीक शासकों ने प्रारंभ में सिक्कों पर यूनानी लिपि का प्रयोग किया और उसके पश्चात् खरोष्ठी और ब्राह्मी लिपि का प्रयोग किया।

शक

भारत में प्रवेश करने से पहले शक काफी समय तक पार्थियन शासकों द्वारा शासित 'सुक्रस्तान' में रहे। शक मूलतः मध्य एशिया की एक पर्यटनशील जाति थे, जो खर नदी के उत्तरी प्रदेश में निवास करते थे। शक लोगों ने सिंधु घाटी में घुसने के लिए सामान्य रूप से प्रचलित खैबर दर्रे की जगह 'बोलन दर्रे' का प्रयोग किया। शक राजा अपने आपको 'क्षत्रप' कहते थे।

शकों की भारत में दो शाखाएँ थीं:

(*i*) उत्तरी क्षत्रप– तक्षशिला और मथुरा।

(*ii*) पश्चिमी क्षत्रप– नासिक और उज्जैन।

उत्तरी क्षत्रप का भारत का संभवतः प्रथम शक शासक 'माउस या मग' था जिन्होंने अधिकांश ताँबे और कुछ मात्रा में चाँदी के सिक्के चलाये। नासिक में क्षहरात वंश का शासन था। इसका पहला शासक 'भूमक' था। भूमक ने अपने सिक्कों पर खरोष्ठी और ब्राह्मी दोनों लिपियों का प्रयोग किया। भूमक के उत्तराधिकारी 'नहपान' के बारे में जानकारी न सिर्फ चाँदी और ताँबे के सिक्के वरन अभिलेखों से भी मिलती है। उज्जैन की शक शाखा में कदमंक वंश का शासन था। इस वंश का संस्थापक 'चष्टण' था। चष्टण ने अपने अभिलेखों में 'शक

संवत' का प्रयोग किया था। यह अपने कुल का एकमात्र शासक था जिसने अपने सिक्कों पर यूनानी, खरोष्ठी और ब्राह्मी तीनों लिपियों का प्रयोग किया। रुद्रदामन इस वंश का सबसे प्रसिद्ध शासक था। रुद्रदामन ने 'महाक्षत्रप' की उपाधि धारण की। इन्होंने जूनागढ़ अभिलेख शुद्ध और उत्कृष्ट संस्कृत में लिखवाये। रुद्रदामन के जूनागढ़ अभिलेख से ज्ञात होता है कि इन्होंने प्रजा से अतिरिक्त कर लिये बगैर सुदर्शन झील की मरम्मत करवायी थी।

सातवाहन

पुराणों में सातवाहन वंश को 'आंध्रजातीय' तथा 'आंध्रभृत्य' कहा गया है। सातवाहन वंश की स्थापना सिमुक ने 60 ई॰पू॰ में की थी। सर्वमान्य विचार से सातवाहनों का मूल निवास-स्थान महाराष्ट्र का प्रतिष्ठान स्थल था तथा सिमुक प्रथम सातवाहन शासक था। शातकर्णी प्रथम ने गोदावरी तट पर स्थित 'प्रतिष्ठान' नगर को अपनी राजधानी बनाया था।

सातवाहन शक्ति का तीन सदियों (300 वर्ष) तक निरन्तर उत्कर्ष होता रहा, इतने दीर्घकाल तक भारतीय इतिहास के किसी भी अन्य राजवंश ने अबाध रूप से शासन नहीं किया। शातकर्णी प्रथम ने मालव शैली में गोल-मुद्राएँ तथा अपनी पत्नी के नाम पर रजत मुद्राएँ प्रचलित कराई थीं। गौतमीपुत्र शातकर्णी का साम्राज्य उत्तर में मालवा से लेकर दक्षिण में कर्नाटक तक फैला हुआ था। गौतमीपुत्र शातकर्णी के बाद उसका पुत्र वशिष्ठीपुत्र पुलमावि (130 ई॰-154 ई॰ तक) राजा बना। संभवतः उसने आंध्रप्रदेश विजय किया था। अतः उसे प्रथम आंध्र सम्राट भी कहा जाता है। सातवाहनों ने सीसे के सिक्के बहुतायत से चलाए तथा पोटीन, ताँबे व काँसे के भी सिक्के जारी किए थे। ब्राह्मणों को भूमिदान अथवा जागीरें देने वाले प्रथम शासक सातवाहन थे।

कुषाण

कुषाण जिन्हें 'यूची' या 'तोखरी' भी कहते हैं, मौर्योत्तरकालीन भारत पर शासन करने वाले पहले ऐसे शासक थे जिनके साम्राज्य की सीमाएँ सुदूर मध्य एशिया, ईरान, अफगानिस्तान एवं पाकिस्तान तक फैली थीं। कुषाणों के इतिहास के बारे में जानकारी चीनी ग्रंथों, अश्वघोष के ग्रंथ बुद्धचरित, नागार्जुन के माध्यमिक सूत्र तथा चीनी यात्री ह्वेनसांग के विवरणों से मिलती है।

यूची नामक कबीले का नेता कुजुल कडफिसेज ने यूची कबीले की 5 अन्य शाखाओं को अपने नेतृत्व में कुईसोग अथवा कुषाण समुदाय के नाम से संगठित किया। कुजुल कडफिसेज द्वारा चलाये गये सिक्के रोम सिक्कों की नकल के थे।

कनिष्क

संभवतः यह कुषाण वंश का तीसरा शासक था। इसके राज्यारोहण की सर्वाधिक मान्य तिथि 78 ई॰ मानी जाती है। इसने 78 ई॰ को ही एक नया संवत 'शक संवत्' चलाया। कनिष्क के राज्यारोहण के समय उसके साम्राज्य की सीमायें अफगानिस्तान, सिंध, बैक्ट्रिया एवं पार्थिया तथा भारत में मगध तक फैली हुई थी। पाटलिपुत्र को जीतकर वहाँ से प्रसिद्ध विद्वान् अश्वघोष, बुद्ध का भिक्षापात्र तथा एक अनोखा कुक्कुट प्राप्त किया था। राजतरंगिणी के अनुसार कनिष्क ने कश्मीर को जीतकर वहाँ पर 'कनिष्कपुर' नामक नगर बसाया। अपने चरमोत्कर्ष के समय कनिष्क के साम्राज्य की सीमाएँ गंगा, सिंधु और ऑक्सस तक फैल गई।

कनिष्क बौद्ध धर्म की महायान शाखा का अनुयायी था। इसने कश्मीर के कुण्डल वन में चौथी बौद्ध संगीति का आयोजन किया जिसकी अध्यक्षता वसुमित्र तथा उपाध्यक्षता अश्वघोष ने की। पार्श्व तथा नागार्जुन जैसे विद्वानों ने इसमें हिस्सा लिया। इस संगीति में बौद्ध ग्रंथ 'त्रिपिटक' पर एक टीका लिखी गई जिसे 'महाविभाष' नाम दिया गया, इसे बौद्ध धर्म का विश्वकोष भी कहा जाता है।

गुप्त साम्राज्य

- मौर्य साम्राज्य के विघटन के पश्चात् दो बड़ी राजनैतिक शक्तियाँ- सातवाहन और कुषाण उभरीं। सातवाहनों ने दक्कन और दक्षिण में तथा कुषाणों ने उत्तर में स्थायित्व लाने का काम किया। इन दोनों ने रोमन साम्राज्य के साथ चले अपने व्यापार के बल पर राजनैतिक एकता और आर्थिक प्रगति प्राप्त की । इन दोनों साम्राज्यों का ईसा की तीसरी सदी के मध्य में अंत हो गया।
- संभवतः गुप्त लोग कुषाणों के सामंत थे, और ऐसा प्रतीत होता है कि कुछ ही दिनों में वे उनके उत्तराधिकारी बन बैठे। बिहार और उत्तर प्रदेश में अनेक स्थानों पर कुषाण पुरावशेषों के ठीक बाद गुप्त पुरावशेष मिले हैं।
- गुप्तवंश का पहला प्रसिद्ध शासक चंद्रगुप्त प्रथम था। चंद्रगुप्त प्रथम एक महान शासक था, क्योंकि उसने 319-320 ई. में अपने राज्यारोहण के स्मारक के रूप में गुप्त संवत् चलाया। बाद के कई अभिलेखों में काल-निर्देश इस संवत् में किया गया।

गुप्त वंशः एक नजर में

प्रमुख शासक	शासनकाल
चंद्रगुप्त प्रथम	319-335 ई.
समुद्रगुप्त	335-375 ई.
रामगुप्त	375-375 ई.
चंद्रगुप्त द्वितीय	375-414 ई.
कुमारगुप्त महेंद्रादित्य	414-455 ई.
स्कंदगुप्त	455-467 ई.
पुरुगुप्त	467-476 ई.

इतिहास

- गुप्तवंश का प्रथम प्रसिद्ध शासक चंद्रगुप्त प्रथम था। घटोत्कच के उत्तराधिकारी के रूप में सिंहासनारुढ़ चंद्रगुप्त प्रथम एक महान शासक था। उसने 319-20 ई. में 'गुप्त संवत' चलाया। बाद के कई अभिलेखों में काल-निर्देश इस संवत् में किया गया।
- चंद्रगुप्त प्रथम के बाद उसका पुत्र समुद्रगुप्त राजगद्दी पर बैठा। समुद्रगुप्त अशोक की शांति एवं अनाक्रमण की नीति के विपरीत हिंसा एवं आक्रमण में विश्वास करता था। समुद्रगुप्त के दरबार में प्रसिद्ध कवि हरिषेण रहता था, जिसने इलाहाबाद (प्रयाग) के प्रशस्ति लेख में समुद्रगुप्त के विजय अभियानों का उल्लेख किया है। यह अभिलेख उसी स्तंभ पर खुदा है जिस पर अशोक का स्तंभ लेख है।
- समुद्रगुप्त अपनी विजयों की उद्‌घोषणा हेतु 'अश्वमेघ यज्ञ' सम्पन्न करवाया था। उसके प्राप्त सिक्कों में कुछ पर 'अश्वमेघ पराक्रम' खुदा है एवं उस पर उसे वीणावादन करते हुए दिखाया गया है। समुद्रगुप्त ने 6 प्रकार की स्वर्ण मुद्राएं (गरुड़, धनुर्धर, परशु, अश्वमेघ, व्याघ्रहंता एवं वीणासरण) चलवाया, जिनमें गरुड़ मुद्राएँ सर्वाधिक लोकप्रिय थीं। अपने सिक्कों पर समुद्रगुप्त ने अप्रतिरथ, व्याघ्रपराक्रम, पराक्रमांक जैसे विरूद धारण किए।
- सभी गुप्त शासकों में समुद्रगुप्त का पुत्र चंद्रगुप्त-II (375-414 ई.) सर्वाधिक शौर्य एवं वीरोचित गुणों से संपन्न था। उसने वैवाहिक संबंध और विजय दोनों तरह से साम्राज्य की सीमा बढ़ाई। उसने अपनी पुत्री प्रभावती का विवाह वाकाटक नरेश रूद्रसेन-II से किया, रूद्रसेन की मृत्यु के बाद चंद्रगुप्त-II ने अप्रत्यक्ष रूप से वाकाटक राज्य को अपने राज्य में मिलाकर उज्जैन को अपनी दूसरी राजधानी बनाई।
- चंद्रगुप्त-II के समय में ही चीनी यात्री फाहियान (399-414 ई.) भारत आया था उसने यहाँ के लोगों के जीवन के बारे में विशद विवरण लिखा है।
- स्कंदगुप्त (455-467 ई.) को राजसिंहासन पर बैठते ही जूनागढ़ अभिलेख में म्लेच्छ के रूप में वर्णित हूणों के आक्रमण का सामना करना पड़ा। इस कार्य में उसे सफलता मिली। कहौम स्तंभलेख में 'शंक्रोपम' एवं जूनागढ़ अभिलेख में 'परिक्षिप्रवृक्षा के रूप में स्कंदगुप्त का उल्लेख किया गया है। इसकी स्वर्णमुद्राओं पर इसकी उपाधि विक्रमादित्य मिलती है। स्कंदगुप्त ने गिरनार पर्वत पर स्थित सुदर्शन झील का पुनरुद्धार करवाया था।

गुप्तोत्तर राज्य

पुष्यभूति वंश

छठी शताब्दी ई. में दिल्ली के निकट थानेश्वर में पुष्यभूति से, जो शिव का उपासक था, इस वंश का प्रारंभ हुआ। इस वंश में तीन राजा हुए–प्रभाकरवर्धन और उसके दो पुत्र राज्यवर्धन तथा हर्षवर्धन। प्रभाकरवर्धन की मृत्यु पर उसके सिंहासन पर उसका बड़ा पुत्र राज्यवर्धन बैठा। किन्तु राज्याभिषेक के बाद ही उसे युद्धों में फँस जाना पड़ा और बंगाल के शासक शशांक द्वारा उसक वध कर दिया गया। राज्यवर्धन की हत्या के बाद उसका यशस्वी छोटा भाई हर्षवर्धन (606-47 ई॰) शासक हुआ, जिसने चालीस वर्ष तक राज्य करके अपनी कीर्ति का विस्तार किया। वह निःसंतान था, अतः उसकी मृत्यु के बाद पुष्यभूति वंश का अंत हो गया।

हर्षवर्धन

जिस समय हर्ष सिंहासन पर बैठा, स्थिति अत्यन्त संकटपूर्ण थी। गौड़ (बंगाल) के राजा शशांक ने उसके बड़े भाई राज्यवर्धन का वध कर डाला था और उसकी छोटी बहन राज्यश्री अपने प्राणों की रक्षा के लिए किसी अज्ञात स्थान पर चली गई थी। हर्षवर्धन ने शीघ्र ही अपनी बहन को ढूँढ़ निकाला और कामरूप के राजा भास्कर वर्मा से संधि करने के बाद गौड़ के शशांक के विरुद्ध एक बड़ी सेना भेज दी।

दक्षिण में उसकी सेनाओं को लगभग 620 ई॰ में चालुक्य राजा पुलकेशिन द्वितीय ने नर्मदा के तट से पीछे खदेड़ दिया, परन्तु वह अपने राज्यकाल में बराबर युद्ध करता रहा और उसके द्वारा अंतिम लड़ाई 643 ई॰ में गंजाम में छेड़ने का उल्लेख मिलता है। इस प्रकार उसने विशाल साम्राज्य की स्थापना की, जिसकी सीमाएँ उत्तर में हिमाच्छादित पर्वतों तक, दक्षिण में नर्मदा नदी के तट तक, पूर्व गें गंजाम तथा पश्चिम में बल्लभी तक विस्तृत थीं। कन्नौज इस विशाल साम्राज्य की राजधानी थी।

हर्षवर्धन उच्च कोटि का कवि भी था। उसने संस्कृत में नागानंद, रत्नावली तथा प्रियदर्शिका नाम से तीन नाटकों की रचना की है। कादंबरी और हर्षचरित के लेखक बाण, सुभाषितावली के रचयिता मयूर और विद्वान् चीनी यात्री ह्वेनसांग को उसने आश्रय प्रदान किया था।

राष्ट्रकूट वंश

सातवाहन वंश के नागनिका के 'नानाघाट अभिलेख' में महरठियों का उल्लेख मिलता है। अशोक के अभिलेख में रठिकों का उल्लेख है। इस वंश की स्थापना दंतिदुर्ग ने लगभग 736 ई॰ में की थी। उसने 'नासिक' को अपनी राजधानी बनाया था। इसके उपरांत इन शासकों ने 'मान्यखेत' (आधुनिक मानखंड) को अपनी राजधानी बनाया। दंतिदुर्ग के बाद कृष्ण प्रथम इस वंश का राजा हुआ। इसने एलोरा के सुप्रसिद्ध 'कैलाशनाथ मंदिर' का निर्माण कराया। छठा शासक अमोघवर्ष धर्मभीरु और शांतिप्रिय राजा था, जिसने लगभग 64 वर्षों तक राज्य किया। उसी ने 'मान्यखेत' को राष्ट्रकूटों की राजधानी बनाया।

गुर्जर-प्रतिहार वंश

संभवतः 'गुर्जर-प्रतिहार' अपने प्रारंभिक दौर में स्थानीय अधिकारी थे जो कालांतर में राजस्थान और गुजरात में शासक वंश बनकर उभरे। हरिश्चंद्र प्रतिहार वंश का संस्थापक था। इसकी ब्राह्मण और क्षत्रिय दो पत्नियाँ थीं। ब्राह्मण पत्नी से उत्पन्न पुत्र मालवा पर तथा क्षत्रिय पत्नी से उत्पन्न पुत्र जोधपुर पर शासन कर रहे थे। इस वंश का प्रथम उल्लेखनीय शासक *नागभट्ट प्रथम* (730-756 ई.) था। इसने अरब के शासकों का गुजरात में राज्य विस्तार करने की महत्वाकांक्षा पर पानी फेर दिया।

वत्सराज के बाद उसका पुत्र नागभट्ट-II (800-833 ई. में) गुर्जर-प्रतिहारों का राजा हुआ। इसकी माता का नाम सुंदर देवी था। इस वंश का वास्तविक शासक मिहिर भोज प्रथम को ही माना जाता है। इसने 'आदि वाराह' की उपाधि धारण की थी। महेन्द्रपाल प्रथम मिहिर भोज का पुत्र था, जो 'कर्पूर मंजरी' नाटक के रचयिता महाकवि राजशेखर का शिष्य और संरक्षक था। इसने मगध और बंगाल पर विजय प्राप्त की।

गहड़वाल (राठौर) वंश

लगभग 1050 ई. में प्रतिहार राज्य पूर्ण रूप से समाप्त हो गया और उसके स्थान पर गहड़वाल वंश का उदय हुआ। यशोविग्रह इस वंश का संस्थापक था। इस वंश का सर्वप्रथम स्वतंत्र शासक चंद्रदेव (1080-1100) था। गहड़वाल वंश का सबसे प्रतापी राजा गोविन्दचंद्र (1114-1154 ई.) था। इसने 'अश्वपति, गजपति, नरपति-राजत्रयाधिपति की उपाधि धारण की थी। गोविन्दचंद्र ने बंगाल के पालों से मगध जीता तथा मालवा पर भी अधिकार कर लिया।

शाकम्भरी का चाहमान (चौहान) वंश

चाहमान वंश की एक शाखा ने 7वीं सदी में शाकम्भरी में अपना राज्य स्थापित किया। इस शाखा की स्थापना का श्रेय वासुदेव को दिया जाता है। इस वंश का सर्वप्रमुख राजा दुर्लभ राज प्रथम (8वीं सदी उत्तराध) था। यह प्रतिहार वंश के वत्सराज का सामंत था। सिंहराज (9वीं सदी पूर्वार्द्ध) ने ही सर्वप्रथम 'महाराजाधिराज' की उपाधि धारण की।

इस वंश का सबसे बड़ा राजा विग्रहराज चतुर्थ (1153-1163 ई.) था। इसी ने तोमर वंश से ढिल्लिका (दिल्ली) छीनी थी। (विजौलिया लेख में इसकी उपाधि थी–महाराजाधिराज परमेश्वर)। उसकी सभा में 'सोमदेव' नामक विद्वान् रहता था, जिसने 'ललित विग्रहराज' नामक ग्रंथ लिखा। विग्रहराज चतुर्थ ने गुजरात के कुमार पाल को हराया तथा नडडुल, चित्तौड़, जालौर आदि को जीता। पृथ्वीराज III जिसे 'पृथ्वीराज चौहान' तथा 'रायपिथौरा' के नाम से भी जाना जाता है, 'चौहान' वंश का सबसे शक्तिशाली राजा हुआ।

जेजाक भुक्ति के चंदेल

प्रतिहार वंश के पतन के बाद मध्य भारत में चंदेल वंश का उदय हुआ। ये चंद्रवंशी क्षत्रिय थे। इनका मूल प्रदेश बुन्देलखण्ड था। प्रारंभ में ये गुर्जर-प्रतिहारों के सामंत थे। जनश्रुति के अनुसार इस वंश का सर्वप्रथम ऐतिहासिक राजा चंद्रवर्मन था, परन्तु अभिलेखों के अनुसार नवीं शताब्दी के आरंभ में 'नानुक' चंदेल द्वारा इस वंश की स्थापना की गई। जो प्रतिहारों के मुखिया को विनष्ट कर जेजाक भुक्ति (आधुनिक बुंदेलखंड) के दक्षिणी भाग का स्वामी बन गया था।

मालवा के परमार वंश

दसवीं सदी के प्रारंभ में जब प्रतिहारों का आधिपत्य मालवा से समाप्त हो गया, तब वहाँ परमार शक्ति का उदय हुआ। इनकी राजधानी 'धारा नगरी' थी। इस वंश का प्रथम स्वतंत्र शासक सीयक-II था। इसका संघर्ष मान्यखेत के राष्ट्रकूटों से हुआ। इसने सौराष्ट्र के चालुक्यों तथा मालवा के उत्तर-पश्चिम में स्थित हूणों को पराजित किया।

मुंज (973-995 ई.) अपने वंश का बड़ा ही पराक्रमी राजा था। इस राजा के अनेक नाम मिलते हैं–वाक्पति, उत्पलराज इत्यादि। भोज परमार (1000-1055 ई.) इस वंश का सबसे लोकप्रिय राजा था। भोज ने उज्जैन की जगह 'धारा' को अपनी राजधानी बनाया।

चोल राजवंश

राजराज प्रथम (985–1012 ई.)

इसके शासन के तीस वर्ष चोल साम्राज्य के सर्वाधिक गौरवशाली वर्ष थे। इसने अपने पितामह परान्तक प्रथम की 'लौह एवं रक्त' की नीति का पालन करते हुए 'राजराज' की उपाधि ग्रहण की। श्रीलंका के राजा महेन्द्र पंचम को परास्त कर वहाँ एक नया प्रांत 'मुम्डिचोल मंडलम' की स्थापना की। श्रीलंका की राजधानी अनुराधापुर को बर्बाद कर दिया और 'पोलोन्नरवा' को अपनी राजधानी बनाया।

राजेन्द्र प्रथम (1012–42 ई.)

राजेंद्र प्रथम ने अपने पुत्र विक्रमचोल के नेतृत्व में गंगा घाटी में सैन्य-अभियान भेजा। विक्रमचोल ने कलिंग के पूर्वी गंग शासक एवं बंगाल के पाल शासक महीपाल को पराजित किया। इस अभियान का उद्देश्य गंगा का पवित्र जल लाना था। गंगाघाटी के अभियान की सफलता पर राजेन्द्र प्रथम ने 'गंगैकोण्डचोल की उपाधि धारण की तथा इस विजय की स्मृति में 'गंगैकोण्डचोलपुरम' नाम की नई राजधानी का निर्माण करवाया।

मध्यकालीन भारत

दिल्ली सल्तनत

इस्लाम की प्रेरणा से प्राप्त एकता की भावना से ऊर्जा और उत्साह प्राप्त कर अरबों ने 8वीं शताब्दी में सिंध पर अधिकार कर लिया। परन्तु अगले 300 वर्षों तक उन्हें आगे बढ़ने में सफलता नहीं मिली। 11वीं शताब्दी में गजनी के सुल्तान महमूद ने भारत पर तीव्र आक्रमण किए। हालांकि वह कला और कलाकृतियों का संरक्षक था, परंतु ऐसा प्रतीत होता है कि भारत पर आक्रमण करने के पीछे उसका उद्देश्य शासकों के मनोबल को ध्वस्त करना और देश की संपत्ति को लूटना था। पंजाब में उसकी विजय और गुजरात में प्रवेश के कारण महत्त्वपूर्ण राजनीतिक प्रभाव उत्पन्न हुए। इस आक्रमण ने पश्चिमी आक्रमणकारियों के लिए भारत पर आक्रमण करने का रास्ता खोल दिया और चूंकि उस समय भारत में शक्तिशाली साम्राज्य नहीं था, अत: देश उनके शिकंजे में चला गया और अनेक शताब्दियों तक विदेशी शासन के अधीन रहा।

भारत पर एक महत्त्वपूर्ण आक्रमण मोइजुद्दीन मुहम्मद बिन सेम या मुहम्मद गौरी की ओर से हुआ। उसने 1175 में मुल्तान पर विजय के साथ ही अपने भारतीय अभियान की शुरुआत की। विदेशियों से गठजोड़ कर उसने अपने कदम दिल्ली की ओर बढ़ाए, जहां उस वक्त पृथ्वीराज चौहान शासन कर रहा था। थानेश्वर के निकट तराईन के प्रथम युद्ध में पृथ्वीराज ने उसे करारी शिकस्त दी, परन्तु एक वर्ष बाद ही वह पूरी तैयारी के साथ फिर लौटा। इस बार पृथ्वीराज चौहान की किस्मत दगा दे गई। उसे हार का सामना करना पड़ा तथा बाद में उसकी हत्या कर दी गई। इसने उत्तरी भारत में मुसलमानों के प्रभुत्व को स्थापित किया।

गुलाम वंश

चूंकि मोहम्मद गौरी का कोई पुरुष उत्तराधिकारी नहीं था, अत: उसकी मृत्यु के पश्चात् उसके प्रांतीय वायसरायों ने अपने संबद्ध अधिकार क्षेत्रों में अपनी सत्ता स्थापित कर ली। कुतुबुद्दीन भारतीय प्रदेश का शासक बन गया और और तेरहवीं शताब्दी के आरंभ में गुलाम वंश की स्थापना की। वास्तव में वह तुर्किस्तान का गुलाम था, जो शासक बन बैठा। अत: उसके द्वारा भारत में स्थापित राजवंश को गुलाम वंश कहा जाता है। वह एक महान् योद्धा, एक सक्षम प्रशासक व शक्तिशाली सम्राट था। इस्लाम के प्रति उसका समर्पण भाव उल्लेखनीय था तथा वह अपनी दानवीरता के लिए प्रसिद्ध था। उसने कुतुबमीनार का निर्माण आरंभ करवाया। 1210 ई. में उसकी मृत्यु हो गई। चूंकि उसके उत्तराधिकारी सक्षम नहीं थे, अत: बदायूं के गवर्नर इल्तुतमिश ने दिल्ली की गद्दी हथिया ली। बगदाद के खलीफा तक उसके शासन के प्रशंसक थे। कुतुबुद्दीन ने जिन इलाकों पर विजय प्राप्त की थी उसने उसे एकीकृत किया और एक मजबूत साम्राज्य की स्थापना की। कुछ बाहरी प्रांतों को छोड़कर संपूर्ण भारत उसके साम्राज्य के अंतर्गत था। एक महान् योद्धा होने के साथ-साथ, वह कला और साहित्य का बड़ा प्रशंसक था। उसने कुतुबमीनार का निर्माण संपन्न करवाया। अपने पुत्रों की सत्ता पर दावेदारी को ठुकरा कर उसने अपनी पुत्री रजिया को अपना उत्तराधिकारी घोषित किया। रजिया ने 1236 में गद्दी संभाली, पर उसे कुलीन जनों के जबर्दस्त विरोध का सामना करना पड़ा जो कभी नहीं चाहते थे कि कोई महिला उन पर शासन चलाए। अत: उन्होंने उसके खिलाफ विरोधियों को संगठित किया। रजिया अपनी कूटनीति का इस्तेमाल कर अपने शत्रुओं से निपटने में सफल रही। इस तरह, वह भारत की पहली महिला मुस्लिम शासक बनी। हालांकि उसका शासन लंबी अवधि तक कायम नहीं रह सका। इसका कारण यह था कि उसने विद्रोहियों का उन्मूलन करने के लिए अबीसीनियाई गुलामों को अतिशय समर्थन दिया जिससे कुलीन जन अत्यन्त क्रुद्ध हो गए। 1240 में उसकी हत्या हो गई और इसके साथ ही उसके साढ़े तीन वर्ष के शासनकाल की समाप्ति हो गई। रजिया की हत्या के बाद कुछ समय तक अस्त-व्यस्तता और आशंकाओं का दौर रहा।

1265 ई. में गयासुद्दीन बलबन ने दिल्ली का तख्त हासिल कर लिया। इस समय तक राजकोष कंगाली की अवस्था में पहुंच चुका था। मंगोल भी निरंतर आक्रमण कर रहे थे और सत्ता के प्राधिकार के बारे में लोगों को शंकाए होने लगी थीं। बलबन ने एक शक्तिशाली सेना का संगठन किया और क्षेत्र में चुस्त व्यवस्था

कायम की। लुटेरों और अराजक तत्वों के लिए उसका एक ही जवाब था तलवार। उसने मंगोलों को आगे बढ़ने से रोकने के उपाय किए। उसने दिल्ली सल्तनत की शक्ति और प्रतिष्ठा को पुनर्स्थापित करने का भरसक प्रयत्न किया। एक सुल्तान के रूप में बलबन को अंदरूनी समस्याओं के साथ-साथ बाहरी खतरों का भी सामना करना पड़ा। वह अपनी व्यक्तिगत योग्यताओं के कारण 20 वर्षों तक शासन करने में सफल रहा। 1286 में उसके निधन के साथ ही गुलाम राजवंश का अंत हो गया।

खिलजी वंश

13वीं शताब्दी के अंत में जलालुद्दीन फिरोज ने खिलजी राजवंश की स्थापना की। परन्तु खिलजी वंश का सबसे प्रख्यात शासक अलाउद्दीन था, जिसने 1296 में दिल्ली के सिंहासन पर कब्जा कर लिया। उसके शासनकाल में मुस्लिम रियासत का दक्षिण में मैसूर और पश्चिम में गुजरात सहित देश के विभिन्न भागों में बहुत तेजी से विस्तार हुआ।

परंपराओं को तोड़ते हुए उसने बिना मौलवियों और उलेमाओं की सलाह लिए, राजनीतिक मामलों पर निर्णय लिया। उसने केन्द्र में एक शक्तिशाली सरकार की स्थापना की और शराब एवं मादक द्रव्यों के सेवन तथा जुआ पर सख्ती से प्रतिबंध लगा दिया। साथ ही उसने एक प्रभावशाली जासूसी निकाय की स्थापना की। उसने सेना, राजस्व और अर्थव्यवस्था में सुधार की प्रक्रिया का आरंभ किया। हालांकि अलाउद्दीन हिन्दुओं के प्रति दुराग्रह रखता था। इस स्वेच्छाचारी और महत्त्वाकांक्षी शासक की 1316 ई. में मृत्यु हो गई। चूंकि उसने न तो अपने जनरलों को न ही अपने पुत्रों को इस बात की अनुमति दी थी कि वे राजनीतिक और सैन्य मामलों पर अपनी पकड़ विकसित कर सकें, अत: उसके उत्तराधिकारी उसके शासन को आगे नहीं बढ़ा सके। इस प्रकार उसकी मृत्यु के कुछ वर्ष बाद ही खिलजी वंश का पतन हो गया।

तुगलक वंश

कुलीनों के समर्थन से गयासुद्दीन तुगलक की उपाधि धारणकर गाजी मलिक ने 1320 ई. में दिल्ली की सत्ता संभाली और तुगलक राजवंश की स्थापना की। हालांकि वह दयालु और उदारवादी प्रवृत्ति वाला व्यक्ति था, फिर भी उसने प्रशासनिक सुधार किए और धन की फिजूलखर्ची पर नियंत्रण लगाया। उसने सैनिक प्रभुत्व और साम्राज्यवादी नीतियों का पालन किया, परंतु 1325 ई. में उसकी मृत्यु हो गई। गयासुद्दीन का उत्तराधिकारी मोहम्मद बिन तुगलक एक असाधारण व्यक्ति था। कुछ इतिहासकारों ने उसे अति बुद्धिमान, दूरदर्शी और परोपकारी राजा माना है, जबकि अन्य लोगों ने उसे झक्की, कल्पनावादी, और प्रजापीड़क ठहराया है। उसे साहित्य, कला, दर्शन और औषधियों का अच्छा ज्ञान था पर उसे व्यावहारिक ज्ञान नहीं था, और न ही सामान्य बुद्धिमत्ता थी। वह अपनी राजधानी को दिल्ली से हटाकर दौलताबाद (देवगिरि) ले गया तथा प्रतीकात्मक मुद्रा चलाई। उसकी योजनाएं व्यावहारिक कसौटी पर खरी नहीं उतरीं और अन्तत: उसके राज्य में अव्यवस्था का बोलबाला हो गया। अपनी कठोर नीतियों के बावजूद वह अधिक सफल नहीं हो पाया और 1351 ई. में उसकी मृत्यु हो गई। फिरोज तुगलक उसका उत्तराधिकारी बना। वह एक धर्मान्ध व्यक्ति था जिसने हिन्दुओं पर मुकदमे चलाए। वह एक महान् निर्माता था, जिसने जौनपुर, फतेहाबाद, फिरोजपुर और फिरोजाबाद जैसे शहरों का निर्माण करवाया। न्यायिक प्रशासन हेतु उसने कुरान के कानूनों का समावेश किया। उसमें प्रेम और दया के मानवीय गुण भी मौजूद थे तथा उसके 38 वर्ष के शासन में शांति और समृद्धि रही।

लोदी वंश

अफगानों की लोदी जनजाति से संबद्ध बहलुल खान 1451 ई. में दिल्ली की गद्दी पर बैठा और सैयद राजवंश को नेस्तनाबूद कर लोदी वंश की स्थापना की। सैयद राजवंश जिसने 37 वर्षों तक शासन किया, और उसने चार शासकों को जन्म दिया, परंतु इनमें से कोई भी इतना शक्तिशाली नहीं निकला कि सत्ता में टिका रह सके। अपने साहस, ऊर्जा और युक्तियों से उसने भारत में मुस्लिम शक्ति की प्रतिष्ठा को पुनर्स्थापित किया। उसने अनेक छोटे-छोटे इलाकों के जागीरदारों और शासकों को मजबूर किया कि वे उसकी सत्ता को स्वीकार करें। 1489 ई. में उसकी मृत्यु के पश्चात् सिकन्दरशाह की उपाधि धारण कर निजाम खान ने दिल्ली की सत्ता पर अधिकार कर लिया। उसने अपने साम्राज्य को शक्तिशाली बनाया तथा सेनापतियों की शक्ति को कुचल दिया। वह लोदी शासकों में सबसे काबिल शासक था। एक शक्तिशाली, साहसी, दृढ़ और ईमानदार प्रशासक होने के साथ-साथ वह एक अच्छा इंसान था, जिसके मन में गरीबों के प्रति दया थी। वह बुद्धिजीवियों का आदर करता था और निष्पक्ष न्याय में उसकी गहरी आस्था थी। उसका उत्तराधिकारी इब्राहिम लोदी चिड़चिड़े स्वभाव का था और युक्तियों से रहित था। हालांकि युद्ध संबंधी मामलों में उसकी प्रतिभा अद्वितीय थी, फिर भी उसने कुलीन जनों को नाराज कर दिया। इन कुलीन जनों और अन्य प्रांतों के सेनापतियों ने काबुल के शासक को आक्रमण हेतु आमंत्रित किया जिसके कारण अंतत: दिल्ली सल्तनत का पतन हो गया तथा भारत में नए शासन की स्थापना का मार्ग प्रशस्त हुआ।

भक्ति एवं सूफी आंदोलन

भक्ति आंदोलन

भक्ति आंदोलन की शुरुआत 12वीं सदी के लगभग दक्षिण भारत में हुई।

- भक्ति आंदोलन के संतो ने जातिवाद की निंदा की, कर्मकांडों तथा यज्ञों का परित्याग करने पर बल दिया। महिलाओं के सशक्तीकरण पर बल दिया तथा आम बोलचाल की भाषा में लोगों तक अपने संदेश पहुंचाए।

- **भक्ति आंदोलन के प्रमुख संत :**

1. **आचार्य रामानुजः** इन्हें इस आंदोलन का प्रवर्तक माना जाता है। रामानुज का आविर्भाव 12वीं सदी में तमिलनाडु में हुआ। वे सगुण ईश्वर में विश्वास करते थे।
2. **रामानंदः** इन्हें भक्ति आंदोलन को दक्षिण भारत से उत्तर भारत में लाने का श्रेय है। रामनंद ने सभी जातियों को अपना शिष्य बनाकर जाति-प्रथा पर कड़ा प्रहार किया। उनके शिष्यों में कबीर (जुलाहा), सेना (नाई), रैदास (चमार) आदि थे। उन्होंने एकेश्वरवाद पर बल देते हुए राम की उपासना की बात कही। **संभवतः हिन्दी में उपदेश देने वाले रामानंद प्रथम वैष्णव संत थे।**
3. **कबीरः** काशी के एक जुलाहे परिवार में जन्में कबीर (1440-1518) भक्ति आंदोलन के संचालकों में से एक थे। वे रामानंद के शिष्य तथा निर्गुण ब्रह्म के उपासक थे। वे सामाजिक कुरीतियों, अंधविश्वास, साम्प्रदायिकता तथा छूआछूत के घोर विरोधी थे।

भक्ति आंदोलन के प्रमुख संत व उनके सिद्धांत	
संत/प्रवर्तक	**सिद्धांत/मत**
1. शंकराचार्य	अद्वैतवाद
2. रामानुज	विशिष्टाद्वैतवाद
3. निम्बार्क	द्वैत-अद्वैतवाद
4. माधवाचार्य	द्वैतवाद
5. रामानंद	रामभक्ति
6. तुकाराम	वरकरी पंथ
7. भास्कराचार्य	भेदाभेदवाद
8. श्रीकंठ	शैव विशिष्टाद्वैत
9. बलदेव	अचिंत्य भेदाभेदवाद
10 श्रीपति	वीरशैव विशिष्टाद्वैत
11. विज्ञान भिक्षु	अविभागाद्वैत

4. **मीराबाई :** यह मेड़ता के राठौर रत्नसिंह की पुत्री तथा राणा सांगा के बड़े पुत्र राजकुमार भोजराज की पत्नी थी। वे कृष्ण की उपासिका थीं उन्होंने घूम-घूम कर सर्वत्र कृष्ण भक्ति का प्रचार-प्रसार किया।
5. **चैतन्यः** बंगाल के नदिया में जन्में चैतन्य (1486-1533) कृष्ण के उपासक थे। उन्होंने कर्मकांड, बाह्य आडंबर का विरोध किया तथा प्रेम एवं भक्ति पर विशेष बल दिया। **चैतन्य के अनुयायी उन्हें विष्णु का अवतार मानते थे।** भक्ति आंदोलन में उन्होंने **'संकीर्तन प्रणाली'** को प्रचलित किया। वे **'गौरांग महाप्रभु'** के नाम से जाने जाते थे और **'अचिंत्य भेदाभेदवाद'** के प्रवर्तक थे।
6. **गुरुनानकः** गुरुनानक (1469-1539) का जन्म तलवंडी (आधुनिक ननकाना-पाकिस्तान) में हुआ। उन्होंने जाति-प्रथा, बाह्य आडंबर, ब्राह्मणों-मुल्लाओं की श्रेष्ठता का विरोध किया। उनके गीतों-कविताओं का संकलन आदि-गंथ में हुआ है।
7. **नामदेवः** महाराष्ट्र में धार्मिक आंदोलन के प्रमुख नामदेव जाति-प्रथा, बाह्य आडंबर एवं अंधविश्वास के कट्टर विरोधी थे। उन्होंने महाराष्ट्र भक्ति आंदोलन और उत्तर के एकेश्वरवाद आंदोलन के बीच कड़ी का कार्य किया।
8. **एकनाथः** एकनाथ की गणना महाराष्ट्र के महान विद्वानों एवं समाज सुधारकों के रूप में की जाती है। ये **'वरकरी संप्रदाय'** से संबद्ध थे। उन्होने अनेक गीतात्मक कविताओं (अभंगों) की रचना की।
9. **ज्ञानदेवः** निर्गुण संत ज्ञानदेव महाराष्ट्र में भक्ति आंदोलन के संस्थापक थे जिसे 'महाराष्ट्र धर्म' कहा गया। वे विठोबा के पुजारी थे। भागवत् गीता पर भाष्य **'ज्ञानेश्वरी गीता'** की रचना करने के कारण उन्हें **'ज्ञानदेव'** की उपाधि मिली।

सूफी आंदोलन

- सूफीमत, इस्लाम धर्म में उदार, रहस्यवादी और संश्लेषणात्मक प्रवृत्तियों का प्रतिनिधित्व करनेवाली विचारधारा है।
- भारत में सूफियों का आगमन महमूद गजनवी के अभियानों के समय से देखा जाता है। आरंभिक महत्त्वपूर्ण संतों में शेख अली बिन उस्मान अल-हुजवीरी का नाम लिया जाता है, जो 11वीं सदी के आरंभिक वर्षों में लाहौर में आकर बसे। उन्होंने सूफीमत से संबद्ध पहली प्रसिद्ध रचना भारत में लिखी, जो **'कुश्फुल'** महजूब' के नाम से जानी गई। इसी के बाद मुल्तान, सेहवान आदि नगरों में और गुजरात के तटीय क्षेत्र में भी सूफियों का आगमन हुआ। किन्तु इनका प्रभाव सीमित रहा।
- मुहम्मद गौरी के अभियानों (12वीं सदी के अंत में) के काल में सूफियों का भारत में प्रसार हुआ। उनके संगठित समुदाय या सिलसिले भारत में संगठित होने लगे।

प्रमुख सूफी संप्रदाय एवं उनके संस्थापक	
संप्रदाय/सिलसिला	**संस्थापक**
1. चिश्ती संप्रदाय	शेख मोईनुद्दीन चिश्ती
2. सुहरावर्दी संप्रदाय	बहाउद्दीन जकारिया(भारत में)
3. फिरदौसी संप्रदाय	शेख बदरूद्दीन
4. सत्तारी संप्रदाय	शाह अब्दुल्ला सत्तारी
5. कादिरी संप्रदाय	शेख अब्दुर कादिर जिलानी
6. नक्शबंदी सिलसिला	ख्वाजा वाकी विल्लाह
7. महादवी संप्रदाय	सैयद मुहम्मद माधी
8. रोशनिया संप्रदाय	मियां बयाजिद अंसारी
9. कलंदरी संप्रदाय	नजीमुद्दीन कलंदर
10. मलामती संप्रदाय	जून नून
11. मदारी संप्रदाय	शाह मदार
12. उबैसी संप्रदाय	अबुसुल करनी

- सूफी संप्रदायों का मुख्य विभाजन दो श्रेणियों में किया गया है **बा-शरा** अर्थात् वह जो शरीयत की प्रधानता को स्वीकार करते थे और उसके आदेशों का उल्लंघन नहीं करते थे, **बे-शरा,** अर्थात् वह जो शरीयत की प्रधानता को नहीं मानते थे और शरीयत के आदेशों की भी अनदेखी करते थे। ऐसे लोग **'मजजूब'** कहलाते थे।

- भारत में अधिक लोकप्रिय संप्रदाय बा-शरा से ही जुड़े थे। बे-शरा में मलंग, कलंदर और सदा सुहागन आदि के नाम आते हैं।
- सूफी संत शांति, अहिंसा, धार्मिक सहिष्णुता एवं मानव के प्रति प्रेम की भावना पर विशेष बल देते थे।
- सूफीमत में धार्मिक गुरु **'पीर'** एवं शिष्य **'मुरीद'** कहलाते थे। प्रत्येक पीर अपना एक अनुचर नामांकित करता था जिसे **'वली'** कहा जाता था।
- सूफीमत 12 सिलसिलों/वर्गों में बंटा था, जिनमें निम्न प्रमुख थे-

1. **चिश्ती सिलसिलाः** इसके संस्थापक ख्वाजा मोईनुद्दीन चिश्ती (अजमेर) थे।
   - अन्य प्रसिद्ध संत निजामुद्दीन औलिया, सलीम चिश्ती आदि थे।
   - 'तोता-ए-हिन्द' के नाम से मशहूर अमीर खुसरो एवं प्रसिद्ध इतिहासकार बरनी चिश्ती सिलसिले के अनुयायी थे।
   - चिश्ती सिलसिला दिल्ली तथा दोआब क्षेत्र में प्रसिद्ध था।
2. **सुहरावर्दी सिलसिलाः** इसके संस्थापक शिहाबुद्दीन सुहरावर्दी तथा हमीदउद्दीन नागौरी थे।
   - यह सिलसिला पंजाब एवं सिंध में प्रसिद्ध था।
   - इस सिलसिले के संत बड़े जागीरदार थे और उनके राज्य के साथ घनिष्ठ संबंध थे।
3. **फिरदौसी सिलसिलाः** इसके संस्थापक शेख बदरूद्दीन थे।
   - यह सिलसिला सुहरावर्दी सिलसिले की एक शाखा थी।
   - यह मुख्यतः बिहार और बंगाल में फैली हुई थी।
   - सरफुद्दीन याह्या मनेरी इस शाखा के प्रमुख संत थे।
4. **कादिरी सिलसिलाः** इसके संस्थापक शेख अब्दुर कादिर जिलानी थे।
   - यह इस्लाम में प्रथम रहस्यवादी पंथ था।
   - भारत में इसकी स्थापना का श्रेय सैय्यद मोहम्मद जिलानी को जाता है।
5. **नक्शबंदी सिलसिलाः** इसकी स्थापना ख्वाजा वाकी बिल्लाह ने की थी।
   - शेख अहमद सरहिंदी इस सिलसिला के महत्त्वपूर्ण संत थे, जो अकबर और जहांगीर के समकालीन थे।
   - इस सिलसिला के लोगों को नक्शबंदी इसलिए कहा गया कि ये लोग आध्यात्मिक तत्त्वों से संबंधित तरह-तरह के नक्शे बनाकर उसमें रंग भरते थे।

मुगल साम्राज्य

बाबर

मुगल वंश का संस्थापक बाबर (1526-1530) था। वह मध्य एशिया स्थित फरगना का शासक था। बाबर एवं बाद के मुगल शासक तुर्क सुन्नी मुसलमान थे। बाबर ने मुगल वंश की स्थापना के साथ ही पद-पादशाही की स्थापना की, जिसके तहत शासक को बादशाह कहा जाता था। बाबर अपने पिता की तरफ से तैमूर (तुर्क) का तथा माता की तरफ से चंगेज खां (मंगोल) का वंशज था। उसके पिता का नाम उमरशेख मिर्जा तथा माता का नाम कुतलुगनिगार खानम था। बाबर द्वारा भारत पर पांच बार आक्रमण किया गया। भारत पर उसने पहला आक्रमण 1519 में किया, परंतु उसका प्रथम महत्त्वपूर्ण आक्रमण 1526 में हुआ।

पानीपत के प्रथम युद्ध में बाबर ने पहली बार तुलुगमा युद्ध नीति एवं तोपखाने का प्रयोग किया था। उस्ताद अली एवं मुस्तफा बाबर के दो प्रसिद्ध तोपची थे जिन्होंने इस युद्ध में भाग लिया था। बाबर को मुबईयान नामक पद्यशैली का जन्मदाता माना जाता है। उसने तुर्की भाषा में अपनी आत्मकथा 'तुजुक-ए-बाबरी' लिखी जिसे बाद में अब्दुर्रहीम खानखाना ने फारसी में 'बाबरनामा' के नाम से अनूदित किया।

हुमायूँ

बाबर का उत्तराधिकारी हुमायूं (1530-1556) था। दिल्ली की गद्दी पर बैठने से पहले हुमायूं बदख्शां का सूबेदार था। अपने राज्याभिषेक के बाद हुमायूं ने अपना राज्य अपने तीन भाइयों (कामरान, असकरी एवं हिंदाल) में बांट दिया जो कि उसकी सबसे बड़ी राजनीतिक भूल साबित हुई। हुमायूं ने दिल्ली के निकट **'दीन पनाह'** नगर की स्थापना (1533) की। हुमायूं का प्रमुख शत्रु शेरशाह सूरी था। जिसने उसे चौसा के युद्ध (1539) में परास्त किया और 1540 ई. में कन्नौज (बिलग्राम) के युद्ध में पराजित करके भारत से बाहर चले जाने के लिए बाध्य कर दिया। अपने निर्वासन काल के दौरान हुमायूं प्रारंभ में अमरकोट के राणा वीरसाल के यहां तथा अंततः ईरान के शाह के यहां रहा। निर्वासन के समय हुमायूं ने हिंदाल के आध्यात्मिक गुरु फारसवासी शिया मीर बाबा दोस्त ऊर्फ मीर अली की पुत्री हमीदाबानो बेगम से 29 अगस्त, 1541 को निकाह कर लिया। कालांतर में हमीदा से ही अकबर जैसे महान सम्राट का जन्म हुआ। हुमायूं 1555 में पंजाब के सूरी शासक सिकंदर को पराजित कर पुनः दिल्ली की गद्दी पर बैठा। जनवरी, 1556 में दीन पनाह भवन में स्थित पुस्तकालय की सीढ़ियों से गिरने के कारण उसकी मृत्यु हो गई। हुमायूं द्वारा लड़े गए चार प्रमुख युद्धों का क्रम है- देवरा (1531), चौसा (1539), बिलग्राम (1540) एवं सरहिंद का युद्ध (1555)।

शेरशाह सूरी

सूर साम्राज्य का संस्थापक अफगान वंशीय शेरशाह सूरी (1540-1545) था। **शेरशाह द्वारा स्थापित अफगान साम्राज्य भारत में द्वितीय अफगान साम्राज्य था। जबकि प्रथम अफगान साम्राज्य की स्थापना बहलोल लोदी के द्वारा की गई थी।**

बहलोल लोदी का पौत्र इब्राहिम लोदी प्रथम अफगान साम्राज्य का अंतिम शासक था जिसे पानीपत के प्रथम युद्ध (1526) में बाबर ने पराजित कर मुगल वंश की स्थापना की थी। शेरशाह का प्रांरभिक नाम 'फरीद खां' था। उसे शेरखान की उपाधि बाबर खान लोहानी ने दी थी। शेरशाह के पिता हसन खां जौनपुर के एक छोटे जमींदार थे। शेरशाह ने बड़ा होने पर अपने पिता द्वारा सासाराम, खवासपुर के परगने को प्राप्त किया जो उसके अधिकार में 1497 से लेकर 1518 तक रहा। शेरशाह ने अपने अधिकारों की रक्षा एवं शक्ति के विस्तार के लिए बिहार के सुल्तान मुहम्मद शाह नुहानी के यहां नौकरी कर ली। 1539 में चौसा का एवं 1540 में बिलग्राम/कन्नौज का युद्ध जीतने के बाद वह दिल्ली की गद्दी पर बैठा। उत्तर भारत में द्वितीय अफगान साम्राज्य के संस्थापक शेर खाँ ने अपने राज्याभिषेक के समय 'शेरशाह' की उपाधि ग्रहण की। आगे चलकर उसने इसी नाम से खुतबे पढ़वाए एवं सिक्के ढलवाए।

अकबर

अकबर (1556-1605) का जन्म हुमायूं के प्रवासकाल के दौरान 1542 में अमरकोट के राणा वीरसाल के महल में हुआ। अकबर की मां का नाम हमीदाबानो बेगम था। अकबर का राज्याभिषेक फरवरी, 1556 को पंजाब के कलानौर नामक स्थान पर हुआ। उसने 1560 तक बैरम खां के संरक्षण में शासन किया। सिंहासन पर बैठते ही अकबर ने बैरम खां की सहायता से 1556 में पानीपत के द्वितीय युद्ध में हेमू 'विक्रमादित्य' को हराया। अकबर ने बैरम खां के संरक्षण से मुक्त होकर (1561 में) अपने पहले सैन्य अभियान में मालवा के शासक बाजबहादुर को पराजित किया। 1576 में 'हल्दीघाटी' के प्रसिद्ध युद्ध में अकबर के सेनापति राजा मानसिंह ने मेवाड़ के शासक महाराणा प्रताप से युद्ध किया। कुछ इतिहासकारों के अनुसार यह युद्ध अनिर्णीत रहा, जबकि कुछ के अनुसार इसमें अकबर की विजय हुई। अकबर ने आगरा से कुछ दूरी (लगभग 36 किमी) पर 1575 में फतेहपुर सीकरी नामक नगर की स्थापना की और उसमें प्रवेश के लिए 'बुलंद दरवाजा' बनवाया। बुलंद दरवाजा अकबर ने गुजरात जीतने के उपलक्ष्य में बनवाया था। फतेहपुर सीकरी में ही धार्मिक परिचर्चा हेतु उसने इबादतखाने की स्थापना की। अकबर ने सभी धर्मों के उत्तम सिद्धांतों को लेकर दीन-ए-इलाही या तौहीद-ए-इलाही नामक नए धर्म की स्थापना की। इस धर्म का पुरोहित अकबर था। दीन-ए-इलाही को स्वीकारने वाला प्रथम एवं अंतिम हिंदू शासक बीरबल था।

जहाँगीर

जहांगीर (1605-1627) के बचपन का नाम सलीम था। अकबर के उत्तराधिकारी के रूप में नवंबर, 1605 को नुरूद्दीन मुहम्मद जहांगीर बादशाह गाजी की उपाधि धारण कर गद्दी पर बैठा। जहांगीर को न्याय की जंजीर के लिए याद किया जाता है। यह जंजीर सोने की बनी थी, जो आगरे के किले के शाहबुर्ज एवं यमुना-तट पर स्थित पत्थर के खंभे में टंगवाई गई थी।

सिंहासन पर बैठते ही जहांगीर को अपने बड़े पुत्र खुसरो के विद्रोह (1605) का सामना करना पड़ा। जहांगीर ने उसे पकड़वा कर अंधा करवा दिया। सिखों के 5वें गुरु, गुरु अर्जुनदेव को शाहजादे खुसरो की सहायता करने के कारण जहांगीर ने फांसी लगवा दी। जहांगीर के शासनकाल में मुगल चित्रकला चरमोत्कर्ष पर थी।

शाहजहां

जहांगीर के बाद उसका पुत्र शाहजहां (1627-1657) मुगल सिंहासन पर बैठा। शाहजहां (खुर्रम) का विवाह आसफ खां की पुत्री अरजुमंदबानो बेगम से हुआ, जिसे शाहजहां ने मलिका-ए-जमानी की उपाधि प्रदान की। 1631 में प्रसव पीड़ा के कारण उसकी मृत्यु हो गई। शाहजहां ने दिल्ली के निकट शाहजहांनाबाद नगर की स्थापना की और राजधानी आगरा से इस स्थान पर परिवर्तित की। इसे आजकल पुरानी दिल्ली के नाम से जाना जाता है। इसी में उसने सुरक्षा दुर्ग का निर्माण कराया जिसे 'लाल किला' या 'किला मुबारक' के नाम से जाना जाता है। उसने इसी किले में दीवान-ए-आम व दीवान-ए-खास का निर्माण करवाया।

शाहजहां ने स्वयं अपना व अपनी बेगम मुमताज महल का मकबरा आगरा में बनवाया जो 'ताजमहल' के नाम से प्रसिद्ध है। ताजमहल का वास्तुविद् उस्ताद ईशा खां था। इसके निर्माण में प्रयुक्त होने वाला संगमरमर राजस्थान के मकराना से मंगवाया गया था।

औरंगजेब

औरंगजेब ने उलेमा वर्ग की सलाह के अनुसार इस्लामी ढंग से शासन किया। वह सुन्नी धर्म को मानता था, उसे **जिन्दापीर** कहा जाता था। उसने झरोखा दर्शन की प्रथा एवं नवरोज मनाने पर रोक लगा दी। औरंगजेब ने हिन्दू त्योहारों को सार्वजनिक रूप से मनाए जाने पर प्रतिबंध लगा दिया। उसने राज्य में सार्वजनिक रूप से नृत्य तथा संगीत पर भी प्रतिबंध लगा दिया यद्यपि व्यक्तिगत जीवन में वह एक कुशल वीणा वादक था।

औरंगजेब के समय में मुगल साम्राज्य क्षेत्रफल की दृष्टि से चरमोत्कर्ष पर था। यह काबुल से लेकर चटगांव तक तथा कश्मीर से लेकर कावेरी नदी तक विस्तृत था। औरंगजेब ने अपनी बेगम के आग्रह पर ताजमहल की प्रतिकृति का निर्माण करवाया जिसे बीवी का मकबरा या द्वितीय ताजमहल के नाम से जाना जाता है। यह औरंगाबाद में स्थित है। 1707 में औरंगजेब की मृत्यु हो गई। उसका मकबरा औरंगाबाद में स्थित है।

आधुनिक भारत

यूरोपीय कंपनियों का आगमन

भारत में आने वाले यूरोपीय मुख्यतः व्यापारी थे। प्रारंभ में वे व्यापारी के रूप में आए लेकिन यहां की तत्कालीन परिस्थितियों ने उन्हें अपने आर्थिक हितों की पूर्ति के लिए अपना राज्य स्थापित करने के लिए प्रेरित किया।

पुर्तगाली

भारत में आने वाले यूरोपियों में **पुर्तगाली** प्रथम थे। 1498 में **वास्को-डि-गामा** के भारत आगमन से पुर्तगालियों एवं भारत के मध्य व्यापार के क्षेत्र में एक नए युग का शुभारंभ हुआ। इसके बाद धीरे-धीरे पुर्तगालियों का भारत आने का क्रम जारी हो गया। 20 मई, 1498 में वास्को-डि-गामा ने भारत के पश्चिमी तट पर स्थित कालीकट बंदरगाह पहुँचकर भारत एवं यूरोप के मध्य नए समुद्री मार्ग की खोज की। **फ्रांसिस्को द अल्मेडा** भारत में प्रथम पुर्तगाली वायसराय बनकर 1505 में आया। इसने सामुद्रिक नीति को अधिक महत्त्व दिया तथा हिन्द महासागर में पुर्तगालियों की स्थिति को मजबूत करने का प्रयत्न किया। वह 1509 तक भारत में रहा।

अल्मेडा के बाद अल्फांसो द अल्बुकर्क 1509 में पुर्तगालियों का वायसराय बनकर भारत आया। उसने 1510 में बीजापुर के शासक यूसूफ आदिलशाह से गोवा को छीनकर अपने अधिकार में कर लिया। पुर्तगालियों की आबादी को बढ़ाने के उद्देश्य से अल्बुकर्क ने भारतीय स्त्रियों से विवाह को प्रोत्साहन दिया। **भारत में पुर्तगाली साम्राज्य का वास्तविक संस्थापक अल्बुकर्क को माना जाता है।** पुर्तगालियों ने गोवा को अपनी सत्ता एवं संस्कृति के महत्त्वपूर्ण केंद्र के रूप में स्थापित किया। पुर्तगालियों ने अपनी व्यापारिक कोठी (फैक्ट्री) कोचीन में खोली। अपनी शक्ति के विस्तार के साथ ही पुर्तगालियों ने भारतीय राजनीति में भी हस्तक्षेप करना प्रारंभ कर दिया। फलतः कालीकट के राजा से इनकी शत्रुता बढ़ी। पुर्तगालियों के भारत आगमन से तंबाकू की खेती, जहाज निर्माण एवं प्रिंटिग प्रेस का सूत्रपात (1556) हुआ।

डच

पुर्तगालियों की ही तरह **डच** भी भारत में व्यापार के लिए आए थे। दक्षिण-पूर्व एशिया के मसाला बाजारों में सीधा प्रवेश प्राप्त करना ही डचों का महत्त्वपूर्ण उद्देश्य था। डच लोग हॉलैंड के निवासी थे। भारत में **'डच ईस्ट इंडिया कंपनी'** की स्थापना 1602 में हुई। 1596 में भारत आनेवाला **प्रथम डच नागरिक** कारनेलिस डेहस्तमान था। भारत में डचों की महत्त्वपूर्ण व्यापारिक कोठियां थीं- मुसलीपट्टम (1605), पुलीकट (1610), सूरत (1616), विमलीपट्टम, चिनसुरा, कासिम बाजार, कड़ा नगर, पटना, बालासोर, नागपट्टम, कोचीन आदि। डच लोग मुख्यतः मसाले, नील, कच्चे रेशम, शीशा, चावल व अफीम का व्यापार भारत से करते थे। डचों का भारत में अंतिम रूप से पतन 1759 में अंग्रेजों एवं डचों के मध्य हुए 'वेदरा के युद्ध' से हुआ।

यूरोपीय व्यापारिक कंपनियाँ

कंपनी	*स्थापना वर्ष*
पुर्तगाली ईस्ट इंडिया कंपनी	1498 ई.
अंग्रेजी ईस्ट इंडिया कंपनी	1600 ई.
डच ईस्ट इंडिया कंपनी	1602 ई.
डैनिश ईस्ट इंडिया कंपनी	1616 ई.
फ्रांसीसी ईस्ट इंडिया कंपनी	1664 ई.
स्वीडिश ईस्ट इंडिया कंपनी	1731 ई.

अंग्रेज

ईस्ट इंडिया कंपनी की स्थापना (1600 ई.) ब्रिटिश सरकार द्वारा कुछ व्यापारियों को चार्टर प्रदान करने के साथ हुई। जेम्स प्रथम के राजदूत टॉमस रो ने जहांगीर से सूरत में व्यापारिक कोठी (फैक्ट्री) खोलने तथा व्यापार करने की आज्ञा प्राप्त कर ली थी। अंग्रेजों द्वारा प्रथम व्यापारिक कोठी सूरत में 1608 में

खोली गई। 1611 ई. दक्षिण-पश्चिम समुद्रतट पर सर्वप्रथम अंग्रेजों ने मुसलीपट्टम में व्यापारिक कोठी की स्थापना की। बम्बई (अब मुम्बई), सूरत, मद्रास तथा हुगली को शामिल करके अंग्रेजों ने इन्हें प्रेसीडेंसी शहर बना दिया।

1698 में अंग्रेजी ईस्ट इंडिया कंपनी ने तीन गांव–सुतानाटी, कोलिकत्ता, एवं गोविंदपुर की जमींदारी 1200 रुपए भुगतान कर प्राप्त की और यहां पर फोर्ट विलियम का निर्माण किया। कालांतर में यही कलकत्ता (अब कोलकाता) नगर कहलाया, जिसकी नींव जॉब चॉर्नाक ने रखी। 1757 में प्लासी के युद्ध में क्लाइव ने बंगाल के नवाब सिराजुद्दौला को हराकर भारत में अंग्रेजी राज्य की नींव रखी। बक्सर के युद्ध (1764) में अंग्रेजों ने शाहआलम II (मुगल सम्राट), शुजाउद्दौला (अवध का नवाब) और मीर कासिम (बंगाल का नवाब) की संयुक्त सेनाओं को हराकर अंग्रेजी साम्राज्य को दिल्ली तक विस्तृत कर दिया।

1818 में अंग्रेजों ने मराठा शक्ति को पूर्णतया समाप्त कर दिया तथा 1849 के चिलियानवाला के युद्ध में सिख शक्ति का अंत करके पंजाब समेत पूरे भारत को अपने राज्य में मिला लिया।

डेन

डेनमार्क की डैनिश ईस्ट इंडिया कंपनी की स्थापना 1616 में हुई थी। इस कंपनी ने त्रावणकोर (तमिलनाडु) और सेरामपुर (बंगाल) में अपनी व्यापारिक कोठियां स्थापित की थी। 1845 में डेनों ने अपनी भारतीय वाणिज्यिक कंपनी को अंग्रेजों को बेच दिया।

फ्रांसीसी

भारत में सबसे अंत में **फ्रांसीसियों** का प्रवेश हुआ। भारत में प्रथम फ्रांसीसी कोठी फ्रैंकों कैरों द्वारा सूरत में 1648 में स्थापित की गई। फ्रांसिस मार्टिन ने 1674 में पांडिचेरी (अब पुडुचेरी) की स्थापना की। 1742 में डूप्ले नामक फ्रेंच गवर्नर भारत में आया। वह बहुत महत्त्वाकांक्षी था परंतु वांडीवाश के युद्ध (1760) में उसे क्लाइव के कारण अंग्रेजों से पराजय देखनी पड़ी। अंग्रेजी सेना का नेतृत्व सर आयर कूट के हाथ में था।

1857 का विद्रोह

विद्रोह के कारण

1. राजनीतिक कारण

- डलहौजी की डोक्ट्रिन ऑफ लैप्स (गोद निषेध प्रथा) जिसके अंतर्गत सतारा, नागपुर, झाँसी का विलय ब्रिटिश साम्राज्य के अधीन कर दिया गया था।
- कुशासन के आरोप में डलहौजी द्वारा अवध तथा हैदराबाद का विलय कर लिया गया।
- पेंशन एवं उपाधियों की समाप्ति की घोषणा।
- पंजाब और सिंध का कूटनीति द्वारा विलय।
- पंजाब, पीगू और सिक्किम का विजय द्वारा विलय।
- कुलीन भारतीय तथा जमींदारों के साथ अंग्रेजों ने बुरा व्यवहार किया।
- अंग्रेजों द्वारा नौकरियों में अपनायी जाने वाली भेद-भावपूर्ण नीति।

2. आर्थिक कारण

- अंग्रेजों की शोषण नीति एवं करों में वृद्धि।
- भारतीय हस्तशिल्प उद्योग एवं व्यापार का पूर्ण पतन।
- भारतीय धन का निष्कासन।
- बैंटिक द्वारा माफी तथा इनाम की भूमि छीन लेने से भारतीय जमींदार दरिद्र तथा कंगाल हो गए।

3. धार्मिक कारण

- ब्रिटिश सरकार ने ईसाई धर्म के प्रचार हेतु ईसाई मिशनरियों को सहयोग दिया।
- 1833 के चार्टर अधिनियम द्वारा भारत में ईसाई धर्म के प्रचार की अनुमति।
- अंग्रेज अपनी इस नीति के अनुसार अधिकांश भारतीयों को ईसाई बनाकर भारत में अपने साम्राज्य को सुदृढ़ करना चाहते थे।

4. सामाजिक कारण

- बैंटिक द्वारा सती-प्रथा पर प्रतिबंध तथा कैनिंग द्वारा विधवा-विवाह की अनुमति ने तत्कालीन रूढ़िवादी वर्ग को आन्दोलित किया।
- अंग्रेजों ने पाश्चात्य सभ्यता, संस्कृति, भाषा एवं साहित्य के विकास पर अधिक ध्यान दिया।
- रेल, तार, डाक क्षेत्र में किए गये कार्यों से रूढ़िवादी रुष्ट हो गये।

5. सैनिक कारण

- अवध के विलय ने सैनिकों की भावनाओं को आहत किया, क्योंकि सेना में साधारणतः अवध, उत्तर-पश्चिम प्रांतों के सैनिक शामिल थे।
- 1854 में डाकघर अधिनियम पारित कर सैनिकों की निःशुल्क डाक सुविधा समाप्त कर दी गई।
- सेना में भारतीयों को उच्च पदों से दूर रखना, कम वेतन और सुविधा देना।
- 1856 के 'सामान्य सेना भर्ती अधिनियम' के द्वारा सैनिकों को सरकार द्वारा कहीं भी भेजे जाने पर युद्ध के लिए जाने की बात स्वीकार करना।
- एनफील्ड राइफल के कारतूस के उपरी भाग को मुँह से काटना पड़ता था, जिसमें गाय तथा सूअर की चर्बी का प्रयोग होता था। हिन्दू व मुसलमान दोनों सिपाहियों ने इसके प्रयोग से इंकार किया।

6. तात्कालिक कारण

- चर्बी वाले कारतूस का प्रयोग।

विद्रोह के परिणाम

- ईस्ट इंडिया कम्पनी के शासन का अंत करके भारत का शासन ब्रिटिश क्राउन को हस्तान्तरित कर दिया गया।
- इंग्लैंड में भारत राज्य सचिव की नियुक्ति हुई।
- क्षेत्र विस्तार की नीति को त्यागकर स्थानीय राजाओं को उनके गौरव एवं अधिकारों को वापस करने, धार्मिक शोषण समाप्त करने तथा सेवाओं में बिना भेद-भाव के नियुक्ति की बात कही गयी।
- 1861 में भारतीय जनपद सेवा अधिनियम बनाया गया।
- भारतीयों के साथ समानता के व्यवहार का आश्वासन दिया गया।
- 1857 के विद्रोह के बाद सेना के पुनर्गठन के लिए स्थापित 'पील कमीशन' की सिफारिशों के अनुसार सेना में भारतीय सैनिकों की तुलना में ब्रिटिश सैनिकों की संख्या में वृद्धि की गई। सैनिकों की भर्ती के लिए 'रॉयल आयोग' गठित किया गया। विद्रोह की समाप्ति के बाद अंग्रेजी सरकार ने भारतीयों में जातीय कटुता एवं साम्प्रदायिक भावना को जगाया। सरकार ने हिन्दुओं और मुसलमानों में 'फूट डालो और राज करो' की नीति को छोड़कर आर्थिक शोषण को अपनी नीति बनाया।

विद्रोह की असफलता के कारण

- विद्रोह स्थानीय, असंगठित तथा सीमित था।
- विद्रोहियों के पास साधनों का नितांत अभाव था।
- अवध, रूहेलखंड तथा उत्तरी भारत के सामन्तों ने विद्रोह का नेतृत्व किया वहीं पटियाला, जींद, ग्वालियर एवं हैदराबाद के राजाओं ने विद्रोह को कुचलने में अंग्रेजों का साथ दिया।
- नाना साहब हार गये व 1859 में नेपाल चले गए।
- तात्यां टोपे की 1859 में विश्वासघात करके हत्या कर दी गई।
- अवध की बेगम को भी नेपाल में छिपना पड़ा।
- शिक्षित वर्ग इस विद्रोह में पूर्ण उदासीन रहा।
- राष्ट्रीय भावना का अभाव था, क्योंकि भारतीय समाज के सभी वर्गों का सहयोग विद्रोहियों को नहीं मिला।
- विद्रोहियों में अनुभव, संगठन क्षमता तथा मिलकर कार्य करने की भावना का अभाव था।
- सैन्य दुर्बलता तथा सैन्य नेतृत्व क्षमता की कमी।
- विद्रोहियों के पास उचित नेतृत्व, ठोस लक्ष्य एवं स्पष्ट योजना का अभाव था।
- अंग्रेजों के आवागमन एवं संचार के साधनों ने भी विद्रोह को दबाने में मदद की।

समाज एवं धर्म सुधार आंदोलन

ब्रह्म समाज

हिन्दू धर्म में पहला सुधार आन्दोलन ब्रह्म समाज था, जिसकी स्थापना 1828 ई. में कलकत्ता में राजा राममोहन राय ने की। सती प्रथा के विरुद्ध संघर्ष तथा 1829 में विलियम बैंटिक के हाथों ''सती प्रथा अवैध'' विधेयक को पारित करवाया। स्त्रियों के हक के लिए संघर्ष किया। बहुपत्नी प्रथा, विधवा स्त्रियों की अधम स्थिति आदि के विरोध में संघर्ष।

केशव चन्द्र सेन ने नेटिव मैरिज एक्ट बनाने की प्रेरणा दी (1872)। केशव चन्द्र सेन ने ब्रह्म विवाह को कानूनी बनवाया–वर की उम्र 18 वर्ष, वधू की उम्र 14 वर्ष। राजा राममोहन राय ने दिसम्बर 1823 में लार्ड एमहर्स्ट को एक पत्र लिखा जिसमें सरकार से उदारवादी शिक्षा अपनाने का आग्रह किया।

आर्य समाज

इसकी स्थापना स्वामी दयानन्द सरस्वती ने की थी। सामाजिक क्षेत्र में उन्होंने छुआछूत, जन्मजात जाति, बाल-विवाह आदि पर प्रहार किया। वे पहले सुधारक थे जिन्होंने शूद्र तथा स्त्री को वेद पढ़ने तथा ऊँची शिक्षा प्राप्त करने के लिए आन्दोलन चलाया। वे वर्ण व्यवस्था जन्म से नहीं कर्म से मानते थे।

सत्यशोधक समाज

1. 1827 में पूना में शूद्र माली परिवार में ज्योतिबा फूले का जन्म हुआ।
2. 1875 में ज्योतिबा गोविंदराव फूले द्वारा शुरू किया गया।
3. ब्राह्मणवाद और उसकी कुरीतियों के विरुद्ध आवाज उठाना इसका मुख्य उद्देश्य था।
4. इन्होंने मूर्ति पूजा, कर्मकांडों, पुजारियों के वर्चस्व, कर्म, पुनर्जन्म और स्वर्ग के सिद्धांतों का विरोध किया।
5. इन्होंने हिन्दुओं के पवित्र लेखों और ग्रन्थों को नकारा।
6. 1885 ई० में इसारा में कृषक वर्ग की आर्थिक स्थिति पर अपने विचारों को प्रकाशित किया।
7. अपने विचारों का प्रसार दैनिक दीनबंधु में व अपनी पुस्तकों *गुलामगीरी* और *सेनकारयन्वा* असुधा द्वारा किया।
8. फूले ने भारतीय राष्ट्रीय कांग्रेस का विरोध किया क्योंकि यह कृषकों की समस्याओं को हल करने में असमर्थ थी।
9. ज्योतिबा फूले की मृत्यु के पश्चात् कोल्हापुर के छत्रपति शाहू महाराज द्वारा यह समाज चलता रहा।

10. फूले प्रथम भारतीय थे जिसने 1954 में अछूतों के लिए स्कूल खुलवाया।
11. यह एक ब्राह्मण विरोधी संस्था थी।

जस्टिस पार्टी

1. 1916 में मद्रास में इसकी स्थापना की गई।
2. इसका वास्तविक नाम दक्षिण भारतीय लिबरल फेडरेशन था।
3. इसके संस्थापक टी॰एन॰ नायर, पी॰ त्यागराज और सी॰ जनेसा मुरलीधर थे।
4. जस्टिस नेताओं की प्रारंभिक माँगें राज्य की विधान परिषद् में सीटों का आरक्षण थी।
5. बाद में इस माँग का विस्तार कर इसमें शिक्षा, लोक नियुक्तियों और स्थानीय निकायों में रियायत को शामिल किया गया।
6. इसका सामाजिक आधार गैर ब्राह्मण जमींदार और शहरी क्षेत्र के व्यापारी वर्ग थे। यह उन जमींदारों और व्यापारियों के राजनैतिक उद्देश्य के लिए काम करती थी।
7. वेलाल (तमिल),रेड्डी (तेलगू) और कम्मा (तेलगू) आदि जातियाँ ब्राह्मणों के विरोध में शामिल थीं।

आत्मसम्मान आन्दोलन

1. ई॰ वी॰ रामास्वामी नायकर जो कि पेरियार के नाम से प्रसिद्ध थे, ने इसकी शुरुआत की।
2. इन्होंने हरिजनों को सहयोग दिया और वायकोम के सत्याग्रह का नेतृत्व किया।
3. इन्होंने मनु के धर्म शास्त्रों और रामायण को जलाने की वकालत की।
4. हिन्दू रूढ़िवादिता का खंडन किया।
5. 1925 में अपना एक अखबार *कुदी-अरासु* निकाला और एक उग्र समाज सुधारक के रूप में जाने गए।
6. पेरियार ने धर्म के साथ-साथ ब्राह्मणों के आधिपत्य और जाति प्रथा पर आक्रमण किया।
7. विधवा-विवाह और परिवार नियोजन जैसे मुद्दों पर बल दिया।
8. आत्म सम्मान लीग 1944 में जस्टिस पार्टी के साथ मिलकर द्रविड कड़गम बनी।

श्री नारायण धर्म परिपालन योगम

1. 1902 ई॰ में केरल में इसकी स्थापना हुई।
2. इसके संस्थापक नानु असन थे जो नारायण गुरु के नाम से प्रसिद्ध थे।
3. इसका उद्देश्य ईझवा जाति के अधिकार को सुनिश्चित करना था।
4. मंदिर प्रवेश इसका मुख्य कार्यक्रम था।
5. इसका मुख्य नारा था– एक जाति, एक धर्म, एक ईश्वर।

राष्ट्रीय आंदोलन

बंगाल का विभाजन

20वीं शताब्दी के आरंभ में बंगाल ब्रिटिश साम्राज्य का सबसे बड़ा प्रांत था जिसमें बंगाल, बिहार और उड़ीसा के कुछ हिस्से शामिल थे। यह बहाना बनाते हुए कि इतने बड़े प्रांत का प्रशासन चलाना काफी मुश्किल होगा, ब्रिटिश सरकार ने इसे विभाजित करने का फैसला किया। फिर भी बंगाल से गैर-बंगाली क्षेत्रों को अलग करने के विपरीत सरकार ने 1905 में पूर्वी बंगाल को अलग करने का फैसला किया। इसका वास्तविक उद्देश्य राष्ट्रवाद की शक्तियों को कमजोर करना था क्योंकि बंगाल में राष्ट्रवादी आंदोलन काफी मजबूत हो चुका था। इसका दूसरा लक्ष्य हिन्दुओं और मुसलमानों के बीच विद्वेष के बीज बोना था क्योंकि नए प्रांत में मुसलमानों की बहुलता थी। राष्ट्रीय नेता और आवाम जल्द ही उनके कुत्सित इरादों को समझ गए और उन्होंने विभाजन की योजना का विरोध किया। नरमपंथी और उग्रपंथी दोनों वर्गों के नेताओं ने इस विभाजन के खिलाफ आंदोलन छेड़ दिया। विभाजन के दिन को शोक दिवस के साथ-साथ एकता और भाईचारा दिवस के रूप में भी मनाया गया। जोर-शोर से विदेशी वस्तुओं का बहिष्कार आरंभ कर दिया गया और स्वदेशी को बढ़ावा दिया गया। लोगों से कहा गया कि वे सरकार के साथ सहयोग नहीं करें। लोगों को विभाजित करने के सरकार के प्रयासों को धक्का लगा तथा बंगाल का विभाजन राष्ट्रवाद के विकास का महत्त्वपूर्ण कारक बन गया। अंततः लोगों के दबाव के आगे झुकते हुए सरकार ने बंगाल के विभाजन को रद्द कर दिया।

उग्रपंथ का उदय

कांग्रेस की युवा पीढ़ी मध्यवर्ती कांग्रेसी नेताओं की नीतियों को लेकर अधीर होने लगी। बंगाल में विपिनचंद्र पाल, महाराष्ट्र में लोकमान्य बाल गंगाधर तिलक और पंजाब में लाला लाजपतराय उग्रपंथी नेता के रूप में उभरे जिन्होंने सशस्त्र राष्ट्रवाद का मंत्र फूंका।

शक्तिशाली रूस पर जापान की विजय जैसी अंतरराष्ट्रीय घटनाओं ने तथा बंगाल के विभाजन ने भारत में उग्रपंथ के विकास पर बल दिया। इसने कांग्रेस के भीतर भी परस्पर विवादों को जन्म दिया जिसके कारण 1907 के सूरत अधिवेशन में इसका विखंडन हो गया। उग्रपंथी नेताओं ने ब्रिटिश शासन की व्याख्या एक अभिशाप के रूप में की तथा पूरी तरह उसके खिलाफ हो गए। समझौता और मेल-मिलाप की मध्यवर्ती नेताओं की नीतियों के विपरीत उग्रपंथी नेताओं ने पूर्ण स्वराज्य की मांग की। अपने उद्देश्य की पूर्ति के लिए उन्होंने विरोध का धैर्यपूर्ण उपाय अपनाया जैसे कि स्वदेशी आंदोलन ताकि अंग्रेजों के लिए भारत में शासन करना असंभव हो जाए। उन्होंने अधिक-से-अधिक लोगों को अपने समर्थन में जुटाने का प्रयास किया। वे कष्ट उठाने तथा बलिदान देने के लिए भी तैयार थे। 1907 के विभाजन के बाद

लगातार 8 वर्षों तक कांग्रेस की प्रभावशीलता जाती रही परंतु 1916 में लखनऊ सत्र के दौरान नरमपंथियों और उग्रपंथियों ने एक बार फिर हाथ मिलाने का फैसला किया।

मार्ले-मिंटो सुधार

उत्तेजित उग्रपंथियों को शांत करने के लिए 1909 में ब्रिटिश सरकार ने मार्ले-मिंटो सुधारों की घोषणा की जिसमें जन-सामान्य के लिए मामलों के निर्धारण में शिक्षित भारतीयों को सरकार में अधिक-से-अधिक प्रतिनिधित्व देने की बात कही गई। अत: कार्यकारी और विधायिका परिषदों में भारतीयों का प्रतिनिधित्व बढ़ाया गया। इस अधिनियम के तहत् सामुदायिक प्रतिनिधित्व की शुरुआत की गई। इस अधिनियम को लोगों की भागीदारी बढ़ाने के संबंध में सकारात्मक माना गया, परंतु इसमें निहित ''बांटो और शासन करो'' की नीतियों के कारण भारतीय जनमानस ने इसे ठुकरा दिया।

क्रांतिकारी आंदोलन

नरमपंथियों और उग्रपंथियों के अलावा कुछ और क्रांतिकारी समूह भी थे जो बल प्रयोग द्वारा अंग्रेज शासन को उखाड़ फेंकना चाहते थे। उन्होंने स्वयं को गुप्त संगठन के रूप में संगठित कर रखा था और वे बंगाल और महाराष्ट्र में विशेष रूप से सक्रिय थे। वे कभी-कभी अलोकप्रिय अंग्रेज अधिकारियों, भारतीय कर्मचारियों और अंग्रेज सरकार के लिए काम करने वाले लोगों पर आक्रमण भी कर देते थे। उनके विदेशों से भी संबंध थे। 20वीं शताब्दी के कुछ प्रमुख क्रांतिकारी थे—खुदीराम बोस, लाला हरदयाल, वी.डी. सावरकर, रासबिहारी बोस, वी.वी.एस. अय्यर और एम.एन. राव। भगतसिंह, चंद्रशेखर आजाद, रामप्रसाद बिस्मिल, अशफाकउल्ला खान, रोशन सिंह, बी.के. दत्त, राजगुरु, सूर्यसेन और सुखदेव ने भी क्रांतिकारी तरीकों का इस्तेमाल किया।

मुस्लिम लीग

जब अंग्रेज भारत में आए उस वक्त यहां मुसलमानों का शासन था। अत: अंग्रेजों ने उन्हें अपना मुख्य शत्रु माना और उनके साथ भेदभाव बरता। हालांकि जब राष्ट्रीय आंदोलन ने जोर पकड़ा तब अंग्रेजों ने अपना रास्ता बदल लिया। उन्होंने उनसे यह कहकर कि वे सरकार के प्रति विश्वसनीयता का सबूत दें उनका मन जीतने का प्रयास किया। कुछ राष्ट्रीय नेताओं द्वारा धार्मिक विश्वासों और प्रतीकों का इस्तेमाल किए जाने के कारण भी मुसलमान राष्ट्रीय आंदोलन से अलग रहे। 1906 ई. में मुसलमान नेताओं ने अखिल भारतीय मुस्लिम लीग की स्थापना की। अपने उदय के समय मुस्लिम लीग ने घोषणा की कि उसका उद्देश्य सरकार के प्रति विश्वसनीयता को बढ़ावा देना तथा मुसलमानों के हितों की सुरक्षा करना और उसे आगे बढ़ाना है। हालांकि 1913 में उसने घोषणा की कि उसका लक्ष्य स्वशासन की प्राप्ति है।

होमरूल आंदोलन

जब ब्रिटेन प्रथम विश्वयुद्ध में व्यस्त था तब बाल गंगाधर तिलक और एनी बेसेंट जैसे भारतीय नेताओं ने राष्ट्रीय आंदोलन में नयी जान फूंकने का निर्णय किया। संवैधानिक तरीकों से ब्रिटिश साम्राज्य के अंतर्गत स्वशासन की प्राप्ति तथा इस उद्देश्य के लिए लोगों को शिक्षित और जनमत को संगठित करने के लिए देशभर में होमरूल लीग की स्थापना की गई। इस आंदोलन के नेताओं ने देश भर का दौरा किया। नेताओं की गतिविधियों को कुचलने के लिए ब्रिटिश सरकार ने कठोर कदम उठाए। तिलक पर मुकदमा चलाया गया और उनके पंजाब और दिल्ली में प्रवेश करने पर रोक लगा दी गई। एनी बेसेंट और उनके सहयोगियों को नजरबंद कर दिया गया।

लखनऊ समझौता

1916 ई. में स्वशासन अथवा स्वराज की प्राप्ति के लिए एक साथ मिलकर काम करने के लिए कांग्रेस और मुस्लिम लीग ने लखनऊ में एक समझौता किया। मुसलमानों के इस भ्रम का निराकरण करते हुए कि उन्हें उचित प्रतिनिधित्व नहीं दिया जा रहा है, कांग्रेस ने परिषद् में उनके लिए पृथक् प्रतिनिधित्व की मांग मान ली। 1916 ई. में कांग्रेस की नरमपंथी और उग्रपंथी शाखाएं फिर से एकजुट हो गईं।

गांधीजी का आगमन

प्रथम विश्वयुद्ध की समाप्ति के पश्चात् 1915 में महात्मा गांधी के दक्षिण अफ्रीका से लौटने के बाद राष्ट्रीय आंदोलन में एक महत्त्वपूर्ण मोड़ आया। टॉलस्टाय और रस्किन से प्रभावित गांधीजी ने सत्य और अहिंसा पर आधारित संघर्ष की नई पद्धति और दर्शन का प्रतिपादन किया। जल्द ही सकारात्मक प्रतिरोध अथवा सत्याग्रह लोगों के स्वतंत्रता संघर्ष का मुख्य हथियार बन गया। वह आम आदमी के सच्चे प्रतिनिधि बन गए और उनकी ही बिरादरी में शामिल हो गए। किसी भी अन्य नेता ने जनता के साथ इस तरह की घनिष्ठता स्थापित नहीं की थी। 1917 में गांधीजी नील की खेती करने वाले किसानों की समस्या का समाधान करने हेतु उत्तर बिहार में चम्पारन पहुंचे। अंग्रेज इन किसानों के प्रति दमनात्मक रवैया अपनाए हुए थे। 1918 में अहमदाबाद में टेक्सटाइल्स मिल मालिकों के खिलाफ उन्होंने श्रमिकों की तर्कसंगत मांगों का समर्थन किया और इसके फलस्वरूप स्थानीय मुद्दों में जन-सामान्य की भागीदारी को स्वीकार कर लिया गया। अंतत: गांधीजी स्वतंत्रता संग्राम के सबसे महानतम नेता के रूप में उभर कर सामने आए।

जलियांवाला बाग जनसंहार

दो राष्ट्रीय नेताओं सत्यपाल और डा. सैफुद्दीन किचलू की गिरफ्तारी के खिलाफ विरोध जताने के लिए 13 अप्रैल, 1919 को अमृतसर में जलियांवाला बाग में जनसामान्य की एक बैठक आयोजित की गई। यह बाग अथवा पार्क तीन ओर से ऊंची दीवारों से घिरा था और इसमें प्रवेश हेतु एक संकीर्ण गलियारा ही उपलब्ध था। यह बैठक शांतिपूर्ण ढंग से चल रही थी और युवा, बुजुर्ग, बच्चे और महिलाएं सभी शामिल थे। इसी बीच वहां जनरल डायर नामक एक अंग्रेज अधिकारी अपनी टुकड़ी के साथ आ धमका। बिना कोई चेतावनी दिए उसने अपने सैनिकों को आदेश दिया कि वे निहत्थे लोगों पर गोलियों की बौछार कर दें। इस गोलीबारी में लगभग 1,000 लोग मारे गए, जबकि सैकड़ों अन्य घायल हो गए। इस जनसंहार ने भारतीय लोगों की भावनाओं को उद्वेलित कर

दिया जिसका जवाब सरकार ने और भी क्रूरतापूर्ण कार्रवाइयों से दिया। दिवंगत लोगों को श्रद्धांजलि देने के लिए 1919 में कांग्रेस के सत्र का आयोजन अमृतसर में किया गया। इस जनसंहार के प्रति विरोध प्रकट करने के लिए कविवर रवीन्द्रनाथ टैगोर ने अपनी नाइट की उपाधि का परित्याग कर दिया।

खिलाफत आंदोलन

प्रथम विश्वयुद्ध के समाप्त होने के बाद जहां तुर्की पराजित देशों की कतार में खड़ा था, वहीं ब्रिटेन विजेताओं के बीच खड़ा मुस्करा रहा था। तुर्की और उसके शासक खलीफा को ब्रिटेन की ओर से अन्याय का सामना करना पड़ा। चूंकि खलीफा मुसलमानों के धार्मिक प्रमुख थे, अत: ब्रिटिश सरकार पर इस अन्याय को वापस लेने हेतु दबाव डालने के लिए 1920 में दो मुसलमान भाइयों मोहम्मद अली और शौकत अली ने एक आंदोलन की शुरुआत की। जल्द ही पंजाब में दमन को रोकने की खातिर तथा स्वराज-प्राप्ति हेतु खिलाफत आंदोलन का राष्ट्रीय आंदोलन में विलय हो गया।

असहयोग आंदोलन

महात्मा गांधी के नेतृत्व में 1920 में कांग्रेस ने असहयोग आंदोलन आरंभ करने का निर्णय किया। यह पहली बार था जबकि कांग्रेस ने प्रत्यक्ष कार्रवाई की नीति पर चलने का निर्णय किया। इसमें उपाधियों और प्रतिष्ठापूर्ण पदों का त्याग करना तथा स्थानीय निकायों में मनोनीत पदों से इस्तीफा देना शामिल था। लोगों का आह्वान किया गया कि वे सरकार के कार्यक्रमों में शामिल न हों तथा सरकारी स्कूलों और कॉलेजों से अपने बच्चों को हटा लें। उनसे सरकारी सेवाओं, अदालतों और अन्य सेवाओं का बहिष्कार करने को भी कहा गया। उनसे कहा गया कि वे स्वदेश में ही बने वस्त्रों व अन्य वस्तुओं का इस्तेमाल करें। असहयोग करने वाले लोगों के लिए सत्य और अहिंसा के सिद्धांतों का पालन करना अत्यन्त आवश्यक था। महात्मा गांधी ने उस स्थिति में पूर्ण स्वराज की प्राप्ति का वायदा किया जबकि लोग पूरे मन से और सच्ची लगन से उनके कार्यक्रमों का अनुसरण करते हैं। असहयोग आंदोलन की विचारधारा ने लोगों को काफी प्रभावित किया तथा हिन्दुओं और मुसलमानों ने आपस में हाथ मिला लिए। इस आंदोलन के अगले चरण में लोगों का आह्वान किया गया कि वे कर चुकाने से इनकार कर दें। यह आंदोलन गुजरात में बारदोली से प्रारंभ हुआ।

असहयोग आंदोलन को मिल रहे व्यापक जनसमर्थन से ब्रिटिश सरकार एकदम से सकते में आ गई। हालांकि कुछ ईर्ष्यालु व्यक्तियों ने पीटे जाने के खिलाफ 22 फरवरी, 1922 को उत्तर प्रदेश में चौरी-चौरा नामक स्थान पर एक पुलिस स्टेशन को जला डाला। थाने के अंदर एक इंस्पेक्टर सहित 22 पुलिसकर्मी आग में जलकर मर गए। इस घटना से गांधीजी को काफी दु:ख पहुंचा और उन्होंने इस आंदोलन को वापस ले लिया। गांधीजी के इस कदम की अनेक राष्ट्रीय नेताओं ने आलोचना की और कृतघ्न अंग्रेज सरकार ने गांधीजी को 6 साल की सजा का फरमान सुना दिया। असहयोग आंदोलन अहिंसा और धार्मिक बंधुत्व की भावना पर आधारित एक लोकप्रिय आंदोलन था।

स्वराज पार्टी

असहयोग आंदोलन को वापस ले लिए जाने के बाद कांग्रेसी नेताओं के बीच गहरे मतभेद उजागर हो गए। जहां सी.आर. दास, मोतीलाल नेहरू और हकीम अजमल खान चाहते थे कि विधानपरिषदों में शामिल हुआ जाए और उसकी गतिविधियों को बाधित किया जाए वहीं सरदार पटेल, सी. राजगोपालाचारी और राजेन्द्र प्रसाद जैसे नेता भी थे जो इस विचार के पूरी तरह खिलाफ थे। सी.आर. दास के समर्थकों ने 1923 में स्वराज पार्टी का गठन किया जिसे कांग्रेस ने चुनावों में भाग लेने की अनुमति प्रदान कर दी। स्वराज पार्टी ने केन्द्रीय और प्रांतीय विधायिकाओं में बेहतरीन प्रदर्शन किया। अनेक प्रस्ताव पारित कर और लोगों के प्रति जिम्मेदार रवैया अपनाने हेतु ब्रिटिश सरकार पर दबाव डालकर स्वराज पार्टी ने अंग्रेज-विरोधी भावनाओं को जिन्दा रखा। हालांकि 1925 में सी.आर. दास की मृत्यु के बाद विधायिका की राजनीति में कुछ खास करना स्वराजवादियों के लिए काफी कठिन प्रतीत हुआ तथा वे 1926 में विधानमंडल से बाहर निकल आए।

साइमन आयोग

गवर्नमेंट ऑफ इंडिया एक्ट 1919 के कार्यकरण की जांच-पड़ताल करने तथा संविधान में संशोधन किए जाने के संबंध में सुझाव देने हेतु ब्रिटिश सरकार ने 1927 में एक आयोग की नियुक्ति की। इसमें ब्रिटेन की संसद के 7 सदस्य शामिल थे तथा सर जान साइमन इसके अध्यक्ष थे। चूंकि इसमें एक भी भारतीय प्रतिनिधि शामिल नहीं था, अत: कांग्रेस और अन्य भारतीय पार्टियों ने इसका बहिष्कार करने का निर्णय किया। साइमन आयोग जब भारत आया तो उसका स्वागत देशव्यापी विरोध से किया गया। यह आयोग जहां कहीं भी गया उसे हड़ताल, प्रदर्शन और काले झंडों का मुंह देखना पड़ा। इस क्रम में एक व्यापक जनांदोलन का नेतृत्व करते हुए लाला लाजपतराय को लाठियों की ज़बर्दस्त मार झेलनी पड़ी, जिससे वह उबर नहीं सके और इस घटना के कुछ ही सप्ताह बाद उनका निधन हो गया।

पूर्ण स्वराज्य की मांग

1928 में कांग्रेस ने प्रभुत्वकारी स्थिति की मांग करते हुए एक प्रस्ताव पारित किया जो पूर्ण स्वराज की मांग से कहीं कम था। यह भी घोषणा की गई कि यदि 1929 के अंत तक इस मांग को स्वीकार नहीं किया गया तो कांग्रेस पूर्ण स्वराज्य की मांग करेगी और इस उद्देश्य की प्राप्ति के लिए वह व्यापक आंदोलन चलाएगी। ब्रिटिश सरकार ने कांग्रेस की इस मांग पर कोई ध्यान नहीं दिया। अत: दिसम्बर 1929 में एक प्रस्ताव पारित किया गया जिसमें कहा गया कि कांग्रेस के संविधान में स्वराज शब्द का अर्थ होगा पूर्ण स्वतंत्रता। दिसम्बर 1929 की मध्यरात्रि को कांग्रेस के अध्यक्ष जवाहरलाल नेहरू ने रावी नदी के तट पर तिरंगा फहराया। राष्ट्रीय आंदोलन में हिस्सा ले रहे सभी कांग्रेसियों से कहा गया कि वे भविष्य में होने वाले चुनावों में शिरकत न करें तथा सभी पदारूढ़ सदस्यों से कहा गया कि वे अपने पद से त्यागपत्र दे दें। सविनय अवज्ञा आंदोलन को आरंभ करने का फैसला किया गया, साथ ही यह भी तय किया गया कि कोई भी व्यक्ति अंग्रेज सरकार को कर

नहीं चुकाएगा। 26 जनवरी, 1930 को स्वतंत्रता दिवस घोषित किया गया और इसी दिन भारत की जनता ने स्वतंत्रता-प्राप्ति की सौगंध ली। इसके बाद साल-दर-साल इसकी पुनरावृत्ति की गई।

सविनय अवज्ञा आंदोलन

गांधीजी की डांडी यात्रा के बाद सविनय अवज्ञा आंादोलन की शुरुआत हुई। यह यात्रा 12 मार्च, 1930 को आरंभ हुई और गांधीजी तथा उनके अनुयायी साबरमती से 200 किलोमीटर का फासला तय कर डांडी पहुंचे। गांधीजी ने नमक बनाकर नमक कानून तोड़ा, जो देशव्यापी विद्रोह का संकेत था। देशभर में शराब की दुकानों, अफीम के अड्डों और विदेशी वस्त्रों की दुकानों को घेर लिया गया। हजारों सरकारी कर्मचारियों ने अपनी नौकरी को ठोकर मार दी। किसानों ने कर और ऋण चुकाने से साफ-साफ मना कर दिया। गांधीजी की प्रभावशाली अपील से प्रेरित होकर हजारों-हजार महिलाएं सविनय अवज्ञा आंदोलन में शामिल होने के लिए आगे आईं। देश में अब खुले विद्रोह की पृष्ठभूमि तैयार हो चुकी थी। इस आंदोलन को कुचलने के लिए सरकार ने दमनात्मक रवैया अपनाया। अग्रणी नेताओं सहित हजारों कांग्रेसी कार्यकताओं को जेल में ठूंस दिया गया। प्रेस पर प्रतिबंध लगा दिया गया, सार्वजनिक संपत्ति को नुकसान पहुंचाया गया, निर्दोष महिलाओं और पुरुषों को बेदर्दी से पीटा गया तथा सैकड़ों लोग पुलिस की गोलियों से मारे गए। यह आंदोलन देश के कोने-कोने में फैल गया।

इसी बीच साइमन आयोग द्वारा प्रस्तावित सिफारिशों पर विचार करने के लिए अंग्रेज सरकार ने लंदन में प्रथम गोलमेज सम्मेलन का आयोजन किया। चूंकि इसमें कांग्रेस का कोई प्रतिनिधि उपस्थित नहीं हुआ, अत: यह सम्मेलन कोई विशेष परिणाम नहीं उत्पन्न कर सका। कांग्रेस के महत्त्व को समझते हुए ब्रिटिश सरकार ने उसे निमंत्रण दिया कि वह दूसरे गोलमेज सम्मेलन में शामिल हो। 5 मार्च, 1931 को गांधीजी और वायसराय इर्विन के बीच एक समझौता हुआ जिसके तहत् सरकार ऐसे सभी राजनीतिक बंदियों को रिहा करने पर तैयार हो गई जिनके खिलाफ हिंसा का कोई आरोप नहीं था। कांग्रेस ने सविनय अवज्ञा आंदोलन को लंबित करने का निर्णय किया। सरकार द्वारा अपनी प्रतिबद्धता का उल्लंघन करने के बावजूद गांधीजी सम्मेलन में भाग लेने के लिए लंदन गए।

दूसरा गोलमेज सम्मेलन सितम्बर 1931 में लंदन में संपन्न हुआ। गांधीजी कांग्रेस के एकमात्र प्रतिनिधि के रूप में द्वितीय गोलमेज सम्मेलन में शामिल हुए। उन्होंने रक्षा तथा विदेशी मामलों पर नियंत्रण का अधिकार मांगा। अल्पसंख्यकों को प्रतिनिधित्व दिए जाने की मांग पर बिल्कुल मौन की स्थिति थी। एम.ए. जिन्ना, आगा खान और डॉ. अम्बेडकर गांधीजी के साथ कोई भी समझौता करने को इच्छुक नहीं थे। भारतीय राजा भी भारत की स्वतंत्रता के प्रति उदासीन थे। कोई भी समझौता संपन्न नहीं हो सका और बातचीत विफल हो गई। गांधीजी भारत लौट आए और सविनय अवज्ञा आंदोलन पुन: आरंभ हो गया। एक बार फिर से ब्रिटिश सरकार ने दमनात्मक रवैया अपनाया और गांधीजी सहित लाखों लोगों को जेल में डाल दिया। कांग्रेस को अवैध घोषित कर दिया गया। भारी दबाव के बावजूद सविनय अवज्ञा आंदोलन जारी रहा। विदेशी वस्तुओं का बहिष्कार, करों का विरोध, उपाधियों और नौकरियों का त्याग तथा विदेशी वस्तुओं और शराब की दुकानों पर धरने का आयोजन यथावत् जारी रहा। मई 1933 में इस आंदोलन को लंबित कर दिया गया और एक वर्ष बाद इसे पूरी तरह से वापस ले लिया गया। गांधीजी ने भी स्वयं को सक्रिय राजनीति से अलग कर लिया।

सांप्रदायिक पंचाट

अगस्त 1932 में ब्रिटिश सरकार ने महिलाओं को आरक्षण दिए जाने के अलावा मुसलमानों, सिखों, यूरोपीय नागरिकों तथा वंचित वर्गों के लिए पृथक् निर्वाचन मंडल की स्थापना करते हुए सांप्रदायिक पंचाट को लागू करने की घोषणा की।

गांधीजी ने अछूतों के लिए पृथक् निर्वाचन मंडल का जोरदार विरोध किया तथा अपना विरोध जताने के लिए आमरण अनशन पर बैठ गए। इस संदर्भ में पूना में एक समझौता हुआ जिसे पूना समझौता कहते हैं, जिसमें इस मुद्दे पर कतिपय संशोधन किए गए।

तीसरा गोलमेज सम्मेलन नवंबर 1932 में लंदन में हुआ जिसमें कांग्रेस ने अपने किसी भी प्रतिनिधि को नहीं भेजा। कुछेक भारतीय नेता और राजा इस सम्मेलन में शामिल हुए। गोलमेज सम्मेलन के तहत् एक निर्णय पर पहुंचा गया तथा लगातार हुई चर्चा ने गवर्नमेंट ऑफ इंडिया एक्ट 1935 के प्रवर्तन का मार्ग प्रशस्त किया।

इस अधिनियम ने अखिल भारतीय परिसंघ बनाने, केन्द्र में दोहरी शासन व्यवस्था स्थापित करने, संघीय अदालत स्थापित करने और प्रांतीय विधानमंडलों को स्वायत्तता दिए जाने का प्रस्ताव किया। इस अधिनियम ने भारत को प्रांतीय स्वायत्तता दिए जाने के संदर्भ में कोई चर्चा नहीं की जो पूर्ण स्वराज से कहीं कमतर स्थिति थी। मतदान का अधिकार केवल 14 प्रतिशत जनसंख्या को प्रदान किया गया।

कांग्रेस ने इस अधिनियम को ठुकरा दिया, परंतु उसने 1937 के प्रांतीय विधान सभाओं के चुनाव में भाग लेने का निर्णय किया। अंग्रेजों द्वारा चालाकी से साम्प्रदायिक और पूर्ववर्ती सरकार समूहों को समर्थन दिए जाने के बावजूद कांग्रेस ने भारी सफलता अर्जित की। उसने 6 प्रांतों में पूर्ण बहुमत प्राप्त किया और तीन पार्टियों के बीच सबसे बड़ी पार्टी के रूप में सामने आई। सभी सीटों पर प्रतिनिधित्व का दावा करने वाली मुस्लिम लीग मुसलमानों के लिए आरक्षित सीटों में से भी केवल एक-तिहाई सीट प्राप्त कर सकी। कांग्रेस ने 11 प्रांतों में से 9 में मंत्रालयों का गठन किया। इन मंत्रालयों ने शिक्षा, आर्थिक सुधारों तथा प्रेस और राजनीतिक गतिविधियों पर से प्रतिबंध उठाने की दिशा में महत्त्वपूर्ण कार्य किया।

भारत छोड़ो आंदोलन

8 अगस्त, 1942 को कांग्रेस ने 'भारत छोड़ो' नामक एक प्रस्ताव पारित किया जिसमें ब्रिटिश सरकार की तुरंत समाप्ति को एक अनिवार्य आवश्यकता बताया गया। साथ ही यह भी कहा गया कि

यह स्वतंत्रता और प्रजातंत्र के लिए भी अत्यावश्यक है जिसके लिए संयुक्त राष्ट्र के देश संघर्ष कर रहे हैं।

इस प्रस्ताव में कहा गया कि स्वतंत्र भारत फासीवादी और साम्राज्यवादी ताकतों के विरुद्ध संघर्ष कर रही शक्तियों से हाथ मिला लेगा। महात्मा गांधी ने लोगों को ''करो या मरो'' का नारा दिया, साथ ही उन्हें इस बात के प्रति भी आगाह किया कि यह आंदोलन पूर्णतया अहिंसक होना चाहिए। अगले ही दिन अंग्रेज सरकार ने महात्मा गांधी, जवाहरलाल नेहरू, सरदार पटेल, राजेन्द्र प्रसाद और मौलाना आजाद जैसे अग्रणी नेताओं सहित अनेक नेताओं को गिरफ्तार कर लिया। अपने नेताओं की गिरफ्तारी से हतप्रभ और नेतृत्वविहीन हो गए लोगों ने उन्हें जो कुछ समझ में आया उस तरह से विद्रोह करना आरंभ कर दिया। बार-बार की गोलीबारी और लाठी चार्ज से उत्तेजित होकर कई स्थानों पर जनता ने हिंसक तरीके भी अख्तियार किए। जनसंपत्ति को नुकसान पहुंचाया गया तथा रेल, डाक और टेलीग्राफिक सेवाएं बुरी तरह प्रभावित हुईं। कई स्थानों पर समानांतर सरकारों का गठन किया गया। भारत छोड़ो आंदोलन ब्रिटिश सरकार के खिलाफ एक सशक्त विद्रोह था। हालांकि सुनिश्चित योजना, अग्रणी नेताओं की गिरफ्तारी, सरकार के उत्पीड़न, मुस्लिम लीग की उदासीनता और द्वितीय विश्वयुद्ध में मित्र शक्तियों के एकजुट हो जाने की वजह से यह आंदोलन विफल हो गया।

वेवेल योजना

क्रिप्स मिशन की असफलता और सभी अग्रणी कांग्रेसी नेताओं की गिरफ्तारी के बाद लगभग 3 वर्षों तक राजनीतिक गतिविधियां ठप्प रहीं। प्रभावशाली नेताओं के जेल चले जाने के बाद कार्यकर्ता काफी हतोत्साहित हो गए और इधर ब्रिटिश सरकार से सहयोग करके मुस्लिम लीग अपने प्रभाव का दायरा बढ़ाने में सफल रही। इसी बीच जेल में बंद गांधीजी ने जिन्ना के साथ संवाद स्थापित कर इस समस्या को सुलझाने का प्रयास किया, पर कोई समझौता नहीं किया जा सका। मई 1944 में स्वास्थ्य संबंधी कारणों के चलते गांधीजी को रिहा कर दिया गया। 1945 में वायसराय वेवेल ने एक योजना की घोषणा की जिसमें वायसराय के अखंड नियंत्रण में केन्द्रीय सरकार में शामिल होने के सिवाय भारत के लिए कोई भी विकल्प नहीं था। भारतीयों को गृह, वित्त और बाह्य मामलों सहित अनेक मंत्रालय दिए जाने की योजना बनाई गई परंतु सर्वोच्च शक्ति के वायसराय में निहित होने की बात भी कही गई। वेवेल की योजना के तहत् कार्यकारी परिषद की 14 प्रस्तावित सीटों में से 6 मुस्लिम लीग को दिए जाने का प्रस्ताव था। हालांकि अलग-अलग कारणों से कांग्रेस और मुस्लिम लीग दोनों ने इस योजना को ठुकरा दिया। अंततः वेवेल ने अपनी योजना को वापस ले लिया।

आजाद हिंद फौज

एक भारतीय क्रांतिकारी रासबिहारी बोस ने आजाद हिंद फौज या भारतीय राष्ट्रीय सेना का गठन किया। उन्होंने ब्रिटिश सेना में शामिल ऐसे हजारों भारतीय सिपाहियों को इसमें शामिल किया जो दक्षिण-पूर्व एशिया पर विजय प्राप्त करते समय जापान द्वारा गिरफ्तार कर लिए गए थे। सुभाषचंद्र बोस जो हिटलर से बातचीत करने जर्मनी गए थे, भारतीय स्वतंत्रता लीग का नेतृत्व करने तथा आजाद हिन्द फौज का पुनर्गठन करने के लिए 1943 में सिंगापुर आ गए। 21 अक्टूबर, 1943 को नेताजी अथवा सुभाषचंद्र बोस ने स्वतंत्र भारत की प्रांतीय सरकार का गठन करने का दावा किया। उत्तर-पूर्वी भारत की ओर से ब्रिटिश सेना पर हमला करने के लिए उन्होंने आई.एन.ए. का नेतृत्व किया। उन्होंने ''दिल्ली चलो'' और ''जयहिन्द'' का नारा दिया। हालांकि आई.एन.ए. कुछ आगे बढ़ने में कामयाब हुई, परंतु जापान की मित्र देशों के हाथों चौतरफा पराजय की वजह से उसके अभियान को धक्का लगा। इसके अलावा आई.एन.ए. को भारतीय राष्ट्रवादियों का भी सहयोग नहीं मिला जो मानते थे कि जापान की सरकार भारत की मित्र नहीं हो सकती। हालांकि नेताजी की मृत्यु अब भी संदिग्ध है पर यह कहा गया कि 1945 में एक विमान दुर्घटना में उनकी मृत्यु हो गई।

कैबिनेट मिशन

द्वितीय विश्वयुद्ध की समाप्ति के बाद ब्रिटेन में आम चुनावों में लेबर पार्टी ने सफलता प्राप्त की। 1946 में ब्रिटिश सरकार ने इच्छा जताई कि वह भारत से अपने शासन को समाप्त कर देना चाहती है। उसने कहा कि भविष्य के संविधान की रूपरेखा निर्धारित करने की जिम्मेदारी स्वयं भारत की होनी चाहिए और बहुसंख्यकों के फैसले में अल्पसंख्यकों को दखल देने का अधिकार नहीं होना चाहिए। शक्तियों के अंतरण के संदर्भ में भारतीय नेताओं से विचार-विमर्श करने के लिए कैबिनेट आयोग को भारत भेजा गया। उसने एक अंतरिम सरकार के गठन का प्रस्ताव किया, साथ ही संविधान सभा का आयोजन करने का भी जिसमें प्रांतीय विधानसभाओं के लिए चुने गए प्रतिनिधियों और भारतीय राज्यों के नियमों के अनुसार नामित व्यक्तियों को सम्मिलित किया जाना था। 2 सितम्बर, 1946 को जवाहरलाल नेहरू ने अंतरिम सरकार का गठन किया। संविधान सभा की बैठक 9 दिसम्बर, 1946 को हुई, परंतु मुस्लिम लीग ने इसका बहिष्कार किया। उसने एक पृथक् राष्ट्र पाकिस्तान की मांग की। ब्रिटिश सरकार ने घोषणा की कि वह जून 1948 से पहले भारतीय हाथों में शक्तियों का अंतरण कर देगी। इस अधिकार को हस्तगत किए जाने की कार्रवाई की निगरानी करने हेतु मार्च 1947 में लार्ड माऊंटबैटन को वायसराय बनाकर भारत भेजा गया। उसने भारत को भारत और पाकिस्तान के बीच विभाजित करने की योजना रखी। उसके प्रस्ताव देशभर में हो रहे सांप्रदायिक दंगों के आलोक में आए थे। विभाजन की घोषणा के बाद दंगे और तीव्र हो गए; खासकर पंजाब में इसने भीषण रूप धारण कर लिया। दंगों में हजारों लोग मारे गए और लाखों लोग बेघर हो गए।

विश्व का इतिहास

धर्मयुद्ध

ग्यारहवीं शताब्दी के आखिरी दशक में तुर्कों ने ईसाइयों के पवित्र स्थल येरूशलम पर हमला कर दिया। इसके अलावा उन्होंने पवित्र स्थलों पर तीर्थयात्री के रूप में आए ईसाइयों पर भी आक्रमण कर दिया।

इन घटनाओं ने चर्चों को रुष्ट कर दिया तथा इन आक्रामक कार्रवाइयों को रोकने के लिए ईसाई राजाओं ने सहायता प्रदान की। 1095 ई. में पोप ने मुस्लिम तुर्कों के खिलाफ धर्मयुद्ध अथवा पवित्र युद्ध का आह्वान किया। हजारों साधारण लोगों ने इस आह्वान के प्रति सकारात्मक रवैया प्रदर्शित किया। 1096 ई. में यूरोप की सेना ने बजेंटाइन की सेना के साथ मिलकर तुर्कों पर हमला कर दिया और 1099 में येरूशलम पर कब्जा कर लिया। मुस्लिमों ने एक बार फिर से खुद को संगठित किया और फिर से फिलिस्तीन पर कब्जा करने का प्रयास किया।

इन प्रयासों ने द्वितीय (1144), तृतीय (1189) और चतुर्थ (1202) धर्मयुद्धों को जन्म दिया। ये धर्मयुद्ध 1291 तक जारी रहे। इन युद्धों में हजारों बच्चों को युद्ध में झोंक दिया गया। युद्ध के समाप्त हो जाने के बाद येरूशलम फिलिस्तीन में ही बना रहा। इन धर्मयुद्धों ने अंग्रेजों को अरबों की सभ्यता के संपर्क में आने का अवसर प्रदान किया जहां उन्हें अनेक नई चीजें सीखने को मिलीं जिससे उन्हें अपने व्यापार को बढ़ाने में मदद मिली। सामंतवाद का पतन, बौद्धिक विकास, चर्च की शक्तियों में कमी और नए क्षेत्रों को खोजने की इच्छा का परवान चढ़ना इन धर्मयुद्धों के अन्य प्रतिफल रहे।

मैग्ना कार्टा

इंगलैंड के राजा जान द्वितीय पर 1215 की महान् घोषणा पर हस्ताक्षर करने और जनता के दुःख-तकलीफों को दूर करने के लिए दबाव डालने हेतु पूंजीपति, पुरोहित और जनसामान्य एक हो गए। इस संधि में 63 अनुच्छेद थे, जो पूंजीपतियों, चर्च और जनता की स्वतंत्रता की गारंटी देते थे। इस घोषणा का लक्ष्य सभी वर्गों के अधिकारों को सुनिश्चित करते हुए राजा की स्वेच्छाचारी शक्तियों पर अंकुश लगाना था। इस घोषणा ने इस महत्त्वपूर्ण सिद्धांत की नींव रखी कि अंग्रेजों पर कानून का शासन लागू किया जाना चाहिए, निर्दयी शासक के कोड़ों का नहीं। मैग्नाकार्टा को अंग्रेजों के अधिकारों और स्वतंत्रता को बहाल करने के संदर्भ में मील का पत्थर माना जाता है।

सामंतवाद

मध्य युग में यूरोप में एक व्यवस्था आरंभ हुई जिसके तहत् किसानों को किराया या कर के रूप में अपनी उपज के एक निर्धारित हिस्से को लार्ड (मालिकों) को सौंपना पड़ता था और उन्हें बिना किसी पारिश्रमिक के उनके लिए कड़ी मेहनत करनी पड़ती थी। यह व्यवस्था वहां इसलिए कायम हो गई क्योंकि वहां कोई केन्द्रीय सत्ता नहीं थी। समाज की संरचना में पुरोहित वर्ग का दबदबा था और प्रत्येक व्यक्ति के लिए एक विशिष्ट दर्जा दिए जाने का प्रावधान था। राजा इस पदानुक्रम में सबसे ऊपर था जो अपनी भू-सम्पत्ति को कई लार्डों जिन्हें ड्यूक या अर्ल कहा जाता था, को सौंप देता था। ड्यूकों ने इस भूमि का बंटवारा पूंजीपतियों के बीच कर दिया और बदले में सैनिक समर्थन प्राप्त कर लिया। नाइट सामंतवादी लार्डों के अधीन सबसे छोटे अधिकारी थे। ऊपर से नीचे तक का पदानुक्रम शोषक व्यवस्था का पोषक था। ये लार्ड कर थोपते थे, न्यायाधीश की भूमिका निभाते थे तथा उनके पास निजी सेना होती थी, जबकि गरीब किसान सर्वाधिक पीड़ित थे। कुछ किसानों को बिना वेतन के लार्डों के लिए मजदूरी करने पर विवश किया जाता था। कइयों को जमीन के साथ बंधक बनाकर रख लिया जाता था, जिन्हें जमीन छोड़कर जाने की अनुमति नहीं थी।

सामंतवाद ने मध्य युगीन यूरोप में व्यवस्था और सुरक्षा स्थापित करने के उद्देश्यों की पूर्ति की। सामाजिक और आर्थिक गतिविधियां सामान्य प्रतीत होती थीं, परन्तु उनकी नींव शोषण पर टिकी थी। यह व्यवस्था कठोर वर्ग प्रणाली तथा प्रायोजित राजनीतिक अलगाव पर आधारित थी। शासकों को आम लोगों के हितों की तनिक भी चिंता नहीं थी। नयी भूमियों को प्राप्त करने के उद्देश्य से लार्ड हमेशा युद्धों में लिप्त रहते थे।

चूंकि विलासपूर्ण जीवन व्यतीत करने वाले सामंतों को विलास की सामग्री चाहिए थी, अतः व्यापार बढ़ने लगा और इसके साथ ही शहर निर्माण और व्यापार के केन्द्र बन गए। ये शहर जल्द ही सामंतवादी नियंत्रण से स्वतंत्र हो गए और उन्होंने स्वयं की सरकार, पुलिस और अदालतों की स्थापना की। शहरों ने किसान वर्ग को स्वतंत्रता प्रदान की। व्यापार की उन्नति के साथ ही धन का इस्तेमाल बढ़ गया और सामंतशाही को जड़ से उखाड़ फेंकने के लिए पूंजीवाद का जन्म हुआ। अन्य कारक जिनके चलते सामंतवाद का पतन हो

गया वे थे—शक्तिशाली राजाओं का उदय, आपस में लड़ाई करने के कारण सामंतों की शक्ति में कमी आना, राष्ट्रवाद की भावना का जोर पकड़ना, मध्यम वर्ग का विकास, बारूद का आविष्कार, छपाईखानों की स्थापना, चर्च का प्रभाव तथा अनेक क्षेत्रों में प्रजातंत्र का विकास।

पुनर्जागरण

पुनर्जागरण का अर्थ होता है पुनर्जन्म। आरंभ में इसका इस्तेमाल यूनान और रोम की प्राचीन सभ्यताओं का अध्ययन करने के संदर्भ में उत्पन्न हुई रुचि के लिए किया जाता था। इन सभ्यताओं की जानकारी ने कला, साहित्य, धर्म, विज्ञान और राजनीति के क्षेत्र में नए विकासों को प्रेरित किया। पुनर्जागरण की शुरुआत 16वीं शताब्दी में इटली में हुई। इसका मुख्य जोर व्यक्तियों की स्वतंत्रता और अधिकार को सुनिश्चित करने तथा मनुष्य के अस्तित्व के सम्मान को बहाल करना था। धार्मिक दुराग्रहों और चर्च के चंगुल से जनता को मुक्त कराने के लिए इसने मानव के विकास के लिए असीम संभावनाओं के द्वार खोल दिए।

पुनर्जागरण युग में ज्ञान की तलाश खासकर इतिहास और साहित्य के प्रसार पर बल दिया गया। अज्ञात शक्ति की बजाय अब मानव की क्षमताओं पर बल दिया जाने लगा। मानवतावाद, राष्ट्रवाद, शिक्षा का प्रसार, व्यापार और वाणिज्य में वृद्धि, अंधविश्वासों का उन्मूलन और तार्किक प्रणाली की स्थापना पुनर्जागरण का प्रतिफल थीं। चित्रकला, मूर्तिकला और वास्तुशिल्प के क्षेत्र में कुछ महान् उपलब्धियां प्राप्त की गईं। लियोनार्डो द विन्सी, माइकल एंजेलो और राफेल उस समय के विख्यात चित्रकार थे। दांते उस समय का एक महान् कवि था। मैक्यिावेली, जो उस समय का राजनयिक इतिहासकार और राजनीतिक दर्शनशास्त्री था, ने राज्य के प्रशासन कौशल के संबंध में लिखा। जैसे-जैसे पुनर्जागरण का प्रसार यूरोप में होने लगा, इसका चरित्र धार्मिक बनता गया जिसके कारण सुधारों का मार्ग प्रशस्त हुआ। इसके अलावा 1492 में कोलम्बस के मध्य अमेरिका और 1498 में वास्को-डि-गामा के भारत पहुंचने के बाद यूरोपीय लोगों ने एशिया के लिए समुद्री मार्गों का उपयोग आरंभ कर दिया।

धर्म सुधार आंदोलन

16वीं शताब्दी में यूरोप में एक नवीन प्रवृत्ति का उदय हुआ और यह था कैथोलिक चर्चों को सुधारने का अभियान। इसकी शुरुआत जर्मनी में हुई और यह उत्तरी यूरोप में फैल गया। एक जर्मन विचारक तथा धार्मिक सुधारक मार्टिन लूथर ने चर्च के विरुद्ध फैले व्यापक असंतोष को संगठित किया। सुधारकों के नव-प्रोटेस्टेंट चर्चों का उदय हुआ जो चर्च की दकियानूसी परंपराओं को तोड़कर केवल बाइबिल की शिक्षाओं का पालन करने के प्रति प्रतिबद्ध था। अनेक शक्तिशाली राजाओं और राजकुमारों ने जान केल्विन, ऑर्लिक विंग्ली एवं अन्य सुधारकों को जबर्दस्त समर्थन प्रदान किया। हालांकि आंतरिक सुधारों को लागू कर कैथोलिक चर्च ने अपनी प्रतिक्रिया व्यक्त की, पर इसके साथ ही कैथोलिकों और प्रोटेस्टेंटवादियों के बीच हिंसक संघर्ष उत्पन्न हो गया। 1534 में किंग हेनरी अष्टम् ने अंग्रेजी चर्चों की सहायता ली क्योंकि पोप ने उसे अपनी पहली पत्नी को तलाक देने की अनुमति प्रदान नहीं की। हालांकि क्वीन मेरी ने इंगलैंड में चर्च की सत्ता को पुनर्जीवित करने का प्रयास किया जिसके कारण उन्हें 'खूनी मेरी' की संज्ञा दी गई, क्योंकि उन्होंने प्रोटेस्टेंटों को सजाएं दी थीं, परन्तु कैथोलिक इंगलैंड में अल्पसंख्यक बनकर रह गए।

1688 की इंगलैंड क्रान्ति

17वीं शताब्दी के पूर्वार्द्ध में इंगलैंड पर जेम्स-I और चार्ल्स-I जैसे निर्दयी शासकों का शासन था। उनका विश्वास था कि उनकी नियुक्ति ईश्वर द्वारा की गई है और संसद तथा जनता के प्रति उनकी कोई जवाबदेही नहीं है। राजा और चर्च के बीच विवादों के कारण 1642 में इंगलैंड में गृहयुद्ध छिड़ गया। जेम्स-I पराजित हुआ और उस पर मुकदमा चलाया गया। 1660 में चार्ल्स द्वितीय को इस शर्त पर राजा नियुक्त किया गया कि वह लोगों के धार्मिक मामलों में कोई हस्तक्षेप नहीं करेगा और संसद की सलाह से प्रशासन चलाएगा। जेम्स द्वितीय ने अपने पिता के पदचिन्हों का अनुसरण किया और संसद के निरीक्षण से अलग होने का प्रयास किया। साथ ही उसने प्रोटेस्टेंटों के दबदबे वाले देश में कैथोलिकों को अधिक अधिकार दिए। इसके कारण हालैंड के राजा को इंगलैंड आने का निमंत्रण देने वाले लोगों ने विद्रोह कर दिया। जेम्स द्वितीय फ्रांस भाग गया। इसे एक शानदार क्रान्ति की संज्ञा दी जाती है क्योंकि इसमें रक्तपात नहीं हुआ। इस क्रान्ति ने राजाओं के दैवीय अधिकारों को समाप्त कर दिया, संसद की सत्ता को स्वीकार्य बना दिया, स्वतंत्र न्यायपालिका का गठन किया, प्रेस की स्वतंत्रता बहाल की तथा इंगलैंड में प्रोटेस्टेंटों की सर्वोच्चता स्थापित की।

अमेरिका का स्वतंत्रता संग्राम

यूरोप में हुई औद्योगिक क्रान्ति और पूंजीवाद के उभार ने कच्चे माल, सस्ते श्रमिकों और बाजार की मांग बढ़ा दी। यूरोपीय राजाओं ने नए स्थलों की खोज को बढ़ावा दिया जिससे एक के बाद एक करके उपनिवेश बनाने का सिलसिला चल पड़ा। 1492 में कोलम्बस ने वेस्टइंडीज द्वीप की खोज की और बाद में अमेरिका को भी खोज निकाला। 18वीं शताब्दी के मध्य तक उत्तर अमेरिका का एक बड़ा क्षेत्र इंगलैंड के अधिकार में आ गया। भूमिहीन किसान, प्रोटेस्टेंट और अन्य लोग इन क्षेत्रों में रहने लगे। अंग्रेजों की संसद ने अमेरिकी उपनिवेशों पर अनेकानेक आर्थिक और राजनीतिक प्रतिबंध लगा दिए। इन उपनिवेशों में कुछेक उद्योगों को आरंभ करने पर प्रतिबंध लगा दिया गया तथा उनपर भारी कर लगा दिया गया। 1765 में स्टाम्प ड्यूटी लगाए जाने पर अमेरिकी लोगों में उग्र असंतोष का उभार हुआ तथा वहां विदेशी वस्तुओं का बहिष्कार के साथ-साथ हिंसक विरोध भी शुरू हो गया। हालांकि ब्रिटिश संसद स्टाम्प ड्यूटी को वापस लेने पर सहमत हो गई पर कर लगाने के अपने अधिकार का प्रदर्शन करने के लिए उसने चाय पर कर लगा दिया। अनेक उपनिवेशों ने अपने यहां चाय की लदान उतारने से इनकार कर दिया और 1773 में लोगों के एक समूह ने बोस्टन में चाय को जहाज पर लादा और उसे समुद्र में फेंक दिया। इस घटना को 'बोस्टन टी पार्टी' के नाम से जाना जाता है। इसके बाद 1775 में अंग्रेज सेनाओं ने स्थानीय सैन्य टुकड़ी के साथ युद्ध किया।

4 जुलाई, 1776 को अमेरिकी नेताओं ने स्वतंत्रता की घोषणा को स्वीकार कर लिया। इसमें कहा गया था कि सभी मनुष्य जन्म से एक समान हैं; लोगों को अपनी सरकार स्थापित करने का अधिकार है और उपनिवेशों को मुक्त होकर स्वतंत्र राज्य बनाने का पूरा-पूरा अधिकार है। उपनिवेशवादी शक्तियों के समर्थन में अन्य यूरोपीय देशों के जुट जाने के कारण अंग्रेजों और अमेरिकियों के बीच संघर्ष और तेज हो गया। ब्रिटिश सेना ने 1781 में समर्पण कर दिया और 1783 में इंगलैंड ने अपने 13 पूर्व उपनिवेशों की स्वतंत्रता को मान्यता दे दी।

हालांकि इंगलैंड एक शक्तिशाली राष्ट्र था पर भौगोलिक दूरी की बाधाओं, अमेरिकी नेताओं को अन्य यूरोपीय देशों द्वारा दिए गए समर्थन, अमेरिका के बेहतर युद्ध नेतृत्व और अंग्रेज जनरलों के बीच तालमेल की कमी के कारण वह स्थानीय सेना से पराजित हो गया।

अमेरिका की स्वतंत्रता विश्व इतिहास की एक प्रमुख घटना थी। पहली बार एक लिखित संविधान के तहत् प्रजातांत्रिक लक्षणों वाली संघीय सरकार की स्थापना की गई। इस घटना से इंगलैंड को जबर्दस्त धक्का लगा। इस क्रान्ति ने अन्य क्रान्तिकारियों के लिए प्रेरणा का कार्य किया तथा इसके कुछ ही वर्षों बाद फ्रांस में भी क्रांति का सूत्रपात हो गया।

फ्रांस की क्रान्ति

फ्रांस 18वीं शताब्दी का एक सशक्त तथा ताकतवर देश था। हालांकि वहां अनेक आंतरिक समस्याएं थीं। एक छोटे से तबके ने अधिकांश भूमि तथा प्रशासन व सेना के सर्वोच्च पदों पर कब्जा कर रखा था। लाखों की संख्या में किसानों को दयनीय अवस्था में जीवन व्यतीत करना पड़ रहा था। कुलीन तबके और किसानों के बीच एक मध्य वर्ग भी था जो शिक्षित था और कमोबेस धनिक भी, परन्तु उसे न तो सामाजिक दर्जा प्राप्त था न ही राजनीतिक अधिकार। फ्रांस में बड़ी संख्या में विचारक भी मौजूद थे जिन्होंने बुद्धिवाद और प्रजातंत्र की वकालत की तथा पुरोहितों (पादरियों) पर आक्रमण का समर्थन किया। विदेशों में होने वाले युद्धों और उन पर भारी रकम खर्च करने के कारण राजा कंगाल बनकर रह गया। शाही सेना और विद्रोहियों के बीच अलगाव होने के कारण 14 जुलाई, 1789 को बेस्टाइस की कैद टूट गई। सभी के लिए स्वतंत्रता, समानता और भाईचारे का उद्घोष करने वाले एक नए संविधान को अपनाया गया। सुविधाप्राप्त वर्ग सहायता प्राप्त करने के लिए अन्य देशों में चले गए, जबकि फ्रांस अपने पड़ोसियों के साथ युद्ध में फंस गया। हालांकि फ्रांस में एक नयी व्यवस्था की स्थापना हुई जिसने नेपोलियन बोनापार्ट के नेतृत्व में नयी ऊंचाइयों को छुआ।

औद्योगिक क्रान्ति

मध्य युग में यूरोप की अधिकांश जनसंख्या कृषि व्यवसाय में संलग्न थी और व्यापार में वस्तु विनिमय प्रणाली का पालन किया जाता था। हालांकि नए आविष्कारों, शिक्षा के प्रचार तथा नए विचारों के उदय के कारण नई पद्धतियां और मशीनें विकसित की गईं जो बहुत तेजी से सस्ती वस्तुओं का प्रचुर उत्पादन करने में सक्षम थीं। औद्योगिक क्रान्ति की शुरुआत इंगलैंड में हुई, क्योंकि वहां इसके लिए अनुकूल परिस्थितियां मौजूद थीं। वहां कोयला और लोहा प्रचुर मात्रा में उपलब्ध था, सस्ते श्रमिकों की बहुलता थी, उद्योग के अनुकूल वातावरण था, नौवहन सुविधाएं मौजूद थीं तथा नई मशीनों, पद्धतियों को इंगलैंड लाए जाने और वहां तैयार किए गए माल को बाजार में भेजने की पूरी व्यवस्था मौजूद थी। इस क्रान्ति का प्रसार अन्य यूरोपीय देशों में भी हुआ क्योंकि एशिया और अफ्रीका में उपनिवेश बसाए गए थे तथा वहां कच्चा माल तथा सस्ता श्रम बहुतायत में उपलब्ध था। तैयार माल के लिए ये क्षेत्र काफी अच्छे बाजार थे। अत: व्यवसायियों ने वैज्ञानिकों और इंजीनियरों को इस बात के लिए प्रोत्साहित किया कि वे और अधिक अनुसंधान करें। माल को बेचने से प्राप्त हुए धन को उद्योगों में ही लगाया जाने लगा जिससे उनका और विकास हुआ। यांत्रिक और विद्युतीय ऊर्जा के विकास ने तथा बड़े उद्योगों की स्थापना ने इस क्रान्ति को और बल प्रदान किया। इससे टैक्सटाइल निर्माण, लौह अयस्कों के निष्कर्षण, खनन, यातायात, संचार, कृषि और ऊर्जा के क्षेत्र में उल्लेखनीय परिवर्तन आए। इस क्रान्ति के कुछ दुष्परिणाम भी हुए, अनेक लघु और कुटीर उद्योग तथा छोटे किसान और शिल्पकार बर्बाद हो गए। इसके कारण उपनिवेशों के लोगों, बच्चों, महिलाओं और गरीबों का शोषण बढ़ गया, व्यापक बेरोजगारी उत्पन्न हुई, उपनिवेशों के लिए युद्ध छिड़ गए, व्यापक शहरीकरण हुआ तथा अपराधों में वृद्धि हुई। इसका सकारात्मक प्रभाव यह पड़ा कि जीवन-शैली में बदलाव आ गया, राष्ट्रीय आय में वृद्धि हुई, कृषि और औद्योगिक उत्पादन में वृद्धि हुई तथा श्रमिकों के कल्याण हेतु नए विधान बनाए गए।

उपनिवेशवाद

अपने उद्योगों के विकास को जारी रखने के लिए यूरोपीय देशों को भारी पैमाने पर कच्चे माल, सस्ते श्रम और उपभोगी बाजारों की आवश्यकता थी। एशिया और अफ्रीका के देश उनके लिए सबसे आसान लक्ष्य थे। यूरोपीय देशों ने यह भी महसूस किया कि राजनीतिक धार्मिक और सैनिक कारणों से अधिक से अधिक उपनिवेश बनाना उनके दीर्घकालिक हितों के मद्देनजर काफी उपयोगी साबित होगा। हालांकि उपनिवेशों पर कब्जा करने के प्रयास में कई बार यूरोपीय देश आपस में ही लड़ने-भिड़ने लगते थे। यूरोपीय लोगों ने इन उपनिवेशों का निर्ममता से आर्थिक दोहन किया तथा वहां की सामाजिक और राजनीतिक व्यवस्थाओं को तहस-नहस कर दिया। संस्कृतियों को भी दूषित कर दिया गया तथा वहां के निवासियों पर अत्याचार किए गए। उपनिवेशवाद के कुछ सकारात्मक परिणाम भी हुए जैसे शिक्षा, वैज्ञानिक विचारधारा और राष्ट्रवाद का प्रसार हुआ, आधारभूत ढांचे में विकास हुआ तथा बेहतर प्रशासन की स्थापना हुई।

- **बेल्जियम का उपनिवेश :** कांगो
- **इंगलैंड के उपनिवेश :** केप कालोनी, बेचुआनालैण्ड, रोडेशिया, नाटल, ट्रांसवाल, आरेंज फ्री स्टेट, गोल्ड कोस्ट, नाईजीरिया, मिस्र, सूडान, भारत, कनाडा, न्यूजीलैण्ड, आस्ट्रेलिया।
- **फ्रांस के उपनिवेश :** अल्जीरिया, ट्यूनिशिया, सेनेगल, मोरक्को, सोमालीलैण्ड, मेडागास्कर, कम्बोडिया, भारत के कुछ हिस्से और लाओस।

✦ **हालैण्ड के उपनिवेश :** मलाया द्वीप, इंडोनेशिया

✦ **जर्मनी के उपनिवेश :** तंगानिका, कैमरून

✦ **पुर्तगाल के उपनिवेश :** अंगोला और भारत में गोवा

✦ **इटली के उपनिवेश :** इरिटेरिया, सीरिया, सोमालीनाला के कुछ हिस्से और लीबिया

✦ **रूस के उपनिवेश :** अफगानिस्तान, पर्सिया, मंचूरिया, कोरिया

राष्ट्रवाद

18वीं शताब्दी में राष्ट्र-प्रेम की भावना ने जोर पकड़ा। इसकी शुरुआत यूरोप में हुई और जल्द ही इसका प्रसार एशिया और अफ्रीका में हो गया। इस प्रकार, एक के बाद एक बहुत से देश स्वतंत्र होते चले गए।

(1) **स्पेन :** यहां 1870 में प्रजातांत्रिक सरकार की स्थापना हुई।

(2) **यूनान :** इसे 1829 में तुर्की से स्वतंत्रता प्राप्त हुई।

(3) **बेल्जियम :** इसे 1930 में हॉलैंड से स्वतंत्रता प्राप्त हुई

(4) **पोलैण्ड :** 1848 में वारसाय के लोगों ने रूस के शासन के खिलाफ विद्रोह कर दिया।

(5) **आस्ट्रेलिया :** 1867 में यहां प्रजातांत्रिक संविधान को स्वीकार किया गया।

(6) **बालकन राज्य :** 1855 में सर्बिया, रोमानिया और मोंटेनिग्रो तुर्की से स्वतंत्र हो गए।

(7) **इटली :** मेजिनी और गैरीबाल्डी के प्रयासों के फलस्वरूप 1871 में इटली का एकीकरण हुआ।

(8) **जर्मनी :** बिस्मार्क के प्रयासों के फलस्वरूप 1870 में जर्मनी का एकीकरण संपन्न हुआ।

(9) **चीन :** 1911 में प्रजातंत्र की स्थापना के लिए डॉ. सन-यात-सेन ने एक आंदोलन का सफलतापूर्वक संचालन किया, परन्तु 1949 में माओ-त्से-तुंग के नेतृत्व में साम्यवादी सरकार की स्थापना हुई।

(10) **तुर्की :** इटली, फ्रांस और यूनान की सेनाओं को खदेड़ कर मुस्तफा कमाल पाशा ने 1923 में प्रजातंत्र की स्थापना की।

(11) **ईरान :** 1925 में यहां सामंतवाद का पतन हुआ तथा सरदार राजा खान राजा बने।

(12) **सीरिया :** सीरियाई लोगों ने फ्रांस की सेनाओं का प्रतिरोध किया और यह देश 1936 में स्वतंत्र हो गया।

(13) **फिलिस्तीन :** अंग्रेजों के जाने के बाद यहूदियों ने 'इजराइल' नाम से एक स्वतंत्र राष्ट्र की घोषणा की।

रूस की क्रान्ति

लेनिन के नेतृत्व में बोल्शेविकों ने 1917 में रूस के राजा जार का तख्ता पलट दिया और इसके साथ ही विश्व के पहले साम्यवादी शासन की स्थापना हुई। प्रथम विश्वयुद्ध में रूस की जबर्दस्त पराजय हुई थी जिससे रूस में चारों ओर विपत्ति के बादल छा गए। वहां का शासक इन स्थितियों से निपटने में अक्षम था। अत: लोगों का असंतोष भड़क उठा। देशभर में दंगे और हड़ताल होने लगे। हालांकि जार का तख्ता पलटना आसान था, परंतु बोल्शेविकों को राष्ट्रवादियों, गैर-रूसियों, डेमोक्रेटों और सैनिक तानाशाहों के विरोध का सामना करना पड़ा। 1920 में वहां साम्यवादी शासन दृढ़ता से स्थापित हो गया।

प्रथम विश्व युद्ध

उपनिवेशों पर कब्जा करने तथा राजनीतिक प्रभुत्व स्थापित करने के मुद्दे पर यूरोपीय देशों के बीच 19वीं शताब्दी के आखिरी दशकों में शत्रुता और तनाव उत्पन्न होने लगे थे। जर्मनी उपनिवेशों की होड़ में काफी बाद में शामिल हुआ था। अत: उसे फ्रांस और ब्रिटेन के उपनिवेशों से ईर्ष्या होने लगी थी। जर्मनी ने 1870 की लड़ाई में फ्रांस को बुरी तरह पराजित किया। बालकन क्षेत्र में रूस और आस्ट्रिया-हंगरी एक-दूसरे के प्रति आशंकित थे। ब्रिटेन की फ्रांस से पारंपरिक दुश्मनी थी, पर जर्मनी के शक्तिशाली नौसैनिक बेड़े से भय खाकर दोनों ने हमला किए जाने की स्थिति में एक-दूसरे के साथ सहयोग करना मंजूर कर लिया। इसके अलावा जर्मनी की अर्थव्यवस्था का भी तेज गति से विकास हो रहा था तथा उसने फ्रांस और ब्रिटेन को काफी पीछे छोड़ दिया था। ऑटोमन साम्राज्य, जिसमें तुर्की शामिल था, ने बाल्कन के काफी क्षेत्र को अपने कब्जे में ले लिया था, परंतु 1912 में युद्ध के बाद ये क्षेत्र स्वतंत्र हो गए। प्रथम विश्वयुद्ध (1914) के लिए जिस घटना ने आग में घी का काम किया वह था सेरोजेवो में आस्ट्रिया, हंगरी के सत्ता के उत्तराधिकारी आर्कड्यूक फ्रांसिस फर्डिनांड की हत्या। इस घटना के लिए सर्बिया उत्तरदायी मानते हुए आस्ट्रिया ने सर्बिया के खिलाफ युद्ध की घोषणा कर दी। रूस ने सर्बिया का समर्थन करने की घोषणा की। जर्मनी ने रूस और फ्रांस के विरुद्ध और ब्रिटेन ने जर्मनी के खिलाफ युद्ध की घोषणा कर दी। एयरक्राफ्ट, टैंक, पनडुब्बियों और जहरीली गैसों जैसे नए हथियारों का युद्ध में इस्तेमाल किया गया। फ्रांस और ब्रिटेन से किनारा करते हुए अमेरिका इस युद्ध में 1917 में शामिल हुआ। देश में विद्रोह छिड़ जाने के बाद रूस 1918 में इस युद्ध से अलग हो गया। अपने शासकों की इच्छा के अनुसार विश्व के सभी उपनिवेशों ने इसमें हिस्सा लिया। यह युद्ध 1918 में समाप्त हो गया जिसमें बुल्गारिया, जर्मनी, तुर्की और आस्ट्रिया-हंगरी ने समर्पण कर दिया।

वस्तुनिष्ठ प्रश्न

1. सिंधु घाटी सभ्यता में लोगों को संभवत: किसके उपयोग की जानकारी नहीं थी?
A. गाय B. सांड
C. घोड़ा D. कुत्ता

2. चार वेदों में से पहला वेद है :
A. ऋग्वेद B. सामवेद
C. यजुर्वेद D. अथर्ववेद

3. रामायण के रचनाकार हैं :
A. वेद व्यास B. तुलसीदास
C. द्रोणाचार्य D. वाल्मीकि

4. वर्द्धमान महावीर जैन धर्म के कौन से तीर्थंकर थे?
A. प्रथम B. द्वितीय
C. तृतीय D. चौबीसवें

5. सिकंदर और पोरस की सेनाओं ने किस नदी के तट पर लड़ाई लड़ी थी?
A. रावी B. झेलम
C. सतलज D. सिंधु

6. सिकंदर के आक्रमण के समय मगध पर किसका शासन था?
A. नंद राजाओं का B. गुप्त राजाओं का
C. मौर्य राजाओं का D. वर्द्धमान राजाओं का

7. सातवाहनों ने मुख्य रूप से किस पर शासन किया?
A. अवध B. आंध्र
C. मध्य भारत D. मगध

8. अशोक संबंधित था :
A. गुप्त वंश से B. मौर्य वंश से
C. कुषाण वंश से D. शक वंश से

9. विक्रमादित्य का नाम निम्न में से किसे दिया गया था?
A. चंद्रगुप्त मौर्य B. बिंदुसार
C. चंद्रगुप्त द्वितीय D. समुद्रगुप्त

10. उत्तर भारत के अंतिम महान् हिंदू शासक हर्षवर्द्धन ने कब शासन किया?
A. दूसरी शताब्दी में B. चौथी शताब्दी में
C. सातवीं शताब्दी में D. दसवीं शताब्दी में

11. गुलाम वंश की स्थापना निम्न में से किसने की?
A. बलबन ने B. इल्तुतमिश ने
C. रजिया बेगम ने D. कुतुबुद्दीन ऐबक ने

12. रजिया बेगम बेटी थी :
A. इल्तुतमिश B. बलबन
C. अलाउद्दीन खिलजी D. गयासुद्दीन तुगलक

13. तुगलक राजवंश ने किस वंश के पतन के बाद दिल्ली का तख्त संभाला?
A. लोदी वंश B. खिलजी वंश
C. गुलाम वंश D. सूरी वंश

14. अपनी राजधानी को दिल्ली से हटाकर दौलताबाद ले जाने वाला राजा कौन था?
A. फिरोज तुगलक B. गयासुद्दीन तुगलक
C. मोहम्मद तुगलक D. मुहम्मद बिन कासिम

15. पानीपत के प्रथम युद्ध में बाबर ने किसके खिलाफ लड़ाई लड़ी थी?
A. शेरशाह सूरी B. फिरोज तुगलक
C. हुमायूं D. इब्राहिम लोदी

16. फतेहपुर सीकरी का निर्माण किसने करवाया?
A. बाबर B. औरंगजेब
C. अकबर D. जहांगीर

17. खुर्रम का वास्तविक नाम था :
A. अकबर B. जहांगीर
C. शाहजहां D. शाह आलम

18. दीन-ए-इलाही की शुरुआत किसने की?
A. अकबर B. हुमायूं
C. बाबर D. जहांगीर

19. शेरशाह ने किस मुगल शासक को पराजित किया?
A. बाबर B. हुमायूं
C. अकबर D. औरंगजेब

20. अंतिम मुगल शासक था :
A. शाह आलम B. मुहम्मद शाह रंगीला
C. बहादुरशाह जफर D. दोस्त मुहम्मद

21. भारत में अंग्रेजों के पांव जमाने की दृष्टि से कौन-सी लड़ाई निर्णायक साबित हुई ?
A. प्लासी की लड़ाई
B. बक्सर की लड़ाई
C. पानीपत की तीसरी लड़ाई
D. मैसूर की लड़ाई

22. सती प्रथा की समाप्ति किसने की थी ?
A. लार्ड कार्नवालिस B. लार्ड क्लाइव
C. लार्ड वेलेजली D. लार्ड बैंटिक

23. बंगाल का विभाजन किसने कराया था ?
A. लार्ड मिंटो B. लार्ड कर्जन
C. लार्ड कैनिंग D. लार्ड रिपन

24. स्वतंत्रता प्राप्ति के समय भारत के गवर्नर जनरल थे :
A. लार्ड माऊंटबेटन B. लार्ड वेवेल
C. राजगोपालाचारी D. लार्ड लिंगलिथगो

25. कृष्णदेव राय महान् थे :
A. चोल राजा
B. पल्लव राजा
C. राष्ट्रकूट राजा
D. विजय नगर साम्राज्य के राजा

26. औरंगजेब ने किस गुरु की हत्या करवा दी थी?
A. गुरु गोविंद सिंह की B. गुरु तेगबहादुर की
C. गुरु अंगद देव की D. गुरु अर्जुन देव की

27. 1857 के विद्रोह में निम्न में से कौन शामिल नहीं था ?
A. नाना साहब B. कुंवर सिंह
C. रणजीत सिंह D. रानी झांसी

28. ओंग जनजाति कहां रहती है ?
A. अंडमान द्वीप B. बिहार
C. नीलगिरि पहाड़ी D. मेघालय

29. राजपूत राजा राणा प्रताप ने किस लड़ाई में मुगल सेना से युद्ध किया था ?
A. खानवा की लड़ाई B. हल्दीघाटी संग्राम
C. थानेसर की लड़ाई D. वांडीवास की लड़ाई

30. चांद बीबी जानी जाती हैं :
A. 1857 के विद्रोह में भाग लेने के लिए
B. सामाजिक धार्मिक सुधार के लिए
C. मुगल शासकों के खिलाफ बहादुरी से लड़ने के लिए
D. उपर्युक्त में से कोई नहीं

31. साइमन कमीशन किस वर्ष में भारत आया ?
A. 1927 B. 1928
C. 1929 D. 1930

32. कांग्रेस किस वर्ष में चरमपंथियों और नरमपंथियों के बीच विभाजित हो गई ?
A. 1906 B. 1907
C. 1917 D. 1927

33. चौरी-चौरा कांड के बाद किस आंदोलन को वापस ले लिया गया ?
A. सविनय अवज्ञा आंदोलन
B. भारत छोड़ो आंदोलन
C. खिलाफत आंदोलन
D. असहयोग आंदोलन

34. कांग्रेस ने किस गोलमेज सम्मेलन में भाग लिया ?
A. केवल प्रथम B. केवल दूसरे
C. प्रथम और तीसरे D. सभी तीनों में

35. भारत की स्वतंत्रता के समय ब्रिटेन पर किसका शासन था ?
A. लेबर पार्टी B. कंजर्वेटिव पार्टी
C. लिबरल पार्टी D. राष्ट्रीय सरकार

36. ब्रिटिश सरकार ने दिल्ली को किस वर्ष में राजधानी बनाया ?
A. 1892 B. 1905
C. 1911 D. 1927

37. बंगाल में कब स्थायी बंदोबस्त की शुरुआत हुई ?
A. 1757 B. 1763
C. 1793 D. 1858

38. कांग्रेस के प्रथम अध्यक्ष थे :
A. ए.ओ. ह्यूम B. एस.एन. बनर्जी
C. डी.बी. नौरोजी D. डब्ल्यू.सी. बनर्जी

39. ग्रैंड ट्रंक रोड का निर्माण किसने करवाया था ?
A. चंद्रगुप्त B. शेरशाह सूरी
C. जहांगीर D. लार्ड बैंटिक

40. बलबन संबद्ध था :
A. खिलजी वंश B. तुगलक वंश
C. गुलाम वंश D. सूरी वंश

41. निम्नलिखित में से कौन राजपूत राजवंश नहीं था ?
A. सोलंकी B. राष्ट्रकूट
C. चौहान D. चंदेल

42. आर्यभट्ट किस रूप में प्रसिद्ध थे ?
A. गुप्त राजा B. खगोलविद् और गणितज्ञ
C. कवि D. जासूस

43. ह्वेनसांग किसके शासनकाल में भारत आया था ?
A. अशोक B. चंद्रगुप्त
C. स्कंदगुप्त D. हर्षवर्द्धन

44. निम्नलिखित में से कौन औषधियों का विशेषज्ञ था ?
A. बाणभट्ट B. अश्वघोष
C. चरक D. शतकरणी

45. पूर्ववर्ती आर्यों की फुर्सतकालीन गतिविधि थी :
A. रथों की दौड़ B. पासा खेलना
C. चित्रकारी D. नृत्य और संगीत

46. कवि अमीर खुसरो किसके समकालीन थे ?
A. बलबन B. कुतुबुद्दीन ऐबक
C. इल्तुतमिश D. अलाउद्दीन खिलजी

47. चीनी तीर्थयात्री फाहियान कब भारत में आया था?
A. ईसापूर्व तीसरी शताब्दी
B. ईसापूर्व चौथी शताब्दी
C. ईस्वी सन् पांचवीं शताब्दी
D. ईस्वी सन् चौथी शताब्दी

48. अधिकांश सूफी संत संबंधित थे :
A. इस्लाम धर्म B. हिन्दू धर्म
C. ईसाई धर्म D. बौद्ध धर्म

49. निम्नलिखित में से किसे भारत का नेपोलियन कहा जाता है?
A. चंद्रगुप्त मौर्य B. समुद्रगुप्त
C. चंद्रगुप्त विक्रमादित्य D. बिंदुसार

50. बहमनी साम्राज्य किस शताब्दी में मौजूद था?
A. 13वीं शताब्दी B. 14वीं शताब्दी
C. 15वीं शताब्दी D. 16वीं शताब्दी

51. किसने भारत में अंग्रेजी को उच्च शिक्षा का माध्यम बना दिया?
A. लार्ड मेयो B. लार्ड चेम्सफोर्ड
C. लार्ड रिपन D. लार्ड बैंटिक

52. गवर्नर जनरल बनने वाले प्रथम भारतीय थे :
A. सी. राजगोपालाचारी B. पंडित नेहरू
C. सरदार पटेल D. राजेन्द्र प्रसाद

53. नादिरशाह ने कब दिल्ली पर आक्रमण किया?
A. 1645 B. 1695
C. 1739 D. 1752

54. ब्रह्म समाज की स्थापना किसने की थी?
A. देवेन्द्र नाथ टैगोर B. ए. ओ. ह्यूम
C. दयानंद सरस्वती D. राजा राममोहन राय

55. वांडीवास की लड़ाई किसके बीच लड़ी गई?
A. अंग्रेजों और फ्रांसीसियों
B. अंग्रेज और टीपू सुल्तान
C. अंग्रेज और डच
D. अंग्रेज और मुगल सम्राट

56. किस मुगल शासक के शासन काल को मुगल साम्राज्य का स्वर्ण युग कहा जाता है?
A. हुमायूं B. अकबर
C. शाहजहां D. औरंगजेब

57. बनारस हिंदू विश्वविद्यालय की स्थापना किसने की?
A. सी.आर. दास B. पंडित नेहरू
C. मदन मोहन मालवीय D. विवेकानंद

58. गंधार कला किसके शासन काल में फूला-फला?
A. अशोक B. कनिष्क
C. चंद्रगुप्त मौर्य D. समुद्रगुप्त

59. श्रीरंगपट्टम की संधि किसके बीच हुई थी?
A. टीपू सुल्तान और हैदराबाद के नवाब
B. टीपू सुल्तान और फ्रांसीसी
C. टीपू सुल्तान और अंग्रेज
D. टीपू सुल्तान और हैदरअली

60. निम्नलिखित में से पहले कौन हुआ?
A. साइमन कमीशन का भारत आगमन
B. जलियांवाला बाग नरसंहार
C. पूर्ण स्वराज का प्रस्ताव पारित होना
D. असहयोग आंदोलन

61. कांग्रेस की प्रथम महिला अध्यक्ष कौन थीं?
A. एनी बेसेंट B. सरोजिनी नायडू
C. इंदिरा गांधी D. विजया लक्ष्मी पंडित

62. कांग्रेस के शुरुआती दिनों में निम्नलिखित में से कौन चरमपंथी नेता था?
A. दादा भाई नौरोजी B. गोपालकृष्ण गोखले
C. सी. राजगोपालाचारी D. बाल गंगाधर तिलक

63. स्वराज पार्टी का मुख्य लक्ष्य था :
A. असहयोग आंदोलन का आरंभ
B. चरमपंथियों को समर्थन देना
C. विधानपरिषद् की बैठकों में भाग लेना और भारत तथा भारतवासियों की समस्याओं को उठाना
D. विदेशी वस्तुओं का बहिष्कार करना

64. किसने 'दिल्ली चलो' का नारा दिया था?
A. भगतसिंह B. सुभाषचंद्र बोस
C. महात्मा गांधी D. लाला लाजपत राय

65. वल्लभभाई पटेल को 'सरदार' की उपाधि किसने दी थी?
A. महात्मा गांधी B. अंग्रेज सरकार
C. जे.एल. नेहरू D. जी.के. गोखले

66. शिवाजी और भगवान गणेश की स्मृति में वार्षिक उत्सवों को किसने आरंभ करवाया था?
A. जी.के. गोखले B. ए.आर. पांडुरंग
C. बी.आर. अम्बेडकर D. बी.जी. तिलक

67. चम्पारण आंदोलन किसके प्रति समर्पित था?
A. निम्न जातियों के लिए अधिकार प्राप्ति हेतु
B. मुसलमानों के लिए पृथक् निर्वाचन मंडल की स्थापना हेतु
C. भारतीय किसानों की समस्याएं सुलझाने हेतु
D. सरकार की शिक्षा नीति का विरोध करने हेतु

68. निम्नलिखित में से किसकी जेल में भूख हड़ताल के कारण मृत्यु हुई?
A. लाला लाजपत राय B. सुखदेव
C. जतिन दास D. मंगल पांडे

69. असहयोग आंदोलन कब स्थगित कर दिया गया था?
A. 1921 B. 1922
C. 1929 D. 1930

70. निम्नलिखित में से किसके खिलाफ प्रदर्शन करते वक्त लाला लाजपत राय को गंभीर चोट आई थी ?

A. क्रिप्स मिशन
B. साइमन कमीशन
C. कैबिनेट मिशन
D. बंगाल विभाजन

71. भारत छोड़ो आंदोलन कब आरंभ हुआ था ?

A. 1939 B. 1941
C. 1942 D. 1945

72. मुस्लिम लीग ने कब पहली बार अलग राज्य की मांग की ?

A. 1916 B. 1929
C. 1937 D. 1940

73. गांधीजी ने भारत में अपना पहला जनांदोलन कहां से आरंभ किया था ?

A. चम्पारन B. वर्धा
C. साबरमती D. बारदोली

74. कुक्का आंदोलन किसने शुरू किया था ?

A. कांग्रेस B. मुस्लिम लीग
C. सेना D. सिख समुदाय

75. होमरूल आंदोलन की शुरुआत किसने की थी ?

A. श्रीमती एनी बेसेंट B. महात्मा गांधी
C. जी.के. गोखले D. बी.सी. पाल

76. सिखों के पवित्र ग्रंथ 'आदि ग्रंथ' का संकलन किसने किया ?

A. गुरु अर्जुन B. गुरु हरगोविन्द
C. गुरु तेगबहादुर D. गुरु रामदास

77. ईरान-इराक युद्ध की समाप्ति कब हुई ?

A. 1984 B. 1987
C. 1991 D. 1992

78. जुलू कहां के निवासी हैं ?

A. उत्तरी ध्रुव B. दक्षिणी ध्रुव
C. दक्षिण अफ्रीका D. पर्सिया

79. किसे 'मैन ऑफ द ब्लड एंड आयरन' कहा गया है ?

A. बिस्मार्क B. वूडरो विल्सन
C. लुईस XIV D. गैरीबाल्डी

80. अमेरिकी स्वाधीनता संग्राम का परिवर्तनकारी बिंदु था :

A. बोस्टन की चाय पार्टी B. गिटिसबर्ग की लड़ाई
C. ट्रफाल्गर की लड़ाई D. वरदूम की लड़ाई

उत्तरमाला

1	2	3	4	5	6	7	8	9	10
A	A	D	D	B	A	B	B	C	C
11	**12**	**13**	**14**	**15**	**16**	**17**	**18**	**19**	**20**
D	A	B	C	D	C	C	A	B	C
21	**22**	**23**	**24**	**25**	**26**	**27**	**28**	**29**	**30**
A	D	B	A	D	B	C	A	B	C
31	**32**	**33**	**34**	**35**	**36**	**37**	**38**	**39**	**40**
B	C	D	B	A	C	C	D	B	C
41	**42**	**43**	**44**	**45**	**46**	**47**	**48**	**49**	**50**
B	B	D	C	A	D	C	A	B	C
51	**52**	**53**	**54**	**55**	**56**	**57**	**58**	**59**	**60**
D	A	C	D	A	C	C	B	C	B
61	**62**	**63**	**64**	**65**	**66**	**67**	**68**	**69**	**70**
A	D	C	B	A	D	C	C	B	B
71	**72**	**73**	**74**	**75**	**76**	**77**	**78**	**79**	**80**
C	D	A	D	A	A	B	C	A	B

लोकतांत्रिक राजनीति

भारत का संविधान

भारतीय संविधान के स्त्रोत

भारतीय संविधान के निर्माण के लिए जिन विभिन्न संविधानों का अध्ययन व उनसे जो उपबंध लिये गए उनका संक्षिप्त परिचय इस प्रकार है :

उपबंध	स्त्रोत
1. संसदीय प्रणाली	यूनाइटेड किंगडम (ब्रिटेन)
2. मौलिक अधिकार	यू.एस.ए. (अमेरिका)
3. सर्वोच्च न्यायालय का संगठन व शक्तियाँ	यू.एस.ए.
4. गणतंत्र	फ्रांस
5. संसद तथा विधानमंडल की प्रक्रिया	यूनाइटेड किंगडम
6. उपराष्ट्रपति का पद	यू.एस.ए.
7. आपातकालीन उपबंध	जर्मनी तथा 1935 का भारत अधिनियम
8. राज्य के नीति निर्देशक तत्व	आयरलैंड
9. मौलिक कर्तव्य	पूर्व सोवियत संघ
10. समवर्ती सूची	आस्ट्रेलिया
11. संसदीय विशेषाधिकार	यूनाइटेड किंगडम

संविधान की विशेषताएं

हमारे संविधान-निर्माताओं ने भारतीय गणराज्य के लिए जिस संविधान की रचना की, वह संसार में अनूठा है। इसमें संसार के अनेक संविधानों तथा भारत की प्राचीन परम्पराओं से अच्छे गुणों को ग्रहण कर एक आदर्श शासन प्रणाली की नींव रखने का प्रयत्न किया गया है। भारतीय संविधान की कुछ मुख्य विशेषताएं निम्न हैं—

1. **सम्पूर्ण प्रभुत्त्व-सम्पन्न गणराज्य :** भारत एक प्रभुत्त्व-सम्पन्न गणराज्य है। आन्तरिक और वैदेशिक नीति के निर्माण तथा परिपालन में यह पूर्णतया स्वतन्त्र है।
2. **लोकतंत्रात्मक, धर्म निरपेक्ष, समाजवादी, गणराज्य :** भारतीय संविधान पूर्णरूपेण लोकतन्त्रीय है। इसकी सारी शक्ति का स्त्रोत जनता है। इसका निर्माण जनता के चुने प्रतिनिधियों द्वारा किया गया है। देश में सब धर्मावलम्बियों को समान दर्जा प्राप्त है तथा धनी व निर्धन सभी व्यक्ति संविधान की दृष्टि में समान हैं। 'धर्म निरपेक्ष, समाजवादी' शब्द संविधान की प्रस्तावना में 42वें संविधान संशोधन द्वारा दिसम्बर, 1976 में जोड़े गए।
3. **वयस्क मताधिकार :** मूल संविधान में ऐसे प्रत्येक बालिग स्त्री व पुरुष को मतदान का अधिकार दिया गया था जिसकी आयु 21 वर्ष की हो चुकी हो। किन्तु बाद में 1988 में संसद ने एक कानून पास करके (61वें संविधान संशोधन के तहत) मतदान के लिए आयु 21 से घटाकर 18 वर्ष कर दी है।
4. **संघात्मक शासन :** भारत राज्यों का संघ है। संघात्मक शासन के लक्षणों के अनुसार यहाँ पर दो समान सत्ताएं हैं— केन्द्र और राज्य। दोनों समान सत्ताओं के मध्य विषयों का बंटवारा है तथा एक स्वतंत्र न्यायपालिका है। संघात्मक शासन होने के बावजूद आपातकाल में इसे एकात्मक शासन में परिवर्तित किया जा सकता है।
5. **लिखित तथा निर्मित संविधान :** भारत का संविधान लिखित तथा निर्मित है। निर्मित इसलिए है कि इसे हमारी संविधान सभा ने बनाया है।
6. **परिवर्तनशील :** यह न तो इंग्लैंड के संविधान की तरह लचीला है और न अमेरिका के संविधान की तरह कठोर।
7. **मूल अधिकारों की व्यवस्था :** भारतीय संविधान में मूल अधिकारों की व्यवस्था की गई है। नागरिकों को छः मूल अधिकार (पहले सात मूल अधिकार थे, जिनमें से सम्पत्ति के अधिकार को 1978 में समाप्त कर दिया गया) प्राप्त हैं।
8. **मूल कर्त्तव्यों की व्यवस्था :** दिसम्बर, 1976 में पारित संविधान के 42वें संशोधन द्वारा भारत के नागरिकों के लिए दस मूल कर्त्तव्य निर्धारित किए गए हैं। अब इनकी संख्या 11 हो गई है।

9. **धर्म निरपेक्ष राज्य :** संविधान के अनुसार भारत एक धर्म-निरपेक्ष राज्य (Secular State) है। इसका अर्थ यह नहीं है कि सरकार धर्म विरोधी या नास्तिक है या ईश्वर या किसी धर्म में विश्वास नहीं करती।

   इसका अर्थ केवल इतना है कि सरकार स्वयं किसी नागरिक को किसी एक विशेष धर्म में विश्वास रखने के लिए बाध्य नहीं करती। वह किसी धर्म या सम्प्रदाय विशेष के मंदिरों, मस्जिदों, पूजा स्थलों या शिक्षा सम्बन्धी संस्थाओं इत्यादि को विशेष सुविधाएं प्रदान नहीं करती।

   वह इस सिद्धान्त में विश्वास करती है कि धर्म प्रत्येक मनुष्य का वैयक्तिक प्रश्न है, सरकार का उसके साथ कोई सम्बन्ध नहीं।

10. **एक राजभाषा :** भारतीय संविधान में सब भारतीयों के लिए एक राजभाषा तथा एक लिपि का सिद्धान्त स्वीकार किया गया है।

11. **अल्पसंख्यकों के अधिकारों की रक्षा :** संविधान में केवल बहुसंख्यक जातियों के अधिकारों की ही रक्षा नहीं की गई, वरन् प्रत्येक अल्पसंख्यक जाति के धार्मिक, सांस्कृतिक, आर्थिक तथा राजनीतिक अधिकारों की रक्षा भी की गई है।

12. **संसदीय पद्धति :** भारत का संविधान इंग्लैंड जैसी, संसदीय शासन पद्धति की स्थापना करता है।

13. **आपातकालीन स्थिति :** भारतीय संविधान में आपात-कालीन स्थिति की व्यवस्था की गई है। राष्ट्रपति निम्नांकित परिस्थितियों में आपातकाल की उद्घोषणा कर सकते हैं यदि उनसे सारे देश या देश के किसी भी भाग की सुरक्षा को खतरा हो :

    (क) युद्ध, बाह्य आक्रमण तथा आंतरिक अव्यवस्था (या सशस्त्र विद्रोह) की दशा में, संविधान (44वें) संशोधन द्वारा 1978 में यह व्यवस्था कर दी गई है कि 'सशस्त्र विद्रोह' के आधार पर भी आपातकाल की घोषणा की जा सकती है।

    (ख) किसी राज्य में संवैधानिक व्यवस्था के असफल हो जाने पर;

    (ग) वित्तीय संकट के समय।

    आपातकालीन स्थिति में संघात्मक शासन एकात्मक हो जाता है। नागरिकों के मूल अधिकार स्थगित किए जा सकते हैं, तथा राज्यों की स्वायत्तता समाप्त की जा सकती है। संविधान के 42वें संशोधन के अनुसार राष्ट्रपति देश के किसी भी भाग में आपातकालीन स्थिति की घोषणा कर सकते हैं।

14. **स्वतंत्र न्यायपालिका :** भारत में स्वतंत्र न्यायपालिका की स्थापना की गई है। न्यायाधीशों की नियुक्ति राष्ट्रपति करते हैं।

15. **संशोधन विधि :** हमारा संविधान ऐसा है कि आवश्यकता के अनुसार उसमें संशोधन किया जा सकता है। संविधान के विभिन्न भागों के संशोधन के लिए पृथक्-पृथक् विधियों का संविधान में ही उपबन्ध कर दिया गया है।

मूल अधिकार

मूल अधिकार वे हैं, जो मनुष्य की सर्वतोन्मुखी उन्नति के लिए अनुकूल स्थिति का निर्माण करते हैं। ये अधिकार सभी नागरिकों को—चाहे वे किसी भी धर्म, जाति, लिंग, समुदाय या रंग के हों—प्राप्त हैं।

भारत के संविधान में वर्णित नागरिकों के मूल अधिकार इस प्रकार हैं—

1. **समता का अधिकार, अनुच्छेद 14-18:** नागरिकों के बीच समता स्थापित करने के उद्देश्य से हमारे संविधान में कहा गया है कि धर्म, नस्ल, जाति, लिंग और जन्म-स्थान के आधार पर किसी भी नागरिक के साथ भेदभाव नहीं किया जायेगा। संविधान में कहा गया है कि सरकारी नौकरियों में सब नागरिकों को समान अवसर दिया जायेगा। सामाजिक समता लाने के उद्देश्य से हमारे संविधान ने सब प्रकार की देसी व विदेशी पदवियों, जैसे राय बहादुर, राय साहब आदि, का उन्मूलन कर दिया है। इसके अन्तर्गत ये अधिकार आते हैं : (i) विधि के समक्ष समता, (ii) सरकारी नौकरी के लिए समता, (iii) सार्वजनिक स्थानों का उपयोग करने का समान अधिकार, (iv) अस्पृश्यता का अन्त।

2. **स्वतंत्रता का अधिकार, अनुच्छेद 19-22:** इसके अंतर्गत ये अधिकार सम्मिलित हैं :

   (i) भाषण देने और विचार प्रकट करने की स्वतंत्रता, (ii) शान्तिपूर्वक बिना हथियार सभा करने की स्वतंत्रता, (iii) संस्था या संघ बनाने की स्वतंत्रता, (iv) देश में भ्रमण की स्वतन्त्रता, (v) देश के किसी भी भाग में निवास की स्वतंत्रता, (vi) अपनी पसंद की वृत्ति, व्यवसाय की स्वतंत्रता, (vii) जीवन जीने की स्वतंत्रता, अनिवार्य एवं निःशुल्क प्राथमिक शिक्षा का अधिकार (21क)।

3. **शोषण के विरुद्ध अधिकार, अनुच्छेद 23-24:** इसके अंतर्गत गुलामी-प्रथा, बंधुआ मजदूरी प्रथा की और 14 वर्ष से कम आयु के बच्चों को खतरनाक कारखाने या कोयले की खानों में काम पर लगाने को गैर-कानूनी घोषित कर दिया गया है।

4. **धार्मिक स्वतंत्रता का अधिकार, अनुच्छेद 25-28:** इस अधिकार के अधीन हर नागरिक अपनी पसन्द वाले धर्म को अपना सकता है।

5. **संस्कृति और शिक्षा का अधिकार, अनुच्छेद 29-30:** नागरिकों को अपनी भाषा, लिपि और संस्कृति को अपनाये रहने की स्वाधीनता है।

6. **संवैधानिक उपचारों का अधिकार, अनुच्छेद 32:** संविधान में मूल अधिकारों की रक्षा हेतु उपाय भी बताये गये हैं। यदि किसी नागरिक के मूल अधिकारों को छीना जाता है, तो वह नागरिक अदालत की सहायता लेकर अपने अधिकारों की रक्षा कर सकता है। अदालतों का कर्त्तव्य है कि वे नागरिकों के मूल अधिकारों की रक्षा करें।

राज्य के नीति-निदेशक तत्व

डॉ. अम्बेडकर ने राज्य के नीति निदेशक सिद्धांतों को संविधान की अनोखी विशेषता बताई है। संविधान में कहा गया है कि ये देश का शासन चलाने में मूलभूत (Fundamental) हैं और राज्य का कर्त्तव्य है कि वह देश में कानून बनाते समय इनको ध्यान में रखे। संविधान की प्रस्तावना (Preamble) में निहित भावों को व्यावहारिक रूप देने के लिए इन सिद्धांतों को संविधान में रखा गया है। ये सिद्धांत एक प्रकार से कार्यपालिका और विधानमण्डल के लिए निर्देश (Direction) हैं कि उन्हें किन सिद्धांतों को ध्यान में रखते हुए कानून बनाने हैं और शासन चलाना है।

इन सिद्धांतों को संविधान में रखने की प्रेरणा आयरलैण्ड के संविधान से ली गई है।

राज्य के नीति-निदेशक तत्वों को मोटे तौर से पांच वर्गों में विभाजित किया जा सकता है:

1. **आर्थिक सुरक्षा संबंधी निदेशक तत्व :** इस वर्ग में जो तत्व सम्मिलित हैं, वे इस प्रकार हैं :
   (1) राज्य प्रत्येक स्त्री व पुरुष को समान रूप से जीविका के साधन प्रदान करने का प्रयत्न करेगा।
   (2) देश के भौतिक साधनों के स्वामित्व पर इस प्रकार नियंत्रण करने की चेष्टा करेगा जिससे अधिकाधिक सार्वजनिक हित हो।
   (3) साधनों का केन्द्रीकरण भी नहीं होने देगा।
   (4) समान कार्य के लिए स्त्री व पुरुष दोनों को समान वेतन दिया जायेगा।
   (5) राज्य किसी की भी शारीरिक शक्ति व बालकों की कोमल उम्र का दुरुपयोग न होने देगा।
   (6) बच्चों व युवकों का शोषण नहीं करने दिया जायेगा।
   (7) राज्य अपने आर्थिक साधनों की सीमाओं में सबको रोजगार दिलाने का प्रयास करेगा।
   (8) राज्य प्रयास करेगा कि प्रत्येक व्यक्ति को अनुकूल अवस्था में ही कार्य करना पड़े और प्रसूतावस्था में स्त्रियों से काम न लिया जाए।
   (9) राज्य कुटीर उद्योगों को प्रोत्साहन देगा।
   (10) कृषि का संचालन वैज्ञानिक आधार पर करने का प्रयास करेगा।
   (11) राज्य कृषि और उद्योगों में लगे हुए श्रमिकों को उचित वेतन दिलाने का प्रयास करेगा।
   (12) राज्य प्रयास करेगा कि न्याय सभी को सुलभ हो और कमजोर वर्गों को कानूनी सलाह निःशुल्क मिल सके।
   (13) राज्य पशुओं के सुधार हेतु पशुपालन की अच्छी व्यवस्था करेगा और दूध देने वाले पशुओं की नस्ल में सुधार के साथ-साथ उनके वध को रोकने का प्रयास करेगा।
   (14) राज्य औद्योगिक संस्थानों के प्रबंध में उनके कर्मचारियों को भी भागीदार बनाने का प्रयास करेगा।
   (15) 44वें संविधान संशोधन द्वारा यह भी व्यवस्था कर दी गई है कि राज्य विभिन्न व्यवसायों में व्याप्त वेतन आदि की असमानताओं को भी कम करने का प्रयास करेगा।
2. **सामाजिक हित सम्बन्धी निदेशक तत्व :** इस क्षेत्र में राज्य निम्नांकित कार्य करने का प्रयास करेगा :
   (1) राज्य लोगों के जीवन स्तर एवं स्वास्थ्य को सुधारने का प्रयास करेगा और इस हेतु हानिकारक एवं मादक पदार्थों के सेवन पर प्रतिबंध लगाएगा।
   (2) राज्य देश के कमजोर वर्गों विशेषत: अनुसूचित जातियों एवं जन जातियों के शैक्षिक एवं आर्थिक हितों की रक्षा करेगा और उनका शोषण नहीं होने देगा।
3. **न्याय, शिक्षा, प्रजातंत्र आदि सम्बन्धी निदेशक तत्व :** इस वर्ग के अन्तर्गत निम्नांकित तत्वों को स्थान दिया गया है :
   (1) सभी को न्याय दिलाने हेतु राज्य समान कानून बनायेगा और न्यायपालिका को कार्यपालिका से अलग करने का प्रयास करेगा।
   (2) राज्य संविधान लागू होने से 10 वर्ष की अवधि में 6 से 14 वर्ष के बच्चों के लिये अनिवार्य एवं निःशुल्क शिक्षा प्रदान करने का प्रयास करेगा।
   (3) राज्य ग्राम पंचायतों के गठन हेतु कदम उठायेगा।
4. **प्राचीन स्मारकों की रक्षा एवं पर्यावरण तथा वनों से संबंधित निदेशक तत्व:** इस वर्ग में निम्नांकित तत्व सम्मिलित किये गये हैं :
   (1) राज्य प्रत्येक स्मारक, कलात्मक एवं ऐतिहासिक महत्त्व के स्थानों (जिन्हें संसद ने राष्ट्रीय महत्त्व का घोषित कर दिया हो) की रक्षा का प्रयत्न करेगा।
   (2) 42वें संविधान संशोधन द्वारा यह व्यवस्था भी कर दी गयी है कि राज्य देश के पर्यावरण की रक्षा एवं उसमें सुधार का प्रयास करेगा। राज्य, वनों और वन्य जीवों की सुरक्षा का भी प्रयास करेगा।
5. **अंतर्राष्ट्रीय शान्ति और सुरक्षा संबंधी निदेशक तत्व :** इसमें निम्नांकित तत्व सम्मिलित किये गये हैं:
   (1) राज्य अंतर्राष्ट्रीय शान्ति और सुरक्षा में वृद्धि के प्रयास करेगा।
   (2) विभिन्न राष्ट्रों के मध्य न्यायपूर्ण एवं सम्मानजनक सम्बंध स्थापित करने की चेष्टा करेगा।
   (3) राष्ट्रों के पारस्परिक व्यवहार में अंतर्राष्ट्रीय कानून और संधियों के प्रति सम्मान बढ़ाने का प्रयास करेगा।
   (4) राज्य अंतर्राष्ट्रीय झगड़ों को मध्यस्थता द्वारा सुलझाने का प्रयास करेगा।

मूल कर्त्तव्य

1976 में संविधान के 42वें संशोधन द्वारा भारत के नागरिकों के लिए दस मूल कर्त्तव्य निर्धारित किये गये। बाद में संविधान संशोधन द्वारा एक और मूल कर्त्तव्य जोड़ा गया। अब मूल कर्त्तव्यों की संख्या 11 है। ये मूल कर्त्तव्य नई धारा 51(क) में दिये गये हैं, जिनका वर्णन नीचे दिया गया है :

1. संविधान का पालन करें और उसके आदर्शों, संस्थाओं, राष्ट्रध्वज और राष्ट्रगान का आदर करें।
2. स्वतंत्रता के लिए हमारे राष्ट्रीय आंदोलन को प्रेरित करने वाले उच्च आदर्शों को हृदय में संजोए रखें और उनका पालन करें।
3. भारत की प्रभुत्ता, एकता और अखण्डता की रक्षा करें और उसे अक्षुण्ण रखें।
4. देश की रक्षा करें और आह्वान किए जाने पर राष्ट्र की सेवा करें।
5. भारत के सभी लोगों में समरसता और समान भ्रातृत्व की भावना का निर्माण करें, जो धर्म, भाषा और प्रदेश या वर्ग पर आधारित सभी भेदभाव से परे हो तथा ऐसी प्रथाओं का त्याग करें जो स्त्रियों के सम्मान के विरुद्ध हैं।
6. अपनी सामाजिक संस्कृति की गौरवशाली परम्परा का महत्त्व समझें और उसको सुरक्षित रखें।
7. प्राकृतिक पर्यावरण की जिसके अंतर्गत वन, झील, नदी और वन्य जीव भी हैं, रक्षा करें और उसका संवर्धन करें तथा प्राणिमात्र के प्रति दयाभाव रखें।
8. वैज्ञानिक दृष्टिकोण, मानववाद और ज्ञानार्जन तथा सुधार की भावना का विकास करें।
9. सार्वजनिक सम्पत्ति को सुरक्षित रखें और हिंसा से दूर रहें।
10. व्यक्तिगत और सामूहिक गतिविधियों के सभी क्षेत्रों में उत्कर्ष की ओर बढ़ने का सतत् प्रयास करें जिससे राष्ट्र निरंतर आगे बढ़ते हुए उपलब्धि की नयी ऊंचाइयों को छू सके।
11. प्रत्येक माता-पिता/अभिभावक अपने 6-14 वर्ष के बच्चों की शिक्षा का प्रबंध करें।

नोटः संविधान में न तो मूल कर्त्तव्यों के प्रवर्तन (enforcement) के बारे में कुछ कहा गया है और न इनके उल्लंघन पर किसी प्रतिबन्ध या दण्ड का स्पष्ट प्रावधान है।

संसदीय सरकार

संसद

संविधान की धारा 79 में कहा गया है कि संघ की एक संसद होगी; जिसमें राष्ट्रपति, लोकसभा और राज्यसभा को सम्मिलित माना जायेगा।

राष्ट्रपति को संसद का अंग इसलिए बनाया गया है कि वह संसद को संबोधित करता है, संसद के पास संदेश भेज सकता है, संसद द्वारा पास किये गये बिलों पर अपनी स्वीकृति प्रदान करता है, लोकसभा को भंग कर सकता है, संसद के दोनों सदनों की संयुक्त बैठक बुला सकता है और संसद का सत्रावसान करता है।

राज्यसभा

संविधान की धारा 80 में व्यवस्था है कि राज्य सभा में सदस्यों की अधिकतम संख्या 250 होगी । इनमें से 238 सदस्य राज्यों और संघ शासित प्रदेशों से चुने हुए तथा 12 सदस्य राष्ट्रपति द्वारा मनोनीत होंगे। राष्ट्रपति को कला, साहित्य, विज्ञान, समाज सेवा, सहकारिता आदि के विशेषज्ञ के रूप में 12 सदस्यों को राज्यसभा में मनोनीत करने का अधिकार है। 238 चुने हुए सदस्य राज्यों एवं केन्द्रशासित प्रदेशों से जनसंख्या के आधार पर निर्धारित सीटों के अनुसार निर्वाचित होते हैं। इनका चुनाव राज्यों की विधानसभाओं के निर्वाचित सदस्यों द्वारा आनुपातिक प्रतिनिधित्व प्रणाली के आधार पर एकल संक्रमणीय मत द्वारा किया जाता है। मतदान गुप्त होता है। कोई भी व्यक्ति—(1) जो भारत का नागरिक है, (2) जो 30 वर्ष का हो चुका है, (3) जिसमें संसद द्वारा समय-समय पर निर्धारित योग्यतायें हैं, और (4) जो 10वीं अनुसूची के तहत अनर्ह घोषित नहीं है—राज्यसभा के लिये चुनाव लड़ सकता है। राज्यसभा एक स्थायी संस्था है, इसे भंग नहीं किया जा सकता और इसके 1/3 सदस्य हर दो वर्ष पश्चात् अवकाश ग्रहण कर लेते हैं और उनके स्थान पर नया चुनाव होता है। सन् 1951 के जन प्रतिनिधित्व कानून में कहा गया है कि जो व्यक्ति जिस राज्य से राज्य सभा का चुनाव लड़ना चाहता है उसे उस राज्य में संसद (लोकसभा) का मतदाता भी होना चाहिए। राज्य सभा का सभापति भारत का उपराष्ट्रपति होता है। राज्य सभा अपना एक उपसभापति स्वयं चुनती है। वर्तमान समय में राज्य सभा के सदस्यों की संख्या 245 है।

लोकसभा

संविधान में लोकसभा की अधिकतम सदस्य संख्या 550 है। सभी 550 सदस्य राज्यों और केन्द्रशासित प्रदेशों का प्रतिनिधित्व करते हैं। इस समय लोकसभा में 543 सदस्य हैं। सभी 543 सदस्य राज्यों तथा केन्द्रशासित प्रदेशों से चुने गए हैं। दो आंग्ल-भारतीय सदस्य राष्ट्रपति द्वारा मनोनीत किए जाते थे। इस व्यवस्था को 104 वें संविधान संशोधन अधिनियम, 2019 द्वारा समाप्त कर दिया गया है। राज्यों के प्रतिनिधि वयस्क मताधिकार के आधार पर राज्यों के निर्वाचन क्षेत्रों से प्रत्यक्ष ढंग से चुने जाते हैं। केन्द्र शासित प्रदेशों के प्रतिनिधि संसद द्वारा निर्धारित विधि से चुने जाते हैं। प्रत्येक राज्य के सदस्यों की संख्या निर्धारित है। लोकसभा के सदस्यों का चुनाव पांच वर्ष के लिये किया जाता है किंतु राष्ट्रपति अवधि से पहले भी लोकसभा को भंग कर सकता है।

लोकसभा के सदस्य बनने के लिए यह आवश्यक है कि व्यक्ति—(1) भारत का नागरिक हो (2) 25 वर्ष की उम्र पूरी कर चुका हो और (3) उसमें वे समस्त योग्यतायें हों जिन्हें संसद द्वारा समय-समय पर निर्धारित किया गया हो। पागल, दिवालिये, विदेशी और लाभ के पद पर कार्य कर रहे व्यक्ति लोक सभा या राज्यसभा का चुनाव नहीं लड़ सकते हैं। यदि कोई सदस्य 10वीं अनुसूची के तहत अनर्ह हो जाता है या त्यागपत्र दे देता है अथवा बिना सदन की अनुमति के 60 दिन तक लगातार सदन की बैठकों से अनुपस्थित रहता है तो सदन की स्वीकृति से उसका स्थान रिक्त हो जाता है।

संसद की शक्तियां और कार्य

संसद की शक्तियों और कार्यों को निम्नांकित शीर्षकों में वर्गीकृत किया जा सकता है:

1. **विधायी शक्तियां :** भारतीय संसद संघ सूची, समवर्ती सूची, अवशेष विषयों तथा विशेष परिस्थितियों में राज्य सूची के विषयों पर नया कानून बना सकती है, पुराने कानून को पूरी तरह रद्द कर सकती है। कोई भी सामान्य विधेयक किसी भी सदन में पहले प्रस्तुत किया जा सकता है। यदि किसी बिल पर दोनों सदनों में मतभेद हो तो राष्ट्रपति बिल पर विचार करने हेतु दोनों सदनों की संयुक्त बैठक बुला सकता है। दोनों सदनों की संयुक्त बैठक में सामान्य बहुमत से बिल पास होगा।
2. **वित्तीय शक्तियां :** वित्त संबंधी विधेयक केवल लोकसभा में ही प्रस्तुत किया जा सकता है। संघ सरकार का वर्ष भर का आय-व्यय का लेखा (बजट) भी लोकसभा में ही वित्त मंत्री द्वारा प्रस्तुत किया जाता है। बिना संसद की स्वीकृति के सरकार न तो नये कर लगा सकती है और न किसी मद पर एक पैसा भी व्यय कर सकती है। बजट एवं अन्य वित्त विधेयकों को लोकसभा द्वारा पारित हो जाने के पश्चात् राज्यसभा के विचारार्थ भेजा जाता है। राज्यसभा के लिये यह आवश्यक है कि वह वित्त विधेयक को प्राप्त होने की तिथि से 14 दिन के अंदर उसे लोकसभा को लौटा दे। यदि वह 14 दिन तक बिल को नहीं लौटाती है तो वह बिल दोनों सदनों द्वारा स्वीकृत मान लिया जाता है। 14 दिन के भीतर वह अपनी सिफारिशों (संशोधन प्रस्तावों) सहित उसे लौटा सकती है। किंतु लोकसभा को यह अधिकार है कि वह राज्यसभा की सिफारिशों को माने या न माने। इस प्रकार वित्तीय शक्तियां मुख्य रूप से लोक सभा के पास ही हैं।
3. **कार्यपालिका पर नियंत्रण संबंधी शक्तियां :** देश की कार्यपालिका अर्थात् मंत्रिपरिषद् लोकसभा के प्रति उत्तरदायी है। संसद के दोनों सदन, प्रश्न पूछकर, कार्य स्थगन प्रस्ताव रख कर मंत्रिपरिषद् के कार्यों पर नियंत्रण रखते हैं।
4. **संविधान संशोधन संबंधी शक्तियां :** संविधान संशोधन की दृष्टि से संसद के दोनों सदनों की शक्तियां समान हैं। संविधान संशोधन का अधिकार संसद को ही है, किंतु संविधान संशोधन संबंधी कानून दोनों सदनों में अलग-अलग कुल सदस्यों के दो-तिहाई बहुमत से स्वीकृत होना चाहिए। इसके साथ ही कतिपय मामलों में संविधान संशोधन हेतु आधे राज्यों की विधानसभाओं का अनुमोदन भी आवश्यक है।
5. **निर्वाचक मंडल के रूप में कार्य :** संसद के दोनों सदन राष्ट्रपति और उप-राष्ट्रपति के चुनाव में निर्वाचक मंडल का भी कार्य करते हैं।

इन शक्तियों के अतिरिक्त राष्ट्रपति, उप-राष्ट्रपति, सर्वोच्च न्यायालय एवं उच्च न्यायालय के न्यायाधीशों पर महाभियोग लगाने, आपातकाल की घोषणा का अनुमोदन करने आदि के कार्य भी संसद के दोनों सदन ही करते हैं। राज्यों की सीमाओं, नामों आदि में परिवर्तन संसद ही करती है।

राष्ट्रपति

भारतीय संविधान की धारा 52 और 53 में कहा गया है कि भारत के संघ शासन के प्रधान राष्ट्रपति हैं। भारत के राष्ट्रपति की स्थिति वैसी है, जैसी ब्रिटिश शासन में ब्रिटिश सम्राट की। ब्रिटिश सम्राट की ही भांति भारत का राष्ट्रपति भी राष्ट्र का प्रतिनिधि है—राष्ट्र का शासक नहीं है। शासन में उसका स्थान अत्यन्त गौरव तथा शोभा का है लेकिन उसकी वास्तविक स्थिति रबर की मुहर के समान है। संघ की सम्पूर्ण शक्तियां उसको समर्पित हैं। वह देश की रक्षा सेनाओं का भी प्रधान है। संघ सरकार के समस्त कार्य उसी के नाम पर किए जाते हैं, परन्तु वास्तव में वह शासन नहीं करता, राज करता है। वह राज्य का प्रधान है, किन्तु शासन (सरकार) का प्रधान नहीं है। शासन की वास्तविक शक्ति मंत्रिमण्डल के हाथ में निहित है। राष्ट्रपति को उसी के परामर्श से कार्य करना पड़ता है। दूसरे शब्दों में, मंत्रिमंडल जो भी निश्चय करता है उसे ही राष्ट्रपति के नाम से जारी कर दिया जाता है। इसका मुख्य कारण यह है कि हमारे देश में संसद प्रधान शासन प्रणाली (Parliamentary Form of Government) है; राष्ट्रपति प्रधान शासन प्रणाली (Presidential Government) नहीं है। प्रधानमंत्री का कर्त्तव्य है कि वह शासन के सभी महत्त्वपूर्ण निर्णयों के बारे में राष्ट्रपति को सूचित करता रहे।

कार्यकाल

राष्ट्रपति का सामान्य कार्यकाल 5 वर्ष होता है, किन्तु वह इससे पहले भी त्यागपत्र दे सकता है उस पर महाभियोग चलाकर भी उसे पद से हटाया जा सकता है। राष्ट्रपति अपना त्यागपत्र उप-राष्ट्रपति को सम्बोधित करके देता है। जब तक नया राष्ट्रपति न चुन लिया जाये, पहले राष्ट्रपति ही कार्यकाल की समाप्ति पर भी पद को सम्भाले रहेंगे। एक बार चुन लिए जाने के पश्चात् भी वही व्यक्ति दुबारा और तिबारा भी राष्ट्रपति पद के लिए खड़ा हो सकता है। अपना पद ग्रहण करने से पूर्व राष्ट्रपति को संविधान की रक्षा करने की शपथ लेनी पड़ती है।

वेतन व भत्ता

राष्ट्रपति को 5 लाख रुपये मासिक आयकर-मुक्त वेतन मिलता है तथा रहने के लिए निःशुल्क निवास स्थान-जिसे राष्ट्रपति भवन कहते हैं। अवकाश ग्रहण करने पर राष्ट्रपति को आजीवन पेंशन देने की व्यवस्था है।

महाभियोग

संविधान की धारा 61 में राष्ट्रपति पर महाभियोग लगाने की विधि का प्रावधान है। राष्ट्रपति को उनके पद से हटाने के सम्बन्ध में संविधान में इस बात का प्रबन्ध किया गया है कि यदि कोई राष्ट्रपति संविधान का उल्लंघन करे तो संसद का कोई एक सदन दो-तिहाई बहुमत से प्रस्ताव पास करके दूसरे सदन से यह प्रार्थना कर सकेगा कि राष्ट्रपति के विरुद्ध लगाए गए अभियोगों की जांच-पड़ताल करे। ऐसा प्रस्ताव पेश करने के लिए किसी सदन में कुल सदस्यों की संख्या के एक-चौथाई सदस्यों के हस्ताक्षर तथा 14 दिन पूर्व सूचना आवश्यक है। राष्ट्रपति को यह अधिकार होगा कि अभियोगों की जांच-पड़ताल करने वाले सदन में जांच के दौरान स्वयं उपस्थित होकर या प्रतिनिधि के द्वारा अपना पक्ष प्रस्तुत कर सके और सफाई दे सके। यदि पूरी जांच के पश्चात्

दूसरा सदन दो-तिहाई बहुसंख्या से अभियोगों की पुष्टि कर दे, तो राष्ट्रपति को उसी दिन उनके पद से हटा दिया जाएगा।

सामान्यतया राष्ट्रपति के कार्यकाल की समाप्ति से पहले ही नये राष्ट्रपति का निर्वाचन हो जाना चाहिए। परन्तु यदि मृत्यु, त्यागपत्र अथवा महाभियोग के कारण नए चुनाव से पहले ही राष्ट्रपति का स्थान खाली हो जाए, तो छः माह के अन्दर नया चुनाव हो जाना चाहिए। चुनाव चाहे किसी कारण से हो, नव निर्वाचित राष्ट्रपति का कार्यकाल 5 वर्ष ही होगा।

राष्ट्रपति के अधिकार

राष्ट्रपति को निम्न अधिकार प्राप्त हैं—

कार्यपालिका संबंधी अधिकार : राष्ट्रपति राज्यपालों, राज्य के उच्च न्यायालयों के न्यायाधीशों, सर्वोच्च न्यायालय के न्यायाधीशों, केन्द्रीय लोक सेवा आयोग के सदस्यों, ऑडीटर जनरल, कम्पट्रोलर जनरल और अटॉर्नी जनरल की नियुक्ति करते हैं। राष्ट्रपति भारत की रक्षा सेनाओं के सर्वोच्च अधिकारी हैं। विदेश में राजदूतों की नियुक्ति भी राष्ट्रपति करते हैं। वह लोकसभा में बहुमत वाले दल के नेता को मंत्रिमंडल बनाने का निमंत्रण देते हैं। राष्ट्रपति उसे प्रधानमंत्री नियुक्त करते हैं और उसकी सलाह पर अन्य मंत्रियों को नियुक्त करते हैं। केन्द्रशासित प्रदेशों का शासन राष्ट्रपति के हाथ में होता है जो चीफ कमिश्नरों और उप राज्यपालों की सहायता से पूरा होता है।

वैधानिक अधिकार : राष्ट्रपति के हस्ताक्षर के बिना संसद द्वारा पास कोई भी बिल कानून नहीं बन सकता। जब संसद का अधिवेशन न हो रहा हो तो राष्ट्रपति आवश्यकता पड़ने पर अध्यादेश जारी कर सकते हैं। राष्ट्रपति संसद के दोनों सदनों की बैठक बुलाता और उनका सत्रावसान करता है। वह लोकसभा को भंग करके नये सिरे से चुनाव करा सकता है। वह संसद के किसी भी सदन में भाषण कर सकता है और किसी भी बिल को पुनर्विचार के लिए सदन में वापस भेज सकता है।

आर्थिक अधिकार : कोई भी धन विधेयक और अनुदान की मांग राष्ट्रपति की सिफारिश के बिना संसद में पेश नहीं हो सकता।

न्याय संबंधी अधिकार : राष्ट्रपति किसी भी अपराधी को क्षमा कर सकते हैं, सजा कम कर सकते हैं अथवा मृत्यु दंड को रद्द कर सकते हैं।

आपातकालीन अधिकार : संविधान में तीन प्रकार के आपातकाल की कल्पना की गई है। आपातकाल के दौरान राष्ट्रपति सारे देश का या देश के किसी भाग का शासन सीधे अपने हाथ में ले सकता है। तीन प्रकार के आपातकाल ये हैं—(i) युद्ध, आक्रमण, देश के भीतर सशस्त्र विद्रोह (या आन्तरिक उपद्रव) से उत्पन्न आपातकाल, (ii) राज्य में संवैधानिक व्यवस्था के असफल हो जाने पर आपातकाल, और (iii) आर्थिक अस्थिरता से उत्पन्न आपातकाल।

आपातकाल की घोषणा के संबंध में राष्ट्रपति स्वेच्छाचारी नहीं है। वह इसकी घोषणा तभी करेगा जब उसके पास कैबिनेट का लिखित फैसला (कि आपातकाल की घोषणा कर दी जाये) पहुंच जायेगा।

न्यायपालिका

हमारी न्यायपालिका की यह विशिष्टता है कि पूरे देश के लिए एक ही एकीकृत न्याय प्रणाली है। एकल न्यायपालिका श्रेणीबद्ध न्यायालयों का प्रतिनिधित्व करती है। इसमें एकीकृत न्याय प्रणाली के शीर्ष पर सर्वोच्च न्यायालय है तथा राज्यों के स्तर पर उच्च न्यायालय हैं। उच्च न्यायालयों के नीचे अनेक अधीनस्थ न्यायालय हैं जैसे जिला न्यायालय तथा सेशन जज का न्यायालय जो क्रमशः दीवानी तथा फौजदारी मुकदमें सुनते हैं।

भारतीय न्याय प्रणाली

भारत का सर्वोच्च न्यायालय

↓

उच्च न्यायालय

↓

अधीनस्थ न्यायालय

सर्वोच्च न्यायालय

सर्वोच्च न्यायालय भारत का उच्चतम न्यायिक प्राधिकरण है। इसमें मुख्य न्यायाधीश के अतिरिक्त 33 अन्य न्यायाधीश होते हैं। यदि संसद आवश्यक समझे तो न्यायाधीशों की संख्या बढ़ा सकती है। समय-समय पर संसद ने न्यायाधीशों की संख्या बढ़ाई है। प्रारम्भ में उच्चतम न्यायालय में एक मुख्य न्यायाधीश तथा सात अन्य न्यायाधीश थे। मुख्य न्यायाधीश को भारत का मुख्य न्यायाधीश भी कहा जाता है। जब कभी भी सर्वोच्च न्यायालय में कोई स्थान खाली होता है अथवा उसके खाली होने की संभावना होती है तो मुख्य न्यायाधीश सहित चार अन्य वरिष्ठ न्यायाधीश, कई नामों पर चर्चा करने के पश्चात उन नामों की सिफारिश करते हैं जिन्हें सर्वोच्च न्यायालय का न्यायाधीश नियुक्त किया जा सकता है। यह व्यवस्था सर्वोच्च न्यायालय के संविधान पीठ द्वारा 1993 और फिर 1999 में दिए गए निर्णय पर आधारित है। संविधान के अनुसार सर्वोच्च न्यायालय के न्यायाधीशों की नियुक्ति का अधिकार अभी भी राष्ट्रपति के पास है, परंतु सर्वोच्च न्यायालय के 1999 के निर्णय ने राष्ट्रपति को मुख्य न्यायाधीश की सलाह मानने को बाध्य कर दिया है। अब यह शक्ति न्यायाधीशों के समूह के पास चली गई है जिसे कालीजियम कहा जाता है। राष्ट्रपति की भूमिका औपचारिक रह गई है कि वह विधि मंत्रालय द्वारा भेजे गए एवं सर्वोच्च न्यायालय द्वारा नामित व्यक्ति की नियुक्ति करे।

योग्यता

वह कम से कम पांच वर्ष के लिए किसी एक या एक से अधिक उच्च न्यायालयों का न्यायाधीश रह चुका हो।

अथवा

वह कम से कम दस वर्ष तक किसी एक या एक से अधिक उच्च न्यायालय या उच्चतम न्यायालय में वकालत कर चुका हो।

अथवा

राष्ट्रपति की दृष्टि में कोई प्रख्यात न्यायाविद् हो।

कार्यकाल

सर्वोच्च न्यायालय के मुख्य न्यायाधीश तथा अन्य न्यायाधीश 65 वर्ष की आयु तक अपने पद पर बने रहते हैं। कोई न्यायाधीश कार्यकाल पूरा होने से पहले भी त्यागपत्र दे सकता है।

पदच्युति

असाधारण स्थिति में, किसी न्यायाधीश को सेवानिवृति की आयु पूरी होने से पहले भी अपदस्थ किया जा सकता है परन्तु इसके लिए निर्धारित प्रक्रिया को अपनाना होगा। अतः सर्वोच्च न्यायालय के किसी न्यायाधीश को उसकी अक्षमता व कदाचार के आधार पर राष्ट्रपति द्वारा हटाया जा सकता है, यदि संसद के दोनों सदन अलग-अलग प्रस्ताव पारित कर दें, जिसके लिए एक ही सत्र में उपस्थित तथा मतदान करने वाले सदस्यों की कुल संख्या का 2/3 बहुमत होना आवश्यक है। अभी तक सर्वोच्च न्यायालय के किसी न्यायाधीश को हटाने के लिए ऐसी प्रक्रिया का प्रयोग केवल एक बार किया गया है। परंतु फिर भी उसे हटाया नहीं जा सका क्योंकि संसद उस प्रस्ताव को पारित नहीं कर सकी। इससे यह स्पष्ट हो जाता है कि सर्वोच्च न्यायालय के न्यायाधीशों का कार्यकाल सुरक्षित है और कार्यपालिका उन्हें अपनी इच्छा अनुसार नहीं हटा सकती। कोई व्यक्ति जो सर्वोच्च न्यायालय में न्यायाधीश के रूप में कार्यरत रहा है देश भर में कहीं भी वकालत नहीं कर सकता। सर्वोच्च न्यायालय के न्यायाधीशों को संसद द्वारा समय-समय पर निर्धारित वेतन एवं भत्ते दिए जाते हैं।

सर्वोच्च न्यायालय का अधिकार क्षेत्र

सर्वोच्च न्यायालय द्वारा मुकदमों को सुनने और फैसला करने के अधिकार या शक्ति को न्यायिक अधिकार क्षेत्र कहते हैं। सर्वोच्च न्यायालय के **तीन** प्रकार के अधिकार क्षेत्र हैं।

प्रारम्भिक अथवा मूल क्षेत्राधिकार

कुछ मुकदमें ऐसे हैं जो केवल सर्वोच्च न्यायालय के न्यायक्षेत्र में ही आते हैं। इससे यह अभिप्राय है कि ऐसे मुकदमें केवल सर्वोच्च न्यायालय में ही प्रारम्भ होते हैं अर्थात जिन्हें पहली बार केवल सर्वोच्च न्यायालय में ही दायर किया जाता है, तथा वे किसी अन्य न्यायालय में दायर नहीं किए जा सकते। मूल न्यायाधिकार में आने वाले मुदकमें इस प्रकार हैं:

(*i*) (क) ऐसे मुकदमें जिनमें एक ओर केन्द्रीय सरकार तथा दूसरी ओर एक या एक से अधिक राज्य सरकारें हों।

(ख) ऐसे मुकदमें जिनमें एक ओर केन्द्रीय सरकार के अतिरिक्त एक या एक से अधिक राज्य सरकारें हों और दूसरी ओर एक या एक से अधिक राज्य सरकारें हों।

(ग) ऐसे मुकदमें जिनमें दो या दो से अधिक राज्यों के बीच विवाद हो।

(*ii*) मौलिक अधिकारों के संरक्षण तथा लागू करने के लिए सर्वोच्च न्यायालय को विशेष अधिकार दिए गए हैं जिसके लिए उसे निर्देश अथवा आदेश देने का अधिकार है।

(*iii*) जनहित याचिकाएं (PIL) भी सीधे सर्वोच्च न्यायालय में सुनी जा सकती हैं। (यह एक ऐसा अधिकार है जो संविधान में वर्णित नहीं है)।

अपील संबंधी क्षेत्राधिकार

किसी भी निचली अदालत द्वारा दिए गए निर्णय के विरुद्ध की गई अपील को किसी उच्च अदालत द्वारा सुनने की शक्ति को अपील संबंधी न्यायाधिकार कहा जाता है। सर्वोच्च न्यायालय का अपील संबंधी अधिकार क्षेत्र बहुत विशाल है। यह उच्च न्यायालयों के निर्णयों के विरुद्ध अपील सुन सकता है। अतः सर्वोच्च न्यायालय में की गई अपील अंतिम अपील होती है। यदि किसी मुकदमे में उच्च न्यायालय द्वारा दिए गए निर्णय से कोई एक पक्ष संतुष्ट नहीं है, तो वह सर्वोच्च न्यायालय में उस निर्णय के विरुद्ध अपील कर सकता है। यह अपीलें दीवानी, फौजदारी तथा संवैधानिक मामलों से संबंधित हो सकती हैं।

(i) दीवानी मामले

सम्पत्ति, विवाह, धन, समझौते या किसी सेवा संबंधी झगड़ों के मामले दीवानी मुकदमें कहलाते हैं। यदि किसी दीवानी मामलों में लोक महत्व का कोई ऐसा प्रमुख कानूनी बिन्दु है जिसकी व्याख्या सर्वोच्च न्यायालय द्वारा वांछित है, तो उच्च न्यायालय के निर्णय के विरुद्ध सर्वोच्च न्यायालय में अपील की जा सकती है। पहले ऐसे दीवानी मामलों की वित्तीय सीमा केवल 20,000 रु. तक थी परंतु 1972 में किए गए संविधान के तीसवें संशोधन के अनुसार अब सर्वोच्च न्यायालय में की जाने वाली दीवानी अपील के लिए कोई निम्नतम राशि निर्धारित नहीं है।

(ii) फौजदारी मामले

- कई परिस्थितियों में फौजदारी मामलों में उच्च न्यायालय के निर्णय के विरुद्ध सर्वोच्च न्यायालय में अपील की जा सकती है।
- यदि कोई उच्च न्यायालय निचली अदालत द्वारा दोषमुक्त घोषित किए गए व्यक्ति को मृत्यु दंड सुना दे, तो ऐसे व्यक्ति को इस निर्णय के विरुद्ध सर्वोच्च न्यायालय में अपील करने का अधिकार है।
- यदि उच्च न्यायालय किसी निचली अदालत से किसी मुकदमे को अपने यहां मंगा ले और उस व्यक्ति को दोषी करार देते हुए मृत्यु दंड सुना दे, तो ऐसे मामले में भी सर्वोच्च न्यायालय में अपील की जा सकती है।

ऐसी स्थिति में भी अधिकार स्वरूप और उच्च न्यायालय से बिना किसी प्रमाणपत्र के अपील दायर की जा सकती है।

- उपरोक्त दो स्थितियों के अतिरिक्त भी सर्वोच्च न्यायालय में अपील की जा सकती है यदि कोई उच्च न्यायालय यह प्रमाणपत्र दे कि मुकदमा सर्वोच्च न्यायालय में अपील करने योग्य है।
- यदि कोई उच्च न्यायालय किसी मामले में यह प्रमाणित करने से इंकार कर दे कि मामला सर्वोच्च न्यायालय में अपील के योग्य है, तो संबंधित व्यक्ति सर्वोच्च न्यायालय में अपील दायर करने के लिए सर्वोच्च न्यायालय से ही विशेष अनुमति प्राप्त कर सकता है। परंतु सर्वोच्च न्यायालय इस प्रकार की विशेष अनुमति बहुत ही कम मामलों में देता है।

(iii) संवैधानिक मामले

- संवैधानिक मामले न तो दीवानी झगड़े होते हैं और न ही फौजदारी अपराध। यह ऐसा मुकदमा है जिसके कारण संविधान की भिन्न-भिन्न प्रकार से व्याख्या करना होता है, विशेषतौर पर मौलिक अधिकारों से संबंधित व्याख्या अथवा अर्थ निकालना। ऐसे मामलों की सुनवाई सर्वोच्च न्यायालय में केवल तभी हो सकती है यदि उच्च न्यायालय यह प्रमाणित करे कि मामला संवैधानिक सवालों से संबंधित है।
- यदि उच्च न्यायालय यह प्रमाणित करने से मना कर दे कि मामला सर्वोच्च न्यायालय में जाने योग्य है, तो सर्वोच्च न्यायालय अपनी स्वैच्छिक शक्ति का प्रयोग करते हुए ऐसे किसी मामले में जिसे वह उचित समझता है, अपील के लिए विशेष अनुमति दे सकता है।

मंत्रणा संबंधी क्षेत्राधिकार

इस अधिकार का अर्थ यह है कि सर्वोच्च न्यायालय को परामर्श देने का अधिकार है, यदि उससे परामर्श मांगा जाए। मंत्रणा संबंधी अधिकार क्षेत्र के अंतर्गत राष्ट्रपति किसी भी कानून संबंधी अथवा लोक महत्व के प्रश्न पर सर्वोच्च न्यायालय से परामर्श मांग सकता है। परंतु सर्वोच्च न्यायालय परामर्श देने के लिए बाध्य नहीं है। दूसरी ओर, यदि परामर्श या मत भेज दिया जाए, तो उसे मानना या न मानना राष्ट्रपति के लिए भी बाध्यकारी नहीं है। आज तक जब भी सर्वोच्च न्यायालय ने कोई परामर्श दिया है, राष्ट्रपति ने उसे सदैव स्वीकार किया है। अयोध्या में जिस स्थान पर बाबरी मस्जिद बनाई गई थी, उस स्थान पर पहले मंदिर था या नहीं, जब इस पर सर्वोच्च न्यायालय की राय मांगी गई तो उसने अपनी राय देने से इंकार कर दिया था।

उच्च न्यायालय

वर्तमान में राज्यों तथा केन्द्र शासित प्रदेशों के लिए 25 उच्च न्यायालय हैं। उच्च न्यायालय राज्य-स्तर पर सबसे बड़े होते हैं, परन्तु भारतीय न्यायिक प्रणाली का एक अंग होने के कारण ये सर्वोच्च न्यायालय के दिशा-निर्देशों का पालन करते हैं।

संगठन

प्रत्येक राज्य का एक उच्च न्यायालय होता है। दो या दो से अधिक राज्यों के लिए एक संयुक्त उच्च न्यायालय भी हो सकता है। उदाहरणार्थ, पंजाब, हरियाणा और केन्द्र शासित प्रदेश चंडीगढ़ के लिए केवल एक उच्च न्यायालय, चंडीगढ़ में है। इसी प्रकार गुवाहाटी में स्थित उच्च न्यायालय चार उत्तर-पूर्वी राज्यों–असम, नागालैंड, मिजोरम और अरुणाचल प्रदेश के लिए है। यद्यपि दिल्ली एक राज्य नहीं है परन्तु इसका एक अलग उच्च न्यायालय है। प्रत्येक उच्च न्यायालय में एक मुख्य न्यायाधीश और अन्य न्यायाधीश होते हैं। न्यायाधीशों की संख्या अलग-अलग राज्य में भिन्न-भिन्न हो सकती है। उच्च न्यायालय के न्यायाधीश भारत के राष्ट्रपति द्वारा नियुक्त किये जाते हैं तथा न्यायाधीशों की संख्या भी राष्ट्रपति ही निर्धारित करते हैं।

किसी राज्य के उच्च न्यायालय के मुख्य न्यायाधीश की नियुक्ति, राष्ट्रपति सर्वोच्च न्यायालय के मुख्य न्यायाधीश और उस राज्य के राज्यपाल की सलाह से करता है। अन्य न्यायाधीशों की नियुक्ति के लिए राष्ट्रपति सर्वोच्च न्यायालय के मुख्य न्यायाधीश, उस राज्य के उच्च न्यायालय के मुख्य न्यायाधीश तथा उस राज्य के राज्यपाल से सलाह लेता है। न्यायाधीशों को एक उच्च न्यायालय से दूसरे उच्च न्यायालय में भी स्थानांतरित किया जा सकता है। स्थानांतरण में भी राष्ट्रपति को सर्वोच्च न्यायालय के मुख्य न्यायाधीश से सलाह लेनी होती है। संवैधानिक रूप से राष्ट्रपति ही ये नियुक्तियां करता है। परन्तु 1993 में सर्वोच्च न्यायालय द्वारा दिए गए फैसले के अनुसार वास्तविक चयन तो सर्वोच्च न्यायालय के वरिष्ठ न्यायाधीशों द्वारा मुख्य न्यायाधीश की अध्यक्षता में सर्वोच्च न्यायालय ही करता है। इसकी सिफारिशों को राष्ट्रपति नकार नहीं सकता।

योग्यता

उच्च न्यायालय में किसी व्यक्ति को न्यायाधीश होने के लिए उसमें निम्न योग्यताएं होनी चाहिए:

(*i*) वह भारत का नागरिक हो।

(*ii*) जिला या उससे निम्न स्तर के न्यायालय में कम से कम दस वर्षों तक वह न्यायाधीश के पद पर रहा हो।

अथवा

किसी एक या अधिक उच्च न्यायालयों या उच्चतम न्यायालय में उसने लगातार दस वर्षों तक वकालत की हो।

कार्यकाल

एक बार उच्च न्यायालय का न्यायाधीश नियुक्त होने के बाद वे 62 वर्ष की आयु तक पद पर बने रहते हैं। सेवानिवृति के बाद उन्हें या तो सर्वोच्च न्यायालय में न्यायाधीश नियुक्त किया जा सकता है या वे उच्चतम न्यायालय या किसी ऐसे उच्च न्यायालय में वकालत कर सकते हैं जिसमें वे न्यायाधीश न रहे हों।

पदच्युति

किसी भी उच्च न्यायालय के न्यायाधीश को 62 वर्ष की आयु से पहले भी हटाया जा सकता है यदि वह अक्षम है अथवा उसका दुर्व्यवहार सिद्ध हो जाये। यदि संसद के दोनों सदन अलग-अलग

एक ही सत्र में कुल सदस्य संख्या के पूर्ण बहुमत तथा उपस्थित सदस्यों के दो-तिहाई बहुमत से प्रस्ताव पारित कर दें तो न्यायाधीश को पद से हटाया जा सकता है। ऐसा प्रस्ताव राष्ट्रपति को पेश किया जाता है और फिर राष्ट्रपति उस न्यायाधीश को हटा देता है। यह प्रक्रिया ठीक वैसी ही जिसके द्वारा सर्वोच्च न्यायालय के न्यायाधीशों को हटाया जाता है।

उच्च न्यायालय का अधिकार क्षेत्र

उच्च न्यायालय के पास कुछ मामलों में सीधी सुनवाई और फैसले का अधिकार है, इसे प्रारम्भिक क्षेत्राधिकार कहते हैं। जब किसी निचले स्तर के न्यायालय के फैसले के विरुद्ध सुनवाई उच्च न्यायालय में होती है तो इसे अपीलीय क्षेत्राधिकार कहते हैं। उच्च न्यायालय अपील करने का न्यायालय है। निचले स्तर के न्यायालयों के फैसले के विरुद्ध सिविल और फौजदारी मामले उच्च न्यायालय में लाए जा सकते हैं।

प्रारम्भिक क्षेत्राधिकार

उच्च न्यायालय का प्रारम्भिक क्षेत्राधिकार काफी सीमित है। मूल अधिकारों के हनन संबंधी मामले उच्च न्यायालयों या सर्वोच्च न्यायालय में प्रारम्भ किये जा सकते हैं। उच्च न्यायालय इन अधिकारों को पुनः लागू करने का आदेश दे सकता है।

चुनाव याचिकाओं पर निर्णय

उच्च न्यायालय किसी भी सांसद या विधायक के चुनाव के विरुद्ध की गई याचिका पर सुनवाई कर सकता है। उच्च न्यायालय यदि पाता है कि उस सांसद या विधायक ने भ्रष्ट प्रकार से चुनाव जीता है तो वह उस चुनाव को रद्द कर सकता है।

अपीलीय अधिकार

निम्न स्तरीय न्यायालयों के फैसलों के विरुद्ध मामलों की सुनवाई उच्च न्यायालय करता है। सिविल मामलों में जिनकी अनुमानित राशि 5 लाख से ऊपर हो उनकी सुनवाई उच्च न्यायालय में होती है। कोई भी पार्टी जो जिला-स्तर न्यायालय के फैसले से असहमत हो, वह उच्च न्यायालय में अपील कर सकता है। पेटेन्ट और डिजाइन, उत्तराधिकार, भूमि-अधिग्रहण तथा अभिभावक बनने संबंधी मामले भी उच्च न्यायालय में सुनी जाती हैं।

उच्च न्यायालय सेशन कोर्ट के आपराधिक मामलों की सुनवाई करता है। यदि सेशन कोर्ट में कोई व्यक्ति अपराधी साबित होता है तो वह इसके विरुद्ध अपील कर सकता है। कभी-कभी राज्य भी सजा बढ़ाने के लिए सेशन कोर्ट से अपील कर सकता है। उच्च न्यायालय सेशन कोर्ट के फैसले स्वीकार भी कर सकता है या सजा के प्रकार को बदल सकता है या दोषी को मुक्त भी कर सकता है। परन्तु यदि सेशन कोर्ट किसी दोषी को सजा-ए-मौत देता है तो अभियुक्त को फांसी देने से पहले उच्च न्यायालय से पुष्टि करायी जाती है। दोषी द्वारा अपील न किये जाने के बाद भी राज्य उस मामले को उच्च न्यायालय में पुष्टि के लिए भेज देता है।

उच्च न्यायालय में मामलों का स्थानांतरण

यदि उच्च न्यायालय को यह संतुष्टि हो जाये कि अधीनस्थ न्यायालय के समक्ष प्रस्तुत मुकदमे में संविधान की व्याख्या की आवश्यकता है तो ऐसे मामलों को उच्च न्यायालय स्वयं ही उस अधीनस्थ न्यायालय से अपने हाथ में ले लेता है। मामले की जांच के बाद या तो उच्च न्यायालय उसका निपटारा स्वयं करता है या निर्देशों के साथ उसी अधीनस्थ न्यायालय को उस मामले को सौंप देता है।

अधीनस्थ न्यायालयों का अधीक्षण

न्यायिक अथवा प्रशासनिक सभी मामलों में उच्च न्यायालय अपने अधीनस्थ सभी न्यायालयों पर निरीक्षण एवं नियंत्रण का अधिकार रखता है। अपनी इन शक्तियों के अन्तर्गत यह अपने अधीनस्थ किसी भी न्यायालय से कुछ भी जानकारी मांग सकता है; अधीनस्थ न्यायालय की कार्य-प्रणाली के लिए सामान्य दिशा-निर्देश जारी कर सकता है। यह सब उच्च न्यायालय समय-समय पर कर सकता है। यदि आवश्यक हो तो यह अधीनस्थ न्यायालय के पदाधिकारियों की नियुक्ति, पदावनति, पदोन्नति एवं अवकाश से संबंधित नियम कानून बनाता है।

अभिलेख न्यायालय

सर्वोच्च न्यायालय की तरह उच्च न्यायालय भी एक अभिलेख न्यायालय है। उच्च न्यायालय के फैसलों को निचले स्तर के न्यायालय मानने के लिए बाध्य हैं। अपनी उपेक्षा और अवमानना के लिए उच्च न्यायालय दंड देने की भी शक्ति रखता है।

राज्य सरकार

राज्यपाल

भारतीय संविधान के अनुसार प्रत्येक राज्य के लिए एक राज्यपाल होगा। यदि आवश्यकता पड़े तो एक ही व्यक्ति दो या दो से अधिक राज्यों के लिए भी राज्यपाल बनाया जा सकता है। प्रत्येक राज्य की कार्यपालिका संबंधी शक्तियां वहां के राज्यपाल में निहित होती है। वह इन शक्तियों का प्रयोग प्रत्यक्ष अथवा अधीनस्थ अधिकारियों के माध्यम से करता है।

नियुक्ति, योग्यताएं तथा कार्यकाल

किसी राज्य के राज्यपाल की नियुक्ति भारत के राष्ट्रपति द्वारा की जाती है। किसी राज्यपाल को उसी राज्य में या किसी दूसरे राज्य में पुनः नियुक्ति करने पर कोई पाबंदी नहीं है। इससे यह पता चलता है कि राज्यपाल निर्वाचित नहीं होता बल्कि नियुक्त किया जाता है। राज्यपाल बनने के लिए निम्नलिखित योग्यताएं होनी चाहिए :

1. उसे भारत का नागरिक होना चाहिए।
2. उसे कम से कम 35 वर्ष का होना चाहिए, और
3. वह अपने कार्यकाल में किसी अन्य लाभ वाले पद पर नहीं रह सकता।

किंतु यदि कोई व्यक्ति संसद के किसी सदन अथवा राज्य विधायिका का अथवा राष्ट्रीय या राज्य स्तर पर मंत्रिपरिषद् का सदस्य है और उसे राज्यपाल नियुक्त कर दिया जाता है तो वह मंत्रिपरिषद् का सदस्य नहीं रहता अर्थात पदमुक्त माना जाता है। राज्यपाल की नियुक्ति पांच वर्ष के लिए की जाती है परंतु प्रायः राष्ट्रपति की इच्छा तक अपने पद पर बना रहता है। वह अपना कार्यकाल समाप्त होने से पूर्व त्यागपत्र दे सकता है अथवा राष्ट्रपति द्वारा समय से पहले हटाया भी जा सकता है। वास्तव में राज्यपाल की नियुक्ति करते समय या उसे पदच्युत करते समय राष्ट्रपति प्रधानमंत्री के परामर्श को मानता है। उसे निःशुल्क आवास दिया जाता है, जिसे राजभवन कहते हैं। उसके वेतन, भत्ते, तथा अन्य सुविधाओं का निर्धारण समय-समय पर कानून बना कर किया जाता है किंतु उन्हें किसी भी राज्यपाल के कार्यकाल के दौरान कम नहीं किया जा सकता।

राज्यपाल के कार्य एवं शक्तियां

(क) कार्यकारी शक्तियाँ

राज्य में कार्यपालिका संबंधी सभी कार्य राज्यपाल के नाम से ही होते हैं। वह न केवल मुख्यमंत्री की नियुक्ति करता है बल्कि मुख्यमंत्री की सलाह से अन्य मंत्रियों की भी नियुक्ति करता है। स्थापित परम्परा के अनुसार विधान सभा में बहुमत प्राप्त दल के नेता को अथवा किसी भी दल को स्पष्ट बहुमत न मिलने की स्थिति में कुछ दलों के गठबंधन के नेता को वह सरकार बनाने के लिए आमंत्रित करता है। वह मुख्यमंत्री की सलाह से अन्य मंत्रियों में विभागों का विभाजन करता है। राज्यपाल राज्य के महान्यायवादी और राज्य के लोक सेवा आयोग के अध्यक्ष एवं सदस्यों की नियुक्ति भी करता है।

वह उच्च न्यायालय को छोड़कर राज्य के सभी न्यायालयों के न्यायाधीशों की नियुक्ति करता है किन्तु उच्च न्यायालय के न्यायाधीशों की राष्ट्रपति द्वारा नियुक्ति करते समय राज्यपाल से परामर्श लिया जाता है। राज्य की कार्यपालिका का प्रमुख होने के नाते अपने कर्तव्यों का निर्वहन करने के लिए राज्यपाल मुख्यमंत्री के नेतृत्व में मंत्रिपरिषद् से परामर्श एवं सहायता लेता है।

(ख) विधायी शक्तियाँ

राज्यपाल राज्य विधान सभा का एक अभिन्न अंग है तथा उसकी अनेक विधायी शक्तियां भी हैं। उसे राज्य विधान मंडल की बैठक बुलाने या स्थगित करने का अधिकार है। वह चाहे तो मुख्यमंत्री एवं मंत्रिपरिषद् के परामर्श पर विधान सभा को भंग भी कर सकता है।

वह राज्य की विधान सभा को अथवा दोनों सदनों की संयुक्त बैठक को सम्बोधित कर सकता है। वह किसी एक सदन अथवा दोनों सदनों को संदेश भेज सकता है।

जिन राज्यों में विधान परिषद् हैं, वहां का राज्यपाल विधान परिषद् की कुल सदस्य संख्या के 1/6 सदस्यों को मनोनीत करता है। ये मनोनीत सदस्य साहित्य, कला, विज्ञान, सहकारिता अथवा समाज सेवा में ख्याति प्राप्त व्यक्ति होते हैं।

किसी भी विधेयक को कानून बनने के लिए राज्यपाल की स्वीकृति आवश्यक है। इस संबंध में राज्यपाल के पास निम्नलिखित विकल्प हैं:

(*i*) राज्यपाल विधेयक को स्वीकृति प्रदान करे, ऐसा होने पर विधेयक कानून बन जाता है।

(*ii*) वह विधेयक को स्वीकृति देने की बजाए अपने पास रख ले तो इस स्थिति में विधेयक कानून नहीं बन पाता।

(*iii*) राज्यपाल कुछ संशोधनों सहित विधेयक को पुनर्विचार के लिए वापस भेज सकता है। यदि सदन इस विधेयक को संशोधित करके या मूल रूप से पारित कर राज्यपाल के पास भेज दे, तो वह स्वीकृति देने से मना नहीं कर सकता।

(*iv*) वह विधेयक को राष्ट्रपति के विचारार्थ सुरक्षित रख सकता है। यदि राज्य विधायिका का अधिवेशन न चल रहा हो, तो राज्यपाल को अध्यादेश जारी करने का अधिकार है किंतु इस प्रकार के अध्यादेश को विधान मण्डल की अगली सभा प्रारम्भ होने के छह सप्ताह के अंदर स्वीकृति मिलना आवश्यक है, अन्यथा अध्यादेश प्रभावी नहीं रहता। राज्य विधान सभा अध्यादेश के स्थान पर निर्धारित अवधि में एक नया कानून बना सकती है। कार्यपालिका संबंधी शक्तियों की तरह विधायी शक्तियों का प्रयोग भी वास्तव में मुख्यमंत्री के नेतृत्व में मंत्रिपरिषद् द्वारा किया जाता है।

(ग) वित्तीय शक्तियां

(*i*) राज्यपाल की पूर्व अनुमति के बिना कोई धन विधेयक राज्य विधान सभा में प्रस्तुत नहीं किया जा सकता।

(*ii*) राज्य का वार्षिक बजट तथा अनुपूरक बजट, राज्यपाल के नाम से ही, विधान सभा में प्रस्तुत किया जाता है।

(*iii*) राज्य की आकस्मिक निधि पर राज्यपाल का नियंत्रण होता है।

(घ) क्षमादान की शक्ति

राज्यपाल के पास न्यायालय द्वारा दण्डित किसी अपराधी को उस राज्य के किसी कानून के विरुद्ध अपराध करने पर मिले दण्ड को माफ, स्थगित अथवा कम करने की शक्ति है।

(ङ) स्वविवेक की शक्तियां

राज्यपाल अपनी कार्यकारी, विधायी, वित्तीय तथा न्यायिक शक्तियों का प्रयोग करते समय मुख्यमंत्री के नेतृत्व में मंत्रिपरिषद् से परामर्श तथा सहयोग लेता है। उसे यह शक्तियां अपने राज्य के अध्यक्ष के नाते मिली हुई हैं। उसकी कुछ अन्य शक्तियां

भी हैं जो उसे केंद्रीय सरकार के प्रतिनिधि के रूप में मिली हुई हैं। इन शक्तियां को स्वविवेक की शक्तियां भी कहते हैं। ऐसा कुछ विशिष्ट परिस्थितियों में होता है जब राज्यपाल मंत्रिपरिषद् के परामर्श के बिना कोई कार्य करता है। दूसरे शब्दों में यह कहा जा सकता है कि राज्यपाल की ऐसी शक्तियों का प्रयोग उसकी इच्छा पर निर्भर करता है। ये शक्तियां हैं:

(*i*) यदि राज्यपाल के विचार में राज्य में संवैधानिक तंत्र विफल हो चुका हो तो वह उसकी सूचना तुरंत राष्ट्रपति को देकर, राष्ट्रपति शासन लागू करने की सिफारिश कर सकता है। ऐसी स्थिति में मंत्रिपरिषद् की सलाह न लेकर, राज्यपाल स्वयं निर्णय करता है। इसलिए इसे स्वविवेक संबंधी शक्ति कहा जाता है। यदि राज्यपाल की सिफारिश राष्ट्रपति द्वारा स्वीकार कर ली जाती है तो अनुच्छेद 356 के अंतर्गत राष्ट्रपति आपात काल की घोषणा करता है और मंत्रिपरिषद् को भंग कर दिया जाता है। विधान सभा भी या तो भंग कर दी जाती है अथवा स्थगित कर दी जाती है। इस काल में राज्यपाल राष्ट्रपति के अभिकर्ता के रूप में शासन करता है।

(*ii*) एक परिस्थिति यह भी हो सकती है कि राज्यपाल किसी विधेयक को राष्ट्रपति के विचारार्थ सुरक्षित रखे। क्योंकि राज्यपाल यह निर्णय स्वयं अपने आप लेता है, इसलिए यह भी उसकी स्वविवेक की शक्ति है। राज्यपाल की स्वविवेक की शक्तियां असामान्य और संकट काल के लिए रखी गई हैं। किंतु इन शक्तियों का प्रयोग सामान्य परिस्थितियों में भी विवादास्पद तरीके से किया गया है, जिससे केंद्र और राज्यों के संबंध में तनाव पैदा हुआ है।

राज्य विधान मण्डल

अधिकतर राज्यों के विधान मण्डल में राज्यपाल तथा विधान सभा होती है। इसका अर्थ यह है कि इन राज्यों में एकसदनीय विधायिका है। कई राज्यों में विधान मण्डल के दो सदन होते हैं—विधान सभा और विधान परिषद्। जहां दो सदन होते हैं उसे द्विसदनीय विधायिका कहते हैं।

छह राज्यों में द्विसदनीय विधानमंडल हैं। ये राज्य हैं—बिहार, उ.प्र., कर्नाटक, महाराष्ट्र, तेलंगाना और आन्ध्र प्रदेश। विधान सभा को निचला सदन या लोकप्रिय सदन कहा जाता है। विधान परिषद् को उपरी सदन कहते हैं। जिस प्रकार केन्द्रीय स्तर पर लोकसभा को अत्यंत शक्तिशाली बनाया गया है उसी प्रकार राज्यों में विधान सभा को शक्तिशाली बनाया गया है।

विधान सभा

प्रत्येक राज्य में एक विधान सभा होती है। यह राज्य की जनता का प्रतिनिधित्व करती है। विधान सभा के सदस्य सार्वभौमिक वयस्क मताधिकार के आधार पर प्रत्यक्ष रूप से जनता द्वारा निर्वाचित किए जाते हैं। उनका निर्वाचन राज्य में पंजीकृत सभी वयस्क नागरिक मतदाताओं द्वारा होता है। 18 वर्ष या उससे ऊपर की आयु के सभी स्त्री और पुरुष मतदाता सूची में शामिल होने के योग्य होते हैं। वे राज्य विधान सभा के सदस्यों को चुनने के लिए मतदान करते हैं। सदस्य निर्वाचन क्षेत्रों के आधार पर निर्वाचित किए जाते हैं। प्रत्येक राज्य को उतने ही एक सदस्यीय निर्वाचन क्षेत्रों में बांटा जाता है जितने सदस्य चुने जाने हैं। लोकसभा की तरह यहां भी कुछ स्थान अनुसूचित जातियों तथा कुछ स्थान अनुसूचित जनजातियों के लिए आरक्षित किए जाते हैं। यह उस राज्य में इन वर्गों की जनसंख्या पर निर्भर करता है।

राज्य विधान सभा का सदस्य बनने के लिए एक व्यक्ति में निम्नलिखित योग्यताएं होनी चाहिए:

- वह भारत का नागरिक हो;
- वह 25 वर्ष का हो;
- उस का नाम मतदाता सूची में होना चाहिए;
- किसी लाभ के पद पर अथवा सरकारी पद पर कार्यरत न हो।

विधान सभा के सदस्यों की संख्या 500 से अधिक तथा 60 से कम नहीं हो सकती। किंतु बहुत छोटे राज्यों को न्यूनतम संख्या से भी कम सदस्य रखने की स्वीकृति दी गई है। जैसे गोवा और मिजोरम की विधानसभा में केवल 40-40 और सिक्किम विधानसभा में 32 सदस्य हैं। लोकसभा की तरह यहां भी कुछ स्थान अनुसूचित जातियों व जनजातियों के लिए आरक्षित होते हैं। विधान सभा का कार्यकाल पांच वर्ष का होता है। परंतु मुख्यमंत्री की सलाह पर राज्यपाल अवधि पूरा होने से पहले भी इसको भंग कर सकता है। अनुच्छेद 356 के अंतर्गत यदि राष्ट्रपति किसी राज्य में संवैधानिक संकट की स्थिति में आपातकाल की घोषणा करे तो भी राष्ट्रपति विधान सभा को भंग कर सकता है। अनुच्छेद 352 के अंतर्गत राष्ट्रीय आपातकाल की घोषणा होने पर संसद विधान सभा के कार्यकाल को एक बार में एक वर्ष तक बढ़ा सकती है।

विधान परिषद्

विधान परिषद् राज्य विधायिका का उच्च सदन है। अधिकतर राज्यों में विधान परिषद् नहीं हैं। बहुत कम राज्यों में द्विसदनीय विधायिका है। वर्तमान में छह राज्यों, जैसे उत्तर प्रदेश, बिहार, कर्नाटक, महाराष्ट्र, तेलंगाना तथा आन्ध्र प्रदेश में विधान परिषद् हैं जबकि शेष राज्यों में केवल एक सदन है अर्थात केवल विधान सभा। विधान परिषद् ब्रिटिश काल की विरासत है। यदि किसी राज्य की विधान सभा जहां विधान परिषद् नहीं है, अपनी कुल सदस्य संख्या के बहुमत तथा उपस्थित एवं मतदान में भाग लेने वाले सदस्यों के दो-तिहाई बहुमत से पारित करके द्वितीय सदन अर्थात विधान परिषद् बनाने का प्रस्ताव संसद के पास भेजे, तो संसद उस स्थिति में विधान परिषद् का निर्माण कर सकती है। इसी प्रकार यदि किसी राज्य में विधान परिषद् है परंतु वे चाहते हैं कि इसे समाप्त कर दिया जाए तो संबंधित राज्य को विशेष बहुमत से एक प्रस्ताव पारित कर संसद को भेजना होता है। तब संसद एक प्रस्ताव पारित करेगी कि दूसरा सदन समाप्त कर दिया जाए। इसी तरीके से पंजाब तथा

पश्चिम बंगाल से विधान परिषद् समाप्त कर दी गई है। संविधान के अनुसार विधान परिषद् के सदस्यों की कुल संख्या विधान सभा की कुल सदस्य संख्या के एक-तिहाई से अधिक नहीं होनी चाहिए परंतु यह संख्या कम से कम 40 होनी चाहिए।

विधान परिषद् का सदस्य बनने के लिए निम्नलिखित योग्यताएं होनी चाहिए:

- वह भारत का नागरिक हो;
- 30 वर्ष की आयु प्राप्त कर चुका हो;
- राज्य का पंजीकृत मतदाता हो;
- उसके पास कोई लाभ का पद न हो।

विधान परिषद् आंशिक रूप से निर्वाचित तथा आंशिक रूप से मनोनीत होती है। अधिकतर सदस्य आनुपातिक प्रतिनिधित्व के आधार पर एकल संक्रमणीय मत प्रणाली द्वारा अप्रत्यक्ष रूप से चुने जाते हैं। विधान परिषद् की रचना इस प्रकार है:

- परिषद् के एक तिहाई (1/3) सदस्य विधान सभा के सदस्यों द्वारा चुने जाते हैं।
- इसके एक तिहाई (1/3) सदस्य एक निर्वाचक मण्डल द्वारा निर्वाचित होते हैं जिसमें नगर निगम, नगर परिषद्, जिला बोर्ड तथा राज्य की अन्य स्थानीय शासन की संस्थाओं के प्रतिनिधि होते हैं।
- कुल सदस्यों का 12वां भाग राज्य के स्नातकों द्वारा निर्वाचित होता है जिन को स्नातक बने कम से कम तीन वर्ष हो चुके हों।
- कुल सदस्यों का बारहवां (12वां) भाग राज्य के उन अध्यापकों द्वारा निर्वाचित होता है जिनका अध्यापन का अनुभव कम से कम तीन वर्ष का हो तथा वे उच्च माध्यमिक या उससे ऊपर के स्तर के शैक्षणिक संस्थाओं में पढ़ाते हों।
- शेष, लगभग छठा भाग राज्यपाल द्वारा मनोनीत किए जाते हैं। ये वे लोग होते हैं जो साहित्य, विज्ञान, कला, सहकारी तथा सामाजिक क्षेत्र में ख्याति प्राप्त व्यक्ति हों। केन्द्र में राज्यसभा की तरह, विधान परिषद् भी एक स्थाई सदन है। यह कभी भंग नहीं होता है।

  इसके सदस्यों का कार्यकाल 6 वर्ष है। प्रत्येक दो वर्ष के पश्चात इसके एक-तिहाई सदस्य सेवानिवृत हो जाते हैं। सेवानिवृत होने वाले सदस्य पुनः चुनाव लड़ सकते हैं। यदि किसी सदस्य के मरने से अथवा त्याग पत्र देने से कोई स्थान रिक्त होता है तो उसका चुनाव केवल बचे हुए कार्यकाल के लिए होता है।

स्थानीय स्वशासन

भारत में पंचायत व्यवस्था अत्यंत प्राचीन संस्था हैं। इस संस्था के अंतर्गत गांवों में कुछ प्रमुख व्यक्तियों को पंच बनाकर सामाजिक समस्याओं का निदान करने तक सीमित था, लेकिन अंग्रेजी शासन ने इस पंचायत व्यवस्था को पूर्णतः नष्ट कर दिया और इसके स्थान पर प्रांतीय सरकारें स्थापित की गईं। लेकिन आजादी के उपरांत तत्कालीन बुद्धिजीवियों का ध्यान पंचायत व्यवस्था की तरफ गया और उन्होंने इस व्यवस्था का समर्थन किया। वास्तव में स्वतंत्रता प्राप्ति के पश्चात देश के समुचित आर्थिक विकास के लिए क्षेत्रीय असमानता को दूर करना जरूरी था और इसके लिए जनता की भागीदारी की आवश्यकता थी।

तत्कालीन प्रधानमंत्री जवाहर लाल नेहरू ने भारत के ग्रामीण विकास में नागरिकों की सहभागिता के लिए अमरीका के 'ब्लाक मॉडल' को भारत में अपनाया। उनकी पहल पर ही भारत में 1952 से 1957 तक ब्लॉक विकास अधिकारी (Block Development Officers) ग्रामीण विकास के लिए सामुदायिक कार्यक्रम के अंतर्गत कार्य करते रहे, लेकिन यह सामुदायिक विकास कार्यक्रम विकास अधिकारियों तक सीमित रहा और जनता की सहभागिता को सुनिश्चित नहीं कर पाया।

अतः इसकी कार्य प्रणाली तथा उपलब्धियों को ध्यान में रखते हुए ग्रामीण विकास के लिए एक सुनियोजित कार्यक्रम एवं व्यवस्था पर विचार-विमर्श करने के लिए भारत सरकार ने बलवंत राय मेहता की अध्यक्षता में 1956 में एक समिति का गठन किया।

बलवंत राय मेहता समिति

1956 में बलवंत राय मेहता की अध्यक्षता में एक समिति का गठन किया गया। इस समिति का मुख्य कार्य यह अध्ययन करना था कि कार्य सम्पादन में अधिक तीव्रता लाने के उद्देश्य से कार्यक्रम का संगठनात्मक ढांचा तथा कार्य करने के तरीके कहां तक उपयुक्त थे। इस समिति ने विकास कार्यक्रम की इस त्रुटि को भी उजागर किया कि इसे जनता का सहयोग प्राप्त नहीं हो पाया जिसके कारण यह अपने लक्ष्य प्राप्ति में असफल रहा। 1957 में इस समिति ने अपनी संस्तुतियां सरकार को दी।

बलवंत राय मेहता समिति के द्वारा प्रजातांत्रिक विकेन्द्रीकरण के विषय में जो संस्तुति प्रस्तुत की गई उसमें निम्नलिखित बातों का उल्लेख था–

1. स्थानीय स्वशासन की गांव से लेकर जिला स्तर तक परस्पर संबंद्ध त्रिस्तरीय रचना होनी चाहिए अर्थात् गांव स्तर पर एक संगठन, जिला स्तर पर एक संगठन तथा एक संगठन मध्य में होना चाहिए जैसे-गांव स्तर पर ग्राम सभा तथा ग्राम पंचायत निम्न स्तर पर, जिला परिषद् उच्चतर स्तर पर तथा इन दोनों स्तरों के मध्य में पंचायत समितियां या जनपद पंचायतें।
2. स्थानीय प्रशासन की इन संस्थाओं को प्रशासन की वास्तविक शक्तियां तथा उतरदायित्व प्रदान करना चाहिए।

3. इन संस्थाओं को पर्याप्त संसाधन प्रदान करना चाहिए।
4. आयोजना के द्वारा बनाए गए आर्थिक एवं सामाजिक विकास के कार्यक्रमों को इन संस्थाओं के माध्यम से चलाया जाना चाहिए।

इस समिति में सर्वाधिक बल ग्राम पंचायतों पर दिया गया था तथा इस निम्न स्तरीय इकाई को सामुदायिक विकास के कार्यक्रम चलाने का उतरदायित्व सौंपा गया।

पंचायतीराज संस्थाएं निर्वाचित होती हैं। अतः जनसहयोग बना रहता है तथा कार्यक्रमों को कार्यान्वित करने में सुविधा रहती है। स्थानीय लोग स्थानीय समस्याओं को भली भांति समझते हैं, अतः उचित समाधान भी कर सकते हैं।

12 जनवरी, 1958 को राष्ट्रीय विकास परिषद् (NDC) ने बलवंत राय मेहता समिति की प्रजातांत्रिक विकेन्द्रीकरण की सिफारिशों को स्वीकार करते हुए राज्यों से इसे कार्यान्वित करने के लिए कहा। 2 अक्टूबर, 1959 को जवाहरलाल नेहरू ने राजस्थान के नागौर जिले में प्रजातांत्रिक विकेन्द्रीकरण की योजना का श्रीगणेश किया और इसी दिन इसे संपूर्ण राजस्थान में लागू कर दिया गया।

इस लोकतांत्रिक विकेन्द्रीकरण को ही पंचायती राज कहा जाने लगा। इस प्रकार राजस्थान में सर्वप्रथम पंचायती राज की स्थापना की गई।

अशोक मेहता समिति

पंचायती राज व्यवस्था को और अधिक प्रभावी बनाने के लिए जनता सरकार द्वारा 12 सितम्बर, 1977 में अशोक मेहता समिति का गठन किया गया। इस समिति द्वारा 1978 में प्रतिवेदन प्रस्तुत किया गया जिसमें निम्नलिखित बातों का उल्लेख था–

1. पंचायती राज संस्थाओं में त्रिस्तरीय संगठन के स्थान पर द्विस्तरीय संगठन होना चाहिए, जिला स्तर पर जिला परिषद् तथा निम्न स्तर पर मण्डल पंचायत जो कई गांवों को मिलाकर बनेगी। इस समिति द्वारा ग्राम पंचायत को समाप्त करने की बात कही गई।
2. जिला परिषद में छः प्रकार के सदस्य होंगे जिसमें पंचायत समिति के अध्यक्ष, सहकारी समितियों एवं म्यूनिसिपलिटीज के प्रतिनिधि, 2 महिला सदस्य, अनुसूचित जाति तथा जनजाति के सदस्य, क्षेत्र के निर्वाचित एम॰एल॰ए॰ तथा एम॰पी॰ जिला परिषद् के पदेन सदस्य होंगे। जिला परिषद् के अध्यक्ष का चुनाव उसके सदस्यों द्वारा चार वर्ष के लिए किया जाएगा।
3. पंचायती राज संस्थाओं को करारोपण की अनिवार्य शक्ति प्रदान करनी चाहिए जिससे वे राज्य सरकार के अनुदान पर निर्भर न रहें तथा स्वयं आय के स्त्रोत बना सकें।
4. मंडल पंचायत में 15 सदस्य होंगे जो गांव की जनगणना के आधार पर ग्रामीणों द्वारा प्रत्यक्ष रूप से चुने जाएंगे।
5. पंचायती राज संस्थाओं के चुनावों में राजनीतिक दलों को भाग-लेना चाहिए।
6. राज्य सरकारें राजनीतिक आधार पर पंचायती राज संस्थाओं का विघटन न करें। यदि ऐसा होता है तो उन संस्थाओं का चुनाव छः माह के अंदर हो जाने चाहिए।

इस प्रकार अशोक मेहता समिति द्वारा बलवंत राय मेहता के प्रतिमानों में कुछ परिवर्तन किया गया लेकिन सरकार ने इनमें से एक भी संस्तुति को स्वीकार नहीं किया।

आज भी भारत में पंचायती राज व्यवस्था बलवंत राय मेहता द्वारा सुझाए गए प्रतिमान पर ही कार्य कर रही है।

स्थानीय ग्रामीण सरकार

पंचायती राज व्यवस्था के अंतर्गत आने वाले त्रिस्तरीय स्थानीय स्वशासन की इकाईयों की स्थापना व उनकी शक्तियों का उल्लेख निम्न प्रकार से किया जा सकता है–

ग्राम सभा

जिस किसी ग्राम की जनसंख्या 200 अथवा 200 से अधिक हो, सरकार उसको ग्राम सभा क्षेत्र घोषित करती है। यदि किसी ग्राम की जनसंख्या 200 से कम हो तो साथ के ग्राम अथवा ग्रामों को मिलाकर एक ग्राम सभा क्षेत्र सरकारी सूचना द्वारा बना दिया जाता है। वे समस्त नागरिक जिनका नाम विधान सभा की चुनाव सारणी में होता है, ग्राम सभा के सदस्य होते हैं। ग्राम पंचायतें, अपनी सत्ता और शक्ति ग्राम सभा से प्राप्त करती हैं और उसी के प्रति उत्तरदायी होता है।

ग्राम पंचायत : गांवों में स्थानीय स्वशासन की मुख्य इकाई ग्राम पंचायत है । इस समय देश में दो लाख से अधिक ग्राम-पंचायतें हैं। एक ग्राम पंचायत एक ग्राम समूह के लिए बनाई जाती है।

ग्रामसभा और ग्राम पंचायत में अंतर

1. ग्राम सभा संपूर्ण गांव के निवासियों की सभा है जिसके व्यस्क नागरिक सदस्य होते हैं, ग्राम पंचायत ग्रामसभा द्वारा मतदान से चुनी जाती है।
2. ग्राम पंचायत का कार्यकाल निश्चित होता है जबकि ग्रामसभा स्थाई संस्था है जो सदैव बनी रहती है।
3. ग्राम पंचायत ग्राम सभा की कार्यकारी संस्था है तथा ग्राम सभा ग्राम पंचायत के कार्य का निरीक्षण तथा मूल्यांकन करती है।

पंचायत समिति

ग्राम पंचायत तथा जिला परिषद् के मध्य में स्थानीय निकाय के संगठन को विभिन्न राज्यों में विभिन्न नामों जैसे पंचायत समिति, क्षेत्र समिति, आंचलिक परिषद् आदि से जाना जाता है। अन्य स्थानीय संस्थाओं की भांति ही इसका भी कार्यकाल पांच वर्ष का निश्चित किया गया है। पंचायत समिति गांवों और जिले के बीच संपर्क स्थापित करती है। पंचायत समिति के क्षेत्र में 60 से 100 तक ग्राम पंचायतें आती हैं।

जिला परिषद्

जिला स्तर पर पंचायती राज की यह अंतिम इकाई है। प्रत्येक जिले में एक जिला परिषद् की व्यवस्था है। यह क्षेत्र समिति और ग्राम पंचायतों तथा राज्य सरकार के मध्य तालमेल बिठाने का कार्य करती हैं। 73 वें संशोधन द्वारा जिला परिषदें स्थापित की गई हैं।

पंचायती राज व्यवस्था और 73 वां संविधान संशोधन

संसद ने 24 अप्रैल 1993 को 73 वां संविधान संशोधन अधिनियम पारित कर राज्यों को निर्देश दिया कि वे एक वर्ष में इस संशोधन के अनुसार पंचायती राज कानून बनाएं। 17 राज्यों व केन्द्र शासित प्रदेशों द्वारा उपर्युक्त निर्देशानुसार कानून बनाए गए। 24 अप्रैल 1994 को यह अधिनियम पूरे देश में लागू हो गया। इस अधिनियम के पारित हो जाने से पंचायती राज संस्थाओं को अब सवैधानिक दर्जा प्राप्त हो गया है और निचले स्तर पर भी लोकतंत्र को मान्यता प्राप्त हुई है।

इस अधिनियम द्वारा संविधान में एक नया अध्याय 9 जोड़ा गया है जिसके अंतर्गत 16 अनुच्छेद और एक अनुसूची (ग्यारहवीं अनुसूची) जोड़ी गयी है। इस संशोधन द्वारा पंचायती राज व्यवस्थाओं के लिए किए प्रावधानों का वर्णन निम्न प्रकार से किया जा सकता है–

1. ग्राम सभा : इस संविधान संशोधन के (अनुच्छेद 243 (b)) अनुसार पंचायत के अधिकार क्षेत्र में आने वाले गांव या गांवों के मतदाता ही ग्राम सभा के सदस्य हो सकते हैं और यही सारे सदस्य मिलकर ग्राम सभा का निर्माण करेंगे। ग्राम सभा का निर्माण राज्य विधान मंडल द्वारा निर्धारित कानून के अनुसार ही किया जाएगा।

2. संरचना संबंधी : संविधान के 73 वें संशोधन द्वारा यह भी स्पष्ट किया गया कि प्रत्येक स्तर की पंचायत की रचना राज्य विधान मंडल द्वारा ही निर्धारित की जाएगी।

3. संवैधानिक मान्यता : इस संविधान संशोधन के द्वारा स्थानीय शासन की संस्थाओं को अब संवैधानिक मान्यता प्राप्त हो गई है।

4. सदस्यों का चुनाव : 73 वें संविधान संशोधन द्वारा यह व्यवस्था की गई है कि पंचायत के सदस्यों के चुनाव के लिए पंचायत क्षेत्र को निर्वाचित क्षेत्रों में बांट दिया जाएगा और पंचायत के सदस्यों का मतदाताओं द्वारा प्रत्यक्ष रूप से चुनाव किया जाएगा।

5. पंचायतों के चुनाव : 73 वें संशोधन द्वारा यह व्यवस्था की गई कि पंचायतों के चुनाव राज्य चुनाव आयोग की देख-रेख, नियंत्रण एवं निर्देशन में होंगे। चुनाव आयोग पंचायती राज संस्थाओं के चुनावों से संबंधित अधिसूचना जारी होने के बाद चुनावों की तिथि निश्चित करता है, नामांकन पत्रों की छानबीन करता है, चुनाव चिह्न जारी करता है और स्वतंत्र व निष्पक्ष चुनावों की व्यवस्था करता है। इसके लिए राज्य चुनाव आयोग की व्यवस्था की गई है। राज्य चुनाव आयुक्त की नियुक्ति राज्यपाल द्वारा की जाएगी और उसकी सेवा शर्तें एवं कार्यकाल राज्य विधानमंडल द्वारा निर्धारित किए जायेंगे। कार्यकाल के दौरान चुनाव आयुक्त की सेवा शर्तों में कोई ऐसा परिवर्तन नहीं किया जाएगा जो उसके लिए अहितकर हो। चुनाव आयुक्त को उसी प्रक्रिया द्वारा हटाया जा सकेगा जिस प्रक्रिया द्वारा उच्च न्यायालय के न्यायाधीशों को हटाया जाता है।

6. 73वें संशोधन के अनुसार संसद सदस्यों तथा विधानमंडल के सदस्यों के लिए प्रतिनिधित्व :

1. पंचायत समिति और जिला परिषद् के चुनाव क्षेत्र में आने वाले लोक सभा और राज्य विधान सभा के सदस्यों को इन संस्थाओं में प्रतिनिधित्व दिया जाएगा।
2. राज्य विधानसभा और विधान परिषद् उन सदस्यों को जिनका नाम पंचायत समिति और जिला परिषद् के चुनाव क्षेत्र की मतदाता सूची में अंकित है प्रतिनिधित्व दिया जाएगा।

   लेकिन संसद तथा राज्य विधान मंडलों के सदस्यों को ग्राम पंचायत में कोई प्रतिनिधित्व नहीं दिया गया है। इन सदस्यों को पंचायत समिति और जिला परिषद् में मत देने का अधिकार दिया गया है।

7. पंचायत के अध्यक्ष का चुनाव तथा पदच्युति : पंचायत के अध्यक्ष यानि सरपंच का चुनाव ग्राम सभा के सदस्यों द्वारा प्रत्यक्ष रूप से किया जाएगा। अध्यक्ष को उसका कार्यकाल पूरा होने से पूर्व भी हटाने की व्यवस्था की गई है। इसके लिए पंचायत अपने कुल सदस्यों के बहुमत और उपस्थित तथा मत देने वाले सदस्यों के बहुमत से अध्यक्ष को हटाने संबंधी प्रस्ताव पास करेगी। ग्राम पंचायत द्वारा पारित किया गया ऐसा प्रस्ताव ग्राम सभा के विचार के लिए भेजा जाएगा। ग्राम सभा इस प्रस्ताव पर विचार करने के लिए एक विशेष बैठक बुलाएगी जिसमें ग्राम सभा के 50% सदस्यों का उपस्थित होना अनिवार्य है। यदि इस बैठक में ग्राम सभा पंचायत के अध्यक्ष को पद से हटाने संबंधी प्रस्ताव को उपस्थित तथा मत देने वाले सदस्यों के बहुमत से पास कर दे तो अध्यक्ष को उसके पद से अलग कर दिया जाएगा।

8. पंचायत समिति और जिला परिषद् के अध्यक्षों का चुनाव व पदच्युति : 73 वें संवैधानिक संशोधन के अनुसार, यह व्यवस्था की गई है कि मध्य स्तरीय पंचायतों और जिला परिषदों के अध्यक्षों का चुनाव संबंधित पंचायतों के निर्वाचित सदस्यों द्वारा अपने में से ही किया जाएगा। यदि संबंधित पंचायत समिति के सदस्य उपस्थित तथा मत देने वाले सदस्यों के 2/3 बहुमत, जो कुल सदस्यों का बहुमत भी होना चाहिए, से अध्यक्ष को हटाने संबंधी प्रस्ताव पास कर दे तो अध्यक्ष को अपना पद त्यागना पड़ता है।

9. आरक्षण : 73 वें संविधान संशोधन द्वारा पंचायती राज व्यवस्था में आरक्षण की निम्नलिखित व्यवस्था की गई है-

(*i*) **अनुसूचित जातियों, अनुसूचित जन-जातियों तथा पिछड़े वर्गों के लिए :** पंचायती राज संस्थाओं में उनकी जनसंख्या के अनुपात में आरक्षण दिया जाएगा।

(*ii*) **महिलाओं के लिए भी आरक्षण :** सभी स्तर की पंचायतों के कुल स्थानों का 1/3 भाग महिलाओं के लिए आरक्षित होगा। यह आरक्षण अनुसूचित जातियों

तथा अनुसूचित जनजातियों की स्त्रियों के लिए आरक्षण सहित होगा।

(*iii*) विभिन्न स्तरों की पंचायत संस्थाओं के अध्यक्षों तथा उपाध्यक्षों की कुल संख्या का 1/3 भाग महिलाओं के लिए आरक्षित होगा, जिसमें अनुसूचित जातियों और अनुसूचित जनजातियों की महिलाओं के लिए आरक्षण भी शामिल है।

(*iv*) सभी पंचायती राज की संस्थाओं में अध्यक्षों तथा उपाध्यक्षों के पदों में से कुछ स्थान अनुसूचित जाति तथा अनुसूचित जनजाति के सदस्यों के लिए आरक्षित रखें जाएंगे।

10. चुनाव और निश्चित अवधि : 73 वें संविधान संशोधन के अनुसार पंचायती राज की प्रत्येक संस्था का कार्यकाल 5 वर्ष निश्चित किया गया है। यह कार्यकाल पंचायत की प्रथम बैठक से प्रारम्भ माना जाएगा। पंचायत का कार्यकाल समाप्त होने से पहले ही नई पंचायत के लिए चुनाव करवाने अनिवार्य हैं। राज्य सरकार पंचायत संस्थाओं को इनके निर्धारित कार्यकाल से पूर्व भी भंग कर सकती है। यदि पंचायत को भंग कर दिया जाता है तो 6 माह के भीतर नई पंचायत के लिए चुनाव करवाना अनिवार्य है।

11. सदस्यों की योग्यताएं : पंचायती राज की विभिन्न संस्थाओं का सदस्य बनने के लिए वही योग्यताएं होंगी जो राज्य विधानमंडल का सदस्य बनने के लिए निर्धारित की गई हैं। उल्लेखनीय है कि 73 वें संशोधन द्वारा पंचायती राज संस्थाओं का सदस्य बनने के लिए आयु 21 वर्ष निर्धारित की गई है।

वित्त आयोग : पंचायती राज अधिनियम में पंचायती संस्थाओं को वित्तीय संसाधनों के हस्तांतरण की एक अनिवार्य व्यवस्था लागू करने तथा इसके लिए उचित कसौटियां सुझाने के लिए हर वर्ष एक वित्त आयोग गठित करने का भी प्रावधान है।

शक्तियाँ व कार्य : 73 वें संविधान संशोधन द्वारा संविधान में एक नई अनुसूची (11 वीं अनुसूची) जोड़ी गई है जिसमें पंचायती राज संस्थाओं की शक्तियों व कार्यों का वर्णन किया गया है। जिसमें से कुछ इस प्रकार हैं–

1. खेती बाड़ी 2. सिंचाई और जल प्रबंधन 3. भूमि सुधार 4. वन उत्पादन 5. पशुपालन, मुर्गी व डेयरी पालन 6. लघु उद्योग 7. ग्रामीण आवास 8. सड़कों तथा पुलों का निर्माण व यातायात के साधनों का प्रबंध 9. तकनीकी, रोजगार व शिक्षा 10. समाज कल्याण 11. कमजोर वर्गों विशेष रूप से अनुसूचित जातियों व जनजातियों का कल्याण आदि।

नगरीय स्थानीय सरकार

नगरों में स्वशासन की स्थापना के लिए नगरीय निकायों की स्थापना की गई है। वर्तमान में भारतीय नगरीय शासन में नगर निगम, नगर पालिकायें, नगर क्षेत्र समितियाँ, छावनी बोर्ड, अधिसूचित क्षेत्र समितियाँ आदि सम्मिलित हैं।

संविधान के 74 वें संविधान संशोधन द्वारा नगर निकायों को पंचायती राज व्यवस्था की भांति संवैधानिक दर्जा प्रदान किया गया है। संविधान के भाग 9-क में अनुच्छेद 243-त से लेकर अनुच्छेद 243-य-छ तक नगरपालिका के लिए उपबधों का समावेश किया गया है इसके साथ ही संविधान में एक नई अनुसूची (12वीं अनुसूची) का समावेश किया गया है जिसमें इसके कार्यक्षेत्र से संबंधित 18 विषय सम्मिलित किए गए हैं।

नगरीय स्थानीय शासन और 74वां संविधान संशोधन

74 वें संविधान संशोधन के माध्यम से नगरीय स्थानीय संस्थाओं के लिए निम्न प्रावधान किए गए हैं–

1. इस संविधान संशोधन द्वारा जनसंख्या के अनुसार तीन प्रकार की नगरीय निकायों की स्थापना की गई है :

(*i*) **नगर पंचायत :** यह उन कस्बों में स्थापित की जाएगी जहां ग्रामीण क्षेत्र से नगरीय क्षेत्र में परिवर्तन की प्रक्रिया चल रही होती है।

(*ii*) **नगर पालिका परिषद् :** यह छोटे शहरों अर्थात् लघुतर नगरीय क्षेत्र में स्थापित की जाएगी।

(*iii*) **नगर निगम :** यह बड़े शहरों अर्थात् बड़े नगरीय क्षेत्र में स्थापित की जाएगी।

लेकिन जिस क्षेत्र को राज्य का राज्यपाल औद्योगिक नगरी के रूप में विनिर्दिष्ट कर दे वहां यह संस्था स्थापित नहीं की जाएगी। इसके साथ-साथ किसी नगरीय क्षेत्र को संक्रमणशील क्षेत्र, लघुतर नगरीय क्षेत्र निश्चित करने का अधिकार राज्य के राज्यपाल को है। राज्यपाल ही उस क्षेत्र की जनसंख्या, जनसंख्या का घनत्व या सघनता, स्थानीय प्रशासन के लिए उत्पन्न राजस्व, कृषि से भिन्न क्रियाकलापों में नियोजन की प्रतिशतता, आर्थिक महत्व या ऐसी अन्य बातों को आधार बनाकर लोक अधिसूचना द्वारा निश्चित करेगा।

2. निर्वाचन : नगरपालिकाओं के लिए निर्वाचन की व्यवस्था राज्य निर्वाचन आयुक्त द्वारा किया जाता है। इसके अतिरिक्त स्थानों, चुनाव प्रक्रिया आरक्षण आदि से संबंधित नियम राज्य विधानमंडल द्वारा बनाये जाते हैं।

3. कार्यकाल : इन संस्थाओं का कार्यकाल प्रथम अधिवेशन की नियत तारीख से पांच वर्ष का है। कार्यकाल के पूर्व विघटन की स्थिति में विघटन के छः माह की अवधि के पूर्व निर्वाचन पूरा करा लिया जाएगा।

4. आरक्षण : इन संस्थाओं में जनसंख्या के अनुपात में अनुसूचित जातियों, जनजातियों एवं पिछड़े वर्गों के लिए आरक्षण की व्यवस्था की गई है।

महिलाओं के लिए कुल संख्या में एक-तिहाई स्थान आरक्षित किए गए हैं। इन संस्थाओं में आरक्षण में चक्रानुक्रम अपनाया जाता है।

5. नगर पालिका के सदस्य एवं अध्यक्ष निर्वाचन क्षेत्रों से प्रत्यक्ष रूप से चुने जाएंगे जो वार्ड कहलाएंगे।

6. नगरपालिका का सदस्य बनने के लिए न्यूनतम आयु 21 वर्ष है।

7. नगरपालिका के अधिकार व कार्य : 74 वें संविधान संशोधन के द्वारा संविधान में 12 वीं अनुसूची का समावेश

किया गया, जिसमें नगरपालिका के कार्य-क्षेत्र से संबंधित 18 विषय सम्मिलित किए गए हैं। अनुच्छेद 243-ब में निम्नलिखित कार्यों का उल्लेख किया गया है-

1. नगरीय योजना, जिसके अंतर्गत नगर योजना भी है
2. भूमि उपयोग का विनियमन और भवनों का निर्माण
3. आर्थिक और सामाजिक विकास योजना
4. सड़कें और पुल
5. घरेलू, औद्योगिक और वाणिज्यिक प्रयोजनों के लिए जल प्रदाय
6. लोक स्वास्थ्य, स्वच्छता, सफाई और कूड़ा करकट प्रबंध
7. अग्निशमन सेवाएं
8. नगरीय वानिकी, पर्यावरण का संरक्षण और पारिस्थितिक आयामों की अभिवृद्धि
9. समाज के दुर्बल वर्गों के, जिनके अंतर्गत विकलांग और मानसिक रूप से मंद व्यक्ति भी हैं, हितों की रक्षा
10. गंदी बस्ती सुधार
11. नगरीय निर्धनता उन्मूलन
12. नगरीय सुख-सुविधाओं जैसे पार्क, उद्यान, खेल के मैदानों की व्यवस्था
13. सांस्कृतिक, शैक्षणिक और सौंदर्यपरक आयामों की अभिवृद्धि
14. शव गाड़ना और कब्रिस्तान, शवदाह और श्मशान और विद्युत शवगृह का निर्माण
15. काजी हाउस, पशुओं के प्रति क्रूरता का निवारण
16. जन्म मरण सांख्यिकी, जिसके अंतर्गत जन्म और मृत्यु का रजिस्ट्रीकरण
17. सार्वजनिक सुख-सुविधाएं, जिनके अंतर्गत सड़कों पर प्रकाश, पार्किंग स्थल, बस स्टाप और जनसुविधाएं विकसित करना है
18. वधशालाओं और चर्मशोधनशालाओं का विनियमन।

सामाजिक न्याय

व्यापक अर्थ में 'सामाजिक न्याय' शब्दावली से सामाजिक, आर्थिक और राजनीतिक तीनों तरह के न्याय का बोध हो जाता है। सीमित अर्थ में सामाजिक न्याय का तात्पर्य यह है कि सामाजिक जीवन में सब मनुष्यों की गरिमा स्वीकार की जाए, स्त्री-पुरुष, गोरे-काले या जाति, धर्म, क्षेत्र इत्यादि के आधार पर किसी व्यक्ति को बड़ा-छोटा या ऊँचा-नीचा न माना जाए, शिक्षा और उन्नति के अवसर सबको समान रूप से प्राप्त हों, और सब लोग मनुष्य-मनुष्य के नाते मिल-जुलकर साहित्य, कला, संस्कृति और तकनीकी साधनों का उपयोग कर सकें।

न्याय के सामाजिक-आर्थिक आधारों की चर्चा हॉब हाऊस, बार्कर, मैकाइवर और लास्की जैसे सुधारवादी लेखक और कार्ल मार्क्स, एंजेल्स तथा लेनिन के साथ नौजिक जैसे क्रांतिकारी विचारक समान रूप से करते हैं। इसके साथ ही प्राचीन विचारकों ने भी सामाजिक न्याय के विषय में बहुत कुछ लिखा है।

भारतीय संविधान की प्रस्तावना में भी 'सामाजिक न्याय' शब्द का उल्लेख किया गया है। भारतीय नागरिकों को प्राप्त मूलाधिकार समता या समानता के अधिकार (अनु. 14-18) में भी सामाजिक न्याय के दर्शन होते हैं। अनुच्छेद 14 में विधि के समक्ष समता की बात कही गई है। इसका अर्थ यह है कि राज्य सभी व्यक्तियों के लिए एक समान कानून बनाएगा तथा उन पर एक समान लागू करेगा। अनुच्छेद 17 के तहत अस्पृश्यता को दंडनीय अपराध घोषित किया गया है तथा इसका अंत कर दिया गया है। शोषण के विरुद्ध अधिकार (अनु. 23-24) के अनुच्छेद 23 के तहत मानव के दुर्व्यापार और बलात् श्रम का प्रतिषेध किया गया है। इसके द्वारा किसी व्यक्ति की खरीद-बिक्री, बेगारी तथा इसी प्रकार का अन्य तरह से जबरदस्ती लिया हुआ श्रम निषिद्ध ठहराया गया है, जिसका उल्लंघन विधि के अनुसार दंडनीय अपराध है।

भारतीय संविधान के मूलाधिकार एवं राज्य के नीति निर्देशक सिद्धांत से संबंध विभिन्न उपबंधों में समाज के निचले पायदान के लोगों के विषय में भी कुछ प्रावधान किए गए हैं। संस्कृति एवं शिक्षा संबंधी अधिकार (अनु. 29-30) के अनुच्छेद 29 के तहत अल्पसंख्यक वर्गों के हितों के संरक्षण की बात कही गई है। इसमें इस बात का उल्लेख है कि कोई भी अल्पसंख्यक वर्ग अपनी भाषा, लिपि और संस्कृति को सुरक्षित रख सकता है और केवल भाषा, जाति, धर्म और संस्कृति के आधार पर उसे किसी भी सरकारी शैक्षिक संस्था में प्रवेश से नहीं रोका जा सकता।

अनुच्छेद 46 के तहत अनुसूचित जातियों, अनुसूचित जनजातियों और अन्य दुर्बल वर्गों के शिक्षा और अर्थ संबंधी हितों की अभिवृद्धि का निर्देश राज्य को दिया गया है।

राष्ट्रीय अनुसूचित जाति आयोग

यह एक सवैधानिक संस्था है जो अनुसूचित जातियों के लिए उपलब्ध कराई गई सुरक्षा पर निगरानी रखती है और उनके कल्याण से संबंधित मुद्दों की समीक्षा करती है। अनुसूचित जातियों के हितों को बढ़ावा देने और उनकी सुरक्षा के उपायों के लिए आयोग को व्यापक अधिकार प्राप्त हैं। आयोग को वे सभी अधिकार दिए गए हैं जो किसी भी मामले की सुनवाई कर रहे सिविल न्यायालय के होते हैं। इस अधिकार के अंतर्गत वह देश के किसी भी भाग से किसी भी व्यक्ति को सम्मन जारी कर बुला सकता है और शपथ पत्र की जांच के लिए साक्ष्य मांग सकता है।

राष्ट्रीय पिछड़ा वर्ग आयोग

1992 में उच्चतम न्यायालय के मंडल निर्णय को लागू करते हुए वर्ष 1993 में राष्ट्रीय पिछड़ा आयोग की स्थापना एक

संस्था के रूप में की गई। इसका उद्देश्य अन्य पिछड़े वर्ग की सूची में नागरिकों को सम्मिलित करने और सूची से हटाने संबंधी शिकायतों को निपटाने तथा उसकी जांच के बारे में सरकार को सलाह देना है। अधिनियम में प्रावधान है कि सरकार आयोग के परामर्श को मानने के लिए साधारणतया बाध्य होगी।

राष्ट्रीय अल्पसंख्यक आयोग

गृह मंत्रालय द्वारा पारित प्रस्ताव के आधार पर जनवरी 1978 में स्थापित अल्पसंख्यक आयोग, गैर-राष्ट्रीय अल्पसंख्यक आयोग अधिनियम, 1992 लागू होने के बाद संवैधानिक निकाय बन गया और इसका नाम राष्ट्रीय अल्पसंख्यक आयोग कर दिया गया। पहला सवैधानिक राष्ट्रीय आयोग 17 मई, 1993 को गठित किया गया। यह संशोधन अधिनियम की धारा 2(B) और 3(2) में दिया गया और इसके तहत आयोग में उपाध्यक्ष के पद का सृजन किया गया। अधिनियम की धारा 3(2) के तहत प्रावधान किया गया है कि अध्यक्ष सहित पांच सदस्य अल्पसंख्यक समुदाय से होंगे।

राष्ट्रीय अल्पसंख्यक आयोग के अतिरिक्त कुछ राज्यों में राज्य अल्पसंख्यक आयोग का भी गठन किया गया है।

विकलांग व्यक्ति अधिनियम, 1995

विकलांग व्यक्ति (समान अवसर, अधिकारों की रक्षा और पूर्ण सहभागिता) अधिनियम, 1995 नामक व्यापक कानून फरवरी 1996 में लागू किया गया। इस कानून के तहत केंद्र और राज्य पर विकलांगों के पुनर्वास को बढ़ावा देने वाले कार्यक्रमों जैसे शिक्षा, रोजगार और व्यावसायिक प्रशिक्षण, अनुकूल परिवेश का निर्माण, विकलांगों के लिए पुनर्वास सेवाओं का प्रावधान, संस्थागत सेवाएं और सहायक सामाजिक सुरक्षा उपाय जैसे केंद्र और राज्य दोनों स्तर पर बेरोजगारी भत्ता तथा शिकायत निवारण तंत्र की स्थापना का दायित्व सौंपा गया है।

राष्ट्रीय महिला आयोग

इस आयोग का गठन राष्ट्रीय महिला आयोग अधिनियम, 1990 के तहत 31 जनवरी, 1992 को किया गया। आयोग का मुख्य उद्देश्य महिलाओं की सुरक्षा करने वाले सवैधानिक और सभी कानूनों के प्रावधानों का अध्ययन और निगरानी करना और जरूरी संशोधनों की सिफारिश करना है।

राष्ट्रीय बाल अधिकार संरक्षण आयोग

राष्ट्रीय बाल अधिकार संरक्षण आयोग, 2006 का काम बच्चों के अधिकारों का सही रूप से उपयोग करना एवं कानूनों और कार्यक्रमों पर प्रभावी रूप से अमल कराना है। आयोग का काम बच्चों से जुड़े सभी मामलों की ईमानदारी से समीक्षा करना भी है। आयोग में एक अध्यक्ष होता है और छह सदस्य होते हैं, जिनमें दो महिलाएं होती हैं।

आयोग का एक सदस्य सचिव भी होता है। इस आयोग के सदस्यों को बाल स्वास्थ्य, शिक्षा, बाल देखभाल और विकास, किशोर न्याय, विकलांग बच्चे, बाल श्रम को दूर करने, बाल मनोविज्ञान और समाजशास्त्र और बच्चों से जुड़े कानूनों का विशेषज्ञ होना चाहिए।

महिला घरेलू हिंसा संरक्षण अधिनियम, 2005

महिलाओं को घरेलू हिंसा से संरक्षण के लिए निर्मित यह कानून 26 अक्टूबर, 2006 से पूरे देश में लागू कर दिया गया। इस कानून के तहत महिलाओं पर होने वाले किसी प्रकार के हिंसा, यथा–शारीरिक, मानसिक और आर्थिक पर कड़े दण्ड का प्रावधान है।

वस्तुनिष्ठ प्रश्न

1. भारत के संविधान को कब अपनाया गया था?

A. 15 अगस्त, 1947 B. 26 जनवरी, 1950
C. 26 नवंबर, 1949 D. 15 अगस्त, 1950

2. उपराष्ट्रपति को पद व गोपनीयता की शपथ कौन दिलाता है?

A. भारत का मुख्य न्यायाधीश
B. भारत का राष्ट्रपति
C. लोकसभा का अध्यक्ष
D. भारत का महाधिवक्ता

3. निम्नलिखित में से किसकी नियुक्ति राष्ट्रपति द्वारा नहीं की जाती है?

A. संघ लोकसेवा आयोग के अध्यक्ष
B. राज्य के राज्यपाल
C. उच्च न्यायालय के न्यायाधीश
D. उपराष्ट्रपति

4. राष्ट्रपति किसकी सलाह पर लोकसभा को समयपूर्व भंग कर सकता है?

A. प्रधानमंत्री B. लोकसभा अध्यक्ष
C. उपराष्ट्रपति D. निर्वाचन आयुक्त

5. राष्ट्रपति का अध्यादेश लागू रहता है :

A. तीन माह
B. एक माह
C. छः माह
D. जब तक उसे निरस्त न कर दिया जाए

6. मौलिक कर्तव्यों का विचार कहां के संविधान से लिया गया है?

A. रूस के संविधान B. ब्रिटेन के संविधान
C. अमेरिका के संविधान D. जर्मनी के संविधान

7. वह मौलिक अधिकार जिसे आपातकाल में भी लम्बित नहीं किया जा सकता, वह है :

A. समानता का अधिकार
B. अभिव्यक्ति की स्वतंत्रता का अधिकार
C. स्वतंत्र भ्रमण का अधिकार
D. जीवन का अधिकार

8. संसद में लाया गया कोई विधेयक धन विधेयक है या नहीं इसका निर्णय कौन करता है?

A. प्रधानमंत्री
B. लोकसभा अध्यक्ष
C. राष्ट्रपति
D. नियंत्रक या महालेखा परीक्षक

9. निम्नलिखित में से किसकी अध्यक्षता एक गैर-सदस्य करता है?

A. लोकसभा
B. राज्यसभा
C. विधानसभा
D. लोकसभा और राज्यसभा की संयुक्त बैठक

10. ऐसे संघ शासित प्रदेशों के लिए जिनकी अपनी विधायिका नहीं है, उनके लिए कौन कानून बनाता है?

A. संसद B. राष्ट्रपति
C. प्रशासकगण D. कानून मंत्रालय का संघ

11. अरुणाचल प्रदेश को किस वर्ष राज्य का दर्जा दिया गया?

A. 1972 B. 1984
C. 1985 D. 1987

12. जम्मू एवं कश्मीर की आधिकारिक भाषा है :

A. डोगरी B. कश्मीरी
C. उर्दू D. हिन्दुस्तानी

13. राज्यसभा की सदस्यता के लिए निर्धारित न्यूनतम आयु सीमा है :

A. 18 वर्ष B. 21 वर्ष
C. 25 वर्ष D. 30 वर्ष

14. एक मंत्री जो संसद के किसी भी सदन का सदस्य नहीं है, उसे कितनी अवधि तक सदस्यता ग्रहण कर लेनी चाहिए?

A. एक वर्ष B. छः माह
C. तीन माह D. दो माह

15. परंपरा के अनुसार किसी राज्य का राज्यपाल संबद्ध होता है :
A. राज्य के सत्ताधारी दल
B. राज्य की विपक्षी पार्टी
C. राज्य के आईएएस कैडर
D. अन्य राज्य

16. लद्दाख को किस वर्ष एक नया केन्द्रशासित प्रदेश बनाया गया?
A. 2019 में B. 2018 में
C. 2017 में D. 2016 में

17. संविधान भारत का वर्णन किसके रूप में करता है ?
A. राज्यों का परिसंघ B. अर्ध संघ
C. राज्यों का संघ D. स्वतंत्र राज्यों की रियासत

18. निम्नलिखित में से किस अनुच्छेद को साधारण बहुमत से संशोधित नहीं किया जा सकता ?
A. नए राज्यों का गठन
B. राष्ट्रपति के निर्वाचन की प्रक्रिया
C. संघ की आधिकारिक भाषा
D. संसद में गणपूर्ति

19. संविधान अवशिष्ट शक्तियां किसे प्रदान करता है ?
A. संघीय सरकार B. राज्य सरकार
C. राष्ट्रपति D. उच्चतम न्यायालय

20. भारत के राष्ट्रपति को निम्न में से किसके खिलाफ सुरक्षा प्रदान की गई है ?
A. कार्यकाल के दौरान दीवानी मुकदमे
B. कार्यकाल के दौरान आपराधिक मुकदमे
C. कार्यकाल के दौरान दीवानी व आपराधिक दोनों मुकदमे
D. अवकाश प्राप्ति के बाद दीवानी और आपराधिक मुकदमे

21. राष्ट्रपति पद के लिए निर्धारित न्यूनतम आयु सीमा है :
A. 21 वर्ष B. 25 वर्ष
C. 30 वर्ष D. 35 वर्ष

22. वह संविधान संशोधन जिसके तहत् सिक्किम को भारत का राज्य बनाया गया, वह था :
A. 34वां B. 35वां
C. 36वां D. 37वां

23. राज्य विधानमंडलों को इनमें से किस पर चर्चा करने का अधिकार नहीं है ?
A. स्पीकर के आचरण
B. किसी उच्च न्यायालय के न्यायाधीश का आचरण
C. स्वायत्तता संबंधी मुद्दे
D. करारोपण

24. आरंभ में अनुसूचित जातियों/जनजातियों के लिए आरक्षण की व्यवस्था किस वर्ष तक की गई थी ?
A. 1955 B. 1960
C. 1970 D. 1980

25. राष्ट्रपति और उपराष्ट्रपति की अनुपलब्धता की स्थिति में राष्ट्रपति का कार्य निर्वहन कौन करता है ?
A. प्रधानमंत्री B. लोकसभा का अध्यक्ष
C. वरिष्ठ कैबिनेट मंत्री D. भारत का मुख्य न्यायाधीश

26. किस मौलिक अधिकार की व्याख्या 'संविधान की आत्मा और उसके हृदय' के रूप में की जाती है ?
A. समानता का अधिकार
B. समृद्धि का अधिकार
C. संवैधानिक उपचारों का अधिकार
D. भाषण की स्वतंत्रता का अधिकार

27. अध्यादेश कौन लागू करता है ?
A. प्रधानमंत्री B. लोकसभा का अध्यक्ष
C. राष्ट्रपति D. राज्यसभा का अध्यक्ष

28. भारतीय राज्य मुख्यत: किस आधार पर गठित किए गए हैं ?
A. भौगोलिक स्थिति B. भाषा
C. प्रशासन की सहूलियत D. आर्थिक स्थिति

29. मुख्य निर्वाचन आयुक्त को किसके द्वारा हटाया जा सकता है ?
A. प्रधानमंत्री
B. राष्ट्रपति
C. सर्वोच्च न्यायालय का मुख्य न्यायाधीश
D. संसद

30. लोकसभा का अध्यक्ष केवल :
A. सदन को स्थगित कर सकता है।
B. सत्रावसान कर सकता है।
C. सदन को सम्मन दे सकता है।.
D. सदन को भंग कर सकता है।

31. राज्य विधान सभा के सदस्यों की संख्या कितनी हो सकती है ?
A. 30 से 300 B. 40 से 400
C. 50 से 600 D. 60 से 500

32. उच्चतम न्यायालय के न्यायाधीशों का वेतन कहां से दिया जाता है ?
A. कानून मंत्रालय के अनुदान से
B. भारत की संचित निधि से
C. गृह मंत्रालय के अनुदान से
D. संसदीय अनुदान से

33. पंचायती राज संस्थान की स्थापना की आवश्यकता को किसमें निर्दिष्ट किया गया है ?
A. नीति-निदेशक तत्व B. मौलिक अधिकार
C. प्रस्तावना D. सातवीं अनुसूची

34. किस संविधान संशोधन ने उच्चतम न्यायालय द्वारा न्यायिक पुनर्विलोकन के अधिकार को संक्षिप्त कर दिया ?
A. 24वां संशोधन B. 42वां संशोधन
C. 43वां संशोधन D. 44वां संशोधन

सामाजिक विज्ञान

35. लोकसभा की बैठकों के लिए कोरम होता है :
A. 50
B. 55
C. कुल सदस्य संख्या का एक-तिहाई
D. कुल सदस्य संख्या का दसवां भाग

36. लोकसभा और राज्यसभा के बीच असहमति का निवारण होता है :
A. संयुक्त चयन समिति की स्थापना से
B. लोकसभा को भंग कर
C. पंचाट समिति के गठन से
D. संयुक्त सत्र आहूत करने से

37. सातवीं अनुसूची में शामिल है :
A. राष्ट्रीय भाषाओं की सूची
B. शपथ और उनकी स्वीकारोक्ति की सूची
C. राज्य और संघ प्रदेशों की सूची
D. अनुसूचित जनजातियों तथा जनजातीय क्षेत्रों के प्रशासन तथा नियन्त्रण की सूची

38. दलबदल की स्थिति में अयोग्य करार देने के संबंध में आधारभूत प्रावधानों की चर्चा किसमें की गई है ?
A. दूसरी अनुसूची B. चौथी अनुसूची
C. आठवीं अनुसूची D. दसवीं अनुसूची

39. संघ प्रदेशों को प्रतिनिधित्व मिलता है :
A. केवल लोकसभा में
B. केवल राज्यसभा में
C. लोकसभा और राज्यसभा दोनों में
D. न तो लोकसभा में न राज्यसभा में

40. यदि लोकसभा और राज्यसभा एक संविधान संशोधन विधेयक पर असहमत हों तो :
A. विधेयक का पतन हो जाता है।
B. एक संयुक्त बैठक बुलाई जाती है।
C. लोकसभा का निर्णय प्रभावी होता है।
D. राज्यसभा का निर्णय प्रभावी होता है।

41. संविधान की प्रस्तावना में किस संशोधन द्वारा संशोधन किया गया था ?
A. पहला संशोधन B. 26वां संशोधन
C. 42वां संशोधन D. 44वां संशोधन

42. 18वें आम चुनाव हुए थे :
A. 2009 में B. 2024 में
C. 2014 में D. 2019 में

43. उच्चतम न्यायालय के न्यायाधीशों के लिए अवकाश प्राप्ति की उम्र है :
A. 58 वर्ष B. 60 वर्ष
C. 62 वर्ष D. 65 वर्ष

44. एक व्यक्ति को केवल किसके आधार पर मतदान के अयोग्य ठहराया जा सकता है ?
A. आयु B. लिंग
C. धर्म D. शिक्षा

45. राज्यों के राज्यपाल :
A. मुख्यमंत्री द्वारा नियुक्त किए जाते हैं
B. राष्ट्रपति द्वारा नियुक्त किए जाते हैं
C. विधानमंडल के सदस्यों द्वारा चुने जाते हैं
D. जनता द्वारा चुने जाते हैं

46. भारत में पहले आम चुनाव कब हुए थे ?
A. 1948 B. 1950
C. 1951 D. 1952

47. राष्ट्रपति राज्यसभा के लिए कुल कितने सदस्यों को मनोनीत कर सकता है ?
A. 6 B. 12
C. 15 D. 18

48. संघीय कार्यपालिका किसके प्रति उत्तरदायी होती है ?
A. लोकसभा B. राज्यसभा
C. राष्ट्रपति D. उच्चतम न्यायालय

49. भारत के महान्यायवादी की नियुक्ति किसके द्वारा होती है ?
A. यूपीएससी B. राष्ट्रपति
C. प्रधानमंत्री D. लोकसभा अध्यक्ष

50. संसद के दो सत्रों के बीच कितने से अधिक की अवधि नहीं होनी चाहिए ?
A. 3 माह B. 6 माह
C. 1 वर्ष D. कोई तय अवधि नहीं

51. सुरक्षा बलों का सर्वोच्च कमाण्डर कौन होता है ?
A. सेना प्रमुख B. रक्षामंत्री
C. प्रधानमंत्री D. राष्ट्रपति

52. निम्नलिखित में कौन एक पूर्ण राज्य नहीं है ?
A. मिजोरम B. मणिपुर
C. पुडुचेरी D. अरुणाचल प्रदेश

53. भारत एक गणतंत्र है क्योंकि :
A. प्रत्येक वयस्क मतदान कर सकता है
B. कार्यपालिका विधायिका के प्रति उत्तरदायी है
C. निर्वाचित प्रतिनिधियों को वापस बुलाया जा सकता है
D. राष्ट्रपति एक नियत अवधि के लिए चुना जाता है

54. अनुच्छेद 356 का संबंध किससे है ?
A. राष्ट्रीय आपातकाल
B. संवैधानिक आपातकाल
C. वित्तीय आपातकाल
D. आपातकाल के दौरान मौलिक अधिकारों से

55. एकमात्र राष्ट्रपति, जिन्हें दोबारा राष्ट्रपति चुना गया :
A. राजेन्द्र प्रसाद B. राधाकृष्णन्
C. वी.वी. गिरि D. नीलम संजीवा रेड्डी

56. उपराष्ट्रपति अपना त्यागपत्र किसे दे सकता है ?
A. राष्ट्रपति को

B. प्रधानमंत्री को
C. भारत के मुख्य न्यायाधीश को
D. राज्यसभा के उपसभापति को

57. संशोधन द्वारा किन दो शब्दों को संविधान की प्रस्तावना में जोड़ा गया?
A. पंथनिरपेक्ष, लोकतांत्रिक
B. लोकतंत्रात्मक, गणराज्य
C. पंथनिरपेक्ष, समाजवादी
D. गणराज्य, समाजवादी

58. संविधान के प्रारूप समिति के अध्यक्ष कौन थे?
A. राजेन्द्र प्रसाद B. जवाहरलाल नेहरू
C. बी.आर. अम्बेडकर D. सरदार पटेल

59. मौलिक अधिकार :
A. केवल कुछ नागरिकों को उपलब्ध हैं
B. सिर्फ कुछ अधिकार ही भारतीय नागरिकों को प्राप्त हैं
C. गैर-नागरिकों को एक भी उपलब्ध नहीं है
D. गैर-नागरिकों को केवल कुछेक अधिकार ही उपलब्ध हैं

60. निम्नलिखित में से कौन राष्ट्रीय कर्तव्य नहीं है?
A. संविधान का सम्मान
B. राष्ट्रपति का आदर
C. देश की सुरक्षा
D. प्राकृतिक पर्यावरण की सुरक्षा

61. निम्नलिखित में से कौन उच्चतम न्यायालय द्वारा जारी रिट नहीं है?
A. निषेध B. बंदी प्रत्यक्षीकरण
C. उत्प्रेषण D. सु-मोतो

62. निम्नलिखित में कौन नीति-निदेशक सिद्धांत नहीं है?
A. समान कार्य हेतु समान वेतन
B. गौहत्या पर रोक
C. प्रदूषण नियंत्रण
D. अंतर्राष्ट्रीय शांति को बढ़ावा

63. सरकारें नीति-निदेशक सिद्धांतों पर अमल करने का प्रयास करती हैं क्योंकि :
A. विधानमंडल इस मुद्दे पर अविश्वास प्रस्ताव पारित कर सकता है
B. वे लोगों की आवश्यकताओं और आकांक्षाओं का प्रतिनिधित्व करते हैं
C. यदि इन्हें स्वीकार नहीं किया गया तो अदालतें निषेधाज्ञा लागू कर सकती हैं
D. राष्ट्रपति सरकार को भंग कर सकते हैं

64. किस निदेशक सिद्धांत को देश में पूरी तरह लागू किया गया है?
A. स्वशासन की इकाइयों के रूप में ग्राम पंचायतों की स्थापना
B. देशभर में एक समान नागरिक संहिता को सुनिश्चित करना
C. देशभर में मादक पदार्थों पर रोक
D. सभी नागरिकों को जीवनयापन के उपयुक्त साधन मुहैया कराना

65. संसद का कौन सदन अखिल भारतीय सेवाओं का गठन कर सकता है?
A. लोकसभा
B. राज्यसभा
C. दोनों में से कोई भी सदन
D. दोनों सदनों की संयुक्त बैठक

66. किसके संदर्भ में संसद के दोनों सदनों के अधिकार एक बराबर होते हैं?
A. धन विधेयक
B. राष्ट्रपति का निर्वाचन
C. सरकार को हटाना
D. अखिल भारतीय सेवाओं का गठन

67. सरकार के वित्तीय मामलों की निगरानी करने वाली समिति है :
A. व्यवसाय सलाहकार समिति
B. सरकारी आश्वासन समिति
C. विशेषाधिकार समिति
D. लोक-लेखा समिति

68. निम्नलिखित में से कौन लोकसभा को संबोधित नहीं कर सकता?
A. उपराष्ट्रपति
B. महाधिवक्ता
C. लोकसभा की सदस्यता नहीं रखने वाला मंत्री
D. लोकसभा अध्यक्ष

69. राष्ट्रपति निम्नलिखित में से किसकी नियुक्ति नहीं करता?
A. प्रधानमंत्री
B. लोकसभा अध्यक्ष
C. निर्वाचन आयुक्त
D. नियंत्रक और महालेखा परीक्षक

70. नियुक्ति के वक्त भारत के प्रधानमंत्री को :
A. भारत का नागरिक होना जरूरी नहीं
B. 25 वर्ष से अधिक आयु का होना जरूरी नहीं
C. संसद का सदस्य होना अनिवार्य नहीं
D. सशक्त मस्तिष्क का स्वामी होना जरूरी नहीं

71. वह प्रधानमंत्री कौन था जिसने एक बार भी संसद का सामना नहीं किया?
A. वी.पी.सिंह
B. चरणसिंह
C. मोरारजी देसाई
D. देवगौड़ा

72. न्यायिक शक्तियों के अंतर्गत राष्ट्रपति को निम्न में से कौन-सा अधिकार नहीं है?
A. क्षमादान दे सकता है।
B. प्राणदंड स्थगित कर सकता है।

C. राजनीतिक अपराधियों को क्षमादान दे सकता है।
D. अदालत के परिवर्तन को अनुमोदित कर सकता है।

73. राष्ट्रीय आपातकाल इनमें से किस मामले में नहीं लगाया जा सकता है ?

A. सशस्त्र विद्रोह
B. राजनीतिक संकट
C. बाह्य आक्रमण
D. युद्ध

74. संवैधानिक आपातकाल को अधिकतम कितने समय तक बहाल रखा जा सकता है ?

A. 6 माह B. 2 वर्ष
C. 3 वर्ष D. अनिश्चित काल

75. उपराष्ट्रपति होता है :

A. राज्यसभा का सदस्य B. राज्यसभा का सभापति
C. लोकसभा का सदस्य D. लोकसभा का अध्यक्ष

76. राज्यपाल किस सिलसिले में राष्ट्रपति से संपर्क कर सकता है ?

A. मुख्यमंत्री की नियुक्ति
B. वित्त विधेयक
C. गैर-वित्त विधेयक
D. विधानमंडल को भंग करने

77. विधानपरिषद् के गठन अथवा उसकी समाप्ति से संबंधित विधेयक को :

A. विधानमंडल के उपस्थित सदस्यों के 2/3 सदस्यों द्वारा अनुमोदित होना चाहिए।
B. विधानमंडल के कुल सदस्य संख्या के 2/3 सदस्यों द्वारा अनुमोदित होना चाहिए।
C. विधानमंडल के उपस्थित सदस्यों के साधारण बहुमत से अनुमोदित होना चाहिए।
D. साधारण बहुमत से अनुमोदित होना चाहिए तथा इसे राज्यपाल को भेजा गया होना चाहिए।

78. निम्नलिखित में से किस उच्च न्यायालय का न्यायाधिकरण एक संघ शासित प्रदेश पर है ?

A. कलकत्ता B. पटना
C. गौहाटी D. इलाहाबाद

79. किस राज्य की राजधानी में वहां का उच्च न्यायालय अवस्थित नहीं है ?

A. आंध्र प्रदेश B. केरल
C. बिहार D. तमिलनाडु

80. प्रथम संविधान संशोधन किससे संबद्ध है?

A. प्रस्तावना B. मौलिक कर्तव्य
C. नौवीं अनुसूची D. नीति निर्देशक सिद्धांत

उत्तरमाला

1	2	3	4	5	6	7	8	9	10
C	B	D	A	C	A	D	B	B	A
11	12	13	14	15	16	17	18	19	20
D	C	D	B	D	A	C	B	A	A
21	22	23	24	25	26	27	28	29	30
D	C	B	B	D	C	C	B	D	A
31	32	33	34	35	36	37	38	39	40
D	B	A	B	D	D	C	D	C	A
41	42	43	44	45	46	47	48	49	50
C	B	D	A	B	D	B	A	B	B
51	52	53	54	55	56	57	58	59	60
D	C	D	B	A	A	C	C	D	B
61	62	63	64	65	66	67	68	69	70
D	C	B	A	B	B	D	A	B	C
71	72	73	74	75	76	77	78	79	80
B	D	B	C	B	C	A	A	B	C

भूगोल

विश्व का भूगोल

ब्रह्माण्ड

ब्रह्माण्ड अति विशाल और अनन्त है। इसमें असंख्य अन्तरिक्ष और तारे हैं। इनके आकार विशाल और इनकी संख्या अनगिनत है। अन्तरिक्ष में फैले तारे आकाश गंगाओं के झुंड में हैं। ब्रह्माण्ड में अनगिनत आकाश गंगाएं हैं। प्रत्येक आकाश गंगा में लाखों, करोड़ों तारे हैं। ये परस्पर लाखों करोड़ों मील की दूरी पर हैं। ब्रह्माण्ड के पिंडों के बीच दूरी मापने की इकाई प्रकाश वर्ष (light year) है। जिस आकाश गंगा में हम हैं (अर्थात् हमारी पृथ्वी है) उसमें भी अनगिनत तारे हैं। कुछ तारे घूमते (स्थान बदलते रहते हैं) और कुछ स्थिर हैं। जिसे हम सूर्य कहते हैं, वह भी एक तारा ही है, वह स्थिर है। सूर्य के चारों तरफ असंख्य आकाशीय पिंड चक्कर लगाते हैं। इनको ग्रह कहते हैं। सूर्य और उसके ग्रहों के समूह को (सबको मिलाकर) सौर मंडल कहते हैं। प्रत्येक अकाशगंगा में अनेक सौर मंडल हैं।

आकाश गंगा

आज के इस प्रगतिशील युग में अनेक महत्त्वपूर्ण वैज्ञानिक खोजों के बावजूद ब्रह्माण्ड हमारे लिए एक पहेली ही है। रात्रि को हमें आकाश में अनगिनत तारे दिखाई देते हैं। वैज्ञानिक अभी तक इस ब्रह्माण्ड के ओर-छोर का पता लगाने में सफल नहीं हुए हैं। फिर भी कुछ मोटे अनुमान लगाए गए हैं। खगोलवेत्ताओं का कहना है कि ब्रह्माण्ड में लगभग दस करोड़ आकाश गंगाओं का अस्तित्व है। एक आकाश गंगा सहस्त्रों करोड़ तारों का समूह होती है। हमें केवल दो आकाश गंगाओं के विषय में ज्ञात है। एक तो वह जिसमें हमारा सौर-मण्डल है और दूसरी सबसे निकट की आकाश गंगा का नाम देवयानी (एन्ड्रोमेडा) है। यह आकाश गंगा हमसे लगभग बीस लाख प्रकाश वर्ष दूर है। प्रकाश वर्ष वह दूरी है जो (प्रति सेकण्ड एक लाख छियासी हजार तीन सौ मील की गति से चलने वाला) प्रकाश एक वर्ष में तय करता है।

सौर मंडल

हमारा सूर्य इस अनन्त ब्रह्माण्ड की एक आकाश गंगा का एक छोटा-सा तारा है। इसके चारों ओर घूमने वाले ग्रहों और उनके चन्द्रमाओं के समूह को सौर मंडल कहते हैं। सूर्य इस सौर परिवार का कुलपति है। इस परिवार में 8 ग्रह और बीस हजार से अधिक लघु ग्रह सम्मिलित हैं। ये ग्रह और लघु ग्रह सूर्य के चारों ओर अपने निश्चित समय में एक पूरा चक्कर काटते हैं।

आठ ग्रहों के नाम इस प्रकार हैं—बुध (Mercury), बृहस्पति (Jupiter), शुक्र (Venus), शनि (Saturn), पृथ्वी (Earth), यूरेनस (Uranus), मंगल (Mars) और नेपच्यून (Neptune)। इन आठ ग्रहों में से पांच हमें बहुत पुराने समय से मालूम हैं (पंच-देव)। तीन ग्रहों की खोज बाद में हुई। इन ग्रहों का विवरण इस प्रकार दिया जा सकता है—सूर्य के सबसे पास बुध, सबसे गर्म, शुक्र, अनेक रहस्यों का धनी मंगल, विशालतम ग्रह बृहस्पति, चमकीली मेखलाओं का स्वामी शनि और सबसे दूर ग्रह नेपच्यून। मंगल और बृहस्पति की कक्षाओं के मध्य हजारों लघु ग्रहों की कक्षाएं हैं। अनुमान है कि ये लघु ग्रह एक विशाल ग्रह के ध्वंसावशेष हैं। जो ग्रह सूर्य के जितना पास है, उसका परिक्रमा वेग उतना ही अधिक है। पृथ्वी और अन्य ग्रहों के बीच की दूरी अयनकक्ष की बनावट के कारण घटती-बढ़ती है।

सूर्य दहकती हुए गैसों का विशाल पिण्ड है। जो ग्रह उसके जितना पास है वह उतना ही गर्म है-और जो जितना दूर है उतना ही सर्द। बुध और शुक्र बहुत गर्म हैं; बृहस्पति, शनि, यूरेनस, और नेपच्यून ठण्डे हैं। मंगल सूर्य के न अधिक पास है, न अधिक दूर, लेकिन उस पर सर्द हवाएं बहती हैं। जीवन के लिए आदर्श तापमान केवल हमारी पृथ्वी पर ही है।

चन्द्रमा

चन्द्रमा पृथ्वी का उपग्रह और निकटतम साथी है। इसका व्यास लगभग 2160 मील (पृथ्वी के व्यास का लगभग एक-चौथाई) और इसकी परिधि लगभग 6790 मील (पृथ्वी की परिधि का लगभग एक-चौथाई) है। यह पृथ्वी से लगभग 2,38,857 मील (औसतन) दूरी पर है। चन्द्रमा के धरातल का गुरुत्वाकर्षण पृथ्वी के गुरुत्वाकर्षण के $\frac{1}{6}$ भाग के बराबर है। चन्द्रमा पृथ्वी के चारों ओर और अपनी धुरी पर भी घूमता है। पृथ्वी की ही भांति इसकी भी दो गतियां हैं। दोनों

गतियों के लिए चन्द्रमा को एक ही समय लगभग 27.3 दिन लगते हैं। इसी कारण चन्द्रमा का एक ही भाग पृथ्वी की ओर रहता है। चन्द्रमा पर हवा और पानी नहीं है, अत: पूर्ण शान्ति रहती है। दिन हो या रात आकाश काला दिखाई पड़ता है और दिन में भी तारे दिखाई पड़ते हैं। चन्द्रमा के धरातल पर पर्वत श्रृंखलाएं और क्रेटर भी हैं।

पृथ्वी

हमारे सौर मंडल में आठ ग्रह हैं। हमारी पृथ्वी भी हमारे सौर मंडल का एक ग्रह है।

पृथ्वी की बनावट

जिस पृथ्वी पर हम रहते हैं उसके अंग-स्थल, जल और वायु हैं। स्थल चट्टानों और मिट्टी से मिलकर बना है। पृथ्वी के इस ठोस भाग को स्थल-मण्डल कहते हैं। स्थल-मंडल के अंतर्गत महाद्वीप और द्वीप आते हैं। पृथ्वी पर जल महासागरों, समुद्रों, झीलों तथा नदियों में पाया जाता है। इन सबको सामूहिक रूप से पृथ्वी का जल-मंडल कहा जाता है। जल-मंडल का विस्तार पृथ्वी की सतह के एक बड़े भाग (लगभग दो-तिहाई भाग) पर है। पृथ्वी के चारों ओर लिपटा हुआ वायु-आवरण है। यह हमें दिखाई नहीं देता। पृथ्वी के इस वायु-आवरण को वायु-मंडल कहते हैं। यह पृथ्वी की सतह से सैकड़ों किलोमीटर ऊंचाई तक फैला है।

पृथ्वी का रूप

सौर मंडल के आठ ग्रहों-बुध, बृहस्पति, शुक्र, शनि, पृथ्वी, यूरेनस, मंगल और नेपच्यून की तुलना में, आकार की दृष्टि से पृथ्वी का पांचवां और सूर्य से दूरी की दृष्टि से तीसरा स्थान है। यह सूर्य से 9,29,00,000 मील दूर है। प्राचीन काल में लोग पृथ्वी को सीधा सपाट देखकर उसे चपटा समझने की भूल करते रहे। ईसा से 6 शताब्दी पूर्व एक यूनानी वैज्ञानिक पाइथागोरस ने प्रथम बार आधिकारिक रूप से पृथ्वी के गोल होने की बात कही। इससे संबंधित बहुत-से प्रमाण हैं, जो हम भूगोल की पुस्तकों में पढ़ते हैं और आज सब जानते हैं कि पृथ्वी गोल है। किंतु क्या पृथ्वी बिल्कुल गोल है? आधुनिक वैज्ञानिक खोजों के अनुसार पृथ्वी ध्रुवों पर कुछ चपटा है। इस बात के तीन प्रमाण हैं—

(i) उपग्रह की कक्षा पृथ्वी के केंद्र से कहीं कम और कहीं अधिक अन्तर पर होती है; यदि पृथ्वी बिल्कुल गोल होती तो ऐसा न होता;

(ii) भूमध्य रेखा के साथ-साथ पृथ्वी का व्यास ध्रुवों को मिलाने वाले व्यास से बड़ा है जोकि पृथ्वी के बिल्कुल गोल होने की दशा में बराबर होता;

(iii) भूमध्य रेखा पर 20° का कोण ध्रुवों पर 10° के कोण से कम स्थान घेरता है।

पृथ्वी के संबंध में कुछ तथ्य—

(i) पृथ्वी का व्यास-लगभग 7926 मील (भूमध्य रेखा पर) लगभग 7900 मील (ध्रुवों पर)।

(ii) पृथ्वी का धरातल-लगभग 51 करोड़ वर्ग कि.मी.।

(iii) चन्द्रमा से पृथ्वी की दूरी-लगभग 2,38,857 मील।

(iv) सूर्य से पृथ्वी की दूरी-लगभग 9,29,00,000 मील।

(v) पृथ्वी की परिधि-लगभग 40,075 कि.मी.।

(vi) पृथ्वी अपनी कक्षा पर 6,66,000 मील प्रति घण्टा की रफ्तार से घूमती है।

(vii) सूर्य के प्रकाश को पृथ्वी तक आने में लगभग 8 मिनट का समय लगता है।

(viii) 21 मार्च और 23 सितम्बर को पृथ्वी पर सभी स्थानों पर दिन और रात बराबर होते हैं।

(ix) पृथ्वी पर सबसे बड़ा (लम्बा) दिन 21 जून को होता है।

(x) पृथ्वी पर सबसे छोटा दिन 22 दिसम्बर होता है।

(xi) पृथ्वी की सतह पर लगभग 75 प्रतिशत भाग पर समुद्र, नदियों और झीलों का पानी भरा हुआ है।

(xii) पृथ्वी अपनी धुरी पर लगभग 23.5° झुकी हुई है।

(xiii) पृथ्वी को सूर्य के चारों तरफ एक पूरा चक्कर लगाने में 365 दिन, 6 घण्टे और 9 मिनट का समय लगता है।

(xiv) चन्द्रमा पृथ्वी का उपग्रह है।

पृथ्वी की गतियां

पृथ्वी की दो गतियां हैं—*(i)* अपनी धुरी पर घूमना (rotation)। और *(ii)* अपनी धुरी पर घूमते हुए सूर्य के चारों ओर चक्कर लगाना (revolution)। अपनी धुरी पर पृथ्वी एक पूरा चक्कर लगभग 23 घण्टे 56 मिनट में लगाती है।

पृथ्वी की पहली गति को दैनिक गति भी कहते हैं। जब वह अपनी धुरी पर घूमती है, तो उसका जो भाग सूर्य के सामने (प्रकाश में) पड़ता है, उसमें दिन होता है और जो भाग पीछे (आड़ में) पड़ता है, उसमें रात होती है। दिन और रात पृथ्वी की दैनिक गति के फलस्वरूप होते हैं।

पृथ्वी की दूसरी गति को वार्षिक गति कहते हैं। इस गति के फलस्वरूप ऋतुएं बदलती हैं। चूंकि पृथ्वी अपनी धुरी पर झुकी हुई है और वह अपनी कक्षा में (जो अण्डाकार है) सूर्य के चारों ओर चक्कर लगाती है, अत: कभी सूर्य के काफी निकट और कभी अपेक्षाकृत दूर हो जाती है। जब उसका उत्तरी भाग (उत्तरी गोलार्द्ध) सूर्य के ठीक सामने पड़ता है तो वहां तेज गर्मी होती है और ग्रीष्म ऋतु होती है; और इसके विपरीत उसका दक्षिणी भाग (दक्षिणी गोलार्द्ध) सूर्य से अपेक्षाकृत दूर पड़ता है, अत: वहां अपेक्षाकृत कम गर्मी होती है और शीत ऋतु होती है।

ग्रहण

ग्रहण अक्सर पड़ते रहते हैं। सूर्य ग्रहण और चन्द्र ग्रहण दोनों आकाशीय पिण्डों (सूर्य, चांद और पृथ्वी) की गतियों का परिणाम हैं।

सूर्य ग्रहण—सूर्य ग्रहण अमावस्या को पड़ते हैं, जब चांद सूर्य और पृथ्वी के बीच आ जाता है। लेकिन हर अमावस्या को सूर्य ग्रहण नहीं पड़ता।

चन्द्र ग्रहण—चन्द्र ग्रहण पूर्णिमा को पड़ते हैं, जब पृथ्वी सूर्य और चन्द्रमा के बीच आ जाती है और चांद पर पृथ्वी की छाया पड़ती है।

सूर्य ग्रहण और चन्द्र ग्रहण आंशिक भी होते हैं और पूर्ण भी। पूर्ण सूर्य ग्रहण तो बहुत ही कम होते हैं।

अक्षांश तथा रेखांश

ग्लोब देखने से प्रतीत होगा कि इस पर दो प्रकार की रेखाएं खिंची हुई हैं। एक वे रेखाएं हैं जो भूमध्य रेखा के दोनों ओर उत्तर तथा दक्षिण में उसके समानान्तर खिंची हुई हैं। इन रेखाओं को अक्षांश रेखाएं (Parallels of Latitude) कहते हैं। एक-एक अंश के अन्तर पर ऐसी सम्पूर्ण 89 रेखाएं भूमध्य रेखा के उत्तर में और 89 ही भूमध्य रेखा के दक्षिण में हैं।

दूसरी रेखाएं वे हैं जो उत्तरी ध्रुव और दक्षिणी ध्रुव को मिलाती हैं और भूमध्य रेखा को समकोण पर काटती हैं। इन रेखाओं को देशान्तर रेखाएं या रेखांश रेखाएं (Lines of Longitude) अथवा मध्यान्ह रेखाएं (Meridians) कहते हैं। एक-एक अंश के अंतर पर इन रेखाओं की संख्या 360 है। इसमें से 180 रेखाएं प्राइम मैरीडियन (Prime Meridian) के पूर्व में तथा 180 प्राइम मैरीडियन के पश्चिम में हैं। प्राइम मैरीडियन 0° रेखांश को कहते हैं। यह इंग्लैंड के ग्रीनविच (Greenwich) नगर से गुजरती है। यहीं से शेष मध्याह्न रेखाओं की गणना की जाती है।

भूमध्य रेखा (Equator)—वह कल्पित आड़ी रेखा है जो दोनों ध्रुवों से समान दूरी पर पृथ्वी के चारों ओर खिंची हुई मानी गई है। यह रेखा पृथ्वी को दो समान भागों में बांटती है और इसको 0° गिनते हैं। अक्षांश रेखाओं की गणना भूमध्य रेखा से होती है। भूमध्य रेखा के उत्तरी भाग को उत्तरी गोलार्द्ध और दक्षिण में पड़ने वाले भाग को दक्षिणी गोलार्द्ध कहते हैं।

सार्वदेशिक समय (Standard Time)—किसी देश में किसी मध्य के स्थान का स्थानीय समय (Local Time) देश भर में काम में लाया जाता है। इसी को सार्वदेशिक समय (Standard Time) कहते हैं। यह स्थान उस देश का कोई महत्त्वपूर्ण केंद्रीय नगर होता है। कुछ विशाल देशों में एक से अधिक सार्वदेशिक समय का प्रयोग किया जाता है जैसे कनाडा में।

भारत में इलाहाबाद के पास ग्रीनविच 82½° पूर्व के समय को सारे भारत के लिए स्थानीय समय माना जाता है। यह ग्रीनविच समय से 5 घण्टे 30 मिनट आगे (पहले) है।

ग्रीनविच समय—यह ग्रीनविच (इंग्लैंड) की वेधशाला का स्थानीय समय है। इसे ग्रीनविच मीन टाइम (Greenwich Mean Time) भी कहते हैं। ग्रीनविच शून्य रेखांश (Longitude) पर स्थित है। इसके समय का बड़ा महत्त्व है क्योंकि इससे इसके पश्चिम तथा पूर्व के स्थानों का समय ज्ञात करने में सहायता मिलती है।

अंतर्राष्ट्रीय तिथि रेखा—ग्रीनविच रेखांश 0° पर है। कुल 360 रेखांश हैं। अत: ग्रीनविच के ठीक पीछे (विपरीत दिशा में) 180° रेखांश पर अन्तर्राष्ट्रीय तिथि रेखा है। यह प्रशांत महासागर के बीच से होती हुई गुजरती है। यद्यपि इस रेखा के दोनों ओर समय एक ही होता है, किंतु रेखा के पूर्व की ओर एक दिन पहले वाला दिन होता है। कहने का आशय य्रह है कि यदि रेखा के पूर्व की ओर सोमवार है, तो रेखा के पश्चिम में मंगलवार होगा।

जब कोई विमान किसी स्थान से संसार का चक्कर लगाने के लिए पूर्व की ओर से या पश्चिम की ओर से यात्रा आरम्भ करता है और चक्कर लगाकर अपने स्थान पर (जहां से उड़ान शुरू की थी) वापस आता है, तो उस विमान के यात्री वापस आने पर पाते हैं कि उनके हिसाब से (कैलेण्डर के हिसाब से नहीं) या तो एक दिन कम हो गया है या बढ़ गया है। पश्चिम की ओर से पृथ्वी का चक्कर लगाने पर 1 दिन बढ़ जाता है और पूर्व की ओर से पृथ्वी का चक्कर लगाने पर 1 दिन कम हो जाता है (कैलेण्डर की तुलना में)। अत: पश्चिम की ओर जाने वाले विमान के यात्री गणना में एक दिन कम कर लेते हैं और पूर्व की ओर जाने वाले विमान के यात्री गणना में एक दिन को दो बार गिन लेते हैं।

समय

पृथ्वी 24 घण्टे में अपना एक चक्कर पूरा कर लेती है, अर्थात वह 360° की यात्रा पूरी करती है। इसका अर्थ यह हुआ कि वह 1 देशान्तर की यात्रा करने की यानी 1 देशान्तर आगे गुजरने में 4 मिनट का समय लगाती है। इसीलिए दो देशान्तरों के बीच समय में 4 मिनट का अंतर होता है। यानी यदि 60 देशान्तर वाले किसी स्थान पर समय 6 बजे होगा, तो 61 देशान्तर वाले स्थान पर समय 6 बज कर 4 मिनट होगा और 59 देशान्तर वाले स्थान पर समय 5 बज कर 56 मिनट होगा।

स्थल-मंडल

पृथ्वी का धरातल चट्टानों से बना है। ये चट्टानें खनिजों का संग्रह हैं और खनिज रासायनिक तत्वों से निर्मित हैं।

चट्टानें

उन सब पदार्थों को (चाहे वे पत्थर की भांति कठोर हों, या रेत, मिट्टी अथवा कीचड़ की तरह कोमल) जिनसे पृथ्वी का निर्माण हुआ है, चट्टान (rock) कहते हैं। रचना की दृष्टि से चट्टानों का वर्गीकरण तीन भागों में किया जाता है—*(i)* आग्नेय (igneous), *(ii)* पर्तदार (sedimentary) और *(iii)* रूपान्तरित (metamorphic)।

***(i)* आग्नेय चट्टानें**—ताप के कारण पिघले हुए पदार्थों के जमने से बनी चट्टानों को आग्नेय चट्टान (igneous rock) कहते हैं। ये चट्टानें ठोस लेकिन रवेदार (crystalline) और कठोर होती हैं। इनमें पर्तें नहीं होतीं।

***(ii)* पर्तदार चट्टानें**—पर्तदार चट्टानों का निर्माण भू-पटल पर विद्यमान, मिट्टी, कंकड़ों और पत्थरों से हुआ है। हवा, पानी और हिम नदियों की सहायता से मिट्टी, कंकड़ और पत्थर पर्तों में जमते रहते हैं और उन्हीं से इन चट्टानों का निर्माण होता है। इन चट्टानें में जीव-जन्तुओं और वनस्पतियों के अवशेष भी दबे पड़े होते हैं। इन चट्टानों में जिप्सम, पोटेशियम, कार्बन प्रधान चट्टानें, चूने का पत्थर और डोलोमाइट आदि पाए जाते हैं।

***(iii)* रूपान्तरित चट्टानें**—जब किन्हीं कारणों से आग्नेय चट्टानों और पर्तदार चट्टानों में परिवर्तन (रूपान्तरण) होता है और नई किस्म की चट्टानें बनती हैं, तो ऐसी चट्टानों को रूपान्तरित चट्टानें कहते हैं। चूना पत्थर से संगमरमर बनना, कोयले से ग्रेफाइट बनना ऐसा ही रूपान्तरण है।

पर्वत

पर्वत उस भू-खण्ड को कहते हैं जो आसपास के क्षेत्र की सतह से बहुत ऊंचा हो। पर्वत समस्त पृथ्वी के क्षेत्रफल के 1/10 भाग पर हैं।

पर्वतों का इतिहास पृथ्वी पर हुए क्रांतिकारी चमत्कारों की रोचक कहानी उपस्थित करता है। विभिन्न कालों में इनकी उत्पत्ति तथा इनका विलयन पृथ्वी पर हुए भौतिक एवं लौकिक परिवर्तनों से हुआ है। सागरों की तलहटी से उठी हुई चट्टानों ने ही अधिकांश पर्वतमालाओं को जन्म दिया है। 2000 फीट से कम ऊंचाई वाले पर्वत 'पहाड़ी' कहलाते हैं।

संसार की सबसे ऊंची चोटियां—

1. एवरेस्ट (8848 मीटर), 2. के-2 (8611 मीटर),
3. कंचनजंगा (8598 मीटर), 4. मकालू (8470 मीटर),
5. धौलागिरि (8166 मीटर), 6. नंगा पर्वत (8126 मीटर),

पठार

पठार पृथ्वी के ऐसे लम्बे-चौड़े भाग हैं जो पृथ्वी की सतह से ऊपर की ओर उठे होते हैं, परंतु शिखर पर जाकर प्रायः समतल बन जाते हैं। पठारों की ऊंचाई समुद्र तल से एक हजार और तीन हजार फुट के बीच तक होती है। पठार का क्षेत्रफल हजारों मील होता है। भारत में दक्षिण की उच्च भूमि एक पठार ही है। इसे 'दक्षिण का पठार' कहते हैं।

मैदान

मैदान भूमि के वे समतल भाग हैं, जिनकी ऊंचाई समुद्र तल से एक हजार फुट तक होती है।

डेल्टा

यह एक प्रकार का मैदान ही होता है। यह त्रिकोण (Δ) आकार की वह भूमि होती है जो नदी के अन्तिम भाग (मुहाने) में उपजाऊ मिट्टी के एकत्र होने से बन जाती है। इस भाग में नदी द्वारा बहाकर लाई गई मिट्टी जल सतह से ऊंची हो जाती है। इस प्रकार डेल्टा बन जाता है और नदी कई शाखाओं में विभक्त होकर समुद्र में गिरती है। संसार में सबसे बड़ा डेल्टा गंगा और ब्रह्मपुत्र नदियों का है। डेल्टा की भूमि बहुत उपजाऊ होती है। स्मरण रहे कि डेल्टा उन नदियों में नहीं बनता जिनके मुहानों पर उतार-चढ़ाव हो और पानी की धारा बहुत वेग से गुजरती हो।

भूचाल या भूकंप

भूमि के किसी भाग के एकदम हिलने को भूचाल या भूकम्प कहते हैं। प्रायः भूचाल के समय किड़-किड़ का शब्द भी उत्पन्न होता है और झटके महसूस होते हैं। भूचालों के कारण पृथ्वी पर बहुत भारी परिवर्तन हो जाते हैं। भूमि में दरारें पड़ जाती हैं, भूमि के कई भाग ऊंचे उठ जाते हैं और कुछ नीचे धंस जाते हैं।

ज्वालामुखी

यह पृथ्वी के भूपृष्ठ में एक खुला हुआ मुख होता है। ज्वालामुखी एक ऐसा शंकु है जिसका संबंध एक सीधी नली द्वारा भूमि से होता है, जिसके माध्यम से भूमि की तप्त गैसें, ठोस पदार्थ, राख आदि बाहर निकलते हैं। ज्वालामुखी के मुख को क्रेटर कहते हैं। इसकी आकृति कप की तरह होती है जहां से होकर लावा निकलता है। लंबे समय से शांत पड़े ज्वालामुखी को शांत ज्वालामुखी कहते हैं। ऐसे ज्वालामुखी जो एक बार उद्गार के बाद बीच-बीच में शांत रहते हैं तथा कुछ-कुछ समय की अवधि के बाद भयंकर तथा कुछ शांत उद्गार फिर से आरंभ कर देते हैं उन्हें प्रसुप्त ज्वालामुखी कहते हैं। ऐसे ज्वालामुखी जो एक बार उद्गार होने के बाद सदैव वाष्प, गैस, राख तथा विखंडित पदार्थों को बाहर निकालते रहते हैं उन्हें जागृत ज्वालामुखी कहते हैं। इटली का माऊंट एटना जागृत ज्वालामुखी है जबकि जापान का फ्यूजीयामा प्रसुप्त तथा एंडीज का चिम्बोरा शांत ज्वालामुखी का उदाहरण है। ज्वालामुखी से लावा का उद्गार विस्फोट के साथ हो सकता है और शांत तरीके से भी।

विश्व में हजारों ज्वालामुखी हैं। वे महाद्वीपों में विविध पट्टियों में वितरित हैं। संपूर्ण प्रशांत महासागर में पूर्वी द्वीपसमूह पेटी को ज्वालामुखियों का प्रधान केन्द्र माना जाता है। क्योंकि यहां के अकेले जावा द्वीप में 43 ज्वालामुखी मौजूद हैं। मध्य महाद्वीपीय पेटी आइसलैंड के हेलका पर्वत से आरंभ होकर दक्षिण की ओर अफ्रीका के केमरूप पर्वत की ओर चली जाती है। आंध्र महासागरीय पेटी में ज्वालामुखियों का प्रमुख क्षेत्र लेसर एंटीलीस से लेकर दक्षिणी एंटीलीस तक हैं। कुछ छुटपुट ज्वालामुखी एंटार्कटिका महाद्वीप तथा हिन्द महासागर और मेडगास्कर के आसपास कमोरो, मारीशस और रीयूनियन द्वीपों पर स्थित हैं।

रेगिस्तान (Desert)

रेगिस्तान ऐसे भू-प्रदेश को कहते हैं, जहां उपज इतनी कम हो कि उसके सहारे इंसान अपना निर्वाह न कर सके। अधिकांश रेगिस्तानों में साल में 5 इंच से भी कम वर्षा होती है। संसार के अधिकांश रेगिस्तान 20° और 35° उत्तरी व दक्षिणी अक्षांश के बीच कर्क रेखा और मकर रेखा के पास हैं।

विश्व के प्रसिद्ध रेगिस्तान—सहारा (उत्तरी अफ्रीका), लीबियन (उत्तरी-पश्चिमी अफ्रीका), आस्ट्रेलियन (पश्चिमी व मध्य आस्ट्रेलिया), अरेबियन (अरब प्रायद्वीप), गोबी (मंगोलिया), कालाहारी (बोत्सवाना), तकला माकन (दक्षिणी सीक्यांग, चीन), काराकुम (दक्षिणी तुर्किस्तान, रूस), थार (उत्तरी-पश्चिमी भारत)।

महाद्वीप

ऐसे लम्बी अखण्डित विशाल भूखण्ड को जो समुद्र तल की ऊंचाई से ऊपर उठा हुआ हो, महाद्वीप कहते हैं। पृथ्वी को सात महाद्वीपों में विभाजित किया गया है, जैसे-एशिया, यूरोप, अफ्रीका, उत्तरी अमरीका, दक्षिणी अमरीका, आस्ट्रेलिया और एंटार्कटिक।

कोरल द्वीप

कोरल एक समुद्री कीड़ा होता है। यह उष्ण कटिबंध के सागर में रहता है। इसकी खाल बहुत अधिक कड़ी होती है। कोरल कीड़ों की खाल के विशाल भंडार से बने टीलानुमा द्वीप को कोरल द्वीप कहते हैं। कोरल द्वीप छोटा टीला भी हो सकता है और मीलों लम्बा-चौड़ा भी हो सकता है।

एटोल

किसी लैगून के चारों तरफ अर्द्धचन्द्राकार आकार में मूंगे की चट्टानों या दीवार को एटोल कहते हैं।

जल मंडल

समुद्र

पृथ्वी की सतह का लगभग दो-तिहाई से अधिक भाग खारे पानी से ढका है। खारे जल का यह विस्तृत फैलाव (समुद्र) स्थल खण्डों को चारों ओर से घेरे हुए है और कई बड़े भागों में विभाजित है, जिन्हें महासागर कहते हैं। विस्तृत जल के छोटे भाग को सागर कहते हैं।

महासागर—पृथ्वी पर तीन बड़े महासागर हैं—प्रशान्त महासागर, अटलांटिक महासागर तथा हिंद महासागर।

महासागर

महासागर	*क्षेत्रफल करोड़ वर्ग कि.मी.*	*जल भाग का %*	*विश्व के कुल जल भाग का %*
प्रशान्त महासागर	16.53	35.3	50.1
अटलांटिक महासागर	8.22	18.1	25.3
हिन्द महासागर	7.34	14.7	20.8
आर्कटिक महासागर	1.40	2.7	3.8
अंटार्कटिक महासागर	— बर्फ से जमा हुआ है।		
योग		70.8%	100%

(i) प्रशान्त महासागर सबसे बड़ा महासागर है और यह पृथ्वी के लगभग एक-तिहाई भाग पर फैला है। यह महासागर सभी प्रायद्वीपों के सम्मिलित क्षेत्रफल से भी बड़ा है। यह अन्य सभी महासागरों से गहरा है। प्रशान्त महासागर की मरियाना खाड़ी में पृथ्वी के सभी महासागरों में सबसे गहरे (6.8 मील) भाग हैं। प्रशांत महासागर एक ओर से एशिया और आस्ट्रेलिया महाद्वीपों से घिरा है और दूसरी ओर से उत्तरी तथा दक्षिणी अमरीका महाद्वीपों से।

(ii) अटलांटिक महासागर संसार का दूसरा सबसे बड़ा महासागर है। इसके एक ओर उत्तरी तथा दक्षिणी अमरीका के महाद्वीप हैं और दूसरी ओर यूरोप तथा अफ्रीका। इस महासागर की दन्तुरित तट-रेखा प्रशान्त और हिन्द महासागरों की तट रेखाओं की सम्मिलित लम्बाई से भी बड़ी है। अटलांटिक महासागर में बड़े-बड़े बन्दरगाह हैं। इस महासागर में संसार का सबसे अधिक व्यापार होता है।

अमरीकी वैज्ञानिकों ने अटलांटिक महासागर की तली में 100 वर्ग कि.मी. के ऐसे क्षेत्र का पता लगाया है जहां धातुओं का अपार भंडार है।

(iii) हिन्द महासागर तीसरा सबसे बड़ा महासागर है। यह अटलांटिक महासागर से कुछ ही छोटा है। यही एक ऐसा महासागर है जिसका नाम एक देश अर्थात भारत के नाम पर रखा गया है। (भारत को हिन्द भी कहते हैं)। इससे पता चलता है कि पुराने समय में अंतर्राष्ट्रीय व्यापार में हमारे देश का नाम कितना प्रसिद्ध था। यह महासागर, अफ्रीका, एशिया और आस्ट्रेलिया महाद्वीपों से घिरा है।

(iv) उत्तरी ध्रुव महासागर या आर्कटिक महासागर उत्तरी ध्रुव के चारों ओर है और वह उत्तरी ध्रुव वृत्त के भीतर फैला है। वास्तव में यह अटलांटिक महासागर का ही उत्तर में फैला हुआ एक हिस्सा है। बेरिंग जलसंधि, जो उथले समुद्र का एक संकरा-सा भाग है, उत्तरी ध्रुव महासागर को प्रशांत महासागर से मिलाती है। उत्तरी ध्रुव महासागर यूरेशिया और उत्तरी अमरीका से घिरा है। इसका अधिकतर भाग दो से तीन मीटर मोटी बर्फ से सारे साल जमा रहता है।

अन्य सागर और खाड़ियां इस प्रकार हैं—भूमध्यसागर, दक्षिणी चीन सागर, बेरिंग सागर, कैरिबियन सागर, ओखोत्सक सागर, पूर्व चीन सागर, यैलो सागर, जापान सागर, उत्तरी सागर, काला सागर, बाल्टिक सागर, हडसन की खाड़ी व मैक्सिको की खाड़ी।

सागर की गतियां

समुद्र की तीन मुख्य गतियां होती हैं—

(1) लहरें (Waves),

(2) धाराएं (Currents)

(3) ज्वार-भाटा (Tides)।

(1) लहरें

लहरें वायु की गति से उत्पन्न होती हैं और समुद्र के तल पर होती हैं; लहरें अधिक गहराई में नहीं होतीं। (केवल कुछ सौ मीटर की गहराई तक ही) लहरों के रूप में पानी ऊपर-नीचे उठता है। जब वायु वेग से चलती है, तो लहरें समुद्र तल पर 40 फुट तक ऊंची उठ आती हैं।

(2) धाराएं

महासागर के सतह पर या गहराई में नियमित रूप से एक निश्चित दिशा में बहने वाली कुछ सरिताएं होती हैं, जिन्हें धाराएं कहते हैं। ये बहती नदियां जल की बड़ी भारी मात्रा को इधर से उधर ले जाती हैं। जल की यह गति संकरी तेज धारा के रूप में अथवा मंद बहने वाले चौड़े प्रवाह के रूप में होती है। धाराओं की गति 2 कि.मी. से लेकर 10 कि.मी. प्रति घण्टा तक होती है।

धाराएं दो प्रकार की होती हैं—गर्म तथा ठंडी। गर्म धाराओं का जल वास्तव में बहुत गर्म नहीं होता। उनका तापमान निकटवर्ती जल के तापमान से कुछ ही अंश अधिक होता है। गर्म धाराएं निम्न अक्षांशों से उच्च अक्षांशों की ओर बहती हैं जबकि ठंडी धाराएं उच्च अक्षांशों से निम्न अक्षांशों की ओर।

धाराओं की उत्पत्ति के तीन कारण हैं—

***(i)* स्थाई पवनें (Permanent Winds)**—चूंकि स्थाई पवनें सदा एक ही दिशा में चलती हैं, ये समुद्र के जल को अपनी दिशा में बहाकर ले जाती हैं और इस प्रकार धाराएं पैदा हो जाती हैं।

***(ii)* असमान ताप (Unequal Temperature)**—भूमध्य रेखा के निकट उष्ण कटिबंध में उष्णता अधिक पड़ती है। गर्मी के कारण जल हल्का हो जाता है। इसलिए भूमध्य रेखा के समीप का जल तल के ऊपर ही ऊपर ध्रुवों की ओर जाता है और ध्रुवों का ठण्डा जल भारी होने के कारण नीचे ही नीचे गर्म प्रदेशों की ओर आता है। इस प्रकार गर्म और सर्द प्रदेशों के मध्य धाराओं का एक चक्र बन जाता है।

***(iii)* न्यूनाधिक वाष्पीकरण क्रिया (Unequal Evaporation)**—कई समुद्रों में वाष्पीकरण क्रिया कम या अधिक होने के कारण स्थानीय धाराएं उत्पन्न हो जाती हैं।

समुद्री धाराओं का जलवायु पर कई प्रकार से प्रभाव पड़ता है—

(i) गर्म या सर्द धाराएं जिस देश के तट के पास से गुजरती हैं वहां का तापमान क्रमशः गर्म या सर्द हो जाता है। इसका कारण यह है कि इन धाराओं के ऊपर से गुजरने वाली पवनें अपने साथ गर्मी या सर्दी ले आती हैं।

(ii) धाराओं से वर्षा भी प्रभावित होती है। ये पवनें गर्म धाराओं के ऊपर से लांघ कर आती हैं, जलीय वाष्प से भरी होती हैं, इसलिए जिन-जिन देशों के पास से गर्म धाराएं चलती हैं, वहां अधिक वर्षा होती है। किंतु जिन देशों अथवा तटों के पास ठण्डी धाराएं चलती हैं, वहां वर्षा थोड़ी होती है क्योंकि ठण्डी धाराओं के ऊपर से चलने वाली पवनें ठण्डी होने के कारण अधिक जल नहीं चूस सकतीं।

(iii) जहां-जहां गर्म और ठण्डी धाराएं मिलती हैं वहां धुंध पैदा होती है, आंधियों और तूफान भी जोर से चलते हैं। जापान के तूफान (Typhoons) इसके प्रसिद्ध उदाहरण हैं।

समुद्री धाराएं व्यापार पर भी प्रभाव डालती हैं—

(i) गर्म धाराएं ठण्डे देशों के समुद्र तटों को जमने नहीं देतीं, इससे बन्दरगाह सारे वर्ष खुले रहते हैं।

(ii) धाराएं जहाज चलाने में सहायता भी करती हैं और रुकावट भी डालती हैं।

(iii) ठण्डे जल में उत्तम नस्ल की मछलियां पाई जाती हैं जो ठण्डी धाराओं के साथ-साथ गर्म प्रदेशों में पहुंच जाती हैं, जहां पर उनका शिकार किया जाता है।

(iv) ठण्डी और गर्म धाराओं के मिलने से जो धुंध पैदा होती है उससे जहाजों के आने-जाने में कठिनाई होती है।

समुद्री धाराओं का एक बड़ा लाभ यह है कि इनके कारण समुद्र के जल में सदा गतिशीलता बनी रहती है जिससे वह शुद्ध और स्वच्छ रहता है। इन धाराओं से समुद्री जीव-जन्तुओं को ऑक्सीजन और खाद्य सामग्री मिलती रहती है जिससे समुद्री जीव-जन्तु जीवित रहते हैं।

समुद्री धाराएं—समुद्री धाराएं जलवायु पर भी प्रभाव डालती हैं। गर्म धाराएं ध्रुवों की ओर जाती हैं और ठंडी धाराएं भूमध्य रेखा की ओर। गर्म धाराएं निम्न अक्षांशों में महाद्वीपों के पूर्वी भाग को और ऊंचे अक्षांशों में महाद्वीपों के पश्चिमी भाग को स्पर्श करती हुई बहती हैं। इनका प्रभाव निकटवर्ती देशों की जलवायु पर पड़ता है। ये अपने निकटवर्ती प्रदेश को गर्म कर देती हैं।

ठंडी धाराएं ऊंचे अक्षांशों में महाद्वीपों के पूर्वी भाग को और निम्न अक्षांशों में महाद्वीपों के पश्चिमी भाग को छूती हुई चलती हैं। इसके प्रभाव से निकटवर्ती प्रदेश ठंडे हो जाते हैं।

अटलांटिक महासागर की धाराएं—*(i)* अटलांटिक ड्रिफ्ट, *(ii)* बेग्वेला, *(iii)* दक्षिण भूमध्य रेखीय धारा, *(iv)* ब्राजीलियन धारा, *(v)* गल्फ स्ट्रीम, *(vi)* उत्तर भूमध्य रेखीय धारा, *(vii)* कैनारी, *(viii)* लेब्रेडोर व ग्रीनलैण्ड धारा।

प्रशान्त महासागर की समुद्री धाराएं—*(i)* हमबोल्ट या पेरूवियन धारा, *(ii)* दक्षिण भूमध्यरेखीय धारा, *(iii)* न्यू साउथ वेल्स धारा, *(iv)* उत्तर भूमध्यरेखीय धारा, *(v)* जापान धारा, *(vi)* कैलीफोर्निया धारा, *(vii)* क्युराइल धारा।

हिन्द महासागर की समुद्री धाराएं—*(i)* पश्चिम आस्ट्रेलियाई धारा, *(ii)* भूमध्यरेखीय धारा, *(iii)* मोजाम्बिक धारा।

समुद्र तट—समुद्र तटों को उनकी विलक्षणताओं के आधार पर कई श्रेणियों में बांटा जा सकता है।

***(i)* फियोर्ड (Fiord)**—ये समुद्र तट के भीतर की ओर (अर्थात धरती में) घूसी हुई पतली-संकरी खाड़ियों जैसी होती हैं। अनुमान है कि प्राचीन काल में ग्लेशियरों के बहाव से इनका निर्माण हुआ था। ऐसे अत्यधिक कटाव वाले (गहरे कटाव) वाले तटों को फियोर्ड कहते हैं।

***(ii)* रिया (Ria)**—यह भी समुद्र तट में भीतर की ओर घुसी हुई खाड़ी जैसी होती है। इसका निर्माण किसी क्षेत्र में चट्टानों के पानी में डूब जाने से होता है। अन्दर की ओर इसकी कई शाखाएं बन जाती हैं। यह अन्दर की ओर से समुद्र की ओर गहरी होती जाती है।

***(iii)* डालमेशन तट (Dalmation)**—ऐसे तटों पर समानान्तर पर्वत श्रेणियों के निचले भाग जल में डूब जाने से केवल ऊंचे उठे भाग ही द्वीप की भांति दिखाई पड़ते हैं। घाटियों के भूमि में धंसने के कारण खाड़ियां बन जाती हैं, जिनका मुंह समुद्र की तरफ संकरा होता है और अन्दर पहुंच कर घाटियां चौड़ी होती जाती हैं।

***(iv)* हैफ तट (Haff Coast)**—यह तट कम गहरा होता है। इसमें समुद्र तट के समानान्तर बालू के स्तूप जैसे बने होते हैं, जिनके पीछे उथले लैगून स्थित होते हैं। वास्तव में हैफ तट उथली झील जैसा होता है।

लहरों तथा धाराओं की तुलना

लहरें	धाराएं
1. लहरों में जल ऊपर-नीचे तथा आगे-पीछे गति मात्र करता है किंतु अपना स्थान छोड़कर बहुत आगे नहीं बढ़ता।	1. धाराओं में जल अपना स्थान छोड़कर आगे बढ़ जाता है। इन्हें समुद्री नदियां भी कहा जाए तो कोई अत्युक्ति न होगी।
2. लहरें केवल समुद्री सतह तक ही सीमित रहती हैं। गहराई में नहीं चलतीं।	2. धाराएं काफी गहराई तक चलती हैं। ऊपरी धाराओं के नीचे प्रायः विपरीत धाराएं चला करती हैं।
3. लहरों का वेग वायु के प्रचलन पर निर्भर होता है।	3. धाराएं तापक्रम वैभिन्य एवं स्थायी पवनों के प्रभाव से पैदा होती हैं, अतः सदैव चलती हैं।
4. लहरों का आकार जल की गहराई पर निर्भर करता है।	4. धाराएं सदा विशाल आकार की होती हैं।

(3) ज्वार-भाटा

समुद्र के जल में दिन में दो बार उतार तथा चढ़ाव को ज्वार-भाटा कहते हैं। ज्वार-भाटे का सबसे बड़ा कारण उन आकर्षण शक्तियों का अन्तर है जो कि चांद ठोस पृथ्वी के केंद्र और पृथ्वी के चारों ओर फैले हुए जल पर डालता है।

ज्वार-भाटा दो प्रकार का होता है।

1. महान् ज्वार-भाटा (Spring Tide)—जब सूर्य और चांद दोनों मिलकर अपनी संगठित आकर्षण-शक्तियों से ज्वार-भाटे की भारी लहर पैदा करते हैं, जिससे पानी का उतार-चढ़ाव साधारण की अपेक्षा अधिक होता है तो इसे महान ज्वार-भाटा कहते हैं।

2. स्वल्प ज्वार-भाटा (Neep Tide)—जब चांद और सूर्य पृथ्वी के साथ समकोण बनाते हैं, जिससे वे एक-दूसरे की शक्ति के प्रभाव को किसी सीमा तक नष्ट कर देते हैं, तो इस कारण जल का उतार-चढ़ाव साधारण की अपेक्षा कम होता है। इसे स्वल्प ज्वार-भाटा कहते हैं।

नदियां

नदियां धरती पर प्रवाहित जल का मुख्य स्रोत हैं। भूमि तल में परिवर्तन लाने वाले बाहरी कारणों में नदियों का बहुत अधिक महत्त्व है। भौगोलिक दृष्टि से नदियों के तीन मुख्य काम हैं—

(i) ये भूमितल के खुर्चने (Erosion) का काम करती हैं,
(ii) खुर्चे हुए द्रव्य को बहा ले जाती हैं,
(iii) द्रव्य को किसी नीचे स्थान पर एकत्र (Deposit) करती हैं।

विश्व की बड़ी नदियां—नील (मिस्र), अमेजन (दक्षिण अमरीका), मिसीसिपी मिसौरी (उत्तरी अमरीका), ओब इरतीश (रूस), बोल्गा (रूस), ह्वांग हो (चीन), कांगो (अफ्रीका), पनामा (दक्षिण अमरीका), यांगट्सी (चीन), ब्रह्मपुत्र (भारत)।

झीलें

झील जल-भाग का एक छोटा आकार है। स्थल का ऐसा नीचा स्थान जिसमें पानी भर जाए और उस पानी का निकास पूरा-पूरा न हो, झील कहलाता है। झीलें प्राय: उथली होती हैं और उनका आकार छोटा होता है। मिट्टी भर जाने या पानी बह जाने के फलस्वरूप ये सूख भी सकती हैं। पृथ्वी पर जितनी भी झीलें हैं उनका आकार पृथ्वी की सतह पर हो रहे परिवर्तन से प्रभावित होता रहता है। कुछ झीलें ऐसी होती हैं जिसमें से या तो कोई नदी निकलती है अथवा उनमें गिरती है तथा कुछ ऐसी होती हैं जिनमें से न तो नदी निकलती है और न उनमें गिरती ही है। जिनमें नदियों का आवागमन रहता है वे झीलें मीठे पानी की और जिनमें नदियों का आवागमन नहीं रहता वे खारे पानी की होती हैं। मीठे पानी की झीलों में सर्वाधिक प्रसिद्ध मिशिगन, ह्यूरन और सुपीरियर झीलें हैं। खारे पानी की झीलों में सर्वाधिक प्रसिद्ध मृत सागर (Dead Sea), अरल सागर (Aral Sea) और सांभर झील (Sambhar Lake) हैं। आर्थिक दृष्टिकोण से दोनों प्रकार की झीलें महत्त्वपूर्ण हैं। जहां तक झीलों के विस्तार का प्रश्न है, इसके लिए कोई खास नियम नहीं है। नैनीताल जैसी छोटी झील और कैस्पियन सागर (Caspian Sea) जैसी बड़ी झील दोनों इनके अंतर्गत आ जाती हैं।

झीलों की उत्पति के कारण—

(1) किसी बांध द्वारा नदी का प्रवाह रूक जाने से,
(2) पृथ्वी के धरातल के धंस जाने से,
(3) ज्वालामुखी पर्वतों की क्रियाओं से, और
(4) धरातल के कटाव से।

विश्व की प्रसिद्ध झीलें—कैस्पियन सागर (रूस, ईरान : खारी), सुपीरियर (अमरीका-कनाडा), अरल (रूस : खारी), विक्टोरिया (पूर्व-मध्य अफ्रीका), मिशिगन (अमरीका), ह्यूरन (अमरीका-कनाडा), बैकाल (रूस)।

लैगून (Lagoon)—उस संकरी जल धारा या तालाब या जलखण्ड को लैगून कहते हैं, जो किसी बांध, रोध या चट्टान आदि के द्वारा बड़ी जल धारा या बड़े जल खण्ड से पृथक हो गया हो।

वायु-मण्डल

पृथ्वी के चारों ओर पाई जाने वाली वायु से ही वायुमण्डल बना है। यह चारों ओर से पृथ्वी को घेरे हुए है। पृथ्वी की सतह से कम से कम 1,600 किलोमीटर की ऊंचाई तक वायुमण्डल पाया जाता है। ज्यों-ज्यों पृथ्वी की सतह से ऊपर जाएं, वायुमण्डल का घनत्व कम होता जाता है। अन्तरिक्ष से वायुमण्डल को अलग करने वाली कोई विशेष सीमा-रेखा नहीं है।

वायुमण्डल विभिन्न प्रकार की गैसों का मिश्रण है, जो एक निश्चित अनुपात में होती हैं। वायुमण्डल में लगभग 78 प्रतिशत भाग नाइट्रोजन है और लगभग 21 प्रतिशत भाग जीवन के लिए आवश्यक ऑक्सीजन गैस है। शेष एक प्रतिशत कार्बन डाइ-ऑक्साइड और हाइड्रोजन जैसी अनेक गैसें हैं। यद्यपि कार्बन डाइ-ऑक्साइड का अनुपात वायुमण्डल में बहुत कम है फिर भी यह गैस पेड़-पौधों के लिए बहुत उपयोगी है। इस गैस से ही पेड़-पौधे हरी पत्तियों में पौष्टिक भोजन तैयार करते हैं। हम अपना भोजन अधिकतर पेड़-पौधों से ही प्राप्त करते हैं। पृथ्वी पर हमें जो पानी मिलता है, वह ऑक्सीजन और हाइड्रोजन का मिश्रण है।

वायुमण्डल गैसों की मोटी तह है, जो पृथ्वी के चारों ओर चिपका हुआ है। पृथ्वी की गति का इस पर कोई प्रभाव नहीं पड़ता। पर वायुमण्डल के भीतर गति होती रहती है। वायुमण्डल का विभाजन ऊंचाई के आधार पर किया गया है।

ट्रोपोस्फीयर (Troposphere)—पृथ्वी तल से 8 से 18 किमी. की ऊंचाई तक के वायुमण्डल को ट्रोपोस्फीयर कहा जाता है। मौसम संबंधी सब घटनाएं और परिवर्तन इसी क्षेत्र में होते हैं। इसीलिए मौसम की भविष्यवाणी के लिए इसी क्षेत्र के तापमान, आर्द्रता, वायुवेग आदि को आधार बनाया जाता है। इस क्षेत्र में ज्यों-ज्यों ऊपर जाते हैं, त्यों-त्यों तापमान कम होता जाता है।

स्ट्रेटोस्फीयर (Stratosphere)—यह क्षेत्र ट्रोपोस्फीयर से ऊपर लगभग 18 से 32 किमी. तक फैला हुआ है। इस भाग में तापमान लगभग एक जैसा रहता है।

आयनोस्फीयर (Ionosphere)—यह ट्रोपोस्फीयर और स्ट्रेटोस्फीयर दोनों के ऊपर है। यह लगभग 60 किमी. की ऊंचाई से आरंभ हो जाता है और लगभग 640 किमी. तक फैला हुआ है। इस क्षेत्र में आयोनाइजेशन के फलस्वरूप मुक्त इलेक्ट्रान होते हैं। अन्तर्राष्ट्रीय रेडियो संचार के लिए इसी क्षेत्र से सहायता मिलती है।

ओजोन पर्त (Ozone Layer)—यह पर्त पृथ्वी के तल से लगभग 32 से 60 किलोमीटर की ऊंचाई पर है। सूर्य से निकलने वाली अल्ट्रावायोलेट विकिरण को ओजोन पर्त समाहित कर लेती है। ओजोन पर्त के न होने पर सूर्य की अल्ट्रावायोलेट विकिरण धरती तक आ जाती और मनुष्यों व पौधों को बहुत क्षति पहुंचती है।

पवन

पवनें कई प्रकार की होती हैं—.

1. स्थाई पवनें (Permanent Winds)—स्थाई पवनें सदा एक ही दिशा में बहती हैं, जैसे—व्यापारिक पवनें, पश्चिमी पवनें।

2. आवर्ती पवनें (Periodical Winds)—आवर्ती पवनें विशेष ऋतुओं में चलती हैं, जैसे-मानसून।

3. अस्थिर पवनें (Variable Winds)—ये अनियमित रूप से चलती हैं, जैसे-चक्रवात और प्रति चक्रवात।

व्यापारिक पवनें (Trade Winds)—ये वे स्थायी पवनें हैं, जो उष्ण कटिबंध में भूमध्य रेखा की ओर निरन्तर चलती रहती हैं।

मानसून—मानसून खण्ड में गर्मियों में अधिक गर्मी पड़ती है जिससे वायु गर्म तथा हल्की होकर ऊपर उठ जाती है। उसका स्थान लेने के लिए जल-पूरित वायु समुद्र से आती है और पर्याप्त वर्षा करती है। इस पवन को मानसून कहते हैं।

समुद्री समीर व स्थल समीर (Sea Breeze and Land Breeze)—समुद्र की ओर से ठण्डी पवन, जो दिन के समय स्थल की ओर आती है समुद्री समीर कहलाती है। इसके चलने का समय 12 घण्टे अर्थात दिन के आठ बजे से लेकर रात के आठ बजे तक होता है।

रात के समय स्थल की भारी वायु समुद्र की ओर चलनी आरम्भ हो जाती है। इसे स्थल समीर कहते हैं। यह रात-भर स्थल से समुद्र की ओर चलती है, अर्थात रात के आठ बजे से लेकर दिन के आठ बजे तक।

इन समीरों के कारण समुद्र तट के प्रदेशों की जलवायु सर्दियों में कम सर्द और गर्मियों में कम गर्म होती है।

चक्रवात तथा प्रति-चक्रवात (Cyclones and Anticyclones)—पवन के उस चक्र को जिसके केंद्र में दबाव कम हो, और बाहर दबाव अधिक हो चक्रवात कहते हैं। पवन के ऐसे चक्र को जिसके केंद्र में दबाव अधिक हो और बाहर दबाव कम हो, प्रति चक्रवात कहते हैं। उत्तरी गोलार्द्ध में चक्रवात में वायु दाहिनी ओर से बाईं ओर को चलती है और दक्षिणी गोलार्द्ध में चक्रवात में वायु बाईं ओर से दाहिनी ओर को चलती है। इसके विपरीत उत्तरी गोलार्द्ध में प्रति-चक्रवात में वायु बाईं ओर से दाहिनी ओर को चलती है और दक्षिण गोलार्द्ध में दाहिनी ओर से बाईं ओर को चलती है। वायु का प्रवाह ऊपर की ओर बवंडर जैसा होता है।

हरीकेन (Hurricane)—उष्ण कटिबंध में वर्षा, बिजली की चमक और गड़गड़ाहट के साथ आने वाले तीव्र तूफान को हरीकेन कहते हैं। कभी-कभी इसकी रफ्तार 120 कि.मी. प्रति घण्टे से भी अधिक होती है।

टोरनाडो (Tornado)—उस विनाशकारी तेज चक्रवात (whirlwind) को टोरनाडो कहते हैं, जो जमीन पर एक संकीर्ण मार्ग से गुजरता है। कभी-कभी इसके साथ बादल भी आते हैं। इसका आकार भूमि पर संकरा और ऊपर की ओर चौड़ा होता है। टोरनाडो में फंसी वस्तुएं प्राय: सीधे ऊपर की ओर चली जाती हैं।

वायु में जलकण

द्रवीभवन क्रिया (Condensation)—वायु में जल कण सदैव विद्यमान रहते हैं। जब ये जल कण किसी ठण्डी वस्तु के सम्पर्क में आते हैं तो जल की बूंदों के रूप में प्रकट हो जाते हैं; जैसे किसी गिलास में बर्फ रखी हो तो उसके आस-पास की वायु में विद्यमान जल कण उसकी ठंडक के सम्पर्क में आने पर गिलास के बाहरी भाग पर छोटी-छोटी बूंदों के रूप में प्रकट हो जाते हैं। जलकणों के इस प्रकार प्रकट होने को द्रवीभवन क्रिया कहते हैं।

ओस (Dew)—रात के समय विकिरण क्रिया के फलस्वरूप भूमि, वृक्ष तथा घास-फूस बड़ी जल्दी ठण्डे हो जाते हैं। जब हवा इनको छूती है तो वह भी ठण्डी हो जाती है और उसमें जलकणों की मात्रा अधिक हो जाती है। इतने अधिक जल कण वायु सम्भाल नहीं पाती और वे जल-बिन्दुओं के रूप में घास और दूसरी वस्तुओं के तल पर द्रवीभवन क्रिया (Condensation) के कारण प्रकट हो जाते हैं। इन बिंदुओं को ओस कहते हैं। मेघ वाली रातों में और छायादार स्थानों पर ओस नहीं बनती। रात को वेग से पवन चल रही हो तो भी ओस नहीं बनती। इसका कारण है कि ऐसी दशाओं में विकिरण क्रिया पूर्ण नहीं होती। ओस भूमि-तल के निकट ही बनती है।

पाला (Frost)—जब वायु का तापमान 0°C से कम हो जाता है तो विद्यमान जलकण ओस का रूप धारण करने की बजाय जम जाते हैं, इसे पाला कहते हैं। पाला भी भूमि तल के निकट ही पड़ता है।

कुहरा (Fog)—जल की ऊपरी सतह पर जल कण सदा बनते रहते हैं। जब गर्म और नमी वाली वायु ठण्डी वायु या वायु जल को छूती है तो जल कणों का कुछ भाग पानी के रूप में दृष्टिगोचर हो जाता है और मिट्टी के उन कणों पर, जो वायु में भूमितल के समीप उड़ते रहते हैं, लटक जाता है। इसे कोहरा कहते हैं। जब वायु में मिट्टी के कण विद्यमान न हों, तो कोहरा नहीं पड़ सकता।

धुन्ध (Mist)—धुन्ध वैसे ही बनती है जैसे कोहरा। अन्तर केवल यह है कि इसमें जल कण कोहरे के जल-कणों की अपेक्षा कुछ बड़े होते हैं।

बादल (Cloud)—बादल भी कोहरे की भांति बनता है। अन्तर यह है कि कोहरा तो भूमि तल से थोड़ी ऊंचाई पर बनता है, परंतु बादल भूमि तल से बहुत ऊंचाई पर बनते हैं।

ओले (Hail Storms)—जब वायु की ऊपरी सतह पर बहुत अधिक शीत होती है तो वाष्पकण बूंदों में नहीं बदलते, बल्कि जम कर बर्फ के टुकड़े अर्थात् ओले बन जाते हैं।

हिम (Snow)—कई बार बादल वायुमण्डल में अतिशीत खण्डों में चले जाते हैं तो अतिशीत के कारण ये जल का रूप धारण नहीं करते वरन् जम जाते हैं और हिम बनकर धरती पर गिरते हैं।

वर्षा (Rain)—जब बादल ठण्डी वायु को छूता है तो द्रवीभवन क्रिया (Condensation) और भी अधिक हो जाती है तथा जलकण इतने भारी हो जाते हैं कि पृथ्वी के आकर्षण के प्रभाव से धरती पर गिर पड़ते हैं। इस प्रकार वर्षा होती है।

अश्व अक्षांश

उत्तरी और दक्षिणी दोनों गोलार्द्धों में व्यापारिक पवनों (trade winds) और पछुआ पवनों (westerlies) के बीच समुद्र के ऊपर उच्च वायुमण्डलीय दबाव वाली उपोष्ण (sub-tropical) पट्टियों को, जो 30°-35° उत्तरी और 30°-35° दक्षिणी अक्षांशों के बीच पड़ती हैं, अश्व अक्षांश कहा जाता है। इन पट्टियों में प्राय: वायुमंडल शांत रहता है—हल्की हवाएं चलती हैं।

दहाड़ता चालीसा

दक्षिणी गोलार्द्ध में 40° से 60° अक्षांश की बीच स्थलीय भाग बिल्कुल नहीं है। कोई स्थलीय बाधा न होने के कारण पश्चिमी हवाएं समुद्र के ऊपर नियमित रूप से बड़े वेग के साथ बहती रहती हैं। यहां कम दबाव वाले क्षेत्र (depressions) लगातार बने रहते हैं, जिनके कारण लगभग साल भर वर्षा और तूफान का मौसम रहता है।

नीरव प्रदेश (Doldrums)

निम्न वायुमंडली दाब (low atmospheric pressure) की उस भूमध्यरेखीय पट्टी को नीरव प्रदेश कहते हैं, जहां उत्तर-पूर्वी और

दक्षिण-पूर्वी व्यापारिक पवनें (trade winds) एक दूसरे से मिलती हैं। यहां शांत और नीरव प्रदेश होता है, धरती पर बहुत धीमी हवाएं चलती हैं, लेकिन यहां हवाएं तीव्र गति से ऊपर की ओर उठती हैं।

वन सम्पदा

पृथ्वी के तल पर अनेक प्रकार की वनस्पतियां पाई जाती हैं। किसी स्थान की वनस्पति वहां के तापमान, वर्षा की मात्रा, हवाओं, सूर्य के प्रकाश और मिट्टी की किस्म पर निर्भर होती है। जिन प्रदेशों में भारी वर्षा, साल भर वर्षा होती है उनमें वनस्पतियों की प्रचुरता होती है। जिन खण्डों में वर्षा चाहे बहुत अधिक न हो लेकिन मिट्टी में आर्द्रता बनी रहती है, उनमें भी अच्छी वनस्पति होती है।

वनों का वर्गीकरण

वनों का वर्गीकरण कई प्रकार से किया जाता है। वर्गीकरण का एक आधार उनका क्षेत्र या खण्ड है, जैसे उष्ण कटिबंध के वन या शीतोष्ण कटिबंध के वन। वनों में पाए जाने वाले पेड़ों की लकड़ी के आधार पर भी वनों का वर्गीकरण किया जाता है, जैसे कठोर लकड़ी वाले वन और नरम लकड़ी वाले वन। पेड़ों की पत्तियों के आधार पर वनों का वर्गीकरण चौड़ी पत्ती वाले वनों और नुकीली पत्ती वाले वनों में किया जाता है। पेड़ों की पत्तियों के झड़ने के आधार पर वनों का वर्गीकरण सदाबहार वनों और पतझड़ी वनों में किया जाता है।

कठोर लकड़ी वाले वन सदाबहार भी होते हैं और पतझड़ी भी। नरम लकड़ी वाले वन सदाबहार वन होते हैं। कठोर लकड़ी वाले वन उष्ण कटिबन्ध में भी होते हैं और शीतोष्ण कटिबन्ध में भी। इसी प्रकार सदाबहार वन भी उष्ण कटिबन्ध और शीतोष्ण कटिबन्ध दोनों में होते हैं। इस प्रकार वनों का वर्गीकरण उष्ण कटिबन्धीय सदाबहार वनों और उष्ण कटिबन्धीय पतझड़ी वनों, तथा शीतोष्ण कटिबन्धीय सदाबहार वनों और शीतोष्ण कटिबन्धीय पतझड़ी वनों में भी किया जा सकता है।

वनों का विस्तार

सारी पृथ्वी के एक-चौथाई भाग पर वन हैं। अमरीका, यूरोप और एशिया में वनों की अपेक्षाकृत अधिकता है। दक्षिणी अमरीका में कुल क्षेत्र के लगभग 44% भाग पर वन हैं, यूरोप में कुल क्षेत्र के लगभग 31% भाग पर, उत्तरी अमरीका में कुल क्षेत्र के लगभग 27% भाग पर और एशिया में कुल क्षेत्र के लगभग 22% भाग पर वन हैं। अफ्रीका में केवल 11% भाग पर वन हैं।

वनों के स्थान और उनमें पाए जाने वाले पेड़

***(i)* उष्णकटिबन्धीय सदाबहार वन**—ये वन आमेजन और कांगो नदियों की घाटियों में पाए जाते हैं। बर्मा के समुद्री तट और कम्बोडिया और वियतनाम में समुद्री तट पर भी उष्ण कटिबंधीय सदाबहार वन हैं। इसके अतिरिक्त इन्डोनेशिया में भी ऐसे वन हैं।

इन वनों में मुख्यत—महोगनी, एबोमी और रोजवुड के पेड़ पाए जाते हैं।

***(ii)* उष्णकटिबंधीय मानसून वन**— ऐसे वन बर्मा, थाइंलैंड, कम्बोडिया, लाओस, वियतनाम, जावा और उत्तरी आस्ट्रेलिया में पाए जाते हैं।

इन वनों में मुख्यत: टीक, साल, चन्दन, और बांस के पेड़ पाए जाते हैं। उत्तरी आस्ट्रेलिया में अकासिया और इक्युलिप्टस के भी पेड़ पाए जाते हैं।

***(iii)* शीतोष्ण सदाबहार वन**—ऐसे वन मुख्यत: दक्षिणी चीन, दक्षिणी-पूर्वी आस्ट्रेलिया, न्यूजीलैंड (नार्थ आइलैंड), अफ्रीका में तटीय नेटाल में और अमरीका में दक्षिणी-पूर्वी राज्य में पाए जाते हैं।

इन वनों में मुख्यत: ओक, मैगनोलिया, सेडार, साइप्रेस, बांस आदि के पेड़ पाए जाते हैं।

***(iv)* भूमध्य सागरीय सदाबहार वन**—ऐसे वन भूमध्य सागर के आस-पास के मैदानी इलाकों, दक्षिणी-पश्चिमी आस्ट्रेलिया, दक्षिणी-पश्चिमी अफ्रीका, मध्य चिली और मध्य कैलीफोर्निया में पाए जाते हैं।

इन वनों में मुख्यत: ओक, कार्क, इक्युलिप्टस, सेडार, साइप्रेस, रेडवुड आदि के पेड़ पाए जाते हैं।

***(v)* शीतोष्ण पतझड़ी वन**—ऐसे वन पश्चिमी व मध्य यूरोप, पूर्वी अमरीका, उत्तरी चीन, कोरिया, दक्षिणी चिली में पाए जाते हैं।

इन वनों में मुख्यत: ओक, बीच, एलम, पोपलार, सेडार, स्प्रूस आदि के पेड़ पाए जाते हैं।

***(vi)* नुकीली पत्तियों वाले वन**—ऐसे वन यूरेशिया में अटलांटिक सागर से लेकर प्रशान्त महासागर तक और उत्तरी अमरीका में एक तट से लेकर दूसरे तक लगभग सारे प्रदेशों में पाए जाते हैं।

इन वनों में मुख्यत: हेमलाक, स्प्रूस, पाइन और फर के पेड़ पाए जाते हैं।

वनों से लाभ

वनों से अनेक लाभ हैं—

(i) वन राष्ट्रीय संपत्ति हैं।

(ii) वन जलवायु को ठंडा रखते हैं और वर्षा लाने में सहायक होते हैं।

(iii) वन के पेड़ पानी को सोख लेते हैं और बाढ़ से बचाते हैं।

(iv) वन भूमि के कटाव (erosion) को रोकते हैं।

(v) इनसे लकड़ी (ईंधन) मिलती है।

(vi) इनसे मूल्यवान इमारती लकड़ी प्राप्त होती है।

(vii) वनों से जड़ी-बूटियां मिलती हैं।

(viii) वनों की लकड़ी से कागज बनाया जाता है।

(ix) वनों की लकड़ी से फर्नीचर, पुल, खिलौने आदि बनते हैं।

(x) वनों से फल, रंगाई का सामान, तेल, गोंद, रेजिन, और रबर प्राप्त होता है।

विश्व में प्रमुख उत्पादक

***(i)* खनिज**

(i) कोयला	:	चीन, भारत, अमेरिका, रूस
(ii) तांबा	:	चिली, पेरू, चीन
(iii) क्रूड आयल	:	अमेरिका, सऊदी अरब, रूस

(iv) सोना	:	चीन, ऑस्ट्रेलिया, दक्षिणी अफ्रीका, रूस
(v) लोहा खनिज	:	ऑस्ट्रेलिया, चीन, ब्राजील, इंग्लैंड
(vi) अभ्रक	:	चीन, अमेरिका, भारत, मेडागास्कर
(vii) चांदी	:	मैक्सिको, पेरू, चीन
(viii) यूरेनियम	:	कजाखस्तान, कनाडा, ऑस्ट्रेलिया
(ix) अल्युमीनियम	:	चीन, रूस, कनाडा
(x) लिगनाइट	:	जर्मनी, रूस
***(ii)* कृषि फसलें**		
(i) कहवा	:	ब्राजील, वियतनाम, कोलम्बिया
(ii) कपास	:	भारत, चीन, अमेरिका
(iii) जूट	:	भारत, बांग्लादेश, चीन
(iv) चावल	:	चीन, भारत, बांग्लादेश
(v) रबर	:	थाइलैंड, इंडोनेशिया, मलेशिया
(vi) गेहूं	:	चीन, भारत, रूस
(vii) तम्बाकू	:	चीन, भारत, ब्राजील
(viii) चाय	:	चीन, भारत, कीनिया
(ix) गन्ना	:	ब्राजील, भारत, चीन
(x) मक्का	:	अमेरिका, चीन, ब्राजील

जहाजरानी की मुख्य नहरें

कील नहर—यह नहर उत्तरी सागर और बाल्टिक सागर को मिलाती है। इसकी लम्बाई लगभग 98 कि.मी. है। इस नहर की सहायता लेने से ग्रेट ब्रिटेन और बाल्टिक सागर के बन्दरगाहों के बीच की दूरी काफी कम हो गई है। यह संसार की सबसे व्यस्त नहर है।

पनामा नहर—यह नहर उत्तरी अमरीका और दक्षिणी अमरीका के सन्धि स्थल के पास 65 कि.मी. लम्बी है और प्रशांत महासागर और अटलांटिक महासागर को जोड़ती है। नहर के अटलांटिक सागर की ओर कोलोन बन्दरगाह है और प्रशान्त महासागर की ओर पनामा बन्दरगाह है। 1920 में आवागमन के लिए खोली गई इस नहर से उत्तरी अमरीका के पूर्वी तट से पश्चिमी तट के बीच, दक्षिणी अमरीका के पूर्वी तट से पश्चिमी तट के बीच, आस्ट्रेलिया और यूरोप के बीच, यूरोप और उत्तरी अमरीका के बीच व्यापार तट के बीच जापान और अमरीका के पूर्वी तट के बीच व्यापार व आवागमन में दूरी और समय में बहुत बचत हो गई है। उदाहरण के लिए न्यूयार्क और सैन-फ्रान्सिस्को के बीच लगभग 12700 कि.मी. की बचत हो गई है।

स्वेज नहर—यह नहर लगभग 162 कि.मी. लम्बी है और भूमध्यसागर और लाल सागर को मिलाती है। भूमध्यसागर वाले छोर पर पोर्ट सईद बन्दरगाह है जबकि लाल सागर वाले छोर पर स्वेज बन्दरगाह है। यह नहर 1869 में बन गई थी। 1956 में मिस्र ने इस नहर का राष्ट्रीयकरण करके इसे अपने अधीन कर लिया। इस नहर के एक सिरे से दूसरे सिरे तक जहाजों के पहुंचने में 10-12 घण्टे का समय लगता है।

इस नहर के बन जाने से यूरोप से दक्षिणी और पूर्वी एशिया तक आने का रास्ता (दूरी) बहुत कम हो गया। मुंबई से लंदन की दूरी 7000 कि.मी. कम हो गई और सिंगापुर से लंदन की दूरी लगभग 5500 कि.मी. कम हो गई।

विश्व के प्रमुख निर्यात बन्दरगाह

बन्दरगाह	देश	निर्यात की वस्तुएं
न्यूयार्क	संयुक्त राज्य अमेरिका	गेहूं, ऊन, कपास, लकड़ी, कपड़ा, मोटरकार, चमड़ा, कागज, धातुएं, कोयला, पेट्रोल
लंदन	इंग्लैण्ड	सूती वस्त्र, इंजीनियरिंग सामान
रियो डि जनेरो	ब्राजील	कहवा, धातुएं, कच्चा तेल
ब्यूनस आयर्स	अर्जेन्टीना	गेहूं, ऊन, मांस
मुंबई	भारत	सूती वस्त्र, इंजीनियरिंग उपकरण, फिल्में और मसाले, चाय, गर्म मसाले, रबड़, बहुमूल्य पत्थर, नारियल और नारियल का तेल
सिंगापुर	सिंगापुर	रबड़, टिन और गर्म मसाले
श्यामा प्रसाद मुखर्जी (कोलकाता)	भारत	जूट का सामान, विद्युत उपकरण, लौह-इस्पात
याकोहामा	जापान	वस्त्र, चाय, कहवा, रेशम, तिलहन, बिजली का समान, इलेक्ट्रोनिक्स
बैंकूवर	कनाडा	गेहूं, कागज व लुग्दी, मोटरगाड़ी, कच्चे पदार्थ
एडीलेड	आस्ट्रेलिया	गेहूं, मांस, डेयरी उत्पाद
शंघाई	चीन	वस्त्र, हल्के उद्योग के उपकरण, भोज्य पदार्थ व जीवित पशु
ब्लाडीवोस्टक	रूस	कच्चा पेट्रोलियम, मशीनरी, परिवहन यन्त्र, खनिज ईंधन, कच्चा माल
जकार्ता	इण्डोनेशिया	कच्चा पेट्रोलियम, प्राकृतिक गैस, प्लाईवुड, कॉफी
केपटाउन	दक्षिण अफ्रीका	हीरा, सोना, कोयला

भारत का भूगोल

स्थिति एवं विस्तार

भारत एक विशाल देश है। इसकी विशालता के कारण ही इसे उप-महाद्वीप के रूप में जाना जाता है। क्षेत्रफल की दृष्टि से इसका विश्व में सातवां एवं जनसंख्या की दृष्टि से दूसरा स्थान है। इसकी जनसंख्या 121.0 करोड़ (2011 की जनगणना के अनुसार) के लगभग है तथा क्षेत्रफल लगभग 33 लाख वर्ग कि.मी. है। यह दक्षिण से उत्तर में 8°4' अक्षांश से 37°6' अक्षांश तक तथा पश्चिम से पूर्व 68°7' देशान्तर से 97°25' देशांतर तक फैला हुआ है। इसकी दक्षिण से उत्तर तक लम्बाई लगभग 3214 कि.मी. और पश्चिम से पूर्व तक लगभग 2933 कि.मी. है। इसकी स्थल सीमाओं का विस्तार 15200 कि.मी. तक है तथा समुद्री किनारा 7516.6 कि.मी. (लक्षद्वीप, अंडमान-निकोबार द्वीपों सहित) तक फैला हुआ है। विश्व के लगभग सभी महत्त्वपूर्ण समुद्री व्यापारिक मार्ग यहां से होकर गुजरते हैं। इसकी सीमाएं पश्चिमोत्तर में अफगानिस्तान और पाकिस्तान से, उत्तर में चीन, नेपाल एवं भूटान से पूर्व में बंगला देश और म्यांमार से मिली हुई हैं। दक्षिण में भारत का पड़ोसी देश श्रीलंका है। पाक जलडमरूमध्य इसे भारत से पृथक करता है। भारत का उत्तरी भाग शीतोष्ण कटिबंध तथा दक्षिणी भाग उष्ण कटिबंध में स्थित है। भारत से होकर जो प्रमुख समुद्री मार्ग गुजरते हैं वे भारत का संबंध पूर्व एवं दक्षिण-पूर्व में चीन, जापान, मलेशिया, सिंगापुर, इंडोनेशिया, फिलीपीन्स, आस्ट्रेलिया एवं न्यूजीलैंड तथा पश्चिम और दक्षिण-पश्चिम में संयुक्त राज्य अमेरिका, इंगलैंड, पश्चिमी यूरोप, पूर्वी एवं दक्षिणी अफ्रीका और दक्षिण में श्रीलंका आदि से जोड़ते हैं।

भारत के प्राकृतिक विभाग

भौतिक विशेषताओं के आधार पर भारत को तीन प्राकृतिक विभागों में बांटा जाता है। ये विभाग हैं—(1) उत्तरी पर्वतीय क्षेत्र (हिमालय पर्वत श्रेणियां), (2) गंगा, सिंधु, ब्रह्मपुत्र का मैदान, तथा (3) दक्षिणी पठार। इन विभागों में सबसे पुराना दक्षिणी पठार है जो लगभग 60 करोड़ वर्ष से भी अधिक पुराना है। इसकी भौगोलिक स्थिति तथा प्राकृतिक दशा में इस लम्बे अंतराल में बहुत अधिक परिवर्तन हुए हैं। इन परिवर्तनों में इसका उत्तर की ओर बढ़ना, ज्वालामुखी पहाड़ों का फटना तथा लावे का पठार में फैलना, अरावली पर्वत श्रेणियों, आदि का उदय महत्त्वपूर्ण है। यह अपने वर्तमान स्वरूप में लगभग 4.5 करोड़ वर्ष पूर्व आया है।

विद्वानों के अनुसार उत्तरी पर्वतीय क्षेत्र में पहले समुद्र था और लगभग सात करोड़ वर्ष पूर्व इसके निर्माण की प्रक्रिया का पहला चरण उदित हुई। कतिपय भूगर्भशास्त्रियों की धारणा है कि उत्तरी पर्वतीय क्षेत्र के कतिपय भाग में परिवर्तनों की प्रक्रिया अब भी चल रही है। गंगा एवं सिंधु के मैदान का निर्माण नदियों की लाई हुई मिट्टी से हुआ है। यह मैदान अपने वर्तमान स्वरूप में सबसे बाद में आया है। इन तीनों प्राकृतिक विभागों की विभिन्न भौतिक एवं भूगर्भीय विशेषताओं का वर्णन इस प्रकार है—

उत्तरी पर्वतीय क्षेत्र

भारत के उत्तर-पूर्व से पश्चिम तक हिमालय पर्वत की शृंखलाओं की ऊंची श्रेणियां एक विशाल दीवार की भांति फैली हुई हैं। अधिकांश श्रेणियां वर्ष भर बर्फ से ढकी रहती हैं और इसी कारण इसे बर्फ का घर या हिमालय नाम दिया गया है। संसार की सबसे ऊंची चोटी माउंट एवरेस्ट (8848 मीटर) इसी क्षेत्र में है। अधिकांश भूगर्भवेत्ताओं का मत है कि हिमालय की उत्पत्ति उत्तर से आने वाले धक्कों के कारण ही हुई है। उनके अनुसार लगभग सात करोड़ वर्ष पहले मध्य जीव कल्प युग (Mesozoic) में भू-पटल पर थल और जल का वितरण वर्तमान जैसा नहीं था। उस समय पूर्व में चीन के पर्वतों से लेकर पश्चिम में कार्पेशियस एवं आल्पस पर्वतों तक का समस्त भू-भाग टेथिस (Tethys) नामक महासागर के जल से ढका हुआ था। उसी भूगर्भिक उथल-पुथल के कारण महासागर का तल ऊंचा उठने लगा जिससे हिन्द महासागर का उदय हुआ और तल ऊंचा उठते-उठते विशाल पर्वत शृंखलाओं के रूप में परिवर्तित हो गया। यह तीन चरणों में सम्पन्न हुआ। प्रथम चरण में मुख्य हिमालय बना, द्वितीय चरण में मुख्य हिमालय और ऊंचा उठा तथा पर्तदार चट्टानों के रूप में लघु हिमालय का जन्म हुआ। हिमालय के मध्य युग का अन्त लगभग पौने दो लाख वर्ष पूर्व हुआ और बाहरी हिमालय के रूप में शिवालिक पर्वत श्रेणियों का उदय हुआ। अंतिम चरण में

हिमालय की स्थिति धनुषाकार हो गई है। हिमालय पामीर के पठार से असम तक लगभग 2400 किलोमीटर लम्बाई में फैला हुआ है। इसकी चौड़ाई 240 किलोमीटर से लेकर 320 किलोमीटर तक है। इसका कुल क्षेत्रफल लगभग पांच लाख वर्ग किलोमीटर है।

उत्तरी पर्वतीय क्षेत्र अथवा हिमालय पर्वत श्रेणियों का विभाजन मुख्य रूप से उसकी अक्षांशीय स्थिति के आधार पर तीन भागों (1) महान हिमालय, (2) लघु अथवा मध्य हिमालय, एवं (3) बाह्य या उप हिमालय के रूप में किया जाता है। हिमालय का सबसे उत्तरी भाग महान हिमालय के नाम से जाना जाता है। इसकी औसत ऊंचाई 6000 मीटर है। एवरेस्ट चोटी इसी भाग में स्थित है। यह तिब्बत एवं नेपाल की सीमा पर स्थित है। महान हिमालय की अन्य ऊंची चोटियां कंचनजंगा (8598 मीटर), धौला गिरि (8172 मीटर) नेपाल में तथा नंगा पर्वत (8126 मीटर) एवं नंदादेवी (7817 मीटर) भारत में स्थित हैं। इसका अधिकांश भाग सदैव बर्फ से ढके होने के कारण इसमें वनस्पति नाममात्र की ही पैदा होती है और यह निर्जन है। लघु हिमालय महान हिमालय के समानान्तर दक्षिण में 80 से 100 किलोमीटर की चौड़ाई में फैला हुआ है। इसकी औसत ऊंचाई 3000 मीटर है। इस भाग में वर्ष में तीन-चार माह बर्फ गिरती है और इसमें कई स्वास्थ्यवर्धक स्थान हैं। शिमला, मसूरी, नैनीताल, दार्जिलिंग आदि इसी भाग में स्थित हैं। बाह्य या उपहिमालय लघु हिमालय के दक्षिण में समानान्तर 8 से लेकर 50 किलोमीटर तक की चौड़ाई में फैला हुआ है। इसकी औसत ऊंचाई 1250 मीटर ही है। इस क्षेत्र में सदाबहार वन पाए जाते हैं। बाह्य हिमालय का निर्माण हिमालय से बहकर आए कंकड़, पत्थर, रेत, मिट्टी आदि से हुआ है। जिन घाटियों द्वारा इन पर्वत श्रेणियों को अलग किया गया है उन्हें दून कहा जाता है। इनमें देहरादून, क्यारदून, पाटलीदून, कोटादून, कोठरीदून आदि प्रसिद्ध हैं। इस क्षेत्र की घाटियों में कहीं-कहीं कृषि भी की जाती है।

वाल्टिस्तान, कराकोरम, हिन्दूकुश एवं सुलेमान किर्थर पर्वत शृंखलाएं भी हिमालय का ही अंग हैं। कराकोरम की सर्वोच्च चोटी गॉडविन ऑस्टिन है, जिसकी ऊंचाई 8611 मीटर है और यह भारत में स्थित सबसे ऊंची चोटी है। इसी प्रकार पूर्व की पर्वत शृंखलाएं गारो, खासी, जयन्तिया, नागा, पटकोई, लुशाई आदि श्रेणियां भी हिमालय का ही अंग हैं।

गंगा, सिंधु, ब्रह्मपुत्र का विशाल मैदान

हिमालय पर्वत के दक्षिण से लेकर दक्षिणी प्रायद्वीप तक इस मैदान का विस्तार है। यह मैदान गंगा एवं सिंधु नदी के क्षेत्र में 2400 किलोमीटर लम्बा एवं 250 से 320 किलोमीटर तक चौड़ा है। ब्रह्मपुत्र नदी के क्षेत्र में इसकी लम्बाई 800 किलोमीटर तथा चौड़ाई 150 किलोमीटर के आस-पास है। इस मैदान को यद्यपि कई आधारों पर विभिन्न क्षेत्रों में वर्गीकृत किया जाता है, किंतु इसका निम्नांकित वर्गीकरण अधिक उपयुक्त है—

(1) सतलज का मैदान—यह मैदान सिंधु एवं उसकी सहायक नदियों की लाई मिट्टी से बना है। पंजाब एवं हरियाण के मैदानी भाग इसमें आते हैं। इस क्षेत्र में वर्षा की कमी के कारण इसके कुछ भाग मरुस्थली हो गए हैं।

(2) गंगा-यमुना का मैदान—गंगा-यमुना एवं उनकी सहायक नदियों द्वारा इस मैदान का निर्माण हुआ है। इसका उत्तरी क्षेत्र भावर और तराई क्षेत्रों में विभाजित है। भावर क्षेत्र में बड़ी-बड़ी घास उग आती है जबकि तराई के क्षेत्र में दलदली भूमि है। भावर एवं तराई के क्षेत्रों के पश्चात गंगा का ऊपरी मैदान आता है। इसमें खादर और बांगर के मैदान सम्मिलित हैं। बांगर वह क्षेत्र है जहां बाढ़ का पानी नहीं पहुंचता है और जहां की मिट्टी अपेक्षाकृत पुरानी है। खादर वह क्षेत्र है जहां हर वर्ष बाढ़ का पानी फैल जाता है और नई मिट्टी की परत बिछा देता है। यह अत्यधिक उपजाऊ मैदान है। गंगा का मध्यवर्ती मैदान पूर्वी उत्तर प्रदेश एवं बिहार राज्यों में फैला हुआ है। इस क्षेत्र की मिट्टी दोमट एवं जलोढ़ है। पश्चिमी बंगाल का क्षेत्र गंगा के डेल्टाई प्रदेश के अंतर्गत आता है। यह क्षेत्र अत्यन्त बारीक चिकनी मिट्टी का बना हुआ है। सुन्दरी वृक्षों से आच्छादित सुन्दर वन का डेल्टा इसी क्षेत्र में है।

(3) ब्रह्मपुत्र की घाटी—यह प्रदेश असम की घाटी के नाम से भी जाना जाता है। इस क्षेत्र में बहुत अधिक वर्षा होने से इस क्षेत्र की भूमि दलदली है। इस क्षेत्र की मिट्टी भी चिकनी दोमट है। इस क्षेत्र में जूट और चावल की खेती की जाती है।

(4) थार का मरुस्थल—कतिपय भूगर्भशास्त्री थार के मरुस्थल को गंगा, सिंधु, ब्रह्मपुत्र के मैदान के अन्तर्गत न मानकर इसको भारत का एक स्वतंत्र प्राकृतिक भाग मानते हैं। राजस्थान का उत्तरी पश्चिमी भाग थार के रेगिस्तान के अन्तर्गत ही आता है। वर्षा के अभाव एवं सरस्वती नदी के लोप हो जाने के कारण इस भाग में पानी की अत्यधिक कमी है। इस क्षेत्र का कुछ भाग पाकिस्तान में है। यहां कांटेदार वृक्ष तथा कटीली झाड़ियां पाई जाती हैं।

दक्षिण का पठारी प्रदेश

भूगर्भवेत्ताओं के अनुसार यह क्षेत्र पृथ्वी का मूलभूत अंग है। यह पठार 500 मीटर से लेकर 750 मीटर तक ऊंचा है। कहा जाता है कि यह प्रदेश पहले अफ्रीका एवं आस्ट्रेलिया से जुड़ा हुआ था। यह भाग अति प्राचीन होने के कारण कठोर चट्टानों से बना हुआ है। नर्मदा नदी की घाटी इस पठार को दो भागों (1) मालवा के पठार, तथा (2) दक्षिणी पठार में विभाजित करती है। एक अन्य विभाजन के अनुसार इसे निम्नांकित भागों में बांटा जा सकता है—

(1) गोंडवाना चट्टान प्रणाली प्रदेश,

(2) प्रमुख नदियों की घाटियां

(3) दक्षिणी पूर्वी भाग,

(4) दक्षिण का लावा प्रदेश, तथा

(5) समुद्र तटीय प्रदेश।

कुछ भूगोलशास्त्री समुद्र तट के प्रदेशों को अलग प्राकृतिक भाग मानते हैं और कुछ उसका दक्षिणी पठार के अंतर्गत ही अध्ययन करते हैं। समुद्र तटीय प्रदेश पश्चिमी तट एवं पूर्वी तट दो भागों में विभाजित है। पश्चिमी घाट उत्तर में महाराष्ट्र से लेकर दक्षिण में कन्याकुमारी तक लगभग 1600 किलोमीटर की लम्बाई में फैले हुए हैं। इसकी चौड़ाई उत्तर में 50 किलोमीटर से भी कम है जबकि दक्षिण में यह 60 से लेकर लेकर 80 किलोमीटर तक चौड़े हो गए हैं। पूर्वी घाट दक्षिण के पठार के पूर्व में स्थित है। महानदी, गोदावरी,

कृष्णा, पेन्नार तथा कावेरी नदियां इसी भाग में बंगाल की खाड़ी में गिरती हैं। यह भाग पश्चिमी तट की तुलना में अधिक चौड़ा है।

काली मिट्टी का उपजाऊ एवं कपास का उत्पादन करने वाले क्षेत्र दक्षिण के पठार में ही स्थित हैं।

द्वीप समूह

कुछ द्वीप समूह भी भारत के अभिन्न अंग हैं। इन द्वीप समूहों को भी भारत का एक अलग भौगोलिक क्षेत्र माना जा सकता है। इसमें अंडमान निकोबार द्वीप समूह, लक्षद्वीप, पाम्बन द्वीप, हेअर द्वीप तथा श्री हरिकोटा द्वीप आदि प्रमुख हैं। इनमें सर्वाधिक महत्त्वपूर्ण अंडमान तथा निकोबार द्वीप समूह हैं। इस समूह में लगभग 200 द्वीप सम्मिलित हैं और ये मुख्य रूप से ज्वालामुखी द्वीप हैं।

अपवाह प्रणाली

किसी भी देश के आर्थिक विकास में वहां की नदियों का महत्त्वपूर्ण योगदान होता है। विश्व की लगभग सभी प्राचीन सभ्यताएं नदियों के किनारे उदित एवं विकसित हुईं। भारत के आर्थिक विकास की रीढ़ भी भारत की नदियां ही हैं। भारत की नदियों के अपवाह क्षेत्र में समय-समय पर महत्त्वपूर्ण परिवर्तन होते रहे हैं। कई प्राचीन नदियां विलुप्त हो चुकी हैं और उनके स्थान पर नई नदियां विकसित हुई हैं। कई नदियां स्थान परिवर्तन भी करती रही हैं। भारत की अपवाह प्रणाली का मुख्य रूप से निम्नांकित शीर्षकों के अंतर्गत अध्ययन किया जा सकता है।

(1) हिमालय क्षेत्र की अपवाह प्रणाली

हिमालय क्षेत्र का प्रवाह अनुगामी अपवाह (Consequent Drainage) नहीं है। यह अपवाह पूर्वगामी (Antecedent Drainage) है। अर्थात् हिमालय के निर्माण के पूर्व भी ये नदियां उत्तर से दक्षिण की ओर बहती थीं और अब भी उनका बहाव इसी प्रकार का है। ये नदियां जहां से हिमालय को पार करती हैं वहां इनकी घाटियां बहुत गहरी, तंग और तीव्र ढाल वाली हैं। इन नदियों द्वारा बनाए गए खड्ड प्रायः 1800 से 3600 मीटर तक गहरे हैं।

(2) प्रायद्वीप की अपवाह प्रणाली

प्रायद्वीप की अधिकांश नदियां पश्चिमी घाट से निकल कर बंगाल की खाड़ी में गिरती हैं। केवल दो बड़ी नदियां नर्मदा एवं ताप्ती पूर्व से पश्चिम की ओर बहती हैं। इन दो नदियों को छोड़कर दक्षिण की अधिकांश नदियों का प्रवाह अनुगामी है अर्थात इनका बहाव धरातल के प्राकृतिक ढाल के अनुरूप ही है।

(3) विंध्याचल क्षेत्र की अपवाह प्रणाली

कतिपय भूगोलशास्त्री विंध्याचल पर्वत के क्षेत्र की अपवाह प्रणाली का स्वतंत्र रूप से अध्ययन करते हैं। उनके अनुसार विंध्याचल से निकलने वाली नदियों की अपनी एक विशिष्टता है। ये नदियां (चम्बल, बेतवा, केन, काली, सिंध, सोन आदि) आरंभ में काफी दूर तक दक्षिण से उत्तर की ओर बहती हुई अंत में पूर्व की ओर मुड़कर यमुना नदी में मिल जाती हैं। इन नदियों में बाढ़ें आती हैं और इन्होंने अपनी धाराओं से निकटवर्ती क्षेत्रों में गहरी खाइयां बना दी हैं। इस कारण इनके गहरे खड्ड एवं खार प्रसिद्ध हैं।

जल विभाजक

बंगाल की खाड़ी में गिरने वाली नदियों का अपवाह क्षेत्र अरब सागर में गिरने वाली नदियों के अपवाह क्षेत्र से अधिक विस्तृत है। भारत के कुल अपवाह का लगभग 3/4 भाग बंगाल की खाड़ी के अंतर्गत आता है। अरावली पर्वत श्रेणियां इन दोनों अपवाह प्रदेशों के मध्य एक श्रेष्ठ विभाजक का कार्य करती हैं। उत्तरी कश्मीर, दक्षिणी-पूर्वी असम तथा पश्चिमी राजस्थान की नदियों का अपवाह क्षेत्र आन्तरिक अपवाह क्षेत्र तक ही सीमित है। सम्पूर्ण आन्तरिक अपवाह प्रदेश का क्षेत्रफल लगभग 1.6 लाख वर्ग किलोमीटर है।

(1) गंगा नदी क्रम—गंगा उत्तरी भारत की सबसे प्रमुख नदी है। भारत के तीन सर्वाधिक घने बसे और उपजाऊ राज्य उत्तर प्रदेश, बिहार एवं पश्चिमी बंगाल इसके अपवाह क्षेत्र में स्थित हैं। इसकी सहायक नदियों में यमुना, रामगंगा, करनाली, राप्ती, गंडक, कोसी, घाघरा, गोमती आदि प्रमुख हैं। विंध्याचल पर्वत से निकलने वाली नदियां-चम्बल, बेतवा, केन, सोन, काली, सिंध, यमुना की सहायक नदियां हैं। यमुना गंगा की सबसे प्रमुख सहायक नदी है। गंगा नदी स्वयं भागीरथी एवं अलकनंदा का सम्मिलित रूप है। गंगा नदी का डेल्टा भी विश्व में सबसे बड़ा है। सुन्दर वन गंगा के डेल्टा प्रदेश में ही स्थित है। गंगा गंगोत्री से निकलती है।

(2) ब्रह्मपुत्र घाटी क्रम—ब्रह्मपुत्र भारत की दूसरी सबसे बड़ी नदी है। इसका उदगम स्थल सिन्ध और सतलज के स्रोतों के निकट ही है। डिबोंग, लुहित, सेसरी, स्वर्ण सीरी, भाद्री मानस, तीस्ता आदि इसकी सहायक नदियां हैं। इसके समुद्र में गिरने के स्थान से लेकर ऊपर की ओर 1280 किलोमीटर तक अर्थात डिब्रूगढ़ तक बड़े जहाज चल सकते हैं। इस नदी में भयंकर बाढ़ें आती हैं।

(3) सिंधु नदी क्रम—यह नदी क्रम जल को अरब सागर में प्रवाहित करता है। सिंधु नदी हिमालय में ब्रह्मपुत्र की विपरीत दिशा में बहती है। सिंधु नदी मैदान में आते ही पाकिस्तान में बहने लगती है। झेलम, चिनाब, रावी, व्यास और सतलज आदि इसकी प्रमुख सहायक नदियां है। भारत को सिंधु नदी क्रम का अधिक लाभ नहीं मिल पाता है। देश का सबसे ऊंचा बांध भाखड़ा नांगल बांध सतलज नदी पर बनाया गया है।

दक्षिणी भारत की नदियां

दक्षिण भारत की अधिकांश नदियां बंगाल की खाड़ी में गिरती हैं। बंगाल की खाड़ी में गिरने वाली प्रमुख नदियां, गोदावरी, महानदी, कृष्णा, पेन्नार, कावेरी, तुंगभद्रा आदि हैं। इनमें गोदावरी सबसे बड़ी नदी है। अरब सागर में गिरने वाली नदियों में माही, नर्मदा और ताप्ती प्रमुख हैं।

यद्यपि उत्तरी एवं दक्षिणी भारत की नदियों में कई अन्तर हैं, किंतु सबसे प्रमुख अन्तर यह है कि उत्तरी भारत की अधिकांश नदियों को हिमालय की हिमानियों से अनन्त जलराशि मिलती है जबकि दक्षिणी भारत की नदियों को केवल वर्षा के जल पर ही निर्भर रहना पड़ता है। इस कारण दक्षिण की अधिकांश नदियां ग्रीष्म-काल में सूख जाती हैं और वर्षा-काल में उनमें भयंकर बाढ़ें आ जाती हैं।

प्रमुख झीलें

भारत की अधिकांश झीलें उत्तरी पर्वतीय प्रदेश में ही पाई जाती हैं। भीमताल, नैनीताल, वूलर, डल, सांभर, डीडवाना, पंचभद्रा, लूनार, चिल्का, पुलीकट, कोलेरू, कच्छ का रन आदि देश की प्रमुख झीलें हैं। इनमें राजस्थान की झीलें सांभर, डीडवाना एवं पंचभद्रा नमक झीलें हैं जिनसे नमक बनाया जाता है। कच्छ का रन एक नमकीन मरुस्थल मात्र है। चिल्का झील की विशेषता है कि वर्षा में उसका पानी मीठा और शेष समय में खारा होता है। शेष में से अधिकांश झीलें मीठी हैं।

प्रमुख जल प्रपात

देश के प्रमुख जल प्रपात-कुंचिकल प्रपात, जोग या गरसोप्पा प्रपात, शिवासमुद्रम, पायकारा, गोकक, बिहार प्रपात, चूलिया, धुआंधार आदि हैं। इनमें कुंचिकल प्रपात (कर्नाटक) सबसे ऊंचा है।

भारत की जलवायु

अन्य देशों की तुलना में भारत में जलवायु संबंधी दशाओं में बहुत अधिक विभिन्नताएं पाई जाती हैं। देश के लगभग बीचों बीच कर्क रेखा है। कर्क रेखा के उत्तर वाला भाग शीतोष्ण कटिबंध में तथा दक्षिण वाला भाग उष्ण कटिबंध में स्थित है। देश के राजस्थान प्रदेश के गंगानगर स्थान पर जहां अधिकतम तापमान 51° से. तक हो जाता है वहीं लद्दाख के लेह नामक स्थान पर न्यूनतम तापमान – 45° से. तक हो जाता है। देश में वर्षा का भी असमान वितरण है। जहां एक ओर थार के मरुस्थल में वर्षा का वार्षिक औसत मात्र 2.5 सेंटीमीटर है वहीं दूसरी ओर चेरापूंजी नामक स्थान पर यही औसत 1087 सेन्टीमीटर है। किसी देश की जलवायु के विषय में अध्ययन करते समय मौसम और जलवायु में अन्तर समझ लेना भी आवश्यक है। मौसम से तात्पर्य किसी दिन विशेष या किसी अल्प अवधि के वातावरण की वास्तविक दशाओं से होता है जबकि जलवायु का तात्पर्य उस स्थान के एक लम्बे समय के वातावरण की औसत दशाओं से होता है। किसी स्थान अथवा प्रदेश की जलवायु को प्रभावित करने वाले तत्व निम्नांकित हैं—

(1) भूमध्य रेखा से दूरी,

(2) समुद्र तल से ऊंचाई,

(3) समुद्र तल से दूरी,

(4) धरातल की बनावट,

(5) प्राकृतिक वनस्पति,

(6) पर्वतों की स्थिति,

(7) वायु की दशा, एवं

(8) समुद्री जल धाराएं।

भारत की ऋतुएं

प्रो. डडले स्टाम्प ने वर्ष भर के तापक्रम, वर्षा एवं नमी के आधार पर भारत में तीन मुख्य ऋतुएं बताई हैं—

(1) ग्रीष्म ऋतु (मार्च से जून तक),

(2) वर्षा ऋतु (जुलाई से अक्टूबर तक),

(3) शीत ऋतु (नवम्बर से फरवरी तक)।

उन्होंने भारत की जलवायु को 'उष्ण कटिबंधीय मानसूनी जलवायु' बताया है। भारत सरकार के मौसम विभाग ने वर्ष को निम्नांकित चार ऋतुओं में बांटा है—

(अ) उत्तरी-पूर्वी मानसूनी हवाओं का मौसम—(1) शीत ऋतु, (2) ग्रीष्म ऋतु

(ब) दक्षिणी-पश्चिमी मानसूनी हवाओं का मौसम—(3) वर्षा ऋतु (4) शरद ऋतु या मानसूनों के लौटने की ऋतु।

1. शीत ऋतु

देश में दिसम्बर से मध्य मार्च तक शीत ऋतु रहती है। 22 दिसम्बर को सूर्य मकर रेखा (दक्षिणी गोलार्द्ध) पर लम्बवत चमकता है। अतः उत्तरी गोलार्द्ध में स्थित होने के कारण भारत में उस समय शीत ऋतु रहती है। शीत ऋतु में तापमान गिर जाता है और ठण्डी हवाएं चलती हैं। इस ऋतु में हवाएं उत्तर से दक्षिण की ओर बहती हैं। भू-भाग से समुद्र की ओर आने के कारण वे शुष्क होती हैं। देश में दिसम्बर से मध्य फरवरी तक बहुत अधिक ठंड पड़ती है किंतु यह देश के सभी भागों में एक-सी नहीं होती है। जैसे-जैसे हम उत्तर से दक्षिण की ओर जाते हैं वैसे-वैसे ठंड कम होती जाती है। उत्तर के बड़े मैदान में जहां औसत तापमान 15° से. रहता है वहीं दक्षिण के प्रायद्वीप में यह 25° से. रहता है। न्यूनतम तापमान तो उत्तर के कई भागों में 0° से. या इससे भी नीचे चला जाता है। इस ऋतु में भारत में बहुत कम वर्षा होती है। किंतु दक्षिण में पूर्वी समुद्र तटीय प्रदेश में इस ऋतु में 10 से 15 सेन्टीमीटर तक वर्षा हो जाती है। इस ऋतु में प्रति-चक्रवात हवाओं द्वारा भी कुछ वर्षा भारत के उत्तरी पश्चिमी क्षेत्र में हो जाती है।

2. ग्रीष्म ऋतु

यह ऋतु मध्य मार्च के पश्चात आरंभ होती है और जून तक चलती है। 21 मार्च को सूर्य भूमध्य रेखा पर होता है और उत्तरी गोलार्द्ध पर सीधा चमकना आरंभ कर देता है। इससे देश के तापक्रम में वृद्धि होने लगती है। मई और जून में तापक्रम बहुत अधिक बढ़ जाता है और कभी-कभी जून में जैसलमेर क्षेत्र में यह 48° से. तक हो जाता है। दक्षिणी भारत में तापमान अप्रैल माह में सर्वाधिक होता है। हिमालय के पर्वतीय क्षेत्रों कश्मीर आदि में तापक्रम में बहुत अधिक वृद्धि नहीं होती है। ग्रीष्मकाल में देश के अधिकांश भागों में धूल भरी आंधियां चलती हैं। मालाबार तट, असम तथा पश्चिम बंगाल के कुछ भागों में इस ऋतु में मामूली वर्षा हो जाती है और शेष भागों में मौसम शुष्क रहता है।

3. वर्षा ऋतु

यह ऋतु जून के मध्य से आरंभ होकर सितम्बर के मध्य तक चलती है। जून में सूर्य कर्क रेखा पर लम्बवत चमकता है। इस ऋतु में हवायें समुद्र तट से स्थल की ओर बहने लगती हैं। ये हवाएं दक्षिणी-पश्चिमी मानसून बन जाती हैं तथा दक्षिण-पश्चिम से उत्तर-पूर्व की ओर बहती हैं और अपने साथ समुद्र से पर्याप्त पानी ले आती हैं। इन हवाओं से सम्पूर्ण देश में वर्षा होती है। वर्षा के आरंभ होते ही तापमान में गिरावट होना आरंभ हो जाता है।

4. मानसूनों के लौटने की ऋतु

यह ऋतु सितम्बर के मध्य से आरंभ होकर नवम्बर के अंत तक चलती है। सितम्बर के अंत में सूर्य पुन: भूमध्य रेखा पर लम्बवत चमकने लगता है जिससे निम्न वायु दाब के केंद्र बदलने लगते हैं। ये केंद्र बंगाल की खाड़ी की ओर बढ़ते जाते हैं जिससे मानसून वापस लौटने लगता है। सितम्बर के मध्य तक उत्तरी मैदान में वर्षा समाप्त हो जाती है। इस मौसम में लौटते मानसूनों से पश्चिमी बंगाल के डेल्टाई प्रदेश तथा तमिलनाडु के तटवर्ती क्षेत्रों में थोड़ी वर्षा हो जाती है।

भारत में वर्षा

जुलाई और अगस्त महीनों में भारत के लगभग सभी भागों में घनी वर्षा होती है। यह वर्षा मानसूनी हवाओं द्वारा होती है। मानसून शब्द की उत्पत्ति अरबी भाषा के मौसिम शब्द से हुई जिसका तात्पर्य है ''हवाओं के रूख का बदलना''। हमारे देश के अधिकांश क्षेत्रों में हवाओं का रुख वर्ष में दो बार बदलता है अर्थात् गर्मियों में जल से थल की ओर और शीतकाल में थल से जल की ओर। अत: जिन क्षेत्रों में हवाओं के रुख में वर्ष में दो बार परिवर्तन होता है उन क्षेत्रों की जलवायु को मानसूनी जलवायु कहा जाता है। भारत में ये हवाएं ग्रीष्मकाल में दक्षिणी-पश्चिमी मानसून तथा शीतकाल में उत्तरी-पूर्वी मानसून के नाम से जानी जाती हैं। ये हवाएं सदैव उच्च वायु दाब क्षेत्र से निम्न वायु दाब क्षेत्र की ओर बहा करती हैं।

ग्रीष्मकाल में मानसूनी हवाएं दक्षिण-पश्चिम से उत्तर-पूर्व की ओर चलती हैं। देश की लगभग 90% वर्षा इन्हीं से प्राप्त होती है। ग्रीष्मकाल में भीषण गर्मी के कारण स्थलीय क्षेत्र में स्थान-स्थान पर निम्न वायु दाब क्षेत्र बन जाते हैं और हिन्द महासागर के क्षेत्र में और आस्ट्रेलिया के आस-पास शीत ऋतु होने से उच्च दाब के क्षेत्र बन जाते हैं। फलस्वरूप हवाएं उच्च दाब क्षेत्र से निम्न दाब क्षेत्र की ओर चलने के कारण हिन्द महासागर से भारत के स्थल की ओर चलने लगती हैं। समुद्र की ओर से आने के कारण ये जल से भरी होती हैं और जहां-जहां से गुजरती हैं वहीं वर्षा कर देती हैं। दक्षिणी गोलार्द्ध में बहने वाली दक्षिणी-पूर्वी व्यापारिक हवाएं भी इनसे मिल जाती हैं जिससे ये मानसूनी हवाएं तेज गति से बहने लगती हैं।

ये दक्षिणी-पश्चिमी मानसूनी हवाएं दक्षिण के प्रायद्वीप के कारण दो भागों में बंट जाती हैं—(1) बंगाल की खाड़ी वाली शाखा, और (2) अरब सागर वाली शाखा। सितम्बर माह में ये मानसूनी हवाएं वापस लौटने लगती हैं और अपने मार्ग में जगह-जगह हल्की वर्षा कर देती हैं।

शीतकाल में ये हवाएं दक्षिणी गोलार्द्ध एवं हिन्द महासागर क्षेत्र में ग्रीष्म ऋतु होने के कारण स्थल से जल की ओर अर्थात उत्तर-पूर्व से दक्षिण-पश्चिम की ओर चलने लगती हैं। इनसे पूर्वी तटीय क्षेत्र (तमिलनाडु) आदि में शीतकालीन वर्षा होती है। शीतकाल में भारत के उत्तरी मैदानों में जो थोड़ी बहुत वर्षा होती है वह प्रति-चक्रवातों (Anticyclone Rains) द्वारा होती है।

भारत में वर्षा का वितरण

भारत के अधिकांश भागों में वर्षा का वितरण समान नहीं है। कहीं वर्षा बहुत अधिक होती है और कहीं बहुत कम। यहां वर्षा का औसत 100 से 110 सें०मीटर तक है। किसी वर्ष यह औसत 150 सें० मी० और किसी वर्ष 75 सें०मी० से भी कम रहता है। वर्षा के वितरण के हिसाब से भारत को निम्नांकित पांच भागों में विभाजित किया जा सकता है।

1. अत्यधिक वर्षा वाले क्षेत्र—इन क्षेत्रों में 400 सें०मी० से भी अधिक वर्षा प्रति वर्ष होती है। इन क्षेत्रों में प्राय: दक्षिणी पश्चिमी मानसून द्वारा वर्षा होती है। इन क्षेत्रों में अंडमान निकोबार द्वीप समूह, मेघालय का अधिकांश भाग, समस्त मालाबार तट तथा कोंकण तट के कुछ भाग आते हैं। मेघालय के माउसिनराम नामक स्थान पर तो संसार की सर्वाधिक वर्षा होती है।

2. अधिक वर्षा वाले क्षेत्र—इन क्षेत्रों में लगभग 200 से 400 सें०मी० तक वर्षा होती है। इन क्षेत्रों में भी दक्षिणी-पश्चिमी मानसून द्वारा ही वर्षा होती है। इन क्षेत्रों के अंतर्गत असम के कुछ भाग, समस्त पश्चिम बंगाल, बिहार के उत्तरी भाग, पूर्वी उत्तर प्रदेश, ओडिशा के कुछ भाग तथा हिमालय की तराई वाले क्षेत्र आते हैं।

3. अच्छी वर्षा वाले क्षेत्र—इन क्षेत्रों की औसत वर्षा 100 सें०मी० से 200 सें०मी० तक होती है। इनमें उत्तर प्रदेश के शेष भाग, हिमाचल प्रदेश, पंजाब के पूर्वी भाग, पश्चिमी घाट के ढाल, दिल्ली, मध्य प्रदेश के समस्त पूर्वी भाग, महाराष्ट्र, आन्ध्र प्रदेश, तमिलनाडु के पूर्वी भाग तथा जम्मू कश्मीर के मध्य के कुछ भाग आते हैं। इनमें से अधिकांश क्षेत्रों में वर्षा दक्षिणी-पश्चिमी मानसून द्वारा होती है।

4. साधारण वर्षा वाले क्षेत्र—इन क्षेत्रों में 50 से 100 सें०मी० तक वर्षा होती है। इन क्षेत्रों में उत्तर प्रदेश के शेष भाग, पश्चिमी मध्य प्रदेश, राजस्थान के पूर्वी भाग, गुजरात के पूर्वी भाग, आंध्र प्रदेश, कर्नाटक एवं तमिलनाडु के शेष भाग, जम्मू-कश्मीर के उत्तर-पूर्व के मध्य भाग तथा हरियाणा आदि प्रमुख हैं। इन क्षेत्रों में कभी-कभी कम वर्षा होने के कारण सूखा भी पड़ जाता है।

5. बहुत कम वर्षा वाले क्षेत्र—इन क्षेत्रों में वर्षा 50 सें०मी० से भी कम होती है। साथ ही वर्षा प्रारंभ होने का समय भी अनिश्चित होता है। मध्य उत्तर प्रदेश, मध्य प्रदेश के उत्तरी भाग, राजस्थान के समस्त उत्तरी-पश्चिमी क्षेत्र, गुजरात के उत्तरी-पूर्वी भाग, पंजाब तथा हरियाणा के पश्चिमी भाग तथा महाराष्ट्र और कर्नाटक के वृष्टिछाया वाले प्रदेश आदि इस क्षेत्र में आते हैं। पश्चिमी राजस्थान में तो बहुत कम वर्षा (औसत 10 से 20 सें०मी० तक) ही होती है। यहां जैसलमेर, बाड़मेर, बीकानेर, गंगानगर आदि जिले देश के सबसे कम वर्षा वाले क्षेत्र हैं।

भारतीय वर्षा की कुछ विशेषताएं निम्नांकित हैं—

(1) भारत में मानसूनी वर्षा होती है।

(2) यहां मानसून की अनिश्चितता एवं अनियमितता रहती है।

(3) देश में वर्षा का वितरण असमान है।

(4) देश के अधिकांश क्षेत्रों में वर्ष की बहुत कम अवधि में वर्षा होती है।

(5) इस अवधि में लगभग मूसलाधार वर्षा होती है।

(6) देश के पूर्वी क्षेत्रों में अधिक वर्षा व पश्चिमी क्षेत्रों में कम वर्षा होती है।

भारतीय जलवायु के लक्षण

उपरोक्त अध्ययन से भारतीय जलवायु के निम्नांकित लक्षण स्पष्ट हो जाते हैं—

(1) भारतीय जलवायु उष्ण कटिबंधीय मानसूनी जलवायु है।

(2) भारतीय जलवायु में विविधता पाई जाती है।

(3) देश में वर्ष भर में जलवायु परिवर्तन के कारण एक से अधिक ऋतुयें होती हैं।

(4) भारतीय जलवायु मानसूनी हवाओं से बहुत अधिक प्रभावित होती है।

(5) भारत में ग्रीष्म ऋतु में आंधी और तूफान आते हैं।

भारत की मिट्टियाँ

डॉ. बैनेट के अनुसार मिट्टी, भू-पृष्ठ पर मिलने वाले असंगठित पदार्थों की वह ऊपरी पर्त है जो मूल चट्टानों तथा वनस्पति के अंश के योग से बनती है। फलतः मिट्टियां कई प्रकार की होती हैं। बहुत से भारतीय एवं विदेशी विद्वानों ने भारत में पाई जाने वाली मिट्टियों का विविध आधारों पर वर्गीकरण किया है। भारतीय कृषि अनुसंधानशाला के राय चौधरी और मुकर्जी ने भारतीय मिट्टियों को निम्नांकित श्रेणियों में विभाजित किया है—

(1) नदियों द्वारा लाई गई मिट्टी,

(2) नदियों द्वारा लाई गई वह मिट्टी जिसमें खनिज लवण भी मिले होते हैं,

(3) तटीय प्रदेशों की बलुही मिट्टी जो नदियों द्वारा लाई गई है,

(4) नदियों की तलहटियों की पुरानी मिट्टी,

(5) डेल्टा प्रदेश की नमकीन मिट्टी,

(6) चूना मिली हुई मिट्टी,

(7) गहरी काली मिट्टी,

(8) मध्यम काली मिट्टी,

(9) छिछली चिकनी दोमट,

(10) लाल व काली मिट्टी का मिश्रण,

(11) लाल दोमट,

(12) लाल बलुही मिट्टी,

(13) मिश्रित लाल दोमट-बलुही मिट्टी,

(14) कंकरीली मिट्टी,

(15) तराई की मिट्टी,

(16) पर्वतों की मिट्टी,

(17) दलदली मिट्टी,

(18) पीट मिट्टी तथा

(19) मरुस्थली मिट्टी,

भारतीय कृषि अनुसंधान परिषद् ने भारतीय मिट्टियों को निम्नांकित आठ श्रणियों में वर्गीकृत किया है—

(1) लाल मिट्टी.

(2) काली मिट्टी,

(3) जलोढ़ या काँप मिट्टी (नदियों द्वारा लाई हुई),

(4) लैटराइट मिट्टी,

(5) लवण एवं क्षार युक्त मिट्टी,

(6) हल्की काली एवं दलदली (पीट) मिट्टी,

(7) रेतीली या मरुस्थली मिट्टी तथा

(8) वनों वाली तथा पर्वतों की मिट्टी।

इन मिट्टियों का संक्षिप्त वर्णन इस प्रकार है—

(1) लाल मिट्टी—इस मिट्टी का रंग लाल होता है। इसीलिए इसे लाल मिट्टी कहा जाता है। कहीं-कहीं इसका रंग हल्का भूरा, पीला या खाकी होता है। यह मिट्टी तमिलनाडु, कर्नाटक, उत्तरी-पूर्वी आंध्र प्रदेश तथा मध्य प्रदेश के पठारी भागों में पाई जाती है। बिहार के संथाल परगना, पश्चिमी बंगाल के कुछ क्षेत्रों, असम की जयन्तिया, खासी तथा गारो पहाड़ियों तथा राजस्थान के अरावली पर्वत के पूर्वी भागों में भी यह पाई जाती है। इस मिट्टी में लोहे और एल्युमिनियम की मात्रा अधिक होती है। किंतु चूना, पोटाश, नाइट्रोजन और फास्फोरस की कमी होती है। यह लगभग साढ़े तीन लाख वर्ग किलोमीटर में फैली हुई है। यह प्रायः तीन प्रकार की होती है—

(1) निचले क्षेत्रों की लाल मिट्टी,

(2) ऊपरी क्षेत्रों की लाल मिट्टी,

(3) डेल्टाई क्षेत्रों की लाल-भूरी मिट्टी।

(2) काली मिट्टी—इस मिट्टी का रंग काला होता है और यह कपास की खेती के लिए उपयुक्त होती है। यह लगभग साढ़े पांच लाख वर्ग किलोमीटर में पाई जाती है। यह मिट्टी सम्पूर्ण महाराष्ट्र, मध्य प्रदेश के मध्य तथा पश्चिमी भाग, उड़ीसा के दक्षिणी जिलों, आंध्र प्रदेश के दक्षिणी तथा तटीय भागों तथा कर्नाटक के उत्तरी जिलों में मिलती है। गुजरात के भड़ोंच क्षेत्रों में भी यह मिलती है। यह नर्मदा और ताप्ती नदियों की घाटी में भी है। इसमें लोहा, मैग्नीशियम, चूना आदि खनिज मिले रहते हैं। यह गीली होने पर चिकनी और मुलायम होती है किंतु सूख जाने पर कठोर हो जाती है। कपास के अतिरिक्त इसमें खाद्यान्न एवं तिलहन आदि भी पैदा किए जा सकते हैं।

(3) जलोढ़ या काँप मिट्टी—यह मिट्टी हिमालय की नदियों द्वारा लाकर बिछाई गई है। यह लगभग पन्द्रह लाख वर्ग किलोमीटर में फैली हुई है। यह बालू और चिकनी मिट्टी के मिश्रण से बनी है। इसे दुमट मिट्टी भी कहते हैं। यह मिट्टी उत्तर प्रदेश, पंजाब, हरियाणा, राजस्थान, बिहार, पश्चिमी बंगाल के अधिकांश भागों तथा असम, उड़ीसा व दक्षिण भारत के कुछ भागों में पाई जाती है। इस मिट्टी में पोटाश तथा फासफोरस पर्याप्त मात्रा में होती है। यह बहुत अधिक उपजाऊ और कृषि के लिए बहुत उपयोगी होती है।

(4) लैटराइट मिट्टी—यह मिट्टी दक्षिण के पठारी भागों, मध्य प्रदेश, पूर्वी घाट, उड़ीसा, असम, कर्नाटक, तथा केरल तट (मालाबार) के कुछ भागों में पाई जाती है। यह लगभग ढाई लाख वर्ग किलोमीटर क्षेत्र में फैली हुई है। इस मिट्टी का निर्माण लैटराइट चट्टानों से होने के कारण इसका नाम लैटराइट मिट्टी पड़ा है। यह मिट्टी नमी मिलने पर मुलायम व सूख जाने पर सख्त हो जाती है। इसमें भी लोहे और एल्युमिनियम का बहुत अधिक अंश होता है। यह चाय के लिए अधिक उपयुक्त होती है।

(5) लवण एवं क्षार युक्त मिट्टी—यह मिट्टी प्रायः शुष्क तथा अर्द्ध शुष्क क्षेत्रों जैसे उत्तरी बिहार और उत्तर प्रदेश, पंजाब और राजस्थान के कुछ भागों में पाई जाती है। इसमें मैग्नीशियम, सोडियम तथा कैल्शियम लवणों एवं क्षारों की मात्रा बहुत अधिक होती है।

यह खेती के लिए अधिक उपयुक्त नहीं होती व कम उपजाऊ होती है। यह मिट्टी लगभग पौने दो लाख वर्ग किलोमीटर क्षेत्र में पाई जाती है।

(6) हल्की काली एवं दलदली (पीट) मिट्टी—यह मिट्टी अत्यधिक नमी व दलदल वाले भागों में पाई जाती है। इसमें आर्गेनिक तत्व अधिक मात्रा में होते हैं और अनेक स्थानों पर इसमें नमक की मात्रा भी अधिक होती है। इसका रंग काला, नीला होता है। यह उड़ीसा के तटवर्ती भागों, पश्चिमी बंगाल के सुन्दर वन के डेल्टाई क्षेत्र, ऊपरी बिहार के मध्य भागों, उत्तर प्रदेश के अल्मोड़ा जिले और तमिलनाडु तथा केरल के तटवर्ती भागों में पाई जाती है। यह बीस हजार वर्ग किलोमीटर क्षेत्र में फैली हुई है।

(7) रेतीली या मरुस्थली मिट्टी—यह मिट्टी रेगिस्तानी क्षेत्रों में पाई जाती है। इसका सर्वाधिक क्षेत्र (पौने दो लाख वर्ग किलोमीटर) राजस्थान के थार मरुस्थल में है। इसका निर्माण प्राय: वर्षा के अभाव के कारण होता है। वृक्षारोपण द्वारा इस मिट्टी के प्रसार को रोका जा रहा है।

(8) वनों वाली या पर्वतों की मिट्टी—यह प्राय: पर्वतीय प्रदेशों में मिलती है। इसमें चट्टानों का अंश अधिक होता है और यह कई प्रकार की होती है। यह विंध्याचल, सतपुड़ा, नीलगिरि तथा हिमालय के पर्वतीय क्षेत्रों में पाई जाती है। इसमें वनों का विकास हुआ है। यह मिट्टी लगभग तीन लाख वर्ग किलोमीटर क्षेत्र में फैली हुई है।

प्राकृतिक वनस्पति

भारत का अधिकांश भाग शीतोष्ण कटिबंध में स्थित है। जबकि कुछ भाग समुद्र तट से अधिक ऊंचे होने के कारण शीत कटिबंध में माने जा सकते हैं। पर, देश का दक्षिणी भाग उष्ण कटिबंध में स्थित है। देश के कुछ भागों में वर्षा औसत से अधिक हो जाती है और कुछ भाग सूखे ही रह जाते हैं। भूमि के स्वरूप और प्रकृति तथा जलवायु की भिन्नता के कारण भारत में वनस्पति भी भिन्न-भिन्न प्रकार की मिलती है। प्राकृतिक वनस्पति झाड़ियों, घास के मैदानों अथवा जंगलों के रूप में होती है। हमारे देश में 3750 मीटर ऊंचे क्षेत्रों में सामान्यत: पर्वतीय वनस्पति (Alpine) पायी जाती है। इससे नीचे 2000 से 3500 मीटर तक ऊंचे क्षेत्रों में शीतोष्ण एवं पतझड़ तथा संकुल वनों की वनस्पति मिलती है। पहाड़ियों के निचले भागों और मैदानों में उष्ण कटिबंधीय वनस्पति होती है और यही प्राय: थोड़े बहुत स्थानीय अन्तरों के साथ समस्त देश में फैली हुई है। राजमहल के पास गंगा के पश्चिमी मोड़ पर शुष्क वनस्पति मिलती है और अधिक पश्चिमी भाग में यह पूर्णत: पत्तों रहित कंटीली झाड़ियों का रूप ले लेती है। पूर्व की ओर जहां वर्षा अधिक होती है, सदाबहार तथा घने वृक्ष पाए जाते हैं। यही बात तटीय भागों के लिए भी लागू होती है। दक्षिण के पठार पर ऊंचे भागों में छोटे वृक्ष तथा घास की अधिकता पाई जाती है। देश के मध्यवर्ती क्षेत्र में मानसूनी वन मिलते हैं। इस प्रकार भूमि की रचना एवं जलवायु सम्बन्धी विभिन्नताओं के कारण देश में कई प्रकार की वनस्पति पाई जाती है। एक ओर हिमालय के पर्वतीय घास के मैदान तो दूसरी ओर उष्ण कटिबंधीय सघन वन तथा शुष्क और दलदली वनस्पति मिलती है।

भारत में कोई एक विशेष जाति की वनस्पति नहीं मिलती। भारत की वनस्पति कई प्रकार की जातियों का मिश्रण है। हिमालय के पूर्वी ढालों पर तिब्बत और साइबेरिया तुल्य वनस्पति (पहाड़ी झाड़ियां) मिलती हैं जबकि इसके निचले ढालों पर जापानी तथा चीनी जाति की शीतोष्ण (ओक, रोडोडोण्ड्स) तथा अधिक पूर्वी भाग में यूरोपीय जाति की वनस्पति (बीच, चैस्टनट) पाई जाती है। देश के दक्षिणी क्षेत्रों में मलेशियाई और अफ्रीकी जाति की वनस्पति का आधिक्य है। देश के विभिन्न क्षेत्रों में निम्नांकित चार प्रकार की वनस्पति पाई जाती है।

(1) हिमालय में रोडोडोण्ड्स मेखला,

(2) पश्चिम में चीड़,

(3) दक्षिणी भारत में बांस, और

(4) राजस्थान के मरुस्थलीय क्षेत्रों में शुष्क झाड़ियां और कांटेदार वृक्ष आदि। दक्षिण में बिखरे रूप में ताड़, नारियल, तथा सुपारी के वृक्ष भी मिलते हैं।

भारत में वर्षा के वितरण के आधार पर भी निम्नांकित चार प्रकार के वृक्ष पाए जाते हैं—

(1) जिन क्षेत्रों में 200 सें०मी० से अधिक वर्षा होती है वहां सदैव हरे भरे रहने वाले चौड़ी पत्ती वाले वन (सदाबहार वन) होते हैं। ये वन भूमध्य रेखीय वनों के अनुरूप होते हैं। इनमें बड़े-बड़े पेड़ों के साथ लताएं, गुल्म, झाड़ियां आदि भी होती हैं।

(2) 100 से 200 सें०मी० वर्षा वाले भागों में मानसूनी वन होते हैं। जिनकी चौड़ी पत्तियां ग्रीष्म ऋतु में सूख जाती हैं किंतु वर्षा के अच्छी तरह आरम्भ होने के कुछ ही पहले इनमें फूल आ जाते हैं और पत्तियां निकल आती हैं। ये वन अधिक खुले होते हैं। बांस के वृक्ष अवश्य नीचे से घने होते हैं। इन वनों में मुख्य रूप से साल, सागवान, रोजवुड, पाइन आदि वृक्ष पाए जाते हैं।

(3) 50 से 100 सें०मी० वर्षा वाले क्षेत्रों में कंटीले वृक्षों वाले वन पाए जाते हैं। कंटीली झाड़ियां भूमि पर दूर-दूर उगती हैं। बीच की भूमि वर्ष के आधे भाग में खाली रहती है किंतु वर्षा ऋतु में हरी घास और छोटी झाड़ियों से ढंक जाती है। यहां बबूल, सूबबूल, खेजड़ा, प्रोसोपिस आदि झाड़ियां अधिक उगती हैं।

(4) 50 सें०मी० से कम वर्षा के क्षेत्रों में अर्द्ध मरुस्थलीय वनस्पति मिलती है।

इस प्रकार भौतिक परिस्थितियों और जलवायु के अन्तर के कारण भारत में शीतोष्ण तथा उष्ण कटिबंधीय दोनों प्रकार की वनस्पतियां मिलती हैं। देश में कुल वन प्रदेशों का 7% शीतोष्ण (3% कोणधारी और 4% चौड़ी पत्ती वाले वन) और 93% उष्ण कटिबंधीय वनों (80% मानसूनी वन, 12% सदाबहार वाले वन और 1% अन्य वन) के अंतर्गत आते हैं। देश में वनों का सर्वाधिक क्षेत्र मध्य प्रदेश राज्य में है। वनस्पतियों की विविधता और प्रचुरता की दृष्टि से भारत एक धनी देश है। वनस्पतियों की दृष्टि से भारत को निम्नांकित आठ भागों में विभाजित किया जा सकता है—

(1) पश्चिमी हिमालय,

(2) पूर्वी हिमालय,

(3) असम,

(4) सिंधु के मैदान,

(5) गंगा के मैदान,

जीव-जन्तु

भारत में जीव जन्तुओं की भी बहुत-सी किस्में पाई जाती हैं। देश में पक्षियों की लगभग 2100 तथा स्तनधारियों (Mammals) की लगभग 500 किस्में पाई जाती हैं। इनके अतिरिक्त कीड़े-मकोड़ों एवं मछलियों की सैंकड़ों किस्में भी यहां मिलती हैं। जीव जन्तुओं की कतिपय दुर्लभ प्रजातियां भी हमारे यहां पाई जाती हैं। गिरनार के जंगलों में पाए जाने वाले बबर शेर, असम में पाए जाने वाले एक सींग वाले गैंडे तथा राजस्थान के पश्चिमी मरुप्रदेश में पाए जाने वाले प्रसिद्ध गोंडावन आदि इसके उदाहरण हैं। भारत का राष्ट्रीय पशु शेर भी धीरे-धीरे समाप्त हो रहा है। उसे बचाने हेतु विशेष प्रयास किए जा रहे हैं। भारत का राष्ट्रीय पक्षी मोर विश्व प्रसिद्ध है।

राष्ट्रीय उद्यान और अभयारण्य

जून 2025 तक हमारे देश में संरक्षित क्षेत्र में 106 राष्ट्रीय उद्यान, 573 अभयारण्य आते हैं जो एक लाख 65 हजार वर्ग किमी. में फैले हैं। कुछ महत्त्वपूर्ण अभयारण्यों और उद्यानों के नाम नीचे दिए गए हैं—

1. कान्हा राष्ट्रीय उद्यान (म.प्र.),
2. शिवपुरी राष्ट्रीय उद्यान (म.प्र.),
3. जलदापाड़ा अभयारण्य (प. बंगाल),
4. काजीरंगा अभयारण्य (असम),
5. मानस अभयारण्य (असम),
6. हजारीबाग राष्ट्रीय उद्यान (झारखंड),
7. पलामू राष्ट्रीय उद्यान (झारखंड),
8. डालमा वन्य जीव अभयारण्य (झारखंड),
9. सेमलीपाल राष्ट्रीय पार्क (ओडिशा),
10. वनकटना वन्य जीव अभयारण्य (उ.प्र.),
11. भरतपुर वन्य जीव अभयारण्य (राजस्थान),
12. डर्राह वन्य जीव अभयारण्य (राजस्थान),
13. कॉर्बेट राष्ट्रीय उद्यान (उत्तराखंड),
14. चन्द्रप्रभा अभयारण्य (उ.प्र.),
15. डाचीगाम अभयारण्य (जम्मू-कश्मीर),
16. दुधवा राष्ट्रीय उद्यान (उ.प्र.),
17. नन्दा देवी कस्तूरी मृग वन (उत्तराखंड),
18. माउंट आबू वन्य जीव अभयारण्य (राजस्थान),
19. रणथम्भौर वन्य जीव अभयारण्य (राजस्थान),
20. सरिस्का क्रीड़ा अभयारण्य (राजस्थान),
21. रंगथिट्टू पक्षी अभयारण्य (कर्नाटक),
22. बांदीपुर अभयारण्य (कर्नाटक),
23. डंडेली अभयारण्य (कर्नाटक),
24. महावीर अभयारण्य (गोवा-कर्नाटक सीमा),
25. पेरियार अभयारण्य (केरल),
26. वेदान्तन्गाल पक्षी अभयारण्य (तमिलनाडु),
27. गिरि वन (गुजरात),
28. बोरीवल्ली राष्ट्रीय उद्यान (महाराष्ट्र),
29. मोलेम क्रीड़ा अभयारण्य (गोवा),
30. कोट्टीगांव क्रीड़ा अभयारण्य (गोवा),
31. नागजीरा वन्य जीव अभयारण्य (महाराष्ट्र),
32. वान्धवगढ़ राष्ट्रीय उद्यान (मध्य प्रदेश),
33. घाट प्रभा पक्षी अभयारण्य (कर्नाटक),
34. खगचन्दजेन्दा राष्ट्रीय उद्यान (सिक्किम),
35. पेंच राष्ट्रीय उद्यान (महाराष्ट्र),
36. रोहिया राष्ट्रीय उद्यान (हिमाचल प्रदेश),
37. सुल्तानपुर सरोवर पक्षी अभयारण्य (हरियाणा),
38. तोदोवा राष्ट्रीय उद्यान (महाराष्ट्र),
39. मुदुमलाई अभयारण्य (तमिलनाडु),
40. नगर होल पक्षी अभयारण्य (गुजरात),
41. नाल सरोवर पक्षी अभयारण्य (गुजरात),
42. बोंडला क्रीड़ा अभयारण्य (गोवा),
43. तनसा झील वन्य जीव अभयारण्य (महाराष्ट्र),
44. बनारघट्टा राष्ट्रीय उद्यान (कर्नाटक),
45. ईराविकुलम राजमल्ली राष्ट्रीय उद्यान (केरल)।

बहुप्रयोजनीय नदी घाटी परियोजनाएं

देश की कुछ महत्त्वपूर्ण बड़ी बहुप्रयोजनीय योजनाओं का वर्णन नीचे किया गया है—

भाखड़ा नांगल—भाखड़ा नांगल परियोजना सतलज नदी के जल के उपयोग हेतु बनाई गई। यह पंजाब, हरियाणा, राजस्थान की सम्मिलित योजना है और इससे लगभग 15 लाख हैक्टेयर भूमि की सिंचाई की जा रही है।

व्यास परियोजना—यह एक विशालतम योजना है। इसके अंतर्गत तीन प्रमुख कार्य हाथ में लिए गए हैं। इनमें व्यास-सतलज लिंक एवं पोंग बांध का निर्माण महत्त्वपूर्ण है। यह योजना भी पंजाब, हरियाणा और राजस्थान की सम्मिलित योजना है।

राजस्थान नहर—इससे राजस्थान के गंगा नगर, बीकानेर एवं जैसलमेर जिलों में सिंचाई की सुविधाएं उपलब्ध हो गई हैं। यह हरीके बांध से निकाली गई है और जैसलमेर के रामगढ़ कस्बे तक जाती है। इस नहर का काफी भाग पंजाब में राजस्थान फीडर के नाम से बहता है।

थीन बांध—यह पंजाब की परियोजना है और इसके अंतर्गत रावी नदी पर बांध बनाया गया है जिससे इस नदी के पानी का उपयोग किया जा सके। इस परियोजना का मुख्य उद्देश्य सिंचाई की सुविधा उपलब्ध कराना तथा जल विद्युत का उत्पादन करना है।

रिहन्द परियोजना—इस परियोजना के अन्तर्गत रिहन्द नदी पर उत्तर प्रदेश में बांध बनाया गया है। यह उत्तर प्रदेश की परियोजना है और इसका प्रमुख उद्देश्य जल विद्युत का उत्पादन, सिंचाई, बाढ़ नियंत्रण, आदि है।

हीराकुड परियोजना— इस परियोजना के अन्तर्गत महानदी पर हीराकुड बांध बनाया गया है जो विश्व का सबसे लम्बा मिट्टी का बांध है। सिंचाई एवं जल-विद्युत का उत्पादन इस परियोजना के प्रमुख उद्देश्य हैं। यह उड़ीसा राज्य की एक विशाल परियोजना है।

राम गंगा— यह उत्तर प्रदेश की परियोजना है। इसके अंतर्गत राम गंगा नदी पर बांध बनाया गया है। इसका उद्देश्य सिंचाई की सुविधाओं में वृद्धि करना है।

शारदा सहायक परियोजना— यह उत्तर प्रदेश राज्य की एक महत्त्वाकांक्षी योजना है जिसके अंतर्गत घाघरा, शारदा और गोमती के जल के उपयोग किए जाने का लक्ष्य रखा गया है। इसके पूर्ण हो जाने पर लगभग 15 लाख हैक्टेयर अतिरिक्त भूमि में सिंचाई की जा सकेगी।

दामोदर घाटी परियोजना— यह पश्चिम बंगाल और बिहार की सम्मिलित योजना है। सिंचाई की सुविधाओं में वृद्धि, जलविद्युत का उत्पादन तथा बाढ़ नियंत्रण इसके प्रमुख उद्देश्य हैं।

मयूराक्षी परियोजना— यह पश्चिम बंगाल की मयूराक्षी नदी से संबंधित योजना है। इसका भी मुख्य उद्देश्य सिंचाई की सुविधाओं में वृद्धि करना है।

गंडक परियोजना— यह बिहार, उत्तर प्रदेश एवं नेपाल की सम्मिलित परियोजना है। इसके पूरे हो जाने पर लगभग 15 लाख हैक्टेयर भूमि में सिंचाई की जा सकेगी। यह दो देशों भारत एवं नेपाल को लाभान्वित करेगी।

कोसी परियोजना— यह भारत एवं नेपाल की सम्मिलित योजना है। इसका मुख्य उद्देश्य सिंचाई की सुविधाओं में वृद्धि एवं बाढ़ नियंत्रण है। इस योजना से बिहार राज्य लाभान्वित होगा और सिंचाई की सुविधाओं के साथ-साथ उसे कोसी की प्रलयकारी बाढ़ों से भी छुटकारा मिल सकेगा।

माही परियोजना— यह गुजरात एवं राजस्थान की सम्मिलित परियोजना है। इससे राजस्थान को भी लाभ होगा। इसका मुख्य उद्देश्य सिंचाई की सुविधाएं बढ़ाना है।

नागार्जुन सागर परियोजना— यह आंध्र प्रदेश की परियोजना है और इसे स्वतंत्रता प्राप्ति के तत्काल पश्चात आरम्भ किया गया। इसके अंतर्गत कृष्णा नदी पर बांध बनाकर सिंचाई की व्यवस्था की गई है।

तुंगभद्रा परियोजना— यह तुंगभद्रा नदी पर है और लगभग पूरी हो चुकी है। इससे आंध्र प्रदेश एवं कर्नाटक संयुक्त रूप से लाभान्वित होंगे। इसका मुख्य उद्देश्य सिंचाई की सुविधाओं में वृद्धि है।

शरावती परियोजना— यह कर्नाटक में शरावती नदी पर आरम्भ की गई है। यह जल विद्युत उत्पादन की विशालतम योजना है।

चम्बल परियोजना— यह मध्य प्रदेश और राजस्थान की सम्मिलित परियोजना है। इसके अंतर्गत मध्य प्रदेश और राजस्थान में चम्बल नदी पर चार बांध बनाए गए हैं। सिंचाई की सुविधाओं में वृद्धि एवं जलविद्युत का उत्पादन इसका प्रमुख उद्देश्य है।

महानदी डेल्टा परियोजना— यह उड़ीसा की सबसे बड़ी सिंचाई परियोजना है। इससे लगभग पांच लाख हैक्टेयर अतिरिक्त भूमि में सिंचाई की जा सकेगी।

फरक्का परियोजना— इसके अंतर्गत गंगा नदी पर फरक्का में एक बैराज बनाया गया है। इस परियोजना के मुख्य उद्देश्य कलकत्ता बंदरगाह का बचाव करना तथा हुगली को जल परिवहन के लिए अधिक उपयुक्त बनाना है। इसके अंतर्गत भागीरथी नदी पर भी एक बैराज एवं फरक्का बैराज पर एक पुल भी बनाया गया है।

अपर कृष्णा परियोजना— यह कृष्णा नदी पर आरम्भ की गई कर्नाटक की एक बड़ी परियोजना है। इसका मुख्य उद्देश्य सिंचाई है।

पैरम्बीकुलम अलियार परियोजना— यह केरल और तमिलनाडु की सम्मिलित परियोजना है। इसका मुख्य उद्देश्य सिंचाई सुविधाओं में वृद्धि है।

काकरापाड़ा परियोजना— यह गुजरात की बड़ी परियोजना है जो ताप्ती नदी पर आरम्भ की गई है। इसका मुख्य उद्देश्य सिंचाई की सुविधाओं में वृद्धि करना है।

भद्रा परियोजना— यह कर्नाटक में भद्रा नदी पर आरम्भ की गई है। सिंचाई एवं जल विद्युत का उत्पादन इस परियोजना का प्रमुख उद्देश्य है।

भीमा परियोजना— यह महाराष्ट्र की प्रमुख परियोजना है। इसे कृष्णा तथा पवन नदियों पर आरम्भ किया गया है। सिंचाई की सुविधाओं में वृद्धि इस परियोजना का प्रमुख उद्देश्य है।

माताटिला परियोजना— यह उत्तर प्रदेश की परियोजना है। इसके अंतर्गत माताटीला स्थान पर बेतवा नदी पर एक बांध बनाया गया है। सिंचाई एवं जल विद्युत का उत्पादन इस परियोजना के प्रमुख उद्देश्य है।

भारत की खनिज सम्पदा

देश में पाए जाने वाले महत्त्वपूर्ण खनिजों का संक्षिप्त विवरण नीचे दिया जा रहा है—

बॉक्साइट— देश में लगभग 390 करोड़ टन बॉक्साइट का भंडार है। संसार के बॉक्साइट उत्पादक देशों में भारत का पांचवां स्थान है। बॉक्साइट की मुख्य खानें ओडिशा, आन्ध्र प्रदेश, झारखंड, गुजरात, मध्य प्रदेश, छत्तीसगढ़, महाराष्ट्र में हैं।

कोयला— भारत में कोयले के विशाल भंडार हैं। इस समय भारत विश्व में तीसरा सबसे बड़ा कोयला उत्पादक देश है। कोयले के विशाल भंडार पश्चिम बंगाल, ओडिशा, झारखंड, मध्य प्रदेश, आन्ध्र प्रदेश और महाराष्ट्र में हैं। इसके अतिरिक्त थोड़ी मात्रा में कोयले के भंडार असम, अरुणाचल प्रदेश, मेघालय और नगालैंड में भी हैं।

लिग्नाइट— कोयले की तुलना में लिग्नाइट के भंडार भारत में कम हैं। अनुमानतः 46.02 अरब टन लिग्नाइट के भंडार हैं, जिनमें सबसे बड़ा भंडार तमिलनाडु में निवेली में और उसके आसपास है। इसके अलावा राजस्थान, गुजरात, केरल, पुडुचेरी और जम्मू व कश्मीर में भी लिग्नाइट की खानें हैं।

क्रोमाइट— भारत में क्रोमाइट का भंडार लगभग 34.4 करोड़ टन है। लाभप्रद ढंग से दोहन वाले भंडार ओडिशा, आन्ध्र प्रदेश, झारखंड, कर्नाटक, महाराष्ट्र, मणिपुर और तमिलनाडु में हैं।

तांबा— भारत में अनुमानतः कुल 1511 मिलियन टन तांबे के भंडार हैं। तांबे की महत्वपूर्ण और बड़ी खानें झारखंड के सिंहभूम जिले में, मध्य प्रदेश के बालाघाट जिले में और राजस्थान के झुंझुनू

और अलवर जिले में हैं। इनके अलावा तांबे की छोटी खानें आन्ध्र प्रदेश में खम्मम में, कर्नाटक में चितल दुर्ग और हासन में, गुजरात, उड़ीसा और सिक्किम में भी हैं।

हीरा—भारत में इस खनिज का भंडार अनुमानतः 31.84 मिलियन कैरेट है। हीरा उत्पादक मुख्य क्षेत्र हैं—मध्य प्रदेश की पन्ना पट्टी, करनूल जिले में मुनिमाडुगु और बंगनपाले की चट्टानें। आन्ध्र प्रदेश में कृष्णा नदी की रेत-बजरी में भी हीरा मिलता है। इस समय केवल पन्ना में ही हीरा निकाला जाता है।

डोलोमाइट—भारत में सभी किस्मों की डोलोमाइट का कुल भंडार अनुमानतः 8415 मिलियन टन है। इसके उत्पादक राज्य मध्य प्रदेश, गुजरात, ओडिशा, कर्नाटक, महाराष्ट्र, उत्तर प्रदेश और पश्चिमी बंगाल हैं।

सोना—देश में सोने की तीन प्रमुख खानें हैं—कर्नाटक राज्य में कोलार जिले में कोलार स्वर्ण खान और रायचूर जिले में हट्टी स्वर्ण खान और आन्ध्र प्रदेश में रामगिरि स्वर्ण खान। देश में अनुमानतः 527.96 मिलियन टन सोने की खनिज है जिसमें कुल सोना लगभग 469.51 टन होने का अनुमान है। इनमें कोलार और हट्टी की खानें बड़ी हैं और इनमें लगभग 176.9 लाख टन स्वर्ण अयस्क का अनुमान है।

जिप्सम—देश में जिप्सम का कुल भंडार अनुमानतः 1330 मिलियन टन है। अधिकांश—जिप्सम, राजस्थान, तमिलनाडु, जम्मू व कश्मीर, हिमाचल प्रदेश और उत्तर प्रदेश की खानों से निकलता है। थोड़ा जिप्सम गुजरात राज्य में भी निकलता है।

ग्रेफाइट—देश के भीतर ग्रेफाइट के कुल भंडारों का अनुमान लगभग 194.89 मिलियन टन है। इसमें से लगभग 31 लाख टन के भंडार केरल और बिहार में हैं और शेष भंडार झारखंड, ओडिशा, राजस्थान, तमिलनाडु और आन्ध्र प्रदेश में हैं। कुछ भंडार अरुणाचल प्रदेश, जम्मू व कश्मीर और मध्य प्रदेश में भी हैं।

इल्मेनाइट—भारत में पूर्वी और पश्चिमी तट के समुद्री तट की रेत में लगभग 355.48 मिलियन टन इल्मेनाइट के भंडार का अनुमान है। दोहन योग्य भंडार केरल, ओडिशा और तमिलनाडु में हैं।

लोहा—लोहे के खनिज की दृष्टि से भारत काफी समृद्ध है। अनुमान है कि भारत में लौह खनिज के भंडार लगभग 2249 करोड़ टन है। इसमें 1705 करोड़ टन हैमेटाइट लौह खनिज और शेष मैग्नेटाइट लौह खनिज है। हैमेटाइट लौह खनिज के भंडार मुख्यतः छत्तीसगढ़, केरल, झारखंड, ओडिशा, महाराष्ट्र, गोवा और कर्नाटक में हैं। मैग्नेटाइट लौह खनिज के भंडार मुख्यतः कर्नाटक में पश्चिमी तट पर हैं। इनके अलावा मैग्नेटाइट की छोटी खानें आन्ध्र प्रदेश, केरल और तमिलनाडु में हैं।

केओलिन (चीनी मिट्टी)—भारत में केओलिन यानी चीनी मिट्टी के विशाल भंडार हैं। मुख्यतः केरल, झारखंड, गुजरात, राजस्थान और पश्चिमी बंगाल में चीनी मिट्टी के भंडार हैं। हरियाणा, ओडिशा, और मध्य प्रदेश में भी थोड़ी मात्रा में चीनी मिट्टी के भंडार हैं।

सीसा-जस्ता—अनुमान है कि देश में लगभग 74.95 करोड़ टन सीसा-जस्ते की खनिज है। इसके प्रमुख उत्पादक राज्य हैं—राजस्थान, मध्य प्रदेश, महाराष्ट्र, पश्चिम बंगाल, उत्तर प्रदेश, आन्ध्र प्रदेश, तमिलनाडु, ओडिशा और सिक्किम। लगभग 95 प्रतिशत खनिज दक्षिणी-मध्य राजस्थान और निकटवर्ती गुजरात के भाग में केन्द्रित हैं।

चूना पत्थर—अनुमान है कि देश में कुल 203,225 मिलियन टन के चूना पत्थर के भंडार हैं। यह खनिज देश के लगभग सभी राज्यों में उपलब्ध है। लेकिन इसके मुख्य उत्पादक राज्य हैं—मध्य प्रदेश, तमिलनाडु, आन्ध्र प्रदेश, गुजरात, झारखंड, ओडिशा, राजस्थान और कर्नाटक।

मैंगनीज—अनुमान है कि मैंगनीज के कुल भंडार लगभग 496 मिलियन टन हैं। इसके बड़े भंडार ओडिशा, कर्नाटक, मध्य प्रदेश, महाराष्ट्र और गोवा में हैं। प्रमुख उत्पादक राज्य ओडिशा, कर्नाटक, मध्य प्रदेश और महाराष्ट्र हैं।

अभ्रक—शीट माइका (अभ्रक) के उत्पादन में भारत का स्थान लगभग सर्वप्रथम है। अभ्रक के विश्व व्यापार में भारत का योगदान लगभग 60 प्रतिशत है। लाभप्रद दोहन योग्य अभ्रक के निपेक्ष आन्ध्र प्रदेश, राजस्थान और झारखंड में हैं।

निकिल—निकिल खनिज के निपेक्ष ओडिशा के कटक, क्योंझर और मयूरभंज जिलों में हैं। इस खनिज की मुख्य पट्टी कटक जिले में सुकिण्डा में है। इसके साधारण निपेक्ष झारखंड, तमिलनाडु, महाराष्ट्र और गोवा में भी हैं। अनुमान है कि लगभग 189 मिलियन टन निकिल के भंडार हैं।

टंगस्टन—टंगस्टन के भंडार राजस्थान, महाराष्ट्र, कर्नाटक, पश्चिमी बंगाल और उत्तर प्रदेश में हैं। देश में केवल राजस्थान में डेगाना की खानों से इसकी खनिज निकाली जाती है।

मैगनेसाइट—देश में मैगनेसाइट खनिज के भंडार लगभग 394 मिलियन टन हैं। इस समय इसके मुख्य उत्पादक स्थान तमिलनाडु में सेलम और उत्तराखंड में अल्मोड़ा हैं। मैगनेसाइट के भंडार उत्तराखंड के चमौली और पिथौरागढ़ जिलों में और कर्नाटक के मैसूर और हसन जिलों में भी हैं। जम्मू व कश्मीर और हिमाचल प्रदेश में भी इसके निक्षेप हैं।

प्राकृतिक गैस—प्राकृतिक गैस असम और गुजरात में मिलती है।

चांदी—कर्नाटक (कोलार क्षेत्र), झारखंड (मानभूम), राजस्थान (जावर) और तमिलनाडु (अनन्तपुर) में मिलती है।

थोरियम—थोरियम केरल में मिलता है।

यूरेनियम—यूरेनियम झारखंड में मिलता है।

ग्रेनाइट—ग्रेनाइट तमिलनाडु, कर्नाटक, आन्ध्र प्रदेश और राजस्थान में मिलता है।

संगमरमर पत्थर—संगमरमर पत्थर राजस्थान में मिलता है।

महत्त्वपूर्ण उद्योग

सूती वस्त्र उद्योग—गुजरात, महाराष्ट्र, बिहार, तमिलनाडु, पश्चिम बंगाल, उत्तर प्रदेश, आन्ध्र प्रदेश, कर्नाटक, केरल, मध्य प्रदेश और राजस्थान।

सीमेंट उद्योग—आन्ध्र प्रदेश, झारखंड, गुजरात, कर्नाटक, मध्य प्रदेश, राजस्थान, तमिलनाडु।

शीशा (कांच) उद्योग—फिरोजाबाद, (नैनी उ.प्र.), जबलपुर (म.प्र.), अमृतसर, अम्बाला, (पंजाब) पश्चिम बंगाल और तमिलनाडु।

चीनी उद्योग—बरेली, गोरखपुर, कानपुर, सहारनपुर, मेरठ, लखनऊ (उ.प्र.), भागलपुर, चम्पारन, डालमिया नगर, मुजफ्फरपुर (बिहार), पंजाब तथा तमिलनाडु।

रेशमी वस्त्र उद्योग—कर्नाटक, मुर्शिदाबाद (पश्चिम बंगाल) और श्रीनगर (जम्मू-कश्मीर)।

कागज उद्योग—टीटागढ़ (पश्चिम बंगाल), मुंबई, पुणे (महाराष्ट्र), सहारनपुर (उ.प्र.), नेपानगर और बहरमपुर (म.प्र.), गंजाम (ओडिशा)।

चमड़ा (चर्म) उद्योग—कानपुर, आगरा (उ.प्र.), बाटा नगर (पश्चिम बंगाल), दीघा घाट (बिहार), देवनगर, चेम्बूर (मुंबई), चेन्नई, कोयम्बटुर, बंगलुरु।

दियासलाई उद्योग—चेन्नई, कोलकाता, बरेली, ग्वालियर, हैदराबाद।

ऑटोमोबाइल उद्योग— ऑटोमोबाइल तथा उसके पुरजे तैयार करने के ज्यादातर कारखाने महाराष्ट्र तथा दिल्ली में हैं।

एयरक्राफ्ट उद्योग—बेंगलुरू तथा कानपुर।

जूट उद्योग—पश्चिम बंगाल।

जहाज निर्माण—विशाखापत्तनम, मझगांव डाक्स, कोच्चि, गार्डेन रीच।

रेलवे कोच उद्योग—पेराम्बूर (चेन्नई)

उर्वरक—नांगल (पंजाब), सिंदरी (झारखंड), कलोल (गुजरात), कांडला, (गुजरात), मीठापुर (गुजरात), पन्की (कानपुर के समीप), नामरूप काम्लेक्स (असम), नेवेली (चेन्नई)।

केबिल (टेलीफोन के तार) उद्योग—रूपनारायणपुर (पश्चिम बंगाल), एर्नाकुलम (केरल)।

रसायन और औषधि—दिल्ली (डी.डी.टी. कारखाना), पिम्परी (पूना में ऐन्टीबायोटिक कारखाना), कोलकाता, मुंबई, चेन्नई।

रेलवे इंजन और डिब्बे बनाने का उद्योग— रेलवे इंजन बनाने का कारखाना चितरंजन और रेल के डीजल इंजन बनाने का कारखाना वाराणसी में है। बिजली से चलने वाले रेल इंजन भी चितरंजन में बनते हैं। रेल के डिब्बे बनाने का कारखाना पेराम्बूर में है।

परिवहन

राष्ट्रीय प्रगति में परिवहन के साधनों की महत्वपूर्ण भूमिका होती है। हमारे देश में परिवहन के साधनों में बहुत उन्नति हुई है। नीचे परिवहन के साधनों के बारे में जानकारी दी जा रही है।

रेलवे

रेलवे देश का सबसे बड़ा राष्ट्रीय उपक्रम है। विश्व रेलवे में इसका महत्वपूर्ण स्थान है। मार्च 2024 तक कुल भारतीय रेलवे लाइन 69,181 किलोमीटर थी।

प्रशासन—रेलवे के प्रशासन एवं सम्पूर्ण नियन्त्रण का दायित्व रेलवे बोर्ड पर है। यह 1905 में बनाया गया था। बोर्ड में एक चेयरमैन, जो कि केंद्रीय रेलवे मंत्रालय का मुख्य सचिव होता है, एक फाइनेंशियल कमिश्नर और पांच अन्य सदस्य होते हैं। उन्हें केंद्रीय मंत्रालय के पदेन सचिव का स्तर प्राप्त होता है।

क्षेत्र—1949 से पूर्व देश में 42 रेलवे प्रणालियां थीं। इन्हें अब संचालन सुविधा की दृष्टि से 18 मंडलों (Zones) में बांट दिया गया है। इन मंडलों और इनके मुख्यालयों (Headquarters) के नाम कोष्ठक में दिए गए हैं—

1. दक्षिणी रेलवे (चेन्नई)
2. पश्चिम रेलवे (मुंबई-चर्चगेट)
3. मध्य रेलवे (मुंबई-वी.टी.)
4. उत्तर रेलवे (दिल्ली)
5. पूर्व रेलवे (कोलकाता)
6. उत्तर पूर्व रेलवे (गोरखपुर)
7. दक्षिण पूर्व रेलवे (कोलकाता)
8. दक्षिण मध्य रेलवे (सिकन्दराबाद)
9. उत्तर पूर्व सीमान्त रेलवे (मालीगांव : गुवाहाटी)
10. पूर्वी मध्य रेलवे (हाजीपुर)
11. पूर्वी तटवर्ती रेलवे (भुवनेश्वर)
12. उत्तर मध्य रेलवे (प्रयागराज)
13. उत्तर पश्चिम रेलवे (जयपुर)
14. दक्षिण पूर्व मध्य रेलवे (बिलासपुर)
15. दक्षिण पश्चिम रेलवे (हुबली)
16. पश्चिम मध्य रेलवे (जबलपुर)
17. मेट्रो रेलवे (कोलकाता)
18. दक्षिण तटीय रेलवे (विशाखापत्तनम) (प्रस्तावित)

प्रत्येक क्षेत्र एक जनरल मैनेजर के अधीन है।

जहाजरानी

1. एशिया में जहाजरानी के मामले में भारत दूसरे स्थान पर है, पहला स्थान जापान का है।
2. विश्व जहाजरानी में भारत का 16वां स्थान है।
3. भारत में निर्मित पहले यात्री जलपोत का नाम 'हर्षवर्धन' है।
4. 17 जनवरी, 1973 को निकोबार द्वीप समूह के सुदूर दक्षिण के अन्तिम छोर पर स्थित पिगमेलियन पाइण्ट पर एक 30 मीटर ऊंचे प्रकाश स्तम्भ का उदघाटन किया गया।
5. जहाजों की किस्म का वर्गीकरण और उन्हें प्रमाणित करने वाली एक भारतीय संस्था 'इण्डियन रजिस्टर ऑफ शिपिंग' का गठन मार्च 1975 में किया गया, जिसका मुख्यालय मुंबई में है।

नागरिक उड्डयन

भारत में नागरिक उड्डयन का प्रारम्भ 1927 में हुआ, जब जोसेफ लिन बम्बई (मुंबई) के लाल बाग में बैलून द्वारा 5,000 फुट ऊंचा उड़ा। इसके पश्चात धीरे-धीरे प्रगति होती रही। दूसरे महायुद्ध ने हवाई परिवहन को अत्यधिक प्रोत्साहन दिया और परिणामस्वरूप इस देश में 11 हवाई कम्पनियां माल व मुसाफिर ढोने का काम करने लगीं। 1953 में सरकार ने सब वायु मार्ग एवं कम्पनियों का राष्ट्रीयकरण कर दिया।

सार्वजनिक क्षेत्र की इकलौती विमान सेवा कम्पनी एयर इंडिया का जनवरी 2022 में पूर्ण निजीकरण कर दिया गया है। इस हेतु मार्ग अक्टूबर 2021 में उस समय प्रशस्त हो गया था जब इसके लिए टाटा संस की ₹ 18,000 करोड़ की उच्चतम बोली को सरकार ने स्वीकार कर लिया था तथा इसके 100 प्रतिशत शेयरों की टाटा समूह को बिक्री के लिए शेयर परचेज एग्रीमेंट पर हस्ताक्षर 26 अक्टूबर, 2021 को सम्पन्न किए थे। इससे एयर इंडिया का स्वामित्व एक बार पुन: अब टाटा संस के हाथ में आ गया है। भारी घाटे में चल रही इस एयरलाइंस ने अपनी

100 प्रतिशत हिस्सेदारी निजी क्षेत्र को बेचने के लिए इच्छुक निवेशकों में अभिरुचि पत्र (Expression of interest) सरकार ने वर्ष 2020 में आमंत्रित किए थे। देश की अन्य प्राइवेट एयरलाइंस इंडिगो, विस्तारा, स्पाइस जेट और गो एयर आदि हैं।

ट्रेनिंग संस्थान—नागरिक उड्डयन का ट्रेनिंग सेन्टर प्रयागराज में है। नवम्बर 1985 में फुरसतगंज (उत्तर प्रदेश) में इंदिरा गांधी राष्ट्रीय उड़ान अकादमी की स्थापना की गई है।

राष्ट्रीय हवाई अड्डा प्राधिकरण और भारतीय अंतर्राष्ट्रीय हवाई अड्डा प्राधिकरण को मिलाकर 1 अप्रैल, 1995 को भारत का हवाई अड्डा प्राधिकरण की स्थापना की गई। यह प्राधिकरण सुरक्षित और कार्यकुशल हवाई यातायात सेवाओं की व्यवस्था करने और भारतीय हवाई क्षेत्र में कारगर तरीके से हवाई यातायात को नियंत्रित करने के लिए अपेक्षित संचार सुविधाएं उपलब्ध कराने हेतु उत्तरदायी है।

यह प्राधिकरण सम्पूर्ण भारतीय हवाई क्षेत्र का और देश की प्रादेशिक सीमाओं के बाहर भी अंतर्राष्ट्रीय नागरिक उड्डयन संगठन (आई.सी.ओ.) द्वारा जहां तक अनुमति है—सम्पूर्ण भारतीय क्षेत्र में हवाई उड़ानों का नियमन करता है।

पवन हंस—4 अक्टूबर, 1985 को पवन हंस के नाम से हेलीकाप्टर कारपोरेशन ऑफ इंडिया का गठन किया गया। यह पेट्रोलियम क्षेत्र की हवाई सेवा में सहायता और दुर्गम क्षेत्रों में सेवाएं उपलब्ध कराता है।

भारत में प्रमुख अंतर्राष्ट्रीय हवाई अड्डे हैं—राजीव गांधी अंतर्राष्ट्रीय हवाई अड्डा (हैदराबाद), इन्दिरा गांधी अंतर्राष्ट्रीय हवाई अड्डा (नई दिल्ली), दाबोलिम हवाई अड्डा (गोवा), सरदार वल्लभ भाई पटेल अंतर्राष्ट्रीय हवाई अड्डा (अहमदाबाद), बेंगलुरू अंतर्राष्ट्रीय हवाई अड्डा (बेंगलुरू), त्रिवेन्द्रम अंतर्राष्ट्रीय हवाई अड्डा (तिरुवनंतपुरम्), छत्रपति शिवाजी अंतर्राष्ट्रीय हवाई अड्डा (मुम्बई), श्री गुरु रामदासजी अंतर्राष्ट्रीय हवाई अड्डा (अमृतसर), अन्ना अंतर्राष्ट्रीय हवाई अड्डा (चेन्नई), तिरुचिरापल्ली अंतर्राष्ट्रीय हवाई अड्डा (त्रिचुरापल्ली), नेताजी सुभाषचन्द्र बोस अंतर्राष्ट्रीय हवाई अड्डा (कोलकाता)।

सड़क

भारत संसार के ऐसे देशों में से एक है जिनमें सड़कों का लम्बा-चौड़ा जाल बिछा हुआ है। भारत में सड़कों की कुल लम्बाई लगभग 66.71 लाख किलोमीटर है।

सड़क परिवहन और सड़क यातायात को अधिक सुविधाजनक एवं विकसित करने के लिए चुनी हुई सड़कें, जिन्हें 'नेशनल हाइवे' कहा जाता है, केंद्रीय सरकार के अधीन हैं, जबकि इनके अलावा स्टेट हाइवे, जिले और गांवों की सड़कों की देख-रेख और मरम्मत की जिम्मेदारी राज्य सरकारों के अधीन है। भारतवर्ष में 'नेशनल हाइवे' की श्रेणी में आने वाली कुछ सड़कें ये हैं—दिल्ली-अमृतसर; आगरा-मुंबई; चण्डीगढ़-मनाली, अम्बाला-शिमला-तिब्बत; जोरहाट-शिलांग-बंगला देश; दिल्ली-अहमदाबाद-मुंबई; जालंधर-श्रीनगर। राष्ट्रीय राजमार्गों की कुल लम्बाई 1,46,195 किलोमीटर है। महाराष्ट्र, पश्चिम बंगाल और उत्तर प्रदेश सड़कों की दृष्टि से देश के तीन बड़े राज्य हैं। तमिलनाडु और कर्नाटक में भी सड़कों की लम्बाई पर्याप्त है। स्वतंत्रता प्राप्ति के पश्चात सड़कों द्वारा माल ढोने में बहुत प्रगति हुई है।

1960 में स्थापित सीमा सड़क विकास बोर्ड उत्तरी और पूर्वोत्तर सीमावर्ती क्षेत्र में सड़कों के समन्वित विकास का काम देखता है। सीमा सड़क संगठन (बॉर्डर रोड्स आर्गेनाइजेशन) सड़कों का निर्माण करता है—यह संगठन, हवाई अड्डों, इमारतों और रक्षा सेवाओं के लिए आवश्यक निर्माण कार्य भी करता है।

दिल्ली में स्थापित रोड रिसर्च इंस्टीच्यूट सड़कों के संबंध में अनुसंधान करता है। राष्ट्रीय राजमार्गों के निर्माण और उनकी मरम्मत के लिए 15 जून, 1989 को नेशनल हाईवे अथॉरिटी का गठन किया गया है। यह संगठन सड़कों के निर्माण में धीरे-धीरे मशीनीकरण लागू करेगा। इस अथॉरिटी का चेयरमैन 'डायरेक्टर जनरल ऑफ रोड्स' हैं।

जनसंख्या

राज्य/केंद्रशासित प्रदेश	राजधानी	प्रमुख भाषाएं	क्षेत्रफल (वर्ग कि.मी.)	जनसंख्या 2011
1. अरुणाचल प्रदेश	इटानगर	मोंपा, मिजी	83,743	13,83,727
2. आन्ध्र प्रदेश	अमरावती	तेलुगू, उर्दू	1,60,205	4,93,86,799
3. असम	दिसपुर	असमिया	78,438	3,12,05,576
4. बिहार	पटना	हिन्दी	94,163	10,40,99,452
5. गोवा	पणजी	कोंकणी, मराठी	3,702	14,58,545
6. गुजरात	गांधीनगर	गुजराती	1,96,024	6,04,39,692
7. हरियाणा	चण्डीगढ़	हिन्दी	44,212	2,53,51,462
8. हिमाचल प्रदेश	शिमला	हिन्दी, पहाड़ी	55,673	68,64,602
9. कर्नाटक	बेंगलुरू	कन्नड़	1,91,791	6,10,95,297
10. केरल	तिरुवनंतपुरम	मलयालम	38,863	3,34,06,061
11. मध्य प्रदेश	भोपाल	हिन्दी	3,08,000	7,26,26,809
12. महाराष्ट्र	मुम्बई	मराठी	3,07,713	11,23,74,333
13. मणिपुर	इम्फाल	मणिपुरी	22,327	28,55,794
14. मिजोरम	आइजोल	मिजो, अंग्रेजी	21,081	10,97,206
15. मेघालय	शिलांग	खासी, गारो, अंग्रेजी	22,429	29,66,889

राज्य/केंद्रशासित प्रदेश	राजधानी	प्रमुख भाषाएं	क्षेत्रफल (वर्ग कि.मी.)	जनसंख्या 2011
16. नगालैण्ड	कोहिमा		16,579	19,78,502
17. ओडिशा	भुवनेश्वर	ओडिया	1,55,707	4,19,74,218
18. पंजाब	चण्डीगढ़	पंजाबी	50,362	2,77,43,338
19. राजस्थान	जयपुर	हिन्दी, राजस्थानी	3,42,239	6,85,48,437
20. सिक्किम	गंगटोक		7,096	6,10,577
21. तमिलनाडु	चेन्नई	तमिल	1,30,058	7,21,47,030
22. त्रिपुरा	अगरतला	बंगला, कोकबरक मणिपुरी	10,491	36,73,917
23. उत्तर प्रदेश	लखनऊ	हिन्दी और उर्दू	2,40,928	19,98,12,341
24. प. बंगाल	कोलकाता	बंगला	88,752	9,12,76,115
25. छत्तीसगढ़	रायपुर	हिन्दी	1,36,034	2,55,45,198
26. उत्तराखंड	देहरादून (अस्थाई)	हिन्दी, गढ़वाली	53,484	1,00,86,292
27. झारखंड	रांची	हिन्दी, संथाली	79,714	3,29,88,134
28. तेलंगाना	हैदराबाद	तेलुगु, उर्दू	1,14,840	3,51,93,978
29. जम्मू और कश्मीर	श्रीनगर/जम्मू	कश्मीरी, उर्दू	2,22,236*	1,25,41,302**
30. अण्डमान निकोबार द्वीप समूह	श्री विजयपुरम		8,249	3,80,581
31. चण्डीगढ़	चण्डीगढ़	हिन्दी, पंजाबी	114	10,55,450
32. दादरा व नागर हवेली एवं दमन व दीव	दमन	गुजराती, हिन्दी	603	5,86,956
33. दिल्ली	दिल्ली	हिन्दी, उर्दू, पंजाबी	1,483	1,67,87,941
34. लक्षद्वीप	कावारत्ती	मलयालम	32	64,473
35. पुडुचेरी	पुडुचेरी	तमिल, फ्रैंच, तेलुगू, अंग्रेजी, मलयालम	480	12,47,953
36. लद्दाख	लेह	लद्दाखी	–	–

* पाकिस्तान और चीन के अवैध कब्जे वाले क्षेत्र तथा केन्द्रशासित प्रदेश लद्दाख के क्षेत्रफल सहित।, **लद्दाख सहित

कृषि

मुख्य व्यापारिक फसलें

1. **गन्ना** : गन्ना मुख्यतः उत्तर प्रदेश, महाराष्ट्र, कर्नाटक, बिहार, पंजाब, आन्ध्र प्रदेश और तमिलनाडु में पैदा होता है।
2. **तम्बाकू** : तम्बाकू उत्पादन वाले क्षेत्र ये हैं—उत्तर प्रदेश, बिहार, मध्य प्रदेश, महाराष्ट्र, गुजरात, कर्नाटक, आन्ध्र प्रदेश, तमिलनाडु और प.बंगाल।
3. **चाय** : भारत में चाय की खेती असम, पश्चिम बंगाल, केरल, तमिलनाडु और हिमाचल प्रदेश में होती है। चाय के बागान पहाड़ी ढाल पर होते हैं।
4. **कॉफी** : यह कर्नाटक, केरल, तमिलनाडु में पैदा होता है।
5. **कपास** : कपास की खेती गुजरात, महाराष्ट्र, पंजाब, हरियाणा, कर्नाटक, तमिलनाडु, आन्ध्र प्रदेश, तेलंगाना और मध्य प्रदेश में होती है।
6. **जूट (पटसन)** : जूट प. बंगाल, बिहार, असम, और ओडिशा में पैदा होता है।
7. **रबर** : रबर की खेती केरल, कर्नाटक और तमिलनाडु में होती है।

भारत की मुख्य खाद्यान्न फसलें

1. **गेहूं** : गेहूं के मुख्य उत्पादक क्षेत्र उत्तर प्रदेश, पंजाब, हरियाणा, मध्य प्रदेश हैं। इनके अतिरिक्त बिहार के कुछ भागों में भी गेहूं की खेती होती है। राजस्थान, गुजरात, महाराष्ट्र और कर्नाटक में भी थोड़ी मात्रा में गेहूं की फसल होती है।
2. **चावल** : चावल के प्रमुख उत्पादक प्रदेश हैं—तेलंगाना, प. बंगाल, उत्तर प्रदेश, पंजाब, बिहार, असम, आन्ध्र प्रदेश, तमिलनाडु, कश्मीर घाटी, केरल और मध्य प्रदेश का कुछ भाग। इनके अलावा महाराष्ट्र, गुजरात, ओडिशा, हरियाणा और कर्नाटक में भी चावल की खेती होती है।
3. **मक्का** : मक्का की फसल कर्नाटक, मध्य प्रदेश, महाराष्ट्र, उत्तर प्रदेश, पंजाब, हरियाणा, बिहार, आन्ध्र प्रदेश में होती है। गुजरात, राजस्थान में भी मक्का बोई जाती है।
4. **जौ** : यह राजस्थान, उत्तर प्रदेश, बिहार, पंजाब, मध्य प्रदेश और हरियाणा में बोया जाता है।
5. **ज्वार** : ज्वार की फसल कर्नाटक, महाराष्ट्र, आन्ध्र प्रदेश, कर्नाटक, मध्य प्रदेश, गुजरात, राजस्थान और उत्तर प्रदेश में होती है।
6. **बाजरा** : बाजरे की फसल मुख्यतः गुजरात, राजस्थान, हरियाणा, उत्तर प्रदेश, कर्नाटक, आन्ध्र प्रदेश और मध्य प्रदेश में होती है।
7. **रागी** : रागी की फसल कर्नाटक, आन्ध्र प्रदेश और तमिलनाडु में होती है।
8. **तिलहन** : राजस्थान, मध्य प्रदेश, गुजरात, उत्तर प्रदेश, बिहार और आन्ध्र प्रदेश व कर्नाटक में तिलहन पैदा होता है।

वस्तुनिष्ठ प्रश्न

1. सबसे बड़ा ग्रह कौन-सा है ?
A. शनि B. मंगल
C. बुध D. बृहस्पति

2. विश्व का सबसे छोटा महाद्वीप कौन-सा है ?
A. अफ्रीका B. आस्ट्रेलिया
C. दक्षिण अमेरिका D. यूरोप

3. विश्व का सबसे निम्नतम जल भंडार है–
A. काला सागर B. मृत सागर
C. एड्रियाटिक सागर D. लाल सागर

4. विश्व का सबसे ऊंचा ज्वालामुखी कौन सा है ?
A. कैमरून B. मोना लोआ
C. लूसेवस्क्या D. कोटोपेस्की

5. विश्व का सबसे ठंडा प्रायद्वीप सागर है–
A. कैरेबियन सागर B. मेडीटेरियन सागर
C. लाल सागर D. ब्योफोर्ट सागर

6. विश्व का सबसे बड़ा महाद्वीप है–
A. एशिया B. अफ्रीका
C. आस्ट्रेलिया D. उत्तरी अमेरिका

7. भारतीय उप-महाद्वीप की सबसे ऊंची चोटी का नाम है–
A. नंदादेवी B. एवरेस्ट
C. त्रिशूल D. कंचनजंगा

8. विश्व का सबसे बड़ा द्वीप है–
A. न्यू गुयाना B. बोर्नियो
C. मेडागास्कर D. ग्रीनलैंड

9. भारत का एकमात्र सक्रिय (Active) ज्वालामुखी है–
A. बैरन आइलैंड B. विसूवियस
C. एटना D. स्ट्राम्बोली

10. सबसे बड़ा महासागर है–
A. प्रशांत महासागर
B. अटलांटिक महासागर
C. अंटार्कटिक महासागर
D. हिन्द महासागर

11. विश्व का सबसे बड़ा प्रायद्वीप है–
A. प्रशांत B. अरब
C. बांग्लादेश D. अफ्रीका

12. विश्व का सबसे बड़ा द्वीप समूह है–
A. इंडोनेशिया B. मलेशिया
C. न्यूजीलैंड D. माल्टा

13. विश्व का सबसे गहरा महासागर है–
A. आर्कटिक B. अटलांटिक
C. प्रशांत D. हिन्द

14. आप किसे पवित्र भूमि कहेंगे ?
A. फिलिस्तीन B. अमृतसर
C. वेटिकन D. येरूशलम

15. 17वीं समानांतर रेखा किसे पृथक् करती है ?
A. दक्षिण और उत्तर अमेरिका
B. उत्तर और दक्षिण कोरिया
C. दक्षिण और उत्तर यमन
D. दक्षिण और उत्तर वियतनाम

16. विश्व का कौन-सा महादेश/हिस्सा बसने योग्य नहीं है ?
A. अंटार्कटिका B. राजस्थान
C. आस्ट्रेलिया D. गोबी

17. मध्य रात्रि के सूर्य की भूमि है–
A. असम B. जापान
C. म्यांमार D. नार्वे

18. किस पर्वतमाला को नीला पर्वत कहते हैं ?
A. नीलगिरि पर्वत B. आल्पस
C. माउंट एवरेस्ट D. हिमालय

19. उन देशों के नाम बताएं जो डूरंड रेखा के दोनों तरफ स्थित हैं।
A. भारत और पाकिस्तान
B. भारत और बांग्लादेश
C. अफगानिस्तान और पाकिस्तान
D. पूर्वी जर्मनी और पश्चिमी जर्मनी

20. विश्व की सबसे बड़ी झील कौन है ?
A. कैस्पियन (सी.आई.एस., ईरान)
B. ह्यूरन झील (कनाडा, यूएस)
C. निंजा (तंजानिया, केन्या)
D. सुपीरियर झील (यूएसए, कनाडा)

21. मैकमोहन रेखा के दोनों तरफ स्थित देश हैं–
A. दक्षिण वियतनाम और उत्तर वियतनाम
B. भारत और चीन
C. भारत और श्रीलंका
D. फ्रांस और जर्मनी

22. विश्व की सबसे बड़ी खाड़ी है–
A. क्वाबा की खाड़ी B. फारस की खाड़ी
C. मैक्सिको की खाड़ी D. अदेन की खाड़ी

23. किस देश को 'सुबह की शांति' के नाम से जानते हैं ?
A. स्वीडन B. नीदरलैंड
C. नार्वे D. कोरिया

24. 'अंध महादेश' किसे कहते हैं ?
A. अफ्रीका B. आस्ट्रेलिया
C. ग्रीनलैंड D. दक्षिणी अमेरिका

25. 38वीं समानांतर रेखा किसे अलग करती है ?
A. भारत को बांग्लादेश से
B. भारत को चीन से
C. उत्तर कोरिया को दक्षिण कोरिया से
D. भारत को पाकिस्तान से

26. पनामा नहर जोड़ती है :
A. प्रशांत और अटलांटिक महासागर को
B. प्रशांत और आर्कटिक महासागर को
C. अटलांटिक और आर्कटिक महासागर को
D. अटलांटिक और हिन्द महासागर को

27. एशिया माइनर स्थित है–
A. इराक में B. तुर्की में
C. जार्डन में D. ईरान में

28. उत्तर का वेनिस किस शहर को कहा जाता है?
A. पेरिस B. इस्तांबुल
C. स्टॉकहोम D. मैड्रिड

29. निम्नलिखित में से कौन एक स्थलरुद्ध देश है?
A. पेरू B. बोलिविया
C. इक्वाडोर D. उरुग्वे

30. रोम है :
A. सनातन नगर B. निषिद्ध नगर
C. महलों का नगर D. सबसे स्वच्छ नगर

31. फिनलैंड की राजधानी है :
A. सुवा B. हवाना
C. प्राग D. हेलसिंकी

32. सात पहाड़ियों का नगर है :
A. रोम B. एथेंस
C. कैरो D. टोकियो

33. लैपलैंड देशों का समूह कहां स्थित है?
A. यूरोप में B. आस्ट्रेलिया में
C. एशिया में D. अमेरिका में

34. जंजीबार को कहते हैं :
A. लौंग की भूमि B. निषिद्ध नगर
C. पवित्र नगर D. मसालों की धरती

35. हिमालय किनके बीच प्राकृतिक सीमा का निर्माण करता है ?
A. चीन और भारत B. चीन और अफगानिस्तान
C. भारत और नेपाल D. भारत और म्यांमार

36. एकांतिक रजवाड़ा है :
A. कोरिया B. फिलिस्तीन
C. रोम D. हरिद्वार

37. विश्व का सबसे ऊंचा पठार है :
A. दक्कन का पठार B. बोलिविया का पठार
C. तिब्बत का पठार D. कोलम्बियाई पठार

38. ईश्वरीय नगर है :
A. कोलकाता B. रोम
C. एथेंस D. बैंकाक

39. खारतूम शहर किस नदी के तट पर स्थित है ?
A. हडसन B. नील
C. टाइबर D. सीन

40. किस महादेश के कुछेक हिस्से समुद्र से 1,500 मील से अधिक दूरी पर स्थित हैं और जहां विश्व की सबसे गर्म और ठंडी जलवायु पायी जाती है ?
A. अमेरिका B. एशिया
C. यूरोप D. आस्ट्रेलिया

41. पेरिस किस नदी के किनारे बसा है ?
A. तिबिया B. सीन
C. डेन्यूब D. उपर्युक्त में से कोई नहीं

42. उस स्थल का नाम बताएं जहां नीली और सफेद नील नदियों का संगम होता है
A. कैरो
B. कंस्टेनटिनपोल (ग्रीनलैंड को छोड़कर)
C. खारतूम
D. तेहरान

43. एटलस पर्वत का विस्तार अफ्रीका महाद्वीप के किस देश में नहीं है?
A. मोरक्को B. अल्जीरिया
C. मोजाम्बिक D. ट्यूनीशिया

44. आस्ट्रेलिया है :
A. दक्षिणी गोलार्द्ध का एकमात्र देश
B. द्वीपीय महादेश

C. सबसे छोटा महादेश
D. उपर्युक्त सभी बिंदु सत्य हैं

45. उस स्थल का नाम बताएं जहां यूरोप में राइन और स्प्री नदियां मिलती हैं :
A. लायोंस B. पेरिस
C. हैम्बर्ग D. बर्लिन

46. मास्को किस नदी के तट पर स्थित है ?
A. मोस्कवा B. स्प्री
C. वोल्गा D. टैगस

47. कांगो रिपब्लिक किस महादेश में स्थित है ?
A. यूरोप B. आस्ट्रेलिया
C. एशिया D. अफ्रीका

48. चीन का शोक है :
A. लिन पियाओ B. सिंकियांग
C. ह्वांगहो D. सैंग हो

49. विश्व का चीनी का कटोरा किसे कहा जाता है?
A. मनीला B. जापान
C. क्यूबा D. हवाना

50. महलों का शहर है :
A. पेरू B. रोम
C. कोलकाता D. बैंकाक

51. यूरोप की सबसे ऊंची चोटी है :
A. माउंट ब्लैंक B. एंडीज
C. माउंट रोसा D. एलबर्ज

52. उगते हुए सूरज की भूमि है :
A. जापान B. नार्वे
C. असम D. म्यांमार

53. सूर्य का प्रकाश पृथ्वी तक पहुंचने में कितना समय लगता है?
A. आठ मिनट B. दो मिनट
C. चार मिनट D. सोलह मिनट

54. विश्व का सबसे बड़ा कोयला उत्पादक देश है :
A. अमेरिका B. चीन
C. भारत D. फ्रांस

55. 'चिनूक' हवा बहती है :
A. नार्वे में B. जापान में
C. अमेरिका में D. फ्रांस में

56. विश्व की सबसे लंबी नदी है :
A. नील B. अमेजन
C. यांग्त्ज D. मिसीसिपी-मिसौरी

57. द्वीपीय महादेश है :
A. एशिया B. अमेरिका
C. अफ्रीका D. आस्ट्रेलिया

58. स्वेज नहर जोड़ती है
A. लंदन को पेरिस से
B. टोकियो को ओसाका से
C. मेडिटेरेनियन को लाल सागर से
D. रंगून को फिलीपींस से

59. 15 अगस्त, 1947 को रेडक्लिफ लाइन खींची गई थी :
A. ऐसी रेखा कभी नहीं खींची गई
B. सत्य
C. यह रेखा भारत और पाकिस्तान को विभाजित करती है
D. यह रेखा पाकिस्तान और नेपाल को विभाजित करती है

60. न्यूयार्क किस नदी के किनारे बसा है ?
A. राइन B. टेम्स
C. हडसन D. अमेजन

61. किस स्थल को सुनहरे रेशे की धरती कहते हैं ?
A. आस्ट्रेलिया B. क्यूबा
C. आस्ट्रिया D. म्यांमार

62. कील है :
A. ख्यातिलब्ध अन्वेषक
B. अमेरिकी बारहसिंगा
C. एक बड़ी अमेरिकी समुद्री चिड़िया
D. लंदन और बाल्टिक सागर के बीच शिपिंग कैनाल

63. संयुक्त राज्य अमेरिका में कितने राज्य हैं ?
A. तीस B. पचास
C. बीस D. चालीस

64. तूरन किस्म के क्षेत्रों की जलवायु चरम होती है क्योंकि
A. ये महादेश के आंतरिक बंदरगाहों पर स्थित हैं
B. यहां या तो अधिक या कम वर्षा होती है
C. या तो ये टीलों पर हैं या मरुस्थलों के निकट
D. उपर्युक्त में से कोई नहीं

65. सोने के खनन के मामले में कौन-सा देश अग्रणी है ?
A. यूएसए B. कनाडा
C. चीन D. भारत

66. ताजे जल की सबसे बड़ी झील है :
A. सुपीरियर झील B. कैस्पियन सागर
C. बैकाल झील D. हिन्द महासागर

67. मानसून वाली भूमि में लोगों का मुख्य धंधा है :
A. वानिकी B. कृषि
C. उद्योग D. खनन

68. मानसून वाले क्षेत्रों में वनस्पतियों में इसलिए प्रचुर विविधता है क्योंकि, ये :
A. वन, महासागर और पर्वत से दूरी पर निर्भर है
B. विविध स्थलों पर वर्षा की मात्रा में अंतर है
C. विविध क्षेत्रों में वर्षा का प्रभाव अलग है
D. उपर्युक्त में से कोई नहीं

69. सीआईएस की एमूर घाटी में सर्वाधिक महत्त्वपूर्ण आर्थिक गतिविधि है :

A. कृषि B. पशुपालन
C. खनन D. उद्योग

70. सफेद हाथियों का देश है :
A. कोरिया B. जापान
C. थाईलैंड D. तंजानिया

71. तूरन किस्म के क्षेत्रों में लोगों का मुख्य व्यवसाय है
A. कृषि B. मवेशी एवं पशुपालन
C. पर्वतारोहण D. उद्योग

72. गगनचुंबी इमारतों का शहर है :
A. टोकियो B. न्यूयार्क
C. वाशिंगटन D. रोम

73. पश्चिमी यूरोप वाले क्षेत्रों में गर्मी में तापमान शायद ही .... से ऊपर जाता है।
A. 10°C B. 16°C
C. 7°C D. 8°C

74. उत्तरी अमेरिका के विस्तृत वृक्ष रहित पट्टी को, जो कि लंबे मोटे घास से ढके हैं, को कहते हैं:
A. सवाना B. टुंड्रा
C. पम्पाज D. प्रेयरीज

75. ईरानी जलवायु क्षेत्र के महत्त्वपूर्ण पशु उत्पाद हैं
A. चमड़ा और खाल
B. मांस की डिब्बाबंदी और निर्यात
C. ऊन, मांस और चमड़ा
D. ऊन और खाल

76. कोरबा—के लिए प्रसिद्ध है?
I. ताप ऊर्जा संयंत्र
II. अल्यूमीनियम संयंत्र
III. हाइड्रो इलेक्ट्रिक ऊर्जा संयंत्र
IV. इनमें से सभी सही हैं
A. I और II B. केवल II
C. केवल I D. I, II और III

77. निम्नलिखित स्तंभों का मिलान करें :

(*a*) टिन — 1. चिली
(*b*) तांबा — 2. भारत
(*c*) लोहा — 3. रूस
(*d*) अभ्रक — 4. चीन
5. मलेशिया

	(*a*)	(*b*)	(*c*)	(*d*)
A.	1	2	3	4
B.	2	3	5	4
C.	5	1	4	2
D.	3	4	2	1

78. भारत की सबसे बड़ी बहुउद्देश्यीय नदी घाटी परियोजना है?
A. कोसी B. हीराकुड
C. भाखड़ा नंगल D. नागार्जुन सागर

79. निम्नलिखित स्तंभों का मिलान करें :

(*a*) स्पेन — 1. मैड्रिट
(*b*) फिनलैंड — 2. ओस्लो
(*c*) लेबनान — 3. हेलसिंकी
(*d*) नार्वे — 4. बेरूत

	(*a*)	(*b*)	(*c*)	(*d*)
A.	1	3	4	2
B.	1	4	3	2
C.	4	1	2	3
D.	2	1	4	3

80. जनसंख्या के घटते हुए क्रम में निम्नलिखित राज्यों को क्रम संख्या दें :
1. पश्चिम बंगाल 2. बिहार 3. महाराष्ट्र
A. 1, 2, 3 B. 2, 3, 1
C. 3, 2, 1 D. 1, 3, 2

उत्तरमाला

1	**2**	**3**	**4**	**5**	**6**	**7**	**8**	**9**	**10**
D	B	B	D	B	A	B	D	A	A
11	**12**	**13**	**14**	**15**	**16**	**17**	**18**	**19**	**20**
B	A	C	D	D	A	D	A	C	A
21	**22**	**23**	**24**	**25**	**26**	**27**	**28**	**29**	**30**
B	C	D	A	C	A	B	C	B	A
31	**32**	**33**	**34**	**35**	**36**	**37**	**38**	**39**	**40**
D	A	A	A	A	A	C	B	B	B
41	**42**	**43**	**44**	**45**	**46**	**47**	**48**	**49**	**50**
B	B	C	D	A	A	D	C	C	C
51	**52**	**53**	**54**	**55**	**56**	**57**	**58**	**59**	**60**
D	A	A	B	C	A	D	C	C	C
61	**62**	**63**	**64**	**65**	**66**	**67**	**68**	**69**	**70**
A	D	B	A	C	A	B	B	A	C
71	**72**	**73**	**74**	**75**	**76**	**77**	**78**	**79**	**80**
B	B	B	D	C	A	C	C	A	C

अर्थशास्त्र

अर्थव्यवस्था की केंद्रीय समस्याएँ

वस्तुओं तथा सेवाओं का उत्पादन, विनिमय तथा उपभोग जीवन की आधारभूत आर्थिक गतिविधियों के अंतर्गत आते हैं। प्रत्येक समाज को इन आधारभूत आर्थिक क्रियाकलापों के दौरान संसाधनों की कमी का सामना करना पड़ता है तथा संसाधनों की यह कमी ही चयन की समस्या को जन्म देती है। अर्थव्यवस्था में इन दुर्लभ संसाधनों के उपयोग के लिए प्रतिस्पर्धी विकल्प होते हैं। दूसरे शब्दों में, प्रत्येक समाज को यह निर्णय करना पड़ता है कि वह अपने दुर्लभ संसाधनों का किस प्रकार उपयोग करे। अर्थव्यवस्था की समस्याएँ प्राय: संक्षेप में इस प्रकार होती हैं-

किन वस्तुओं का उत्पादन किया जाए और कितनी मात्रा में?

प्रत्येक समाज को निर्णय करना पड़ता है कि प्रत्येक संभावित वस्तुओं तथा सेवाओं में से किन-किन वस्तुओं और सेवाओं का वह कितना उत्पादन करेगा। अधिक खाद्य पदार्थों, वस्तुओं या आवासों का निर्माण किया जाए अथवा विलासिता की वस्तुओं का अधिक उत्पादन किया जाए? कृषिजनित वस्तुओं का अधिक उत्पादन किया जाए या औद्योगिक उत्पादों तथा सेवाओं का? शिक्षा तथा स्वास्थ्य पर अधिक संसाधनों का उपयोग किया जाए अथवा सैन्य सेवाओं के गठन पर? बुनियादी शिक्षा को बढ़ाने पर अधिक खर्च किया जाए या उच्च शिक्षा पर? उपयोग की वस्तुएँ अधिक मात्रा में उत्पादित की जाए या निवेशपरक वस्तुएँ (मशीन आदि)? जिससे भविष्य में उत्पादन तथा उपभोग में वृद्धि होगी? इस प्रकार की वस्तुएँ कैसे उत्पादित की जाती हैं?

वस्तुओं का उत्पादन कैसे करते हैं?

प्रत्येक समाज को निर्णय करना पड़ता है कि विभिन्न वस्तुओं और सेवाओं से उत्पादन करते समय किस-किस वस्तु या सेवा में किस-किस संसाधन की कितनी मात्रा का उपयोग किया जाए। अधिक श्रम का उपयोग किया जाए अथवा मशीनों का? प्रत्येक वस्तु के उत्पादन के लिए उपलब्ध तकनीकों में से किस तकनीक को अपनाया जाए?

वस्तुओं का उत्पादन किसके लिए किया जाए?

अर्थव्यवस्था में उत्पादित वस्तुओं की कितनी मात्रा किसे प्राप्त होगी? अर्थव्यवस्था के उत्पाद को व्यक्ति विशेष के बीच किस प्रकार विभाजित किया जाना चाहिए? किसको अधिक मात्रा प्राप्त होगी तथा किसको कम? यह सुनिश्चित किया जाए अथवा नहीं कि अर्थव्यवस्था की सभी व्यक्तियों को उपभोग की न्यूनतम मात्रा उपलब्ध हो? क्या प्रारंभिक शिक्षा तथा बुनियादी स्वास्थ्य सेवा जैसी सेवाएँ अर्थव्यवस्था के सभी व्यक्तियों को नि:शुल्क उपलब्ध करायी जाएँ?

अत: प्रत्येक अर्थव्यवस्था को इस समस्या का सामना करना पड़ता है कि विभिन्न संभावित वस्तुओं तथा सेवाओं के उत्पादन के लिए दुर्लभ संसाधनों का विनिधान कैसे किया जाए और उन व्यक्तियों के बीच, जो अर्थव्यवस्था के अंग हैं उत्पादित वस्तुओं तथा सेवाओं का वितरण किस प्रकार किया जाए। सीमित संसाधनों का विनिधान तथा अंतिम वस्तुओं एवं सेवाओं का वितरण ही किसी भी अर्थव्यवस्था की केंद्रीय समस्याएँ हैं।

मांग फलन

किसी वस्तु की मांग पर बहुत से कारकों का प्रभाव पड़ता है। जैसे वस्तु की कीमत, व्यक्ति की आय, तथा सम्बन्धित वस्तुओं की कीमतें। वस्तु की मांग तथा इसकी मांग को प्रभावित करने वाले कारकों के बीच परस्पर सम्बन्ध स्थापित करने वाले फलन को **मांग फलन (Demand Function)** कहते हैं। इसको निम्न प्रकार से लिखा जा सकता है :

$$D_x = f(P_x, I, P_y, P_z)$$

D_x = वस्तु X की मांग

P_x = वस्तु X की कीमत

I = व्यक्ति की आय

P_y, P_z = सम्बन्धित वस्तुओं की कीमतें

मांग का नियम

मांग का नियम वस्तु की कीमत तथा बाजार में मांग की गई उसकी मात्रा के बीच सम्बन्ध को व्यक्त करता है। इस नियम को इस प्रकार परिभाषित किया जा सकता है :

''यदि मांग को प्रभावित करने वाले अन्य कारक स्थिर रहें तो किसी वस्तु की मांग एवं उसकी कीमत के बीच विपरीत अथवा विलोम सम्बन्ध होता है। ऊंची कीमत पर वस्तु की कम मात्रा खरीदी जाती है और कम कीमत पर वस्तु की अधिक मात्रा को खरीदा जाता है, बशर्ते मांग के अन्य निर्धारक स्थिर रहें।''

मांग के नियम की परिभाषा करते समय हमने **''मांग को प्रभावित करने वाले अन्य कारक स्थिर रहें''** वाक्य का प्रयोग किया है। जिसका अर्थ यह है कि मांग का नियम तभी क्रियाशील होता है जब—*(i)* लोगों की आय यथास्थिर रहती है, *(ii)* लोगों के स्वाद में कोई परिवर्तन नहीं होता, *(iii)* अन्य सम्बन्धित वस्तुओं की कीमतें यथास्थिर रहती हैं, *(iv)* विचाराधीन वस्तु का कोई स्थानापन्न (Substitute) उपलब्ध नहीं है, *(v)* लोगों को इस बारे में तनिक भी आशंका नहीं है कि आगे चलकर वस्तु की कीमत में कोई परिवर्तन होने वाला है। यदि उपर्युक्त मान्यताओं में किसी भी प्रकार का परिवर्तन होता है तो इससे मांग के नियम की क्रियाशीलता समाप्त हो जाती है।

मांग के प्रकार

मांग तीन प्रकार की होती है—

(क) कीमत मांग (Price Demand)

(ख) आय मांग (Income Demand)

(ग) प्रत्युत्तर मांग (Cross Demand)

(क) कीमत मांग : कीमत मांग से अभिप्राय वस्तु की उन विभिन्न मात्राओं से है जो उपभोक्ताओं द्वारा विभिन्न कीमतों पर खरीदी जाती हैं, बशर्तें अन्य निर्धारक स्थिर रहते हैं। अन्य निर्धारकों में उपभोक्ता आय, उनके स्वाद तथा फैशन एवं अन्य सम्बन्धित वस्तुओं की कीमतें सम्मिलित हैं। ये सब यथास्थिर (Constant) रहनी चाहिए।

(ख) आय मांग : आय मांग से अभिप्राय वस्तु की उन विभिन्न मात्राओं से है जो आय के विभिन्न स्तरों पर उपभोक्ताओं द्वारा खरीदी जाती हैं, बशर्तें अन्य कारक यथास्थिर (Constant) रहते हों।

(ग) प्रत्युत्तर मांग : प्रत्युत्तर मांग से अभिप्राय किसी वस्तु की उन विभिन्न मात्राओं से होता है जिन्हें उपभोक्ता किसी अन्य सम्बन्धित वस्तु की विभिन्न कीमतों पर खरीदता है, बशर्ते अन्य कारक यथास्थिर रहते हों। **इस प्रकार प्रत्युत्तर मांग किसी वस्तु की मांग तथा दूसरी किसी अन्य सम्बन्धित वस्तु की कीमत के बीच सम्बन्ध स्थापित करता है।**

मांग की लोच के प्रकार

1. मांग की कीमत लोच (Price elasticity of demand)

2. मांग की आय लोच (Income elasticity of demand)

3. मांग की आड़ी लोच (Cross elasticity of demand)

मांग की कीमत लोच

वस्तु की कीमत में होने वाले प्रतिशत परिवर्तन के कारण उसकी मांगी गई मात्रा में प्रतिशत परिवर्तन के अनुपात को ही मांग की कीमत कहते हैं। अतएव—

$$\text{कीमत लोच} = \frac{\text{मांगी गई मात्रा में प्रतिशत परिवर्तन}}{\text{कीमत में प्रतिशत परिवर्तन}}$$

$$e_P = \frac{\text{मांगी गई मात्रा में परिवर्तन/प्रारम्भिक मांग}}{\text{कीमत में परिवर्तन/प्रारम्भिक कीमत}}$$

$$= \frac{\Delta q/q}{\Delta P/P}$$

$$= \frac{\Delta q}{q} \div \frac{\Delta P}{P}$$

$$= \frac{\Delta q}{q} \times \frac{P}{\Delta P}$$

$$= \frac{\Delta q}{\Delta P} \times \frac{P}{q}$$

जहां e_P मांग की कीमत लोच को दर्शाता है।

Δq मांगी गई मात्रा में परिवर्तन को दर्शाता है।

q प्रारम्भिक मांग मात्रा।

ΔP वस्तु की कीमत में परिवर्तन है।

P वस्तु की प्रारम्भिक कीमत है।

गणित की दृष्टि से कीमत लोच **ऋणात्मक** होती है क्योंकि कीमत और मांगी गई मात्रा में परिवर्तन विपरीत दिशा में होता है। किन्तु कीमत में परिवर्तन के फलस्वरूप उसकी मांग-मात्रा में परिवर्तन का परिमाण (magnitude) अथवा सीमा (degree) जानने के लिए हमें कीमत लोच के ऋणात्मक चिह्न (Sign) को ध्यान में नहीं लेना चाहिए।

मांग की प्रति-लोच

विभिन्न वस्तुओं की मांग प्रायः एक दूसरे से सम्बन्धित होती है जिसके फलस्वरूप जब एक वस्तु की कीमत में परिवर्तन होता है तो अन्य वस्तु की मांग भी बदल जाती है जबकि उसकी अपनी मांग स्थिर रहती है। **एक वस्तु की कीमत परिवर्तन से अन्य वस्तु की मांग मात्रा में परिवर्तन मांग की प्रति-लोच का द्योतक है।**

जब वस्तु Y की कीमत के घटने से वस्तु X की मांग मात्रा बढ़ती है तो मांग की प्रति-लोच के गुणांक (Coefficient) को वस्तु X की मांग मात्रा में आनुपातिक परिवर्तन को वस्तु Y की कीमत में आनुपातिक परिवर्तन से विभाजित करके ज्ञात किया जा सकता है।

$$\text{वस्तु X की वस्तु Y के लिए प्रति-लोच} = \frac{\text{वस्तु X की मांग मात्रा में आनुपातिक परिवर्तन}}{\text{वस्तु Y की कीमत में आनुपातिक परिवर्तन}}$$

मांग की आय-लोच

वस्तु की मांग केवल कीमत पर ही निर्भर नहीं करती, यह आय पर भी निर्भर करती है। **मांग की आय लोच हमें यह बताती है कि किसी की आय में एक निश्चित प्रतिशत परिवर्तन के फलस्वरूप उसकी किसी वस्तु के लिए मांग में कितना प्रतिशत परिवर्तन**

होता है। मांग की आय लोच को निम्न प्रकार से व्यक्त किया जा सकता है—

$$\text{आय लोच} = \frac{\text{मांग में प्रतिशत परिवर्तन}}{\text{आय में प्रतिशत परिवर्तन}}$$

$$= \frac{\frac{\text{मांग में परिवर्तन}}{\text{आरम्भिक मांग की मात्रा}} \times 100}{\frac{\text{आय में परिवर्तन}}{\text{आरम्भिक आय}} \times 100}$$

उपभोक्ता का सन्तुलन

एक उपभोक्ता सन्तुलन में तब होता है जब वह वस्तुओं के ऐसे संयोग को क्रय कर रहा होता है जिससे उसमें अपने क्रय में कोई परिवर्तन करने की प्रवृत्ति नहीं होती।

उपभोक्ता के सन्तुलन की व्याख्या करने के लिए सर्वप्रथम निम्नलिखित मान्यताओं को लेते हैं—

1. उपभोक्ता अपनी सन्तुष्टि अधिकतम करने की चेष्टा करता है। दूसरे शब्दों में, उपभोक्ता को **विवेकशील** (rational) मान लिया गया है।
2. उपभोक्ता के पास दो वस्तुओं पर व्यय करने के लिए एक निश्चित मात्रा में मौद्रिक आय है तथा उसे अपनी इस समस्त आय को केवल इन्हीं दो वस्तुओं पर व्यय करना है।
3. दोनों वस्तुओं की कीमत दी हुई है।
4. प्रत्येक वस्तु की विभिन्न इकाइयां बिल्कुल एक जैसी हैं तथा प्रत्येक वस्तु **पूर्णतः विभाज्य** (Perfectly divisible) है।

उपभोक्ता की बचत

आधुनिक आर्थिक विश्लेषण में उपभोक्ता की बचत का सिद्धान्त एक महत्त्वपूर्ण भूमिका प्रस्तुत करता है। इस सिद्धान्त को प्रतिपादित करने का श्रेय **डॉ. अल्फ्रेड मार्शल** को दिया जाता है। उपभोक्ता की बचत के विचार का सार यह है कि उपभोक्ता वस्तुओं के उपभोग से जो संतुष्टि प्राप्त करते हैं वह उनके द्वारा उस वस्तु के लिए भुगतान की गई कीमत की तुलना में अधिक होती है। यह देखा गया है कि उपभोक्ताओं में वस्तुओं की वास्तविक कीमत की अपेक्षा अधिक कीमत भुगतान करने की प्रवृत्ति पाई जाती है। उपभोक्ता की बचत को मापना सरल है। **किसी वस्तु के उपभोग से वंचित रहने की अपेक्षा उपभोक्ता जो अधिकतम कीमत उसके लिए चुकाने को तैयार है और जो कीमत, वास्तव में, वह उस वस्तु के लिए चुकाता है, इन दोनों कीमतों के अन्तर को ही 'उपभोक्ता की बचत' कहते हैं। डॉ. मार्शल** ने इसकी परिभाषा निम्नलिखित शब्दों में की है :

''उपभोक्ता किसी वस्तु से वंचित रहने की अपेक्षा उस वस्तु के लिए वास्तव में दिए गए मूल्य के अतिरिक्त जो अधिक मूल्य देने को तैयार हो जाता है, वह इस अधिक संतुष्टि की आर्थिक माप है और इसको उपभोक्ता की बचत कहा जाता है।''

एक वस्तु के लिए एक व्यक्ति मुद्रा की जो मात्रा भुगतान करने के लिए तैयार होता है, वह उस वस्तु से उसे प्राप्त होने वाली उपयोगिता की मात्रा को व्यक्त करती है। जितनी अधिक मुद्रा की मात्रा वह भुगतान करने के लिए इच्छुक रहता है, उससे प्राप्त होने वाली उपयोगिता अथवा संतुष्टि उसे उतनी ही अधिक होगी। इसलिए वस्तु की एक इकाई की सीमान्त उपयोगिता उस कीमत को निर्धारित करती है जो कि एक उपभोक्ता उस इकाई के लिए भुगतान करने को तैयार होगा। एक व्यक्ति जो कुल उपयोगिता प्राप्त करेगा वह वस्तु की खरीदी गई इकाइयों के सीमान्त उपयोगिता का योगफल (Σ MU) होगा तथा कुल कीमत जो वह वास्तव में भुगतान करेगा वह प्रति इकाई कीमत तथा खरीदी गई इकाइयों की संख्या के गुणा के बराबर है। इस प्रकार

उपभोक्ता की बचत = एक उपभोक्ता कितना भुगतान करने के लिए तैयार है – वह वास्तव में कितना भुगतान करता है।

= सीमान्त उपयोगिता का योगफल – (कीमत × क्रय की गई इकाइयां)

ΣMU – (Price × No. of units purchased)

उपभोक्ता की बचत का विचार **ह्रासमान सीमान्त उपयोगिता के नियम** (law of diminishing marginal utility) से व्युत्पादित किया गया है। जैसे-जैसे हम एक वस्तु की अधिक इकाइयां खरीदते हैं, अतिरिक्त इकाइयों से प्राप्त होने वाली सीमान्त उपयोगिता कम होती चली जाती है। उपभोक्ता तब संतुलन में होता है जब दी हुई कीमत सीमान्त उपयोगिता के बराबर हो जाती है। अन्य शब्दों में, उपभोक्ता एक वस्तु की उतरोत्तर इकाइयों को तब तक खरीदता है जब तक कि सीमान्त उपयोगिता दी गई कीमत के बराबर न हो जाती है। इसका अर्थ यह है कि संतुलन बिन्दु पर एक उपभोक्ता जितना भुगतान करने को तैयार होगा (सीमान्त उपयोगिता), वह उस कीमत के बराबर होता है, जिसको वह वास्तव में भुगतान करता है।

किन्तु उसके द्वारा खरीदी गई सीमान्त इकाई से पहले की इकाइयों से जो सीमान्त उपयोगिता वह प्राप्त करता है, उस कीमत की अपेक्षा अधिक होती है जिसका वह उनके लिए वास्तव में भुगतान करता है। इसका कारण यह है कि उसके लिए कीमत स्थिर होती है।

उत्पादन की अवधारणा

कुल उत्पाद

परिवर्तनशील साधन की एक निश्चित मात्रा का प्रयोग करके (जबकि अन्य साधन स्थिर रहते हैं) जो उत्पादन की कुल मात्रा प्राप्त होती है उसे कुल उत्पाद (Total Product) कहते हैं। जैसे-जैसे परिवर्तनशील साधन की मात्रा बढ़ाई जाती है, कुल उत्पादन में वृद्धि होती है लेकिन परिवर्तनशील साधनों की मात्रा में निरन्तर वृद्धि करने पर कुल उत्पादन एक सीमा तक ही बढ़ सकता है। कुल उत्पादन में वृद्धि की दर साधन के प्रयोग की विभिन्न दरों पर भिन्न-भिन्न होती है। जैसा कि रेखाचित्र में बनाए गए कुल उत्पादन वक्र (TP) से स्पष्ट है कि आरम्भ में कुल उत्पादन में बढ़ती दर (increasing rate) से वृद्धि होती है अर्थात आरम्भ में कुल उत्पाद वक्र (TP) की ढाल बढ़ रही है। एक अवस्था के बाद कुल उत्पाद वक्र TP कम दर

से बढ़ना आरम्भ करता है जब परिवर्तनशील साधन की अधिक मात्रा प्रयोग की जाती है।

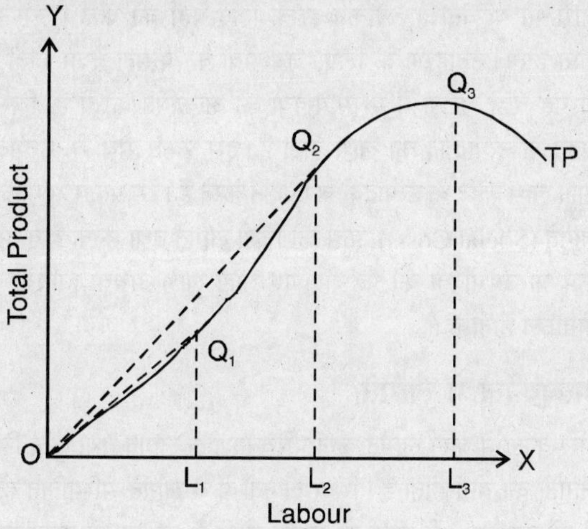

रेखाचित्र में श्रम का कुल उत्पाद वक्र (TP) मूल बिन्दु O से आरम्भ होता है। जब पूंजी की एक स्थिर मात्रा के साथ श्रम की OL_1 मात्रा प्रयोग की जाती है तो कुल उत्पादन L_1Q_1 है। पूंजी की उसी स्थिर मात्रा से श्रम की OL_2 मात्रा प्रयोग करने पर कुल उत्पाद बढ़कर L_2Q_2 हो जाता है। इसी प्रकार स्थिर पूंजी के साथ परिवर्तनशील साधन के अधिक प्रयोग से उसका कुल उत्पाद बढ़ता जाता है जब तक कि श्रम की OL_3 मात्रा नहीं हो जाती जिस पर कि कुल उत्पादन उच्चतम स्तर L_3Q_3 पर है। इसके पश्चात परिवर्तनशील साधन (श्रम-Labour) का अधिक प्रयोग करने पर कुल उत्पादन घटना शुरू हो जाता है।

औसत उत्पाद

एक परिवर्तनशील साधन (श्रम) का औसत उत्पाद उस साधन की प्रति इकाई के प्रयोग से प्राप्त उत्पादन को कहते हैं, इसीलिए इसको साधन की प्रति इकाई उत्पादकता भी कहते हैं। इसे साधन के कुल उत्पाद को उसकी प्रयोग की गई मात्रा से भाग देकर प्राप्त किया जाता है। अत:

$$AP_L = \frac{Q}{L}$$

जहां AP_L श्रम के औसत भौतिक उत्पाद को, Q वस्तु की कुल उत्पादन मात्रा को तथा L श्रम की प्रयोग की गई मात्रा को व्यक्त करते हैं।

सीमान्त उत्पाद

परिवर्तनशील साधन की एक अतिरिक्त इकाई के प्रयोग करने पर कुल उत्पाद में जो वृद्धि होती है उसे साधन का सीमान्त उत्पाद कहा जाता है, जबकि उत्पादन के अन्य साधन स्थिर रहते हैं।

यदि हम मान लें कि परिवर्तनशील साधन श्रम (labour) है तथा श्रम की मात्रा में ΔL से वृद्धि की जाती है जिसके फलस्वरूप उत्पादन में ΔQ के बराबर वृद्धि होती है तो श्रम का सीमान्त उत्पाद (MP_L) होगा—

$$MP_L = \frac{\Delta Q}{\Delta L}$$

परिवर्तनशील साधन का सीमान्त उत्पाद वक्र उसके कुल उत्पाद वक्र (total product curve) से खींचा जा सकता है। परिवर्तनशील साधन के किसी विशेष स्तर पर कुल उत्पाद वक्र के ढाल को मापकर उस स्तर पर उस परिवर्तनशील साधन की सीमान्त उत्पादकता को ज्ञात किया जा सकता है।

उत्पादक-संतुलन

उत्पादक उस समय संतुलन में होता है जब या तो वह एक दी हुई मौद्रिक साधन से अधिकतम उत्पादन प्राप्त करता है या वस्तु की एक विशेष मात्रा को कम से कम लागत पर उत्पादित करता है।

लागत का सिद्धान्त

उत्पादन के साधनों पर जो व्यय किया जाता है, उसे उत्पादन-लागत कहते हैं।

लागत की अवधारणा

सामान्य रूप से लागत का अभिप्राय मौद्रिक लागतों से होता है, जो कि एक वस्तु के उत्पादन में व्यय की जाती है। उत्पादन लागत में केवल मौद्रिक लागत ही नहीं अपितु अन्य लागतें भी शामिल होती हैं। अत: उत्पादन लागतों को हम निम्न वर्गों में वर्गीकृत कर सकते हैं—

1. स्पष्ट और अस्पष्ट लागतें
2. अवसर लागत
3. वास्तविक लागत
4. निजी एवं सामाजिक लागत

स्पष्ट और अस्पष्ट लागतें

एक वस्तु के उत्पादन के लिए प्रयुक्त साधनों को जो पुरस्कार स्पष्ट रूप से मुद्रा के रूप में दिया जाता है, उसे स्पष्ट लागत (Explicit Cost) कहते हैं। स्पष्ट लागतों में, श्रम की मजदूरी, भूमि या इमारतों का लगान, कच्चे-माल की लागत, पूंजी का ब्याज, परिवहन लागत, आदि को सम्मिलित किया जाता है।

उत्पादक के स्वयं के साधनों (निजी भूमि, श्रम अथवा पूंजी) के बाजार दर पर पुरस्कारों को अस्पष्ट लागत (Implicit Cost) कह सकते हैं। उदाहरणार्थ, उत्पादक व्यवसाय में अपनी निजी भूमि लगा सकता है, अपनी ही पूंजी का प्रयोग कर सकता है, और प्रबन्धक के नाते स्वयं अपनी ही सेवाएं प्रस्तुत कर सकता है। परिणामत: अपनी भूमि का प्रयोग करने के कारण उसे लगान मिलना चाहिए। अपने द्वारा लगाई गई पूंजी का उसे ब्याज मिलना चाहिए। इसी प्रकार प्रबन्धक के रूप में काम करने के नाते उसे वेतन प्राप्त होना चाहिए। ये सभी मदें अस्पष्ट लागतों में सम्मिलित की जाएंगी। अत: अस्पष्ट लागतों में उन सभी लागतों तथा सेवाओं की कीमत शामिल होती हैं, जिनका उत्पादक प्रयोग करता है, किन्तु प्रत्यक्ष रूप में कीमत नहीं चुकाता।

स्पष्ट और अस्पष्ट लागतों के योग से ही एक वस्तु की कुल उत्पादन लागत को ज्ञात किया जा सकता है।

अवसर लागत

आधुनिक आर्थिक विश्लेषण में अवसर लागत का विचार एक बहुत महत्त्वपूर्ण स्थान रखता है। **किसी वस्तु की अवसर लागत वह अन्य सर्वोत्तम वैकल्पिक वस्तु है जिसका परित्याग किया जाता है।** उदाहरणार्थ जो साधन युद्ध सामग्री का उत्पादन करने में उपयोग किए जाते हैं, वे कार अथवा अन्य आटोमोबाइल्स का उत्पादन करने में भी किए जा सकते हैं इसलिए युद्ध सामग्री के उत्पादन की अवसर लागत वंचित हुए या परित्याग की गई कारों तथा अन्य आटोमोबाइल का उत्पादन है जो साधनों की उन्हीं मात्राओं से उत्पादित किए जा सकते जो युद्ध सामग्री निर्माण में प्रयुक्त हो गए। एक अन्य उदाहरण लें, गेहूं उत्पादित करने वाला एक किसान उन्हीं साधनों से आलू उत्पादित कर सकता है। इसलिए 1 कुन्तल गेहूं की अवसर लागत परित्याग की गई आलू के उत्पादन की मात्रा है। इस प्रकार किसी वस्तु की अवसर लागत वह अन्य सर्वोत्तम विकल्प है जो इसके बजाय उन्हीं साधनों से अथवा उसी मौद्रिक मूल्य वाले साधनों के द्वारा उत्पादित किया जा सकता था।

वास्तविक लागत

वास्तविक लागत की धारणा **डॉ. मार्शल** की देन है। उन्होंने इसकी परिभाषा इन शब्दों में की है—**''उत्पादन में निहित श्रमिकों के सभी प्रकार के प्रयास एवं पूंजी बचत के लिए आवश्यक सभी प्रकार की प्रतीक्षाएं—ये दोनों मिलकर वास्तविक लागत कहलाते हैं। दूसरे शब्दों में, इन सभी प्रयासों एवं प्रतीक्षाओं को संयुक्त रूप में वास्तविक लागत कहते हैं।''** इस प्रकार वास्तविक लागत से अभिप्राय उन सभी कष्ट, त्याग तथा प्रयत्नों से है जो कि उत्पत्ति के साधनों को किसी वस्तु के उत्पादन करने में उठाने पड़ते हैं।

निजी, बाह्य एवं सामाजिक लागतें

निजी लागत से अभिप्रय किसी वस्तु के उत्पादन पर उत्पादक द्वारा किए गए खर्च से है। अन्य शब्दों में, निजी लागतें वे हैं जिनका फर्म उत्पादित की जाने वाली वस्तु के उत्पादन तथा कीमत से सम्बन्धित निर्णय करते समय ध्यान रखता है। तथापि, निजी लागतों के अतिरिक्त एक फर्म द्वारा वस्तु का उत्पादन अन्य लोगों को कुछ ऐसे लाभ या हानियां पहुंचाता है जिनका वह वस्तु के उत्पादन तथा कीमत से सम्बन्धित निर्णय लेते समय ध्यान नहीं रखता है। उदाहरण के लिए, एक फैक्टरी अपने अवशेष (Wastes) पदार्थों को किसी नदी या झील में फेंक देती है। अवशेष पदार्थों को इस प्रकार फेंकने में फैक्टरी की निजी लागत शून्य हो सकती है, लेकिन समाज में जल प्रदूषण की दृष्टि से यह लागत अधिक है।

वह लागत जो किसी फर्म के द्वारा वहन न करके समाज में किन्हीं अन्य लोगों द्वारा वहन की जाती है, उसे बाह्य लागत (External Costs) कहते हैं। निजी लागत एवं बाह्य लागत के योग को ही सामाजिक लागत कहते हैं।

सामाजिक लागत = निजी लागत + बाह्य लागत

कई बार एक फर्म के उत्पादन के कारण अन्य फर्म या उपभोक्ता को लाभ भी पहुंचता है, लेकिन इसके लिए फर्म को कोई मूल्य नहीं प्राप्त होता। उदाहरण के लिए, जब सेबों की फसल तैयार होती है, तो यह बड़ी संख्या में मधुमक्खियों को आकर्षित करती है, जिससे शहद के उत्पादकों को लाभ होता है। इस प्रकार सेबों के उत्पादक बाह्य लाभ शहद के उत्पादकों को प्रदान करते हैं। इस प्रकार सामाजिक लागतें (Social Costs), फर्म की निजी लागतें तथा उनके द्वारा अन्य फर्म या उपभोक्ता को पहुंचाए गए बाह्य लाभ अथवा हानियों की योगफल होती हैं।

अल्पकाल में लागतें

अल्पकाल में कुल लागत कुल परिवर्तनशील लागत तथा कुल स्थिर लागतों का योग होता है। स्थिर लागतों में वे लागतें सम्मिलित होती हैं जो उत्पादन की मात्रा से स्वतंत्र होती हैं अर्थात जो उत्पादन में परिवर्तन करने से नहीं बदलतीं। ये स्थिर लागतें एक स्थिर मात्रा को व्यक्त करती हैं जिसे अल्पकाल में फर्म को उठाना ही पड़ता है चाहे उसका उत्पादन कम हो अथवा अधिक। यदि अल्पकाल में फर्म कुछ समय के लिए उत्पादन बंद भी कर दे तो भी उसे ये स्थिर लागतें वहन करनी ही होती हैं। स्थिर लागतों को ऊपरी लागतें (over head costs) भी कहते हैं। इस प्रकार स्थिर लागतों में निम्नलिखित लागतों को शामिल किया जाता है—

(a) इमारत का किराया;
(b) बीमा की फीस;
(c) पूंजी पर ब्याज;
(d) प्रबन्धक का वेतन;
(e) मशीनरी आदि की मूल्यह्रास (depreciation) की लागतें;
(f) सम्पति कर;
(g) चौकीदार की मजदूरी आदि।

जबकि, **परिवर्तनशील लागतें** (Variable Costs) वे लागतें हैं जिनको अल्पकाल में बदला जा सकता है। अत: कुल परिवर्तनशील लागतें अल्पकाल में उत्पादन में परिवर्तन के फलस्वरूप बदल जाती हैं। अर्थात जब उत्पादन घटाया जाता है तो वे घटती हैं अथवा जब उत्पादन बढ़ाया जाता है तो वे बढ़ जाती हैं। यदि फर्म अल्पकाल में कुछ समय के लिए उत्पादन बन्द कर देती है तो वह परिवर्तनशील साधनों का प्रयोग नहीं करेगी और इसलिए परिवर्तनशील लागत शून्य (Zero) होगी। परिवर्तनशील लागतों में निम्नलिखित लागतें शामिल होती हैं—

(a) श्रमिकों की मजदूरी;
(b) कच्चे माल की कीमतें;
(c) बिजली और ईंधन के प्रयोग की कीमत;
(d) परिवहन पर उठाए गए व्यय आदि।

सीमान्त लागत

वस्तु की एक अतिरिक्त इकाई का उत्पादन करने पर कुल लागत में जो वृद्धि होती है उसे सीमान्त लागत कहते हैं। अन्य शब्दों में, nवीं

(nth) इकाई की सीमान्त लागत वस्तु की कुल (n–1) इकाइयां उत्पादित करने के बजाए कुल n इकाइयां उत्पादित करने पर कुल उत्पादन लागत में वृद्धि को कहते हैं। अत:

$$MC_n = TC_n - TC_{n-1}$$

जहां MC_n nवीं इकाई की सीमान्त लागत है।

सीमान्त लागत को निम्न प्रकार से भी लिखा जा सकता है—

$$MC = \frac{\Delta TC}{\Delta Q}$$

जहां ΔTC कुल लागत में तथा ΔQ कुल उत्पादन में परिवर्तन को दर्शाते हैं।

यहां यह उल्लेखनीय है कि सीमान्त लागत स्थिर लागत (fixed cost) से स्वतंत्र होती है अर्थात सीमान्त लागत (marginal cost) स्थिर लागत पर निर्भर नहीं करती। चूंकि अल्पकाल में उत्पादन की मात्रा में परिवर्तन करने पर केवल परिवर्तनशील लागतें (variable costs) ही बदलती हैं। अत: सीमान्त लागतें केवल परिवर्तनशील लागतों में परिवर्तन होने के कारण ही उत्पन्न होती हैं। अत:

$$MC = \frac{\Delta TVC}{\Delta Q}$$

जहां ΔTVC कुल परिवर्तनशील लागत में परिवर्तन को दर्शाता है।

आगम की धारणाएं

आगम से आशय उस आय से है जो एक उत्पादक को अपनी निर्मित वस्तुओं को बाजार में बेचने पर प्राप्त होती है। यदि एक उत्पादक 50 रु. प्रति कमीज पर 100 कमीजें एक सप्ताह में बेचता है, तो एक सप्ताह में उसकी कुल आगम 50 रुपए × 100 = 5000 रुपए होगी। आगम तीन प्रकार की होती हैं—

(i) कुल आगम

(ii) औसत आगम

(iii) सीमान्त आगम

कुल आगम

एक फर्म या उत्पादक को अपनी समस्त उत्पादित वस्तुओं को बेचने से जो मुद्रा प्राप्त होती है उसे कुल आगम कहते हैं। कुल आगम, फर्म की कुल बिक्री की मात्रा तथा वस्तु की कीमत पर निर्भर करती है।

कुल आगम को निम्नलिखित सूत्र की सहायता से ज्ञात किया जा सकता है—

$$TR = P \times Q$$

जहां, TR = कुल लागत

P = वस्तु की प्रति इकाई कीमत

Q = वस्तु की बेची गई मात्रा है।

औसत आगम

कुल आगम को बिक्री की गई वस्तुओं की कुल इकाइयों से विभाजित करके औसत आगम या औसत आय को ज्ञात किया जा सकता है। औसत आगम उत्पादन की प्रति इकाई से प्राप्त आय को कहते हैं। अत:

$$\text{औसत आय} = \frac{\text{कुल आय}}{\text{कुल उत्पादित तथा बेची गई मात्रा}}$$

$$AR = \frac{TR}{Q}$$

जहां पर TR कुल आगम, AR औसत आगम तथा Q वस्तु की मात्रा को व्यक्त करते हैं।

अब प्रश्न यह है कि क्या औसत आगम (average revenue) वस्तु की कीमत (Price) से भिन्न होती है अथवा ये दोनों एक ही धारणाएं हैं। यदि विक्रेता पदार्थ की विभिन्न इकाइयों को समान कीमत पर बेचता है तो उसकी औसत आगम, कीमत के समान होगी। परन्तु जब वह वस्तु की विभिन्न इकाइयों को भिन्न-भिन्न कीमतों पर बेचता है तो औसत आगम, कीमत के बराबर नहीं होगी। जैसा कि हम जानते हैं कि विक्रेता का मांग वक्र वस्तु की विभिन्न कीमतों पर क्रेताओं द्वारा खरीदी गई मात्राओं को व्यक्त करता है, इसलिए वह औसत आय अथवा कीमत को भी प्रकट करता है जो कि विक्रेता को वस्तु की बेची गई विभिन्न मात्राओं पर प्राप्त होती है। इसका कारण यह है कि क्रेता द्वारा दी गई कीमत विक्रेता के लिए आय होती है। अत: **फर्म का औसत आय वक्र (average revenue curve)** वास्तव में उपभोक्ता का मांग वक्र (Demand curve) ही होता है।

सीमान्त आगम

किसी वस्तु की एक अतिरिक्त इकाई को बेचने से कुल आगम में जो वृद्धि होती है, उसे सीमान्त आगम कहते हैं। अन्य शब्दों में, एक उत्पादक को वस्तु की एक अतिरिक्त इकाई बेचने से जो आय प्राप्त होती है, वह सीमान्त आगम कहलाती है। बीजगणित के शब्दों में, सीमान्त आय (आगम) वस्तु की कुल (n – 1) इकाइयों के बजाय कुल n इकाइयों के बेचने से कुल आय में हुई वृद्धि को कहते हैं। अत:

$$MR = TR_n - TR_{n-1}$$

जहां MR सीमान्त आय को, TR_n वस्तु की n इकाइयां बेचने पर कुल आय को, तथा TR_{n-1} वस्तु की (n – 1) इकाइयां बेचने पर कुल आय को प्रकट करते हैं।

सीमान्त आय को एक अन्य रूप में भी व्यक्त किया जा सकता है। जो निम्नलिखित है—

$$MR = \frac{\Delta TR}{\Delta Q}$$

जहां ΔTR कुल आगम या कुल आय में परिवर्तन तथा ΔQ वस्तु की उत्पादन अथवा विक्रय मात्रा में परिवर्तन का सूचक है।

सीमान्त आगम (Marginal Revenue) का व्यवहार इस बात पर निर्भर करता है कि उत्पादक एक वस्तु को किस प्रकार बेच रहा है। हम इस संदर्भ में दो स्थितियों पर विचार कर सकते हैं।

पहली अवस्था वह है जिसमें कि एक कीमत पर उत्पादक वस्तु की सभी इकाइयों को बेचता है। ऐसी स्थिति में सीमान्त आय (MR) औसत आय (AR) के समान हो जाती है।

दूसरी अवस्था वह है, जिसमें कि बिक्री की मात्रा को बढ़ाने के लिए उत्पादक को वस्तु की कीमत में कमी करनी पड़ती है। ऐसी स्थिति में बिक्री की इकाइयों में वृद्धि होने पर **औसत आय** (average revenue) भी निरन्तर घटती जाती है तथा इसमें कमी औसत आय की तुलना में कहीं अधिक होती है।

पूर्ण प्रतियोगिता की दशा में औसत तथा सीमान्त आय

पूर्ण प्रतियोगिता का तात्पर्य यह है कि उद्योग में इतनी बड़ी संख्या में फर्में होती हैं कि कोई अकेली फर्म अपनी उत्पादन मात्रा सम्बन्धी नीतियों और निर्णयों द्वारा अपनी वस्तु की कीमत में कोई परिवर्तन नहीं ला सकती, वरन बाजार में उस वस्तु की जो कीमत प्रचलित है उस पर जितनी मात्रा चाहे बेच सकती है। इससे स्पष्ट है कि **पूर्ण प्रतियोगिता (Perfect competition) में फर्म की औसत आय का वक्र क्षितिज के समानान्तर सरल रेखा (Horizontal straight line) होगा।** इसका अर्थ यह है कि जितनी मात्रा में भी वस्तु का उत्पादन वह फर्म करेगी, इसे वह बाजार में प्रचलित समान कीमत पर बेच सकती है। चूंकि पूर्ण प्रतियोगिता के अन्तर्गत एक फर्म द्वारा वस्तु की सभी इकाइयों को एक समान कीमत पर बेची जाती है इसलिए फर्म की सीमान्त आय (MR), औसत आय (AR) के बराबर होगी। साथ ही साथ पूर्ण प्रतियोगिता के अन्तर्गत फर्म की औसत आय, कीमत के भी बराबर होती है। इस पूर्ण प्रतियोगिता की अवस्था को जबकि औसत आय (अथवा कीमत) स्थिर रहती है और सीमान्त आय, औसत आय के बराबर है, रेखाचित्र में दर्शाया गया है। औसत आय वक्र (AR-Curve) इस दशा में एक समानान्तर सरल रेखा होती है। समानान्तर सरल रेखा वाला औसत आय वक्र यह प्रकट करता है कि कीमत अथवा औसत आय OP पर ही स्थिर रहती है। चाहे वस्तु की कितनी भी इकाइयां बेची जाएं। ऐसी अवस्था में सीमान्त आय (MR) वक्र, औसत आय (AR) वक्र के समान होगी क्योंकि सीमान्त आय, औसत आय के बराबर होती है।

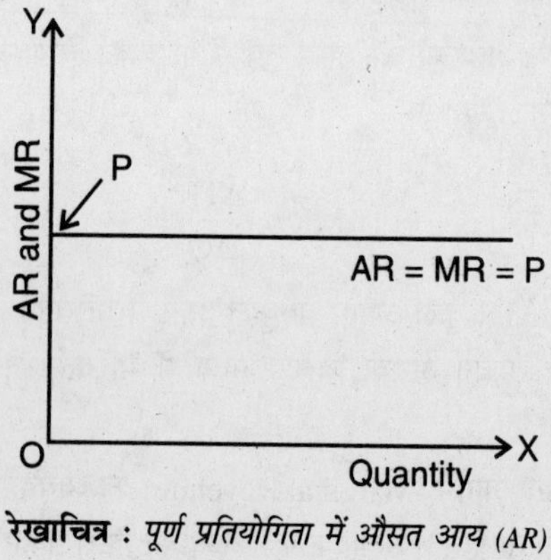

रेखाचित्र : *पूर्ण प्रतियोगिता में औसत आय (AR) तथा सीमान्त आय (MR) वक्र*

लगान

लगान का आधुनिक सिद्धान्त

लगान के आधुनिक सिद्धान्त का प्रतिपादन जिन अर्थशास्त्रियों ने किया उनमें **श्रीमती जॉन रॉबिन्सन, बेन्हम तथा बोल्डिंग** का नाम विशेष रूप से उल्लेखनीय है। रिकार्डो की भांति ये अर्थशास्त्री भी लगान को एक **अधिशेष** (surplus) आय मानते हैं। लेकिन ये अर्थशास्त्री रिकार्डो के इस कथन से सहमत नहीं कि लगान एक भेदात्मक अधिशेष है जो केवल भूमि को ही प्राप्त होता है। **आधुनिक अर्थशास्त्रियों ने लगान शब्द का प्रयोग व्यापक अर्थ में किया है। इसमें उन सभी साधनों को प्राप्त होने वाला अधिशेष शामिल है, जिनकी पूर्ति पूर्णतया लोचदार नहीं होती।** जिस प्रकार यह अधिशेष भूमि को प्राप्त होता है, इसी प्रकार यह उत्पादन के अन्य साधनों श्रम, पूंजी तथा व्यवस्था को भी प्राप्त हो सकता है।

आधुनिक सिद्धान्त में लगान का प्रयोग किसी साधन की विकल्प आय (transfer earning) से अतिरिक्त आय (surplus) के भाव में किया जाता है।

इस प्रकार आधुनिक सिद्धान्त के अनुसार आर्थिक लगान किसी साधन की विकल्प आय से अतिरिक्त आय है जिसे कोई साधन अपने वर्तमान व्यवसाय (occupation), उद्योग अथवा उपयोग में अर्जित कर रहा होता है।

विकल्प आय से अभिप्राय किसी साधन की वह आय अथवा कीमत है जो उसे किसी अन्य अच्छे-से-अच्छे उपयोग, व्यवसाय अथवा उद्योग से प्राप्त हो सकती है। विकल्प आय को हम इस प्रकार भी परिभाषित कर सकते हैं—**विकल्प आय वह न्यूनतम आय है जो किसी उत्पादन के साधन की इकाई को अवश्य मिलनी चाहिए जिससे वह वर्तमान उपयोग, व्यवसाय अथवा उद्योग में काम करती रहे।** यदि किसी उत्पादन के साधन की किसी इकाई को इस न्यूनतम आय अर्थात विकल्प आय से कम आय मिलती है तो वह अपने वर्तमान उपयोग अथवा व्यवसाय को छोड़ देगी और अपने दूसरे अच्छे से अच्छे उपयोग अथवा व्यवसाय में चली जाएगी। किन्तु जब किसी उत्पादन की इकाई को अपने वर्तमान उपयोग अथवा व्यवसाय में अपनी उस न्यूनतम आय से, जो उसे अवश्य मिलनी चाहिए, अधिक आय मिल रही हो तो वह अतिरिक्त आय (surplus earnings) उसका आर्थिक लगान (economic rent) होगा। आर्थिक लगान की यह धारणा सभी उत्पादन के साधनों पर लागू होती है।

अत:

आर्थिक लगान अथवा अधिशेष } = **वास्तविक आय (Actual earnings) – विकल्प आय (Transfer earnings)**

अब प्रश्न यह उठता है कि यह अधिशेष (surplus) कब प्राप्त होगा। **अधिशेष** (अर्थात विकल्प आय से अधिक आय) तब किसी साधन की इकाई को प्राप्त होगा जबकि उस साधन की पूर्ति किसी उपयोग, उद्योग अथवा व्यवसाय के लिए पूर्णतया लोचदार से कम होगी। किसी साधन की पूर्ति किसी उपयोग, उद्योग अथवा व्यवसाय के लिए पूर्णतया लोचदार होगी तो कोई अधिशेष उत्पन्न न होगा।

आभास लगान

अर्ध-लगान की धारणा को सर्वप्रथम **मार्शल** ने प्रतिपादित किया था। डॉ. मार्शल ने 'आभास-लगान' अथवा अर्ध-लगान शब्द का प्रयोग विशेषकर उस आय के लिए किया था जो अल्पकाल में मशीनों एवं अन्य मनुष्य-कृत यन्त्रों से प्राप्त होती है। अत: आभास-लगान की धारणा अल्पकालीन धारणा है।

'आभास-लगान' विशुद्ध लगान से भिन्न होता है। विशुद्ध लगान तो उत्पादन के उन साधनों को प्राप्त होता है जिनकी पूर्ति अल्पकाल एवं दीर्घकाल दोनों में ही स्थिर रहती है। इसके विपरीत, आभास-लगान उन साधनों को प्राप्त होता है जिनकी पूर्ति यद्यपि अल्पकाल में तो स्थिर होती है, लेकिन दीर्घकाल में बढ़ायी जा सकती है।

डॉ. मार्शल ने एक अन्य सन्दर्भ में भी **आभास-लगान** की धारणा का प्रयोग किया है। उनके अनुसार, अल्पकाल में किसी वस्तु की उत्पादन लागत को दो शीर्षकों के अन्तर्गत विभाजित किया जा सकता है—*(i)* स्थिर लागत (fixed costs) *(ii)* परिवर्तनशील लागत (variable costs)। अल्पकाल में जब तक कीमत, परिवर्तनशील लागत के बराबर रहती है, फर्म अपना उत्पादन कार्य जारी रखती है। **डॉ. मार्शल के अनुसार, यदि अल्पकाल में वस्तु की कीमत परिवर्तनशील लागत से बढ़ जाती है तो उस फर्म को आभास-लगान प्राप्त होगा। इस प्रकार आभास लगान अल्पकाल में कुल परिवर्तनशील लागतों के अतिरिक्त आय है।** अत:

आभास लगान = कुल आय – कुल परिवर्तनशील लागतें

या,

Quasi Rent = Total Revenue – Total variable costs

लाभ का सिद्धान्त

विभिन्न अर्थशास्त्रियों ने लाभ को अलग-अलग ढंग से परिभाषित किया है। **शुम्पीटर** (Schumpeter) के अनुसार लाभ उद्यमकर्ता को नवप्रवर्तन (innovations) लाने के एवज में प्राप्त होता है। प्रसिद्ध अर्थशास्त्री **एफ.एच. नाईट** (F.H. Knight) के अनुसार लाभ अर्थव्यवस्था में निहित अनिश्चितता के कारण उत्पन्न होते हैं।

इसके अतिरिक्त, कुछ अर्थशास्त्री लाभ को गैरकार्यात्मक आय (non-functional income) मानते हैं। प्रसिद्ध अर्थशास्त्री **केन्ज** ने यह विचार प्रस्तुत किया कि लाभ सामान्य कीमत-स्तर में अनुकूल परिवर्तन के कारण उत्पन्न होते हैं। श्रीमती जोन रॉबिन्सन, प्रोफेसर चैम्बरलिन और कलेस्की (Kalecki) लाभ को अपूर्ण प्रतियोगिता तथा एकाधिकार के कारण उत्पन्न होना मानते हैं। उनके अनुसार अपूर्णता की मात्रा जितनी ही अधिक होगी अर्थात एक उद्यमकर्ता की एकाधिकारी शक्ति (monopoly power) जितनी अधिक होगी उसको उतना ही अधिक लाभ प्राप्त होंगे।

- **जे.बी. क्लार्क (J.B. Clark)** ने सर्वप्रथम यह विचार प्रस्तुत किया कि लाभ एक गत्यात्मक आधिक्य (Dynamic Surplus) है। उनके अनुसार लाभ एक गत्यात्मक अर्थव्यवस्था अर्थात् ऐसी अर्थव्यवस्था जिसमें लगातार परिवर्तन हो रहे हों, उत्पन्न होते हैं।
- **प्रो.नाइट** के अनुसार, लाभ, उद्यमी को जोखिम वहन करने के प्रतिफल के रूप में प्राप्त होता है।
- **मार्क्स** के अनुसार लाभ एक **अतिरेक मूल्य** है। मार्क्स के अनुसार सम्पत्ति के स्वामियों द्वारा, जो कि अनुत्पादक वर्ग है, उत्पादक श्रमिकों के शोषण द्वारा ही लाभ की उत्पत्ति होती है।

पूर्ण प्रतियोगिता

पूर्ण प्रतियोगिता बाजार में तब विद्यमान रहती है जब निम्नलिखित शर्तें पूरी होती हैं—

1. वस्तुओं को उत्पादित करने तथा बेचने वाली फर्मों अथवा विक्रेताओं की संख्या अधिक हो।

2. सभी फर्मों द्वारा उत्पादित वस्तुएं बिल्कुल समान हों।

3. विक्रेता तथा क्रेता दोनों को बाजार में प्रचलित कीमत के विषय में पूर्ण जानकारी प्राप्त हो।

4. उद्योग में फर्में स्वतन्त्र रूप से प्रवेश कर सकती हों तथा उससे बाहर जा सकती हों।

प्रतियोगी फर्म का अल्पकालीन सन्तुलन

पूर्ण प्रतियोगिता में फर्म के सन्तुलन की निम्न दो शर्तें हैं—

1. अनिवार्य शर्त (necessary condition) यह है कि सन्तुलन बिन्दु पर फर्म की सीमान्त लागत (MC) उसकी सीमान्त आय (MR) के बराबर होनी चाहिए अर्थात्

MC = MR = कीमत

2. फर्म के सन्तुलन की **द्वितीय शर्त** अथवा पर्याप्त शर्त (sufficient condition) यह है कि सन्तुलन के बिन्दु पर सीमान्त लागत वक्र ऊपर को चढ़ रहा हो अर्थात सीमान्त आय वक्र (MR) को सीमान्त लागत वक्र (MC) नीचे से ऊपर की ओर काटता हो।

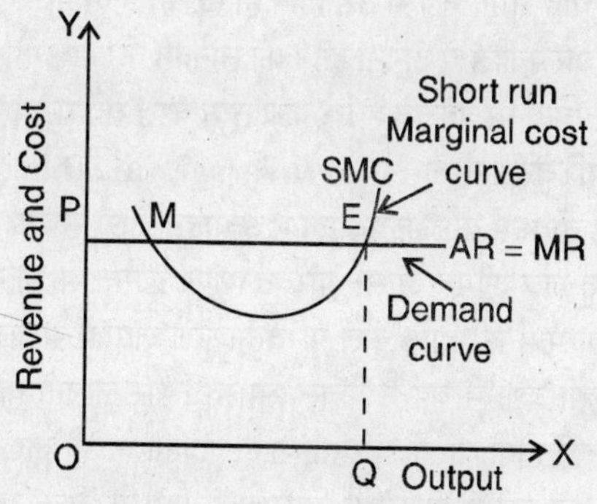

रेखाचित्र : *पूर्ण प्रतियोगिता के अन्तर्गत फर्म का अल्पकालीन सन्तुलन*

रेखाचित्र में प्रतियोगी फर्म के अल्पकालीन सन्तुलन को दर्शाया गया है। जैसा कि हम जानते हैं कि पूर्ण प्रतियोगिता के अन्तर्गत एक व्यक्तिगत फर्म (individual firm) को बाजार में प्रचलित कीमत को ही मानना पड़ता है। वह अपने व्यक्तिगत उत्पादन को घटा-बढ़ा कर बाजार में प्रचलित वस्तु की कीमत पर कोई प्रभाव नहीं डाल सकती। परिणामस्वरूप पूर्ण प्रतियोगिता में फर्म का मांग वक्र (demand curve) अथवा औसत आय वक्र (average revenue curve) एक समानान्तर सरल रेखा होती है। चूंकि पूर्ण प्रतियोगिता

के अन्तर्गत काम कर रही फर्म उत्पादन की अतिरिक्त इकाइयां समान कीमत पर बेचती है, इसलिए इसका सीमान्त आय (MR) औसत आय (AR) वक्र के समान ही होता है।

उपरोक्त रेखाचित्र से स्पष्ट है कि फर्म के सन्तुलन की अनिवार्य शर्त बिन्दु M तथा E दोनों पर लागू होती है जहां पर सीमान्त लागत (MC) तथा सीमान्त आय (MR) बराबर हैं। लेकिन सन्तुलन की द्वितीय स्तर की शर्त बिन्दु M पर लागू नहीं होती है। अत: फर्म बिन्दु E पर सन्तुलन में होगा तथा OQ उत्पादन करेगा। क्योंकि बिन्दु E पर सीमान्त लागत वक्र (SMC), सीमान्त आगम वक्र (MR) को नीचे की ओर से काटता है।

सन्तुलन बिन्दु पर फर्म को अल्पकाल में हानि भी हो सकती है या लाभ भी, यह फर्म के औसत लागत वक्र की स्थिति पर निर्भर करती है। साथ ही साथ बाजार में प्रचलित वस्तु की कीमत पर भी यह निर्भर करता है।

अल्पकाल में हानि की स्थिति में फर्म उत्पादन बन्द अथवा स्थगित क्यों नहीं कर देती?

अब प्रश्न यह है कि फर्में वस्तु का उत्पादन क्यों करती रहती हैं जब उन्हें हानि हो रही होती है। इसका कारण यह है कि फर्में अल्पकाल में पूंजी, उपकरण, संयन्त्र आदि जैसे स्थिर साधनों को बदल नहीं सकती और इसलिए उन्हें स्थिर लागतों के बराबर तो हानि उठानी ही पड़ेगी चाहे वे अल्पकाल में वस्तु का उत्पादन बन्द ही क्यों न कर दें। यदि फर्म अल्पकाल में उत्पादन जारी रखते हुए परिवर्तनशील लागतों को पूरा करने के पश्चात, स्थिर लागतों का भी कुछ भाग अर्जित कर लेती हैं तो उसकी हानि स्थिर लागतों से कम होगी। इसलिए फर्म के लिए यह बड़ी विवेक की बात है कि वह अल्पकाल में अपना उत्पादन तब तक जारी रखे जब तक उसे परिवर्तनशील लागतों से अधिक आय प्राप्त हो रही है चाहे समग्र रूप से उसे हानि ही हो रही है क्योंकि ऐसा करने से ही वह अल्पकाल में अपनी हानि को न्यूनतम कर सकेगी। इसलिए हम इस निष्कर्ष पर पहुंचते हैं कि **जब तक वस्तु की कीमत उसकी औसत परिवर्तनशील लागत (average variable cost) से अधिक है तो फर्म को अल्पकाल में उत्पादन जारी रखना चाहिए।**

परन्तु जब कीमत औसत परिवर्तनशील लागत से भी नीचे गिर जाती है तो फर्म की हानि कुल परिवर्तनशील लागतों से बढ़ जाएगी क्योंकि ऐसी दशा में वह न केवल समस्त स्थिर लागतों को ही पूरा नहीं कर रही होगी बल्कि परिवर्तनशील लागतों के भी कुछ भाग को पूरा नहीं कर रही होगी। ऐसी अवस्था में फर्म के लिए यह उचित होगा कि वह अपना उत्पादन बन्द कर दे क्योंकि ऐसा करने से परिवर्तनशील लागतों पर उठाई गई हानि से अपने को बचा सकेगी। अत: हम इस निष्कर्ष पर पहुंचते हैं कि यदि अल्पकाल में फर्म परिवर्तनशील लागतों को भी पूरा नहीं करती तो वह अनावश्यक हानि से बचने के लिए उत्पादन बन्द कर देगी।

पूर्ण प्रतियोगिता में फर्म का दीर्घकालीन सन्तुलन

जैसा कि हम जानते हैं कि दीर्घकाल में फर्मों की कोई भी लागत स्थिर नहीं होती बल्कि सभी लागतें परिवर्तनशील होती हैं। इसके अतिरिक्त दीर्घकाल में नई फर्में उद्योग में प्रवेश कर सकती हैं अथवा उद्योग को छोड़कर बाहर भी जा सकती है। पूर्ण प्रतियोगिता के अन्तर्गत दीर्घकालीन सन्तुलन प्राप्त होने के लिए निम्न दो शर्तें अवश्य पूरी होनी चाहिए—

1. कीमत = दीर्घकालीन सीमान्त लागत [Price = LMC]
2. कीमत = दीर्घकालीन औसत लागत [Price = LAC]

यदि कीमत, सीमान्त लागत और औसत लागत दोनों के बराबर है तो दीर्घकालीन संतुलन की शर्त अन्य रूप में होगी—

कीमत = दीर्घकालीन सीमान्त लागत = दीर्घकालीन औसत लागत या

Price = LMC = LAC = AR = MR

सीमान्त लागत और औसत लागत के परस्पर सम्बन्ध से हम जानते हैं कि दीर्घकालीन सीमान्त लागत केवल दीर्घकालीन औसत लागत वक्र के निम्नतम बिन्दु पर ही बराबर होती है। इसलिए फर्म के दीर्घकालीन सन्तुलन की शर्त को हम निम्न प्रकार भी लिख सकते हैं—

कीमत = दीर्घकालीन सीमान्त लागत = दीर्घकालीन औसत लागत (निम्नतम) या,

Price = LMC = Minimum LAC = MR = AR

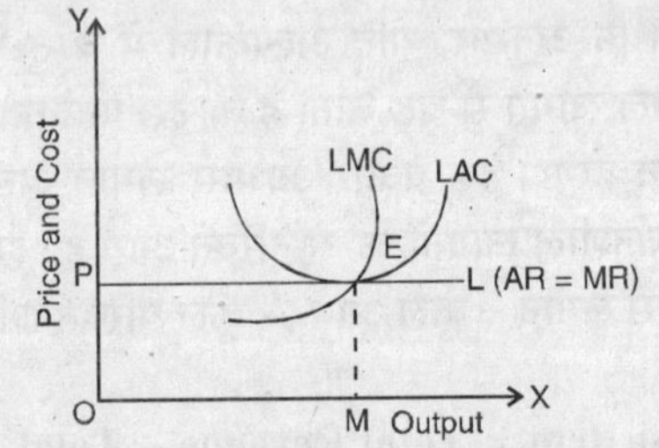

रेखाचित्र : *पूर्ण प्रतियोगी फर्म का दीर्घकालीन सन्तुलन*

रेखाचित्र में पूर्ण प्रतियोगी फर्म के दीर्घकालीन सन्तुलन को दर्शाया गया है। फर्म बिन्दु E पर सन्तुलन में है क्योंकि इस बिन्दु पर सन्तुलन की शर्त पूरी हो जाती है अर्थात बिन्दु E पर दीर्घकालीन सीमान्त (LMC) न केवल कीमत के बराबर है बल्कि दीर्घकालीन औसत लागत के भी बराबर है।

यहां ध्यान देने योग्य बात यह है कि पूर्ण प्रतियोगी फर्म दीर्घकालीन सन्तुलन में तब होगी जब कीमत ऐसे स्तर पर हो जिससे समानान्तर औसत एवं सीमान्त आय वक्र, औसत लागत वक्र के निम्नतम बिन्दु पर स्पर्श करता है। जैसा कि हम जानते हैं कि एक समानान्तर औसत एवं सीमान्त आय वक्र अंग्रेजी के अक्षर U की आकृति के औसत लागत वक्र को केवल निम्नतम बिन्दु (minimum point) पर ही स्पर्श कर सकता है। औसत लागत वक्र के निम्नतम बिन्दु पर ही सीमान्त लागत और औसत लागत समान होती है, इसलिए दीर्घकालीन सन्तुलन की स्थिति में कीमत, सीमान्त लागत और औसत लागत दोनों के बराबर होगी। अन्य शब्दों में, दीर्घकालीन सन्तुलन की शर्तें औसत लागत वक्र के निम्नतम बिन्दु पर ही पूरी होती है।

उपर्युक्त विश्लेषण से स्पष्ट है कि पूर्ण प्रतियोगी फर्म का दीर्घकालीन सन्तुलन दीर्घकालीन औसत लागत वक्र (LAC) के निम्नतम बिन्दु पर स्थापित होता है। फर्म द्वारा दीर्घकालीन औसत लागत वक्र के निम्नतम बिन्दु पर उत्पादन करना इस बात का द्योतक है कि फर्म **इष्टतम आकार** (optimum size) की है अथवा यह **निम्नतम सम्भव औसत लागत** पर उत्पादन कर रही है। फर्म द्वारा

पूर्ण प्रतियोगिता में दीर्घकाल में इष्टतम आकार पर उत्पादन करना सामाजिक दृष्टिकोण से दो प्रकार से लाभदायक है।

प्रथम, इष्टतम आकार पर उत्पादन करने से समाज के संसाधनों का अधिकतम कुशल ढंग से प्रयोग हो रहा होता है। **द्वितीय,** यह इस बात को भी सुनिश्चित करता है कि उपभोक्ता वस्तुओं को निम्नतम सम्भव कीमत पर प्राप्त कर रहे होते हैं।

एकाधिकार

एकाधिकार तब होता है जब किसी वस्तु का, जिसका कोई निकट के स्थानापन्न उपलब्ध न हों, केवल एक ही उत्पादक फर्म अथवा विक्रेता हो। एकाधिकार की इस परिभाषा से स्पष्ट है कि एकाधिकार के होने के लिए तीन शर्तों की पूर्ति होना आवश्यक है—

1. एक वस्तु का एक ही उत्पादक अथवा विक्रेता हो।

2. उस वस्तु के निकट के स्थानापन्न (close substitutes) उपलब्ध न हों।

3. उस उद्योग में प्रवेश के लिए बड़ी रुकावटें हों।

एकाधिकार में कीमत-उत्पादन सन्तुलन

पूर्ण प्रतियोगी फर्म की तरह एकाधिकारी भी अपने लाभ को अधिकतम करने की चेष्टा करता है। एकाधिकारी का लाभ अधिकतम तब होगा जब दो शर्तें पूरी होती हों—

प्रथम, सीमान्त आय (MR), सीमान्त लागत (MC) के बराबर हो,

दूसरा, सन्तुलन बिन्दु पर सीमान्त लागत वक्र का ढाल, सीमान्त आय वक्र की ढाल (slope) से अधिक हो।

जैसा कि हम जानते हैं पूर्ण प्रतियोगिता में व्यक्तिगत फर्म के लिए मांग वक्र (demand curve) X—अक्ष के समानान्तर होता है और सीमान्त आय (MR) उसकी औसत आय (AR) के बराबर होता है। लेकिन **एकाधिकारी का मांग वक्र अर्थात औसत आय वक्र (average revenue curve) बाएं से दाएं नीचे की ओर झुका हुआ होता है तथा सीमान्त आय (MR) वक्र औसत आय (AR) वक्र के नीचे स्थित होता है।** एकाधिकारी तथा पूर्ण प्रतियोगी फर्म के लिए मांग दशाओं में इस अन्तर के कारण ही इन दोनों में अधिकतम लाभ के उद्देश्य के भिन्न-भिन्न परिणाम निकलते हैं।

एकाधिकार में सन्तुलन को रेखाचित्र में दिखाया गया है।

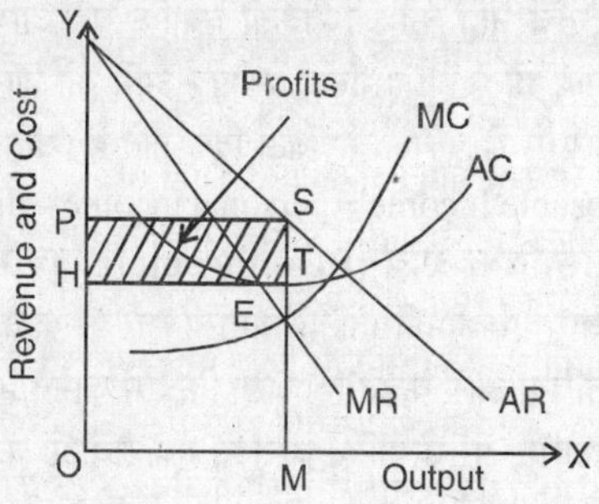

रेखाचित्र : *एकाधिकारी का सन्तुलन*

एकाधिकारी वस्तु की अतिरिक्त इकाइयां उत्पादित करता चला जाएगा, जब तक सीमान्त आय (MR), सीमान्त लागत (MC) से अधिक होती है। ऐसा इसलिए है क्योंकि प्रत्येक ऐसी इकाई उत्पादित करना जिससे लागत की अपेक्षा आय में अधिक वृद्धि होती है लाभकारी है। एकाधिकारी फर्म के लाभ उस उत्पादन स्तर पर अधिकतम होंगे जिस पर सीमान्त आय (MR), सीमान्त लागत (MC) के बराबर है। रेखाचित्र से स्पष्ट है कि उत्पादन स्तर OM पर ही सीमान्त लागत (MC) वक्र और सीमान्त आय (MR) वक्र एक दूसरे को काटते हैं। यदि एकाधिकारी OM मात्रा से कम मात्रा उत्पादित करता है तो उसके लाभ कम होंगे। इसके विरुद्ध, यदि वह OM से अधिक उत्पादन करता है तो सीमान्त लागत, सीमान्त आय से अधिक होगी। परिणामस्वरूप वह OM से अतिरिक्त इकाइयों पर हानि उठा रहा होगा। अत: उत्पादन मात्रा OM पर ही उसे अधिकतम लाभ प्राप्त होंगे और इस पर ही उसका सन्तुलन होगा। रेखाचित्र से स्पष्ट है कि वस्तु की OM मात्रा बेचने से एकाधिकारी को MS अथवा OP कीमत प्राप्त होगी। उसके द्वारा अर्जित कुल लाभ HTSP के क्षेत्रफल के बराबर है।

एकाधिकार और पूर्ण प्रतियोगिता में एक महत्त्वपूर्ण अन्तर ध्यान देने योग्य यह है कि पूर्ण प्रतियोगिता में कीमत सीमान्त लागत के बराबर होती है लेकिन एकाधिकार (monopoly) में ऐसा नहीं है क्योंकि एकाधिकारी का मांग वक्र (demand curve) नीचे को गिर रहा होता है और उसका सीमान्त आय (MR) वक्र औसत आय वक्र के नीचे स्थित होता है। इसलिए एकाधिकारी की दशा में सन्तुलन की स्थिति में जब सीमान्त लागत (MC) सीमान्त आय (MR) के बराबर होती है तो यह कीमत अथवा औसत आय से कम होगी। रेखाचित्र से स्पष्ट है कि सन्तुलन मात्रा OM पर सीमान्त लागत और सीमान्त आय बराबर है और दोनों ही ME के समान हैं परन्तु वे कीमत अथवा औसत आय MS से कम हैं। इससे यह निष्कर्ष निकलता है कि **एकाधिकार में कीमत, सीमान्त लागत से अधिक होती है।**

राष्ट्रीय आय

साधारण शब्दों में, राष्ट्रीय आय से अभिप्राय किसी देश में एक वर्ष में उत्पादित वस्तुओं और सेवाओं के कुल मूल्य से है। दूसरे शब्दों में, एक देश में वर्ष भर में आर्थिक क्रियाओं से अर्जित आय की कुल मात्रा को राष्ट्रीय आय कहा जाता है। इसमें सभी साधनों को दी गई मजदूरी, ब्याज, लगान एवं लाभ सम्मिलित किए जाते हैं।

राष्ट्रीय आय की धारणाएं

1. सकल राष्ट्रीय उत्पाद (Gross National Product): सकल राष्ट्रीय उत्पाद एक वर्ष में चालू उत्पादन से अंतिम वस्तुओं और सेवाओं के बाजार मूल्य का माप है। इसके अंतर्गत विदेशों से प्राप्त शुद्ध आय शामिल होती है। **GNP के संदर्भ में निम्न बातें महत्त्वपूर्ण हैं—**

(a) अर्थव्यवस्था के सकल राष्ट्रीय उत्पाद की गणना करते समय केवल अंतिम पदार्थों की बाजार कीमत ही लेनी चाहिए।

(b) सकल राष्ट्रीय उत्पाद की गणना करते समय मुफ्त वस्तुओं और सेवाओं को शामिल नहीं किया जाता। जैसे, मां का बच्चे को पालना, प्राध्यापक का अपने पुत्र को पढ़ाना, संगीतशास्त्री का मित्रों को संगीत सुनाना, शिल्पी का अपने शौक के लिए मूर्ति निर्माण करना आदि।

(c) सकल राष्ट्रीय उत्पाद में ऐसे सौदे नहीं लिए जाते जो चालू वर्ष के उत्पादन से प्राप्त नहीं होते व जिनका उत्पादन में कोई योग नहीं होता। पुरानी वस्तुओं, पुरानी कम्पनियों के शेयर व ऋण पत्रों तथा परिसम्पत्तियों का क्रय-विक्रय सकल राष्ट्रीय उत्पाद में सम्मिलित नहीं किया जाता क्योंकि इनसे राष्ट्रीय उत्पादन में कोई वृद्धि नहीं होती। इसी प्रकार सामाजिक सुरक्षा के अधीन प्राप्त होने वाले भुगतान जैसे बेरोजगारी, बीमा भत्ता, बुढ़ापे में प्राप्त होने वाली पैंशन तथा सार्वजनिक ऋण पर ब्याज भी सकल राष्ट्रीय उत्पाद में शामिल नहीं किए जाते।

(d) पूंजी परिसम्पत्तियों में बाजार मूल्यों के उतार-चढ़ाव से होने वाले परिवर्तनों के कारण जो लाभ हानियां होती हैं, उन्हें सकल राष्ट्रीय उत्पाद में शामिल नहीं किया जाता।

(e) अवैध क्रियाओं से प्राप्त आय को सकल राष्ट्रीय उत्पाद में शामिल नहीं किया जाता है।

2. बाजार कीमतों पर सकल राष्ट्रीय उत्पाद (GNP at Market Prices) : जब एक देश में एक वर्ष में उत्पादित कुल उत्पादन को उसी वर्ष की प्रचलित बाजार कीमतों से गुणा कर दिया जाए तो बाजार कीमतों पर GNP प्राप्त होती है।

3. साधन लागत पर सकल राष्ट्रीय उत्पाद (GNP at Factor Cost) : साधन लागत पर GNP एक देश में एक वर्ष में विभिन्न उत्पादन के साधनों द्वारा उत्पादित और प्राप्त होने वाली आय के मुद्रा मूल्य का जोड़ है। बाजार कीमतों पर GNP में सरकार द्वारा वस्तुओं पर लगाए गए अप्रत्यक्ष कर सदैव सम्मिलित होते हैं जिनसे उनकी कीमतें बढ़ जाती हैं। परंतु साधन लागत पर GNP वह आय है जो उत्पादन के साधन केवल अपनी सेवाओं के बदले प्राप्त करते हैं। इसलिए, साधन लागत पर GNP प्राप्त करने के लिए बाजार कीमतों पर GNP में से अप्रत्यक्ष कर घटा दिए जाते हैं। **GNP at factor cost = GNP at market Prices - Indirect taxes + subsidies.**

4. शुद्ध राष्ट्रीय उत्पाद (Net National Product–NNP): उत्पादन प्रक्रिया के दौरान कुछ स्थिर संयंत्र घिस जाते हैं, कुछ मशीनें टूट या खराब हो जाती हैं और अन्य प्रौद्योगिकी परिवर्तनों के कारण अप्रचलित हो जाती हैं। इनकी मरम्मत और प्रतिस्थापन के लिए जो राशि रखी जाती है उसे मूल्यह्रास (depreciation) कहते हैं। शुद्ध राष्ट्रीय उत्पाद प्राप्त करने के लिए GNP में से मूल्ह्रास घटा दिया जाता है। अत:

NNP = GNP – depreciation

5. बाजार कीमतों पर शुद्ध राष्ट्रीय उत्पाद (NNP at Market Prices) : बाजार कीमतों पर शुद्ध राष्ट्रीय उत्पादन एक देश में एक वर्ष में अंतिम वस्तुओं और सेवाओं का बाजार कीमतों पर शुद्ध मूल्य होता है। यदि बाजार कीमतों पर GNP में से मूल्यह्रास घटा दिया जाए तो बाजार कीमतों पर NNP प्राप्त होती है। अत:—

NNP at market prices = GNP at market prices – depreciation

6. साधन लागत पर शुद्ध राष्ट्रीय उत्पाद (NNP at Factor Cost) : किसी देश में उत्पादन के साधनों के सहयोग से एक वर्ष में जो वस्तुओं का शुद्ध उत्पादन साधन कीमतों पर प्राप्त होता है, उसे साधन लागत पर राष्ट्रीय उत्पाद कहते हैं। इसके अंतर्गत उत्पादन के साधनों को मजदूरी व वेतन, लगान, ब्याज तथा लाभ के रूप में प्राप्त आय सम्मिलित होती है। इसीलिए साधन लागत पर शुद्ध राष्ट्रीय आय को साधनों के भागों के अनुसार राष्ट्रीय आय (National Income by distributive shares) कहते हैं या केवल **राष्ट्रीय आय। इस प्रकार साधन लागत पर शुद्ध राष्ट्रीय उत्पाद को ही राष्ट्रीय आय कहा जाता है।** अत:—

NNP at Factor Cost = NNP at market prices – indirect taxes + subsidies + Government surplus = **National Income**

7. निजी आय (Private Income) : निजी आय से अभिप्राय निजी व्यक्तियों द्वारा उत्पादकीय या अन्य स्रोतों से प्राप्त तथा निगमों द्वारा रखी आय से है। इसे साधन लागत पर NNP से कुछ मदें घटाकर और कुछ जोड़कर निकाली जा सकती हैं। जोड़ में अंतरण भुगतान जैसे पेंशन, बेरोजगारी भत्ता, बीमारी और अन्य सामाजिक सुरक्षा लाभ, उपहार और विदेशों से भेजी गई राशि, लाटरियों या घुड़ दौड़ों से अप्रत्याशित (wind fall) लाभ और सार्वजनिक ऋण पर ब्याज शामिल होते हैं। कटौतियों में सरकारी विभागों से आय, सार्वजनिक उद्यमों के आधिक्य (surplus), कर्मचारियों का सामाजिक सुरक्षा स्कीमों जैसे भविष्य निधियों, जीवन बीमा आदि में अंशदान सम्मिलित होता है। अत:

Private Income = National Income or NNP at factor cost + transfer payments + interest on public debt – social security – profits and surplus of public undertaking.

8. वैयक्तिक आय (Personal Income) : वैयक्तिक आय किसी देश में एक वर्ष में निजी व्यक्तियों द्वारा प्रत्यक्ष करों को देने से पहले सभी स्रोतों से प्राप्त आय होती है। राष्ट्रीय आय में से अवितरित निगम लाभ, लाभकर और कर्मचारियों का सामाजिक सुरक्षा स्कीमों को अंशदान घटाकर वैयक्तिक आय निकाली जाती है। ये तीनों मदें राष्ट्रीय आय से इसलिए घटा दिए जाते हैं क्योंकि वे व्यक्तियों को प्राप्त नहीं होते। अत:—

Personal Income = National Income – undistributed corporate profits – profit taxes – social security contribution + transfer payments + interest on public debt.

9. प्रयोज्य आय (Disposable Income) : प्रयोज्य आय से अभिप्राय उस वास्तविक आय से है जो व्यक्तियों व परिवारों द्वारा उपभोग पर व्यय की जा सकती है। Personal income पूरे तौर पर उपभोग पर खर्च नहीं की जा सकती क्योंकि वह आयकर देने से पहले की आय होती है। इसलिए प्रयोज्य आय को जानने के लिए वैयक्तिक आय में से प्रत्यक्ष कर घटा दिए जाते हैं। अत:—

Disposable Income = personal income – direct taxes

10. वास्तविक आय (Real Income) : जब राष्ट्रीय आय को एक आधार वर्ष की कीमतों के सामान्य स्तर पर व्यक्त किया जाए तो उसे वास्तविक आय कहते हैं। जैसा कि हम जानते हैं कि राष्ट्रीय आय चालू कीमतों पर उत्पादित वस्तुओं एवं सेवाओं का मुद्रा मूल्य होता है। लेकिन इससे अर्थव्यवस्था की वास्तविक स्थिति का पता नहीं चलता। संभव है कि इस वर्ष पिछले वर्ष की अपेक्षा वस्तुओं और सेवाओं का शुद्ध राष्ट्रीय उत्पादन कम हुआ हो, परंतु इस वर्ष कीमतों के बढ़ने के कारण राष्ट्रीय आय में वृद्धि हुई हो। इसके विपरीत, यह संभव है कि शुद्ध राष्ट्रीय उत्पादन तो बढ़ा हो परंतु

कीमत स्तर गिर गया हो, इससे राष्ट्रीय आय में पिछले वर्ष की अपेक्षा कमी प्रतीत होगी। इन परिस्थितियों में राष्ट्रीय आय देश की वास्तविक स्थिति को प्रकट नहीं करती। इसी त्रुटि को दूर करने के लिए वास्तविक आय की धारणा प्रचलित हुई है।

देश की क़िसी वर्ष की वास्तविक आय जानने के लिए एक ऐसा वर्ष आधार वर्ष (Base year) लिया जाता है, जब सामान्य कीमत स्तर न तो अधिक और न कम हो तथा उसको 100 के बराबर मान लिया जाता है। अब जिस वर्ष की वास्तविक राष्ट्रीय आय जाननी हो, उस वर्ष की कीमतों के सामान्य स्तर को आधार वर्ष की कीमतों पर मूल्यांकन किया जाता है। अत:—

$$\text{Real Income} = \frac{100 \times \text{National Income at Current Price}}{\text{Current Year Index}}$$

11. प्रति व्यक्ति आय (Per Capita Income)—प्रति व्यक्ति राष्ट्रीय आय को निम्न सूत्र की सहायता से ज्ञात किया जाता है—

$$\text{प्रति व्यक्ति आय} = \frac{\text{कुल राष्ट्रीय आय}}{\text{देश की कुल जनसंख्या}}$$

भारत जैसे देश में राष्ट्रीय आय की गणना के लिए उत्पादन प्रणाली (Product Method) तथा आय प्रणाली (Income Method) का सम्मिश्रण प्रयोग किया जाता है।

रोजगार का क्लासिकी सिद्धान्त

रोजगार के क्लासिकी सिद्धान्त के अनुसार पूंजीवादी अर्थव्यवस्था में बिना स्फीति (inflation) के पूर्ण रोजगार (Full employment) पाया जाता है। **मजदूरी-कीमत नम्यता** (wage price flexibility) के दिए होने पर अर्थव्यवस्था में स्वत:कारी (automatic) शक्तियां पाई जाती हैं जो अर्थव्यवस्था को पूर्ण रोजगार के स्तर पर कायम रखती हैं और उसी स्तर पर उत्पादन करने को प्रेरित करती हैं। अत: रोजगार के क्लासिकी सिद्धान्त में पूर्ण रोजगार एक सामान्य स्थिति मानी जाती है और इस स्तर से विचलन कुछ असामान्य स्थिति में ही होती है।

मान्यताएं (Assumptions)—रोजगार का क्लासिकी सिद्धान्त निम्नलिखित मान्यताओं पर आधारित है—

1. बिना विदेशी व्यापार (closed economy) के तथा बिना सरकारी हस्तक्षेप (laissez faire) के पूंजीवादी अर्थव्यवस्था पाई जाती है।
2. श्रम और वस्तु बाजारों में पूर्ण प्रतियोगिता (Perfect Competition) पाई जाती है।
3. श्रम समरूप होती है।
4. अर्थव्यवस्था का कुल उत्पादन उपभोग तथा निवेश पर व्यय हो जाता है।
5. मुद्रा की मात्रा दी हुई है।
6. मुद्रा मजदूरी और वास्तविक मजदूरी (real wage) में सीधा तथा समानुपातिक (Proportional) सम्बन्ध होता है।
7. मजदूरी और कीमतें नम्य (flexible) हैं।
8. ब्याज की दर पूर्णत: लोचदार होती है।

'से' का बाजार नियम

'से' का बाजार नियम क्लासीकल रोजगार सिद्धान्त का आधार है। 19 वीं शताब्दी के प्रारम्भ में फ्रांसीसी अर्थशास्त्री **जे.बी. से** ने यह धारणा व्यक्त की **''पूर्ति स्वयं अपनी मांग पैदा करती है''** (Supply creates its own demand)। उनके अनुसार, मांग का मुख्य स्रोत उत्पादन के विभिन्न साधनों को प्राप्त होने वाली आय होती है और यह आय उत्पादन प्रक्रिया से स्वत: की उत्पन्न होती है। उत्पादन के साथ ही साथ मांग इसलिए बढ़ती है क्योंकि उत्पादन में लगे हुए साधनों को पारिश्रमिक मिलता है। अन्य शब्दों में, प्रत्येक उत्पादन की मात्रा के परिणामस्वरूप देश के परिचलन (circulation) में उतनी ही मात्रा की क्रय-शक्ति प्रविष्ट हो जाती है। फलत: जितना माल तैयार होता है, वह सारा का सारा स्वत: ही बिक जाता है। इस प्रकार अतिरिक्त अथवा **अति उत्पादन** (over production) का प्रश्न ही उत्पन्न नहीं होता है। इस प्रकार अति उत्पादन के अभाव में सामान्य बेरोजगारी भी सम्भव नहीं है। यदि किसी कारण अत्यधिक उत्पादन के कारण अर्थव्यवस्था में बेरोजगारी की स्थिति उत्पन्न हो जाती है तो यह अल्पकालीन स्थिति है। दीर्घकाल में वस्तुओं की मांग और पूर्ति एक दूसरे के समान हो जाते हैं।

प्रभावी मांग का नियम

प्रभावी मांग का नियम केन्ज के रोजगार सिद्धान्त का आधार है। केन्ज के रोजगार सिद्धान्त के अनुसार पूंजीवादी अर्थव्यवस्था में रोजगार का स्तर प्रभावी मांग पर निर्भर करता है। इस प्रभावी मांग में कमी आने से बेरोजगारी आती है और रोजगार के स्तर को प्रभावी मांग (effective demand) के स्तर को बढ़ाकर बढ़ाया जा सकता है।

केन्ज के अनुसार, ''समस्त मांग फलन (Aggregate demand function) के जिस बिन्दु पर समस्त पूर्ति फलन (Aggregate supply function) काटता है उस बिन्दु पर समस्त मांग का मूल्य प्रभावी मांग कहलाएगा।'' इस प्रकार प्रभावी मांग समस्त मांग फलन (अथवा प्राप्तियां-Receipts) ,एवं कुल पूर्ति फलन (अथवा लागतों—costs) से निर्धारित होती है। कुल मांग फलन मुद्रा की उन भिन्न-भिन्न राशियों (amounts) की अनुसूची (schedule) होती है जिनकी (रोजगार के भिन्न-भिन्न स्तरों पर) उद्यमियों को अपने उत्पादन की बिक्री से प्राप्त होने की आशा (expectation) रहती है। यह वह कुल प्राप्तियां (Aggregate receipts) होती हैं जिसे सभी उद्यमी मिलकर अपने उत्पादन की बिक्री से प्राप्त होने की आशा करते हैं। इसके विपरीत, कुल पूर्ति फलन मुद्रा की उन भिन्न-भिन्न राशियों की वह अनुसूची होती हैं जो (रोजगार के भिन्न-भिन्न स्तरों पर) उत्पादन की बिक्री से उद्यमियों को मिलनी ही चाहिए। इस प्रकार कुल पूर्ति फलन किसी अर्थव्यवस्था में उद्यमियों की कुल लागतों (costs) का और कुल मांग फलन उनकी कुल प्राप्तियों (receipts) का प्रतिनिधित्व करती है।

आगे के रेखाचित्र में प्रभावी मांग के निर्धारण को दिखाया गया है, जिसमें AD कुल मांग फलन है और AS कुल पूर्ति फलन है।

X—अक्ष पर रोजगार के स्तर को तथा Y—पर लागत तथा प्राप्तियों को दिखाया गया है। AD तथा AS दोनों वक्र बिन्दु E पर एक-दूसरे को काटते हैं। यही प्रभावी मांग का बिन्दु है। जहां ON श्रमिक रोजगार पर लगे हैं। इस बिन्दु पर उद्यमियों के लाभों की आशाएं अधिकतम हो जाती हैं। इसके अतिरिक्त किसी अन्य बिन्दु पर उद्यमियों को या तो हानि उठानी पड़ेगी या असामान्य लाभ (super normal profits) प्राप्त होंगे।

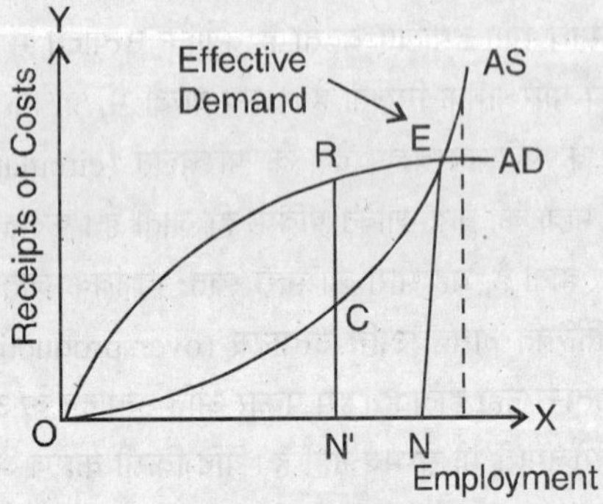

रेखाचित्र : *प्रभावी मांग*

रोजगार के ON स्तर पर लागतों की अपेक्षा प्राप्तियां अधिक हैं। इससे स्पष्ट होता है कि और श्रमिकों को रोजगार प्रदान करना उद्यमियों के लिए लाभप्रद रहेगा। लेकिन रोजगार के स्तर को ON स्तर से आगे ले जाना उद्यमियों के लिए लाभप्रद नहीं रहेगा क्योंकि प्राप्तियों से लागत बढ़ जाती है। इस प्रकार प्रभावी मांग का बिन्दु E अर्थव्यवस्था में रोजगार के वास्तविक स्तर को निर्धारित करता है।

केन्ज मानता है कि प्रभावी मांग के इन दो निर्धारकों में से कुल पूर्ति फलन स्थिर रहता है क्योंकि यह उत्पादन की तकनीकी स्थितियों, कच्चे माल, मशीनों आदि की प्राप्ति पर निर्भर करता है जो कि अल्पकाल में परिवर्तित नहीं होते। इसलिए **अर्थव्यवस्था में रोजगार का स्तर निर्धारित करने में कुल मांग फलन ही अत्यन्त महत्त्वपूर्ण कार्य करता है।**

केन्ज के अनुसार, कुल मांग फलन उपभोग फलन तथा निवेश फलन पर निर्भर करता है। हो सकता है कि या तो उपभोग व्यय या निवेश व्यय या फिर दोनों में कमी होना बेरोजगारी का कारण हो। इस प्रकार, प्रभावी मांग के नियम में कुल मांग फलन ही **'प्रभावी'** तत्त्व ठहरता है।

मुद्रा की पूर्ति

किसी भी समय पर मुद्रा की पूर्ति का अर्थ है अर्थव्यवस्था में विद्यमान मुद्रा का कुल परिमाण। मुद्रा की पूर्ति से सम्बन्धित चार अलग-अलग अवधारणाएं हैं। जो निम्न हैं—

1. M_1 = जनता के पास करेंसी + बैंकों की मांग जमा
2. $M_2 = M_1$ + पोस्ट ऑफिस सेविंग बैंक जमाएं
3. $M_3 = M_1$ + बैंकों में सावधि जमाएं
4. $M_4 = M_3$ + पोस्ट आफिस की कुल जमाएं

मुद्रा की पूर्ति के उपर्युक्त चार परिभाषाओं में से $\mathbf{M_1}$ को मुद्रा की पूर्ति की **संकीर्ण परिभाषा** माना जाता है जबकि $\mathbf{M_3}$ को विस्तृत दृष्टिकोण वाली परिभाषा कहा जाता है। इसी कारण M_3 को **विस्तृत मुद्रा** (Broad Money) भी कहा जाता है। यहां जानने योग्य बात यह है कि M_1 की अपेक्षा M_2 कम तरल होता है। इसी प्रकार M_3, M_1 तथा M_2 की अपेक्षा कम तरल होता है। **M_4 की तरलता सबसे कम होती है।** अन्य शब्दों में जैसे-जैसे हम M_1 से M_2, M_3, तथा M_4 की ओर बढ़ते हैं, मुद्रा की तरलता घटती जाती है।

प्रबल मुद्रा

प्रबल मुद्रा वह राशि है जो कमर्शियल बैंकों के पास आरक्षित और जनता के पास करेन्सी (नोटों तथा सिक्कों) के रूप में विद्यमान रहती है। प्रबल मुद्रा को **उच्च स्तरीय मुद्रा** भी कहा जाता है। प्रबल मुद्रा बैंक जमाओं के विस्तार और मुद्रा-पूर्ति के निर्माण का आधार है। मुद्रा की पूर्ति मौद्रिक आधार में परिवर्तनों के साथ प्रत्यक्ष रूप से और करेन्सी तथा रिजर्व अनुपातों में परिवर्तनों के साथ उलटे तौर से परिवर्तित होती है। प्रबल मुद्रा को इस प्रकार व्यक्त किया जा सकता है—

$$H = C + R$$

जहां H प्रबल मुद्रा तथा R कमर्शियल बैंकों के रिजर्व को व्यक्त करता है। **प्रबल मुद्रा को आधार मुद्रा (base money) भी कहा जाता है।**

साख का निर्माण

बैंक साख (credit) से तात्पर्य बैंक के ऋणों व अग्रिमों से होता है एवं साख निर्माण का अर्थ इन ऋणों एवं अग्रिमों को गुणित करना है। चूंकि हर बैंक का ऋण अपनी राशि के बराबर जमाएं उत्पन्न कर देता है। अत: बैंक का साख निर्माण का अर्थ जमाओं का गुणित होना है।

साख निर्माण का सूत्र : कमर्शियल बैंकों की साख निर्माण की शक्ति **नकदी जमा अनुपात** (Cash deposit ratio) पर निर्भर करती है।

नकदी जमा अनुपात जितना ही अधिक होगा बैंकों की साख निर्माण की शक्ति उतनी ही कम होगी। यदि बैंक नकदी जमा अनुपात शत प्रतिशत रखते हैं तो कोई साख का निर्माण नहीं होगा। आधुनिक बैंक शत-प्रतिशत नकदी रिजर्व नहीं रखते। उन्हें कानूनी तौर से अपनी जमाओं की एक स्थिर प्रतिशतता नकदी के रूप में रखनी पड़ती है। बाकी की राशि वे उधार देते हैं। अत: साख निर्माण का आधार **आवश्यक रिजर्व अनुपात** (required reserve ratio) है। अत: बैंक द्वारा कुल साख निर्माण का सूत्र होगा—

$$\text{बैंक का कुल साख निर्माण} = \text{बैंक की कुल जमा} \times \frac{1}{r}$$

जहां r आवश्यक रिजर्व अनुपात है।

यदि एक बैंक के पास 1000 रु. जमाओं (deposits) में है और इसका आवश्यक रिजर्व अनुपात 20 प्रतिशत है तो

$$\text{बैंक द्वारा कुल साख का निर्माण} = 1000 \times \frac{1}{0.20} = 5000 \text{ रु.}$$

इस प्रकार यह बैंक 5000 रु. तक कुल साख का निर्माण कर सकता है।

मुद्रा के कार्य

मुद्रा अनेक **प्राथमिक, द्वितीयक, आकस्मिक** तथा अन्य कार्य करती है जो केवल वस्तु विनिमय प्रणाली की कठिनाइयों को ही दूर

करती बल्कि आज की दुनिया में व्यापार तथा उद्योग को प्रगति के पथ पर अग्रसर करती है।

1. प्राथमिक कार्य (Primary Functions)—मुद्रा के दो प्राथमिक कार्य हैं—

(a) विनिमय के माध्यम के रूप में

(b) मूल्य की इकाई के रूप में

2. गौण कार्य (Secondary Functions)—मुद्रा के तीन गौण कार्य हैं—

(a) स्थगित भुगतानों के मानक के रूप में

(b) मूल्य के संचय के रूप में

(c) मूल्य के हस्तांतरण के रूप में

3. आकस्मिक कार्य (Contingent Functions)—प्रो. **डेविड किनले** के मतानुसार मुद्रा कुछ आकस्मिक अथवा प्रासंगिक कार्य भी करती है।

(a) साख प्रणाली का आधार

(b) राष्ट्रीय आय को मापना और वितरण करना

(c) सीमान्त उपयोगिताओं तथा उत्पादकताओं की समकार

बैंकिंग प्रणाली

भारत में वाणिज्यिक बैंक

भारत में आधुनिक बैंकिंग प्रणाली की नींव ईस्ट इंडिया कम्पनी ने डाली। यूरोपीय बैंकिंग पद्धति पर आधारित भारत का प्रथम मिश्रित पूंजी बैंक विदेशी पूंजी के सहयोग से एलेक्जेंडर एंड कम्पनी द्वारा 'बैंक ऑफ हिन्दुस्तान' के नाम से 1770 में कोलकाता में स्थापित किया गया था। निजी अंशधारियों द्वारा तीन प्रेसीडेंसी बैंकों की स्थापना क्रमश: 1806 में बैंक ऑफ बंगाल, 1840 में बैंक ऑफ बॉम्बे तथा 1843 में बैंक ऑफ मद्रास के नाम से की गई। बाद में इन तीनों बैंकों को संयुक्त करके 1921 में 'इम्पीरियल बैंक ऑफ इंडिया' की स्थापना की गई। बाद में अखिल भारतीय ग्रामीण साख सर्वेक्षण समिति की सिफारिशों के आधार पर 1 जुलाई, 1955 को इम्पीरियल बैंक ऑफ इंडिया का राष्ट्रीयकरण कर इसका नाम बदलकर स्टेट बैंक ऑफ इंडिया रख दिया गया।

सीमित देयता के आधार पर 1881 में स्थापित 'अवध कॉमर्शियल बैंक' भारतीयों द्वारा संचालित पहला बैंक था जबकि 1894 में स्थापित 'पंजाब नेशनल बैंक' देश का पूर्ण रूप से पहला भारतीय बैंक था। भारतीय रिजर्व बैंक की 1935 में स्थापना से देश में वाणिज्यिक बैंकिंग को प्रोत्साहन मिला।

स्वतंत्रता के पश्चात् भारत सरकार ने भारतीय रिजर्व बैंक को अधिक शक्तिशाली बनाने के लिए 1 जनवरी, 1949 को इसका राष्ट्रीयकरण कर दिया। इसके तुरन्त बाद मार्च, 1949 में भारतीय बैंकिंग नियमन अधिनियम पारित किया गया, जिसके द्वारा भारतीय रिजर्व बैंक को वाणिज्यिक बैंकों पर नियंत्रण रखने का विस्तृत अधिकार प्राप्त हो गया। देश के ग्रामीण क्षेत्र में बैंकिंग सुविधाओं का विकास करने के लिए **1955** में भारतीय स्टेट बैंक की स्थापना की गई। 1960 में 8 क्षेत्रीय बैंकों को भारतीय स्टेट बैंक के सहायक का दर्जा दे दिया गया। अब स्टेट बैंक के सभी सहायक बैंकों का उसमें विलय हो चुका है।

वर्ष 2020 में ओरिएंटल बैंक ऑफ कॉमर्स और यूनाइटेड बैंक ऑफ इंडिया का पंजाब नेशनल बैंक में, सिंडीकेट बैंक का केनरा बैंक में, आन्ध्रा बैंक और कॉर्पोरेशन बैंक का यूनियन बैंक ऑफ इंडिया में तथा इलाहबाद बैंक का इंडियन बैंक में विलय हो गया है। इस विलय के बाद SBI सहित सार्वजनिक क्षेत्र के बैंकों की संख्या घटकर 12 रह गई है।

भारतीय रिजर्व बैंक

यह भारत का केन्द्रीय बैंक है। भारतीय रिजर्व बैंक की स्थापना 1935 ई. में हुई थी। स्वतंत्रता के पश्चात 1 जनवरी, 1949 को Reserve Bank Transfer to Public Ownership Act-1948 के द्वारा इसका राष्ट्रीयकरण कर दिया गया। रिजर्व बैंक का मुख्यालय मुम्बई में है। जहां पर RBI की अपनी शाखाएं नहीं हैं वहां भारतीय स्टेट बैंक उसके एक मात्र एजेन्ट के रूप में कार्य करता है।

रिज़र्व बैंक के कार्य

1. नोटों का निर्गमन: रिजर्व बैंक को एक रुपए के सिक्के/नोटों तथा छोटे सिक्कों को छोड़कर भारत में विभिन्न मूल्य वर्ग के नोट जारी करने का एकाधिकार प्राप्त है। करेन्सी नोट जारी करने के लिए वर्तमान में रिजर्व बैंक न्यूनतम आरक्षण पद्धति (Minimum Reserve System) को अपनाता है। इस पद्धति के अन्तर्गत रिजर्व बैंक के पास स्वर्ण एवं विदेशी मुद्रा आरक्षणों का कुल योग किसी भी समय 200 करोड़ रुपए के मूल्य से कम नहीं होने चाहिए। इनमें से 115 करोड़ रुपए का सोना होना चाहिए एवं शेष विदेशी मुद्रा आरक्षणों (Foreign Exchange reserves) में होनी चाहिए।

2. सरकार के बैंकर के रूप में कार्य: रिजर्व बैंक सरकार के बैंक, एजेन्ट व परामर्शदाता के रूप में कार्य करता है। यह सरकार के लिए ऋण की भी व्यवस्था करता है।

3. बैंकों का बैंकर व अन्तिम ऋणदाता: रिजर्व बैंक बैंकों के बैंकर के रूप में कार्य करता है। नियम के अनुसार देश के प्रत्येक अनुसूचित बैंक (Scheduled Bank) को अपनी कुल जमाओं (Total Deposits) का कुछ प्रतिशत नकद रूप में रखना पड़ता है। इसके अतिरिक्त RBI बैंकों का अन्तिम ऋणदाता भी है।

4. साख नियंत्रण: रिजर्व बैंक वाणिज्यिक बैंकों द्वारा उत्पन्न साख की मात्रा एवं दिशा पर नियंत्रण रखने का कार्य भी करता है। इस उद्देश्य की प्राप्ति के लिए वह परिमाणात्मक एवं गुणात्मक उपायों का उपयोग करता है अर्थात रिजर्व बैंक, बैंक दर नीति, खुले बाजार की क्रियाओं, वाणिज्यिक बैंकों के नकद कोषों के प्रतिशत में परिवर्तन, प्रत्यक्ष कार्यवाही, साख की राशनिंग, नैतिक प्रोत्साहन आदि का सहारा लेता है।

5. आंकड़ों का संकलन और प्रकाशन: रिजर्व बैंक मुद्रा, साख, बैंकिंग, विदेशी विनिमय, उत्पादन, मूल्य, विदेशी व्यापार, भुगतान शेष आदि विषयों से संबंधित आंकड़े संकलित कर प्रकाशित करता है।

6. विदेशी विनिमय आरक्षणों का संरक्षण: रिजर्व बैंक देश के विदेशी विनिमय भंडार के परिरक्षक (Custodian) के रूप में कार्य करता है तथा अंतर्राष्ट्रीय मुद्रा कोष के सभी सदस्य देशों की मुद्राओं का क्रय-विक्रय करता है। इसके अतिरिक्त रुपए की विनिमय दर को स्थिर बनाए रखने का कार्य भी रिजर्व बैंक करता है।

भारत में बेरोजगारी

बेरोजगारी वह स्थिति है जब कोई श्रमिक प्रचलित मजदूरी पर या उससे कम पर कार्य करने हेतु तत्पर हो पर उसे रोजगार का अवसर उपलब्ध न हो। भारत में बेरोजगारी प्रभावी मांग में कमी के अलावा कई अन्य वजहों से भी है। यहां निम्नलिखित प्रकार की बेरोजगारी देखी जा सकती है—

- **घर्षणात्मक बेरोजगारी :** बाजार की दशाओं में परिवर्तन (मांग एवं पूर्ति की शक्तियों में परिवर्तन) होने से उत्पन्न बेरोजगारी को घर्षणात्मक बेरोजगारी कहते हैं।
- **अल्प रोजगार :** जब व्यक्ति को अपनी कार्यक्षमता के अनुसार काम नहीं मिलता और वह अपनी योग्यता एवं क्षमता से कम स्तर वाला कार्य करता है तो उसे अल्प बेरोजगार कहेंगे।
- **संरचनात्मक बेरोजगारी :** सामाजिक, आर्थिक और तकनीकी विकास के कारण कुछ उद्योगों का विस्तार होता है जबकि कई उद्योग संकुचित होते जाते हैं। यदि भौगोलिक और तकनीकी दृष्टि से श्रम पूर्णत: गतिशील हो तो संकुचित होने वाले उद्योगों के श्रमिक नए उद्योग में खपाए जा सकते हैं। परंतु श्रम इन दृष्टियों में पूर्णतया गतिशील नहीं होता जिसके कारण बेरोजगारी उत्पन्न होती है।
- **मौसमी बेरोजगारी :** इसके अंतर्गत संपूर्ण वर्ष के किसी विशेष मौसम या अवधि में उत्पन्न होने वाली बेरोजगारी को सम्मिलित किया जाता है। कृषि क्षेत्र में इस प्रकार की बेरोजगारी का साम्राज्य है।
- **अदृश्य बेरोजगारी :** इसके अंतर्गत श्रमिक बाहर से तो काम में लगे हुए प्रतीत होते हैं, किन्तु वास्तव में उन श्रमिकों की उस कार्य में आवश्यकता नहीं होती और उनके हट जाने से भी उत्पादन पर कोई फर्क नहीं पड़ता। इन श्रमिकों की सीमान्त उत्पादकता शून्य या नगण्य होती है। कृषि में इस प्रकार की अदृश्य बेरोजगारी की प्रधानता है।

जनसंख्या

किसी देश की अर्थव्यवस्था के विकास में मानव संसाधनों की अत्यन्त महत्त्वपूर्ण भूमिका होती है। वे मानव संपत्ति का स्वरूप होते हैं। आर्थिक विकास के नजरिए से जनसंख्या का विश्लेषण करना अत्यन्त अनिवार्य है। मानव संसाधन समुदाय की श्रम-शक्ति का प्रतिनिधित्व करते हैं जो उत्पादक प्रक्रिया में सहायता करते हैं। जनसंख्या का आकार, संघटन, गुणवत्ता और उसका वितरण आर्थिक विकास को प्रभावित करता है। जनसंख्या की गुणवत्ता का निर्धारण साक्षरता के स्तर, तकनीकी प्रशिक्षण, स्वास्थ्य और पोषण स्तर के आधार पर किया जाता है। यह नृजातीय या जैविक गुणों और सरकार, सामाजिक एवं व्यावसायिक नेताओं द्वारा उपलब्ध कराए गए नेतृत्व का भी प्रतिनिधित्व करता है। जनसंख्या का आकार लोगों की कुल संख्या का द्योतक होता है। संघटन में विभिन्न आयु वर्ग, लिंग अनुपात और लोगों की जीवन प्रत्याशा को शामिल किया जाता है। वितरण व्यवसायगत और भौगोलिक वितरण का द्योतक है।

जनसांख्यिक संक्रमण

विशेषज्ञों का आकलन है कि प्रत्येक समाज जन्म और मृत्युदरों की तीन अवस्थाओं से होकर गुजरता है।

प्रथम अवस्था : प्रथम अवस्था में जन्मदर और मृत्युदर दोनों अधिक होती है। पोषक भोजन की अल्प उपलब्धता, साफ-सफाई की पुरातन अवस्था और चिकित्सा सुविधाओं की अल्प उपलब्धता के कारण मृत्युदर अधिक होती है जबकि निरक्षरता, परिवार नियोजन के तकनीकों के संबंध में ज्ञान का अभाव, कम आयु में विवाह और अन्य सामाजिक कारकों की वजह से जन्मदर ऊंची होती है। उच्च शिशु मृत्युदर और लड़के को बुढ़ापे की लाठी समझकर लड़का पैदा करने की चाह लोगों को अधिक बच्चा पैदा करने को प्रेरित करती है। इस अवस्था में जनसंख्या विकास की दर अधिक नहीं होती क्योंकि उच्च मृत्यु दर को उच्च जन्म दर संतुलित कर देता है।

द्वितीय अवस्था : इस अवस्था में मृत्युदर में उल्लेखनीय कमी आती है जबकि उच्च जन्मदर बनी रहती है। बेहतर आर्थिक दशाओं, चिकित्सकीय सुविधाओं तक पहुंच और पोषक भोजन तथा साफ-सफाई की उपलब्धि के कारण मृत्युदर घट जाती है। हालांकि सामाजिक व्यवहारों और मानसिक अवस्था के कारण जन्म दर पूर्व स्तर पर ही बनी रहती है। उच्च जन्मदर और निम्न मृत्यु दर के कारण जनसंख्या में वृद्धि होती है।

तृतीय अवस्था : समाज का और अधिक आर्थिक विकास होने के फलस्वरूप अर्थव्यवस्था का चरित्र बदल जाता है। उच्च शहरीकरण होता है। लोग छोटे आकार वाले परिवार को प्राथमिकता देने लगते हैं। अत: जन्मदर में तेजी से कमी आती है जबकि मृत्यु दर पहले से निम्न बनी होती है। इसलिए जनसंख्या वृद्धि दर भी कम रहती है।

भारत जनसांख्यिक संक्रमण की दूसरी अवस्था में है।

भारत की स्थिति

2001-2011 के दौरान भारतीय जनसंख्या में 181 मिलियन लोगों की वृद्धि हो गई जो कि विश्व के पांचवीं सबसे बड़ी जनसंख्या वाले देश ब्राजील की अनुमानित जनसंख्या से भी अधिक है। विश्व जनसंख्या में भारत की 17.5 प्रतिशत की हिस्सेदारी है जबकि देश का कुल क्षेत्रफल विश्व के कुल क्षेत्रफल का सिर्फ 2.42 प्रतिशत है। देश की जनसंख्या के दशकीय विकास में कमी आई है और यह 1991-2001 के 21.54 प्रतिशत से घटकर 2001-11 में 17.70 प्रतिशत रह गया है। इस प्रकार दशकीय वृद्धि दर में 3.90 प्रतिशत की कमी आई है। प्रमुख राज्यों में बिहार का जनसंख्या वृद्धि का दशकीय प्रतिशत सर्वाधिक रहा। यह दर 1981-91 के 28.47 से बढ़कर 1991-2001 में 28.62 हो गई। 2001-11 में यह 25.4% रही। 2001-11 के दौरान न्यूनतम वृद्धि दर नागालैंड (–0.6 प्रतिशत) में रिकार्ड की गई। इसके बाद केरल (4.9), गोवा (8.17) एवं आँध्र प्रदेश का (11.0) का स्थान आता है।

जनसंख्या में औसत वार्षिक घातांकी वृद्धि दर 1981-91 के 2.14 प्रतिशत से घटकर 2001-11 में 1.64 रह गई।

देश में 7 वर्ष और उससे अधिक आयु वाले व्यक्तियों के बीच साक्षरता की दर 73 प्रतिशत रही। पुरुषों में साक्षरता की दर 80.9 और महिलाओं में 64.6 प्रतिशत रही। वर्ष 2011 की देश की जनगणना के संदर्भ में साक्षरता का जो सबसे महत्त्वपूर्ण पहलू सामने आया है वह यह है कि स्वतंत्रता प्राप्ति के बाद से दूसरी बार निरक्षरों की संख्या में गिरावट दर्ज की गई है। 1991-2001 में निरक्षरों की संख्या में 31.96 मिलियन की कमी आई है। पुरुषों में 21.45 मिलियन तथा महिलाओं में 10.51 मिलियन की कमी दर्ज की गई है। साक्षरता दर के मामले में (94.0 प्रतिशत) के साथ केरल सबसे आगे रहा, इसके बाद लक्षद्वीप (91.8 प्रतिशत) और मिजोरम (91.3 प्रतिशत) का स्थान क्रमशः दूसरा और तीसरा रहा। देश में साक्षरता की सबसे कम दर बिहार (61.8 प्रतिशत) में रही।

वर्ष	*जनसंख्या (करोड़ में)*	*दशकीय वृद्धि दर (प्रतिशत में)*
1951	36.1	13.31
1961	43.9	21.64
1971	54.8	24.80
1981	68.3	24.66
1991	84.6	23.87
2001	102.8	21.54
2011	121.0	17.70

भारत में नियोजन

भारतीय राष्ट्रीय आंदोलन के नेता सोवियत संघ की नियोजित आर्थिक वृद्धि से काफी प्रभावित थे। भारतीय राष्ट्रीय कांग्रेस की करांची में 1931 में संपन्न हुई बैठक में प्रमुख और आधारभूत उद्योगों का राष्ट्रीयकरण किए जाने पर बल देते हुए एक प्रस्ताव पारित किया गया। वर्ष 1938 में कांग्रेस ने राष्ट्रीय योजना समिति को नियुक्त किया जिसके अध्यक्ष पंडित जवाहर लाल नेहरू बनाए गए। हालांकि आर्थिक नियोजन के लिए सैद्धांतिक प्रयास स्वतंत्रता प्राप्ति से पूर्व ही आरंभ हो गए थे। वर्ष 1934 ई. में एम. विश्वेश्वरैया ने 'भारत के लिए नियोजित अर्थव्यवस्था' नामक पुस्तक लिखी जो इस दिशा में पहला प्रयास था। राष्ट्रीय नियोजन समिति की सिफारिशों को 1939 में द्वितीय विश्व युद्ध छिड़ जाने के कारण लागू नहीं किया जा सका। वर्ष 1944 में बम्बई (अब मुम्बई) के आठ प्रमुख उद्योगपतियों ने मिलकर एक 15 वर्षीय योजना का प्रारूप प्रस्तुत किया जिसे 'बॉम्बे प्लान' के नाम से जाना गया। यह योजना मुख्य रूप से पूंजीवादी योजना थी जो जन समर्थन न मिल पाने के कारण कार्यान्वित न हो सकी। 1944 में ही भारतीय श्रम संघ के प्रमुख श्री एम.एन. राय द्वारा साम्यवादी सिद्धांतों के आधार पर एक 'जन योजना' प्रस्तुत की गई, परंतु साम्यवादी विचारधारा पर आधारित होने के कारण इसे भी अस्वीकृत कर दिया गया। गांधीजी की आर्थिक विचारधारा से प्रेरणा पाकर श्रीमन्नारायण ने एक गांधीवादी योजना प्रारंभ की । वित्तीय संसाधनों की अनुपलब्धता के कारण यह योजना क्रियान्वित न हो सकी। सरकारी स्तर पर अंग्रेज वायसराय ने 1945 में एक योजना विभाग की स्थापना की। स्वतंत्रता प्राप्ति के बाद 1950 में सर्वोदय नेता जयप्रकाश नारायण ने शोषण विहीन समांज की स्थापना के उद्देश्य वाली 'सर्वोदय योजना' प्रस्तुत की। सरकार ने इसे आंशिक रूप से स्वीकार कर लिया। इसी वर्ष 15 मार्च को भारत सरकार के एक प्रस्ताव द्वारा योजना आयोग का गठन किया गया। राज्य के नीति-निर्देशक सिद्धांत भी नियोजन की आवश्यकता पर बल देते हैं।

योजना आयोग : योजना आयोग का भारतीय संविधान में कोई उल्लेख नहीं है। अतः इसका गठन 15 मार्च, 1950 को परामर्शदात्री निकाय के रूप में किया गया था। 1 जनवरी, 2015 से भारत में योजना आयोग का अस्तित्व समाप्त कर दिया गया है तथा इसके स्थान पर 'नीति आयोग' संस्था बनाई गई है।

नीति आयोग : मंत्रिमण्डल के एक प्रस्ताव के तहत यह नई संस्था 1 जनवरी, 2015 से अस्तित्व में आ गई है। इस नई संस्था को 'राष्ट्रीय भारत परिवर्तन संस्थान' नाम दिया गया है तथा आमतौर पर 'नीति आयोग' के नाम से इसे जाना जा रहा है। प्रधानमंत्री की अध्यक्षता वाला यह आयोग सरकार के थिंक टैंक (बौद्धिक संस्थान) के साथ-साथ राज्य सरकारों के लिए भी नीति निर्माण करने वाले संस्थान की भूमिका निभाएगा। केन्द्र व राज्य सरकारों को राष्ट्रीय व अन्तर्राष्ट्रीय महत्व के महत्वपूर्ण मुद्दों पर रणनीतिक व तकनीकी सलाह भी यह देगा। योजनाओं के भावी स्वरूप आदि के सम्बन्ध में सरकार को सलाह भी यह आयोग देगा। सभी राज्यों के मुख्यमंत्रियों तथा केन्द्रशासित क्षेत्रों के उपराज्यपालों को नीति आयोग की अधिशासी परिषद् (Governing Council) में शामिल किया गया है। इस प्रकार नीति आयोग का स्वरूप योजना आयोग की तुलना में अधिक संघीय बनाया गया है। प्रधानमंत्री की अध्यक्षता वाले इस आयोग में एक उपाध्यक्ष व एक मुख्य कार्यकारी अधिकारी (Chief Executive Officer—CEO) का प्रावधान किया गया।

पंचवर्षीय योजनाएँ : 1 अप्रैल, 1951 से भारत की प्रथम पंचवर्षीय योजना की शुरुआत की गई। तत्पश्चात् अब तक बारह पंचवर्षीय योजनाएँ लागू की जा चुकी हैं।

15 वर्षीय दृष्टिकोण : भारत की 12वीं पंचवर्षीय योजना 31 मार्च, 2017 को पूरी होने के साथ ही देश में पंचवर्षीय योजनाओं की व्यवस्था समाप्त हो गई है। इसके स्थान पर 15 वर्षीय दृष्टिकोण, सात वर्षीय रणनीति व तीन वर्षीय कार्य योजना नीति आयोग द्वारा तैयार की गई है। 15 वर्षीय दृष्टिकोण (Vision) 2031-32 में ऐसे भारत की कल्पना की गई है, जिसमें पूरी तरह शिक्षित समाज हो तथा सभी को स्वास्थ्य सुविधा उपलब्ध हो।

राष्ट्रीय विकास परिषद् : भारत में राष्ट्रीय विकास परिषद् का गठन 6 अगस्त, 1952 को किया गया था। इसका गठन आर्थिक नियोजन हेतु राज्य सरकारों तथा योजना आयोग के बीच तालमेल तथा सहयोग का वातावरण बनाने के लिए किया गया था। राष्ट्रीय विकास परिषद् में सभी राज्यों के मुख्यमंत्री इसके पदेन सदस्य होते हैं। प्रत्येक योजना अन्त में राष्ट्रीय विकास परिषद् द्वारा अनुमोदित होती है।

कृषि

कृषि भारत में आर्थिक गतिविधियों का एक महत्त्वपूर्ण क्षेत्र है, जिसका सकल घरेलू उत्पाद में 16 प्रतिशत का योगदान है तथा कृषि और संबंधित उद्योगों से देश की कुल श्रम शक्ति के लगभग 45.5 प्रतिशत हिस्से को रोजगार मिलता है। अत: अर्थव्यवस्था की प्रगति इस क्षेत्र के निष्पादन पर निर्भर करती है। कृषि उत्पादन में उतार-चढ़ाव राष्ट्रीय आय की स्थिति में महत्त्वपूर्ण भूमिका निभाती है, मजदूरी और आय के स्तर को प्रभावित करती है, तथा बचत और निवेश को भी प्रभावित करती है। जन्म लेने वाले लाखों बच्चों का भविष्य अविच्छिन्न रूप से इस क्षेत्र की सतत् वृद्धि पर निर्भर करता है।

समग्र रूप से अर्थव्यवस्था की वृद्धि में कृषि क्षेत्र की मुख्य भूमिका है। कृषि और गैर कृषि क्षेत्र के बीच आपसी अंतरक्रिया दोनों क्षेत्रों के विकास को संचालित करती है। कृषि क्षेत्र में विकास गैर फार्म उत्पादों जैसे कि उर्वरक, कृषि उपकरणों और मशीनरी जिनका निर्माण गैर-कृषि क्षेत्र में होता है, की मांग बढ़ा देता है। औद्योगिक क्षेत्र इस प्रोत्साहन के बदले वस्तुओं और कच्चे माल की मांग को बढ़ा देता है जिससे कृषि संबंधी रोजगार और आय में विस्तार होता है।

इससे उद्योगों द्वारा तैयार किए गए उपभोक्ता वस्तुओं की बाजार में मांग बढ़ जाती है जिससे औद्योगीकरण और बाजार के विकास को और अधिक प्रोत्साहन मिलता है। व्यापार और उद्योग में वृद्धि के कारण तृतीयक क्षेत्र का भी विकास होता है। भारत से निर्यात किए जाने वाले वस्तुओं का एक-तिहाई हिस्सा इसी क्षेत्र में उत्पन्न होता है। कृषि आधारित ग्रामीण क्षेत्र देश की बचत और पूंजी निर्माण का प्राथमिक स्रोत हैं।

भारतीय कृषि की विशेषताएं

1. भारतीय कृषि अनिश्चित वर्षा पर अत्यधिक निर्भर है। लगभग 52.4 प्रतिशत भू-भाग कृषि के लिए वर्षा पर आधारित है।
2. भारतीय कृषि में लघु और सीमांत किसानों की बहुलता है। ये किसान बेहतर टेक्नोलॉजी और नवीन संसाधनों जैसे उन्नत उर्वरकों, अधिक उपज देने वाले बीजों, बेहतर सिंचाई व्यवस्था आदि को अपनाने में सक्षम नहीं हैं। वे सिर्फ अपनी आवश्यकताओं को पूरा करने के लिए फसल उगाते हैं।
3. जलवायु और मिट्टी की अवस्था में विविधता के कारण ही भारत में विभिन्न प्रकार की फसलों का उगाना संभव हो पाता है।
4. भारतीय कृषि का अब तक पूरी तरह से वाणिज्यीकरण नहीं हो पाया है, क्योंकि देश के अधिकांश किसान मांग और आपूर्ति के अंतर को पाटने और अपने उत्पादों का वाणिज्यिक रूप से विपणन करने में सक्षम नहीं हैं।
5. कृषि भूमि के स्वामित्व में घोर विसंगतियां हैं, जहां बड़े भूमिधारक (10 हेक्टेयर से अधिक भूमि के मालिक) केवल 3 प्रतिशत हैं परंतु वे 26 प्रतिशत भू-भाग पर खेती कर रहे हैं।
6. भारत में कृषि क्षेत्र की उत्पादकता काफी कम है। अन्य विकसित देशों की तुलना में यह एक-तिहाई या आधा भर ही है।

भारत में कृषि उत्पादकता के निम्न स्तर के लिए निम्नलिखित कारक उत्तरदायी हैं :

भूमि की उर्वरता में कमी, भूमि के ऊपरी सतह का निक्षालन, वन संसाधनों में कमी, भूमि का नष्ट होना, खेतों का आकार छोटा होना, खेतों में निवेश में कमी और प्रकृति की विषमताओं पर अत्यधिक निर्भरता।

उद्योग

वस्त्र : कपड़ा उद्योग देश में कृषि के बाद रोजगार प्रदान करने वाला सबसे बड़ा उद्योग है। यह देश के 4.5 करोड़ लोगों को प्रत्यक्ष रोजगार उपलब्ध कराता है। वर्तमान में औद्योगिक उत्पादन में इसका योगदान 13 प्रतिशत, सकल घरेलू उत्पाद में 2.3 प्रतिशत और जीवीए विनिर्माण में 11 प्रतिशत है।

पिछले छह दशकों की तुलना में आज भारतीय वस्त्र उद्योग मजबूत स्थिति में है। पिछले छह दशक से इस उद्योग में 3 से 4 प्रतिशत का विकास हो रहा था। लेकिन आज इसकी सालाना विकास दर 8-9 प्रतिशत हो गयी है।

इस वृद्धि में तेजी से बढ़ती घरेलू अर्थव्यवस्था, प्रेरक नीति और 31 दिसम्बर, 2004 को हुई मल्टी फाइबर एग्रीमेंट (एमएफए) का योगदान है। पिछले कुछ वर्षों में ड्यूटी को तर्कसंगत बनाने से उद्योग के सभी खंडों में समान अवसर मिला है और उद्योग का समग्र विकास हुआ है। उद्योग के लिए मजबूत आधार तैयार हो गया है और अब विश्व स्तरीय निर्माण इकाइयां अपनी पूरी क्षमता का उपयोग कर अंतर्राष्ट्रीय अर्थव्यवस्था में पहचान बना सकती हैं।

भारत में आधुनिक स्तर की प्रथम सूती कपड़ा मिल सन् 1818 में कोलकाता (कलकत्ता) के निकट फोर्ट ग्लोस्टर में लगाई गई थी, किन्तु यह मिल लक्ष्य प्राप्ति में सफल न हुई। द्वितीय मिल 'बम्बई स्पिनिंग एण्ड वीविंग कम्पनी' सन् 1854 में मुम्बई (बम्बई) में 'कवास जी. एन. डाबर' द्वारा स्थापित की गई। सच्चे अर्थों में इस कारखाने ने भारत के आधुनिक सूती कपड़ा उद्योग की नींव रखी। सन् 1854 के पश्चात् सूती कपड़ा मिलों की संख्या लगातार बढ़ती गई।

कागज तथा अखबारी कागज उद्योग : देश के सामाजिक आर्थिक विकास में कागज उद्योग की अहम भूमिका है। प्रति व्यक्ति कागज की खपत किसी देश की आधुनिकीकरण का पैमाना भी है। भारतीय कागज उद्योग करीब एक सदी से अस्तित्व में है और इसने उल्लेखनीय प्रगति हासिल की है। देश में करीब 850 मिलें हैं।

भारतीय कागज उद्योग संपूर्ण औद्योगिक विकास में एक महत्वपूर्ण भूमिका निभाता है और नई शताब्दी में देश की ज्ञान आधारित अर्थव्यवस्था को आगे बढ़ाने में योगदान करता है। देश के बढ़ते आर्थिक विकास और 8.5 प्रतिशत सकल घरेलू उत्पाद (अप्रैल से जून) ने लगभग 3 प्रतिशत के विश्व औसत की तुलना में भारतीय कागज उद्योग के लिए लगभग 6 प्रतिशत के विकास

की संपूर्ण औसत दर को बनाए रखने में महत्वपूर्ण योगदान किया है। अब जबकि मंदी का रुख लगभग समाप्त हो गया है, अनेक कागज उद्योगों ने और विस्तार की घोषणा की है। हाल में ही एक जाने माने पल्प (लुगदा) और पेपर मल्टीनेशनल ने 319 मिलियन अमरीकी डॉलर की लागत पर आंध्र प्रदेश पेपर मिल लिमिटेड राजामुंदरी का अधिग्रहण कर लिया है।

कागज उद्योग लाइसेंस मुक्त है और 1997 से नियंत्रण मुक्त है। इसमें आटोमेटिक रूट से 100% एफडीआई किया जा सकता है।

सीमेंट उद्योग : सीमेंट उद्योग का स्थान देश में सबसे उन्नत उद्योगों में है। मार्च 1989 में मूल्य और नियंत्रण सम्बन्धी प्रतिबन्धों को पूरी तरह हटा लिए जाने और नीति सम्बन्धी नए सुधारों को लागू करने के बाद सीमेंट उद्योग ने क्षमता/उत्पादन एवं प्रसंस्करण टेक्नोलॉजी, दोनों ही में तेजी से कदम बढ़ाए हैं। भारतीय सीमेंट उद्योग न केवल उत्पादन के स्तर पर विश्व में दूसरा स्थान रखता है बल्कि विश्वस्तरीय गुणवत्ता का सीमेंट उत्पादित करता है।

भारत विभिन्न प्रकार के सीमेंट का उत्पादन कर रहा है, जैसे–सामान्य पोर्टलैंड सीमेंट (ओपीसी), पोटलैंड पोज्जोलना सीमेंट (पीपीसी), पोर्टलैंड ब्लास्ट फर्नेस स्लग सीमेंट (पीबीएफएस), ऑयल वेल सीमेंट, व्हाइट सीमेंट आदि। सीमेंट के ये प्रकार भारतीय मानक ब्यूरो (बीआईएस) के मानकों के अनुसार बनाए जाते हैं और उनकी गुणवत्ता विश्व के सर्वश्रेष्ठ सीमेंट के स्तर की होती है। बीआईएस निशान के बिना सीमेंट को देश में बेचा नहीं जा सकता है।

इस्पात : जमशेदपुर में 1907 में टाटा आयरन एण्ड स्टील कंपनी (टिस्को) की स्थापना व्यापक पैमाने पर इस्पात और लोहे के उत्पादन की दिशा में भारत का प्रथम प्रयास था। सार्वजनिक क्षेत्र में पहले संयंत्र ने भद्रावती में 1923 में काम करना आरम्भ कर दिया। बर्नपुर में 1919 में भारतीय लौह और इस्पात कंपनी (इस्को) की स्थापना की गई।

स्वतंत्रता-प्राप्ति के बाद इस्पात के उत्पादन को महत्त्व दिया गया और दूसरी पंचवर्षीय योजना में 10 लाख टन पिंड लोहे की उत्पादन क्षमता (प्रत्येक) रखने वाले तीन संयंत्र भिलाई, छत्तीसगढ़; दुर्गापुर, पश्चिम बंगाल और राउरकेला, ओडिशा में स्थापित किए गए। बाद में झारखंड में बोकारो इस्पात संयंत्र की स्थापना की गई।

अर्थव्यवस्था के विकास के लिए जीवंत घरेलू इस्पात उद्योग महत्वपूर्ण है, क्योंकि यह निर्माण, अवसरंचना, ऑटोमोटिव, पूंजीगत वस्तुओं, रक्षा, रेल आदि जैसे सभी प्रमुख क्षेत्रों के लिए महत्वपूर्ण इनपुट है। इस्पात अपनी पुनर्चक्रण योग्य प्रकृति और त्वरित समापन समय के कारण पर्यावरण की दृष्टि से टिकाऊ तत्पर आर्थिक विकास के लिए प्रमाणित संचालक है। रोजगार सृजन और आर्थिक वृद्धि की दृष्टि से प्रबल होने के कारण इस्पात क्षेत्र राष्ट्र के लिए महत्वपूर्ण है। अर्थव्यवस्था पर इस्पात क्षेत्र के प्रत्यक्ष प्रभाव से लेकर आपूर्ति शृंखला एवं खपत उद्योगों पर पड़ने वाले संबद्ध प्रभाव तक, दोनों ही तरह के द्विगुणित प्रभाव पड़ते हैं।

उर्वरक : भारत के खाद्यान्न उत्पादन में वृद्धि कृषि-क्षेत्र में किए गए अनेक प्रकार के निवेशों के कारण हुई है जिसमें उर्वरकों का इस्तेमाल सर्वाधिक महत्त्वपूर्ण रहा है। नाइट्रोजन, फास्फेट और पोटाश प्रमुख उर्वरक हैं। देश में इस समय 50 से ज्यादा बड़े संयंत्र विविध प्रकार के उर्वरकों का उत्पादन कर रहे हैं। जिनमें यूरिया, अमोनियम सल्फेट आदि शामिल हैं। नाइट्रोजन उर्वरकों का उत्पादन करने वाले देशों में भारत का तीसरा स्थान है। हालांकि देश में स्वदेशी उर्वरक उत्पादन क्षमता में काफी वृद्धि हुई है फिर भी बढ़ती आवश्यकताओं को पूरा करने के लिए हमें काफी मात्रा में तैयार उर्वरकों, मध्यवर्ती उत्पादों या इसके कच्चे माल का आयात करना पड़ता है।

चमड़ा उद्योग : निर्यात आय में महत्त्वपूर्ण योगदान, रोजगार के अवसरों और विकास दर में महत्त्वपूर्ण भूमिका को देखते हुए भारतीय अर्थव्यवस्था में चमड़ा उद्योग का प्रमुख स्थान है। इस क्षेत्र में ज्यादातर अल्पसंख्यक और गरीब तबके के लोगों को रोजगार मिला हुआ है। इस क्षेत्र से जुड़े श्रमिकों में 30 प्रतिशत से ज्यादा महिलाएं हैं। देश में प्राकृतिक दृष्टि से प्रचुर मात्रा में कच्चा चमड़ा और खाल उपलब्ध होने, उच्च स्तरीय प्रौद्योगिक तैयारी, विस्तृत मानव संसाधान और कौशल आधारित औद्योगिक क्षेत्र को देखते हुए भारत चमड़ा क्षेत्र में अपेक्षाकृत लाभ की स्थिति में है। किंतु विश्व चमड़ा व्यापार में भारत की भागीदारी 3 प्रतिशत से भी कम है। पिछली योजना अवधि में प्रौद्योगिकी संबंधी तैयारी के लिए कई उपाय किए गए, परन्तु इस क्षेत्र में निवेश का स्तर संभावनाओं का दोहन करने के अनुरूप नहीं रहा है।

भारत में चमड़े के उत्पादन और निर्यात की बुनियादी संरचना में पिछले दो दशकों में काफी परिवर्तन हुआ है। भारत शुरू से कच्चे चमड़े और अर्द्धसंशोधित चमड़े का निर्यातक रहा है। लेकिन गत दो दशकों में चमड़ा उत्पादों के निर्यात संबंधी सरकारी नीति में परिवर्तन की वजह से चमड़े के जूते, कपड़े और चमड़े से बनी अनेक वस्तुओं के निर्यात में वृद्धि हुई है।

सामाजिक विज्ञान

वस्तुनिष्ठ प्रश्न

1. निम्नलिखित में से कौन सार्वजनिक क्षेत्र के अंतर्गत नहीं आता?

A. टिस्को B. इस्को

C. सेल D. आर्डनेंस फैक्टरी

2. उद्योगों को आवधिक ऋण किसके द्वारा प्रदान किया जाता है?

A. भारतीय रिजर्व बैंक B. एक्जिम बैंक

C. आईडीबीआई D. नाबार्ड

3. निम्नलिखित इस्पात संयंत्रों में से कौन रूस की सहायता से निर्मित हुआ है?

A. राऊरकेला B. भिलाई

C. दुर्गापुर D. कोथागुडम

4. परिवार नियोजन के लिए 'कैफेटेरिया उपागम' कब प्रस्तुत किया गया था?

A. तीसरी योजना में

B. आपातकाल में

C. वार्षिक योजनाओं में

D. जनता पार्टी के शासन काल में

5. एकाधिकार और प्रतिबंधात्मक व्यापार नीति अधिनियम कब पारित किया गया था?

A. 1968 B. 1969

C. 1970 D. 1971

6. मुद्रास्फीति किस वजह से उत्पन्न होती है?

A. साधारण ब्याज में कमी से

B. धन की आपूर्ति में कमी से

C. औद्योगिक और कृषि उत्पादन में वृद्धि से

D. सामान्य व्यय में बढ़ोतरी या धन आपूर्ति में वृद्धि से

7. निम्नलिखित में से कौन अर्द्ध सरकारी संस्थान है?

A. एक्जिम बैंक B. आईडीबीआई

C. आईसीआईसीआई D. यूटीआई

8. यूटीआई का मुख्य उद्देश्य है :

A. छोटे निवेशकों की बचत का मार्ग प्रशस्त करना और निवेश जुटाना

B. म्यूचुअल फंड उद्योग का विनिमयन

C. शेयर बाजार में स्थिरता के अभिकर्ता के रूप में कार्य करना

D. अन्य वित्तीय संस्थानों की गतिविधियों को संयोजित करना

9. श्वेत क्रांति किसका संकेत करती है?

A. सीमेंट उद्योग

B. डेरी फार्मिंग

C. कपास और टैक्सटाइल उद्योग

D. संगमरमर उद्योग

10. भारत में सिंचाई का सर्वप्रमुख माध्यम है :

A. कुएं एवं नलकूप B. नहरें

C. तालाब D. पशु द्वारा खींचा गया जल

11. भारतीय खाद्य निगम का मुख्य कार्य है :

A. उच्च उत्पादकता वाले बीजों का वितरण

B. किसानों को ऋण उपलब्ध कराना

C. खाद्यान्नों की मांग पर नियंत्रण करना

D. आपूर्ति को नियंत्रित कर खाद्यान्नों के मूल्यों में उतार-चढ़ाव को नियंत्रित करना

12. राज्यों में से सर्वाधिक जनसंख्या किस राज्य की है?

A. बिहार B. पश्चिम बंगाल

C. उत्तर प्रदेश D. मध्य प्रदेश

13. निम्नलिखित में से किसे 'सनराइज इंडस्ट्री' का नाम दिया जाता है?

A. कॉफी B. उच्च प्रौद्योगिकी

C. लघु उद्योग D. भारी उद्योग

14. निम्नलिखित में से कौन आर्थिक संवृद्धि का माप नहीं है?

A. प्रतिव्यक्ति आय B. सकल राष्ट्रीय उत्पाद

C. कुल घरेलू उत्पाद D. प्रसारित मुद्रा

15. निम्नलिखित में से किससे सबसे कम राजस्व प्राप्त होता है?

A. आयकर B. उत्पाद कर

C. सीमा-शुल्क D. संपत्ति कर

16. एक ब्लू चिप कंपनी को इसलिए यह संज्ञा दी जाती है क्योंकि :
A. यह कंप्यूटर हार्डवेयर का उत्पादन करता है
B. यह कंप्यूटर सॉफ्टवेयर का उत्पादन करता है
C. यह उच्च लाभ देता है और इसमें कम जोखिम होता है
D. यह अपने अधिकांश उत्पादों का निर्यात करता है

17. निर्धनता रेखा का निर्धारण किसके आधार पर किया जाता है?
A. लोगों की जीवन दशा
B. प्रत्येक परिवार पर बच्चों की संख्या
C. प्रति परिवार आय
D. प्रति व्यक्ति हेतु कैलोरी की आवश्यकता

18. कमान क्षेत्र विकास कार्यक्रम किस क्षेत्र में उठाया गया प्रमुख कदम है?
A. सिंचाई
B. पौध संरक्षण उपाय
C. कृषि यंत्रीकरण
D. उच्च उत्पादकता देने वाले बीज

19. भारत में सबसे प्राचीन वृहद् उद्योग किस क्षेत्र में हैं?
A. लोहा और इस्पात क्षेत्र
B. जूट क्षेत्र
C. कॉटन टैक्सटाइल क्षेत्र
D. चीनी क्षेत्र

20. मौसमी बेरोजगारी किस क्षेत्र में सर्वाधिक है?
A. उद्योग क्षेत्र B. कृषि क्षेत्र
C. सेवा क्षेत्र D. हथकरघा क्षेत्र

21. भारत में सबसे पुराना ट्रेड यूनियन संगठन है :
A. हिन्द मजदूर सभा
B. भारतीय राष्ट्रीय ट्रेड यूनियन कांग्रेस
C. अखिल भारतीय ट्रेड यूनियन कांग्रेस
D. केन्द्रीय औद्योगिक ट्रेड यूनियन

22. सिन्दरी, हल्दिया और पारादीप में क्या है?
A. बंदरगाह
B. इस्पात संयंत्र
C. विशाल बहुउद्देश्यीय जलाशय
D. उर्वरक संयंत्र

23. आयात-निर्यात बैंक की स्थापना कब हुई?
A. 1969 B. 1980
C. 1982 D. 1985

24. अन्तर्राष्ट्रीय सौर गठबंधन संगठन का मुख्यालय कहाँ स्थित है?
A. फ्रांस B. अमेरिका
C. भारत D. ऑस्ट्रेलिया

25. विश्व में चाय का सबसे बड़ा उत्पादक देश कौनसा है?
A. केन्या B. इंडोनेशिया
C. चीन D. भारत

26. रुपए को कब चालू खाते में परिवर्तनीय बना दिया गया?
A. 1991 B. 1994
C. 1995 D. 1997

27. नीति आयोग का गठन कब हुआ?
A. जनवरी 1949 B. दिसम्बर 1952
C. जनवरी 2015 D. सितम्बर 1953

28. 'STEP' ..... की सहायतार्थ कल्याण कार्यक्रम का संक्षिप्त नाम है।
A. बच्चों B. किसानों
C. वरिष्ठ नागरिकों D. महिलाओं

29. 16वें वित्त आयोग के अध्यक्ष कौन हैं?
A. अरविन्द पनगढ़िया
B. सुमन बेरी
C. ए.के. मोहन्ती
D. नितिन गुप्ता

30. मोनो कल्चर एक विशिष्ट लक्षण है-
A. आजीविका कृषि का
B. स्थानान्तरित कृषि व्यवस्था का
C. व्यापारिक अनाज की कृषि
D. विशिष्ट बागवानी

31. राजकोषीय नीति का निर्माण करता है-
A. भारत सरकार B. रिजर्व बैंक
C. नाबार्ड D. व्यापारिक बैंक

32. 2001-2011 में जनसंख्या की दशकीय प्रतिशत वृद्धि दर थी :
A. 18.2 प्रतिशत B. 20.34 प्रतिशत
C. 17.70 प्रतिशत D. 14.46 प्रतिशत

33. सबसे निम्न साक्षरता वाला राज्य है :
A. अरुणाचल प्रदेश B. राजस्थान
C. बिहार D. उत्तर प्रदेश

34. भारत में बैंकों का बैंक है-
A. रिजर्व बैंक B. मुद्रा कोष
C. विश्व बैंक D. औद्योगिक बैंक

35. भारत की पहली मानव विकास रिपोर्ट कब जारी की गई थी?
A. मार्च 2000 B. जून 2003
C. अप्रैल 2001 D. अप्रैल 2002

36. राष्ट्रीय विकास परिषद् की स्थापना किस वर्ष हुई थी?
A. 1949 B. 1950
C. 1951 D. 1952

37. बैंक कार्यालयों की सर्वाधिक संख्या किस राज्य में है?
A. महाराष्ट्र B. आंध्र प्रदेश
C. उत्तर प्रदेश D. दिल्ली

38. देवी अहिल्याबाई होल्कर अन्तर्राष्ट्रीय हवाई अड्डा कहाँ स्थित है?
A. कोझीकोड B. इंदौर
C. कोयम्बटूर D. नागपुर

39. किस पंचवर्षीय योजना का मुख्य उद्देश्य 'गरीबी हटाओ' रखा गया था?
A. पांचवीं पंचवर्षीय योजना
B. चौथी पंचवर्षीय योजना
C. छठी पंचवर्षीय योजना
D. सातवीं पंचवर्षीय योजना

40. भारत में शीर्ष इथेनॉल उत्पादक राज्य कौन-सा है?
A. महाराष्ट्र B. आन्ध्र प्रदेश
C. उत्तर प्रदेश D. मध्य प्रदेश

41. आपरेशन कुटीर ज्योति किससे संबंधित है?
A. प्रौढ़ साक्षरता
B. स्वरोजगार
C. गरीबी उन्मूलन
D. ग्रामीण विद्युतीकरण

42. ग्रामीण विद्युतीकरण निगम की स्थापना कब की गई थी?
A. 1979 में B. 1989 में
C. 1959 में D. 1969 में

43. ओ.एन.जी.सी. का सम्बन्ध निम्नलिखित में से किससे है?
A. परमाणु ऊर्जा B. खनिज तेल एवं गैस
C. जल ऊर्जा D. तापीय ऊर्जा

44. निम्नलिखित में से कौन-सा प्रत्यक्ष कर है?
A. बिक्री कर B. आय कर
C. उत्पाद कर D. सीमा कर

45. शेयरों का सर्वाधिक कारोबार किसमें होता है?
A. बीएसई B. एनएसई
C. ओटीसीईआई D. डीएसई

46. यू टी आई की स्थापना की गई थी-
A. 1982 में B. 1964 में
C. 1980 में D. 1976 में

47. वर्ष 1980 में कितने बैंकों का राष्ट्रीयकरण किया गया था?
A. 14 B. 8
C. 9 D. 6

48. भारत में इरडा (IRDA) नियमित करता है-
A. पूंजी व्यवसाय B. अंशों का निर्गमन
C. बीमा व्यवसाय D. बैंकिंग व्यवसाय

49. यदि जनसंख्या स्तर बढ़ता है तो वस्तुओं की मांग में भी वृद्धि होती है। किन्तु यदि इस अनुपात में वस्तु उत्पादन का स्तर नहीं बढ़ता है तो वस्तुओं के मूल्य–
A. गिरेंगे
B. ऊपर उठेंगे
C. स्थिर रहेंगे
D. आपूर्ति की जाने वाली वस्तुओं की मात्रा पर निर्भर करेंगे

50. विश्व में वह कौन-सा प्रथम राष्ट्र है जिसने आधिकारिक रूप से परिवार नियोजन कार्यक्रम को अपनाया?
A. चीन B. भारत
C. जापान D. कनाडा

51. हमारे देश में भयप्रद दर से जनसंख्या वृद्धि का कारण है–
A. जन्म दर की अधिकता
B. मृत्यु दर की अधिकता
C. आधुनिक दवाओं द्वारा जीवन वृद्धि
D. A. और C. दोनों

52. जनसंख्या वृद्धि से किन लोगों के आर्थिक व अन्य विकासों पर आघात लगेगा?
A. धनी लोगों के B. निर्धन लोगों के
C. उद्योगपतियों के D. सरकारी कर्मचारियों के

53. निम्नलिखित में से कौन सा कदम उठाया जाए जिससे भारतीय श्रमिकों की उत्पादकता में वृद्धि हो सके?
A. अच्छे वेतन देना
B. कार्य दशाओं में सुधार
C. जीवन स्तर और स्वास्थ्य सुविधाओं में सुधार
D. उपरोक्त सभी

54. भारत में विद्युत शक्ति का प्रमुख स्रोत है–
A. ताप शक्ति B. जल-विद्युत
C. परमाणु शक्ति D. बॉयोमास

55. निम्नलिखित में से कौन विकासशील अर्थव्यवस्था का एक घटक नहीं है?
A. जनसंख्या वृद्धि की उच्च दर
B. बेरोजगारी की उच्च दर
C. पूंजी निर्माण की उच्च दर
D. व्यापक निर्धनता

56. भूमि सुधारों का उद्देश्य है–
A. भू स्वामियों को भूमि का वितरण करना
B. भूमि सम्बन्धी प्रक्रियाओं की वृद्धि में से अन्याय और शोषण दूर करना
C. भूमिहीन कृषकों के लिए अधिक भूमि प्राप्त करना
D. उपरोक्त सभी

57. किसी मुक्त बाजार अर्थव्यवस्था में वस्तुओं के मूल्य व अन्य सेवाएं निर्धारित की जाएंगी–
A. सरकार द्वारा
B. भारतीय रिजर्व बैंक द्वारा
C. विश्व बैंक द्वारा
D. मांग और आपूर्ति के बल द्वारा

58. किसी मुक्त व्यापार अर्थव्यवस्था में उत्पादकता और कार्यक्षमता की वृद्धि के लिए–
A. बीमार औद्योगिक इकाइयों को बंद कर देना चाहिए या फिर उनकी संख्या कम करनी चाहिए
B. राज्य के स्वामित्व वाली इकाइयों पर व्यय करना बंद कर देना चाहिए
C. मुक्त व्यापार की भावना को बढ़ाना चाहिए
D. उपरोक्त सभी

59. भारत में पंचवर्षीय योजनाएं गरीबी स्तर को घटाने में असफल क्यों रही हैं?
A. योजनाएं जल्दबाजी में बनी थीं
B. योजनाओं का उचित रूप से कार्यान्वयन नहीं हुआ
C. जनता को योजनाओं के पर्याप्त लाभ नहीं मिले
D. उपरोक्त सभी

60. भारतीय कृषि की निम्नलिखित में से कौन सी विशेषता नहीं है?
A. गरीब कृषक
B. पिछड़ी हुई कृषि तकनीक
C. उर्वरकों का अल्प उपयोग
D. पर्याप्त मात्रा में कृषि उत्पादन का निर्यात

61. किस राज्य में गेहूं नहीं उगाया जाता?
A. पंजाब B. उत्तर प्रदेश
C. केरल D. मध्य प्रदेश

62. ग्रामीण विकास किया जा सकता है–
A. पंचायती राज संस्थाओं द्वारा
B. जिला उद्योग केन्द्रों द्वारा
C. लघु उद्योगों द्वारा
D. उपरोक्त सभी के द्वारा

63. हमारा कृषि उत्पादन निर्भर करता है मुख्यतः–
A. उच्च गुणवत्ता वाले बीजों और खाद पर
B. मानसून चक्रों पर
C. आधुनिक कृषि यंत्रों पर
D. कृषि विश्वविद्यालयों और अन्य अनुसंधान संस्थानों के अनुसंधान सम्बन्धी प्रयासों पर

64. भारतीय मसाला (spices) अनुसंधान संस्थान स्थित है–
A. कानपुर B. कोच्चि
C. नई दिल्ली D. कोझीकोड

65. RLEGP संक्षेपाक्षर है–
A. रेगूलेशन ऑफ लैंडलैस एम्प्लाइमेंट गारन्टी प्रोटोकोल का
B. रूरल लैंडलैंस एम्प्लाइमेंट गारन्टी प्रोग्राम का
C. रूरल लेजिस्लेशन फॉर एम्प्लाइमेंट गारन्टी प्रोग्राम का
D. उपरोक्त में से किसी का नहीं

66. भारतीय नीति आयोग का अध्यक्ष होता है–
A. योजना मंत्री B. वित्त मंत्री
C. राष्ट्रपति D. प्रधानमंत्री

67. दसवीं पंचवर्षीय योजना की अवधि क्या थी?
A. 2001-06
B. 2002-07
C. 2003-08
D. उपरोक्त में से कोई नहीं

68. पंचवर्षीय योजनाओं के बारे में निम्नलिखित में से कौन-सा कथन सही नहीं है?
A. आधारित ढांचा विकसित किया गया
B. जीवन स्तर में वृद्धि नहीं की जा सकी
C. पिछड़े क्षेत्रों का विकास
D. प्रति व्यक्ति आय बढ़ी

69. पंचवर्षीय योजनाओं से कौन से क्षेत्र लाभान्वित हुए?
A. औद्योगिक क्षेत्र B. राष्ट्रीय ढांचा क्षेत्र
C. राष्ट्रीय आय D. उपरोक्त सभी

70. प्रथम पंचवर्षीय योजना निम्नलिखित में से किस अवधि के लिए थी?
A. 1947-52 B. 1948-53
C. 1952-57 D. 1951-56

71. दूसरी पंचवर्षीय योजना की रूपरेखा किसने तैयार की थी?
A. बी.एन. गाडगिल B. पी.सी. महालनोबिस
C. वी.के. राव D. सी.एन. वकील

72. विश्व में आम तथा केले के उत्पादन में किस देश का प्रथम स्थान है?
A. अमरीका B. सिंगापुर
C. भारत D. मलेशिया

73. भारत में जीएसटी का प्रावधान किस संविधान संशोधन अधिनियम के तहत किया गया?
A. 98वाँ B. 84वाँ
C. 76वाँ D. 101वाँ

74. बैंक दर निर्धारित करता है–
A. भारतीय रिजर्व बैंक B. आई॰डी॰बी॰आई॰
C. भारतीय स्टेट बैंक D. वित्त मंत्रालय

75. किसी व्यावसायिक बैंक का निम्नलिखित में से कौन सा एक मुख्य कार्य है?
A. बैंक दर निर्धारित करना
B. जनता से जमाओं को स्वीकार करना
C. करेन्सी नोट जारी करना
D. उपरोक्त सभी

76. लेफर वक्र किनके बीच संबंधों का अध्ययन करता है?
A. कर-दर तथा कर आय के बीच
B. कर-दर तथा व्यय के बीच
C. कर-दर तथा उपभोग के बीच
D. कर-दर तथा कल्याण के बीच

77. राजकीय ऋण का विस्तार उत्पन्न कर सकता है :
A. बचत में गिरावट B. ब्याज दरों में वृद्धि
C. विनियोग में कमी D. उपरोक्त सभी

78. यह किस अर्थशास्त्री का कथन है कि अन्तर्राष्ट्रीय व्यापार निरपेक्ष लाभ के सिद्धान्त पर आधारित है?
A. जे.एस. मिल B. एडम स्मिथ
C. बर्टिल ओहलिन D. डेविड रिकार्डो

79. तुलनात्मक लाभ के तहत, दो राष्ट्रों के बीच विशिष्ट वस्तुओं के मुक्त व्यापार से होगी :

A. सम्पूर्ण आर्थिक कार्यक्षमता में कमी

B. दो राष्ट्रों में से किसी एक राष्ट्र की वास्तविक मजदूरी के स्तर में कमी

C. दोनों राष्ट्रों के वास्तविक मजदूरी के स्तरों में वृद्धि

D. दो राष्ट्रों में से केवल एक राष्ट्र की वास्तविक मजदूरी के स्तर में वृद्धि

80. निम्नलिखित में से किस दिन को भारत में राष्ट्रीय ऊर्जा संरक्षण दिवस के रूप में प्रति वर्ष मनाया जाता है?

A. 7 दिसम्बर B. 20 दिसम्बर

C. 14 दिसम्बर D. 24 दिसम्बर

81. दीर्घकालीन राजकोषीय नीति के अन्तर्गत निम्न में से किस कर को प्रस्तावित किया गया था?

A. मौडवैट (MODVAT)

B. वैट (VAT)

C. लाभ कर

D. उत्तराधिकार कर

82. किसानों को ऋणों में राहत देना भाग है :

A. योजना-व्यय का B. गैर-योजना व्यय का

C. विकास व्यय का D. रक्षा व्यय का

83. यूटीआई की स्थापना की गई :

A. 1982 B. 1980

C. 1964 D. 1976

84. उपभोग की गैर प्रतिद्वंद्वी वस्तुओं को कहते हैं :

A. निजी वस्तुएं B. निःशुल्क वस्तुएं

C. सार्वजनिक वस्तुएं D. गैर आर्थिक वस्तुएं

85. समग्र मूल्य स्तर का सर्वाधिक व्यापक माप है :

A. उपभोक्ता मूल्य सूचकांक

B. उत्पादक मूल्य सूचकांक

C. सकल राष्ट्रीय उत्पाद अपस्फीतक

D. थोक मूल्य सूचकांक

86. कीन्स का अर्थशास्त्र अधिक बल देता है :

A. मौद्रिक नीति पर

B. राजकोषीय नीति पर

C. ब्याज दर निर्धारण पर

D. मुक्त व्यापार यन्त्रविन्यास पर

87. उच्चशक्ति द्रव्य के उत्पादक है :

A. व्यापारिक बैंक B. सहकारी बैंक

C. वित्त मंत्रालय D. रिजर्व बैंक आफ इन्डिया

88. एक व्यक्ति जो अन्य कार्य तलाशने के लिये, काम छोड़ता है वह है :

A. आंशिक रूप से बेरोजगार

B. संरचनात्मक रूप से बेरोजगार

C. चक्रीय रूप से बेरोजगार

D. श्रम शक्ति में सम्मिलित नहीं

89. मुद्रा प्रसार तथा बेरोजगारी के बीच अदला-बदली (trade-off) स्थिर रहती है :

A. स्टेग फ्लेशन की अवधि के दौरान

B. जब मुद्रा प्रसार की अकर्मण्य दर अपरिवर्तित रहती है

C. मन्द मांग की अवधि के दौरान

D. दीर्घकाल में

90. 'गरीबी का दुश्चक्र' प्रतिपादित किया गया था:

A. ए. मार्शल द्वारा B. जे.एम. कीन्स द्वारा

C. रेगनर नर्क्स द्वारा D. एम. फ्रीडमेन द्वारा

उत्तरमाला

1	2	3	4	5	6	7	8	9	10
A	C	B	D	B	D	C	A	B	A
11	12	13	14	15	16	17	18	19	20
D	C	B	D	D	C	D	A	C	B
21	22	23	24	25	26	27	28	29	30
C	D	C	C	C	B	C	D	A	B
31	32	33	34	35	36	37	38	39	40
A	C	C	A	D	D	C	B	A	C
41	42	43	44	45	46	47	48	49	50
D	D	B	B	A	B	D	C	B	B
51	52	53	54	55	56	57	58	59	60
D	B	D	A	C	C	D	D	B	D
61	62	63	64	65	66	67	68	69	70
C	D	B	D	B	D	B	B	D	D
71	72	73	74	75	76	77	78	79	80
B	C	D	A	B	A	D	B	C	C
81	82	83	84	85	86	87	88	89	90
B	B	C	C	D	A	D	A	D	C

सम-सामयिक घटनाचक्र
(Current Affairs)

1. संयुक्त राष्ट्र सुरक्षा परिषद ने नवंबर 2025 में किस प्रमुख पहल का समर्थन करने के लिए प्रस्ताव 2803 को मंजूरी दी?
A. ईरान परमाणु समझौता 2.0
B. अमेरिका द्वारा प्रस्तावित गाजा शांति योजना
C. सीरिया पुनर्निर्माण रूपरेखा
D. यमन युद्धविराम रोडमैप

2. सागर डिफेंस ने दुबई एयरशो 2025 में "स्वायत्त रोबोटिक्स क्रांति को गति देना" चुनौती किस अवधारणा के लिए जीती?
A. एक स्वायत्त कार्गो ड्रोन
B. एक बहु-सेंसर युद्धक्षेत्र रडार
C. "जेनेसिस" - एक AI-संचालित बोट-इन-ए-बॉक्स मॉड्यूल
D. SAR और EO पेलोड को एकीकृत करने वाला एक उपग्रह

3. बांग्लादेश के अंतर्राष्ट्रीय अपराध न्यायाधिकरण ने 2024 के छात्र विरोध प्रदर्शनों से जुड़े मानवता के विरुद्ध अपराधों के लिए किस पूर्व प्रधानमंत्री को मृत्युदंड की सजा सुनाई है?
A. मुहम्मद यूनुस B. शेख हसीना
C. खालिदा जिया D. हुसैन मुहम्मद इरशाद

4. बीकानेर में 17-30 नवंबर 2025 तक आयोजित भारत-ब्रिटेन संयुक्त सैन्य अभ्यास के 8वें संस्करण का नाम क्या है?
A. युद्ध अभ्यास B. वज्र प्रहार
C. अजेय वारियर D. इंद्र

5. नवंबर 2025 में परमाणु ऊर्जा विभाग (DAE) द्वारा शुरू की गई भारत की पहली नाइट्रिक-ऑक्साइड-मुक्ति घाव ड्रेसिंग का नाम क्या है?
A. डर्मोक्स B. कोलोनोक्स
C. नाइट्रोहील D. BARC-ड्रेस

6. नवंबर 2025 में दुर्लभ-पृथ्वी अनुसंधान के लिए DAE द्वारा जारी स्वदेशी रूप से विकसित प्रमाणित संदर्भ सामग्री (CRM) का नाम क्या है?
A. कार्बोनेटाइट-X
B. फेरोकार्बोनेटाइट (FC) – BARC B140
C. REE-मानक 1
D. मिनरलमिक्स B210

7. विश्व मुक्केबाजी कप फाइनल 2025, 16-20 नवंबर तक कहाँ आयोजित किया गया था?
A. मुंबई B. ग्रेटर नोएडा
C. बेंगलुरु D. पुणे

8. किस भारतीय तीरंदाज ने नवंबर 2025 में लक्ज़मबर्ग के स्ट्रासेन में जीटी ओपन इंडोर वर्ल्ड सीरीज 2025 में पुरुषों की कंपाउंड स्पर्धा का स्वर्ण पदक जीता?
A. अभिषेक वर्मा B. गणेश मणिरत्नम थिरुमुरु
C. कुशल दलाल D. रितुल चटर्जी

9. 17-18 नवंबर को आयोजित दुबई एयर शो 2025 में किस भारतीय विमान और टीम ने भाग लिया?
A. राफेल और गरुड़ टीम
B. मिग-29 और आकाशगंगा टीम
C. एलसीए तेजस और सूर्यकिरण एरोबैटिक टीम
D. सुखोई-30MKI और सारंग हेलीकॉप्टर टीम

10. बिहार चुनाव 2025 में किस पार्टी ने सबसे ज्यादा सीटें जीतीं?
A. जद(यू) B. लोजपा (रामविलास)
C. भाजपा D. राजद

11. 14-27 नवंबर तक नई दिल्ली में आयोजित 44वें भारत अंतर्राष्ट्रीय व्यापार मेले (IITF) 2025 का विषय क्या है?
A. डिजिटल इंडिया B. आत्मनिर्भर भारत
C. एक भारत-श्रेष्ठ भारत D. मेक इन इंडिया

12. गरुड़-2025 अभ्यास भारत और किस देश के बीच एक द्विपक्षीय हवाई अभ्यास है?
A. जर्मनी B. फ्रांस
C. जापान D. ऑस्ट्रेलिया

13. विश्व मधुमेह दिवस हर साल 14 नवंबर को सर फ्रेडरिक बैंटिंग के जन्मदिन के उपलक्ष्य में मनाया जाता है। उन्हें किस प्रमुख चिकित्सा खोज के लिए जाना जाता है?
A. एंटीबायोटिक दवाओं की खोज
B. इंसुलिन की खोज
C. रक्त समूहों की खोज
D. टीकाकरण की खोज

14. भारत में बाल दिवस (14 नवंबर) किस नेता की जयंती के उपलक्ष्य में मनाया जाता है?
A. महात्मा गांधी B. डॉ. बी.आर. अम्बेडकर
C. पंडित जवाहरलाल नेहरू D. सरदार वल्लभभाई पटेल

15. भारत और किस देश के बीच नवंबर 2025 में मित्र शक्ति-2025 अभ्यास का 11वां संस्करण आयोजित किया गया था?

A. बांग्लादेश B. श्रीलंका
C. नेपाल D. म्यांमार

16. 10-18 नवंबर, 2025 को पश्चिमी प्रशांत क्षेत्र के गुआम में आयोजित मालाबार नौसैनिक अभ्यास में किन देशों ने भाग लिया?

A. भारत, अमेरिका, जापान और ऑस्ट्रेलिया
B. भारत, अमेरिका, फ्रांस और यूके
C. भारत, जापान, सिंगापुर और ऑस्ट्रेलिया
D. भारत, अमेरिका, इंडोनेशिया और जापान

17. क्रिकेट कितने वर्षों बाद 2028 के लॉस एंजिल्स ओलंपिक खेलों में वापसी करेगा?

A. 100 वर्ष B. 112 वर्ष
C. 128 वर्ष D. 140 वर्ष

18. 2028 के लॉस एंजिल्स ओलंपिक में क्रिकेट किस प्रारूप में खेला जाएगा?

A. एक दिवसीय अंतर्राष्ट्रीय (ODI)
B. टेस्ट क्रिकेट
C. T10
D. T20 (ट्वेंटी20)

19. नवंबर 2025 में प्रोजेक्ट चीता के तहत बोत्सवाना ने भारत को कितने चीते दान किए?

A. छह B. आठ
C. दस D. बारह

20. प्रधानमंत्री नरेंद्र मोदी ने नवंबर 2025 में अपनी भूटान यात्रा के दौरान किस प्रमुख जलविद्युत परियोजना का उद्घाटन किया?

A. मंगदेछु जलविद्युत परियोजना
B. पुनात्सांगछु-II जलविद्युत परियोजना
C. कुरिछु जलविद्युत परियोजना
D. ताला जलविद्युत परियोजना

21. MoSPI के आंकड़ों के अनुसार, 2025 की जुलाई-सितंबर तिमाही में भारत की बेरोजगारी दर थी :

A. 5.4% B. 5.2%
C. 4.8% D. 6.1%

22. 10 नवंबर, 2025 को दिल्ली के लाल किला मेट्रो स्टेशन के पास हुए शक्तिशाली कार विस्फोट को किस कानून के तहत दर्ज किया गया था, जो एक संदिग्ध आतंकी पहलू की ओर इशारा करता है?

A. भारतीय दंड संहिता
B. राष्ट्रीय सुरक्षा अधिनियम
C. गैरकानूनी गतिविधियाँ (रोकथाम) अधिनियम (UAPA)
D. जन सुरक्षा अधिनियम

23. भगवान बुद्ध के पवित्र अवशेष 2025 के किस महीने में सार्वजनिक प्रदर्शन के लिए भारत से भूटान भेजे गए थे?

A. अक्टूबर B. नवंबर
C. दिसंबर D. सितंबर

24. राष्ट्रपति द्रौपदी मुर्मू नवंबर 2025 में किस अफ्रीकी देश की यात्रा करने वाली पहली भारतीय राष्ट्राध्यक्ष बनीं?

A. केन्या B. अंगोला
C. नाइजीरिया D. दक्षिण अफ्रीका

25. भारतीय हॉकी के 100 वर्ष पूरे होने के उपलक्ष्य में शताब्दी समारोह किस वर्ष आयोजित किया गया था?

A. 2024 B. 2025
C. 2026 D. 2027

26. नवंबर 2025 में 30वां संयुक्त राष्ट्र जलवायु परिवर्तन सम्मेलन (COP30) कहाँ आयोजित किया गया था?

A. पेरिस, फ्रांस
B. बेलेम, ब्राजील
C. ग्लासगो, यूनाइटेड किंगडम
D. नैरोबी, केन्या

27. 2025 में वर्जीनिया की उपराज्यपाल चुनी गई ग़ज़ाला हाशमी का जन्म भारत के किस शहर में हुआ था?

A. मुंबई B. हैदराबाद
C. दिल्ली D. चेन्नई

28. 6 नवंबर को आयोजित बिहार विधानसभा चुनाव 2025 का पहला चरण कितने निर्वाचन क्षेत्रों में आयोजित किया गया था?

A. 100 B. 118
C. 121 D. 140

29. क्यूएस वर्ल्ड यूनिवर्सिटी रैंकिंग 2026 में किस भारतीय संस्थान ने सर्वोच्च स्थान प्राप्त किया?

A. आईआईटी बॉम्बे B. आईआईटी मद्रास
C. आईआईटी दिल्ली D. आईआईटी कानपुर

30. आईसीए वर्ल्ड कोऑपरेटिव मॉनिटर 2025 रैंकिंग में किन दो भारतीय सहकारी संस्थाओं ने शीर्ष स्थान प्राप्त किया?

A. अमूल और नेफेड B. इफको और अमूल
C. कृभको और मदर डेयरी D. अमूल और एनडीडीबी

31. प्रधानमंत्री नरेंद्र मोदी ने किस कार्यक्रम के दौरान अनुसंधान, विकास और नवाचार (RDI) योजना निधि का शुभारंभ किया?

A. वैश्विक विज्ञान कांग्रेस 2025
B. उभरते विज्ञान, प्रौद्योगिकी और नवाचार सम्मेलन (ESTIC) 2025
C. भारत नवाचार शिखर सम्मेलन 2025
D. राष्ट्रीय अनुसंधान सम्मेलन 2025

32. 1 नवंबर 2025 से भारतीय मानक ब्यूरो (BIS) के महानिदेशक के रूप में किसे नियुक्त किया गया है?

A. राजेश कुमार सिंह B. संजय गर्ग
C. मनोज आहूजा D. अलका उपाध्याय

33. 2025 में महिला विश्व कप का खिताब किस टीम ने जीता?

A. ऑस्ट्रेलिया B. इंग्लैंड
C. दक्षिण अफ्रीका D. भारत

34. निम्नलिखित में से कौन-सा भारत का सबसे भारी संचार उपग्रह (4,410 किलोग्राम) है जिसे इसरो ने 3 नवंबर 2025 को श्रीहरिकोटा से LVM3-M5 'बाहुबली' रॉकेट का उपयोग करके प्रक्षेपित किया था?

A. GSAT-7A B. GSAT-6
C. GSAT-7R (CMS-03) D. GSAT-9

35. यूआईडीएआई द्वारा शुरू किए गए आधार विजन 2032 फ्रेमवर्क का प्राथमिक उद्देश्य क्या है?

A. आधार को मतदाता पहचान पत्र से जोड़ना
B. उन्नत तकनीकों का उपयोग करके आधार को भविष्य के लिए तैयार करना
C. मौजूदा आधार प्रणाली को एक नए पहचान पत्र से बदलना
D. विदेशों में आधार नामांकन केंद्रों का विस्तार करना

36. आर्य समाज की स्थापना किसने की, जिसकी 150वीं वर्षगांठ 2025 में मनाई गई?

A. स्वामी श्रद्धानंद B. स्वामी विवेकानंद
C. स्वामी दयानंद सरस्वती D. लाला लाजपत राय

37. भारत ने सेमीफाइनल में किस टीम को हराकर महिला क्रिकेट विश्व कप 2025 के फाइनल में प्रवेश किया?

A. इंग्लैंड B. ऑस्ट्रेलिया
C. दक्षिण अफ्रीका D. न्यूजीलैंड

38. भारत के 53वें मुख्य न्यायाधीश (CJI) के रूप में किसे नियुक्त किया गया है?

A. न्यायमूर्ति बी.आर. गवई B. न्यायमूर्ति डी.वाई. चंद्रचूड़
C. न्यायमूर्ति सूर्यकांत D. न्यायमूर्ति संजीव खन्ना

39. राष्ट्रपति द्रौपदी मुर्मू ने अक्टूबर 2025 में किस वायुसेना स्टेशन से राफेल लड़ाकू विमान में उड़ान भरी?

A. हिंडन वायुसेना स्टेशन B. अंबाला वायुसेना स्टेशन
C. ग्वालियर वायुसेना स्टेशन D. जोधपुर वायुसेना स्टेशन

40. अक्टूबर 2025 में शुरू की गई आदर्श युवा ग्राम सभा (MYGS) पहल का उद्देश्य छात्रों में निम्नलिखित में से किसको बढ़ावा देना है?

A. वित्तीय साक्षरता और उद्यमिता
B. लोकतांत्रिक मूल्य और सहभागी शासन
C. पर्यावरण जागरूकता और डिजिटल कौशल
D. खेल और शारीरिक फिटनेस

41. भारत में HAL और रूस की यूनाइटेड एयरक्राफ्ट कॉर्पोरेशन द्वारा संयुक्त रूप से कौन-से विमान का निर्माण किया जाएगा?

A. SJ-100 B. मिग-35
C. तेजस Mk2 D. डोर्नियर 228

42. चक्रवात मोन्था 28 अक्टूबर 2025 को आंध्र प्रदेश के किस तटीय क्षेत्र के पास पहुँचा?

A. विशाखापत्तनम B. काकीनाडा
C. नेल्लोर D. कलिंगपट्टनम

43. 8वें केंद्रीय वेतन आयोग (CPC) के अध्यक्ष कौन हैं?

A. न्यायमूर्ति ए.के. सीकरी
B. न्यायमूर्ति रंजना प्रकाश देसाई
C. श्रीमती निर्मला सीतारमण
D. डॉ. पुलक घोष

44. अक्टूबर 2025 के मध्यावधि चुनावों में अर्जेंटीना की सत्तारूढ़ पार्टी को भारी जीत दिलाने में किसने नेतृत्व किया?

A. अल्बर्टो फर्नांडीज
B. जेवियर माइली
C. मौरिसियो मैक्री
D. क्रिस्टीना फर्नांडीज डी किर्चनर

45. 27-30 अक्टूबर, 2025 तक 8वीं अंतर्राष्ट्रीय सौर गठबंधन (ISA) सभा किस स्थान पर आयोजित की गई थी?

A. विज्ञान भवन, नई दिल्ली
B. भारत मंडपम, नई दिल्ली
C. इंडिया हैबिटेट सेंटर, नई दिल्ली
D. हैदराबाद अंतर्राष्ट्रीय सम्मेलन केंद्र

46. 27 अक्टूबर से 2 नवंबर, 2025 तक मनाए जाने वाले सतर्कता जागरूकता सप्ताह 2025 का विषय क्या था?

A. भ्रष्टाचार को ना कहें
B. ईमानदारी - जीवन जीने का एक तरीका
C. सतर्कता : हमारी साझा जिम्मेदारी
D. भविष्य के लिए पारदर्शिता

47. भारत के चुनाव आयोग द्वारा संचालित विशेष गहन पुनरीक्षण (SIR) क्या है?

A. मतदाता जागरूकता को बढ़ावा देने के लिए एक अभियान
B. चुनाव से पहले मतदाता सूची को अद्यतन और सत्यापित करने का एक विशेष अभियान
C. जनमत सर्वेक्षण आयोजित करने का एक कार्यक्रम
D. राजनीतिक दलों के प्रतीकों और पंजीकरण की समीक्षा

48. 47वां आसियान शिखर सम्मेलन 2025, 26-28 अक्टूबर तक कहाँ आयोजित किया गया था?

A. जकार्ता B. बैंकॉक
C. कुआलालंपुर D. सिंगापुर

49. 2025 में भूमि संसाधन विभाग (DoLR) द्वारा शुरू किए गए कार्यक्रम में NAKSHA का क्या अर्थ है?
A. आवास और परिसंपत्तियों के लिए राष्ट्रीय विश्लेषणात्मक ज्ञान प्रणाली
B. शहरी आवासों का राष्ट्रीय भू-स्थानिक ज्ञान-आधारित भूमि सर्वेक्षण
C. पर्यावास क्षेत्रों के लिए राष्ट्रीय हवाई कार्टोग्राफिक सर्वेक्षण
D. आवास मूल्यांकन के लिए राष्ट्रीय उन्नत ज्ञान योजना

50. राष्ट्रीय विज्ञान पुरस्कार 2025 के अंतर्गत विज्ञान रत्न पुरस्कार किस प्रख्यात वैज्ञानिक को मरणोपरांत प्रदान किया गया?
A. एस. वेंकट मोहन B. जयंत विष्णु नार्लिकर
C. के. थंगराज D. ज्ञानेंद्र प्रताप सिंह

51. भारत-तिब्बत सीमा पुलिस (ITBP) का स्थापना दिवस कब मनाया जाता है?
A. 20 अक्टूबर B. 21 अक्टूबर
C. 24 अक्टूबर D. 26 अक्टूबर

52. राष्ट्रीय एकता दिवस हर साल 31 अक्टूबर को किस राष्ट्रीय नेता की जयंती के उपलक्ष्य में मनाया जाता है?
A. महात्मा गांधी B. सरदार वल्लभभाई पटेल
C. सुभाष चंद्र बोस D. लाल बहादुर शास्त्री

53. मानवरहित गगनयान G1 मिशन कब प्रक्षेपित होने वाला है?
A. नवंबर 2025 B. दिसंबर 2025
C. जनवरी 2026 D. मार्च 2026

54. केदारनाथ और यमुनोत्री मंदिर किस त्यौहार पर शीतकाल के लिए बंद कर दिए गए थे?
A. दिवाली B. भाई दूज
C. दशहरा D. कार्तिक पूर्णिमा

55. दिल्ली सरकार ने 23 अक्टूबर 2025 को आईआईटी कानपुर के सहयोग से क्लाउड सीडिंग के माध्यम से अपना पहला कृत्रिम वर्षा परीक्षण कहाँ किया?
A. द्वारका B. बुराड़ी
C. रोहिणी D. लाजपत नगर

56. अक्टूबर 2025 में किस खिलाड़ी को प्रादेशिक सेना में लेफ्टिनेंट कर्नल की मानद उपाधि से सम्मानित किया गया?
A. पीवी सिंधु B. विराट कोहली
C. नीरज चोपड़ा D. अभिनव बिंद्रा

57. निंगोल चाकोबा उत्सव भारत के किस राज्य में मनाया जाता है?
A. असम B. त्रिपुरा
C. मणिपुर D. मेघालय

58. वैश्विक वन संसाधन आकलन (GFRA) 2025 के अनुसार, कुल वन क्षेत्र में भारत का वैश्विक स्थान क्या है?
A. 7वीं B. 8वीं
C. 9वीं D. 10वीं

59. अक्टूबर 2025 में जापान की पहली महिला प्रधानमंत्री कौन बनीं?
A. युरिको कोइके B. साने ताकाइची
C. फुमियो किशिदा D. योको कामिकावा

60. क्षेत्रीय संपर्क योजना - उड़ान (उड़े देश का आम नागरिक), जिसने 21 अक्टूबर 2025 को अपने 9 वर्ष पूरे कर लिए, किससे संबंधित है?
A. सभी प्रमुख शहरों को रेलवे से जोड़ना
B. सभी जिलों को जोड़ने के लिए सड़क मार्ग से बस सेवा
C. सभी गाँवों में ब्रॉडबैंड उपलब्ध कराना
D. हवाई यात्रा को सस्ता बनाना और छोटे शहरों और कस्बों को जोड़ना

61. FIDE शतरंज विश्व कप 2025, 31 अक्टूबर से 17 नवंबर तक कहाँ आयोजित किया गया?
A. चेन्नई B. मुंबई
C. अरपोरा, गोवा D. नई दिल्ली

62. 2025 में 125वीं भारतीय फुटबॉल संघ (IFA) शील्ड किस टीम ने जीती?
A. ईस्ट बंगाल FC
B. रियल कश्मीर FC
C. मोहन बागान सुपर जायंट
D. बेंगलुरु FC

63. अक्टूबर 2025 में अफगानिस्तान और पाकिस्तान के बीच युद्ध विराम में किन देशों ने मध्यस्थता की?
A. सऊदी अरब और ईरान
B. कतर और तुर्की
C. चीन और रूस
D. अमेरिका और यूएई

64. बोलीविया का 2025 का राष्ट्रपति चुनाव किसने जीता?
A. इवो मोरालेस B. जॉर्ज टूटो क्विरोगा
C. रोड्रिगो पाज D. एडमैन लारा

65. पुलिस स्मृति दिवस हर साल 21 अक्टूबर को किस ऐतिहासिक घटना के उपलक्ष्य में मनाया जाता है?
A. कारगिल युद्ध
B. 26/11 मुंबई हमला
C. लद्दाख में हॉट स्प्रिंग्स की घटना (1959)
D. ऑपरेशन ब्लू स्टार

66. भारतीय हॉकी टीम अक्टूबर 2025 में मलेशिया में आयोजित किस अंतर्राष्ट्रीय टूर्नामेंट के फाइनल में पहुँची?

A. एशिया कप B. हॉकी चैंपियंस ट्रॉफी
C. सुल्तान जोहोर कप D. नेशंस कप

67. तेजस LCA Mk1A लड़ाकू विमान का विकास किस संगठन ने किया?

A. DRDO
B. ISRO
C. भारत डायनेमिक्स लिमिटेड
D. हिंदुस्तान एयरोनॉटिक्स लिमिटेड (HAL)

68. राष्ट्रीय सुरक्षा गार्ड (NSG) का स्थापना दिवस हर साल 16 अक्टूबर को मनाया जाता है। एनएसजी की स्थापना किस वर्ष हुई थी?

A. 1980 B. 1982
C. 1984 D. 1986

69. अंतर्राष्ट्रीय गरीबी उन्मूलन दिवस हर साल मनाया जाता है :

A. 15 अक्टूबर B. 17 अक्टूबर
C. 20 अक्टूबर D. 24 अक्टूबर

70. नौसैनिक अभ्यास 'समुद्र शक्ति' के पाँचवें संस्करण में कौन-से दो देश भाग ले रहे हैं?

A. भारत और जापान B. भारत और इंडोनेशिया
C. भारत और श्रीलंका D. भारत और ऑस्ट्रेलिया

71. 2030 राष्ट्रमंडल खेलों की मेजबानी कौन-सा भारतीय शहर करेगा?

A. नई दिल्ली B. अहमदाबाद
C. मुंबई D. बेंगलुरु

72. रक्षा मंत्रालय ने भारतीय सेना की किस राइफल को उन्नत रात्रि दृष्टि से लैस करने के लिए अक्टूबर 2025 में ₹659.47 करोड़ के अनुबंध पर हस्ताक्षर किया हैं?

A. INSAS B. AK-203
C. SIG716 D. Tavor

73. "अक्टूबर 2025 में, वरिष्ठ नक्सली कार्यकर्ताओं ने गढ़चिरौली में आत्मसमर्पण किया। उनमें से कौन केंद्रीय नक्सल समिति का पोलित ब्यूरो सदस्य था?"

A. मल्लूजोला वेणुगोपाल राव उर्फ भूपति
B. गणेश पाटिल
C. रमेश यादव
D. सुरेश सिंह

74. अक्टूबर 2025 में प्रकाशित "रेडी, रेलेवेंट एंड रिसर्जेंट II : शेपिंग ए फ्यूचर रेडी फोर्स" नामक पुस्तक के लेखक कौन हैं?

A. राजनाथ सिंह B. जनरल अनिल चौहान
C. जनरल बिपिन रावत D. अशोक कुमार

75. अक्टूबर 2025 में भारत-दक्षिण कोरिया नौसैनिक द्विपक्षीय अभ्यास का उद्घाटन कहाँ हुआ था?

A. विशाखापत्तनम B. बुसान
C. चेन्नई D. सियोल

76. नए डीडीपी तंत्र के तहत भारत से अमेरिका को भेजे जाने वाले शिपमेंट पर एकसमान सीमा शुल्क क्या है?

A. घोषित एफओबी मूल्य का 25%
B. घोषित एफओबी मूल्य का 40%
C. घोषित एफओबी मूल्य का 50%
D. घोषित एफओबी मूल्य का 60%

77. अमेरिका के बाहर Google का सबसे बड़ा AI और डेटा इंफ्रास्ट्रक्चर हब किस भारतीय शहर में स्थापित होगा?

A. बेंगलुरु B. हैदराबाद
C. विशाखापत्तनम D. पुणे

78. नवाचार और "रचनात्मक विनाश" पर अपने कार्य के लिए 2025 का अर्थशास्त्र का नोबेल पुरस्कार किसे मिला?

A. पॉल क्रुगमैन, मिल्टन फ्रीडमैन और बेन बर्नान्के
B. जोएल मोकिर, फिलिप अघियन और पीटर हॉविट
C. साइमन जॉनसन, जेम्स रॉबिन्सन और डैरन ऐसमोग्लू
D. राग्नार फ्रिस्क, जान टिनबर्गेन और निकोलास टिनबर्गेन

79. मंगोलिया के राष्ट्रपति कौन हैं जिन्होंने अक्टूबर 2025 में भारत का दौरा किया?

A. खाल्तमागीन बत्तुल्गा B. खुरेलसुख उखना
C. लवसनमस्रेन ओयुन-एर्डीन D. त्साखियागीन एल्बेगदोर्ज

80. अक्टूबर 2025 में, केंद्रीय रेल मंत्री अश्विनी वैष्णव ने घोषणा की कि रेलवे सुरक्षा बल (RPF) के लिए हर साल भर्ती आयोजित की जाएगी। इस भर्ती का संचालन किस संगठन को सौंपा गया है?

A. संघ लोक सेवा आयोग (UPSC)
B. रेलवे भर्ती बोर्ड (RRB)
C. कर्मचारी चयन आयोग (SSC)
D. राष्ट्रीय भर्ती एजेंसी (NRA)

81. भारत और ऑस्ट्रेलिया के बीच 13-26 अक्टूबर 2025 तक पर्थ में आयोजित अभ्यास ऑस्ट्राहिंड 2025 का नेतृत्व भारतीय सेना की किस रेजिमेंट ने किया था?

A. राजपूत रेजिमेंट B. सिख रेजिमेंट
C. गोरखा राइफल्स D. मद्रास रेजिमेंट

82. अफगानिस्तान के विदेश मंत्री मावलवी अमीर ख़ान मुत्ताकी की 9-16 अक्टूबर 2025 तक की भारत यात्रा, 2021 के बाद तालिबान की पहली मंत्रिस्तरीय यात्रा थी। भारतीय मुसलमानों तक पहुँच बनाने के लिए उन्होंने अपने प्रवास के दौरान किस धार्मिक संस्थान का दौरा किया?

A. अलीगढ़ मुस्लिम विश्वविद्यालय
B. जामिया मिलिया इस्लामिया
C. दारुल उलूम देवबंद
D. नदवतुल उलमा, लखनऊ

83. भारत द्वारा आयोजित संयुक्त राष्ट्र सैन्य योगदान देने वाले देशों (UNTCC) के प्रमुखों का सम्मेलन 2025 किस शहर में आयोजित किया गया?

A. मुंबई B. बेंगलुरु
C. नई दिल्ली D. हैदराबाद

84. 2025 में नोबेल शांति पुरस्कार जीतने वाली मारिया कोरिना मचाडो किस देश की राजनीतिक नेता हैं?

A. ब्राजील B. कोलंबिया
C. वेनेजुएला D. अर्जेंटीना

85. असम के गुवाहाटी में आयोजित BWF विश्व जूनियर चैंपियनशिप 2025 में भारत ने किस स्पर्धा में कांस्य पदक जीता?

A. पुरुष एकल B. महिला युगल
C. मिश्रित टीम स्पर्धा D. पुरुष युगल

86. अक्टूबर 2025 में भारतीय दूतावास के उन्नयन से पहले, काबुल में भारत की राजनयिक उपस्थिति की प्रकृति क्या थी?

A. कोई राजनयिक मिशन नहीं
B. एक पूर्ण दूतावास
C. एक सीमित तकनीकी मिशन
D. एक वाणिज्य दूतावास कार्यालय

87. 2025 का साहित्य का नोबेल पुरस्कार किसे मिला?

A. ओरहान पामुक B. सलमान रुश्दी
C. लास्ज़्लो क्रास्जनाहोरकाई D. काज़ुओ इशिगुरो

88. अक्टूबर 2025 में इजराइल-हमास शांति योजना के पहले चरण पर कहाँ हस्ताक्षर किए गए थे?

A. जिनेवा, स्विट्ज़रलैंड B. शर्म अल-शेख, मिस्र
C. दोहा, कतर D. यरुशलम, इजराइल

89. 2025 का रसायन विज्ञान का नोबेल पुरस्कार किसे मिला?

A. जॉन क्लार्क, मिशेल डेवोरेट और जॉन मार्टिनिस
B. सुसुमु कितागावा, रिचर्ड रॉबसन और उमर एम. याघी
C. कैरोलिन बर्टोजी, मोर्टेन मेल्डल और के. बैरी शार्पलेस
D. इमैनुएल चार्पेंटियर, जेनिफर डूडना और फेंग झांग

90. यूनाइटेड किंगडम के वर्तमान प्रधानमंत्री कौन हैं जिन्होंने अक्टूबर 2025 में भारत का दौरा किया था?

A. ऋषि सुनक B. कीर स्टारमर
C. बोरिस जॉनसन D. लिज़ ट्रस

91. विश्व मानसिक स्वास्थ्य दिवस हर साल कब मनाया जाता है?

A. 5 अक्टूबर B. 10 अक्टूबर
C. 15 अक्टूबर D. 20 अक्टूबर

92. 2025 का भौतिकी का नोबेल पुरस्कार किसे मिला?

A. पीटर हिग्स, फ्रांस्वा एंगलर्ट और जेम्स पीबल्स
B. जॉन क्लार्क, मिशेल डेवोरेट और जॉन मार्टिनिस
C. रोजर पेनरोज, एंड्रिया गेज़ और रीनहार्ड जेन्जेल
D. एलेन एस्पेक्ट, जॉन क्लॉसर और एंटोन जीलिंगर

93. भारतीय वायु सेना दिवस प्रतिवर्ष कब मनाया जाता है?

A. 26 जनवरी B. 15 अगस्त
C. 8 अक्टूबर D. 4 दिसंबर

94. नवी मुंबई अंतर्राष्ट्रीय हवाई अड्डा कहाँ स्थित है?

A. पनवेल B. उल्वे, नवी मुंबई
C. ठाणे D. बेलापुर

95. बिहार विधानसभा चुनाव 2025 में मतदान की तिथियां क्या थी?

A. 1 और 5 नवंबर B. 4 और 9 नवंबर
C. 6 और 11 नवंबर D. 8 और 12 नवंबर

96. 7 से 9 अक्टूबर 2025 तक मुंबई में आयोजित ग्लोबल फिनटेक फेस्ट 2025 का विषय क्या है?

A. सभी के लिए डिजिटल वित्त
B. विकास के लिए फिनटेक नवाचार
C. एआई द्वारा संचालित एक बेहतर दुनिया के लिए वित्त का सशक्तिकरण
D. सतत और समावेशी फिनटेक

97. 2025 का फिजियोलॉजी या मेडिसिन का नोबेल पुरस्कार किसे मिला?

A. विक्टर एम्ब्रोस, गैरी रुवकुन और मैरी ब्रुनकोव
B. मैरी ई. ब्रुनकोव, फ्रेड रैम्सडेल और शिमोन सकागुची
C. शिमोन सकागुची, तासुकु होंजो और जेम्स एलिसन
D. विक्टर एम्ब्रोस, गैरी रुवकुन और शिमोन सकागुची

98. विश्व पैरा एथलेटिक्स चैंपियनशिप 2025 में भारत ने समग्र रैंकिंग में कौन-सा स्थान हासिल किया?

A. शीर्ष-3 स्थान B. शीर्ष-5 स्थान
C. शीर्ष-10 स्थान D. शीर्ष-15 स्थान

99. अक्टूबर 2025 में भारत का नया एकदिवसीय कप्तान किसे नियुक्त किया गया है?

A. रोहित शर्मा B. श्रेयस अय्यर
C. शुभमन गिल D. केएल राहुल

100. अभ्यास कोंकण-2025 किन दो देशों के बीच एक द्विपक्षीय नौसैनिक अभ्यास है?

A. भारत और फ्रांस
B. भारत और यूनाइटेड किंगडम
C. भारत और जापान
D. भारत और संयुक्त राज्य अमेरिका

101. बच्चों के लिए आधार बायोमेट्रिक अपडेट अनिवार्य रूप से किस उम्र में आवश्यक है?

A. 3 वर्ष और 10 वर्ष B. 5 वर्ष और 15 वर्ष
C. 6 वर्ष और 12 वर्ष D. 7 वर्ष और 17 वर्ष

102. केंद्रीय मंत्रिमंडल ने 1 जुलाई 2025 से केंद्र सरकार के कर्मचारियों और पेंशनभोगियों के लिए महंगाई भत्ते (DA) और महंगाई राहत (DR) में कितनी वृद्धि की है?

A. 2% (55% से 57%) B. 3% (55% से 58%)
C. 4% (55% से 59%) D. 5% (55% से 60%)

103. 2026-27 विपणन सत्र के लिए ₹160 प्रति क्विंटल की वृद्धि के बाद गेहूँ का MSP क्या है?

A. ₹ 2,425 प्रति क्विंटल B. ₹ 2,585 प्रति क्विंटल
C. ₹ 2,650 प्रति क्विंटल D. ₹ 2,510 प्रति क्विंटल

104. भारत को अक्टूबर 2025 में किस उपलब्धि के लिए ISSA पुरस्कार 2025 से सम्मानित किया गया?

A. शिक्षा में उत्कृष्ट उपलब्धि
B. सामाजिक सुरक्षा में उत्कृष्ट उपलब्धि
C. डिजिटल नवाचार में उत्कृष्टता
D. वैश्विक व्यापार में नेतृत्व

105. SSC ने अपनी परीक्षाओं में पारदर्शिता सुनिश्चित करने के लिए अक्टूबर 2025 में कौन-सा प्रमुख सुधार पेश किया है?

A. केवल उत्तर कुंजी प्रकाशित करना
B. अभ्यर्थियों को अपने प्रश्न पत्र, उत्तर और सही उत्तर देखने की अनुमति देना
C. निःशुल्क कोचिंग कक्षाएं प्रदान करना
D. नकारात्मक अंकन हटाना

106. अक्टूबर 2025 में भारतीय रिजर्व बैंक (RBI) का नया डिप्टी गवर्नर किसे नियुक्त किया गया है?

A. एम. राजेश्वर राव B. शिरीष चंद्र मुर्मू
C. टी. रबी शंकर D. स्वामीनाथन जे

107. 2025 में गाजा के लिए 20 सूत्रीय शांति योजना का प्रस्ताव किसने रखा?

A. जो बिडेन B. बेंजामिन नेतन्याहू
C. डोनाल्ड ट्रम्प D. एंटोनियो गुटेरेस

108. आईसीसी महिला एकदिवसीय विश्व कप 2025, सितंबर 2025 में किस देश में आयोजित किया गया?

A. इंग्लैंड B. ऑस्ट्रेलिया
C. भारत D. दक्षिण अफ्रीका

109. सितंबर 2025 में, भारत ने किस देश के साथ अपनी पहली सीमा पार रेलवे परियोजना स्थापित करने पर सहमति व्यक्त की है?

A. नेपाल B. बांग्लादेश
C. भूटान D. म्यांमार

110. भारत ने सितंबर 2025 में दुबई में आयोजित एशिया कप के फाइनल में किस देश को हराकर खिताब जीता?

A. श्रीलंका B. पाकिस्तान
C. बांग्लादेश D. अफगानिस्तान

111. भारत का शीत मरुस्थल जैवमंडल आरक्षित क्षेत्र, जिसे सितंबर 2025 में यूनेस्को के विश्व जैवमंडल आरक्षित क्षेत्र नेटवर्क में शामिल किया गया है, किस राज्य में स्थित है?

A. उत्तराखंड B. हिमाचल प्रदेश
C. सिक्किम D. अरुणाचल प्रदेश

112. भारतीय वायु सेना ने सितंबर 2025 में किस दिग्गज लड़ाकू विमान को आधिकारिक तौर पर विदाई दी?

A. जगुआर B. मिराज 2000
C. मिग-21 D. तेजस

113. सितंबर 2025 में शुरू की गई मुख्यमंत्री महिला रोजगार योजना के तहत, बिहार भर में 75 लाख महिलाओं को पहले चरण में प्रत्येक को कितनी वित्तीय सहायता मिली?

A. ₹ 5,000 B. ₹ 7,500
C. ₹ 10,000 D. ₹ 25,000

114. यूएई ने दुबई वर्ल्ड कांग्रेस फॉर सेल्फ-ड्राइविंग ट्रांसपोर्ट (24–25 सितम्बर 2025) में अपना पहला *सॉवरेन मोबिलिटी क्लाउड* लॉन्च किया। इस पहल को कौन-सा वैश्विक टेक्नोलॉजी प्लेटफॉर्म संचालित कर रहा है?

A. अमेजन वेब सर्विसेज B. गूगल क्लाउड
C. माइक्रोसॉफ्ट अज्योर D. ओरेकल क्लाउड

115. 24 सितम्बर 2025 को लद्दाख में राज्य का दर्जा और छठी अनुसूची में शामिल करने की मांग को लेकर हुए प्रदर्शन किस शहर में हिंसक हो गए?

A. कारगिल B. लेह
C. श्रीनगर D. जम्मू

116. 25-28 सितंबर 2025 तक वर्ल्ड फूड इंडिया 2025 कहाँ आयोजित किया गया है?

A. प्रगति मैदान, नई दिल्ली
B. भारत मंडपम, नई दिल्ली
C. इंडिया एक्सपो मार्ट, ग्रेटर नोएडा
D. BIEC, बेंगलुरु

117. 24 सितंबर 2025 को, केंद्रीय मंत्रिमंडल ने योजना के नए चरण के तहत सरकारी मेडिकल कॉलेजों में कितनी MBBS सीटें जोड़ने को मंजूरी दी?

A. 3,000 B. 5,023
C. 7,500 D. 10,000

118. सितंबर 2025 में, मंत्रिमंडल की नियुक्ति समिति ने मई 2026 तक चीफ ऑफ डिफेंस स्टाफ (CDS) के रूप में किस अधिकारी के सेवा विस्तार को मंजूरी दी?

A. जनरल मनोज पांडे B. जनरल अनिल चौहान
C. जनरल बिपिन रावत D. जनरल दीपक कपूर

119. संयुक्त राष्ट्र महासभा (UNGA) के 80वें सत्र (2025) की थीम क्या है?

A. 21वीं सदी में वैश्विक शांति और सुरक्षा
B. बेहतर साथ : शांति, विकास और मानवाधिकारों के लिए 80 साल और आगे
C. एक सतत और समावेशी भविष्य की ओर
D. वैश्विक विकास के लिए बहुपक्षवाद को सुदृढ़ करना

120. 23 सितम्बर 2025 को रक्षा मंत्री राजनाथ सिंह ने टाटा एडवांस्ड सिस्टम्स लिमिटेड (TASL) की एक रक्षा उत्पादन इकाई का उद्घाटन किस देश में किया?

A. मिस्र B. मोरक्को
C. केन्या D. दक्षिण अफ्रीका

121. सितंबर 2025 में 7 वर्ष पूरे करने वाली दुनिया की सबसे बड़ी सरकारी-वित्तपोषित स्वास्थ्य बीमा योजना का नाम क्या है?

A. आयुष्मान भारत - प्रधानमंत्री जन आरोग्य योजना (PMJAY)
B. राष्ट्रीय स्वास्थ्य बीमा योजना
C. जननी सुरक्षा योजना
D. प्रधानमंत्री सुरक्षा बीमा योजना

122. वर्ष 2023 के लिए 71वें राष्ट्रीय फिल्म पुरस्कारों में सर्वश्रेष्ठ फीचर फिल्म का पुरस्कार किस फिल्म को मिला?

A. कथल : अ जैकफ्रूट मिस्ट्री
B. 12th फेल
C. रॉकी और रानी की प्रेम कहानी
D. मिसेज चैटर्जी वर्सेस नॉर्वे

123. 10वाँ राष्ट्रीय आयुर्वेद दिवस कब मनाया गया?

A. 21 सितंबर 2025 B. 22 सितंबर 2025
C. 23 सितंबर 2025 D. 24 सितंबर 2025

124. नए जीएसटी सुधारों (22 सितंबर 2025 से लागू) के तहत कितने मुख्य कर स्लैब हैं?

A. 3 (5%, 12%, 18%)
B. 4 (5%, 12%, 18%, 28%)
C. 2 (5% और 18%)
D. केवल 1 (5%)

125. 21 सितंबर 2025 को किन तीन देशों ने औपचारिक रूप से फिलिस्तीन राज्य को मान्यता दी?

A. यूके, कनाडा, ऑस्ट्रेलिया
B. यूके, फ्रांस, जर्मनी
C. कनाडा, अमेरिका, ऑस्ट्रेलिया
D. यूके, इजराइल, बेल्जियम

126. दादासाहेब फाल्के पुरस्कार 2023 से किसे सम्मानित किया गया?

A. ममूटी B. मोहनलाल
C. रजनीकांत D. कमल हासन

127. H-1B वीजा क्या है, जिसकी फीस सितंबर 2025 में बढ़ाकर 1,00,000 डॉलर कर दी गई?

A. अमेरिका में अल्पकालिक यात्रा के लिए टूरिस्ट वीजा
B. विशिष्ट क्षेत्रों में कुशल विदेशी पेशेवरों के लिए वर्क वीजा
C. अमेरिका में उच्च शिक्षा के लिए स्टूडेंट वीजा
D. स्थायी निवास कार्ड (ग्रीन कार्ड)

128. 21 सितंबर 2025 को मनाए गए अंतर्राष्ट्रीय शांति दिवस की थीम क्या है?

A. शांति के लिए सेतु निर्माण
B. अभी कार्य करें एक शांतिपूर्ण विश्व के लिए
C. जलवायु कार्रवाई शांति के लिए
D. सामंजस्य के लिए युवा

129. भारतीय सेना ने सितंबर 2025 में किस युद्ध की हीरक जयंती मनाई?

A. कारगिल युद्ध
B. 1971 भारत-पाकिस्तान युद्ध
C. 1965 भारत-पाकिस्तान युद्ध
D. द्वितीय विश्व युद्ध

130. सितंबर 2025 में केंद्रीय औद्योगिक सुरक्षा बल (CISF) के नए महानिदेशक के रूप में किसे नियुक्त किया गया?

A. राहुल रसगोत्रा B. प्रवीर रंजन
C. प्रवीण कुमार D. राजविंदर सिंह भट्टी

131. प्रवीण कुमार अक्टूबर 2025 से किस अर्धसैनिक बल का नेतृत्व करेंगे?

A. सीआरपीएफ B. बीएसएफ
C. आईटीबीपी D. सीआईएसएफ

132. सितंबर 2025 में 7 प्राकृतिक धरोहर स्थलों के जुड़ने के बाद, यूनेस्को की अस्थायी सूची में भारतीय स्थलों की कुल संख्या कितनी हो गई है?

A. 59 B. 65
C. 69 D. 72

133. सितंबर 2025 में आयोजित जापाद-2025 में भारत के अलावा किन देशों ने भाग लिया?

A. ईरान, बांग्लादेश, बुर्किना फासो, कांगो, माली
B. चीन, नेपाल, श्रीलंका, भूटान
C. अमेरिका, ब्रिटेन, फ्रांस, जर्मनी
D. जापान, दक्षिण कोरिया, वियतनाम, थाईलैंड

134. सितंबर 2025 में, डाक विभाग (DoP) और बीएसएनएल ने पूरे भारत में मोबाइल कनेक्टिविटी बढ़ाने के लिए एक समझौता ज्ञापन (MoU) पर हस्ताक्षर किए। यह कैसे पूरा किया जाएगा?
A. ग्रामीण क्षेत्रों में नए टेलीकॉम टावर लगाकर
B. बीएसएनएल सिम कार्ड और रिचार्ज सेवाओं की बिक्री के लिए डाकघरों का उपयोग करके
C. पूरे देश में संयुक्त 5G नेटवर्क शुरू करके
D. डाकियों के माध्यम से मुफ्त इंटरनेट कनेक्शन उपलब्ध कराकर

135. 2025 में भारत-अमेरिका के व्यापारिक रिश्तों में तनाव का मुख्य कारण क्या था?
A. आईटी सेवाओं पर विवाद
B. रूसी कच्चे तेल के आयात से जुड़ी भारतीय वस्तुओं पर 50% शुल्क
C. कृषि निर्यात पर प्रतिबंध
D. बौद्धिक संपदा विवाद

136. सितम्बर 2025 में टीम इंडिया का नया मुख्य प्रायोजक किसे घोषित किया गया है?
A. ड्रीम11 B. अपोलो टायर्स
C. बायजूस D. पेटीएम

137. विश्व मुक्केबाजी चैंपियनशिप 2025 में 48 किग्रा और 57 किग्रा भार वर्ग में स्वर्ण पदक किसने जीता?
A. निकहत जरीन और लवलीना बोरगोहेन
B. मिनाक्षी हूडा और जैस्मिन लाम्बोरिया
C. मैरी कॉम और सवीती बूरा
D. नीतू घंघस और सरिता देवी

138. सितंबर 2025 में प्रधानमंत्री मोदी द्वारा भारत की पहली बाँस-आधारित बायो-रिफाइनरी का उद्घाटन कहाँ किया गया?
A. डिब्रूगढ़, असम B. नूमालीगढ़, असम
C. गुवाहाटी, असम D. सिलचर, असम

139. 2025 से CBSE द्वारा कक्षा 10 और 12 की बोर्ड परीक्षाओं में शामिल होने के लिए न्यूनतम उपस्थिति कितनी अनिवार्य कर दी गई है?
A. 60% B. 65%
C. 70% D. 75%

140. भारत ने 14 सितम्बर 2025 को एशिया कप 2025 में दुबई में पाकिस्तान को 7 विकेट से हराया। प्लेयर ऑफ द मैच किसे चुना गया?
A. हार्दिक पंड्या B. शाहीन अफरीदी
C. कुलदीप यादव D. सूर्यकुमार यादव

141. 12 सितम्बर 2025 को नेपाल की पहली महिला प्रधानमंत्री कौन बनीं?
A. विद्या देवी भंडारी B. सुशीला कार्की
C. ओंसारी घर्ती मगर D. सुजाता कोइराला

142. सितम्बर 2025 में उद्घाटित मिज़ोरम की पहली रेल संपर्क लाइन का नाम क्या है?
A. सिलचर-आइजोल लाइन B. बैराबी-सैरांग लाइन
C. अगरतला-आइजोल लाइन D. गुवाहाटी-सैरांग लाइन

143. मॉरीशस के प्रधानमंत्री डॉ. नवीनचंद्र रामगुलाम, जिन्होंने 9–16 सितम्बर 2025 तक भारत का दौरा किया, उनकी पैतृक जड़ें भारत के किस राज्य से जुड़ी हैं?
A. उत्तर प्रदेश B. बिहार
C. गुजरात D. तमिलनाडु

144. फिच रेटिंग्स ने सितम्बर 2025 में भारत की GDP वृद्धि दर का वित्त वर्ष 2025 के लिए अनुमान किससे संशोधित किया?
A. 6.0% से 6.5% B. 6.5% से 6.9%
C. 6.8% से 7.2% D. 7.0% से 7.5%

145. एशिया कप 2025 का 17वां संस्करण 9-28 सितम्बर 2025 तक किस देश में खेला गया?
A. भारत
B. पाकिस्तान
C. संयुक्त अरब अमीरात (UAE)
D. श्रीलंका

146. *आदि* संस्कृति - दुनिया का पहला डिजिटल जनजातीय विश्वविद्यालय किस मंत्रालय ने शुरू किया?
A. संस्कृति मंत्रालय B. जनजातीय कार्य मंत्रालय
C. शिक्षा मंत्रालय D. कौशल विकास मंत्रालय

147. सितंबर 2025 में भारत के 15वें उपराष्ट्रपति के रूप में किसे चुना गया?
A. न्यायमूर्ति बी. सुदर्शन रेड्डी
B. सी. पी. राधाकृष्णन
C. जगदीप धनखड़
D. वेंकैया नायडू

148. 9 सितंबर 2025 को नेपाल के प्रधानमंत्री पद से किसने इस्तीफा दिया?
A. पुष्प कमल दहल B. शेर बहादुर देउबा
C. के. पी. शर्मा ओली D. रमेश लेखक

149. 2025 में भारतीय फुटबॉल टीम के नए मुख्य कोच कौन नियुक्त हुए?
A. इगोर स्तीमाक B. खालिद जमील
C. स्टीफन कॉन्स्टेंटाइन D. क्लिफर्ड मिरांडा

150. सितंबर 2025 में काठमांडू, नेपाल में 'Gen Z' द्वारा बड़े पैमाने पर विरोध प्रदर्शन हुए। उनकी मुख्य माँग क्या थी?

A. भंग संसद की बहाली
B. सोशल मीडिया प्रतिबंध वापस लेना
C. ईंधन की कीमतों में कमी
D. प्रधानमंत्री का इस्तीफा

151. 22 अप्रैल 2025 के घातक पहलगाम हमले में संलिप्तता के कारण जुलाई 2025 में संयुक्त राज्य अमेरिका द्वारा किस संगठन को विदेशी आतंकवादी संगठन (FTO) घोषित किया गया था?
A. जैश-ए-मोहम्मद B. द रेजिस्टेंस फ्रंट (TRF)
C. हिज्बुल मुजाहिद्दीन D. इंडियन मुजाहिद्दीन

152. स्वच्छ सर्वेक्षण 2024-25 में लगातार 8वें वर्ष किस शहर को भारत का सबसे स्वच्छ शहर घोषित किया गया?
A. अहमदाबाद B. सूरत
C. इंदौर D. नवी मुम्बई

153. जुलाई 2025 में शुंभांशु शुक्ला को अंतर्राष्ट्रीय अंतरिक्ष स्टेशन (ISS) ले जाने वाले मिशन का नाम क्या है?
A. चंद्रयान-3
B. गगनयान-1
C. एक्सिओम-4 (आकाश गंगा)
D. मिशन पृथ्वी

154. किस फुटबॉल क्लब ने 2025 में पहला फीफा क्लब विश्व कप जीता?
A. पेरिस सेंट-जर्मेन B. बायर्न म्यूनिख
C. मैनचेस्टर सिटी D. चेल्सी

155. जुलाई 2025 में उद्घाटन किए जाने वाले भारत के दूसरे सबसे लम्बे केबल-स्टेड ब्रिज का नाम क्या है?
A. बांद्रा-वर्ली सी लिंक B. शरावती ब्रिज
C. सिंगदूर ब्रिज D. कलसावल्ली ब्रिज

156. विम्बल्डन 2025 पुरुष एकल का खिताब किसने जीता?
A. नोवाक जोकोविच B. कार्लोस अल्काराज
C. जननिक सिनर D. डेनियल मेदवेदेव

157. विम्बल्डन 2025 महिला एकल का खिताब किसने जीता?
A. आर्याना सबालेंका B. अमांडा अनिसिमोवा
C. इगा स्विएटेक D. ऐलेना रयबाकिना

158. जुलाई 2025 में किस भारतीय धरोहर स्थल को 44वें यूनेस्को विश्व धरोहर स्थल के रूप में अंकित किया गया?
A. राजस्थान के पहाड़ी किले
B. भारत के मराठा सैन्य परिदृश्य
C. अजंता की गुफाएँ
D. चोल मंदिर

159. जुलाई 2025 में भारतीय सेना द्वारा शुरू किए गए ऑपरेशन शिवा 2025 का प्राथमिक उद्देश्य क्या है?
A. लद्दाख में सीमा निगरानी
B. बाढ़ प्रभावित क्षेत्रों में बचाव अभियान
C. श्री अमरनाथ यात्रा का सुरक्षित संचालन सुनिश्चित करना
D. विदेशी सेनाओं के साथ संयुक्त सैन्य अभ्यास करना

160. विमान दुर्घटना जाँच ब्यूरो (AAIB) की रिपोर्ट के अनुसार, एयर इंडिया की उड़ान संख्या AI 171 के दुर्घटनाग्रस्त होने का क्या कारण था?
A. पक्षी का टकराना
B. मौसम की गड़बड़ी
C. इंजनों को ईंधन की आपूर्ति बंद हो गई थी
D. इंजन में आग लग गई थी

161. 30 जुलाई 2025 को प्रक्षेपित नासा-इसरो सिंथेटिक अपर्चर रडार (NISAR) उपग्रह की क्या विशेषता है?
A. यह भारत का पहला उपग्रह है
B. यह मानव को ले जाने वाला पहला उपग्रह है
C. यह द्वि-आवृत्ति रडार (L-बैंड और S-बैंड) का उपयोग करता है
D. यह चंद्र अभियानों के लिए डिजाइन किया गया है

162. जुलाई 2025 में थाईलैंड-कम्बोडिया सीमा संघर्ष को सुलझाने के लिए किस देश के प्रधानमंत्री ने मध्यस्थता की और युद्धविराम की घोषणा की?
A. थाईलैंड B. कम्बोडिया
C. वियतनाम D. मलेशिया

163. FIDE महिला विश्व कप 2025 किसने जीता?
A. कोनेरू हम्पी B. हरिका द्रोणावल्ली
C. दिव्या देशमुख D. तानिया सचदेव

164. 1 जुलाई 2025 को लॉन्च किए गए नए भारतीय रेलवे ऐप का नाम क्या है?
A. रेलकनेक्ट B. रेलवन
C. रेलमेट D. यूटीएस ऑन मोबाइल

165. 1 जुलाई 2025 को यंतर शिपयार्ड, कलिनिनग्राद, रूस में कमीशन किए गए उन्नत स्टील्थ फ्रिगेट का नाम क्या है?
A. INS विक्रांत B. INS तलवार
C. INS तमाल D. INS शिवालिक

166. भारत ने जुलाई 2025 में अपना पहला इक्विन डिजीज-फ्री कम्पार्टमेंट (EDFC) कहाँ स्थापित किया है?
A. पुणे B. बीकानेर
C. मेरठ छावनी D. चेन्नई

167. जुलाई 2025 में नरेंद्र मोदी को त्रिनिदाद और टोबैगो से मिलने वाले पुरस्कार का नाम क्या है?
A. ऑर्डर ऑफ द कैरेबियन
B. नेशनल हीरो अवार्ड
C. ऑर्डर ऑफ द रिपब्लिक ऑफ त्रिनिदाद और टोबैगो
D. वेस्ट इंडीज मेडल ऑफ ऑनर

168. 2025 में BWF वर्ल्ड टूर खिताब जीतने वाले पहले भारतीय कौन बने?

A. लक्ष्य सेन B. किदांबी श्रीकांत
C. आयुष शेट्टी D. प्रणय एच.एस.

169. नाटो शिखर सम्मेलन 2025 कहाँ आयोजित किया गया था?

A. ब्रुसेल्स, बेल्जियम B. द हेग, नीदरलैंड
C. बर्लिन, जर्मनी D. पेरिस, फ्रांस

170. जून 2025 में संघर्ष के दौरान ईरान से भारत द्वारा शुरू किए गए निकासी मिशन का नाम क्या है?

A. ऑपरेशन वंदे भारत B. ऑपरेशन समुद्र सेतु
C. ऑपरेशन सिंधु D. ऑपरेशन सुरक्षा

171. जून 2025 में किस डायमंड लीग इवेंट में पुरुषों की भाला फेंक स्पर्धा में नीरज चोपड़ा ने जीत हासिल की?

A. दोहा डायमंड लीग B. ज्यूरिख डायमंड लीग
C. पेरिस डायमंड लीग D. रोम डायमंड लीग

172. QS वर्ल्ड यूनिवर्सिटी रैंकिंग 2026 में कौन-सा विश्वविद्यालय शीर्ष पर रहा?

A. स्टैनफोर्ड यूनिवर्सिटी
B. यूनिवर्सिटी ऑफ ऑक्सफोर्ड
C. मैसाचुसेट्स इंस्टीट्यूट ऑफ टेक्नोलॉजी (MIT)
D. हार्वर्ड यूनिवर्सिटी

173. 11वें अंतर्राष्ट्रीय योग दिवस (IDY) 2025 का विषय क्या है?

A. वैश्विक शांति के लिए योग
B. स्वास्थ्य और सद्भाव के लिए योग
C. एक पृथ्वी, एक स्वास्थ्य के लिए योग
D. जलवायु और समुदाय के लिए योग

174. किस भारतीय एनिमेटेड फिल्म ने एनेसी 2025 में सर्वश्रेष्ठ एनिमेटेड फिल्म के लिए जूरी पुरस्कार जीता?

A. द जंगल बुक B. माइटी लिटिल भीम
C. देसी ऊन D. हनुमान

175. भारत के अधिकांश हिस्सों में आगामी राष्ट्रीय जनगणना के लिए संदर्भ तिथि कब है?

A. 1 अक्टूबर, 2026 B. 1 जनवरी, 2026
C. 1 मार्च, 2027 D. 1 अप्रैल, 2027

176. ICC विश्व टेस्ट चैम्पियनशिप फाइनल 2025 किस टीम ने जीता?

A. ऑस्ट्रेलिया B. इंग्लैंड
C. भारत D. दक्षिण अफ्रीका

177. 12 जून 2025 को एयर इंडिया लंदन फ्लाइट क्रैश में किस प्रकार का विमान शामिल था?

A. एयरबस A320
B. बोइंग 777
C. बोइंग 737 मैक्स
D. बोइंग 787-8 ड्रीमलाइनर

178. पुस्तकों की सस्ती डिलीवरी के लिए जून 2025 में डाक विभाग द्वारा शुरू की गई नई डाक सेवा का नाम क्या है?

A. बुक पोस्ट B. ज्ञान सेतु
C. ज्ञान पोस्ट D. शिक्षा मेल

179. जून 2025 में ईरान के परमाणु और सैन्य स्थलों को निशाना बनाकर किए जाने वाले इजरायल के सैन्य अभियान का नाम क्या है?

A. डेजर्ट थंडर B. आयरन शील्ड
C. राइजिंग लायन D. स्टॉर्म फाल्कन

180. जून 2025 में ICC हॉल ऑफ फेम में किस भारतीय क्रिकेटर को शामिल किया गया?

A. विराट कोहली B. राहुल द्रविड़
C. एमएस धोनी D. सचिन तेंदुलकर

181. फ्रेंच ओपन 2025 में पुरुष एकल का खिताब किसने जीता?

A. नोवाक जोकोविच B. जैनिक सिनर
C. लोरेंजो मुसेट्टी D. कार्लोस अल्काराज

182. फ्रेंच ओपन 2025 में महिला एकल का खिताब किसने जीता?

A. आर्यना सबालेंका B. सेरेना विलियम्स
C. कोको गॉफ D. इगा स्विएटेक

183. इंडियन प्रीमियर लीग (आईपीएल) 2025 का खिताब किसने जीता?

A. पंजाब किंग्स B. चेन्नई सुपर किंग्स
C. रॉयल चैलेंजर्स बेंगलुरू D. गुजरात टाइटन्स

184. जून 2025 में संयुक्त राष्ट्र महासभा के अध्यक्ष के रूप में किसे चुना गया?

A. हेल्गा शिमड B. फिलेमोन यांग
C. एनालेना बेयरबॉक D. एंटोनियो गुटेरेस

185. निम्नलिखित में से कौन-सा पुल दुनिया का सबसे ऊँचा रेलवे आर्च ब्रिज है, जिसका उद्घाटन प्रधानमंत्री मोदी ने जून 2025 में किया?

A. हावड़ा ब्रिज B. अंजी खड्ड ब्रिज
C. पंबन ब्रिज D. चिनाब ब्रिज

186. 30 मई 2025 को कौन-सा भारतीय राज्य राष्ट्रीय रूप से निर्धारित 95% पूर्ण साक्षरता के मानदंड को पार करने वाला दूसरा राज्य बना?

A. केरल B. गोवा
C. तमिलनाडु D. हिमाचल प्रदेश

187. एशियाई एथलेटिक्स चैंपियनशिप 2025 कहाँ आयोजित की गई थी?

A. टोक्यो, जापान
B. गुमी, दक्षिण कोरिया
C. बैंकॉक, थाईलैंड
D. बीजिंग, चीन

188. निम्नलिखित में से किसे लोक संगीत में उनके योगदान के लिए मई 2025 में मरणोपरांत पद्म विभूषण मिला?

A. बिबेक देबरॉय
B. शारदा सिन्हा
C. कोलीन गैंटजर
D. अजय भट्ट

189. मई 2025 में F42 भाला फेंक श्रेणी में नया विश्व रिकॉर्ड किसने बनाया?

A. सुमित अंतिल
B. रॉबर्टो फ्लोरियानी एडेनिलसन
C. महेंद्र गुर्जर
D. नीरज चोपड़ा

190. प्रधानमंत्री नरेंद्र मोदी ने मई 2025 में नए लोकोमोटिव विनिर्माण संयंत्र का उद्घाटन कहाँ किया?

A. वडोदरा, गुजरात
B. सूरत, गुजरात
C. दाहोद, गुजरात
D. राजकोट, गुजरात

191. 15 मई 2025 को 78वें कान फिल्म महोत्सव मई 2025 को ''पाल्मे डी ओर'' किसने जीता?

A. हयाकावा ची
B. सुजुकी यूई
C. जाफर पनाही
D. असगर फरहादी

192. नीति आयोग के वर्तमान सीईओ (मई 2025 तक) कौन हैं?

A. अमिताभ कांत
B. परमेश्वरन अय्यर
C. बी.वी. सुब्रह्मण्यम
D. राजीव कुमार

193. मई 2025 में हुए एक समझौते में ब्रिटेन ने मॉरीशस को कौन-से द्वीप लौटाए?

A. मालदीव
B. लक्षद्वीप
C. चागोस द्वीप
D. सेशेल्स

194. मई 2025 में अमेरिकी राष्ट्रपति द्वारा घोषित गोल्डन डोम शील्ड का प्राथमिक उद्देश्य क्या है?

A. GPS के लिए उपग्रहों को लॉन्च करना
B. लंबी दूरी की मिसाइल खतरों का पता लगाना और उन्हें रोकना
C. अमेरिकी नौसेना रक्षा प्रणालियों को बदलना
D. साइबर हमलों को रोकना

195. 2025 में गुजरात की 16वीं शेर जनगणना में कितने एशियाई शेर दर्ज किए गए?

A. 721
B. 817
C. 891
D. 956

196. दक्षिण एशियाई फुटबॉल महासंघ (SAFF) अंडर-19 फुटबॉल चैंम्पियनशिप 2025 किसने जीती?

A. नेपाल
B. बांग्लादेश
C. भारत
D. श्रीलंका

197. मई 2025 में 59 सांसदों वाले सात समूहों को 32 देशों में भेजने का मुख्य उद्देश्य क्या है?

A. भारतीय पर्यटन और संस्कृति को बढ़ावा देना
B. अंतर्राष्ट्रीय व्यापार समझौतों पर हस्ताक्षर करना
C. ऑपरेशन सिंदूर के तहत आतंकवाद के खिलाफ एकजुट रुख पेश करना
D. संयुक्त राष्ट्र सुरक्षा परिषद में भारत की स्थायी सीट के लिए अभियान चलाना

198. जगद्गुरु रामभद्राचार्य को किस भाषा के साहित्य में उनके योगदान के लिए 58वें ज्ञानपीठ पुरस्कार से सम्मानित किया गया?

A. हिंदी
B. उर्दू
C. संस्कृत
D. तमिल

199. खेलो इंडिया यूथ गेम्स 2025 में कौन-सा राज्य ओवरऑल चैंपियन बनकर उभरा?

A. हरियाणा
B. राजस्थान
C. उत्तर प्रदेश
D. महाराष्ट्र

200. 2025 में 78वें कान फिल्म महोत्सव के उद्घाटन पर मानद पाल्मे डी'ओर किसे मिला?

A. लियोनार्डो डिकैप्रियो
B. जूलियट बिनोचे
C. रॉबर्ट डी नीरो
D. अनुपम खेर

201 वेनेजुएला में लोकतांत्रिक आंदोलन का नेतृत्व करने की साहस के लिए किसे 2025 के नोबेल शांति पुरस्कार से सम्मानित किया गया?

A. मारिया रेशा
B. नर्गिस मोहम्मदी
C. मारिया कोरिना मचाडो
D. मलाला यूसुफजई

202. किस लेखक को उनके दूरदर्शी मध्य यूरोपीय गद्य के लिए साहित्य में 2025 का नोबेल पुरस्कार मिला?

A. जॉन फॉसे
B. लास्जलो क्रास्जनाहोरकाई
C. हारुकी मुराकामी
D. सलमान रुश्दी

203. दिसंबर 2025 में, पशु कल्याण के लिए ग्लोबल ह्यूमैनिटेरियन अवार्ड प्राप्त करने वाले सबसे कम उम्र के और पहले एशियाई कौन बने?

A. रतन टाटा
B. अनंत अंबानी
C. सुंदर पिचाई
D. डॉ. जेन गुडॉल

204. सुसुमु कितागावा, रिचर्ड रॉबसन और उमर एम. याघी को 2025 का रसायन विज्ञान का नोबेल पुरस्कार किसके विकास के लिए दिया गया?

A. क्वांटम डॉट्स
B. मेटल-ऑर्गेनिक फ्रेमवर्क (MOFs)
C. क्लिक केमिस्ट्री
D. लिथियम-आयन बैटरी

205. ''मैक्रोस्कोपिक क्वांटम मैकेनिकल टनलिंग'' से संबंधित खोजों के लिए भौतिकी में 2025 का नोबेल पुरस्कार किसने जीता?
A. जॉन एम. मार्टिनिस, मिशेल एच. डेवरेट और जॉन क्लार्क
B. एलेन एस्पेक्ट और जॉन क्लॉसर
C. पियरे एगोस्टिनी और फेरेंक क्रॉज
D. मौंगी बावेंडी और लुई ब्रूस

206. फिजियोलॉजी या मेडिसिन में 2025 का नोबेल पुरस्कार किस खोज के लिए दिया गया?
A. mRNA टीके
B. माइक्रोआरएनए (MicroRNA)
C. पेरिफेरल इम्यून टॉलरेंस (Peripheral immune tolerance)
D. हेपेटाइटिस सी वायरस

207. आर्थिक विज्ञान में 2025 सेवरिग्स रिक्सबैंक पुरस्कार के विजेता कौन थे?
A. क्लाउडिया गोल्डिन और जोशुआ एंग्रिस्ट
B. जोएल मोकिर, फिलिप एघियन और पीटर हॉविट
C. बेन बर्नानके और डगलस डायमंड
D. अभिजीत बनर्जी और एस्तेर डुफ्लो

208. किस भारतीय व्यक्तित्व को प्रेरणा और कार्रवाई श्रेणी में 2025 संयुक्त राष्ट्र ''चैंपियंस ऑफ द अर्थ'' पुरस्कार से सम्मानित किया गया?
A. सुप्रिया साहू B. अफरोज शाह
C. नरेंद्र मोदी D. सुनीता नारायण

209. भारत में आयोजित 2025 ICC महिला क्रिकेट ODI विश्व कप किस टीम ने जीता?
A. ऑस्ट्रेलिया B. इंग्लैंड
C. भारत D. दक्षिण अफ्रीका

210. 2025 महिला क्रिकेट विश्व कप में किसे ''प्लेयर ऑफ द टूर्नामेंट'' नामित किया गया?
A. स्मृति मंधाना B. दीप्ति शर्मा
C. लौरा वोल्वाईट D. शेफाली वर्मा

211. दिसंबर 2025 में, कौन-सी भारतीय क्रिकेटर T20 अंतर्राष्ट्रीय मैचों में 4,000 रन पार करने वाली पहली भारतीय महिला बनीं?
A. हरमनप्रीत कौर B. शेफाली वर्मा
C. स्मृति मंधाना D. जेमिमा रोड्रिग्स

212. दिसंबर 2025 में किस राज्य ने अपना पहला सैयद मुश्ताक अली ट्रॉफी (SMAT) खिताब जीता?
A. महाराष्ट्र B. हरियाणा
C. झारखंड D. तमिलनाडु

213. लगातार पांचवां खिताब सुरक्षित करते हुए 2025 F1 वर्ल्ड ड्राइवर्स चैंपियनशिप किसने जीती?
A. लुईस हैमिल्टन B. मैक्स वेरस्टैपेन
C. लैंडो नॉरिस D. चार्ल्स लेक्लर

214. विश्व बैंक के वर्तमान अध्यक्ष कौन हैं?
A. अजय बंगा B. डेविड मालपास
C. क्रिस्टालिना जॉर्जीवा D. जेनेट येलेन

215. नवंबर 2025 में भारत के नए नियंत्रक और महालेखा परीक्षक (CAG) के रूप में किसे नियुक्त किया गया?
A. गिरीश चंद्र मुर्मू B. के. संजय मूर्ति
C. टी.वी. सोमनाथन D. शक्तिकांत दास

216. किसने 2024 के अंत/2025 की शुरुआत में भारत के 51वें मुख्य न्यायाधीश (CJI) के रूप में शपथ ली, और मई 2025 तक अपना कार्यकाल जारी रखा?
A. न्यायमूर्ति डी.वाई. चंद्रचूड़
B. न्यायमूर्ति संजीव खन्ना
C. न्यायमूर्ति बी.आर. गवई
D. न्यायमूर्ति सूर्यकांत

217. दिसंबर 2025 में एयरटेल इंडिया के MD और CEO के रूप में किसे नियुक्त किया गया?
A. गोपाल विट्ठल B. शाश्वत शर्मा
C. सुनील मित्तल D. अनंत गोयनका

218. किस भारतीय न्यायाधीश को WIPO (विश्व बौद्धिक संपदा संगठन) के न्यायाधीशों के सलाहकार बोर्ड के अध्यक्ष के रूप में चुना गया?
A. न्यायमूर्ति प्रतिभा एम. सिंह
B. न्यायमूर्ति इंदु मल्होत्रा
C. न्यायमूर्ति हिमा कोहली
D. न्यायमूर्ति नागरत्ना

219. भारत के 29वें महालेखा नियंत्रक (CGA) के रूप में किसे नियुक्त किया गया?
A. एस.एस. दुबे B. टी.सी.ए. कल्याणी
C. भारती दास D. सोनाली सिंह

220. अक्टूबर 2025 में किस भारतीय स्टार एथलीट को प्रादेशिक सेना में ''मानद लेफ्टिनेंट कर्नल'' के पद से सम्मानित किया गया?
A. एमएस धोनी B. नीरज चोपड़ा
C. अभिनव बिंद्रा D. सचिन तेंदुलकर

221. दिसंबर 2025 में, ISRO ने डायरेक्ट-टू-स्मार्टफोन कनेक्टिविटी के लिए किस अगली पीढ़ी के वाणिज्यिक उपग्रह को लॉन्च करने के लिए अपने LVM3 रॉकेट का उपयोग किया?
A. GSAT-24
B. ब्लू बर्ड ब्लॉक-2 (BlueBird Block-2)
C. वनवेब जेन-2 (OneWeb Gen-2)
D. स्टारलिंक-V3

222. 2025 की शुरुआत में सफलतापूर्वक प्रदर्शित भारत के पहले स्पेस डॉकिंग मिशन का नाम क्या है, जिसने 2025 के अंत में अंतरिक्ष स्टेशन मॉड्यूल का मार्ग प्रशस्त किया?

A. गगनयान-2 B. स्पैडेक्स (SpaDeX)
C. चंद्रयान-4 D. एस्ट्रोडॉक

223. किस कंपनी ने दिसंबर 2025 में LEO (लो अर्थ ऑर्बिट) में अब तक का सबसे बड़ा वाणिज्यिक संचार उपग्रह लॉन्च किया?

A. स्पेसएक्स (SpaceX)
B. ब्लू ओरिजिन (Blue Origin)
C. एएसटी स्पेसमोबाइल (AST SpaceMobile)
D. वनवेब (OneWeb)

224. नवंबर 2025 में, कौन-सा देश ''एआई कैबिनेट मंत्री'' नियुक्त करने वाला पहला देश बना?

A. एस्टोनिया B. अल्बानिया
C. यूएई D. दक्षिण कोरिया

225. केंद्रीय बजट 2025 का विषय (थीम) क्या है, जिसने 2025 के अंत में अर्थव्यवस्था को महत्वपूर्ण रूप से प्रभावित किया?

A. आत्मनिर्भर भारत
B. सबका विकास
C. विकसित भारत 2047
D. डिजिटल इंडिया

226. दिसंबर 2025 में 11वें भारत अंतर्राष्ट्रीय विज्ञान महोत्सव (IISF) की मेजबानी किस भारतीय शहर ने की?

A. बेंगलुरु B. पुणे
C. पंचकुला D. लखनऊ

227. ''वक्फ (संशोधन) अधिनियम 2025'', है का नाम बदलकर क्या रखा गयाः

A. वक्फ सुधार अधिनियम
B. उमीद (UMEED) एक्ट
C. एकीकृत ट्रस्ट अधिनियम
D. वक्फ पारदर्शिता अधिनियम

228. मई 2025 में, भारत ने ''ऑपरेशन सिंदूर'' चलाया। इसका प्राथमिक उद्देश्य क्या था?

A. सूडान से भारतीयों की निकासी
B. आतंकी शिविरों पर सटीक हमले
C. गाजा को मानवीय सहायता
D. नेपाल में भूकंप राहत

229. किस राज्य सरकार ने दिसंबर 2025 में अपनी तरह का पहला ''गिग वर्कर्स वेलफेयर एक्ट'' पारित किया?

A. राजस्थान B. कर्नाटक
C. झारखंड D. तेलंगाना

230. अक्टूबर 2024 में हरियाणा के 11वें मुख्यमंत्री के रूप में किसने शपथ ली?

A. भूपिंदर सिंह हुड्डा B. नायब सिंह सैनी
C. अनिल विज D. दुष्यंत चौटाला

231. अक्टूबर 2024 में, किस वैश्विक नेता ने अमेरिकी राष्ट्रपति चुनाव जीता (दूसरे कार्यकाल के लिए सत्ता में वापसी)?

A. जो बाइडेन B. कमला हैरिस
C. डोनाल्ड ट्रम्प D. रॉन डेसेंटिस

232. 2025 के अंत (नवंबर/दिसंबर) में G20 शिखर सम्मेलन की मेजबानी किस देश ने की?

A. ब्राजील B. दक्षिण अफ्रीका
C. भारत D. अमेरिका

233. नवंबर 2025 में, किस राष्ट्र के नेता विक्टर ओर्बन ने रूस और अमेरिका के बीच एक उच्च स्तरीय शांति वार्ता की मध्यस्थता की?

A. पोलैंड B. हंगरी
C. ऑस्ट्रिया D. तुर्किये

234. COP30 जलवायु शिखर सम्मेलन (नवंबर 2025) की मेजबानी किस देश द्वारा की गई थी?

A. यूएई B. अजरबैजान
C. ब्राजील D. ऑस्ट्रेलिया

235. बॉलीवुड के ''ही-मैन'' के रूप में जाने जाने वाले किस अनुभवी भारतीय अभिनेता का नवंबर 2025 में निधन हो गया?

A. कादर खान B. धर्मेंद्र
C. महेंद्र नाथ D. ऋषि कपूर

236. 2025 के अंत में जारी ''ग्लोबल इनोवेशन इंडेक्स 2025'' में भारत का रैंक क्या है?

A. 35वां B. 38वां
C. 40वां D. 42वां

237. ''विश्व मृदा दिवस'' किस दिन मनाया जाता है?

A. 1 दिसंबर B. 5 दिसंबर
C. 10 दिसंबर D. 16 अक्टूबर

238. ''स्टैच्यू ऑफ यूनिटी'' ने अक्टूबर में अपनी वर्षगांठ मनाई। यह गुजरात के किस जिले में स्थित है?

A. नर्मदा B. अहमदाबाद
C. सूरत D. वडोदरा

239. किस अंतर्राष्ट्रीय संगठन ने 24 अक्टूबर 2025 को अपनी 80वीं वर्षगांठ मनाई?

A. विश्व बैंक B. आईएमएफ
C. संयुक्त राष्ट्र D. डब्ल्यूएचओ

240. 2025 के अंत की रिपोर्ट के अनुसार, भारत दुनिया की ____ सबसे बड़ी अर्थव्यवस्था बन गया है।

A. तीसरी B. चौथी
C. पांचवीं D. छठी

241. ''प्रतिभूति बाजार संहिता विधेयक 2025'' का उद्देश्य किस निकाय को नियंत्रित करने वाले कानूनों को समेकित करना है?

A. आरबीआई (RBI)
B. सेबी (SEBI)
C. आईआरडीएआई (IRDAI)
D. पीएफआरडीए (PFRDA)

242. किस बैंक ने विशेष रूप से महिलाओं के लिए ''अवनी'' (Avni) बचत खाता लॉन्च किया?

A. एचडीएफसी बैंक B. आईसीआईसीआई बैंक
C. बंधन बैंक D. एसबीआई

243. दिसंबर 2025 में किस संगठन ने ''टैक्स प्रज्ञा'' (Tax Pragya) नामक एक एआई-संचालित टैक्स रिसर्च प्लेटफॉर्म लॉन्च किया?

A. केपीएमजी (KPMG) B. डेलॉयट इंडिया
C. ईवाई (EY) D. पीडब्ल्यूसी (PWC)

244. 2025 के अंत में भारत के पूर्वी तट से टकराने वाले ''चक्रवात दाना'' (Cyclone Dana) का नाम किस देश ने रखा था?

A. ओमान B. कतर
C. सऊदी अरब D. यूएई

245. भारत का कौन-सा राष्ट्रीय उद्यान नवंबर 2025 में पांच चीता शावकों के सफल जन्म के लिए चर्चा में था?

A. जिम कॉर्बेट B. कूनो नेशनल पार्क
C. काजीरंगा D. गिर नेशनल पार्क

246. किस राज्य सरकार ने 2025 के अंत में ''मुख्यमंत्री मैया सम्मान योजना'' शुरू की?

A. पश्चिम बंगाल B. ओडिशा
C. झारखंड D. बिहार

247. ''ग्लोबल बायोडायवर्सिटी फ्रेमवर्क'' बैठक (COP16) 2024 के अंत/2025 में किस शहर में हुई?

A. कैली, कोलंबिया B. मॉन्ट्रियल, कनाडा
C. कुनमिंग, चीन D. पेरिस, फ्रांस

248. 2025 के अंत में यूनेस्को द्वारा किस भारतीय शहर को ''साहित्य का शहर'' (City of Literature) के रूप में मान्यता दी गई थी?

A. ग्वालियर B. कोझिकोड
C. जयपुर D. वाराणसी

249. 2025 राष्ट्रमंडल शासनाध्यक्षों की बैठक (CHOGM) की मेजबानी किसके द्वारा की गई थी?

A. रवांडा B. समोआ
C. भारत D. यूके

250. ''वाइब्रेंट गुजरात ग्लोबल समिट'' 2025 का विषय (थीम) क्या था?

A. गेटवे टू द फ्यूचर
B. आत्मनिर्भर गुजरात
C. इन्वेस्टिंग इन टुमारो
D. ग्रीन ग्रोथ

उत्तरमाला

1	2	3	4	5	6	7	8	9	10
B	C	B	C	B	B	B	C	C	C
11	**12**	**13**	**14**	**15**	**16**	**17**	**18**	**19**	**20**
C	B	B	C	B	A	C	D	B	B
21	**22**	**23**	**24**	**25**	**26**	**27**	**28**	**29**	**30**
B	C	B	B	B	B	B	C	C	B
31	**32**	**33**	**34**	**35**	**36**	**37**	**38**	**39**	**40**
B	B	D	C	B	C	B	C	B	B
41	**42**	**43**	**44**	**45**	**46**	**47**	**48**	**49**	**50**
A	B	B	B	B	C	B	C	B	B
51	**52**	**53**	**54**	**55**	**56**	**57**	**58**	**59**	**60**
C	B	B	B	B	C	C	C	B	D
61	**62**	**63**	**64**	**65**	**66**	**67**	**68**	**69**	**70**
C	C	B	C	C	C	D	C	B	B
71	**72**	**73**	**74**	**75**	**76**	**77**	**78**	**79**	**80**
B	C	A	B	B	C	C	B	B	C

81	82	83	84	85	86	87	88	89	90
C	C	C	C	C	C	C	B	B	B
91	**92**	**93**	**94**	**95**	**96**	**97**	**98**	**99**	**100**
B	B	C	B	C	C	B	C	C	B
101	**102**	**103**	**104**	**105**	**106**	**107**	**108**	**109**	**110**
B	B	B	B	B	B	C	C	C	B
111	**112**	**113**	**114**	**115**	**116**	**117**	**118**	**119**	**120**
B	C	C	C	B	B	B	B	B	B
121	**122**	**123**	**124**	**125**	**126**	**127**	**128**	**129**	**130**
A	B	C	C	A	B	B	B	C	B
131	**132**	**133**	**134**	**135**	**136**	**137**	**138**	**139**	**140**
C	C	A	B	B	B	B	B	D	C
141	**142**	**143**	**144**	**145**	**146**	**147**	**148**	**149**	**150**
B	B	B	B	C	B	B	C	B	B
151	**152**	**153**	**154**	**155**	**156**	**157**	**158**	**159**	**160**
B	C	C	D	C	C	C	B	C	C
161	**162**	**163**	**164**	**165**	**166**	**167**	**168**	**169**	**170**
C	D	C	B	C	C	C	C	B	C
171	**172**	**173**	**174**	**175**	**176**	**177**	**178**	**179**	**180**
C	C	C	C	C	D	D	C	C	C
181	**182**	**183**	**184**	**185**	**186**	**187**	**188**	**189**	**190**
D	C	C	C	D	B	B	B	C	C
191	**192**	**193**	**194**	**195**	**196**	**197**	**198**	**199**	**200**
C	C	C	B	C	C	C	C	D	C
201	**202**	**203**	**204**	**205**	**206**	**207**	**208**	**209**	**210**
C	B	B	B	A	C	B	A	C	B
211	**212**	**213**	**214**	**215**	**216**	**217**	**218**	**219**	**220**
C	C	C	A	B	B	B	A	B	B
221	**222**	**223**	**224**	**225**	**226**	**227**	**228**	**229**	**230**
B	B	C	B	B	C	B	B	C	B
231	**232**	**233**	**234**	**235**	**236**	**237**	**238**	**239**	**240**
C	B	B	C	B	B	B	A	C	B
241	**242**	**243**	**244**	**245**	**246**	**247**	**248**	**249**	**250**
B	C	B	B	B	C	A	B	B	A

●●●